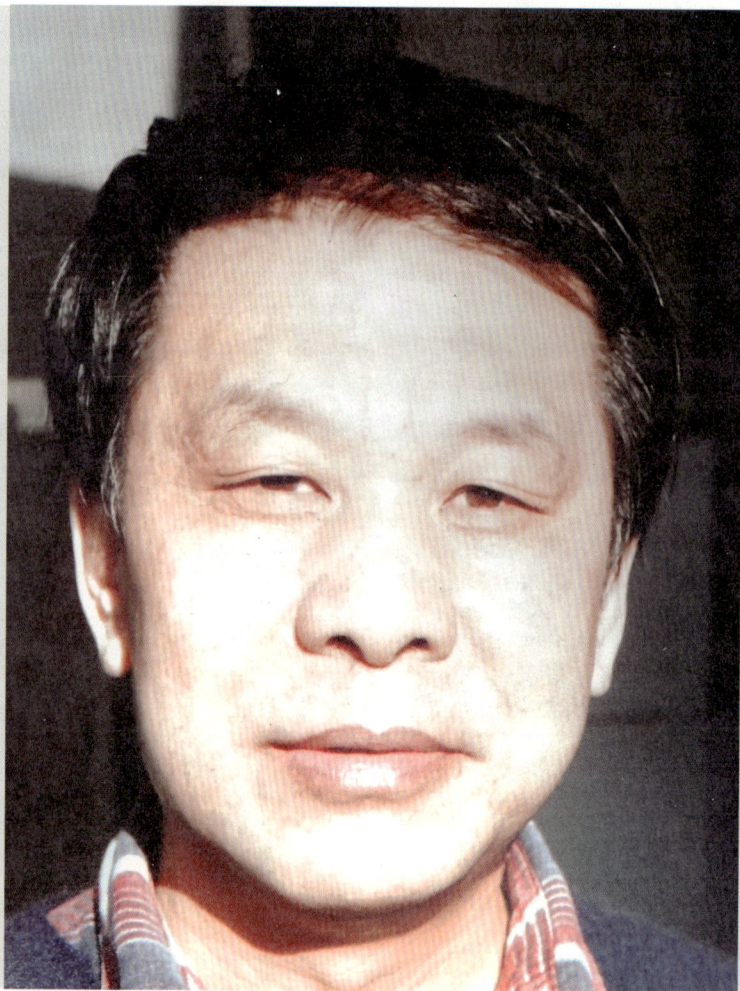

▲ 1988 年的刘心武

1992 年在瑞典文学院聆听沃尔科特受奖演说后请他签名 ▼

▲ 独立思考后的表达（2003 年）

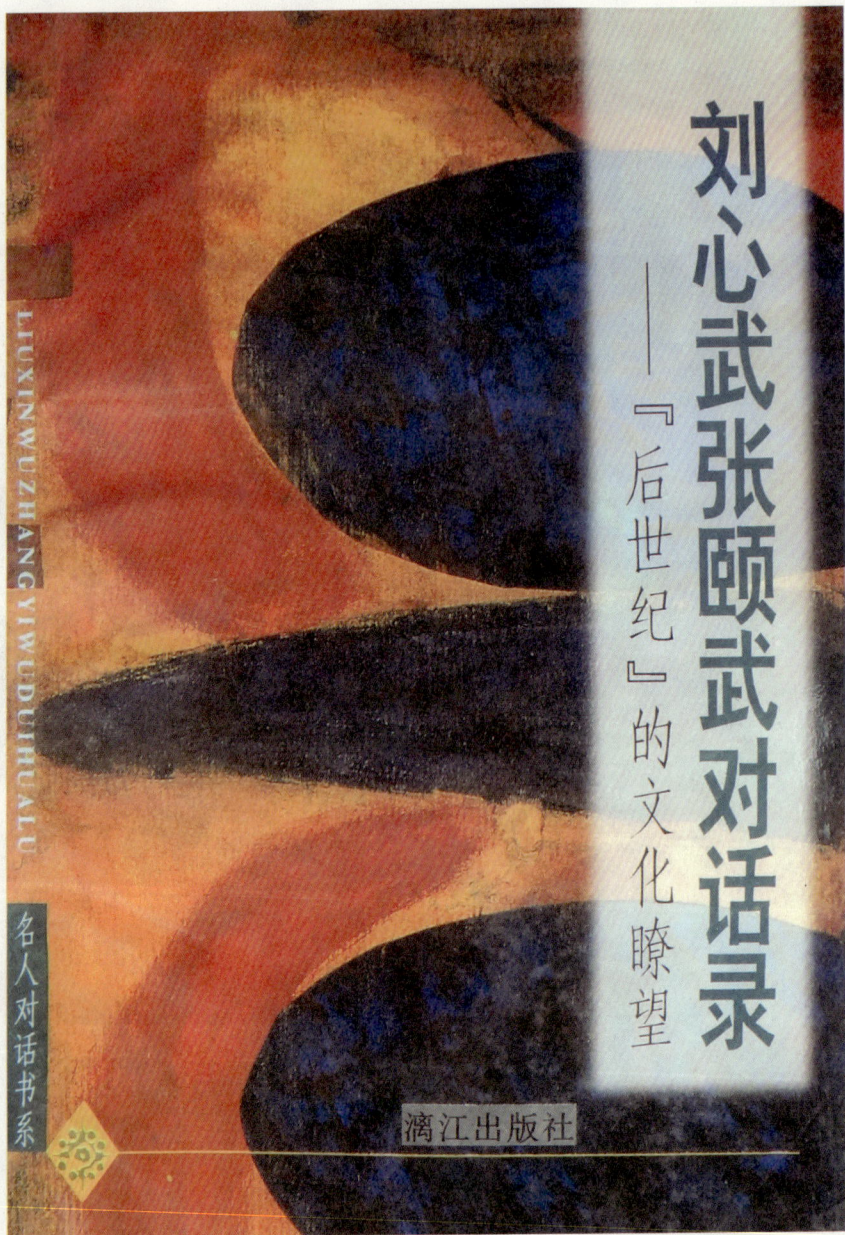

刘心武张颐武对话录

——『后世纪』的文化瞭望

漓江出版社

LIUXINWUZHANGYIWUDUIHUALU

名人对话书系

▲《刘心武张颐武对话录》封面（1996年）

刘心武文存38

[1958—2010]

文学理论与批评卷

中国作家与
当代世界

刘心武◎著

江苏人民出版社

图书在版编目(CIP)数据

中国作家与当代世界／刘心武著. —南京：江苏人民
出版社，2012.11

（刘心武文存；38. 文学理论与批评卷）

ISBN 978-7-214-08513-9

Ⅰ.①中 … Ⅱ.①刘… Ⅲ.①文学评论－文集 Ⅳ.
①I06.53

中国版本图书馆CIP数据核字(2012)第152975号

书　　　　名	中国作家与当代世界
著　　　者	刘心武
责 任 编 辑	刘　焱
统 筹 编 辑	李　丹
特 约 编 辑	朱　鸿
文 字 校 对	陈晓丹　郭慧红
装 帧 设 计	门乃婷工作室
出 版 发 行	凤凰出版传媒股份有限公司
	江苏人民出版社
出版社地址	南京湖南路1号A楼　邮编：210009
出版社网址	http://www.book-wind.com
经　　　销	凤凰出版传媒股份有限公司
印　　　刷	三河市金元印装有限公司
开　　　本	700毫米×1000毫米　1/16
印　　　张	43.75
字　　　数	384千字
彩　　　插	4
版　　　次	2012年11月第1版　2012年11月第1次印刷
标 准 书 号	ISBN 978-7-214-08513-9
定　　　价	84.00元

（江苏人民出版社图书凡印装错误可向本社调换）

《刘心武文存》出版说明

　　《刘心武文存》收录刘心武自 1958 年 16 岁至 2010 年 68 岁公开发表的文字约 900 万字。《文存》共 40 卷，按文章门类收录，计有长篇小说 5 卷、中篇小说 4 卷、短篇小说 5 卷、小小说 1 卷、儿童文学 1 卷、建筑评论 2 卷、《红楼梦》研究 4 卷、散文随笔 11 卷、杂文 1 卷、海外游记 1 卷、多品种（图文交融文本、报告文学、诗歌、剧本、足球评论、译述）1 卷、创作谈 1 卷、理论批评 1 卷、早期（1958 年至 1976 年）作品 1 卷、自述 1 卷。因跨越时间达半个世纪以上，收录定有遗漏，但其此期间的主要作品，相信均已收入。

　　《刘心武文存》各卷均附有《刘心武文学活动大事记》及《刘心武著作书目》，可备检索。

　　编辑出版《刘心武文存》的目的，意在供各方面人士阅读欣赏、分析研究、批评批判、收藏保存。

刘心武文存

38

——

目录

刘心武张颐武对话录

爱的宗教——梁晓声：平民情结——韩少功《世界》

一片绿叶对你说

刘心武文存

38

理论批评文章

该哭就哭该笑就笑

我对周总理《在文艺工作座谈会和故事片创作会议上的讲话》学习得还很不够，周总理的这个讲话犹如一座巍峨的大山，我才刚刚开始登攀，还来不及领悟其全部精髓要义。

但是，周总理在讲话中几次提到《达吉和她的父亲》，给予了我很深的印象。周总理说："我昨天看电影也几乎流泪，但没有流下来。为什么没有流下来呢？因为导演的手法使你们想哭而哭不出来，把你的感情限制住了。"导演为什么怕观众哭呢？因为"提心吊胆"，据说"父女相会哭出来就是人性论"，还有什么"人类之爱"、"温情主义"一类的帽子，统统悬在导演头上，随时有一齐落下来的危险，难怪导演欲哭又忍，弄得观众哭也不是，不哭也不是。

周总理一针见血地指出来，这是因为有些人，特别是文艺部门的某些领导同志，"首先是有个框子，非要人家这样说这样做不可，不合的就不行。""一个框子把什么都框住了，人家所说所做不合他的框子，就给戴帽子"，"先定一个框子，拿框子去套，接着是抓辫子，挖根子，戴帽子，打棍子"。这是十八年前的情况。今天情况如何呢？由于前些年林彪、"四人帮"的倒行逆施，造成的恶劣影响，说老实话，就连电影《达吉和她的父亲》那种令人"几乎流泪"的作品，也很少见了，对比之下，《达吉和她的父亲》虽然不敢让我们尽情流泪，总算还能让我们"热泪盈眶"，比起这两年拍出的某些令人既不想哭也不想笑的"帮味"未除的新片，实在是强多了。电影创作如此，其他文艺创作的状况，如小说创作，也存在着同样的问题——不敢该哭就哭，作者自己先就拼命抑制住自己的泪水，生怕堕入"低沉"、"消极"、"温情主义","人性论"的"政治泥潭",作者既然如此,读者又怎能被作品感动得流泪呢?

这种状况,涉及到一系列文艺理论上的问题,如社会主义的文学艺术要不要表现悲剧?要不要表现无产阶级的人情美和人性美?作者创作时能不能放开手地去写悲欢离合、生死歌哭?作者调动一切艺术手段令观众、读者落泪是不是一律属于"格调低沉"、"赚取廉价眼泪"、"不良倾向"等等。

这些问题,在打倒"四人帮"后的两年多里已经有所争鸣,从创作实践上看,也出现了一些闯"禁区"、进行大胆探索的或成功或不甚成功的作品。

但是,前些天听到一种议论,说是既然全党的工作重点转移到搞社会主义现代化上头来了,那么,诸如反映同"四人帮"斗争的题材,写社会主义时期悲剧的作品,以及一切令人鼻酸、落泪之作,统统可以"休矣",据说今后只能搞一种作品,就是正面反映各行各业大搞社会主义现代化的、鼓干劲的、讴歌好人好事的作品了。

我认为,这种见解是片面的。不错,全党的工作重点转移了,文学艺术也要跟着转移,我们应当及时地创作出一批迅速反映各条战线进行伟大的历史性转移的作品,其中一定会有许多是讴歌大转移中的美好的人和美好的事的,格调高昂雄健的,并不令人落泪的。但是,文学艺术要为全党的工作重点转移服务,就必须考虑到进行伟大转移的广大群众的多方面需求。战斗在各条战线上的工、农、兵和知识分子们,他们除了要求看到反映当前大转移的作品外,仍然强烈地要求看到反映从古代到"文化大革命"期间社会生活的各种题材、体裁、内容、样式的作品。在新的形势下,人们更需要置身于百花、千花、万花之中,以获得精神享受。以为他们既然白天进行"大转移",晚上、业余时间,也只希望从舞台、银幕、画幅和文学作品中看到"大转移",只愿置身于一类花卉之中,那就大错特错了。周总理告诉我们:"朱德同志说,我打了一辈子仗,想看点不打仗的片子。"这实在是很有代表性的欣赏观点。以为对炼钢工人就只能提供反映炼钢的作品,对公社社员就只能提供反映种地的作品,对搞转移的人们就只能提供反映转移本身的作品，这实际上并不一定有利于促进工人多炼钢、农民多打粮，并不一定有利于促进全党工作重点的转移。

话说回来，从中国共产党成立到全国解放，也不过二十八年，其中经历了四个阶段，每个阶段都给我们的文学家艺术家提供了写不尽的悲欢离合，也出现了一批反映新民主主义革命的好作品，但是我们总觉得不满足，还在期待着新的佳作出现。而林彪、"四人帮"肆虐了十余年，这其间真善美与假恶丑的生死搏斗，无数惊心动魄的人和事，无数上牵历史、下联未来的有待探讨的问题，在等着我们的文学艺术家们去反映，去表现，去探索，而我们只不过在两年多的时间里，搞出了一点点尚未成功的电影，初露锋芒的舞台剧和渐有反响的小说、诗歌，离今日读者观众和后代子孙的要求还差得很远很远，就有人认为"够了"，"到此为止"，这岂非咄咄怪事？！

就是正面反映各条战线上的大转移吧，试问，哪一条战线没有遭受过林彪、"四人帮"的戕害？哪一条战线上的干部、群众的心灵上绝对没有林彪、"四人帮"造成的创伤？又有哪一条战线可以说已彻底肃清了林彪、"四人帮"的流毒，治愈好了一切创伤，可以在无矛盾、无冲突的桃花源境界中单纯歌舞升平地进行转移、搞社会主义现代化？正面反映各条战线上的大转移，如果要反映得全面、深刻，真正调动起观众、读者搞社会主义现代化的积极性，就必须正面接触生活中、工作中的矛盾冲突，而矛盾冲突的一方很可能就是林彪、"四人帮"遗下的流毒和留下的创伤，这是想回避也回避不了的。并且，倘若是一个有良心的、追求真理的作者，他就不但不应当回避，而且应当主动干预，迎面"接火"；在这干预和"接火"之中，他就很可能仍要触及到阴暗面，写出悲剧，自己落泪，并令观众读者落泪。

当然，有各种各样的落泪，有悲哀之泪，也有悲愤之泪，甚至当人们高兴至极的时候，还会"笑出眼泪"。悲剧固然令人落泪，正剧中英雄人物的高尚精神、英勇献身也能令人落泪。还有一种被人称为"含笑的泪"或"含泪的笑"的欣赏效果。

《达吉和她的父亲》中令人落泪的因素，则与上述各种又不相同，那是以无产阶级的父女之情催人泪下，说实在的，以优美的无产阶级人情美、人性美感人落泪，应当列为我们文学艺术创作所应达到的重要境界之一。有些同志或许不反对以英雄人物的高尚精神和英勇献身而令人落泪，但对以揭露假恶丑的势力造成的阴暗与悲剧来令人悲愤落泪，就不大赞成了，至于淋漓尽致地表现无产阶级的父母儿女、妻子丈夫、恋人朋友之间的人情、人性，则更是视为畏途。

就我自己写作品来说，我是反对让读者消沉的，因此，我不愿让读者仅只是对假恶丑破坏真善美而悲哀地流泪，我总愿让读者相信真善美必将击败假恶丑，总愿读者能振奋起来，去为实现社会主义现代化而勇猛战斗。我想，许许多多的作者也同我一样正抱着这样一种愿望而写作。但是，我又想，毕竟精神生产和欣赏效果是一个很复杂的问题，怎么着就是引人悲愤而不令人消沉？什么样的眼泪算流对了，什么样的眼泪算流错了？这很难事先划定一个框框；实际上恐怕也不应当划出这样的一个框框。还是让作者放开手去写吧，该哭就哭，让实践去检验，这哭是哭得悲观厌世、消沉堕落，还是哭得引出沉思、化为力量、洗涤了心灵上的污垢、成为了一种向上的牵引力？

还有个该笑就笑的问题。在林彪、"四人帮"猖獗的时日里，人们不敢随便地哭，笑也不敢随便地笑。喜剧、幽默感，统统被扫荡了，连相声也不那么逗乐，令人笑起来很吃力。现在这个问题解决没有呢？从实践上看，已经出现了《枫叶红了的时候》这种讽刺敌人的喜剧和《甜蜜的事业》这种反映人民内部矛盾的喜剧，不但相声可以令人开怀大笑，就是小说、诗歌，也不乏幽默感。但是，情形也不能说已经完全令人满意。有些时候，作者还在那里欲笑又止，观众、读者则"几乎要笑"，却终于没有笑出来。这是为什么呢？我认为，关键上是有个理论性的问题没有解决，那就是——我们无产阶级的文学艺术要不要讲趣味性、娱乐性？

其实，周总理早在十八年前就把这个问题回答了。他说："有人问我：文艺的教育作用和娱乐作用是否统一的？是辩证的统一。群众看戏、看电影是要从中得到娱乐和休息，你通过典型化的表演形象，教育寓于其中，寓于娱乐之中。"笑，这是一种最好的娱乐，最积极的休息，同哭一样，笑有权列为文艺创作所应达到的重要欣赏效果之一。

　　就我自己的创作来说，前一段，我总是选择一些重大的、严肃的题材来写短篇小说，今后我也还打算这样做，我是反对用油滑的噱头去"赚取廉价的笑"的。但是，现在回过头来检验，我认为自己的作品还是缺乏足够的幽默感，而幽默这是一种高尚的情操，即使是写重大的题材，探索最严肃的问题，幽默感也是很好的一种东西，它可以使读者于思考中发出会心的微笑，从而加深对生活的认识。其实，以小说创作而论，除了写重大、严肃的题材，讽刺小说不是也很需要吗？不但可以讽刺敌人，也可以讽刺人民内部的不良倾向（当然这两种讽刺应当是不同的），即便是仅仅截取一个生活片段，勾勒一两个人物形象，使读者为美好的人和事开怀一笑，这样的小说又为什么不能存在呢？我想也是应当允许的。当然，倘若既有很丰富的思想内涵和教育意义，又能给人以充分的艺术享受，寓教于乐，那就更好了。特别是电影创作，我们都对之抱着这样的热切期望，相信早晚我们能看到这样的国产片。

　　周总理在讲话一开始就强调，一定要真正形成敢想敢说敢做的风气，并且切中时弊地指出："想，总还是想的，主要是不敢说不敢做，少了两个'敢'字。"现在我们党中央提出的新时期总任务是这样深入人心，十一届三中全会以后，形势更进一步大好，社会主义民主的潮流如大河奔泻，不可阻挡。我们应当彻底扔掉"怕"字，不但要敢想，而且要敢说敢做，在学习了周总理的讲话以后，我们更要敢冲决一切不合理的思想束缚，专业作者和业余作者团结起来，从文艺理论上大胆探索，从文艺创作上大胆实践，使我们的文学艺术创作在新的历史阶段达到新的水平。

1979 年 2 月 2 日

向母亲说说心里话
——在中国作家协会第三次会员代表大会上的发言

今天我到这里来发言，心情非常激动。我是近三年来引起人们注意的许多新作者当中的一个。我们这批作者有许多、许多的话想对文艺界的领导、对文艺界的老前辈、对在座的同志们说。千言万语，真不知从何谈起，机会难得，时间有限，今天我只讲两个问题。我希望我的发言能够传达出我们这批作者的心声，但是我事先来不及同他们商量，因此，我言责自负。

第一个问题，我想谈谈反"左"防"左"的问题。这回来开会，有三个感性的东西，不断冲激着我们这些新作者，引起我们的反复思考。头一个，是那天周扬同志作报告之前，为被林彪、"四人帮"迫害致死的牺牲者默哀，那个名单是触目惊心的，其中有的人牺牲时正当壮年，有的人虽然年纪大一点，身体本来是很好的，但他们却被害死了，有的死得很惨。当年的左联五烈士，他们被杀害时，是说他们是共产党，是搞革命的，也就是说，是把他们当左派杀的，他们牺牲得惨烈，但我想他们的灵魂是并不痛苦的；而我们现在所悼念的这一大批牺牲者，他们被残害时，给予他们的是些什么罪名呢？"反革命修正主义分子"、"资产阶级反动权威"、"老右派"、"大右派"、"漏网右派"、"黑帮"……总而言之，统统是当成右的势力来残害的，那些没能等到粉碎"四人帮"便牺牲掉的文艺烈士们，他们的灵魂一定受尽了痛苦的煎熬！面对着这份名单，当我们低首默哀时，我们不能不想到这样一个问题：为什么在我们共产党所领导的社会主义国家里，投身为人民服务、为祖国繁荣富强的文艺事业，却还要作好牺牲性命的思想准备？难怪当我开完那天的会，见到我的一些亲友时，他们当中就有人对我充满善意地说："你不要以为你上了主席台是件有福气的事，文艺界，那是个地雷阵，你看光是一个文化大革命就整死了多少人，现在你踩进那个圈子里去了，你作好被地雷炸死的准备了吗？"第二个感性的东西，就是见到了许多我们过去非常崇拜、非常景仰、非常尊敬的作家同志，他们有的被整得半身不遂，有的被整得扶拐架杖，有的失去了谈话的能力，有的过早地白完了头发……特别是当我们看到为人民写了许多好作品、做了许多好事的夏衍同志，他那只被暴徒打断了骨头，而医院又不认真给予治疗，以至造成短掉一截的病腿时，一种复杂的感情就在我们胸中激荡：为什么？为什么出现了这样的悲剧？为什么有那么多的革命者、好人，被当成右得不能再右的"修正主义分子"残害成了这样？第三个感性的东西，就是见到了许多其作品饱经风霜而仍葆其艳丽光彩的中年作者，他们思想是那么样地敏锐，对党的事业、对人民对祖国是那么样地忠心耿耿，艺术上又是那么样地才华横溢，他们近三年来写出的新作又是那么样地激动人心，而他们，你问吧，这个，那个，不是个少数，而是相当大的一个数目，竟都在1957年被打成了"右派"，他们正值风华正茂的阶段，被剥夺了写作的权利，竟长达二十年之久，人生有多少个二十年？他们自己说："这二十年被打下去，也有好处，就是深入到了人民的最底层，加强了同人民的联系。"这话固然不无道理，但是我们这些刚刚迈进文艺界的新手不禁沉思了，难道我们也得作好这样的思想准备，戴着"右派"的帽子下去深入二十年的生活，然后再回到写作岗位上来吗？不！这样的事情再也不要让它发生了！

被当做右的势力打下去的作家是如此之多，而真正是右派的作家，实践又证明几乎一个没有；有没有被当做"左"倾机会主义分子打下去，被开除作协会籍，被戴上帽子交群众监督改造、被送去劳改、致残致死的呢？奇怪，一个也没有。面对着这样的情况，我们经过思考，不得不得出这样的结论：再也不要盲目地反右反右再反右了，为了不让发生过的悲剧重演，我们必须反极左防极左！极左的东西过去极大地伤害了文艺界，今天也依然是一种现实的威胁！

这些天在讨论时，许多同志提到了安全感问题。我们这些新作者，在这方面也有很多的感触。我们在近三年来所写的一些作品，现在在邓小平同志代表党中央所作的祝辞里，在周扬同志的报告中，终于得到了正式的肯定，我们深深地知道，这公正而热情的评价，是得之不易的。我的《班主任》发表以后，就有人说："不要看引起了轰动，王蒙的《组织部来了个年轻人》怎么样？当年不是也很轰动吗？这是暴露文学，是解冻文学！"当然人们完全可以对《班主任》提出各式各样的批评，包括这样一种意见，如果他写成文章，把观点表明，展开分析，讲他的道理，那就是百家争鸣中的一家；但是讲这种话的人并不拿出文章来，他们就是要整人，要抓右派，我讲这个话并不是出于揣测，出于逻辑推理，我是有事实根据的，不是就有那么一个掌握点不大不小权力的人，伙同另一个人对我下过手吗？我不是他那个单位的工作人员，更不由他领导，与他也并无业务联系，但他却要出我的什么简报，并且公然侵犯我的公民权利，对一封转到我手上的读者写给我的来信进行外调，甚至于打电话蛮横不讲道理地要我交出这封读者来信，目的是什么呢？我想这总不能说是正常的文学批评吧？百家争鸣也不能是这么个争法吧？他的目的，就是要借一封读者来信证明《班主任》里的谢惠敏这个形象有很坏很坏的"副作用"，我这个作者则是根本要不得的！原来我以为这仅是他对我个人的仇恨，个人与个人之间的事情没有什么好讲的。但是，后来我才知道，此人又给《收获》杂志写了匿名信，攻击从维熙同志的《大墙下的红玉兰》是什么索尔仁尼琴式的反社会主义作品，真是必欲置人于死地而后快。听说《文艺报》恳请他把自己的观点写成文章公开发表，他却又拒绝亮出自己的真实观点。这种人还不止一个，别的作者也遭遇过，他们热衷于抓右派，热衷于陷人于罪，热衷于搞些不三不四的下流小动作。我举这个例子，就是要说明，搞极左势力，在文艺界还是有的，他们不但威胁着老年、中年作家的安全，也威胁着我们青年作者的安全，在这样一种威胁面前，我们不能忍让，我们要奋起抗争！

说实在的，我们这些文学嫩苗，在极左势力的威胁面前，除了自己据理力争，也需要有人挺身而出，加以保护。我们的作品发表以后，在社会上引起了强烈的反响，有成百上千的人民群众写信给我们，其中绝大多数是支持我们的，这是我们与极左势力抗争的有力后盾；但是，坦率地说，"人民群众是文艺作品最权威的评判者"这个原则虽然提出来了，在实践中却并不那么容易体现。文艺界的领导同志、有影响的批评家们、文艺界的老前辈们，他们是不是及时地站出来支持，在当前这个历史阶段，仍然在很大程度上决定着新人新作的生死存亡。感谢一大批这样的园丁和伯乐，他们挺身而出，有时还冒着风险，给予了新的幼苗、惶惑中的千里马，以热情积极的支持与严格耐心的指导。在这里，我可以代表许多新的作者，如卢新华、孔捷生、张洁、贾平凹、蒋子龙等，对《文艺报》、《文学评论》、《人民文学》、《人民日报》、《光明日报》、《工人日报》、《中国青年》杂志、《中国青年报》等等报刊，表示衷心的感谢，因为他们义不容辞地及时站出来组织了座谈与讨论，发表了文章，给予了我们宝贵的支持与指引。我想特别要提到文艺界的两位领导同志，冯牧同志和陈荒煤同志，他们在扶植新人新作方面作了许多具体的工作，这种扶植并不仅只于表现为对优点、特色和总的趋向的热情肯定，而且也表现为对弱点、缺点和其中不良因素的中肯指点；我们这些新作者过去都与这两位同志素昧平生，至今也没有很多的个人接触，因此我们对他们的感谢并不挟有什么私情。我们希望中宣部和全国文联表扬和推广他们这种扶植新人新作的精神！培育新花有功，践踏嫩苗有罪！我们期待着更多辛勤的园丁来浇灌我们，给我们剪枝打药，促我们开花结果！

当然，由于我们自身的弱点，由于我们在林彪、"四人帮"肆虐期间也或多或少地受到过毒害，由于我们思想水平和艺术水平的局限性，我们的创作都是处在不成熟或不尽成熟的状态，我们写出的作品甚至可能确有明显的缺陷。但是，我们是愿意循着革命现实主义的道路前进的，我们要说真话不说假话，我们向党向社会主义祖国向亲爱的人民捧献出自己那热腾腾的赤子之心，因此，我们应当得到扶植与帮助，指导与矫正。亲爱的党啊，现在有人在那里呼吁你站出来搞新的反右运动，呼吁你再一次拿文艺界开刀，呼吁你先抓"带头羊"，呼吁你扫荡包括我们这些嫩苗苗在内的"修正主义分子"，你可千万、千万不要上当啊！念念那天阳翰笙同志所宣布的长长的惨遭冤屈的牺牲者名单吧，望望巴金、丁玲等前辈头上的白发、脸上的纹路和夏衍等同志的残肢瘫体吧，看看刘宾雁、王蒙那一大批被迫搁笔二十年却对你始终不渝的"五七"战士的眼睛吧，翻一翻千万个读者写给我们这些新作者的充满肺腑之言的来信吧，你要警惕啊！你要慎重啊！你的文化大军，再经不起一次新的浩劫，忠实于坦率而真挚的灵魂，再经不起一次扭曲与煎熬！不管有人向你发出多少次呼吁，你一定要坚持"百花齐放、百家争鸣"的方针，一定要反"左"防"左"，一定不要让悲剧重演！

第二个问题，我想说说我们不少青年作者在创作上的想法，就是文学要为消除生活中的阴暗面而斗争。

周扬同志的报告在评价近三年来的新人新作时指出，这些作品不仅打破了"四人帮"加在文艺工作者身上的重重枷锁，冲破了他们设置的种种禁区，而且也冲破了开国后十七年的不少清规戒律。我认为，其最显著的突破之一，就是坦率地、真诚地、疾恶如仇地揭露、剖析了我们生活中的阴暗面。一开始，我们的作品只是真实地再现了林彪、"四人帮"时期光明与黑暗的搏斗，这就有人受不了了，他们出来反对，说这些作品丑化了"文化大革命"。现在叶委员长在庆祝建国三十周年的讲话里，对"文化大革命"的十年作了一个基本估价，指出林彪、"四人帮"进行的长达十年的反革命大破坏，使我国人民遭到一场大灾难，那时期我国人民被投入了血腥的恐怖之中。在这样的估价面前，他们大概不会再从这一点来纠缠了；后来，我们的作品开始触及到粉碎"四人帮"以后，人民群众中那些由于"四人帮"造成的后遗症，不仅有外伤，还有内伤，于是有人说这是"暴露文学"、"伤痕文学"；再后来，就出现了追根溯源的作品，开始探究林彪、"四人帮"极左路线形成的来龙去脉；到最近，更出现了揭示新的人民内部矛盾，触及官僚主义、特权问题、法制问题、封建意识等流毒等阴暗面的作品，于是有人认为大事不好，仿佛文艺界又惹了什么大祸，必须加以整肃不可了。

我认为，粉碎"四人帮"以后，文艺创作循着这样一个进程向前发展，是很自然的一件事。一方面，这是因为我们的党中央恢复了实事求是的优良传统，在理论战线上确立了"实践是检验真理的唯一标准"，这就必然促使文艺创作一步步回到现实主义的道路上来，并沿着这条道路向前速进；而现实主义就必须真实地反映社会生活的本来面目，我们近十多年的社会生活的本来面目就是这样：光明一直存在着，与黑暗搏斗着，但黑暗势力一度占了上风，直至今天光明基本战胜黑暗之后，还有着相当不少的阴暗面，有待我们与之斗争，加以消除。另一方面，这是因为经历了惊心动魄的十年浩劫之后，我们的人民都在深入地思考，作家们的思考比一般人往往更深入更迅捷，因此他们的作品也就较快地呈现出步步深入的面貌。

历史的经验证明，每当勇于干预生活、勇于揭示与剖析我们生活中的阴暗面，勇于向"左"倾机会主义的东西挑战的文艺作品出现时，就会有某些专拿棍子的批评家出现，就会有某些写告状信的投机分子出现，他们用骂人家右的手段，来证明自己"左"；用报喜不报忧的阿谀奉承，企图讨取领导同志的欢心与信任；用呼吁敌情严重和开展反右斗争的喧嚣，企图搞乱领导同志对政治形势的基本估计，以便他们在所谓的反右斗争中抢一个"头功"。前天柯岩同志的发言里已经准确地勾画出了他们的嘴脸，他们是标出高价，待价而沽，他们即使写匿名信，也并不忘记写上自己的通讯地址，其用意很清楚，就是一旦真的掀起了反右斗争，他就要现出真身，"对号入座"，捞取个一官半职。这种人对我们党和国家的安定团结是一种破坏性的因素，我们的党和国家吃这种人的亏吃得还少吗？这个亏不能再吃了！当然，他们当中的大多数，同林彪、"四人帮"那样的敌人还是有区别的。我们反对他们，揭露他们灵魂中的阴暗面，还是为了治病救人。前些时候，几个青年人同我谈及这种人的破坏性作用，愤激地说，为什么不搞一次反极左运动，划出一批极左分子，给他们戴上帽子，交由群众监督改造，甚至也株连一下他们的家属子女，让他们也尝尝挨整的滋味！这些青年人的偏激言论我是绝对不赞成的，但我愿向大家介绍一下这种社会思想动向，我以为这反映了广大群众对多年来害党害国至深的极左货色的深恶痛绝。我们当然不能用极左的办法来反极左，我们当然应当讲团结，但是，拿棍子打人的人和被打的人，只有在前者放下棍子、改正了整人的作风的情况下，才能够团结。打小报告整人的人和被整的人，也只有在前者放弃了恶劣用心、保证不再打小报告的情况下，才能够团结；安定团结，应当是有条件的，特别是在知识分子队伍里，这个条件就是一定要杜绝极左路线的干扰,保证不搞反右斗争,严格地实行"三不主义",实行"言者无罪、闻者足戒"、"有则改之,无则加勉"、"惩前毖后,治病救人"这样一些基本的原则!

当然,在要不要揭露阴暗面这个问题上,持反对意见的人,像上面所说的那种"棍子"只是少数,绝大多数是好心的同志,他们担心这样的作品多了,会引起群众思想的动荡,会激化某些人民内部矛盾,会干扰安定团结的大好局面,会使人悲观、消沉,从而不利于促进人民群众为实现四个现代化而奋斗。

我愿告诉这些好心的同志,我所知道的一些青年人的情况。我接触到不少这样的青年,他们思想上很苦闷,为什么?因为他们在生活的阴暗面前得不到正确的解释,他们渴望着读到那样的作品,就是坦率地面对现实生活,歌颂那真真切切存在着的光明,揭露那确确实实存在着的阴暗面,并对之加以令人信服的解释。你认为对这样的青年,拿出满篇歌颂的"歌德文学"来,就能引导他献身"四化"了吗?恰恰相反,回避生活中的阴暗面,以夸张乃至虚伪的光明瞒骗他们的东西,只能引起他们更大的苦闷,更大的失望,更大的怀疑。这样的青年为数不少啊。要以文艺的形式调动他们献身"四化"的积极性,就得拿出讲真话的作品来!一些好心的同志,光觉得我们这批新作者的一些作品写的伤痕太多了、太感伤了,殊不知恰恰是我们所写的《班主任》、《神圣的使命》、《醒来吧,弟弟》、《伤痕》、《从森林里来的孩子》、《姻缘》、《抱玉岩》、《月兰》、《铺花的歧路》、《生活的路》……这样一些作品,使他们对消除生活中的阴暗面恢复了信心,使他们对实现"四化"有了新的动力,如果不信,我们愿将我们收到的成千封读者来信,编成一厚册供同志们参考。

有一个情况,可能使某些领导同志担忧,就是有一些青年人,他们自己油印一些刊物,跑到西单墙那里张贴、出售,他们所刊登的作品,几乎百分之一百都是揭露阴暗面的,这些作品在一定的范围内,也还是颇有影响的;一些领导同志可能认为,他们这样干,已经使群众思想动荡了,我们这样一些作者再在《人民文学》、《诗刊》等党所办的刊物上发表揭露阴暗面的作品,岂不是火上加油吗?这不是有碍于安定团结吗?

在这里，我愿站出来，为那些在十年动乱里失去了宝贵的青春、心灵上布满了累累伤痕的青年们谈几句话。一些搞所谓地下刊物的青年里头，也许确有对党对社会主义完全丧失信仰，滑到反对现在党中央和我们党中央的正确路线的泥坑里，并构成刑事犯罪的反革命分子，但他们当中的大多数是可以理解的、可以争取的、可以教育的、可以团结的；对极少数罪证确凿的反革命分子逮捕判罪是必要的，但千万不要扩大化啊！宽容一些吧！把我们阔大的胸襟当做一张温暖的床，给那些心灵上伤痕累累的青年们以慰藉吧，让他们将养吧！更何况他们所刊印的作品里，他们所发表的言论里，也不是没有可取的成分。我接触到不少这样的青年人，他们称我为"官方文学家"、"御用工具"，他们对我的作品很不以为然。我也读过他们的作品，我以为他们揭露社会的阴暗面是可以的，但我不同意他们的态度、观点、感情，不同意他们那种为揭露而揭露的自然主义手法；我常常同他们吵得面红耳赤，有一回我还忍不住动了手，打了一个这样的青年一记耳光，但他们并不记恨我，我也并不对他们丧失信心，他们认为我的心是好的，我相信总有一天，他们中的多数会清醒过来。我认为，我们同他们的矛盾，完全可以采取讨论的办法，批评的办法，竞赛的办法，来加以解决。我们拿出比他们正确、比他们高明、比他们有感染力的作品，对生活中的阴暗面予以坦率的揭露与精辟的剖析。这样做，我们就不但能够赢得最广大的群众，也能把他们的绝大部分读者争取过来。甚至也可以感动、教育他们，把他们本身争取过来；他们当中有不少是确有才华的、肯于思考、探求真理的青年，一旦他们迷途知返，他们是能够为发展我们社会主义的文学事业，作出贡献的啊！

至于青年中的最大多数，他们正精神抖擞地战斗在实现"四化"的第一线，他们是思考的一代、战斗的一代，他们更要求我们拿出浸透着对时代和生活、对人与事的深刻思考的艺术品来，生活中的阴暗面不曾使他们迷惘和消沉，难道作品中的阴暗面反而会引起他们的迷惘和消沉吗？他们在生活中正为消除阴暗面进行着顽强的战斗，他们这种战斗的风姿，理应在我们的文学作品中得到最充分的体现！

当然，创作为消除阴暗面而斗争的作品，这是一个严肃而艰巨的任务。在我们已经公开发表、演出的这类作品里，可能确有一些不成功的甚至是失败的作品。它们对生活中阴暗面的解释可能不尽准确，它们可能确有这样或那样的副作用。怎么办？因为一两个作品不成功，就禁绝一切这样的作品吗？我以为，这是最坏的一种办法。还是采取大禹治水的方式吧，生活中确有阴暗面，群众中确实积蓄着一种不满和焦躁情绪，那就引导吧，引导作家们写出一批为消除阴暗面而斗争的作品。作品写得不成功，有副作用，就用争鸣的办法开展批评自我批评嘛，就扶植另外的比较准确、比较成功、没有副作用的作品嘛。我恳切地希望我们的领导同志能够理解，当群众对官僚主义或特权思想的不满高涨起来的时候，公开发表一篇比较准确地抨击官僚主义的小说，一首比较中肯地批评特权思想的诗歌，往往能立即收到缓和人民内部矛盾、消除群众中的过激情绪、促进安定团结的作用。我就遇到过几个本来情绪偏激的群众，他们读着一部这样的作品，气消了，高兴了，他们说："看，这样的作品发表出来了，说明党中央是了解这些情况的，是要解决这些问题的！"我们中国广大的老百姓是最宽容、最有分寸感的老百姓啊，这样的老百姓世界上其他地方难找啊，你只要采取"放"的方针，让他们敢于讲话，他们一般是绝不会采取过激行动的；至于社会上一小部分确实总想搞点动乱的形形色色的过激分子，那么你就是不发表任何一篇揭露官僚主义、批评特权思想的作品，他们也还是要搞他们的动乱啊！不要为防范少数人而把多数人的嘴也堵住啊！让人们畅所欲言吧，天塌不下来！

　　想谈的话还很多、很多。是亲爱的党，亲爱的新中国，亲爱的人民，把我哺育成文学新人的。在母亲面前，我心里有什么就说什么，也许我好多的想法都错了，我错了，就批评，教训我吧！我爱你，母亲！请给我以智慧、力量和信心吧！

1979 年 12 月

真实性·深度·闯禁区·构思

我想试着谈四个问题。

先谈第一个问题：真实性。我们整个文艺创作都面临着这个问题，这关系着怎样从"四人帮"的束缚中解放出来。这些年许多作品"帮风"、"帮味"很浓，包括打倒"四人帮"以后出现的作品；有的作品内容没什么大的问题，表达的概念是正确或比较正确的，但一样引起读者的反感。为什么呢？其要害就是虚伪，看上去不像生活中真正存在的人和事。要写出好作品，打动读者，关键在真实。

现在，我们要理直气壮地谈真实性。我们要为现实主义恢复名誉。现实主义就是要真实地反映社会生活（按现实主义创作方法创作历史题材或科学幻想题材的作品，也要讲求历史的真实和科学的真实），如果所写的根本不真实，显得虚假，不可信，那怎么能称作是现实主义呢？按我的理解，革命现实主义以辩证唯物主义和历史唯物主义的观点观察、分析客观世界，因此应当比其他各种现实主义更具真实性。毛泽东同志提出过"两结合"的创作方法，就是革命的现实主义和革命的浪漫主义相结合，我认为，"两结合"的关键也在真实。周恩来同志曾经这样阐述：革命现实主义是基础，革命浪漫主义是主导。我理解，搞"两结合"首先得正视现实，面对现实，真实地反映现实。我们为什么要革命？就是因为现实中还有不合理的地方，需要加以改变；如果现实生活尽善尽美，我们还革什么命呢？所以，我们干革命，就必须面对现实中的不合理部分，去考虑如何进行变革，因此诉诸文学作品，当然也就要既真实地反映现实中的合理部分，也要真实地反映现实中的不合理部分，并传达出要求发展合理部分和变革不合理部分的呼声。一方面面对现实，一方面你又要思考，现在这样不合理，怎么着才合理呢？这就是理想，就是我们追求的东西。把面对现实和充满理想结合起来，就是我们常说的"两结合"。不过"两结合"要结合得非常好是很不容易的。我认为一下子达不到"两结合"，先做到革命的现实主义也不坏，革命的现实主义能真实地反映生活，揭示出生活中什么是合理的，什么是不合理的，对合理的加以讴歌，对不合理的加以抨击，从而感动读者，使读者爱惜合理的，改变不合理的。即使革命浪漫主义的气息少些，理想还不够具体、不够带劲，我看也是不错的作品，至少总比貌似有"浪漫主义气息"，实际上拔高生活、回避生活中的不合理部分、假里假气的作品好。总之，真实性是作品的生命。

有人会问：能这样谈论真实吗？真实是阶级的真实，真实有阶级性。我认为，真情实况是一种客观存在。当然，作者在观察、分析客观存在的时候，世界观要起作用，而阶级社会里，人的世界观总是打上阶级烙印的，因此，文艺作品也总是有或显或隐的阶级性。不过，作品的真实性和阶级性虽然有着紧密的联系，却并不完全是一回事。巴尔扎克世界观反动，但他追求真实性，他的小说所反映的东西，基本上是真实的；托尔斯泰也是这样，他宣扬的"勿以暴力抗恶"的主张非常反动，但他的作品却有着高度的真实性，成为"俄国革命的一面镜子"，他对沙俄政权的"恶"的揭露是淋漓尽致、真实生动的。相反，某些革命同志的世界观并不反动，甚至非常正确，但创作方法不是现实主义的，鄙弃真实性，那么，他们写出的作品仍然是虚假的、没有价值的。所以，作家必须把真实性当做一种应当追求的境界才行。只要你力求真实地反映客观世界，反映生活，即使你思想还有某些缺点，写出的作品也总比思想正确但图解概念的标语口号式作品有价值。有人说卢新华的《伤痕》这篇小说有一目了然的弱点，如人物思想发展逻辑还不够合理啦，调子低沉啦，等等，但不管怎么说，这篇小说赛过一百篇逻辑严密、调子高昂然而缺乏真实性的作品。《伤痕》好就好在大胆地揭示了前十多年存在的一种真实的社会现象——"四人帮"制造的大量冤案、错案、假案，不但加害于当案者本人，而且株连九族。《伤痕》真实地反映了这种情况，所以一出来便引起了极大的震动。有些小说四平八稳，貌似真实、公允，但没有多少人看。这些作品尽管思想正确、语言流畅，甚至技巧也颇为圆熟，但不能让人联想起活人活事，不真实，假里假气，不受欢迎。所以我说：作品成功的秘诀，首先在于真实。

现在来谈真实性还是有阻力的。如果说要真实地写生活的光明面，大概不会有人反对，但我们提出来还要真实地写生活的阴暗面，立即就有人认为成问题了。这些同志在生活中聊天时，往往对阴暗面并不忌讳，但你一提出要写入文艺作品，他就勃然色变了。这就需要辩论清楚：我们的文艺作品能不能真实地反映生活中的阴暗面？能不能写生活中的悲剧？能不能揭示生活中确实存在的问题？

我认为，关键在于作者写作的目的，作者想达到一种什么社会效果。倘若一个作者写生活的阴暗面，是怀有恶毒的攻击党、攻击社会主义制度的目的，那当然不允许；如果是那样的作品，则必须进行批判。同样地，如果一个作者写生活的光明面，是怀有否认生活还有另外一面即阴暗面的目的，是想达到阻止党和人民去正视阴暗面、解决阴暗面的问题的社会效果，那也是不能允许的。

回顾一下过去的情况，我们可以发现，文艺批评上经常出现的偏差，是不分青红皂白，把凡是涉及到阴暗面的作品一律同反党反社会主义国上了等号，全然不去分析作者的创作目的和社会效果。而且，对反党反社会主义的解释带有相当大的随意性，想给你扣上这顶帽子，随便从作品中找出点碴儿便给你扣上。今后应当杜绝这种现象。

我的《班主任》写了光明，写了张老师、石红，但更引人注目的是写了生活中的阴暗面，写了小流氓，写了思想僵化的团干部，有个细节还写到工人下班后在路灯下扑扑克牌，于是便有人给它扣上了"暴露文学"、"批判现实主义"的帽子。这是我坚决不能同意的。我写《班主任》，目的很清楚，就是要揭出"四人帮"给学校造成的病苦，特别是青少年遭受的"内伤"，呼吁人们起来为治疗这样的"内伤"、挽救这样的"畸形儿"而斗争，我不是单纯地写阴暗面，我通篇表现的是光明与黑暗的搏斗，这样的写法，怎么能说是"暴露文学"和"批判现实主义"呢？我记得毛泽东同志在《讲话》里讲到过暴露文学，那是指一些小资产阶级作家，在国统区写作品只知一味暴露黑暗，不能向读者指出通向光明的道路，到了解放区又只是写阴暗面，看不到劳动人民正创造着光明的生活，他对此作了严肃的批评，但也并没有说这种文学比国民党法西斯文学更坏。批判现实主义是指十九世纪欧洲资本主义社会兴起的一种文学流派，主要的特点是揭露资本主义社会的种种弊病，批判当时的现实，却不能意识到无产阶级的伟大作用，或者指不出出路，或者开一些有毒的"药方"；批判现实主义当然有它的局限性，但在同时代的资产阶级文学中，它毕竟还是进步的，有生命力的一种文学流派。我写《班主任》从目的性上就同这两种文学不一样，我既不想让读者读后消沉，也不是仅仅摆出问题而不指出解决问题的方向，我完全是出于一种对我们革命事业、对下一代的深挚的爱，和对我们党、我们的人民的真诚的信心，才写这篇作品的。

从社会效果上看，那种对《班主任》的污蔑就更站不住脚了。千百个读者来信说读后受到了鼓舞，决心紧跟党中央，根除"四人帮"留下的病苦，去为实现社会主义现代化而奋斗。有不少人写信说：我就是宋宝琦；我就是谢惠敏；决心改变自己的"畸形"状态，努力把自己熔铸成一代新人。当然也有少数读者还有不同看法，但读了这篇小说而变得消沉、悲观厌世的，还没有发现一例。

社会中总是充满着问题的，追求真实性，当然也就不能回避生活中实际存在的问题。我写《班主任》就是这么做的。于是又有人把《班主任》称作"问题小说"。有的人这么说是表示赞扬，认为我们社会主义社会在前进中存在的问题，作者应当反映，并应当引导读者去加以解决；有的人这么说则表示否定，在他们嘴里，"问题小说"就是"成问题的小说"，他们或者干脆认为社会主义制度不存在什么问题，或者认为即使有问题也不能写入作品，有人说"社会主义文艺的天职就是歌颂"，甚至把建国以来的文学史说成是一部"歌颂与反歌颂的两条路线斗争史"，这种看法是很成问题的，社会主义如果没有了问题，没有了矛盾，它怎么向前发展？社会主义的文艺不去反映这些矛盾冲突，怎么起推动社会主义事业前进的作用？一味地闭起眼睛"愚颂"，必然会连"四人帮"那种社会主义社会里的痛疽也加以歌颂，本以为"歌颂"最稳妥，却偏偏可能因为歌颂了"四人帮"而犯大错误。

自从《伤痕》出来以后，又出现了一种称呼，叫"伤痕文学"，有人说起这个词儿时语调酸溜溜的，他可能是认为这些作品其实是"有伤痕的文学"即"不健康的文学"。我认为这个称呼是不科学的。《伤痕》也好，《班主任》也好，别的一些被归并到这个称呼下的作品也好，其实只在一点上是相同的，就是它们都比较真实地反映了革命人民同"四人帮"的斗争，除此以外，无论思想深度、艺术手法、语言风格等等方面，都各有千秋，并非纯属一个流派。所以，我觉得没有必要把这类作品从文学百花园中挑出来，单裁到一个角落上去。

现在来谈谈第二个问题：深度。有人说：文学家应当首先是个思想家。这话有一定的道理。我们当然离"家"的境界还很远，但我们应当用这样的高标准要求自己，我们可以这样说：文学工作者应当首先是个有思想的人。什么叫有思想的人呢？当然不是指读过多少本马列和毛著，会不会引用有关的语录，或者是不是及时掌握了党的文件、报刊社论的内容，而是指善不善于运用马列主义和完整、准确的毛泽东思想体系，来观察生活、分析生活，从而形成自己的独特的、较深入的见解。党的文件、报刊社论当然一定要熟悉，但也应化为自己的思想。一个作者有没有自己的思想，这直接关系到他写出的作品有没有思想深度。有的人一听"自己的思想"就觉得不顺耳，似乎无产阶级革命者只能是领袖怎么说我就怎么做。"理解的要执行，不理解的也要执行"，这种观点是极其有害的。我们这里所说的自己的思想，是指运用马列主义、毛泽东思想体系的立场、观点、方法，在实践中分析生活，分析人和事，经过思考以后所形成的正确或比较正确的想法。这对文学作者来说，是格外重要的。有的作者没有这种自己的思想，只是成天翻报纸，从社论和通讯报道中去找创作意图和创作素材，他写出的作品，读者是不会觉得有深度的。

《班主任》发表以后，有个读者写信说："《班主任》提出的问题，在目前的报纸社论和批判文章里还没有见到。"他认为这是一种"奇特的现象"。他之所以会有这样的感触，是因为若干年来，"四人帮"只许人们照着他们所掌握的报刊定下的调子写东西，所以人们已经习惯用那样的眼光看文艺作品——文艺作品不过是报刊社论与大批判文章的图解。我觉得今后我们不必再跟在报纸社论和大块文章、通讯报道后面爬行，文学创作和哲学研究、政治理论研究等等上层建筑一样，完全可以发挥分析生活、总结规律的能动作用，其实历史上这样的情况是不乏其例的，比如清朝最富思想深度的作品，并非某些哲学家、政治家的学术著作，反而是长篇小说《红楼梦》，《红楼梦》里提出了许多同时代哲学家、政治家所没有提出，或虽然提出了却没有那么明确的思想见解，我们把曹雪芹既当成文学家也当成思想家看待，是完全合情合理的。我认为，我们今天的文学艺术，更应当承担探索真理的作用，我们这些作者的水平虽然还低，但我们也不必气馁，我们有党的领导，有人民的支持，有马列主义、毛泽东思想体系这样先进的革命理论作指导，我们为什么不敢用自己的文学作品，去起解释生活、揭示生活发展的内在规律的作用呢？

有一个文学青年同我讨论这个问题。他说，他并没有从社论、批判文章里找素材，他还是有生活的，他所写的作品的素材都来源于他所熟悉的生活。但是，他写出的作品人家总说没有深度，这是为什么呢？我帮他分析，觉得主要是缺乏对生活的深入思考。

倘若仅仅是有生活，而不对生活进行深入的思考，从而形成对生活的某一个方面的独到的、深刻的见解，那么，写出的作品当然也就不可能有什么深度。

同样地对生活进行思考，同样地根据思考写作品，那为什么写出来的作品仍有肤浅和深刻之分呢？这就要看你思考的结论是否准确。我认为，说到头，深刻性来源于准确性。

比如我写《班主任》里的小流氓，如果我笼统地把小流氓的产生归结为"四人帮"的教唆，那就不准确，"四人帮"上台之前，社会上、学校里也有小流氓。"文化大革命"前，我教的班里就有个小流氓，头发烫成大波浪，抱个吉他来上学，好吃懒做，玩世不恭，但他并非无知无识，他知道巴黎有艾菲尔铁塔和圣母院，想去环球旅行。1970年我教的班上又来了个小流氓，就不一样了，他的主要特点是无知无识，野蛮、愚昧，他不知道西藏离家有多远，以为既然有西四、西单，西藏想必也没多远，他也不知道西藏还没通火车，跑到北京站硬要买火车票去西藏……这就说明，"四人帮"不是一般地造就了小流氓，"四人帮"的愚民政策和文化专制主义，使产生在他们猖獗时期的小流氓带有了独特的色彩。因此我要揭示出"四人帮"坑害孩子的罪恶，就不能笼统地说"小流氓无罪，罪人是'四人帮'",也不能把这一时期的小流氓写成六十年代的样子,而应当写成现在的宋宝琦这种模样。因为我对这一社会现象思考得比较透彻,提供的艺术形象比较准确地概括了最本质的东西,所以,广大读者和批评家认为宋宝琦的形象还够得上是个典型,写得比较深刻。谢惠敏这一形象的提炼就更是这样,我把握住了她在愚昧无知、固执偏见方面竟与宋宝琦有惊人相通之处这一点,大胆下笔,造成令读者震惊的效果,起到了深化主题的作用。

一部好的作品,应当既是作者思考生活的产物,又能启发读者思考、进行"再创作"。能否引动读者"掩卷深思",应当作为衡量一部作品有否深度的标志。

第三个问题:谈谈闯禁区。现在闯禁区的呼声比较强烈。什么叫禁区?我的理解,目前人们所说的禁区,是指被林彪、"四人帮"禁锢起来,不许作者触碰的生活现象和题材领域。如,他们不许歌颂老一辈无产阶级革命家,不许写真人真事,不许表现革命斗争的残酷性,不许写英雄人物牺牲,不许写悲剧,不许写人物复杂的内心活动,不许写中间状态的人物,写英雄人物不许写缺点和成长过程,不许写爱情、友情、父母子女之情,不许把反面人物当成主角……当然,有的禁区也并不是林彪、"四人帮"上台后才出现的,过去我们就存在着一些不合理的框框条条,一些有害无益的清规戒律,林彪、"四人帮"接过了这一套,加以恶性发展,作为一种达到反动政治目的的阴谋手段,结果使文艺创作动辄"犯禁",几乎已到了"寸步难行"的地步。对这些禁区,我们应当勇敢地去闯。

就艺术创作来说,是不是绝对没有禁区呢?我认为,也不好把话说绝,细想起来,艺术创作毕竟不同于自然科学的研究,自然科学是连粪便、痰涕、蛔虫、病毒也要细致地加以研究的,而艺术创作应当追求美的享受,即使我们表现的是反面人物,是应予鞭挞的社会现象,也应当处理成一种艺术造型,应当避免引起观众、读者生理上的恶感,比如戏曲舞台上的丑角,鼻子涂白,表演夸张,能引起我们感情上、理智上的痛恨与厌恶,却并不引起我们生理上的痉挛。所以,我认为,就文艺创作来说,这类禁区还是应当有的:不要黄色的描写,不要自然主义地表现刑法、凶杀、死亡……前些时看到一篇报告文学,内容是好的,揭露了"四人帮"爪牙对革命干部和革命群众的迫害,但它把"四人帮"爪牙们对革命者施用的刑法淋漓尽致地加以描绘,还配上一些画得没有艺术气息的插图,详加解释,引起读者生理上的反感,我认为这就是不妥的,不仅不美,而且会产生不好的副作用。

当然,目前的主要倾向,并不是闯禁区闯过了头,而主要还是闯得不够,某些禁区刚刚闯破,战绩还很不巩固,还有一些禁区则根本未闯破,并且带头闯禁区的同志往往还遭遇到很大的阻力。

我觉得,在对待闯禁区的问题上,目前作者中,特别是青年作者中,主要有三种态度。一种是"怕"字当头,说还是别闯禁区吧,咱们写点稳妥的,或者说咱们写点谁也不招惹的、具有永恒价值的作品。我认为这种态度是错误的。闯禁区是人民群众对我们作者的要求,闯禁区是文艺战线上真理与谬误的一场严肃的搏斗,不敢闯禁区,必然只能是在林彪、"四人帮"及习惯势力所划定的狭小天地里活动,说是谁也不招惹,其实首先就得罪了广大的群众;战战兢兢、左躲右避,写出的作品不可能传达出时代的脉搏、人民的心声,因而也不可能具有永恒的价值。列夫·托尔斯泰写《复活》,其实也是闯禁区,得罪了沙俄政权和宗教势力,但因为他真实地揭露了当时社会的弊病,所以具有了永恒的价值;当时也有些俄罗斯作家写了些谁也不得罪的作品,可谓不闯禁区之作,结果连一般的俄国文学史也不提他们,更不用说绝对不会流传到我们中国来了。另一种态度是掺杂着私心杂念,很急躁,把闯禁区当成"抢座儿"一般,比如说有的青年作者看见别人写出了闯禁区的作品,便不高兴,说那个题材我比他写得早,甚至说别人偷了他的题材。这当然是一种很不好的态度。其实,同一题材可以由不同的作者写出千变万化的作品,同一作者也可以多次地选取同一题材来创作并不雷同的作品,并不是一种题材只需要一个作品就够了。茅盾写了《春蚕》,反映三十年代帝国主义经济侵略对中国农村的冲击,叶圣陶写了《多收了三五斗》,题材一样,反映的是同一地区的生活,但二者并不雷同,读者并不因读了其中一篇就不欢迎另一篇;鲁迅写了《在酒楼上》,反映有抱负的知识分子在社会重压下沉沦下去,这也并不妨碍他再写一篇《孤独者》，同一题材、同一主题，但人物形象、故事、给予读者的艺术感受却不尽相同。所以，一个题材禁区只有一两篇作品闯入是远远不够的，我们应当抛弃私心杂念，齐心合力携手共闯禁区，使我们的文艺创作从题材上、所反映的生活面上，迅速丰富起来、开阔起来。第三种态度是胆大心细。胆大就是说有勇气，敢于闯禁区，心细就是说不乱闯，而是确实有生活积累，又经过深思熟虑，这才下笔去闯。当你对所写的生活、人物确实吃透了，在一种为真理而斗争的豪气推动下写作时，你闯禁区的行动便具备了取得成果的先决条件。

最后一个问题：谈谈如何构思。从生活到作品，这是一个很复杂的创造过程，如果说要通过一座桥，那么，这座桥最关键的部分应当说就是艺术构思。

懂不懂艺术构思，会不会艺术构思，艺术构思好不好，关系着作品的成败。

在"四人帮"独霸文坛的那些年里，艺术构思被扼杀了，他们的作品并不是由一座"桥"与生活相连，而是由一条锁链与先行的主题锁在一起了。那时候，由"主题"到"作品"，大体上是这么一个过程："主题"定下以后，先设置一号英雄人物（要贯彻"根本任务论"嘛），然后再设置一号"对立面"（一律都得"以阶级斗争为纲"嘛），光他们两个斗不成啊，于是根据"三突出"原则，再设置若干陪衬人物（通常是在"一号英雄人物"左右设置"哼""哈"二将，一个急性子，一个慢性子，以衬托出"一号英雄人物"绝对正确）；人物设置好了，便开始编故事，即安排情节，情节的发展顺序无非是，一、矛盾初起；二、矛盾发展；三、矛盾激化，推向高潮；四、矛盾解决，皆大欢喜，但"一号英雄人物"还得站在高处、亮处说点子"斗争尚未结束"之类的话。按这么个模式写出来的作品，尽管也有点排列组合式的变化，大体上却总是差不多，毫无活气，令人生厌。遗憾的是，这种"创作方法"目前仍被某些同志采用着，或者是不自觉地受其束缚而不能真正地解放思想，进入艺术构思的境界。

那么，究竟什么是艺术构思呢？我觉得，艺术构思是一个复杂的思维过程，这里面主要是形象思维，但也离不了逻辑思维（我主要是谈小说创作，美术创作也许情况又当别论）。根据我肤浅的创作经验，艺术构思根植于生活的沃土，往往开始于一个还不成型的"胚芽",这"胚芽"可能是一两个人物形象,可能是一两个个别的情节,可能是一两个独特的细节,也可能是一种充满感情的意念,却并不是一个明确的主题。"胚芽"有了以后,如果没有合适的主客观条件,它也发育不成植株,开不出花,结不成果。"胚芽"需要思想的阳光、时代的空气、具体的催生条件,逐步地向丰富、充实、完整、成熟发展,作品的主题,作品的思想深度,应当是在这个发展过程中逐步明确,逐步得到开拓,逐步达到深刻的。我曾在一篇文章中说过,当我最初构思《班主任》时,并没有事先定下一个"救救被'四人帮'坑害了的孩子"的主题,这个句子乃是我写到半途中时,自然而然落于笔下的。有位教师来信表示不可理解,他说教中学生写作文尚且要求他们先明确主题思想,你怎么可能提笔时还不知道自己要表现什么主题呢?他认为这是反"主题先行"反过了头,又搞成了宣扬"主题后行"。我仔细考虑了他的意见,觉得他主要是不理解艺术构思。创作文学作品与中学生练习写文章不是一回事,搞创作必须懂得艺术构思,艺术构思处于"胚芽"状态时,主题已经初步显现,但可能还不明确,更不深刻,必须经过一系列的创造性活动,发展构思,使之趋向成熟,再动笔写,反复改,直至作品完成,主题才得到开拓,得到深化。这并不是什么"主题后成",而是主题渐显、渐深。《班主任》的构思,"胚芽"就是三个人物:小流氓、思想僵化的团干部和一位既平凡又不简单的班主任老师,"胚芽"发展的初期,的确还没有"救救被'四人帮'坑害了的孩子"这样一个句子浮于脑际,但构思的方向是朝着这个意思发展的,到构思比较成熟时,关于《牛虻》的情节设计形成了,下笔写到张老师发现宋、谢二位品行全然不同的学生却同声将《牛虻》判为"黄书"时,才一下子针对"四人帮"的愚民政策和文化专制主义,自然而然地写出了那么一句"点睛"的话。这是我创作《班主任》的真情实况,也许我上升为理性时说不准确,但至少目前我的感受还是这样:主题不能事先拟定,而应当在构思的全过程中逐步深化,直至写成作品后方才突现。

1979 年 7 月

关于文学本性的思考

新时期文学运动的发展，已经呈现出这样一种态势：不但许多作家（其中主要是一批三十五岁左右的作家）以他们不同凡响的作品突破旧有的文学观念，构成了崭新的文学现象，而且，直接从理论上探讨文学观念的突破与发展，也已成了一桩不仅必要而且迫切的事。

理论界和文学批评界已经在开始做这件事。首先引起巨大反响的，是对文学研究中方法论变革的讨论。刘再复的《文学研究思维空间的拓展》[1] 一文，是具有代表性的一篇。再复在归纳近年来文学研究方法的新趋向时指出："我们过去的文学研究，主要侧重于外部规律，即文学与经济基础以及上层建设中其他意识形态之间的，例如文学与社会生活的关系，文学与政治的关系，作家的世界观与创作方法等，近年来研究的重心已转移到内部规律，即研究文学本身的审美特点，文学内部各要素的相互联系，文学各种门类自身的结构方式和运动规律等等，总之，是回复到自身。"文学研究的重心从文学外部向文学自身的转移，不但体现着我国文学研究（包括基础理论的研究和具体的文学批评）正从陈规陋习中突破出来，而且实际上已构成从理论上实践文学观念突破的前哨战。

在新时期的作家群中，许多在创作上活跃的作家都有着相应而来的浓厚的理论兴趣。早在几年以前，就已出现过将文学研究的重点从外部移向内部的恳挚呼吁。比如在高行健那本生气勃勃、引起争议的小册子《现代小说技巧初探》中，他就写道："如果一部小说有十篇文学评论，在十篇都以十分之八九的篇幅来谈论作品的思想性，余下之一二，笼统地提一提艺术技巧之得失，还不如用八九篇来谈思想性，一两篇来谈其艺术。这对小说家的帮助一定更为有益，因为小说家便能够对其作品的思想与艺术的得失都有个比较详细的了解。我们多么希望文艺评

---

[1] 刊《读书》1985 年第 2、3 期。

论的刊物上每期有那么一两篇艺术谈，以代替十个十分之一二。"他的这段话曾引起了包括我在内的许多作家的强烈共鸣。

把文学研究分为"文学的外部研究"和"文学的内部研究"，国外由来已久。美国的雷·韦勒克和奥·沃伦在 1948 年写成的《文学理论》一书，便以此为框架，建立起自己的文学观念体系。他们的所谓"文学的外部研究"，主要是从传记（作家的生平和个性）、心理学（作家创造过程中的心理活动）、社会（影响、制约作家创作的社会环境）、思想（哲学背景）四个方面入手；他们的所谓"文学的内部研究"，则是承继了波兰哲学家罗曼·英格尔顿从德国"现象学"家胡塞尔那里发展过来的批评方法，将文学作品分为若干层面加以研究。他们以诗为例，认为"这些层面是：(1) 声音层面，谐音、节奏和格律；(2) 意义单元，它决定文学作品形式上的语言结构、风格与文体的规则，并对之做系统的研讨；(3) 意象和隐喻，即所有文体风格中可表现诗的核心的部分，需要特别探讨，因为它们还几乎难以觉察地转换成 (4) 存在在象征和象征系统中的诗的特殊'世界'，我们称这些象征和象征系统为诗的'神话'……"[1] 国外文学研究中的这些角度和见解，无论其恰当正确与否，至少对我们有这样的启发：不但庸俗社会学的研究和批评令人厌恶，就是不庸俗的单一社会学的研究角度与标准，也是使人厌烦并窒息着文学的发展。我们亟需向文学内部即文学自身挺进，去探索文学内部的规律，或者换个说法，就是去探讨文学的本性。而文学的本性，显然，也并不能简单地就归纳为所谓艺术性，更绝不能狭隘地归结为一整套的文学技巧。当高行健写他那本小册子时，他其实把触角已经伸进了关于文学本性的范畴之中，只不过囿于当时文学运动发展所提供的弹性限度，所以他自觉地把自己的探索浓缩在文学技巧这一命题之内。值得高兴的是，文学创作中的革新潮流迅速地推动着文学理论和文学批评的发展，现在我们可以敞开地去思考和探索一些更根本的问题了。

现在我试图把自己关于文学本性的一些思考表述出来，以期引起这方面的讨论。

---

[1]《文学理论》第 165 页，三联书店版。

　　所谓文学的本性，也就是回答这样一个问题：文学的最根本的素质是什么？我以为所谓文学观念的核心，便是对这个问题的回答。而文学观念的突破，也便是在回答这个问题时采取一种新的角度，提供一种新的答案。

　　在再复那篇《文学研究思维空间的拓展》中，他把文学内部的规律称之为"文学本身的审美特点"，这也是时下许多文学研究者所取的角度和命题。比如林兴宅在探讨文学永恒性问题时，他说："文学创作与文学欣赏是方向相反的两种审美创造。"[1] 着重号是笔者所加，下同），并提出这样一种见解："优秀作品具有普遍、永恒的魅力决不是这些作品预先具有能够消融阶级、民族、时代的隔阂的一种神秘力量，而是在文学欣赏实践中建立起来的审美系统超稳定结构的功能特征。"作为站在作家和作品之外，以研究者身份鸟瞰文学的批评家，他们用"审美特点"、"审美创造"、"审美系统"这样的词语来谈论文学的本性，并且格外着眼于作家的创作过程（创作论角度）和作品一旦成立后读者的欣赏过程（批评角度），是非常自然的，顺理成章的。但是，现在我打算站在作家和作品之内，也就是立足于文学的"圆心"上，不是进行评价性时鸟瞰，而是以体察的半径来进行扫描，我便不得不改变"审美"这个词语。

　　也许是我太抠字眼儿了。就汉语的"审美"这个词语来说，"审"字本身就意味着置身于客体之外，因而"审美"应当只意味着对事物的欣赏，而并不包含那事物本身的创造过程。在我国新编的《辞海》中，不仅美学部分不能构成诸分册中的一册，甚至在哲学分册中也没有美学的地位，在"审"字后所出现的一系列语词中，开头也根本没有"审美"，直到《百科增补本》出现，才有了一个"审美鉴赏力"的词条，它是这样解释这一语词的："又称'审美趣味'，人们认识和评价美、美的事物的能力。主要在艺术创造和欣赏中形成并获得发展，因此有时亦称'艺术鉴赏力'或'艺术趣味'……"据此，"审美鉴赏力"虽然可以在艺术创造过程中形成，但它毕竟不是艺术创造本身，艺术家在艺术创造中，对生活，

---

[1]《艺术生命的秘密》，《当代文艺探索》1985 年第 2 期。

对大自然,对已经存在的艺术现象,当然有一个"审"的过程,但艺术家创造作品,主要不是在"审美"而是在"创美"。因此,为了便于说明问题,我下面把文学作品的产生,统称为"创美过程"。

审视别人创造的美即"审美",只要不是被强迫,大体上总是一桩快乐的事。然而作家创造作品即"创美",即便是在最良好的不受干扰的环境中进行,也总不免伴随着痛苦。当然,这是一种甜蜜的痛苦。这痛苦,我以为便是由文学的本性所决定的。当作家自觉地朝着文学的本性挺进时,他那痛苦感便会越发地敏锐而细腻。

那么,文学的本性究竟是什么呢?下面,我分七个方面来考察。需要说明的是,我所考察的仅仅是文学,因为我以为其他艺术门类,如音乐、舞蹈、绘画、雕塑、摄影、戏剧、电影、曲艺、杂技等等,就其本性而言,虽分别有与文学相合的因素,但差异又都是很显著的。而文学中,我作为考察重点的,又主要是叙事性文学,特别是小说。诗歌,尤其是抒情诗,我以为其本性甚至于更靠近音乐,研究起来也格外复杂,所以其逸出一般文学本性的特殊素质,这里也不作讨论。

文学的社会性

如果把文学喻为一个圆,那么无论它圆心多么坚牢,也无论它半径是多么纯净,它那圆周必然要触及到文学之外的事物,而且,在它自身的发展中,半径越长,其与外界事物的接触面便越大。

批评家鸟瞰文学,既看到了文学这个圆的内部,也看到了文学这个圆与文学外部事物的相互接触与相互作用,因此划分出文学外部与文学内部的研究范畴。一般来说,他们的研究总是从外部入手,逐渐进入内部。

我现在企图立足于文学的"圆心",从内部入手来考察文学。但我所做的头一件事,却也是顺着文学半径的转动,先扫描出文学与外部事物的联系。

这或许会使一些人感到厌烦:闹了半天,你却也不能免"俗",还是要把话题扯到文学的外部去!

　　考察一个事物的本性，不可避免地要采取这样一个角度：从它同其他事物构成的关系中，来加以确定。也就是把其他事物作为参照系，来确定它的位置和性质。有的事物，例如高等数学，它是高度抽象的，与其他事物，如社会制度、政治理想、道德伦理、社会习俗乃至于一般的经济活动、实用技术都没有什么关系，因此考察高等数学的本性时，自然不必像考察文学本性这般，要选择偌多的参照系。

　　仔细想来，文学与外部事物，尤其是与社会生活的关系，实在是不能回避的。我现在不打算从诸如"文学源于生活"这种创作论的角度来谈这个问题。我想强调的是，文学的本性之一，实实在在地便是它的社会性。

　　文学是依靠语言、文字而存在的。仅仅由语言构成的文学，即口头文学，如西方的《伊利亚特》和《奥德赛》，或我国的《阿诗玛》和《格萨尔王》，在以文字记录下来以前，还有其若干独有的本性，这里略去不作讨论。我们现在主要讨论依助于文字所构成的文学。这文学实在是人类构成了真正称得上社会的形态后方出现的东西。非口头的用文字连缀而成的能够称得上是文学的东西，它必然产生于人与人的交流之中，也就是人类的社会活动之中。因此说文学的社会性是文学的初始本性之一。

　　悟出了这一点之后，我现在便摆脱了那样一种偏激情绪，即认为文学观念的突破应当是文学与其外部事物（特别是政治、经济、教育、法律、道德诸方面）关系的松弛或淡化。而进一步考察以后，我越发感觉到所谓文学内部与外部的关系并不能以一个简单的圆周来图示，那边缘其实是极不确定的。他事物作为另有圆心和半径的圆，是与其或相切，或相割，或涵括，或融入的。因此，我也就认为并不存在一种如同高等数学中的群论、环论、伽罗华理论、格论……那般"纯"的文学；高等数学中诸如比贝尔巴赫猜想（已于 1984 年由美国普渡大学勃郎日教授证明）、哥德巴赫猜想（我国数学家陈景润已接近于证明）……的求证，据说也是一种创美，其成果并能为数学界的内行提供一种高度的审美愉悦。但那种创美和审美的社会性是淡薄的，文学与其完全异趣。文学的创美和审美都是不能离开社会性的。

　　这也就无怪乎有那么多文学界之外的人，来关注与影响文学。政治家向文学发出朴素的呼吁，要求文学能发挥鼓舞人民投入现实斗争的作用；经济部门的人士热诚地欢迎作家深入到经济生活的第一线，写出反映经济变革的作品以促进这一变革；法制部门的人士希望文学能帮助民众增强法制观念（事实上文学中已出现了一种"法制文学"的品类）；教育部门的人士在担忧文学对青少年有扰乱思想乃至腐蚀作用的同时，又企盼有利于青少年健康成长的文学作品大量涌现；我国尚无正式的道德维持会一类团体，但比如像妇联这类的组织，便往往在批评某些文学作品的"不良道德倾向"时，又强烈要求文学承担道德责任，特别是以文学作品来维护妇女和儿童的正当权益，匡正世风；科学技术部门要求文学更多地承担普及科学文化和技术知识的义务；连计划生育委员会也认为促进晚婚节育是文学的天职……文学的翅膀，承载着如此繁多、如此巨大的社会义务，该是多么沉重啊！文学家都羡慕飞鸟，因为飞鸟的翅膀只需要带动它自身的躯体，但文学的本性却更接近于飞机。飞机的翅膀所带动的机舱中，有着往往比飞机自身更贵重的人的生命和特别紧要的物品。固然整个文艺领域的各个品类都承受着相应的社会性负荷，但其中最大份额是落在了文学的肩上。这便带来了我们常常议及的作家的社会责任感和文学的社会效果问题。这使作家在所有文艺家中似乎有着更突出的光荣地位，但也常常使作家比其他文艺家尝到更频繁更巨大的痛苦。但一个时代的精神风貌，在其他文艺品类中虽然也分别或隐或显、或弱或强，乃至于在一个或几个方面有着十分强烈的体现，文学（由许多作家的众多作品所构成的一个历史阶段的文学）却总是集大成地、具体入微地、各侧面各层次都不缺少地凝聚着时代魂，并在同一时代的不同地域不同民族的文学中又凝聚着民族魂。因此，作家们又应当在文学的整体性贡献中，分享到崇高神圣的欢乐。

　　我们新时期的作家们，在表白自己的文学观念时，往往也是首先从文学的社会性这第一本性出发的。他们在文学观念上的新突破，也往往首先体现在他们对文学的社会性的观察角度与落脚点的新颖和独特上。比如刘宾雁，他始终光明正大而倔强不懈地坚持"干预生活"的文学观念，并一再加以他个性化的阐释。最近他说:"在中国,至少三十几岁以上的读者,政治兴趣和社会兴趣之高、之强烈,是任何国家所不能比拟的",因而他直率地指出:"如果把严肃的反映生活主流的作品称为'硬性'文学,那么近年来'软性',文学显然占了优势。有人说,文学是美化心灵的,但人的心灵难道是抽象的,能够离开人的生存条件、离开他每天耳闻目睹的各种生活现象而存在吗? ……八十年代多数中国人的心,期待着的却不是恬静和安适,而是鼓舞,是震撼,是思想的照明。"刘宾雁以他闪光的人格力量和往往是格外艰辛的创美实践履行着他的宣言,撇开所引出来的那些"麻烦"不论,的确有一些文学界内部的人士私下认为宾雁的文学观念是在文学之外而不在文学之内,因而既尊重宾雁的言行一致又怀疑他那些作品的文学价值。我以为由于文学的社会性是文学的天然属性之一,因而宾雁从文学与生活,尤其是文学与政治的关系上所生发出的文学观念,是无可指摘的。循此观念而精心结撰的作品的文学价值,也是无可怀疑的。不过宾雁的这种文学观念显然并不为大多数同行所取。王蒙的文学观念与宾雁有明显差异,而且显然拥有相当众多的同道者。他曾说过:"小说首先是对生活的一种发现。说到生活,当然是无所不在、无所不包的……有工农兵战斗在第一线的生活,有社会生活、政治生活、私生活、家庭生活、精神生活、感情生活……等等。"[1] 当他把文学的社会性加以了这样宽泛的扫描以后,他选择了一个同宾雁异趣的落脚点,指出作家应当"善于从平凡的、芜杂的甚至是单调的、重复的、貌不惊人的日常生活中,发现迷人的、有趣的、有诗意的、美的、发人深省和富有教育意义的事情。"[2] 但是王蒙的这种主张已不能满足一批年轻的作家的文学追求,比如韩少功就在最近发表了他的论文《文学的"根"》,文章劈头一句便是:"我以前常常想一个问题:绚丽的楚文化流到哪里去了? "这位年轻的作家经过深思熟虑以后,明确地提出:"文学有根,文学之根应深植于民族传统文化的土壤里"。他所谓的"民族传统文化",据我从全文理

---

[1]《漫谈短篇小说创作》,《新时期作家谈创作》第 348 页,人民文学出版社 1983 年 5 月版。
[2]同上。

解，指的是一个地域的初始文化，以及至今尚存于民间的、未被规范文化所容纳的那种带有"活化石"色彩的文化。这样，他的思考虽仍是从文学的社会属性出发的，但他已摆脱了人们千万次重复过的横向联系的角度，而把文学本性的探索向纵深展开，于是他有了一种自觉的历史感。文学本来就不仅仅是一种社会形态中与其他事物平行存在的东西，文学有自身的发生发展史。而追溯文学的"根"，必然要追溯到初民时代的最原始的文化，最早的文学萌芽，因而只要再往下思索一步，便必然要逸出文学的社会性，而进入文学的其他重要属性领域。可惜少功在这篇文章中没有循此思路深入，他发挥到别的地方去了。但无论如何，这篇充满才气的论文是具有新意的，对促进文学观念的突破有着一定的启迪作用。

文学的意向性

文学观念的突破，不是要回避或超越文学的社会性，但文学观念的突破，确确实实取决于我们能不能从唯社会历史的角度中展拓出去，认识到文学具有若干社会性以外的，甚至更为重要的本质属性。

我认为文学的最本质属性，是意向性。

文学以外的艺术门类，或许不像文学那般集中地承担着社会性的负荷，但它们也都有或多或少、或强或弱的社会性。文学同其他艺术门类有一个根本的区别，便是它是以文字这种材料构成的。近世有些作家为了增进文学的表现力，在文学作品中嵌入图画（例如美国的小克特·冯尼古特），或嵌入五线谱、数学公式、统计表格等等东西，但无论如何文学所仗恃的还是字、词、句以及由这些东西构筑成的篇章卷帙。根据生物学家巴甫洛夫在条件反射学说中的划分，文字属于第二信号系统，一个不识字的人，倘无人给他朗读或转述，文学作品对他不起任何刺激，但绘画、雕塑、音乐、舞蹈、电影、电视等等艺术作品却能向他提供第一信号系统，即直观的、感性的信息，他或许不能理解甚至误解，但他总能在接受刺激中有所得。

那么，一个能阅读文学作品的人，他是如何从中获得文学感受的呢？是不是每一个识字的人，有阅读能力的人，都具有感受文学作品的文学性的能力呢？人们在阅读中，又是如何把非文学性读物和文学读物区分开来的呢？

我以为，这就牵扯到文学的一大属性，即意向性。

文学作品的文字，同行政公文、科学论文之类的文字的根本区别，就在于它所传递出的信息，类似某种密码，读者在阅读的过程中，必须透过那文字表面，自觉地运用自己的联想，并将联想发展为一种流动的形象思维，"破译"出那一行行、一页页的密码，从而获得一种审美的欢愉。不善于联想的人，想象力匮乏的人，必不喜欢阅读文学作品。而文字过于晦涩艰深的文学作品，由于迫使一般读者要在联想和想象的过程中付出超快感的耐性代价，必不能拥有广大的读者圈；但一些联想和想象能力超俗的读者，却又绝不满足于那些把联想和想象的空间留得很小的作品，而追求一种文字复杂深奥的文学作品，他们恰是在一种特别需要聪敏才智和独立判断的"破译"中获得了审美愉悦。如果他们之间"破译"出了不同的含意，或者他们自己这一次同另一次的"破译"得出了不同的结论，则在讨论和品味中更产生出一种狂喜。这就是为什么始终存在着一些只有少数读者构成的小圈子所欣赏的文学作品，并且偏能获得往往是令其他大多数人吃惊和不服的评价的原因。

文学作品通过其文字体现出一种意向暗示。在这里，"意向"是这样一种概念，即对信息接收者意识中的联想力和想象力传递出一种强有力的意识导向作用。这种意识导向的企图如果直露生硬，接收者必产生一种心理反抗，作品便失败；这种意识导向企图如果含蓄自然，作品便成功。文学作品的意向暗示可以是单纯线索和单纯层次的，也可以是多条线索和复数层次的。前者未必不佳，后者则未必佳，全赖这意向暗示组合的方式、分寸是否巧妙得宜。作家的意向暗示，在读者接收后能产生意向呼应，则取得了初步成功，读者在呼应后能产生一种意向再构，则标志着进一步的成功，读者在意向再构中能够发射出一种新的意向组合。倘若他是批评家，诉诸于众，形成对作品的反馈，越发显示出作品意向内涵的丰厚性，作家承认乃"始料所不及"，便是大成功。

西方的一些批评家，有的如卢卡契，他虽然坚持了文学是客观现实生活的反映这样的唯物主义观点，但对文学本性的揭示，过多地着眼于作家的世界观和创作方法，结果忽略了对构成文学作品的文字本身的特殊秉性的研究；尽管由于他在关于作家的世界观和创作方法的论述中因为有不少独特的见解而不容于"正统"，长期被斥为"修正主义分子"，其实他的局限性恰恰在于未能从根本上突破教条主义，而把眼界展拓到文学的社会性之外的根本属性上来。另外一些批评家，如前面提到的罗曼·英格尔顿和法国的杜弗莱纳，则又过分专注于文学作品的文字本身，把文学作品的相对独立性拔高到近乎绝对的地步。英格尔顿早在本文开头提到的雷·韦勒克等人之前，便提出了他的"接受美学"的主张。他认为一个作品包含四个层次，"这四个层次是：(1)'语词——声音'层；它组成了(2)意群。这两层又提供了(3)系统方向，于是这三者又组成了(4)客体所体现的世界……。每一个层次都在整体中起作用，在最理想的情况下，这一整体达到一种'多音的和谐'。"[1] 杜弗莱纳也认为"艺术不是单纯的静观，需要欣赏者积极参与，达到心醉神迷的境界"。他把审美的知觉过程分为三个阶段："(一)呈现；(二)再现和现象；(三)反照和感觉。"[2] 英格尔顿和杜弗莱纳的见解有其可取之处，就是主张文学作品应由作家和读者来共同完成，无论是英格尔顿提出的四层次说，还是杜弗莱纳提出的三阶段说，对于探索文学作品的本性都是有重要启迪作用的。但我们在借鉴其学术成果时，则必须把前面已经论述过的文学的社会性摆进去，无论是作家的创美活动和读者的审美活动，都不仅是一种对美的意向的组合与接受、再组合与反馈，作家和读者作为社会中的人，其创美和审美终究都不能也无必要摆脱具体的社会功利性。当代作家中，林斤澜的创美活动是最讲究文字本身的，他深知到头来文学是由文学性语言构成的。他在为我的中短篇集《日程紧迫》所作的序中有所针对地说："自从工业革命以后，新近的说法是'第三次浪潮'以后，世界上分工越来越细。古老的哲学、史学，半老的经济学、心理学，不老的社会学、

---

[1] 转引自雷纳·威莱克：《西方四大批评家》第 102 页，复旦大学出版社版。
[2] 转引自韩树站：《杜弗莱纳的现象学美学》，《光明日报》1985 年 3 月 15 日。

管理学……看来都是门庭清楚，营业分明。没有听说要求哲学家去解决经济问题，也不容易让管理学家去回答史学上的疑难。偏偏有要求小说里边，给这个学那个学号脉处方，小说作家竟是这么了不得？就算是'文武昆乱不挡'吧，那作家究竟是哪一行的？小说又究竟是哪一业？其实作家没有这号能耐，当代作家更不消说。……可是目前的小说，又讲究许多学问，诸如天文地理、政治经济、哲理生理、民风民俗、工商管理，以及化学公式、数学方程式、音乐曲式……大块大块的有。"作家究竟是哪一行？小说究竟是哪一业？他其实早在几年前就在一篇文章中作了这样的回答："一切的结构，一切的语言，我们都是为了表现由真情实感提炼出来的魂儿。光有真情实感，没有提炼，就会焦点模糊。焦点模糊几个字，我是从托尔斯泰那里搬来的。他说艺术作品中最重要的东西，是应当有一个焦点。又说所有的光集中在这一点上，或者从这一点射出去。又说这个焦点不可以用言语完全表达出来。它的完整的内容只能由艺术作品本身表现出来。"[1]我以为他将作家创美活动中的社会性把握力和意向性把握力的辩证关系，讲得非常之透辟，而他自己的一系列作品，便因实践着这样的主张而特别富于文学性。

对文学意向性的确认，促使作家在总体构思及文字表达上下大工夫。而根据总体构思去把握一种适度的、有张力的意向组合方式，对于作家来说也真是一种甜蜜的痛苦。

文学的析情性

仔细想来，人类在科学技术方面取得了那么辉煌的成果，人类对宇宙的认识宏观上已达于极其遥远的天体，微观上已经深入到了基本粒子的内部，但人类对自身的认识，竟还是那么欠缺。比如人的情感，便至今既无能力为其作定量分析，也无能力为其作定性分析，因此始终构不成一门正式的人类情感学。当然，有几门人类科学，如人体生理学、生物化学、生物物理学、分子生物学，特别是心理学，

---

[1]《小说构思随感》，《新时期作家谈创作》第 398 页，人民文学出版社 1983 年版。

都已逼近了人类情感领域的前沿，或已部分进入了人类情感的领域，但终究还不是专门的情感科学。

人类的情感究竟有多少种？最大的两种，即爱和恨，也还可以再细分。爱因对象不同而有所差异，如对祖国之爱，对乡土之爱，性爱，母爱，友爱，对大自然之爱，对艺术之爱……它们的内容及存在方式与传递方式都很不相同，而爱又可以衍化为同情、怜悯、宽容、宽恕、欣赏、赞美、崇敬、崇拜等许多细微的感情分支。恨也如此。人类的情感又何止于爱和恨！欢欣、慰藉、激昂、幽默、惆怅、怅惘、自责、忏悔、解脱、醒悟……也都是情感，又怎能忘记一个几乎同爱、恨一样宽泛的领域，即痛苦！这里面又可以衍化为苦闷、愤慨、愤怒、烦恼、懊悔、忧伤、寂寞、绝望等众多的分支，而嫉妒、羡慕、企盼、渴求……也都是每个人绝不陌生的情感。人类的情感不仅种类繁多，而且还具有复合性和多变性，除了少数时刻，人类总是同时生发着至少两种以上的情感，更多的时刻是具有着多层次的，互相交融的，而且往往是互相矛盾的情感；人的情感又几乎每分每秒都在变幻之中，这变幻又并不仅是组合方式和程度上的变化，有时人的情感会突变，其速度之快与程度之强烈，常会使被波及者及事后的本人所惊讶。人的情感与人的理性，如人的政治立场、思想见解、道德主张、处事态度等等究竟构成怎样的一种关系？是处于一种稳定的被控制、调节的依附关系，还是处于一种相互各不相扰的平行关系，抑或是处于一种由情感支配理智的深层关系？看来一时都难加以肯定或否定。人类至今未能建立起情感学真是一件憾事。否则，我们至少可以避免某些给许多人乃至全人类带来灾难与不幸的"感情用事"的重大破坏性行为。

而文学，仿佛是人类对始终未建立起情感学的一种补偿，或者，我们干脆说文学实际上已构成了一种关于人类情感的准科学，因为文学的重要属性之一，便是它对情感的具体而精微的分析，我在这里把它称之为析情性。

艺术中的其他门类，自然也有情感因素，而且有时也达到同文学相等的程度。但它们可以不一定去具体精微地分析、表现人的情感。音乐是最富情感性的，但也可以仅以和谐的音响来取悦人的听觉；舞蹈也可以仅仅表现一种情绪（它仅是情感的表层），而主要以个体的舞姿与群体的排列组合变化悦人眼目；造型艺术中的绘画、雕塑、摄影都可以只突出其装饰趣味，而不把情感当做主要的表现内容。但是你怎能设想文学离开了情感而存在！

作家可以把自己的情感尽可能地隐蔽起来，他也可以不把激逗起读者的情感当做自己创作的主要目的。但他的文字构筑成文学时不可能不进入到人的情感领域。诗是不消说的了，即便是一首最简单的单纯写景的诗，如王维的《鸟鸣涧》"人闲桂花落，夜静春山空。月出惊山鸟，时鸣春涧中"，也鲜明地发散着一种情感，并由组成这首诗的二十个字把这种情感分析得十分精微细腻。而叙事性文学，尤其是小说，它是直接表现人物的，不管它采用什么样的创作手法，现实主义的也好，浪漫主义的也好，或者所谓现代主义的也好，它都不可能不去表现人的情感，分析人的情感。文学正是借助于对人类情感流动变化的丰富精微的表现，来架起一座使人类中时代、种族、阶级、信仰、观念、习俗、性格、气质、知识结构与功利目标不同乃至迥异的人，得以互相了解和理解的桥梁。

许多批评家在审美评判时，都把文学作品在塑造典型人物方面所取得的成绩，作为衡量该作品创美水准的最高也是最终结的标尺。因此，我在这里不得不谨慎地自问：典型性是否更应比我所谓的析情性，作为文学的根本属性而提出呢？

我是站在作品之内来考察文学本性的，而典型性这一概念，更多地属于批评家站在作品之外（如果不是站在之上的话）所把握的一种审美尺度，而尊崇文学典型的美学家，只是世界上许多种流派的美学家中的一种（在我国自然是最有影响的一种），这个流派倡导的是现实主义。从历史上着眼时，他们尊奉十八、十九世纪欧洲的批判现实主义文学为艺术楷模，从当代着眼时，他们基本上只推崇社会主义现实主义的创作方法。当然，他们对浪漫主义（主要是对"积极浪漫主义"）一般持宽容或附带肯定的态度，但对于二十世纪后首先在西方兴起的形形色色的现代主义文学，则基本持否定态度。本文不拟从创作方法的角度讨论文学的本性，但可以在这里申明，我对现实主义的创作方法是极为尊重的，对所谓西方现代主义的形形色色的创作方法则主张采取批判扬弃的态度，但我们不管喜欢还是不喜欢、肯定还是否定西方的现代主义文学,我们总得承认它们也是文学。因此把它们包括进来,站在形形色色的文学现象的内部来考察文学的本性,我们便不好把典型性作为带有普遍性的文学本性提出。正如王蒙曾指出过的:"我们现实主义理论始终强调典型环境中的典型性格(有人说人物就是性格)。拿这个理论去检验,契诃夫最好的小说是什么? 只能是《套中人》、《变色龙》、《普里希别叶夫中士》,但这些篇并不是契诃夫最好的小说的全部,他有一大批小说,用这个理论来检验就不行了,《苦恼》感人不感人? 它有什么典型性格! ? 没有什么典型性格。还有《草原》、《带小狗的女人》、《新娘》等等。"[1] 即使是现实主义的文学佳作也未必一定具备典型性的素质,又遑论其他种类的文学呢? 王蒙在另一篇更具理论色彩的阐述同一观点的文章中说:"对于任何正确的或基本正确的文艺学命题不提出新问题,不接受新事物,不做出新的发挥,不具体分析其特殊性与相对的变异性,而只是满足于论证其永恒性与普遍性,那是不足取的。"[2] 我现在关于文学本性的思考,也正是在这种态度的感染下进行的。我无意于从文学的审美角度否定典型性判断的价值。但我想为我们关于文学本性的理解,增添一种从创美角度的更宽泛的发挥。

文学的铸灵性

以上的三性,我以为是文学的基本素质(或属性),从低层次的通俗文学(如武侠小说)到高层次的"纯文学"(请注意我所加的引号,事实上没有一种文学能像高等数学那么"纯净",我们一般使用"纯文学"这个词语时,是指那些需要具备相当文化素养的高智能读者去鉴赏的文学作品),从以现实主义、浪漫主义的创作方法创作的文学,到以形形色色的所谓现代主义创作方法创作的文学,也无论是文学品类中的诗歌、散文、小说或戏剧文学(电影文学和电视文学包括

[1]《探索断想》,《北京文学》1980 年第 11 期。
[2]《关于塑造典型人物问题的一些探讨》,《北京文学》1982 年第 12 期。

在内），我认为都毫无例外地具有这三性。

但具备了这三性的文学作品也许并不成功。好的文学，即优质文学，我以为还应当具备另几种素质。其中最重要的，我称之为铸灵性。

凡是文学大家的优秀作品，都有一个明显的态势，就是它们都是朝着读者的灵魂或心灵而去的。尽管在科学领域内，我们至今还不收容灵魂、心灵这类概念，并常常以其非科学的宗教神秘性而加以批判，但当我们进入到对优秀文学作品的评价或渴求中时，这两个词语是必得加以使用的。

有没有灵魂这个东西？究竟什么叫做心灵？我以为，任何人的中枢神经系统的活动，包括人的血液循环，人的内分泌，乃至人的细胞核中的染色体（遗传基因）的不息的循环与代谢，都构成着一个人的灵魂，或称为人的独有的心灵。灵魂或心灵是依附于人的肉体的，它包括人的理智，人的情感，人的思想，人的教养，人的秉赋，人的性格……一切先天的与后天的凝聚为精神活动的因素；它是多层次的、不断变动的，是既模糊而又能相对稳定的，是既可以大体上衡量又绝对测不准的；在人的灵魂里，不同程度地积淀着人类全部发展史的一种无形的成果，即便是所谓万恶不赦的恶棍，他的灵魂已然漆黑一团，也并不一定不存在丝毫的上述进化和文明的积淀物。正是基于这种信念，我们才能把战犯改造成为和平战士，把末代皇帝改造成为社会主义公民，把刑事犯罪分子改造成诚实的劳动者。我们一般把人的灵魂中的那些继承性的，即整个人类万千年进化和走向文明的精神成果的积淀，称为人的良知。而优秀的文学之作用于人的灵魂或心灵，其实便是巩固与发展人的良知，从而进一步铸造人的灵魂使其美好。

刘再复在一篇题为《杂谈精神界的生态平衡》的文章中大声疾呼："我国过去文化界有一种弊病就是太着急，眼光太狭窄。国家有某项具体政策，精神生产部门都一窝蜂地去表现这种题材。这样就必然破坏精神界的生态平衡。其实，精神产品的社会功利价值是非常广阔的，它的有用性，是一种极广泛的概念。……有的文艺作品，播种的是爱的观念，例如《爱的教育》，普希金的童话诗等，看来可有可无，实际上是非有不可。一个社会如果缺乏爱的教育，就会缺乏同情心，

缺乏人道精神,那么,这个民族的未来是不堪设想的。我们的民族在'文化大革命'
中性格发生了惊人的野蛮趋向,心灵发生巨大扭曲并变得极为冷漠,这有很多复
杂的原因,但民族性基础是原因之一,即缺乏爱的教育是一种因素。"[1] 再复的这
段论述,我有强烈共鸣,并且我以为中外古今一切堪称优秀的作品,是必须具有
教人学爱的素质的。

　　仔细想来,文学锻铸人的灵魂,使心灵趋向美好,其根本在于巩固与发展人
的良知。人的良知的核心,便是爱。我这里所说的爱不是狭隘意义上的爱,例如
性爱、情爱、母爱、友爱,更不是抽象意义上的观念的爱,而是一种人类成长中
的高度的文明自觉性,一种更宽广更深刻更辩证意义上的爱。这爱可以分解为下
列的几种因素:(1) 理解的良愿。理解的前提是承认差别,即愿意去理解那些跟自
己不一样的人,包括政治信仰、阶级烙印、党派意识、世界观和人生观、道德主
张、生活习俗和性格气质等各方面都与自己迥异乃至于发生冲突的人。(2) 宽容
的态度。即能够有"凡是不反对我的人,都是我的朋友"的胸怀,能够在即使是
同政敌的斗争中也保持必要的冷静,遵守诸如国际红十字会公约、外交豁免权以
及不得在任何情况下践踏他人人格(即便对应予处死的罪犯,也只能结束他的生
命而不得戏弄侮辱他的人格)等一系列人类共处的基本法规;当然更包括对不幸
者的同情,对有缺陷者的怜悯,对报复权的最谨慎的运用,体行"费厄泼赖"精神,
等等。(3) 感化的信心。即使在刀兵相见的剧烈冲突中,在已经激化的斗争旋涡中,
也有一种以精神感化对立面的信心,因而能够把军事解决和矛盾激化避免到最低
限度。如果相信自己拥有真理和正义,那么与其宣布自己要为别人掘出坟墓,不
如宣布自己要为别人留下适当的坐席。这也恰是中外古今所有优秀的文学作品所
渗透给我们,并应当由我们发挥的一种精神。

　　有些作家,有些作品,其出发点和立意不一定是自觉的爱,但一旦达到优秀
的地步,其内涵中一定有爱。这便是由文学本性所决定的。肖洛霍夫在卫国战争

[1] 见《读书》1985 年第 4 期。

中所写的《学恨》,其实正反照出他对祖国、人民、正义和真理的挚爱,刘宾雁在《人妖之间》中以如椽之笔力透纸背地揭发了我们党内、政府机构内和社会关系中的阴暗丑恶的东西,但笼罩着全篇并震撼着读者心灵的,仍旧是对党、对社会主义制度、对生活中光明而美好的东西的赤诚的、有的甚至是闪动着泪光的爱。如果我们仔细观察,认真分析,就会发现世界上一个接一个的当代作家,在越来越自觉地追求和表现一种比古典文学中的人道主义更具有现代感的挚爱。1961 年获得诺贝尔文学奖的南斯拉夫作家伊沃·安德里奇在自己那部总结性的谢世作《沿路的标志》中,以无比遗憾的口吻写到:"有时我清楚地看到,人类光辉的品质和关系中还有很大的领域不仅在我的一生所没有触及,而且我们的一般作家都很少过问。这就是强烈的、坚韧的、无私的爱的领域。不顾牺牲,既不期望报酬,也不等待赞扬,甚至对这一切从不考虑的友谊的领域。而这种爱存在于我们周围的生活中,不仅我们自己可以遇到,而且经常可以看到……因此,我们大家都有负于人类和社会生活中美好的和更为完善的各个方面。"[1]1972 年过世的这位充满着爱心的作家当可感到欣慰,因为一种新的强有力的人道主义,正由于世界变得越来越小(谁也不可能再关起门来自己过),以及人们在意识形态上变得越来越个性化(即使同是搞社会主义,同在一个党内,也谁跟谁都不可能绝对一致),而形成的以理解、谅解和宽容为内核的具有现代精神的爱,正在进步的新作家们的笔下泉涌而出。

优秀的文学不仅是地道的"人学",也是充分的"爱学"。

文学的诚挚性

我们的批评家们早就把真实性作为审美的首要尺度。现实主义的作品因为源于生活又高于生活(即将生活典型化)的原则进行创作,因此特别受到推崇。其实,能给人启迪、教益与美感的文学作品,并不一定都具有狭隘意义上的真实。比如

---

[1]《外国文艺》1983 年第 4 期。

被大家公认是优秀作品的美国古典小说，霍桑的《红字》和麦尔维尔的《白鲸》，尽管往往也被我们的批评家们归入有认识价值的批判现实主义文学的范畴，但对英美文学深有研究的朱虹就冷静地指出："无论是他（霍桑）笔下的红字和带七个尖角阁的房子，还是麦尔维尔描写的白鲸，都不是现实主义形象，都有浓厚的超验意味，喻示着远远超越对景物的具体描写的更深刻的哲理。"[1] 相反地，一些典型的现代主义作品，比如爱尔兰作家詹姆斯·乔伊斯的《尤里西斯》，"其中对都柏林的描写达到近乎摄影式的逼真，而他的'意识流'，不也是试图对人的意识活动给予真实的再现吗？"[2] 因此，朱虹直率地指出："模糊不清的、狭义的'现实主义'不足以成为文艺批评的至高标准。"[3] 这也是我之所以并没有把真实性作为文学固有本性之一的原因。

文学作品的内容不一定要体现狭隘的真实，可以浪漫，可以变形，可以抽象，可以荒诞，但我以为，优秀的文学作品却有着一种诚实恳挚的素质，我称之为诚挚性。

诚挚性并不是指作品的内容必须是充分现实的，不等于真实性。它指的主要是作家透过作品所体现出的一种面向读者的坦诚态度。

文学老人巴金近几年来一再地说过，他不是文学家，他只不过是一个讲真话的人。早在1980年他便写下了这样的剖白："我不是一个文学家，我只是把写作当做我的生活的一部分。我的思想有种种的局限性，但是我的态度是严肃的。让·雅克·卢梭是我的启蒙老师，我绝不愿意在作品中说谎。……我写小说从来没有思考过创作方法、表现手法和技巧等等问题。我想来想去，想的只是一个问题：怎样让人生活得更美好，怎样做一个更好的人，怎样对读者有帮助，对社会、对人民有贡献。我的每篇文章都是有所为而写的，我从来未有过无病呻吟的时候。"[4] 这种坦诚的态度，实际上不但深入了文学的本性，而且使其每一行文字都焕发出

---

[1][2][3]《英美文学散论》第28—288页，三联书店1984年5月版。
[4]《创作回忆录》第9页，香港三联书店版。

一种强烈的人格力量，从而为所有的作家，特别是后辈作家，树立了一个光辉的榜样。

真正的文学家都是诚挚得可怕的，结果其行文必然呈现出"都云作者痴，谁解其中味"的状态。揭示出这一点，也许有助于批评界和文学界以外的人士对作家的创美活动的心理状态及表现形态有更准确的理解。作家一进入创美过程，便会变得"死心眼儿"，笔下的文字更可能偏执、偏颇、偏激，而在迎头遇上批评（哪怕这批评是基本正确）时，也还往往不免"认死理儿"，固执、迂讷，因此，批评界及文学界以外的人士对这样的作家给予理解基础上的宽容，便成为十分必要的了。当然有的作家可能永远显得不偏不倚，一贯"正确"，对待任何批评都俯首听命，东风来颂东风，西风来赞西风，要什么拿得出什么，跟得快，转得急，他们写出的东西可能也确实还算是文学作品，但那能是有价值的东西吗？

文学的特创性

画家可以不断地重复同一个题材，甚至于同一种构图，齐白石所留下的每一幅虾戏图几乎都具有同等的昂值。毕加索在晚年不仅一再重复个人以前的构图，更画了一系列根据别的画家的名作加以变形的作品。毕加索把自己的创作特征概括为这样一句话："我不是探索，我是发现。"探索必须是绝对地独创，发现却可以从已有的东西中产生。作曲家也可以将一个基本素材多次运用。更不用说表演艺术家可以无数次地重复扮演同一角色。就是电影导演，也可以将自己或别人拍过的片子重拍，而构成新的作品。唯独作家不能这么干。不要说作家绝不能移用别人的作品，就是把自己发表过的作品（哪怕加以修改）而当做新作再加以发表，也会招来舆论的訾议，甚至构成不折不扣的丑闻。这就说明，固然所有的艺术门类都贵在创新，而文学尤其应当具有一种独创性。优秀的文学作品，则不仅是独创的，更往往是特创的。所以我把特创性列为高层次文学的一个固有的属性。

当然，文学史上不无这样的例证：不同的作家根据同一素材创作出的作品，最后都成为了优秀之作，如董解元的《西厢记》诸宫调和王实甫的《崔莺莺待月西厢记》杂剧，以及被历代西方作家们一再运用的有关俄狄浦斯王与唐璜的素材所构成的作品，当前一些西方作家也很喜欢借古典题材来作进一步的发挥，但细加考察便不难发现，这种文学创作往往更必须具有特创性，方能站住脚跟，就是它必须是原来的素材的彻头彻尾的再创造，稍有苟且之处，便难免贻笑大方。

王蒙在中国作家协会第四次会员代表大会的闭幕词中说："要出新。我们生活在一个'出新'的时代。社会主义事业正在'出新'，经济体制正在'出新'，十四个开放城市正在'出新'，人民的精神面貌、生活方式与思想观念正在'出新'……难道我们这些写小说、写诗、写戏、写散文、杂文评论的人能原地踏步、左顾右盼、用一种固定的模式把自己框住吗？难道我们不应该追求用我们的作品来传达时代的新意，生活的新信息，人们心灵的新的萌动，科学知识的新成果与艺术的新探求吗？我以为，我们的时代精神，首先是改革的精神，创新与开拓的精神，这也是一种开放与求实的精神……这种创新与开拓的精神，难道对于最需要这种精神的文学创作活动，反而是不大重要乃至名声可疑的吗？"他最后把创新与开拓归结为文学的固有属性。我以为是非常正确的。

从特定的意义上说，一部文学发展史，也就是不断标新立异的历史。一个作家的前进轨迹，也便是不懈地标新立异的过程。所谓"语不惊人死不休"，道出了古今中外所有想有所作为的作家的心态。因此文学似乎比其他艺术门类更具有反传统精神和反世俗精神，这就不仅不可避免地要在文学界内部激起一次又一次的波澜，而且文学和文学外部的事物，作家和政治家、道德家、教育家之间，也便会派生出一次又一次的"麻烦"。对此我们应当去掉双方的盲目性，文学界外部的人士应把所谓文学家的"危言耸听"、"惊世骇俗"看做是一种并不那么出乎意料的规律性现象，同时也绝非如想象中那么可怕，在对他们进行批评和规劝时可以变得比较冷静和宽容。"他们左不过就是那么个怪脾气"，"没有什么不得了的"；而作家自己也应当清醒地认识到，过分狂热地追求出奇制胜、爆出冷门，也便会在突出文学的一个方面素质时，忽略、伤害到文学的其他更加宝贵的素质，从而造成失误和失败，这无论于己于人于社会都没有什么好处。应当从而学会克制，学会扎扎实实地、掌握分寸地求取创作上的突破。

文学的思辨性

最高级的文学，它所定向传递出的意识导引信息，不仅将促进读者活泼地联想，充分地想象，并将在读者的意向再构中升华为一种象征。象征的极致是寓言，而寓言必呈现出一种深刻的思辨色彩。所以，我认为最好的文学都具有思辨性。

文学的思辨不同于哲学的思辨。哲学的思辨成体系，文学的思辨不仅往往不成体系，而且常常具有一种反体系的色彩。哲学的思辨产生于深思熟虑，文学的思辨却充满随机性，甚至于是笔到文出、信手拈来。哲学的思辨界说分明，自圆其说，文学的思辨却往往模糊含混，自相矛盾。然而文学思辨自有其魅力。它不仅常在一点或一个方面上深刻到体系性哲学未曾达到的程度，而且由于它总是伴随着意向群，构成象征，因此生动而鲜明，亲切而精警；它的作用，往往还不是以它自身的哲理内涵令读者信服，而是激发出读者自己的哲理思辨潜能，引起读者精神上的大舒张与飞跃。当然，作家在作品中的思辨并不那么容易取得成功。例如托尔斯泰在《战争与和平》中的整段整段的纯思辨，就几乎是公认的败笔，失败的原因之一是它超出了文学思辨的限度，而企图成为一种自成体系的哲学思辨，这便违背了文学的本性。

关于联系着文学本性中不可或缺的意向性和最好具有的思辨性的特征，限于篇幅这里不作更多阐述。今后将写专文加以探讨。

不揣冒昧地把自己近来关于文学本性的思考公之于众，并不是认为自己一定想对了，更不是欲将与己不同的观念加以否定和排斥，硬要别人来与自己认同。我是主张文学走向多元的。文学繁荣的标志，便是一个文坛多种文学。可以有几种不同的文学观念并存，在正常的竞赛中通过讨论，特别是通过创作实践，来由广大的读者和时间加以检验、筛汰。我的一些想法也许会被认为大有悖于我们文学界的传统，但是我很清醒地认识到，我和大家一样无时不在历史的巨掌之中，我们全是传统的产儿，只不过我们总是不满足于继承，我们总企望还能朝前突进；

而往深里想，从传统中突破出去，不也是一种传统吗？人类的文明史，包括文学发展史，不就是一部不断地在继承中突破的历史吗？

1985 年 5 月 15 日—16 日写于北京劲松东街

我为"阳刚"鼓与呼
——谈强者文学

1. 一个鸟瞰

在文学事业迅猛发展的过程中，不时从不同的角度作些鸟瞰，争取有所发现，有所憬悟，有所展拓，是有益的。

近几年从文学作品的"文气"上给人这样的感觉：阴盛阳衰。

近几年来，阳刚的文学也颇不少。但，我们现在是作鸟瞰因而讲的是综合印象，这印象，便是我们的文坛总体来说阴柔有余而阳刚不足。

这当然并不是指大量女作家的出现。某些女作家的作品，应当说颇富阳刚之气。

那么，我们指的是什么呢？

例如，各种各样弱者形象的出现。辗转求生，委曲求全，纤弱疲软，啼饥号寒，蒙冤受屈，颠沛流离，去家失恋，妻离子散，默默而来，恨恨而去，等等，等等。

又例如，缠绵悱恻，一笔三叹的笔触。字字血，声声泪，杜鹃哀啼，白杨呜咽；片片落红，缕缕愁丝；稍趋欢忻，也多红牙檀板，而非铜鼓铁琶；花前月下，嘤嘤求友，西厢东墙，窃窃私语，等等，等等。

再例如，"一逗六点"式的标题成几何级数出现，试翻查一下近两年的文学期刊，类似这样的小说题目比比皆是："清晨，窗外飞过一队白鹤……"，"傍晚，有一只小船……"，"秋啊，永不能把你忘怀……"，"小路，你在我的心头盘曲……"（注：除第一例实有外，其余皆为虚拟），这种汲汲孜孜、泉涌不绝的命题方式，是中国以往小说创作中从没有过的现象。

总之，这类作品，或"淡淡的哀愁"，或"深深的怅惘"，催人泪下，令人惋叹，用阴柔二字概括它们的情调，应当说是恰切的。

2. 对阴柔之作涌现的历史评价

有的读者，读惯了非肯定即否定的评论文字，或许以为我们提出"阴盛阳衰"的说法，是想贬斥乃至扫荡阴柔之作。他们读到上面我举的例子的时候，心中不免会愤愤然：

写弱者有什么不好？难道生活中没有弱者吗？难道弱者受歧视、受欺凌不值得同情吗？

因此，我们要申明，我们对阴柔之作的看法，与他们并无大异。我们不但认为这样的作品大可继续存在，而且，我们还有这样一种看法：近几年来文学中阴柔之气的上升，是历史之必然，它是对以往极左文艺路线的一种反冲，也是对以往正常文学积累的一种补充。

我们不拟在这里对建国后的文学发展作系统的回顾。仅举一个例子：六十年代初期，曾对小说《达吉和她的父亲》和茹志鹃的创作风格进行过讨论。那两次讨论中，也曾有一些评论家和读者试图肯定儿女情、家务事之类的题材和婉丽纤细的创作风格，但结果，却是否定性的意见占了上风，事过不久，"两个批示"一下来，便连持否定性劝谕意见的人也落下了罪名。进入十年浩劫后，则不仅阴柔的风格被打进了十八层地狱，就连爱情也被逐出了文艺园地，后来形成所谓"三突出"等一整套"创作经"，连我们所说的阳刚之作也无法生存！君记否，不是像《七根火柴》那样的作品，也被批判为"反革命修正主义"之作，也属于"反动人性论"的"黑作品"了吗？

　　温故知新。正像对爱情的十年禁锢引来了"爱情的位置"，进而如洪水泛滥一样，多年来对阴柔之作的排斥，也反使弱小无辜的人物、缠绵悱恻的情节、婉丽细腻的文笔、怅惘感伤的情思、精雕细琢的刻画、典雅甜俏的藻饰……连同"一逗六点"的"诗意"标题，如闸开水泄般喷涌而下。

　　阴柔文学的出现，如果放到十年浩劫的大背景下来考察，就更不难理解了。多少无辜者受害，多少悲剧出现，文学要反映现实，就必然要塑造无辜的弱者，写到哀愁，也必然会出现阴柔之作，这是禁止不了的，也是不应当禁止的。在这一类作品当中，说不定还会出现思想内涵深沉、艺术性极强的传世之作。

3. 要防止令人发腻生厌

　　然而，没有比文学更忌重复和雷同的了。当爱情刚刚回到文学园地时，人们真是欣喜若狂啊，但时过不久，当爱情也成了一种每菜必加的作料，人们便发腻生厌了，惹得漫画家和相声演员们也画漫画、说相声，一齐来善意地加以讽劝。坦率地说，阴柔文学的大量滋生，目前也有令人发腻生厌的危险。我想读者能够理解我的意思：发腻生厌并不一定是那东西不好，比如你把一盘油焖大虾送到一个刚吃完番茄虾饼、红烩虾段和油烹整虾的人面前，他会怎样呢？他能说那油焖大虾不好吗？他又怎能不发腻生厌，从而请求你给他换上一杯普洱茶呢？

　　特别值得注意的是，时下有不少文学青年片面地以为唯有阴柔方能称作"文学味儿"，因而他们爱好、仿效及试写的作品，几乎全系这类阴柔之作，我们《丑小鸭》收到的来稿中，这类作品就为数不少。有的文学青年所走过的生活道路，所生活的社会环境，所熟悉的人物和事件以及自身的性格和气质，其实都距阳刚近而离阴柔远，但一提笔写作，却下笔缠绵，行文琐细，主角照例瘦弱纤秀，场景不免小桥流水，题目动辄定作《星星，在深深的湖底……》之类，结尾处不是"身影越来越远"便是"白杨树沙沙沙地响着，响着……"总之，阴柔竟成了一种时髦，仿佛非此而不能构成作品！

这就促使我们提出了自己的主张：不排斥阴柔之作，但强调自觉地、努力地创作阳刚的作品。

4. 阳刚之作，首要依于强者形象

阴柔与阳刚，毕竟是一种对作品气质统而言之的称谓。意会较易，能说清楚却不那么简单。我们认为，决定一个作品是否具有阳刚之气，因素固然很多，但是否塑造出了强者的形象，当是首要的一个因素。

我们这里所说的强者、弱者，当然不是抽象意义上的，我们信奉马克思主义。我们主张遵循辩证唯物主义和历史唯物主义的原则观察、分析社会生活。社会中的每一个人，无不在一定的阶级地位中生活，因而他们的意识中无不烙有阶级的印迹。好比一封付邮的信件，必须要打上邮戳，这是无可怀疑的；但邮戳决不是信件的全部，尽管邮戳也许是最鲜明的部分。不同阶级的人有不同的强弱观，同一阶级内部的人也有强弱之分，这都是不言而喻的。我们所说的强者，自然不全指敌对阶级中的为害最剧者、顽固分子、"带着花岗岩脑袋见上帝"的坏蛋，等等。也不包括极端的个人主义者——为了一己的私利不惜采取一切手段的那种"强者"。我们是在人民内部，在对社会承担着义务并顾及他人的好人群里，来谈论强者的。

我们认为，近几年的文学作品中，这种强者的形象虽出现了不少，但相对而言，数量和力度，典型高度与艺术魅力，都仍嫌不足，有的刚一出现时尚能引人注目，但时间稍向前推移，生活一向前迈进，便显得落伍褪色，反不如一令人扼腕叹息的弱者形象以及一令人齿冷鄙夷的讽喻性形象生命力旺盛持久。

5. 强者和社会主义新人

有读者会问，你们所说的阳刚之气，所说的强者形象，有什么稀奇呢？不是早就在号召写鼓舞人心之作，号召写社会主义新人形象了吗？

我们是赞成号召写鼓舞人心之作，赞成提倡写社会主义新人形象的。但我们以为，除了那样一种更多地立足于政治角度的文学号召外，也还可以从另外的角度，比如从文学的"文气"的角度，提出写阳刚之作，写强者形象。

在现实生活中，凡属爱国的人，凡属想用自己的聪敏才智服务于人类的人，即便他的思想政治高度还未达到共产党人的境地，但只要他在为民族繁荣昌盛的事业中，包括在与自然的搏斗中，以及在阶级性、实用性不那么强的比较抽象的科学、艺术探求中，以及在个人不幸遭际的浮沉中，能够以他独有的方式，从一个以上的方面显示出他的抗争精神、顽强搏进、不屈不挠、不服输不退缩……以及超出一般人的承受力、进击力和抑制力的特点，都可以视作强者的形象。

社会主义新人的概念是以政治角度为圆心，以共产主义思想高度为半径；我们所说的强者概念是以"文气"角度为圆心，以爱国主义乃至最广泛的统一战线的尺度为半径；这样画出的两个圆，前小后大，且有相当一部分相割。所以，它们是并不矛盾，可以并存，并互为依偎的。

6. 强者和弱者的关系

我们主张自觉地、努力地多写一些阳刚之作，以强者的形象，来使读者振奋，从而渗透给读者一种区别于巾帼式、脂粉气、缠绵味、哀婉调的阳刚之气，但这并不意味着我们主张排除弱者形象在文学中的地位。我们倡导的强者，绝非超人。这强者的强，也绝不是弱肉强食的强。恰恰相反，他们应当是从弱者中磨炼而来，又反过来给弱者、平庸者、动摇者以保护、激励和鞭策。而且，人是复杂的，也是可变的。强者可能有软弱的时候，弱者也可能有坚强的一瞬，强者可以下滑为弱者，弱者也可修炼为强者。我们的文学作品，应当把各种各样的人物都塑造出来。

7. 表现强者是时代的召唤

自古以来就有一种说法，认为"文气"是时代精神使然。近几年来文学中阴柔之气较盛，也许恰是经历了十年浩劫以后，"思考的一代"在诊治"伤痕"的过程中，痛定思痛、抚今追昔，伤逝悼亡、抒发愤怒使然。在那狂风乱雨的时期，触目粗暴，充耳聒噪，"最最最"的刺耳高调和"就是好来就是好"的蛮横逻辑，使人们对真正健康的阳刚之气已经完全隔膜，因而风雨一旦过去，人们的欣赏趣味一时间便更多地倒向了缠绵悱恻、婉丽细腻、低吟浅唱一边，不禁见阳刚而退避三舍，亲阴柔而蔚然成风。这种情形，是完全可以理解的。

但生活正在大步伐地向前进展。对"伤痕"的检视已告一段落，疗治的效果相当明显，康复后的状态令人乐观，对前景的展望渐渐取代了对往事的追怀，"思考的一代"正转化为"改革的一代"，对于改革者来说，阴柔秀媚的文学固然可以作为一种精神的调剂品，但更其值得欢迎的，是给人以雄健奋扬之力的阳刚文学，而不畏困难，不避挫折，甘愿付出艰辛的代价进行开拓和探索的强者形象，便自然而然地成为了改革的时代、改革的群体对文学的天然召唤与坦率索求。

文学并不从属于政治。文学不应成为政治和政策的简单宣传品。但文学也不应当成为脱离包括政治在内的社会生活的所谓纯艺术品。文学的价值绝不仅在于形式的精美与独特。我们既反对政治图解也反对形式主义。文学应当反映时代，应当反映生活，同时文学又应当是文学。我们之所以提出来愿更自觉、更努力地多写一些、多发表一些适应变革的时代、反应变革的生活、富有阳刚之气的作品，塑造出尽可能多样的、生动的、感人的、从政治思想高度上衡量幅度又是相当宽泛的强者形象，正是基于这样的总体认识。有人或许会把我们的主张概括为鼓吹强者文学。也可以这样说吧。生活中正涌现着越来越多的强者，我们这个改革的时代也正需要鼓励、扶植、引导、安排、起用这些强者，我们的文学更自觉、更努力地去表现这些强者，通过对他们的艺术表现来使我们的读者获得精神上的强力剂，难道不是一桩正当而有意义的事吗？

[附注：此文刊发时署名赵壮汉]

用"这一个"眼光看世界

用第一人称写的小说，淳朴的读者常以为"我"便是作者。的确，有不少作家以第一人称写成的小说，其中的"我"确有他自己的影子，整篇小说含有自传色彩，但这毕竟只是第一人称小说中的一种。更多的第一人称小说，常是作者假托一个自己熟悉但与己相异的人物，用他（或她）的眼光观察周围世界、感应与其相涉的人和事，通过他（或她）独特的思维公式和感情波澜，来塑造人物、表达主题。例如茅盾写《腐蚀》，老舍写《月牙儿》，那"我"便是与他们本人绝不相似的特异女性，而有的女作家笔下的"我"，则又是老叟或顽童，有的作家一生写了许多篇第一人称的小说，竟惟妙惟肖地模拟出一系列性别、年龄、职业、性格、感情、思想境界、行动方式……互不相同的"我"来。所以，能以一个并非真我的"我"来叙述出一个故事，并在这故事中透过"这一个"的眼光、感情和思维方式来塑造出另一个艺术形象，应当说是很不简单的。我以为我的同乡胡太玉同志的处女作《我的叔叔是画家》之难能可贵之处，恰在于此。

这篇小说是透过镇上一个感情细腻真挚的孩子的眼光，来写一个青年在艺术追求和市俗羁绊相交激荡中的命运，因此叙述者"我"虽是一个儿童，小说本身却并非儿童文学作品，应当说，这是一篇用孩子纯真口吻写出的，供成年人咀嚼品味的好小说。细心的读者不难发现，这篇小说中，特别是前半部分，充溢着真实感人的儿童情趣，举凡写景、状物、看人、体事、发议论、抒情怀，都完全符合"我"这一小镇儿童应有的性格、心理、思维逻辑与抒情方式，文章格调是清新统一、耐人寻味的。遗憾的是后半部写得不够好，叔叔何以当了屠夫便远了艺术？何以肉腥味能驱走艺术的真情？难道是卖肉这一职业本身的问题吗？当然不是，问题在于庸俗卑琐的市侩气息特别易于向卖肉者扑去，作者应当像前半部那样，选择更加精当的细节，让孩子的议论和抒情既不悖于他固有的稚气和纯真，又能落到点子上，使读者从中获得更准确的哲理启示。

地球村·审父·自剖

一

站在时代前列的作家，应当有地球村意识。

地球村？

对。地球不过是宇宙中的一个小村落。

人类越来越痛切地感觉到，我们所居住的地球正变得越来越小。

在飞机上，人们已不觉得从东半球到西半球去是一件多么了不起的事。

在电视荧光屏前，人们轻而易举地获得着遥远的地方的及时而清晰的信息。

地球上已不再有供冒险家去发现的新大陆。

不管地球上的不同人群之间有着多么深刻的理想冲突，几方面都感觉到谁也不能彻底消灭谁，地球已经这般地小，给别人掘墓无异于损毁自己的屋基，人们之间产生了一种真正意义上的邻居感，人们越来越多地走近谈判桌而不是走向战场。尽管意识形态上势不两立，政治首脑们仍然坐到一起谈判，他们的夫人也凑到一处喝咖啡，互赠纪念品，并摆好姿势让记者拍照。伟大的政治家已经明确提出"一国两制"。集装箱把各处的货物流向各处。一个地方的核电站有放射性物质泄漏，全村惊惶。一处发射地升空的航天飞机爆炸陨落，举村哀悼。拼命奔向现代化的第三世界，人们普遍以西方的种种文明成果为时髦的标准，而已然现代化的"后工业化"地区，人们则掀起着从东方的古老文明中汲取精神力量的时髦浪潮。

人类不但痛切地感到地球在变小，而且痛苦地意识到地球的孤独。

对月亮早已绝望。曾经激发过无数天文家、科幻作家和几代地球人向往的火星，现在被先进的太空探测器证明不但没有运河、城市、火星人、蓝色植被……而且枯燥寂寞得超出所有人的想象。在太阳系中寻找地外文明已无希望。在我们这个银河系中发现外星人和外星文明的希望也极其渺茫。尽管人们从哲学、逻辑学、高等数学……角度不断地重复着"无限宇宙中必定不止地球一处文明"的论点，并且强有力的射电天文望远镜日夜监视着茫茫的太空，又固执地向太空发射着代表人类之声的信号，期待着回音，希冀有一天能发布出惊人的消息，却始终没有哪怕是微小的实质性突破。

人类陷于大苦闷中。

深深的寂寞。沉沉的孤独。

地球是茫茫宇宙中的一个小而又小的孤独的村落。

这种意识渗透进当代作家意识之中，便是地球村意识。

这种意识所带来不是空虚和消沉，而是珍视现实和积极进取。

人类比以往任何时候都意识到必须相互理解。

理解同自己不一样的人。理解敌人。理解世界观、人生观不同的人。理解自己以外的任何一个人。理解自己。

人类还在冲突着，还有战火，还有流血事件，除了明争还有暗斗，但有一个总的趋势，即越过战火与鲜血，阴谋与诡计，在明显地发展着的，那就是越来越多的宽容，越来越多的克制，大家必须在一个小球上共存，这个意识越来越强烈地扎根于每一个有正常思考力的人脑中。

于是现时代的作家们，无论哪个国家、哪个民族，用哪种文字创作的，理应享有一个共同的灵感源——地球村意识。

这是当今世界上的作家和作品可以比以往的作家和作品更易于交流的一个重要原因。

一个地球村中的村民。我们该怎样相处？这是比"爱与死"更伟大更永恒的文学主题。

二

我们是父母生下来的。

对于父母，我们有补偿不尽的爱。

然而今天有越来越多的作家开始用审视的目光注视着父辈。

超越出孝顺与忤逆，尊敬与亵渎，那是一种更高层次的情感和思考，那是一种审父意识。是的，审父意识。不仅要榨出皮袍下面的"小"来，更要榨出灵魂深处的"小"来。

当代作家要透透彻彻地审察我们父辈。

不是因为恨，而是因为爱。

不是为了叛逆，而是为了进步。

父辈啊！你们走过怎样的路，你们的心灵不管怎样挣扎也毕竟不能清白，你们有那么多不好意思说出来不好意思承认的隐秘的卑微、卑鄙、卑琐，你们是多么艰难，多么痛苦，多么不幸！

如今我们睁大双眼，毫不顾忌地审视着你们的灵魂。要把它穿透。

这是人类发生、发展以来一种最深沉最伟大的爱，我们的父亲啊，请理解吧，我们的后辈，他们也会这样审察乃至于审判我们，乃至于更尖刻，更不留情面，更深入腠理和骨髓。

弗洛伊德向世人揭橥出人类潜意识中弥漫跃动着的性意识，不是损毁了人类，而是提高了人类，一个勇于承认自己是从兽而来，并且潜意识中潴留着兽性的人类，是一个文明程度在提高的人类。

当代作家的审父意识，其实是有史以来所有文学中最高级的尊父意识。因为它的前提是一种对父辈的大悲悯。在审判之前，已经给予了父辈永恒的宽恕与赦免。

任何父辈都只是无限人类延续中的一个环节。审父意识也即是人类的自省意识。这是一种悲壮的自省。人类时刻意识到自身的恶，自身的丑，自身的不完善，自身的卑鄙与龌龊，人类便有希望处于最善最美最新最洁的境界中。

不要误会我们，生我养我的父母一辈，我们心中充溢着的无尽的爱，但必得以这样的方式淋漓宣泄，才能使我们比你们生活得更好，一如你们所期望于我们的那样！

前辈优秀作家都勇于自剖。然而当代作家的自剖精神应当是超前的。我从哪里来？我往哪里去？我是谁？清夜自扪心，自问是何人？最优秀的当代作家甚至有一种抉心自食的勇气。

三

承载着全世界全人类的罪孽，苦苦寻求着通往彼岸的具体可行的路径，不惜将自己最隐秘最黑暗的心灵之角呈现于光天化日之下，为世人作出向真向善向美向光明向大同的表率，义无反顾，肝胆烛照。

最深刻地意识到自己的渺小。

然而又最深刻地意识到自己为人的责任。

最痛切地意识到自己的污浊。

然而又最执拗地从自我开始去洁净我们这个世界。

勇于自嘲。

当代作家的自嘲力应当超过以往所有的最优秀的作家。

自己深刻地意识到自己是那么样地好笑，因而充溢着真正的欢乐，并且又绝对地严肃。

改变这个世界是那么样地艰难。而这个世界改变我们却又那么样地容易。尽管这样，仍然孜孜不倦地去努力使这个世界美好。接受世界对我们的那些合理化的美好化的改造，抗拒世界对我们的那些非人化的改造。于是产生出一种最深刻的命运感。

人在命运中。

命运在人中。

保持着最最敏锐最最精微的命运感受力。

纵向，是父辈、我们自己和后来人，是庄重的历史。

横向，是地球村的邻里们，是那么多与我们不相同的人，是沉重的理想冲突。

纵横交叉，是我们命运的坐标。

我们只能生存一次。

我们诞生在什么时候？

我们诞生在什么地方？

我们由谁的精子与卵子结合？我们的遗传基因里为什么有这个缺那个？

非常非常痛切地感受到这不可更改的一切。

然而又非常非常坚实地争取着可以争取到的一切，包括更改一切可以更改的东西。

比任何前辈精细而尖楚的自我意识。

我是我。

对自己的最高程度的负责。

因而有甚至从任何一个旁人看来都不忍的自剖精神。

最深刻地意识到一个人构不成一个世界。

人必须与他人相处。

因而更必须自剖。自剖应比剖人更不留情面，更具悲壮气概。

认认真真地做一个人，有多么难啊，然而又多么值得，多么幸福。

只有认认真真地做一个人，才能成为一个真正合格的作家。

1986 年 5 月 25 日记于

读毕《活动变人形》后

说　潮

潮不可怕。可怕的是一潭死水。

新时期文艺的十年，可谓潮头不断，潮起潮落，前潮未平后潮翻卷。这是新时期文艺充满活力的表征。

　　在文学出版中，潮汐起初是与文学创作相随的。但经济改革向纵深发展以后，渐渐出现了一种双向逆反的文化运动：由于创作环境的日趋宽松，也由于对以往文学过分依附于政治，过分强调社会功利性，过分贬抑艺术技巧，过分防范外来文化影响，作家们开始越来越多地趋向于追求非政治的、非社会性的、非功利的、重形式、重技巧、重美文、重借鉴外来文化和阐扬中国古文化的纯文学作品，甚至不惜丢掉多数读者，以创作只有少数知音能够欣赏的"阳春白雪"为荣耀，形成一股先锋派的文学新潮。这类新潮作品在集腋成裘、编集出版时，征订数字大都微乎其微。与此同时，文学出版的流向中却出现了全然相反的回潮，由于经济改革强调企业自负盈亏，由于出版社的收入直接关系到该单位职工的奖金和福利补贴（新华书店也是一样），因此，在出版选题上必不可免趋向于易于销出的通俗性、猎奇性、消遣性的书籍，而且只能是以俗养雅，以畅带滞，先迎合而后引导。

　　由此观之，在文学出版中相继涌起的本土旧武侠小说潮（如《七侠五义》）、外国侦探小说潮（如克里斯蒂的小说）、香港武侠小说潮（金庸、梁羽生的作品）、台湾历史演义潮（如高阳的清史系列小说）、异国情调的浪漫文学潮（如三毛的一组小册子）、港台言情小说潮（如琼瑶的小说）……都非偶然性出现的事物，实在是有一种超出出版社工作人员本身的修养、品质以外的原因，即经济规律在起支配作用。

　　在这种出版浪潮面前首先感到困惑和不满的是文学界中人士。紧跟在文学界人士后面的是一大批干部、学校教师和学生家长。

　　在这种潮流面前，我们怎么办？

　　我想，首先是要冷静。无论是对文学创作中的新潮还是对文学出版中的新潮，都应采取一种比较宽松的态度。我们国家的中心大事是搞经济建设，目前经济改革正在进一步搞活和开放，这必然使我们社会生活的各个方面都呈现出波澜起伏、浪潮滚滚的活跃局面。伴随着健康的潮流和好的事物出现，不可避免地会出现一些一时难以判断出好坏的潮流和事物，乃至会出现一些可以判断出确实是坏的潮流和事物，这实在不值得大惊小怪。其实对比于社会上的其他方面，比如某些国家机关严重的官僚主义，动辄浪费国家成千上万上亿的宝贵资财，以及某些国家干部的贪赃枉法，不惜向外国商人出卖国家机密以换取金钱和其他"好处"，这一类的并不少见的黑浪和浊流来，文学创作和文学出版中的种种被视为不对头的潮流和现象，那真是要纯洁得多也简单得多了。因此，大可不必义愤填膺到怒不可遏的地步，更不可急躁粗糙地用简单的禁止、堵塞的方法来解决问题。

那么，利用行政干预手段，把文学创作特别是文学出版排除在经济规律之外，严格地实行按统一计划、规定比例出书，是不是一个办法呢？这显然也行不通。第一，若干出版社就必得有赔无赚，需要国家源源拨款支撑。第二，即便国家补贴以维持出版单位的收支平衡，但因为没有赚头，出版单位的工作人员便不可能有奖金和福利补助，他们也是活人，也应享有经济改革中其他许多方面人员所有的经济上的好处。无论为减轻国家经济负担计，还是为出版单位工作人员的生活水平提高计，都还是应当使出版单位走自负盈亏的路子，也就是使出版工作商品生产化，使书籍作为地地道道的商品参与社会主义的商品流通。而这种商品流通的规律，又必然会使得一些出版单位率先翻印某些现成的通俗文学作品。客观的经济规律是君临一切的，用行政干预这只胳膊来拧经济规律这条大腿，恐怕到头来还是无济于事的。

在潮流面前，最好的办法还是摸清潮流和流向，采取首先是不怕，其次取慎重而细致地加以疏导的态度。

从事文学出版的各个出版单位的情况是并不相同的。有的出版社在确定畅销书时选择比较精当，以俗养雅的路子比较端正，对这样的出版社要加以揄扬。

尽快制订公布切实可行的出版法，对那些一味盗印劣版港台通俗作品，一味出版粗制滥造的准色情准暴力读物，除了赚钱不知公德的出版单位，特别是其主持者，依法查处，也是一种办法。

此外，加强对大量上市的趣味性、猎奇性、消遣性的通俗文学作品的评论，是很重要的一个环节。作为一种日趋活跃的社会的一种文化现象，通俗文学应有它的专门研究者、评论者和针对广大读者的消费指导者。

在我看来，"雅俗不能共赏"，"真正好的纯文学作品只能雅赏"，"保护阳春白雪，维护雅作雅赏"，作为某些文学家的个人见解，都是完全可以存在并得到尊重的，而且这种先锋性作品对整个文学事业的发展，也许确实还有某种催化和刺激作用。但就文学出版来说，大力抓好雅俗共赏的作品，力求推出的文学书籍既有文学价值又有"票房价值"，应是工作的重点。像《新星》就是一部既有文学价值（尽管对这价值的高低尚有争议），又有"票房价值"的雅俗共赏之作。时下广大的中国读者（观众）的审美趣味中不可能不包含着对民生疾苦、世态真相、改革成败、国家命运的探求与关注，因此应当有更多的作家立志于写出满足这种审美需求的作品，也应当有更多的出版社有志于抓好这一类的作品。在所有解决现存问题的方法中，我以为这是最重要的一条。

不要怕潮，也不要见潮便捧。任何新潮都会变为旧潮，既有潮来便有潮去，做一个弄潮儿固然有趣，做一个"观潮派"也无可厚非，在潮头面前人们可以各随己便。但有一点是越来越清楚了：禁潮是无效的，尽管有的潮头确实不那么纯净，但潮起潮落，潮潮相激，便推动着我们这个社会向光明的前途发展。

1986 年 8 月 9 日

片叶冥思录

1

只不过是树上的一片叶子，却不仅时时想到自己，也想到枝桠，想到主干，想到根须，乃至想到树体以外。僭越吗？

2

"党啊，党啊，亲爱的妈妈……"

歌词是真诚的，曲调是深情的，演唱是激昂的，播放是准确的。

但其词也还可以商榷。

就算打比方，到底谁是谁的妈妈呢？

人民，是党的妈妈。

不是党生下了人民，是人民生下了党。

不是党哺育了人民，是人民哺育了党。党离开了人民，党就不复为党。

当然，作为单个的人，感激咏唱党对自己的哺育、教育，也是可以引起有同样经历的人共鸣的。

我们也应该有这样的歌："人民啊，人民，亲爱的妈妈……"

共产党员心里，应该有这样的歌。

在新的历史时期，更应该有这样的歌，唱这样的歌。

"党啊，党啊，亲爱的妈妈……"

其实咏唱者是把党作为一个整体来讴歌的，但我真怕有的党员兼官员在这样的歌声环绕下，心旷神怡地以为自己也便是他那个单位的"妈妈"或"爸爸"了。

杞忧吗？

3

这当然是一些很沉重的思考。

"没有共产党就没有新中国。"

又是一首歌。一首歌概括出了一个举世公认、不可更改的历史事实。

但是，如果有人说：没有共产党就没有"文化大革命"，我们该怎么想呢？

或许可以这样去反驳："文化大革命"是"四人帮"闹腾出来的，而"四人帮"根本算不上共产党，其本质是国民党，因此"文化大革命"是国民党搞出来的……

逻辑上不通，也不符合事实。

"文化大革命"是极其复杂的社会历史现象，一时理抹不清，可以再放一放。

但我们确实可以理直气壮地说：

没有共产党就没有"文革"的结束。

没有共产党就没有"文革"后的新局面。没有共产党就没有如今这样一个搞活与开放的中国。

4

前几个月报上在重要的地位刊登出一群小学生的信，小学生看到大人在饭馆里摆宴请客，感到无比困惑。他们觉得眼中看到的社会与政治老师在政治课上所讲的那些，是矛盾的，因而提出批评的意见。

可是搞经济建设，必然带来社会主义商品经济的繁荣。商品经济的繁荣，带来人民群众中消费浪潮的勃兴。于是出现新的餐馆，出现高档的餐馆，出现中外合资的餐馆，出现与港商合资的餐馆，出现店堂装潢讲究的餐馆，出现"包办酒筵"的餐馆。如果没有人去吃饭或摆宴，办这些餐馆干什么呢？

小学生产生这样的心情，是完全可以理解的。这也说明中小学的教科书急需与经济改革配套。

但是我们的报纸为什么要将这封信登在头版重要位置，把我们的认识降低到小学生的水平呢？

"文革"中，我们多次通过百分之一百肯定"小学生"，而造成了扫荡无数成人的"旋风"。历史的教训，必须吸取。

5

"一手抓物质文明，一手抓精神文明""两个文明一起抓"。中国的政治语汇大都使用拟人法或比喻法。"一手"，"一手"，"一起抓"，很生动。但我总觉得还该强调两者的配套。精神文明应与物质文明配套。

回顾近10年的路程，我们有过极其关键、极其精制的配套举动。"实践是检验真理的唯一标准。""知识分子是工人阶级的一部分。""科学技术是生产力。""对内搞活，对外开放。"这都是精神文明，是全人类在现时代最光辉照人的精神文明。它们都是与结束以阶级斗争为纲，进行经济改革、推进四化建设配套的。

但这配套工程还需巩固与发展。

母系统尚不够丰满。子系统，有的初步建立起来了，有的则尚为空白。更令人焦虑的是，有的子系统尚属于"以阶级斗争为纲"那一母系统的残留物，时时对现今的母系统起着干扰乃至反抗的作用。

人道主义，我个人以为，实际上应是这配套工程中母系统的一个组成部分，至少，应是从母系统中生出并不断反馈以母系统营养和活力的一个最重要的子系统。

否定了人道主义这个精神文明，或反对以人道主义与目前的经济改革和四化建设配套，则目前的经济改革和四化建设，便失去了一个坚实的理论支点和心理依据。

如果人不是中心，人不是目的，如果不能提人的尊严，人的价值，如果认为人道主义是属于资产阶级的，如果认为人道主义充其量只有社会主义道德范围内的微小作用，如果人性、人情、人权统统不能提，更不能对其进行探究与讨论，那么，我们党的十一届三中全会开得对不对呢？我们结束"以阶级斗争为纲"，结束得对不对呢？我们集中全力搞经济建设，对不对呢？我们实行对内搞活、对外开放，又对不对呢？我们提出"一国两制"，又对不对呢？……

搞经济建设，使国家富强，不就是为了让人民群众在和平的环境中，通过诚实的劳动，吃得好，穿得好，住得好，用得好，玩得好，活得更像一个真正的人，一个全面发展的人吗？

人是目的。观念不是目的。

观念应当为人服务。而不是人应当为观念尽忠。

马克思主义是为了中国人的解放而被引进，并服务于中国人的。

中国人在求自身的解放中，发展了马克思主义。

如果人以外的某种亘古不变的理念是目的，抽象的"党不变修，国不变色"是目的，抽象的"世界观正确"是目的，抽象的"反腐蚀"是目的，那么我们根本不必大搞经济建设，更不能搞活与开放，我们需要的只是"五七干校"、围湖造田、"斗私批修"、各种大批判活动与"灵魂深处爆发革命"，要什么商品和货币？配给基本生活用品就可以了！用什么家用电器？防止被"资产阶级生活方式"所腐蚀！为什么上学？知识越多越反动！至于说生产不发展，乃至濒于崩溃，那有什么了不起？饿死一点人有什么了不起？……

其实，顺这逻辑发展下去，我看连"马克思主义"的标签也不用贴，因为中国的理学家早准备好了八个字，可以引为万世准绳："饿死事小，失节事大。"这是最彻底也最明快地对人道主义的批判与扫荡。纪念"双百"方针三十周年这当然是一桩好事。可是，读了许多"过来人"的文章，我却不禁发愣。我想到了李国文。提出"双百"那年他才26岁，他在"齐放"的鼓舞下，将自己那富有独创性的小说寄到了《人民文学》编辑部，立即被秦兆阳等同志所看重，于是在《人民文学》1956年7月号的头条位置发出了他的《改选》，仅仅过了一个月，他便赶上了"反右运动"，《改选》被定为特大毒草，他被划成了"右派"，从此开始了他长达20多年的劳改生活。那篇《改选》一共7000多字，他20年的劳改计7000多天，折合为一个字付出一天的劳改的代价。

重提"双百"，只能引出他的辛酸，他的痛苦，他的叹息。

我还没有看到一篇文章，写的是在"双百"方针的感召下，自己大胆创作，勇于争辩，而有美妙结果，成为甜蜜的回忆。

"双百"提出来时，可能真是希望由此造成一个活泼而丰富的局面，但其结果成为一种开展阶级斗争的手段。

在"以阶级斗争为纲"的历史阶段，"双百"曾是与其配套的。"双百"字面上说的是"齐放"与"争鸣"，但对它的诠释却充满了"放与收"、"香花与毒草"、"无产阶级一家与资产阶级一家"等等火药味极浓的内容。后来有人爽性"打开天窗说亮话":"双百"方针就是引"蛇"出洞。

有趣的是,由于"双百"字面上毕竟体现不出阶级斗争的火药味来,所以当它提出之际,就有一派人物苦谏,还是不要提它的好!因为它会给毒草造成出笼之机!("毒草出笼"是中国政治语汇中最古怪的一个,草是植物,何以笼装,又如何出笼?)

后来"双百"时隐时现,时推开时捡回。

如今又是又一次捡回。相信这回是真诚的;是"阳谋",不是陷阱,而是真想齐放与争鸣。

但由于以往惨痛的教训,人们的文章和发言里往往有这样的句子:"我们要实行真正的'百花齐放,百家争鸣'。"什么是真正的呢?什么是假的呢?过去是真的还是假的呢?

我提出一个朴素的建议:既然"百花齐放,百家争鸣"长期是与"以阶级斗争为纲"配套的,关于它的内涵与外延,在人们的头脑中已有了那样的思维定势与情感积累,在不以阶级斗争为纲,并从事经济改革乃至于政治体制改革的今天,我们为什么还非抱住它不放呢?这八个字不过是一种粗陋的比喻。既然它难以与今天的经济改革配套,我们何不干脆把它放在一边,另外确定一种与经济改革配套的发展科学文化的方针?比如说,就干脆用"创作自由,学术民主"这八个字?当然,"双百"仍可作为一种习惯用语而存在,但不要再把它作为政策语言。

其实,就从字面而论,"百花齐放,百家争鸣"也有漏洞。已经有人指出,为什么只提花不提草呢?草不仅不一定是毒草,即便是毒草,也可供观赏,有时还有药用价值,甚至比有的花还更美,更于人有益。

我认为,"百花齐放",只强调放,并不宽容,在某些特定的情况下,其实是应当允许文学艺术停止创作,不放的。真正的创作自由,应当包含着允许不被强迫创作,以及自动不创作的自由。比如"文革"时期,一些搞文学艺术的,把人家打倒了,折腾够了,后来又抽调人家参加什么"三结合创作组",非让人家参加创作，让人家"放"。不干，就再打倒，再斗争。

"百家争鸣"也是一样。在某些特定情况下，也应当允许人家不参与争，不参与鸣，不答辩，也就是说，文学艺术家、科学家、学者，也都有沉默的自由。过去一搞"争鸣"，非把涉及到的人物拉出来发言、写文章不可，你不发言，不写文章，便扣你一顶"反对争鸣"的帽子，甚至已经判定你"背离马克思主义"了，还非要你立足于为自己辩护，写"我没有背离马克思主义"式的文章，不许沉默。

我这些想法可能是悖谬之话。不采纳就是了。批评就是了。总不至于由此给我定罪吧？

我坚信，无论还会遇到怎样的艰难曲折，全体中国人民，尤其是中国知识分子，终能充分享受思想和言论的自由，享受创作自由与学术民主。

1986 年 8 月 26 日—28 日于绿叶居中

宽松：一种配套意识

有人问：已经有了"百花齐放，百家争鸣"的提法，何必另讲宽松？

三十年前，"百花齐放，百家争鸣"刚提出来的时候，无论是字面意思还是所给予的解释，都给人一种允诺创作自由和学术民主的印象。

但自从1957年"反右"扩大化以后，"双百"给人的印象便成了一种"钓鱼方针"，目的是通过"放"让"毒草出笼"，然后再加以铲除而达到"收"，以利于无产阶级的香花一花独放。

在"双百"刚提出来时，便有一些"左派"忧心忡忡，他们认为即便"放"的目的是为了"收毒草而歼之"，也还是为资产阶级提供了表现的机会，所以不如不提"双百"；他们当中有的人因此也被划为了"右派"，形成一种误会性的悲剧。超级"左派""四人帮"们，自然厌恶"双百"，就是在粉碎"四人帮"以后，一些"左"毒未清的人也是不喜欢这个提法的。因而"双百"提出后的卅年里，它是时隐时现的。

但总的来说，"双百"后来是与"以阶级斗争为纲"配套的。对于它的界说与解释，充满了"鲜花与毒草"、"放与收"、"无产阶级一家与资产阶级一家"、"浇与锄"等等成套概念。把文艺看成是一条战线，目的不是为了建设而是为了爆破，因而形成一种以"流动哨兵"自命的风气，睁圆眼睛查找"敌情"，动不动就认为是"础润而雨"，"树欲静而风不止"，随时展开斗争，并由点及面，由一条战线而推及其他各条战线，即"从文艺开刀"，最高潮便是"横扫一切牛鬼蛇神"，大革整个文化之命。这历史的教训真是太沉痛了！不是"双百"这八个字不好，实在是对"双百"的解释和一系列实践越来越背离它字面的含意。

难怪在纪念"双百"提出卅周年的当口，一些"过来人"的文章里充满了那么多的辛酸。我就知道李国文当年在"双百"的鼓舞下向《人民文学》投去了几篇小说，结果只发出了一篇《改选》，便被指斥为"向党进攻"，划为了"右派"，结果被劳改、压抑了整整二十年，他那篇《改选》一共七千字，一年三百六十五天，二十年恰好七千天，他为每一个字付出了劳改、受压一天的惨重代价！

"双百"这八个字当然还可以用，但与"以阶级斗争为纲"配套的一系列界说与解释，却不仅大可怀疑，而且应当清理乃至否定。

党中央现在提出来在文艺界形成一种宽松、和谐的气氛，我认为比重申"双百"还更有意义。

宽松，这是一种与党的十一届三中全会以来的路线配套的意识。

我们结束了"以阶级斗争为纲"，把重点移到了搞经济建设上，并且对内搞活，对外开放，我们的改革由农村发展到城市，而且将由经济领域发展到政治体制领域，还要物质文明、精神文明一起抓，总之，一切为了使国家富强起来，为了使人民生活得到根本改善，在这个前提下，对文学艺术确实应当宽松。

我们是一个社会主义大国。我们的创作自由、学术民主不是没有边际。比如，你写文章反对党的十一届三中全会路线，批判"唯生产力论"，压制改革与开拓，那就必得给予一定的限制或抑制。但总的来说，创作自由和学术民主应当是在空前宽广的范围内和空前宽容的对待下加以保障的。比如说，即使有人提倡为艺术而艺术，为文学而文学，创作上搞唯美主义，搞形式主义，学术上搞所谓繁琐考证，这都并不妨碍经济改革，因此也就不必干涉，如果这类的创作和学术研究确实意义不大或空费精力，也要相信文学艺术界、学术界自身以及广大的人民群众是会自动对之调适的。

我们国家是党领导的。党当然不能完全不过问文学艺术，但弦确实不必绷得过紧。松一点好。这种"松"应是一种自觉地维护经济改革这一中心不至被转移的配套意识。且不说对搞活、开放环境中纷繁复杂的文艺现象切不可率下结论，即便出了一点坏作品，产生了一点不那么健康的文艺现象，也不可大动肝火，大发雷霆，又"从文艺界开刀"，去"挖根源"、"查背景"、"揪后台"，那就又会"牵一发动全身"，难免重演《评新编历史剧〈海瑞罢官〉》、《评〈三家村〉》、《评陶铸的两本书》一类的事件。有的同志表示欢迎批评，欢迎尖锐的批评，主张不要害怕批评，应当主动争取批评。我很理解他那虚怀若谷的态度，但我必须补充：以上"三评"那一类的姚氏批评，无论如何不允许再在我们的报刊上出现，即便退回到1965年以前，江青还没有跑到上海找到张春桥物色到姚文元之前，姚文元自发写出的那一类批评文章，我们也是应当反对的，那种自命为"马克思主义者"、动辄宣布别人"反马克思主义"，从国内一直批评到国外（我们可以回忆起姚文元对印象派作曲家德彪西的批判）的做法，是不允许重演的，而且他做得越尖锐，我们就越应当挺身而出加以抵制。所以就"宽松"中的"松"这一个方面而言，我倒以为与其说提倡批评，莫若说提倡讨论。这种讨论应当是平等的、平和的、平易的。在贯彻"松"的方针时，把握好文艺批评和学术争鸣的基调，不使其滑向"左"的斜面，我以为是重要的。因为我们过去从文艺批评与学术争鸣开始，一而再再而三地加温，使得"左"车急速下滑，造成国家被牵动着下跌以至于倾覆的教训真是太深刻了！我们今后务必不要又从这个方面使得国内民众惊惶，国外舆论哗然，乃至于整个国家不知不觉又被牵引到"以阶级斗争为纲"的旧路上去！

宽松好！

我们在宽松、和谐、相互理解、相互信任的气氛中和条件下，应当多写，写好些，写出精品来，以不辜负这个伟大的时代，不辜负期望着我们的广大读者！

1986 年 7 月 20 日

作者附记：此文原发表于 1986 年 8 月 1 日《中国青年报》，作为该报"宽松系列谈"中的一篇。后来据说"宽松"的提法不宜作为一种文化政策，其提出者还被调动了工作。制订文化政策不是我们作家的事，我这篇文章只是作为一家之言，表示了一种对"宽松"的理解与欢迎，故录存之以供后来研究八十年代中国文学动向者参考。

1988 年 12 月 27 日

作家与读者

读者的概念，宽泛而言，凡读作品者，均系读者。例如一位作家写出作品，第一读者可能是他或她的爱人或朋友，然后可能有编辑、审稿者、排字工、校对、作者约请的评论家、同行、师长、同窗等等；但严格来讲，作为一种社会文化现象，与作家、作品相对而言的读者，指的是社会上承受文学作品的群体，亦即文学作品的自觉消费者，其核心是有阅读文学作品习惯的审美者。

当代中国作家写作品，以与读者的关系划分，有下列数种情况：(1) 为自己而写作，作家无读者意识。这里所说的"读者意识"，指的是作家写作时起相当支配作用的一种与读者群体自觉交流的意识。(2) 为少数知音写作，为小圈子而写作，为沙龙而写作，这样的作家亦无读者意识。(3) 为适合文学批评家口味而写作，为获奖而写作，为文学界内部的名气而写作。这样的作家即使有一些读者意识，也极淡薄。(4)为读者而写作。寻找并确立自己比较稳定的读者群。有读者意识。

读者意识又可具体分解为下列各项：(1)写出来主要是为了给自己并不认识的读者看；(2)这些读者不一定是文学界的人士，也不一定是自己也弄文学想涉足或进入文学界的；(3)自己所写的东西，从内容到形式，自觉地适应自己所选择的读者群的需求；(4)清醒地意识到，作为文学审美文学消费的总读者群，不一定都要读自己的作品，因此，对哪些人不一定要读自己的作品，或自己并不一定要哪些人读自己的作品，心中有数而不盲目。个别作家认为自己的作品所有人都该读，在当代社会那并不能算是具有读者意识，而只是一种自我膨胀。

对读者群的选择和态度，使作家们的写作形成不同走向，如主要考虑如何顺应、取悦、满足读者群的审美和消费需求，则比较容易走上写通俗化作品、写畅销书的路子；主要考虑如何启迪、提高、净化读者群的审美和消费需求，则比较可能走上写所谓纯文学亦可称雅文学作品、写试验性探索性作品的路子；也有的作家在写不同的作品时转换上述两种考虑，或总是把上述两种考虑交织在一起，争取所写出的作品既好读而畅销，又深奥而新奇。

当代中国读者对文学作品的阅读兴趣，可能基于下列各种角度：(1)纯粹的文学兴趣；其中优秀的读者在阅读中实际上与好作品的作者共同完成着文学作品的创造；(2)希望从文学作品中获得思想上的启迪；(3)希望从文学作品中得到社会人生经验；(4)希望从文学作品中得到新闻性、内幕性满足；(5)希望从文学作品中获得知识；(6)利用文学消遣消闲；(7)希望从文学中得到暴力和性的满足——这虽然很难说出口来并不可能向他人承认，但从数量颇多的准暴力和准色情文字在个体书摊上的出现，我们已不得不注意研究这样一种客观存在的阅读心理；(8)平时并不读文学作品，但由于一部什么作品在社会上很轰动，在社会阅读浪潮裹挟下也产生了偶然性的阅读兴趣。

当然，一个读者进行阅读时，经常是上述提及的几种阅读兴趣杂糅在一起发生作用。

1949 年至 1966 年上半年，作家凡正式发表作品的，均有读者意识，当时社会要求所有作家树立统一的读者意识，即为工农兵而写作。因为将文学与政治宣传紧密地联系在一起，所以作家对读者群的选择是谈不到的，读者对作家作品的选择也很难出自充分的自我兴趣。批评界为政治路线服务，批评标准和批评方法是统一的，因此作家作品与读者之间的媒介是单一的，一部被推荐的作品常被极大量地印行并通过行政方式或准行政方式组织读者阅读。那个时代阅读文学作品的人，开列出的阅读书单必是雷同的、熟悉的，文学人物、文学手法及文风也必是重叠乃至划一的。

1966 年下半年至 1976 年是"文化大革命"时期，已无真正意义上的文学活动，作家的主体性进一步丧失，读者的主体性亦进一步丧失。

1976 年以后，在 1977 年、1978 年、1979 年，曾出现一个"官方"、作家和读者空前亲密的时期。作家基于欢呼"文革"的结束和新时期的到来，所写符合当时党和政府所要转换的路线和选定的道路，同时亦传达出广大读者想说而未及说的心声，因此常引起异常的轰动。若干作品的读者可能达到了中国历史上罕见的数目，并使一些作家仅因几个短篇或中篇便获得极大的知名度。当时作家作品和读者都很少纯文学倾向，非文学的创作因素与阅读因素常占相当比例。

1980 年后，作家创作开始分化，各自选择自己的读者群；作家主体性的加强也体现在读者意识的上升、调整和强化上，或者刚好相反。同时，读者也开始分化。有一部分读者退出了文学，有一部分读者的阅读兴趣凝聚到了文学本身，更多的读者开始自觉地选择符合自己口味的作家和作品。

1984 年左右，开始出现不顾及读者群的作家。1985 年开始有作家公开宣称为自己而写作，为少数知音而写作，为小圈子而写作，为行家写作，为世界和人类而写作（往往表现为直接为国外汉学家写作），出现了作家与读者自 1949 年以来（或更长时间以来）的第一次疏离现象，其具体表现又有：(1) 有的作家作品在文学界内很有名气，但在文学界以外鲜为人知；(2) 有的作家作品在国外被有的汉学家给予高度评价译介，但在中国国内几无影响；(3) 有的作家作品因在文学界内引起轰动，主要吸引了一些想走上文坛自己也尝试写作的读者，在并不想走上文坛自己也不弄文学的读者中没有反响或反应不佳；(4) 有的作家注重与评论家结盟而轻视读者的反应；结果是有的作家作品被某些评论家反复评论推崇，而读者问津者甚少或虽阅读了却并不接受，这样的作家很少或根本得不到读者来信，亦不想得到读者来信；(5) 因为可以不顾及读者而弄文学，所以出现了某些没有作品或作品甚少，以述而不作为特点的作家，他们以自己的非写作的文学活动而创造出自己的文学价值；(6) 引出了关于有的作品"看不懂"的争论，出现了类似"看不懂就不要看"、"就是不要你看懂"、"看不看得懂不关作家的事"、"越看不懂作品层次越高"、"为下半世纪的读者写作"等等非读者意识的言论；(7) 非通俗性文学书籍印数呈下降趋势。非通俗性文学期刊订数亦有下降趋势；(8) 文学沙龙的真正形成；(9) 在目前中国的体制下，尚不可能办同仁刊物，于是有"化公为私"，化应为大众服务的刊物为文学小圈子过瘾的刊物倾向，这或者是同仁刊物的雏形；(10) 文学界宗派主义的滋生，有人说是"流派未出而宗派已成"；(11) 文学主潮的模糊；(12) 文学界批评权威的消失。

形成以上局面的原因是比较复杂的，对以上种种现象的评价似也不必一概否定。大体上来说，促成这种文学现状的原因有：(1) 是对以往强调文学为政治服务，为统一的工农兵服务，文学批评标准划一，文学创作样板化，用行政方式或准行政方式组织创作、阅读……做法的心理大反动；(2) 是随着对外开放，西方文化中的我们统称为现代主义的潮流涌入后，所引起的复杂效应之一；所谓西方现代主义文学的各种流派中，有不少具有与读者起码是一度疏离的特点，一些中国当代作家在从中汲取营养时，可能自觉不自觉地把这种疏离也搬来了；这是一个需要另外专门探讨的学术问题，这里暂不展开分析；(3) 是文学创造力被压抑太久之后，急功近利的心理因素的大爆发，因为如着眼于作品的获奖，高评价，译成外文为外国人所知，则读者是并不太重要或完全可以忽略的一环；(4) 是作家个体感悟力的超前性与读者群体审美能力停滞性之间的矛盾所致；这一点亦特别值得另外专门探讨；我希望有了这一点的提出，可以避免这样一种误会，以为我在任何作家作品与读者的疏离现象面前，总是对作家作品持批评或揶揄态度；其实，我们这个民族整体教育水平的低下，决定了我们读者群整体审美水平的有限，因而也就不可避免地要出现一些天才作家天才作品生不逢时明珠蒙尘的时代悲剧；(5) 是文学生产的机制问题，在西方或许反倒不可能在短短八年之内使脱离读者的小圈子文学、沙龙文学、"看不懂"的作品风起云涌、供大于求，因为西方文学消费中起关键作用的市场机制主要由读者的购买兴趣为杠杆，而在目前的中国，文学的生产还是另一种状况，绝大多数作家有固定工资，并不靠着读者买他的作品而生存，因此，完全可以不去考虑读者的需求，有的作家宣称"玩文学"并玩得起即出于这样一种背景；即使作家没有工资或工资很少，需挣稿费维持生活，我们实行的是按字数计算稿费的办法，只要编辑部愿意刊印作家的作品，不管这作品有没有读者，有多少读者，印多少，卖多少，作家的收入总是有保障，我们对印数稿酬是少到可以忽略不计的程度的，更不根据销售状况计算报酬，因此，在文学生产过程中，读者因素的介入即使不能说完全没有，也是极其有限的。此外，远离读者的作品政治风险反而较小或全无，相比而言，远离读者的作家作品比贴近读者干预生活的作家作品生存几率更高。

作家作品与读者疏离现象的出现，其中有进步因素，是时代之必然，例如有的许多人认为是"读不懂"的作品，确是作家呕心沥血的力作，其底蕴之丰富与形式创新之成功，都将随着岁月的推移与读者的整体审美水平的提高而越来越被人们所认识所欣赏；再如严肃的文艺沙龙的出现，以及确实锐意创新的文学小圈子的形成，也可能是推进文学潮流的必要的前锋。我们万不能因为这些作家作品与读者疏离便对文学现状感到焦虑。但眼下所出现的若干作家作品与读者的疏离现象，也确实证明着我们文坛的不成熟。

我以为，我们应重视作家与读者二者关系这一课题的研究，并应从总体上加强我们文坛同读者的联系，毕竟推动一个民族文学发展的不仅有赖于作家、编辑、出版家、批评家，还有非同小可的读者群。比较切实可行的办法有：(1) 具有鲜明

读者意识的作家应在我们的文坛中发挥作用；(2) 用各种形式加强作家作品与读者
在读作品以外的联系，各报刊编辑部及出版社应经常召开读者座谈会或有读者参
加的专家座谈会，报刊应经常发表读者评论作品的来信；(3) 用各种手段提高读者
群体的审美水平；(4) 改革文学生产体制，引入读者文学消费这一因素，使其成为
多数作家及多数作品得以刊印售卖的必要杠杆；使不为读者而作的作品不能以为
读者而设的生产机构和实际上是由读者提供的生产资金印出，但不为读者而作的
作品确实也可能被时间和历史证明为伟大的作品，因此，应使它们有充分的以自
筹资金及接受某种文学基金会资助的方式存在并发展下去的机会；(5) 应有一些不
与作家结盟的独立不倚的评论家出现，他们绝不仅仅应作家或刊物出版社请求而
评论作品，而且他们决不把读者置之度外，他们自觉地成为作家作品与读者之间
的沟通媒介，并创造出他们独有的作家作品与读者都不可替代的特殊价值。

总之，我的文学主张在作家与读者关系这一环上可总结为：

(1) 作家应为读者而写作；

(2) 作家对自己的读者群应心中有数；

(3) 尊重自己读者群的总体要求；

(4) 并不迁就自己的读者群；

(5) 总要争取给予自己的读者群一些意外的东西；

(6) 在文学跋涉中要不断试验，不断创新，不怕因此丧失一部分原有的读者，
但亦应有信心因此吸引来一部分新的读者；

(7) 在所有读者中，要尊重并不弄文学的纯读者；

(8) 十分重视读者来信，甚至比批评家的批评文字更其重视；

(9) 愿同读者在适当场合以适当方式相见，直接交流；

(10) 作家的知名度应主要保持在读者之中，特别是纯读者之中。

1988 年 3 月 22 日

中国作家与当代世界

电影《红高粱》从西柏林电影节上捧回了闪闪灼目的金熊奖，一定激动着若干中国作家。尽管这部电影是根据同名中篇小说改编摄制的，但金熊奖的捧回只标志着中国当代电影确实已经走向并进入了中国以外的世界，还并不能援引为中国当代文学达到同等效应的例证。这就像1951年日本根据小说改编摄制的电影《罗生门》获得了威尼斯电影节的金狮奖，并不标志着当代日本文学进入西方世界一样，日本文学在那以后经过了17年，到1968年，川端康成获得了诺贝尔文学奖，才算是正式走向了西方世界。

不仅是一些中国作家，也有许多的中国读者，急切地希望中国的当代文学也能像电影《黄土地》、《老井》、《红高粱》那样，越来越显眼地，以至轰轰烈烈地获得外部世界的肯定。

在中国坚持了十年对外开放并全面改革的情势下，这样一种心态的出现是必然的，总的来说也是积极的、健康的。中国的当代文明包括当代文学，理应既继承发扬民族悠久传统中的那些优良独特的品质，又通过泼辣的变革与当代世界文明包括世界文学相沟通。

沟通的愿望诚然可贵，达到目的却谈何容易。于是出现了许多有趣的文坛现象，很值得从文化心理的角度来探究。

手头正好有一份1987年12月22日香港《文汇报》美洲版《文艺》周刊的剪报，有一位定居美国加州的戈云先生在他题为《不寻常的秋天——几位中国作家来美访问记略》的文章中，提到同年10月份10多个海峡两岸的中国作家，在美国爱荷华以"我为何写作"为题向听众表述心曲一事，文章写道："据说，现代派的新潮作家，是不屑谈社会'责任感'与'使命感'的，但台湾作家李昂，除了说她只是因为'喜欢'才写作，并'从写作中获得的满足感，是没有别的东西可以替代的'之外，她却又说到，'从喜欢开始，写久了，也觉得有使命感。'……但大陆的一些作家，却似乎刻意要把这问题说得更为隐晦和淡漠似的。比如张贤亮在会上说，'我为什么写作呢？就是我要向外面的亲人们表达我的感受，摆脱孤独感'，而张辛欣也说，'我写小说的原因从一开始到现在，都是因为这东西很骗人'，'后来又有了一个念头，也许写小说可以改变我的命运。'阿城说得更'神化'了，只有11个字：'我写作就是为了满足自己。'……我真怀疑，事情果真这么简单？大陆的某些作家，会不会太要求自己紧跟'潮流'，因而不惜'随心所欲'地去适应这种'自由天地'的环境，结果就出现了某种程度的'自我矫饰'，甚至是'自我扭曲'？"戈云先生的评述相当尖刻，也许他未免断章取义，也许他误会了所引那些话的意思。但我相信他的善意，并且，他所提到的几位大陆作家，在国内外都已获得了无数的好评，想来也完全经受得住他的这一点批评或误解，可以写文章完善自己的观点，可以写声明辩误，更可以付之一笑置之不理。不过，我却以为戈云先生的总体感受并不算错。在我们当今的文坛上，耻于谈使命感、责任感以至于认为立足于使命感和责任感写作品便是"非文学"的现象，已经相当普遍。例如中国作协上海分会主办的《文学角》杂志今年第一期里，吴亮在他那篇题为《文学的，非文学的》的"冥想与独自"式的文章中，就提出了"取消意义"、"艺术即形式"等命题，并十分明快地表述说："艺术就是那个叫形式的事物的另一个名称，它纯粹是形式。绝非是'有意味'的形式。一旦在人们开始谈论某形式的'意味'，他们就把问题引渡到形式之外。也就是引渡到艺术之外了。"又具体地从各种艺术门类中捡出文学来说："总之，文学的工作范围乃是记载的它所见所闻所思，而不是教人们有所欲有所愿有所图。"这种观点具有相当的代表性，它不仅排拒使命感、责任感，就连一切的目的、功能、指意、用途也都嗤之以鼻。如果严格地以这种观点为坐标来衡量世界上的文学现象，那么率先应遭到批判与扬弃的是所有获得诺贝尔文学奖的作家与作品，因为诺贝尔文学奖的颁奖标准，是诺贝尔本人在1895年11月立下的最后遗嘱中明确规定的："文学奖必须颁给那些在文学领域中创造出最杰出之理想主义作品者。"固然历届的颁奖对理想主义的指认并不一致并引起过若干争论，但其强调文学作为艺术之一种必须有"意味"且必须有"大意味",则是明白无误的。有趣的是,如果我们实事求是、心平气和地鸟瞰当今中国文坛,就会发现,几乎在各个地方都有一些作家特别是青年作家,他们写出一些不同程度直到完全"取消意义"的作品和鼓吹"艺术即形式"一类观点的理论批评文章,恰恰大半是为了使中国的文学走出中国,走向世界,而他们心目中的世界,又并非是或首先并非是阿非利加洲,也并非是沙特阿拉伯、缅甸、秘鲁、特立尼达和多巴哥等处,而是美国和西欧,他们心目中达到那个世界的水准和进入那个世界的标志,其实主要也就是诺贝尔文学奖。

这里我想探究一下这类观点和这些现象之所以在最近这个时期出现的某些文化心理契因。

这首先是对我们以往单一的文学理论、几乎一面倒的政治性社会性文学批评、刻板的文学创作模式、不恰当的文艺政策、对外封闭的人文环境、论资排辈压抑年轻的文学力量等等方面的一种合理反叛。两种基本的愿望:同世界文明包括世界文学沟通的愿望,对中国文明包括中国文学实行充分变革的愿望,在整个国家实行改革开放的基本国策以后,相激相荡,相融相汇,爆发出惊人的效应。因为过去太单调、太刻板、太憋闷、太压抑,所以拼命地追求新、奇、怪,拼命地争先恐后地去闯禁区,去有意出格,去尽情地发挥、宣泄,以至于不把一种说法做法推到极端绝不罢休。

再有,由于过去太封闭、太僵硬了,一旦打开门窗,一旦可以活蹦乱跳,却又惊愕而伤心地发现门窗外面的世界已变得那么不可思议,纵使拔腿狂奔,似乎也难以缩短自己和外面世界的距离,于是乎生出一种交织着焦虑、焦躁和焦急的情绪,在"三焦热盛"的情绪下,又很自然地希图找到一条走向世界的捷径。要找捷径就必须超越,在两点之间寻求一条直线,这么一想,什么社会制度呀,意识形态呀,固然是率先需要超越的,就是伦理道德呀,理性思维呀,掰扯起来也怪麻烦的,所以最好直奔人类最相通的东西,最相通的东西无非就是性本能及其他的本能,那么就刻意写这个吧。在这类日见增多的"本能文学"面前,我以为首先需要的是最宽宏的理解,唯有深切地理解到它们为什么会在我们这样一个民族近几年的文坛上出现，才会既不暴躁地把它们作为一种"阶级斗争的新动向"，也不糊涂地把它们视为是改革开放的新国策引发出的弊端。这种文坛上的动向，其实是我国当代文学前进中的蹒跚，我看是很难完全避免的。有一点这样的文学现象，对我们这样一个正在以求富强为轴心转动的民族来说，无论是好是坏或好坏交糅，都算不得什么大事。

在两点之间找一条直线的另一种路数，是进行创作时尽量揣摩"西方人想看什么？"当今中国即使是最新潮的作家，似乎也都有着中华民族特有的尤其难以割舍的"爱国情结"。所以，也明知道有一些西方人喜欢的是所谓"持不同政见者"，明知道有一些西方人最热衷于肯定社会主义类型国家中的"地下作家地下作品"，以及从这种类型国家出去的"流亡作家流亡作品"，但真称得上是作家而自愿作出这种抉择的，至今尚无一例。多数的西方人其实还是对社会主义中国抱有善意的，他们的兴趣是超社会制度，超意识形态的，不难揣摩出，他们感兴趣的是所谓"东方神秘主义"，所以，似乎要使自己的作品尽快走向他们，捷径便是迎合他们的这种口味。在这样的一些有意无意趋迎着外部世界兴趣的创作中，也常常包含着或主要是趋迎本国读者阅读兴趣的成分，并且产生着一些佳作或至少是饶有趣味的作品。我在这里提到这些并不是为了作出文学价值上的判断，而是为了更全面地勾勒出当今中国文坛的某种非一人所有的文化心理。

为数不少的中国作家就这样以积极的态度试图走向中国以外的世界，首先是西方世界：在后辈的作家和读者们看来，即使今天我们已经感觉到不免浮躁乃至荒唐的作为，他们也会充分理解并感到可歌可泣吧？

但说到头来，中国文学走向世界的最大障碍还是它所使用的符号系统——方块汉字。任何一个民族率先走向世界的艺术都一定是使用人类大体通用的符号系统的品类，例如绘画、工艺美术制品、音乐等等，电影也基本上属此行列。欣赏张艺谋执导的《红高粱》无须懂得汉语或专门进行其他汉学方面的训练，即毋庸翻译。小说需要翻译。而中国以外的懂得中文的西方人统共能有多少呢？他们当中能阅读中国当代小说的又有多少呢？即使终于译出来了，有人读也有报纸予以好评了，又有几位中国当代作家几部中国当代文学作品在西方取得了类似——我们且不举那些获得诺贝尔文学奖的当代作家作品为例——英国的格林、法国的罗伯·格里叶、美国的塞林格和奥茨、苏联的叶甫图申科等，他们在中国作家中国读者中那样的影响呢？

在这一点上最早彻悟的是张承志，他在 1985 年第 6 期的《文学评论》上发表了一篇很值得注意的《美文的沙漠》。在这篇文章中，他在谈到自己在日本经历过一段从热望交流到完全失望后的体会。他说："时至如今，我不仅仍在暗暗庆幸自己的这一变化，而且还暗暗确认了一个非理论的认识，即认为当代优秀的中国文学是不可能与外国人交流的。""为什么呢？除开诸多不属本文范围的原因之外，我想指出的一个问题是：美文不可译。"在这篇文章中他还直言不讳地宣称："在尊重问题远远没有解决的时候，比如外国对中国当代文学的研究译介，我敢断言，他们出版给外国读者的大多只是一些平庸的故事而已，甚至只是一些政治和社会问题的情报信息。真正优秀的中国当代文学作品或不被他们所选择，或他们没有翻译和理解的能力。"张承志的这些愤激之辞，无论是对有作品被国外翻译的中国当代作家，还是对为翻译介绍中国当代作家作品投入了精力和时间的西方汉学家都未免有失厚道，但他这话里确也包含着我们必须正视的某些问题。

话说到这个地步，中国当代作家真要让自己和作品走向世界，似乎只剩下直接用人家西方的语言写作这条路了，那时候美文就是美文，你西方人读就是了，再不用受制于那些汉学家。一些第三世界的作家，如 1986 年获诺贝尔文学奖的尼日利亚作家索因卡，他的许多作品就是直接用英文写成并直接在西方出版的；1987 年获诺贝尔文学奖的俄裔作家布德罗斯基，他有一半的著作也是直接用英文写成或由他自己俄译英在西方直接出版的。不过倘若中国作家这样一来，还能不能算中国作家呢？去年秋天我在美国访问时，一位叫郑念的女士正红得发紫，她是"文革"后由上海到美国去的，用英文直接出版了一本叫《上海的生与死》（又译作《上海生死劫》）的书，经《纽约时报》及《时代》周刊一评，居于畅销书之列，华裔以外的美国读者的反应据说确实强烈。但我在美国所遇到的美籍华人，凡读过这本书的都觉得她所写的内容实在算不得新颖，所表达的意思也绝不深刻，与国内所出的反映"文革"的类似作品相比，内容和思想都未必精彩警策，但她的这本书有一最大的优势，就是直接用当代美国人易于消化的地道的当代美国英文写成，这是必须经过翻译手续的华文作品所难以企及的。

这就是中国作家面对的当代世界。当代世界中经济上强大的国家主要还是西方国家。有强大的经济必有向外流溢的文化，并必对经济相对落后的地区产生吸引力，只要第三世界的国家不实行闭关自守并打开门窗，西方的文化就一定会涌入或渗透进去，这就决定了我们中国文坛目前面临的局面其实还并不是中国文学走向世界文学而是世界文学走向中国，而所谓世界文学其实主要是西方文学。我们中国当代最一流的作家在西方也鲜为普通人知，出的书也有限，但西方有的二三流作家名字也为中国广大的文学爱好者所知，三四流作家的作品在我们这里也颇为大量地翻译出版；与此同时，东方其他国家的当代最优秀的作家，比如泰国、缅甸、土耳其、斯里兰卡的一流作家，我们中国作家又有多少对他们熟悉并渴望观摩他们作品的呢？

但近年来，不少西方国家开始承认当代中国存在着文学，并逐步加快地译介着中国当代文学，为什么呢？因为他们还是首先从政治上感受到了中国共产党十一届三中全会以来的重大变化，从经济上同开放的中国建立了不仅规模越来越大涉及面越来越广而且性质也越来越新的难以再分解开的联系。这就是西方世界开始注意到中国当代文坛的出发点。正是基于这点，西方才有人乐于拿出钱来用于与中国当代文坛的交流，西方的汉学家才开始能以研究译介中国当代文学谋生创业。中国当代文学也才能走进一些西方高等学府的课堂，中国作家也才有机会应邀到许多西方国家访问，西方的一些商业性出版社才开始利用西方读者对当代中国的兴趣出版一些当代中国作家作品的译本，张洁直接反映中国社会改革的《沉重的翅膀》才会率先被西方广泛翻译出版，而类似"寻根派"或纯形式探索作品的翻译出版，倒得晚一步两步乃至尚未起步。确确实实，在这个初级阶段，西方是难免把中国当代作家的作品在一定程度上当做"政治和社会问题的情报信息"

的，难免弃"美文"而就"次品"，难免"大跌眼镜"，难免"良莠不分"，难免含有偏见，也难免"别有用心"的。但也已经有不少的事例证明，西方对中国当代作家作品的译介终于已开始迈进到真正审美的境界，许多中国作家和中国读者所期待的类似电影《红高粱》所获得的那样的公正而过瘾的承认，对中国当代文学来说已并不渺茫且初露端倪。

我绝对无意于要将已与改革开放的大人文环境相适应的文学多元化局面复归于一元，但我想强调，我以为像"取消意义"或在两点之间寻求直线式捷径的"直奔人类共同的原始本能冲动"的作品，以及像"艺术即形式"，否定一切"意味"，更耻于谈及使命感、责任感的文学理论和文学批评，恐怕都未必是清醒地认识了当代世界的高明境界。既然说到根上，当代世界主要是因为中国搞了改革开放才"爱屋及乌"地重视起中国的当代文学来，那么，对中国的改革开放自觉认同、积极投入，也就是具有民族使命感和社会责任感的那部分中国当代作家，即便不一定直接以改革开放为自己的创作题材，不一定以自己的作品去直接推动什么排除什么，只要能潜心地进行非觅捷径的艰苦跋涉，首先为中国读者创造出美的作品来，我想，最有希望堂堂皇皇地走向世界各种文学的读者的中国作家，也许倒是他们中的佼佼者。

1988 年 3 月 8 日

十年琐忆

1988 年第 4 期的《当代作家评论》上，有孙绍振的一篇《审美价值取向和理性因果律的搏斗——刘心武论》，他在文章里写道："在目击了这几年的文学发展的几个历史阶段之后，又重新阅读了《班主任》，我最突出的感受是：简直为他捏着一把汗。难道这就是 1977 年给读者以心灵解放的喜悦的历史名篇吗？这就是当年那轰动一时令许多人奔走相告的时代杰作吗？当年那使我眼睛看到更多色彩，使我沉睡的心灵感到更多的欢欣和痛苦，使我冻僵的嘴唇吐出更复杂的语言就是这样一篇作品吗？"

他，怀着创作和审美热情的批评家，为我，为新时期文学的起点，始于那般的粗陋笨重，而代为羞赧，他现在所捏着的一把汗，跟十年前许多好心人为我，为那时刚涌现的"伤痕文学"，竟显得那么出格那么忤逆，而代为紧张，所捏着的一把汗，是全然不同的两把汗。十年过去，关怀我，关怀新时期文学的人们，手里捏汗的心态，竟有如此巨大变化，真令人感慨系之，无数往事，涌上心头。

许多人以为，写《班主任》时，我仍在中学任教，其实那时我已在北京出版社当文学编辑。《班主任》发表在 1977 年第 11 期《人民文学》上，因为《人民文学》是每月 20 日出版，再加上脱期，《班主任》同广大读者见面，已是 1978年年初了。整整 10 年前的那个时候，是怎样的一种时代氛围呢？著名的中国共产党十一届三中全会尚未召开，"天安门事件"尚未平反，成千上万的错划的"右派"尚未改正，许许多多"文革"的受害者仍未获得解放，一句话，"以阶级斗争为纲"的惯性，仍然强烈而执拗地存在于社会生活之中。至今我仍非常怀念当时北京出版社文艺编辑室那个活跃的群体，那个群体当时为一种听命于时代而不机械地听命于布置的可贵精神所支配。没有人宣布可以恢复像"文革"前《收获》杂志那样的大型文学刊物，但编辑部的同仁却大胆地着手创办如今已非常有名的《十月》。当时我参加了《十月》的编辑工作，我提出来向林斤澜约短篇小说稿。如今所有文学刊物的编辑部都会认为向林斤澜这位出色的短篇小说家约稿是最正常不过的事，怕的只是他稿约太多抢不到他的大作，但十年前我的提议竟成为一种非常大胆非常新鲜的设想，因为那时候北京市最出色之一（恐怕在全国也属最出色之一）的短篇小说家林斤澜，已从北京市文联除名，被打发到区文化馆的俱乐部去了，有人说曾看见他在票房里卖电影票（后来林斤澜告诉我，他一直称病不上班，所以卖票一景不确），难道这样一个人，我们能不等文联重新确认他的价值，就"擅自"去约他写稿吗？但我们谁都不想等待，我们不祈盼"圣旨"，也不希求恩赐，我们忠于自己的良知，我们确认是对的便立即去付诸实行。从林斤澜那里去约稿回来的年轻编辑陈晓敏兴奋地告诉我们，林斤澜使她大吃一惊，因为猛然看上去他很像著名电影演员赵丹，坐下来对谈以后又觉得他与另一著名电影演员孙道临相似，她最后传达出的信息格外令人振奋——林斤澜说他或许可以试一试给我们弄一个短篇。陈晓敏第二次从林斤澜那里回来果然拿着一叠稿子，她并开心地向我们形容，她去时林斤澜正坐在小板凳上，用一把椅子当桌子润色他的稿子呢。但林斤澜重返文坛的那篇小说——我记得篇名叫《膏药医生》——陈晓敏作为第一读者说她简直看不懂，陈晓敏属于"文革"中工农兵学员里思想最具反叛色彩的一员，曾因"文艺思想不健康"受到过批判，在"天安门事件"中她多次去张贴诗词，后来所出的各种《天安门诗钞》中几乎都收有她的愤懑之作，但即使她，当时也无法进入林斤澜的文学世界。后来由我来读林斤澜的手稿，我仅仅凭着本能确认那是篇艺术上乘内涵深刻的作品，但无法用理性的语言阐述我的感受。《十月》后来发出了那篇作品，同林斤澜以往和现在绝妙之作一样，没有引出哪怕是小小的轰动。回想至此，我越发意识到，是十年前那样一个时代和当时的那么一个读者群体，硬把我的《班主任》及另外一些"伤痕文学"作品推到至今留下痕迹的地位上的。如果说那是我们中国当代文学的悲哀（文学必须以粗陋笨重的方式重新起步并引起社会关注），我以为不如说是《班主任》及另外一些"伤痕文学"作品冲出了我们民族已处于多危险的境地，在那样一种境况中，社会群体所关注的，不可能是纯粹的美学高度，他们所呼唤和拥抱的，必然首先是睁眼看世界与不待指示便大胆臧否的勇气。

我记得，《十月》很快就决定向尚未获得改正的1957年的受害者组稿。我去过不足8平方米的从维熙家里，他每晚要同他的老母亲和他那早已长得比他高的儿子合睡一张破旧的大床，头一回我没有见到他，但从他家出来后在电车上我遇到了一位相熟的干部，他问我忙着什么，我告诉他刚去找过从维熙，他听后不禁正色提醒我："你可得注意！你到底年轻，你哪里知道，中国的事儿——"说着他把伸出的手掌翻动了一下，并警惕地朝四周望了望。所以当我去北池子一处湫隘的招待所拜访王蒙时，除了编辑部和家里人外，事前事后我都没对别的人说。王蒙给我沏了一杯很浓的奶粉，加了好几勺绵白糖，同他第一次见面就使我感受到他是一个具有性格优势的人，他的幽默感和自信心令我自愧弗如。我预感到，像他那样一些真正的作家重返文坛以后，我仅靠《班主任》式的"说真话"恐怕就很难在文坛上支撑下去了。离开那个招待所坐上公共汽车，我想的不是那位"好心人"翻动手掌一类的事，我想我应当把自己潜在的文学能力（我自信我是有的，该种能力在《班主任》中不但未能发挥并受到了从外部传到自身的不小压抑）尽可能地释放出来。两年后有一回王蒙见到我，他刚读完我新发表的一个短篇，他对我说："噫，你发挥得不错嘛！"我知道他话里有话。

　　大约是在1978年春天，《文学评论》为《班主任》专门召开了一次座谈会，在那次会上我头一回见到了许多文学界的前辈和名人，他们热情地支持《班主任》，后来《人民日报》发表了篇幅很大的评论员文章，对《班主任》、卢新华的《伤痕》和王亚平的《神圣的使命》等一大批"伤痕文学"所构成的文学现象予以了肯定，这应当算是"官方"的声音，正如海外有的研究近十年中国文学的人士所指出的，当时面对中国从沙漠上重新抽叶的文学，中国的"官方"、中国的文学界、中国的民众，达到了一种非常难得的互相肯定互相扶持的"共度蜜月"的状态，这是1949年以来罕见的现象。因此，倘若像我这样的作家，硬要把自己知名度的崛起说成完完全全是群众所赐，便太矫情了。1988年5月，我同诗人芒克同往法国的圣纳泽尔市，当地的《西部法兰西报》和当地电视台在介绍我们两个人时，特别指出我是"体制内作家"，意思就是说我是同十一届三中全会后中国致力于改革和开放的"官方"合作的作家，当然，他们有时候说"体制外作家"，也并不是说那作家就是反"官方"的，更多的意思是指作家本人并未被"官方"承认。

　　也许是我的内在气质使然，我始终不能完全摆脱社会现实和我所属于的民族或者说种族的影响，尽管在十年的文学跋涉中，我越来越乐于接受各种不同美学前提下的多元文学共存的局面，即使是对最极端的文学象牙塔，我也尊重他们的存在。我是在1983年加入中国共产党的，我之所以加入，的的确确是我寄民族振兴的希望于中国共产党所进行的并包括它自身的改革和开放。我现在越来越懂得文学有它独立不羁的超越于政治经济之上的本性，我绝不把我的文学活动完全消融到我的政治情绪之中，但我至少在目前还不想退入到一所象牙塔里去。

我对改革开放所怀的热情，多次受到伤害，这当然不可能不影响到我的创作，但正如法国作家罗曼·罗兰所说过的："累累的创伤，便是生命给予我们的最好的东西，因为在每个创伤上面，都标志着前进的一步。"可以肯定地说，就我个人的政治热情而言，这些伤害的效果是负面的，但就我个人的文学事业而言，这些伤害的效果却是正面居多，因为我从每一次舐去伤痕的血丝中，都增加一层对我们民族、对我所处的现实社会、对笼罩于当代中国的人文环境、对人性、对个人与命运宇宙的神秘关系诸多方面的认识与体验。

《班主任》出来以后，我收到无数的读者来信，另一个短篇《爱情的位置》出来以后，我收到的读者来信增至 7000 余封，百分之九十九以上是支持我鼓励我的，但就在那时，有一封寄自广州的信因为写错了地址，误投到了某一单位，并被拆阅了，信是两姊妹写的，她们自称都是在"文革"的"清理阶级队伍"阶段光荣入党的，作为共产党员，她们不能容忍我那《班主任》的写法，她们认为被我极温和地批评了的那个团支部书记谢惠敏的形象，是对共青团员的歪曲和污蔑，她们认为像《班主任》那样暴露社会的阴暗面，只能令海内外的敌人拍手称快。可惜她们那封信没有留存下来，我转述得远比她们冷静，她们当时似乎使用了更为严厉的语气并上到了更高的"纲线"上，本来即使像她们这样的批评，作为一个作者也是完全可以倾听的，但偏偏那时香港一家杂志刊出一篇未经我审阅过的访问记，在那个访问记里我明显地否定着"文化大革命"，并且接受了"新写实主义"的提法，因而，有的人就主张把那封"两个共产党员的来信"和香港杂志上我的有关"言论"合并为一份"内部简报"，上报和分发。幸亏一位好心的前辈，把这个可能出现的情况告知了我。当时我非常激动，也非常震惊。十年过去，如今有些人可能因为种种原因不记得那时的情形了，有许多年轻的朋友当时尚小，不可能清楚。最近意大利著名导演贝托鲁奇的巨作《末代皇帝》正在中国广泛放映，人们对饰演婉容一角的陈冲女士有着深刻印象。不知有多少人还能够记得，陈冲走上银幕的第一部影片是谢晋执导的《青春》（而不是后来那部使她和刘晓庆成为明星的《小花》），《青春》是一部非常古怪的影片，那部影片不消说是否定"四人帮"的，但非常热情地歌颂"无产阶级文化大革命"，陈冲所扮演的那位听觉失聪的女主人公，在影片中通过"徒步大串联"终于来到了北京城，并同其他的"红卫兵战士"激动地接受了毛主席的检阅，影片中有大段毛主席挥手（利用的纪录片镜头）和陈冲等饰演的"红卫兵"热泪纵横的场景。这就说明，并不是"四人帮"一倒台"文化大革命"就遭到彻底否定，要不要彻底否定"文化大革命"，联系着对毛泽东同志以往的指示是否必须采取"两个凡是"即一概不能否定并仍应执行的态度，在1978年及那以后一段时间里，成为了最敏感的政治问题。我当然不情愿，并且自己觉得也不应该成为政治上错误的典型，因为那份简报如果编成，就连我同意访问者"新写实主义"的提法，也要成为反对"社会主义现实主义"的"背离毛泽东文艺思想"的一例。后来由于我的反抗和一两位老同志的明智，这份简报没有编发。十年后的今天想来，这份简报就是编发了也算不得什么，但在当时，这一事态的出现使我伤心地懂得，在当时中国共产党的运转机制里，不仅我收到的几千封支持鼓励的读者来信没什么分量，就是《人民日报》上发表过的肯定性文章，也并不一定作数，只要有份编得"精彩"的"简报"或"内参"（甚至无须造谣），就足可使一个人的命运逆转。也就是从那个时候起，我就矢志要为改变这种不良的机制而努力，并自觉地投身于关于政治公开化，增进透明度的体制改革浪潮之中。

我不希望自己成为"伤痕文学"浪潮一过之后便随之而去的文坛过客，我从小就热爱文学，我希望以作家为终身职业，因此，从1979年以后，我就注意调动自己的美学潜力并调整自己的文学步伐。我写出了短篇小说《我爱每一片绿叶》，中篇小说《如意》和《立体交叉桥》，我开始把文学的目光和追求投向活生生的个人，开掘和探索人性，并钻研小说的结构技巧与叙述方式。也许我是在前后脚走上文坛的那一茬作家中除了小说以外写"创作谈"最多的一个，因为我内心有一种驱动力，迫使我不断调整我的美学意识以跟上迅速发展的文学形势。我不懈的努力并没有落空，自 1980 年以后我每年平均出 2 本到 3 本新书，林斤澜在读了我的《立体交叉桥》后才正式承认我有写真正的小说的能力。这位我尊为林大哥的作家的这一评价使我深得慰藉。1985 年我的长篇小说《钟鼓楼》获得了第二届茅盾文学奖。当我写这篇文章时，台湾及香港和海外所出的单行本不算，我已出版了 25 本著作，我想我自己可以判定我是一个作家了。

我越来越深切地体验到，一个民族必须给作家以自由创作的可能，或者反过来说，作家必须以自由的心灵抒写自己最得意的东西，一个社会的文学创作自由度是高还是低，它的作家们能够最充分自由抒写性灵并结出硕果的比例是大还是小，似可成为那一社会文明程度的标志。政治家同任何一位读者一样，当然有权批评作家和作品，但政治机器对作家和作品的直接干涉是有害的。1988 年，提出"清除精神污染"，我和同一单位的专业作家们不得不多次停下手头的创作，去参加有关的会议。不久我被告知，一位主管文教工作的领导干部，在市里的一个会上点名批判了我发表在《上海文学》上的一个短篇小说《登丽美》。起初我也并没有当回事儿，作品既已发出，任何人都可以批评，但再过些时候，当不仅是我一个人感到越来越像是"以阶级斗争为纲"搞运动时，情势对我来说突然变得异常严峻，单位的"一把手"奉命到我家里来正式通知我，作为一种部署，市委机关报上将发出批判我那篇《登丽美》的文章，让我做好思想准备，并说保证不会像"文革"中那样采取过火的做法，我可以作自我批评，也可以进行反批评。我回忆起1966 年上半年的情景，那时对吴晗《海瑞罢官》的公开批判算不算"过火"呢?记得也准许吴晗发表了包含着辩解之意的文章。得到那个"组织通知"后，我的亲属们手里所捏的一把汗，可以想见肯定比孙绍振现在手里捏的汗更多也更冷。于是从第二天里，我天天到街上邮局门前的报栏去看报，一连去了 7 天。正当我的不安演化为不耐烦时，接到了新的通知——批判文章不发表了。这显然是因为大的情势发生了变化。《登丽美》是一篇写得粗糙而直露的作品，我简直不愿意复述它的内容。这么一篇东西怎么会险些有幸成为市里"清污"的一大靶子呢?

事过之后，一位朋友对我开玩笑说："假如你要在'清污'中出成果，你就必须找靶子，太小的人物写的东西当靶子意思不大，出名的人物中也要细挑，比如有位作家尽管知名，他某个作品以'清污'的观点衡量问题还比《登丽美》严重，市外的报刊上也早有了批评性的文章，但为什么不能抓他？因为他那作品发在本市的杂志上，一抓，一追责任，追到自己头上来了，所以，就得抓自己辖区的知名作家在外地发表的作品，于是乎《登丽美》就'光荣'入选了，这个靶子倘若攻下来，既证明出自己的水平，又证明出外地的失误，'清污'效果最佳，成绩最大，说不定还能因此往上跃升……你写小说的，怎么连这样的心理解剖能力都没有？"这位朋友的这番臆测当然应视为一种高级幽默，不必认真，但我一笑之后，也确实心生五味。

1987 年年初，我到《人民文学》杂志社工作半年之际，发生了"舌苔事件"。全中国的电视观众都在 2 月份一天晚上的中央电视台"新闻联播"里听到播音员播出一条"刚刚收到的消息"，我被停职检查，这条消息随即由中国国际广播电台以三十八种语言向全世界广播，并成为第二天报纸的头版要闻，《光明日报》不仅将这消息作为头版头条，而且在标题下的摘要里提及我时不用"同志"二字。我停职整整 200 天后，复职并获准到美国进行了 50 天的讲学访问。我发现我在海外的知名度骤增到一种古怪的地步。我愿我自己和其他的中国作家都不再以这样一种状况而引世人注目。不过这不是我和中国作家们能自主的事。在美国西海岸的洛杉矶我同卢新华重逢。卢新华和王亚平一样，自"伤痕文学"浪潮消褪后就逐步退出了文坛，卢新华到美国伯克利加州大学攻读比较文学硕士学位，王亚平则弃文从商。在洛杉矶我听到许多关于王亚平发财致富的浪漫传说，但由于我去那里时他因商务回中国了，从北京打长途电话来要我留在洛杉矶等他，他表示将盛情招待我，畅叙旧谊，而我那时已经倦游，决心提前回国，就没有见到他，无从证实那些关于他的传言。在卢新华的宿舍里我看到了我家中也保存着的一张照片：我和他和王亚平三个"伤痕文学"的代表性人物于 1979 年初摄于崇文门外花市，当时王亚平全副戎装。卢新华告诉我，他也听到了这样的说法：为期十年的中国"新时期文学"以"舌苔事件"的爆发及其后果宣告结束，而这十年可以说是"以刘心武始，以刘心武终"，不管今后的文学是停滞是发展是怎么怎么样，那都属于另一个文学时期了。我告诉他已从个人的际遇中超脱出来，但我心里为一些别人的事难过，比如，因为"舌苔事件"所造成的心理影响，林斤澜写得非常出色的三个短篇留在《人民文学》编辑部待发的，现在都发不出去了。从美国回来以后，我重返编辑部工作，得知林斤澜的那三个短篇退掉了两个还压着一个。我便立即督促编辑部同仁将它发出，那便是见于 1988 年 2 月号的《白儿》。读着印在刊物上的《白儿》，我心里很不平静，我想到十年前《十月》杂志初创时向林斤澜约稿的情景，基本上不参与政治埋头艺术探索并甘于寂寞的林斤澜是四十年来中国文学发展的见证人，他的被允许与不被允许，相当精确地折射出我们文坛的兴衰。可叹的是为什么到了 80 年代末，中国文坛还要再一次重复连林斤澜也不被允许的局面？

十年在人类发展的浩瀚长河中不过是弹指一瞬，但十年对有血有肉也有灵的个体来说却是相当长的一段时间，人生即使以百岁计，也不过只有十个十年，而除去发育期和衰老期，人生能有几个十年得以施展并有所收获呢？

在北京出版社工作时，我不仅参加过《十月》杂志的编发，我还担任过长篇小说的责任编辑，那部长篇小说叫《雅克萨》，由两人署名，实际上主要是谢鲲的手笔。我记得是一个秋日的下午，我找谢鲲传达终审者的意见，请他对书稿作最后一次的修改，这位与我年龄相仿的作者那天脸色特别灰暗，与我交谈时音调也特别暗哑，但对我倾诉的一番心曲，却令我至今难忘。他说："人生是桩神秘的事，你不能挑时候，不能挑地点，尤其不能挑种族，不能挑遗传基因，你就那么落生了。如果你有才华，那么你的才华只能在限定着你的那么个环境里寻找机会发挥。有的人在'文革'前已经开放了他们的才华之花，他们发表了作品，有了一定的名声，'文革'当中他们挨批斗，他们不与'文革'合作，'文革'也不要他们合作，他们再不发表作品，他们无憾。但是，像你我这一代人，'文革'前我们还小，轮不到我们施展，'文革'十年正是我们二十多岁到三十多岁的最紧要的人生岁月，我们要么甘于被淹没，要么就只能在那样一种最荒谬的人文环境里寻觅施展才能的机会，于是乎我们到头来也投稿，也想发表作品，弹钢琴的就想上台弹《黄河》，搞声乐的就想上台唱《钢琴伴唱〈红灯记〉》，画油画的就想画出一幅类似《毛主席去安源》那样的东西，而想演电影的就必然只能到比如《南海长城》那样的片子里去找个角色……一切都可以储存，而青春是不能储存的，只能及时消费……这《雅克萨》我好几年前就开始搞了，已经搞到这份儿上，实在舍不得放弃，其实我心里很明白，这一类东西，还都属于为政治服务即为'反修'服务的，说是历史小说，其实都难免影射，将来两国关系修好，这样的东西就该自动淘汰了……我真想早点结束这项吃力的工作，写《班主任》那类的东西，其实《班主任》也还太政治化了，不过这一回你不是被政治驱赶着在搞文学服务，你勇敢地发表了你自己的社会政治见解……我们以后都该抓住好时候，写一点真正的好东西……"说到最后，他那浮肿的脸上竟泛出了红光。可没等到我把《雅克萨》的样书送到他跟前，他就溘然而逝了。记得我在得知他病重住院的消息后，在一种恍惚不安的心情中乘地铁来到部队的一所医院，医院的设备和医疗技术都是最好的，并且帮助他住进医院的朋友恳切地嘱托医务人员尽一切力量挽救他那尚未得以真正施展的才华，但谢鲲垮得很快，他的肝坏死了，据说酥成一片一片的，系由于长期营养不良和劳累过度所致，我赶到医院时他已停放在密封状态的急救室，只能透过玻璃隔板观望他，他已进入弥留状态……当我回忆起这悲惨的情景，我就更深切地意识到，我得以在这十年里施展了自己的才能，并越来越摆脱了外在的束缚，构建起自己的良知系统和美学意识，并获得一种内在的尊重感和自信心，该是多么幸运。在这十年里我送走的同代人远不是谢鲲一个，我又想到了张维安，记得1978年春天，当时我们一群年龄相仿的想在文坛上一试身手的朋友，同在北京工人体育馆参加劫后的第一次北京市文联代表大会，一天傍晚我把他们当中五六位叫到了小树林中，倚着一个不知为什么搁放在那儿的大型水泥管道构件，我向他们朗读了短篇小说《醒来吧，弟弟》的手稿，读完最后一行，他们真诚地鼓励我，也给我提出意见。那群朋友中就有张维安，他专攻小说评论，所以我格外留心他的意见。后来他一直关注我的创作。我从写社会重大问题转入探索人性，写出中篇小说《如意》以后，他很快就在《光明日报》发表了恳挚深切的评论。但那不久以后他查出肺癌。半年多以后他亡故了。人生有时就是这样地令人惆怅，机遇本来是难得的，但机遇到来时花蕾不得展圆就谢落了。

对过去的十年我尽管有牢骚，并保留对某些重大事态的个人看法，但我得衷心地说，总体而言这是一个不错的十年，关键在于改革和开放使我们的生活变得富于创造性并丰富多彩。不"以阶级斗争为纲"了，不搞政治运动了（或者说有时候有点像搞政治运动但终究还是不再搞），越来越多的人把思路和力气集中到如何使国家富强起来，如何能有更文明的生活这一目的上。自 1985 年以后，中国文坛明显地趋于多元，出现了相当多令一般人瞠目结舌或大惑不解的作品，涌现了一批从作品到生活态度都不仅绝不同于老一辈作家并且也鲜明地区别于像我这样的作家的新锐人物。毋庸讳言，不同美学见解的作家间不仅存在着争论（这是绝对正常的），也存在着隔膜、误解、门户之见乃至人际纠纷（这也并非绝对不正常），因此，每个作家再一次明确、寻找自己的位置，便成为不可避免的事了。

在新时期的十年文学运动中我算是一个贯穿型的人物，我每年都发出新的作品，即使是在 1987 年被停职检查的那段时间，由于上海《收获》杂志的信任和支持，我继续在自设的《私人照相簿》专栏中发出文章，我也始终被比较多的读者所注意，1985 年我连续发表了《5·19 长镜头》、《公共汽车咏叹调》那样的纪实小说，又一次引起了轰动效应。湖北作家祖慰 1986 年在香港遇见我时对我说："不管人们喜欢还是不喜欢你写的东西，都得承认你的存在，一个作家在几年当中能三次引起轰动，这可不简单！"他说的三次第一次自然是指《班主任》、《爱情的位置》、《醒来吧，弟弟》连续发出的那一次；第二次是指《钟鼓楼》的发表和获奖（另两部获第二届茅盾文学奖的作品呼声早就很高，获奖似属理所当然，《钟鼓楼》原不在许多人预测之中，我自己也没抱希望，却也由评委们无记名投票选上了，因而更轰动）；第三次就是指《5·19 长镜头》和《公共汽车咏叹调》的发表。祖慰说这个话的时候当然没有预料到还有另一种"舌苔事件"式的轰动在等着我。从"舌苔事件"以后，文坛上除某些报告文学外似乎已从总体上失却了轰动效应，对于这种新的文学境况人们展开了讨论，至今仍在进一步探究中。我并不认为文学作品的成功标志是轰动的社会效应，我的"三次轰动"并不意味着我在文学创作中获得了多么坚实的成果，但回顾这十年的文学跋涉，有一点我是问心无愧的——我在基本的取向上始终如一，我有变化，但那变化是调整是前进，而绝不是投机式的转向或犬儒式的妥协。我的创作灵感发自我的内心，我的内心深处所涌动着的情思可分解为三个部分，一个部分是我深刻地意识到我是一个独立的个体，作为一个独立的个体我既有独特的价值、不可侵犯的尊严、坚实的良知和理性，也有连自己也说不清闹不明的丰富以至混乱乃至神秘的体验与渴求；另一个部分我清醒地意识到我是一个中国大陆的知识分子，而且我的生命恰恰是要在 20 世纪下半叶和 21 世纪初之间度过，我的个人命运与这一历史阶段的中国知识分子群体命运是想摘开撇清也摘不开撇不清的；再一个部分是我切肤地意识到我是一个黄种人，一个东方人，一个中国人，因此我是一个种族，一个文化，一种固有传统的产物，不管我怎么反抗那造成了我的传统，到头来我还属于这个传统，就算我和我们这个种族这个民族这个文化传统中的所有叛逆者集合起来，采取最强烈的手段，在我们有生之年，充其量也不过是促使我们的传统发生一些变化，或在一定程度上与别的种族别的民族别的文化传统有所融合而已，完全使自己成为另一传统中的人物，几乎是绝对不可能的事。1988 年 3 月我在《人民日报》发表了一篇论文《中国作家和当代世界》，4 月又在《文汇报》发表了一篇论文《作家与读者》，并在《文艺报》上开设了几乎每周一篇的"一叶之见"专栏这些文章的心理背景，正如上所述。

这十年里我有机会走出国门，东欧和西欧，日本和美国，我都去过了。我喜欢国外的许多地方和许多方面，比如我就非常非常喜欢巴黎，没有比坐在巴黎的街头咖啡座，跟两三个朋友谈心更优雅的生活享受了，我也非常喜欢美国知识分子的强烈独立意识里所浸透着的天真和洒脱，我觉得西方文化里有许多绝非虚伪和腐朽的好东西，我有一种与西方文化中符合人性和洋溢着人道精神的精华部分认同的强烈愿望。但出去的次数越多，我就越注意到我难以把自己从民族的文化背景中剥离出来，溶解到他们的文化中去，即使我竭尽全力地这样去做了，他们能不能溶化我，也还是一个更大的问题。前些时我读到从台湾到西欧定居的女作家龙应台的一篇文章，感慨良多。龙应台是在台湾长大的，从小受的西方式教育，她自称从懂事起就绝不接受封建文化传统和共产主义文化传统的东西，她自觉地热烈地真挚地全身心地和西方文化认同，她崇尚西方的自由、人权观念，她不但能运用西方语言而且还能用西方人的思维方式思维，她的生活习惯乃至发型穿着风度都是纯粹西方化的，并且她也已经在西方生活了相当一段时间，按说她应该完全溶化到西方社会西方文化中去了，然而不，她至今的处境仍有尴尬的一面。她举了一个例子，有一天她在瑞士某城市林荫道上散步，突然有一位瑞士老妇人向她走来，满脸善意地把几张钞票递到她的手里，慈祥地对她："拿着吧，拿着吧，给你的宝宝买些糖果。"她呆住了。其实她恐怕比那老妇人还要富有。然而老妇人对她施以怜悯。为什么？就因为她一切都西方化了，而她的一张东方人的脸，她的肤色，她的种族属性，是永远无法西方化的，而被那西方老妇人一眼看出来了，那西方老妇人也许把她看成是"印支难民"了。但就算她向那老妇人解释，说她不是"印支难民"而是中国人，那老妇人恐怕仍不会改变初衷，因为一般的西方人就像我们一般中国人弄不清英国人和法国人有什么区别一样，他们弄不清"印支难民"和中国人究竟有多少区别，也正如一般中国人弄不清西德的国民平均收入和生活水平远比葡萄牙的国民平均收入和生活水平高出许多一样，一个普通的瑞士老太太不会弄懂中国台湾的国民平均收入和生活水平远比中国大陆的国民平均收入生活水平高出许多。总而言之，在西方人眼里东方人除日本人外差不多都很穷，"印支人"和中国人都很穷，现在他们不搞种族歧视，不掠夺和压榨穷人，他们同情、怜悯、关怀、援助穷人，所以那瑞士老太太走到龙应台身边那样行事。龙应台还举了更多的例子。无独有偶，我又读到另一位归化西欧某国的华裔女士的文章，她说不管她主观上如何不再意识到自己是一个中国人，许多西方人一见到她总从眼神里流露出一种"啊，她是东方人"或"她是中国人"的判断，她深知那并非种族歧视，但人家就是要把你当成一种外来的东西，一种异物，犹如一杯水中的一块不能完全溶解的方糖，因此她意识到不管她自己如何完全从中国文化中剥离了出来，西方人一看见她，还总是透过她模糊而又强烈地看到了一种完全异趣的中国文化，因此她不无省悟地说："与其拼命地溶解到另一种文化当中，不如做一些事使自己那难以摆脱的文化背景变得更有尊严——不仅有古代文明的尊严，而且有当代文明的尊严。"我的情况当然与她们有根本性的区别。我从小受的是中国共产党的教育。我真正比较多地了解到西方社会和西方文化不过是这十年间的事。我在西方国家最长的访问也不过才 50 天。我蹩脚的英文只够应付问路、买吃的和办简单的手续。但我却一读到她们的文章便产生出某种共鸣。记得在从美国纽约飞往旧金山的飞机上，一位坐在我旁边的金发碧眼的绅士一句接一句地问我："你是日本人？""高丽（南朝鲜）人？""你来自新加坡？香港？马来西亚？"为了终止我的摇头他才说："你是中国人！"但紧接着他又加上一句："来自福摩萨（台湾）？"我于是郑重地告诉他："我来自北京。"他并无恶意但长长地"呵"了一声。他的一连串误会，盖出于我的装束做派，我没有穿北京"出国人员服务部"制作的那种西装，而穿了一件即使美国人看上去也很新潮的西方名牌套头衫和一条地道的牛仔裤，并且我舍得花钱买一杯"人头马"柯涅克（法国名酒）喝。我是作家而非官员，我在美国东海岸和中部地区的几所大学讲学时挣了一点辛苦钱，所以我能那样。在他"呵"的一声出来后我心里很难过，他在推测我是哪一种亚洲人时显然是按国家、地区的贫富和开化程度来排列的，当我正告他我来自北京之后，尽管我的衣衫和手中的名酒并没有变，但他的眼神却变了，因为我的背景显示出来了，我的背景是一个经济上不发达和平均教育水平低下的国家。不管我如何强调自我的价值，在那样一种情况下我的个人价值总是同我的国家我的同胞我的民族的价值血肉相连的。1988 年 5 月我随中国作家代表团到法国访问，在蓬皮杜文化中心主人请我们中国作家每个人向听众讲 5 分钟的话，我讲了下述意思：我在创作中总摆脱不了这样的阴影，就是我置身于其中的国家仍存在着惊人的贫穷现象和平均文化教育水准低下的情况。这话后来被人误解乃至歪曲，似乎有损国威不成体统。其实这正是我良知的声音。在中国大陆这片土地上我个人的生活并不贫穷，我享有的精神文化生活也并不贫乏，我是完全有条件钻到文学象牙塔里去的，然而我还不能忘怀我置身于其中的群体，我希望为它做一点事，我渴望它快一点提高普通人的富裕程度和文化教育水平，这种情怀我自认是高尚的、神圣的，是不允许亵渎的。

"不可逆转"如今成了一个时髦的词语。几乎所有进行改革的人都说"改革是不可逆转"的，但其实某种程度范围的逆转一直是存在的。因为有一种超越个人认识个人品质能力之上的民族文化惯性，当对一个民族的文化所实施的改革遭到惯性抵制和反抗时，逆转就并非是不可能出现的了。问题是我们不应用"反正不可逆转"的想法来麻醉自己，我们应当尽量避免逆转，但一旦出现逆转又要不怕逆转，并在逆转出现时敢于正视并设法挽回，挽回后再推动改革的进一步发展。

社会改革当然不是每一个文学家艺术家必须关心更不是必须投入的事，现在中国出现了不算很少的置身于社会改革之外的，搞"非致用性"的"纯文学"和"纯艺术"的人物，我觉得他们的存在不仅是一桩有趣的事，而且恰恰证明了十年社会改革大大地改进了中国人特别是中国知识分子所置身的人文环境，他们是中国社会改革成果的首批享用者中的一部分。我毕竟是伴随着十年社会改革走过来的一个作家，我并不认为我的创作应为社会改革服务，但我关怀社会改革，并一定程度地投入社会改革。

我手头有一张 1988 年 10 月 3 日的《世界经济导报》，该报那天有记者张伟国撰写的《科学与文化话坛第二次会议侧记》，那次会议上有许多人发了言，但这个侧记只介绍了 3 个人的发言。版心的大字提要上把 3 个人发言的要点概括为："夏衍——没有全民族文化水准的提高，高科技也没有用，不能真正在现代化建设中起作用；戴晴——知识分子成熟不是看业务熟练，而是看是否具备独立的心灵、独立的见解、独立的思想；刘心武——知识分子的宝贵程度并没有被整个社会充分认识。所以现在不是在谈对知识分子落实政策，而是知识分子要对我们这个国家落实政策，要从我们自己做起，解除政治原罪感。"记者在报道我的发言时是这样写的："刘心武发言的语调虽然是那么淡泊而又诙谐，在小太阳灯的照射下，会场的焦点很自然地聚集到他身上。"戴晴的发言对我的启发是，应该认真考虑中国的知识分子问题。文化的实质概念是指一个民族的生存状态，以及它所形成的一种心理状态。目前，中华人民共和国的知识分子，有一种政治原罪感，所以在各种讨论上出现各种很复杂的实际上也不应该有的心态，如为别人的发言捏一把汗等等。有些知识分子避席不说，虽然身份已经很高了，与之交往给人一种很奇怪的感觉，他们都很怕对某种问题表明自己的具体看法……还有一些年轻的知识分子的表现令人惊讶，他们经常发表一些比较新鲜活泼的见解，这些东西放在世界背景里看也没有什么稀奇，但他们都拿出一种视死如归的态度，这完全是多余的。中国知识分子要解决这些问题，一定要从政治原罪感中解脱出来。没有比中国知识分子更热爱自己的国家和民族、更热爱自己的土地和人民的了，这个群体是天然无罪的……有许多似乎颠扑不破的道理，值得重新考虑，比如，反对精神贵族。一个民族反对自己的血统贵族，反对欺压人的贵族，当然是有道理的；但一个民族要在精神上搞平均主义，不允许出现精神上富有的人，这是很奇怪的。这个命题值得进一步探讨；我们这个民族要不要精神贵族？我们精神贵族是多了还是少了？另外，'高贵者最愚蠢，卑贱者最聪明'，这话听起来像诗一样地美丽，可在实践中常常变成，学问越大的人，越要贬低他的价值；一个完全没有基本知识训练的人，却会被捧上天。还有'知识越多越反动'，'书读得越多越蠢'，等等，我们民族已经这么做过很多次了。还有，我们强调'给知识分子落实政策'，当然政策是很重要的，而且都需要给予落实，如对地富分子摘帽落实政策、对受迫害的干部落实政策、对资本家落实政策，因为原来都把这些看成异己力量，或看得太死或根本看错，对他们落实政策是一种道义。最古怪的是给知识分子落实政策，说明我们一直把知识分子群体整个儿当成一股异己力量。当然，我绝不反对以'落实政策'为一种符号来为知识分子做许多好事，但这样的符号提高到文化高度来认识，它是可以作为一种学术问题来讨论的。这个民族为什么长期把知识分子当成一种异己力量，不打击它似乎知识分子就应该很感谢，有些知识分子还作了诗，歌颂对他落实了政策。当然，知识分子也有它糟粕的东西，就像任何社会群体一样，都有少数不好的存在，工人农民中也有犯罪的。作为一个群体来讲，在中国这样一个人口很多、平均教育程度很低、经济很不发达的国家里，知识分子的宝贵程度并没有被整个社会充分认识，所以从某种意义上说，现在不是去谈知识分子落实政策问题，而是知识分子要对我们这个国家落实政策，即增加参与决策的程度。中国知识分子要负起对我们国家民族更高的责任。因此，首先要从我们自己做起，解除自己的政治原罪感。因为你扪心自问，没有谁比你更懂得我们的民族状态和更热爱这个民族，并更希望这个民族富强的，因此，你的任何思想言论应该更自由地发表出来。"有关报道在最后说："刘心武的这番话，在与会者中间显然引起了很大的共鸣。"我参加这一类的座谈会，并直抒胸臆，就属于我文学活动以外的社会活动，表现出我积极参与社会改革的热情。我着手进行的第二部长篇小说就是以中国三代知识分子命运为题材的。但我不一定用上述的发言作为小说的主题。因为就小说创作而言，我所要完成的任务是塑造活生生的艺术形象，剖析复杂的人性，展示许多微妙而神秘的情愫，我需要理性的缰绳以利我跨上文学之马自由驰骋，却绝不需要理性的绳索捆绑自己的手脚。我的社会活动与我的文学活动是有联系的两件事，而我以文学活动作为自己立足社会人生的根基。当然，我对社会改革的关注和热情会自然而然地流泻糅合到我的作品中，我认为那并不一定是坏事，更可能是好事。

使我感到无限欣慰的是即使在我最倒霉的时候，作为社会人的我仍然从社会得到了温暖、爱护和激励。1987年我被停职检查以后，接到了云南昆明宏达公司总经理郭友亮的邀请，应邀到那边同他会面并调养身心。我们本来并不相识，他只是读过我的一些作品。结果我们成了挚友。倘若以为我们的友谊仅仅建筑在他对我的作品的欣赏和我对他在我最困难的时候给了我温暖那一点基础上，那就大错特错了。我们各自从对方内心深处发现了可以将我们永远联结在一起的链条。1988年8月郭友亮从北京飞往日本进行访问，又从日本飞回北京。在我家里，我爱人问他对日本印象如何，买了什么东西回来，他的表情沉毅而坚定："那里的东西太丰富了！开头我什么都想买，后来我什么都不要买——因为就算我有好多好多的外汇，能买好多好多的东西，我又怎么能够把日本所有的好东西买到中国来？当我从东京成田机场登上飞机的时候，我默默地对自己说：我的使命不是把日本的好东西买回来，而是把中国——至少是昆明——获得像日本一样的富有！"我的心因他的这番话而悸动。

我有许多文学界以外的朋友，郭友亮这样的企业家朋友并不多，更多的是市井上的无名之辈：电线厂的工人、摆摊卖衣服的个体户、专做女发的理发师、锅炉工和搬运工……我同他们交朋友绝非是为了写小说而"体验生活"、积攒素材，他们几乎没有读过我的任何作品而我也从来没有同他们谈论过文学或艺术，我们一起喝酒、打扑克、侃大山……当我十年之中三次搬家并且房子确实越搬越大，而且"软件"也确实不断更新之后，再邀他们来玩来喝来聊时，他们有时也直截了当地问："你干吗跟我们交往呢？"老实说，我答不出来。我只是觉得我不能整个儿"文学化"，尤其不能整个儿"纯文学化"，毕竟我首先是一个人，一个有文学以外的需求的活人，我不能失去活气儿，我在不止一篇作品中使用了"琐屑的人生乐趣"这么个词组，我想那不是偶然的，我这人确实珍惜并善于享受种种琐屑的往往绝对非文学性的人生乐趣。

以往的十年过去了，新的十年扑面而来。我的人生将进入更波诡云谲的局面。我清醒地知道这个世界上不仅有我一个人存在，我必须同其他的人一起存活，而在生活网络中同我发生关系的人有爱我的也有恨我的，我的心灵对于爱和恨以及其他的外来情感冲击都有足够的承受力，在同他人的碰撞中在参与社会生活的过程中我丰富着自己的体验与情感，并且我惊喜地发现我内心深处还有着那么多不受外界干扰左右的良知、渴望和神秘因子，我尽管得到了不少但我不害怕失去它们，因为我觉得自己还有更新创造并创造得更好的激情与力量，所以我充满了自信，我在新的十年里将活得更像人样儿，并且我将写出超过以往十年的新作品。我非常感谢孙绍振以及像他那样的朋友和关怀我的读者及各方面的人士，感谢他们过去和现在为我捏着一把汗。当我写完这篇文章，搁下笔时，我会本能地捏紧拳头——但我的手心里将不存在冷湿的液体。

1988 年 10 月 9 日—11 日写于北京安定门

他在吃蜗牛

如今一提"吃螃蟹",人们便会想到蘸有姜末浓醋的金红蟹黄与雪白蟹肉,不由得垂涎向往。可见"第一个吃螃蟹的人"为我们造福不浅。在我国,毒蛇、铁雀(麻雀)、蚕蛹等也早已成为习见食品。但是国外已颇流行的两种食品:蜗牛和蚯蚓,在我国勇于尝试者似尚寥寥。

前几天见到作家王蒙,我戏称他为"吃蜗牛的人",他报之以微笑。这并非因为他上月到联邦德国访问时吃过蜗牛宴,而是因为自去秋以来,他在写作方法上不断向外国当代文学借鉴,大胆进行尝试,颇有在中国带头"吃蜗牛"的气概。

去年10月底,王蒙在《光明日报》发表了《夜的眼》,这篇小说打破了传统的以塑造人物和讲故事为主的写法,充满了"生活流"的特异情趣;同时又在《当代》上发表了中篇小说《布礼》,行文上时空跳跃性很强;到了今年,则在《北京文艺》第五期上发表了《风筝飘带》,整篇小说犹如一部多主题的交响乐,行文上不是"独奏"或"齐奏",而是有巧妙的"和声"、"配器"处理,因而给予读者一种三度空间的立体感受,似可称之为"复调小说";此外,他又在《人民文学》第五期上发表了《春之声》,这是一篇用纯"意识流"手法写成的"歌德"之作;最近又看到他在《上海文学》第六期上发表的《海的梦》,全篇只表现主人公的心象与心绪,可称为"情绪小说"。据说即将出刊的《十月》第四期上,还有他另一中篇《蝴蝶》,在形式上将更为新奇。

王蒙的这种"吃蜗牛"行为,已在文学界和读者中引起注意。有说"很喜欢"的,有说"虽喜欢却说不清为什么喜欢"的,有说"看不懂"的,有询问"中心事件是什么?主题何在?"的,有说"过于着重形式未必佳"的,有说"中国传统写法尚继承不过来,又何必学人家外国写法"的……以上各种反应,我以为对王蒙都有同等高的参考价值。不过总体来说,我觉得广大读者和批评家们对王蒙的探索重视得还不够,应当对他的尝试加以分析、研究、争鸣、评价。

我个人对王蒙这种"头一个吃蜗牛"的精神，是非常钦佩的。他的尝试，绝不含有对一切我们已有的"食源"（特别是"美味"）加以贬低、扬弃的动机；而且从他那些小说的内容上看，无论是生活场面、人物形象、心绪、气氛乃至于景物，都是地道的国货，绝未脱离我们的时代和民族，因而可以断定，他并不是主张从国外搬回现成的"洋蜗牛"来吃，而是力图借鉴外国经验，在中国发现、采集、培植、烹制"土蜗牛"吃，这对发展我们中华民族的文学创作，特别是加强和丰富中国小说的创作手法、品种风格，实在是只有好处而没有坏处的。

我希望不要过太久，人们就会对吃蜗牛同吃螃蟹一样地感兴趣。

1980.7.8

"复调小说"和"怪味小说"

我在《他在吃蜗牛》一文中，曾将王蒙的《风筝飘带》称为"复调小说"，颇令某些朋友不满，他们说："也太标新立异了！"其实文学创作要有所进步，是非"标新立异"不可的。

"复调小说"的复调一词，是借用自交响乐的。交响乐或奏鸣曲有一个显著的特征，就是至少包含着两个以上的主题，每一个主题内部又分成一系列的"动机"，而这一切又都是通过众多的乐器互相按照一定的规律复合演奏体现出来的；我以为王蒙的《风筝飘带》就有类似的特点。这篇小说涉及到了城市青年们能感受到的众多又复杂的社会问题，行文时随处点染，涉笔成趣，不是单线索发展而是立体化的推进，读毕虽难以用一两句话概括指出"中心意思"，而心中却又会生出丰富的意思。这实在是一篇催促读者对生活进行严肃、深入思考的好小说。

据说严肃的文学批评是不允许自造称谓的，好在现在写的是随笔性文章，打打比方，立立名目，只要能自圆其说，似乎也无不可。我想到了北京市另一位作家林斤澜，他写小说，似不属于"吃蜗牛"一类，大抵还是用传统的手法，但他的小说味道很怪，好比拿出来的是鸡肉和蚕豆，但却是"怪味鸡"与"怪味豆"，我们姑且称他的小说为"怪味小说"吧。自粉碎"四人帮"之后，林斤澜同志相继发表了《竹》、《开锅饼》、《膏药医生》、《拳头》、《阳台》、《绝句》、《神经病》等多篇作品，他的这些短篇小说的主要特点，我认为一是结构特异，他善于一下子把读者带到事件的中心，不是用丝线穿珠法，而是用花瓣攒心法来展开故事；二是对于人物内心的刻画，不用"意识流"一类的手法，而是更多地借鉴于《聊斋志异》，往往引入梦境、幻觉的描写；三是绝少使用华丽的修饰语，善用冷峻的短句子。听说《神经病》一篇已被黑龙江省评选为 1979 年优秀作品，可见他的东西虽不甜美滑腻，但那股子麻、辣、苦、涩、香、脆、酥的"怪味儿"，也拥有相当的喜爱者。

拉杂谈了这许多，不过是意在呼吁重视对作家、作品的艺术技巧与风格特色，多加评论而已。

1980.7.12

一阕森林交响曲
——读《森林，人在深邃幽远中》

零

我的故乡，在遥远的川东丘陵地带。

故乡的县城，有一株巨大的皂角树，屹立在城东最高的圆坡上，那皂角树总有几百年的树龄。它是故乡的标志，犹如一面巨大的绿色旗帜，从很远的地方，就能看到它伟岸的身姿。游子的眼中一映入它那饱满浑圆的绿色树冠，心便醉了，泪便涌了。

然而，"文革"期间，我又一次返回故乡，当我在远处没有见到它那绿色的身影时，还以为是路移景错，角度不对所致；当我在离县城很近的地方，仍没见着它那熟悉的身姿时，开始惶恐不安了，最后我登上了那个圆坡，心痛欲碎——我心爱的皂角树啊，你竟真的消失了吗？是消失了！人们告诉我，是在一次"武斗"当中，为了某种"理由"，而被砍伐，焚毁的。

后来的生活浪潮，涤去了我许多的思绪，然而对故乡那皂角树被毁的沉痛感慨，却久久地滞留心间，形成了一个感情的深潭。小小一石，便能激起我这深潭无限的波澜。

仅是报上的新闻，哪里的林木被乱砍乱伐，哪里正采取措施在保林植树，已能牵动我的感情思缕，便何况有关树木、森林、生态，特别是有关人与树、人与森林、人与大自然这类题材的文艺作品，就更易激起我满腔的情思了。

所以，当友人袁和平将他的新作《森林，人在深邃幽远中》惠赠给我时，我的欢欣和激动，便可想而知。

我急不可耐地读了头一遍。

过了些天，我又读第二遍。我一边放着录音带一边读。放的曲子是：斯特劳斯的《维也纳森林的故事》、贝多芬的《第六（田园）交响曲》、刘敦南的《山林》。

当我这个审美主体，同《森林，人在深邃幽远中》这个审美客体相遇时，我所产生的各种想法，自然带有极强的主观色彩。我不是评论家，我只是一个读者，一个倾心的读者。但，像《森林，人在深邃幽远中》这样的作品，它实际上是一篇并没有写尽的作品，它的最后完成，应当是在读者的吟味、思索之中。所以，我想，即便我的种种想法是片面可笑的，坦率出之，也不无参考价值，对作者、对其他的读者。

一

一般来说，小说总是写人的。

和平的这个中篇，自然也写人。有的评论家，或许会把这篇作品，评定为一篇塑造为发展林业科学而奋勇献身的革命知识分子形象的佳作。

但，掩卷后细想，这个中篇的那位主人公，生态学家刘文杰，形象竟是比较模糊的。这一方面固然是因为作者几乎始终并不让他直接出场（由一个"我"追踪主人公，几经周折才终于追上，是一种较为熟见的结构套子；就结构"落套"这一点而言，我甚至颇为和平扼腕），另一方面，那些由别人讲述的关于刘文杰的种种事迹，虽然大都新奇动人，但使我们感到新奇动人的往往并非刘文杰这个人物的性格和命运，而是围绕着他的奇特环境和使他遭逢的传奇因素，以及一种较为抽象的固然也是感人的献身精神。考古学家纪超凡原是为衬托刘文杰而设的，不知别的读者感觉如何，我对他的印象和喜爱程度，竟超过那刘文杰几倍。这不仅是因为他贯串于作品始终，时常发表惊世骇俗的新奇见解，而主要是因为他有着鲜明可信的性格，构成了一个血肉鲜活的具体的艺术形象。刘文杰不仅显得缥缈，也显得过分完美，而纪超凡就既有超凡之处，更有凡人弱点——他的不通人情世故，就反而很惹人喜爱。

就塑造人物形象这一点来说，和平的这个中篇不是缺少人物形象，而是未免过多。许多人物，如林科所党委书记陈刚，"我"的老同学李俊祥，县林管局王局长，林管局技术员高健，大坞公社书记老赵，乡土医生张少侠，山农陆山大伯，向导蔡老伯……都是写一个扔一个。他们的出现和消失，固然都还自然，而且由于和平的人物积累雄厚，对这些他所熟悉的各式人物，即使随手拈来，也颇栩实生动（如乡土医生张少侠，几行描写，便跃然纸上），但这种写法，显然不符合中篇小说的一般规范。自愿扎根僻远山乡的女教师何小燕贯串在后半部，但她的形象反而有点概念化，作者写她的用意，更多的似乎也不在于塑造她的鲜明形象，而是借助她的叙述，来写别的人别的事，小说的第十二节"阴阳枪"，整个是假托她的口吻来讲一个当年跑猪射击国家纪录保持者的狩猎经历。

小说中没有直接出现的人物，不仅有刘文杰，还有顿悟法师（张伯坚）、淑贞，1970 年死在深山中的进山小队队长王冬生和副队长林可岚、射手陈素炎和"文革"期间的公社负责人尤三泰等等，直到小说最后，竟然还出现了一个来自爪哇岛的麻风女林娇珠（她的形象前面屡有出现，但作者故意让读者猜想为淑贞）。

我这样不厌其烦地统计这篇作品中的人物，目的何在呢？是为了证实我这样的一种判断：和平的这个中篇，其实是很独特的。它并不以集中塑造鲜明丰满的人物形象取胜，但它却自有一种魅力，这魅力来自何处？我以为是来自贯串全篇的森林形象，和平对森林的描写，已然超出了一般小说对环境的描写，他赋予了笔下的森林以灵魂，因为，这个中篇中的森林，成了至少能同刘文杰平起平坐的主人公，也就是说，成了感人至深的艺术形象。

我以为，和平的这个中篇，实际上是一阕沁人心脾的森林交响曲。

二

读有的小说，关于环境的描写倘若偏长偏细，我往往便一目十行地扫阅而过，但读和平的这个中篇，我却常常被他那些关于森林的描写所牵萦，有时，竟至于读过了回过头来再重读。比如：

> ……樟树和楠树，各撑着巨伞似的树冠，掩得树林如一块密不透风的屏障。水桶那么粗的杉树，则像剑似的冲上云空，这使森林洋溢起昂然的气势。老竹都爆裂开了，鲜嫩的鞭根依然向四处吐露出青翠的芽尖。喜湿耐阴的苔藓布满树根。大树上附生着蕨类。树林空间垂满道道藤萝。

当然，这还并不怎么出色。不过是一幅森林的外在光彩的油画。但，接着：

> 越往前走，藤萝越多，盘着树干，垂挂林间，恣意纵横地罩满枝头，势若腾龙走蛇。怀素的草书是受这气势启发吗？而吴昌硕却直言不讳地道出，他正是从藤萝的姿态上悟出奇特的韵味，独辟蹊径，而自成一体的。森林似乎确有一种奇特的艺术感。你听，风在吹，满山婆娑。森林像变奏着一首气势雄浑的乐曲，势如万马奔腾。而这几乎是文字所无法表达的。

显然，作者是试图从表象往深里探究，去发现一些什么了。这正是我们在一般情况下，写人物必得达到的第二层次。作者把森林作为一个总体的艺术形象来刻画，于是就有第三个层次出现：

> 森林静默无声，像一位阅历沧桑的老人。四下看望，我发现一株赤叶楠身上竟裹满了丝丝藓绒，猛一看还以为它从根下一直绿到了叶梢。而这一时给我的感觉，似乎整个森林一下子变得幽深极了。一株大树老朽躺下像隆起一堵墙。那庞然的身躯尽管是卧着，却依然不失其站立时的气派，甚至于保留着它倒塌时轰轰烈烈的气度。朽烂的树身上泛着斑斑地衣，那是飘逝的岁月留下的痕迹。朽树之上，一根鸡血藤竟还缠吊着一段朽木，高悬于空。……在投下阳光的空隙地带，就连悬空的朽木上也悄然地附生起一簇兰花——那是异常名贵的树兰。这千百代落叶沤成的沃土之上，站立着的千百个生命，向人展示着生命与死亡的画卷！更何况地衣与苔藓，草本与灌木，大乔木与小乔木已经书写下竞争与和谐的诗章。是这样吗，森林？

这就写到森林的灵魂了。

作者写森林，并不仅仅是为了向我们展示森林那外在和内在的美，也并不仅仅是为了通过刘文杰等一组人物，来讴歌献身于林业战线的普通劳动者，而是为了促使我们深思：人类同森林，同整个大自然，究竟应当怎样相处？

无疑，这是一个非常重大的主题，也是一个富有哲理性的、非常深邃幽远的、一时绝不能穷尽的主题。

同一般的小说又不一样，这个中篇充满了过多的插曲。追踪刘文杰固然是一条贯串线；那神秘的林中来信和钻石戒指，以及那些"上帝之树"格氏栲天然林的有无，固然都是吊人胃口的悬念，但作者下笔时却一而再、再而三，乃至再四再五地离开贯串线和悬念去大写别的，除了八次写到纪超凡有感而发的长篇"怪论"给人印象深刻外，还有诸如1970年进山小分队遇熊时的回忆、张少侠养猴验药的情景、"阴阳枪"和射杀缺耳山猪的故事、黄坑群众抵制砍伐风、保护小树林的过程、密林中古村遗址的发现等等。很难想象，如果删刈了这些"节外之枝"，这篇小说仍能像现在这样富有魅力。很显然,这篇小说并不是"红线穿珍珠"那样的单线渐进的结构,而很像是一种"花形结构",即以一个哲理思考的内核为"花心",而以一层又一层的插曲为"花瓣",刘文杰这个形象,便恰似作者放入"花心"中的一只蜜蜂。

最打动我的细节,是写到黄坑时出现的那一串,而其中尤使我开窍的,是何小燕逮蛤蛛(石蛙)的那一场面。她逮到一只虫谷蛛,竟"腾出手,一使劲,折断蛤蛛腿,把蛤蛛丢回溪里。凄楚的叫声在小溪里响着。不知是责备人类的残忍,还是庆幸自己的偷生"。这举动不禁使小说中的"我"(一定也包括绝大多数读者)大吃一惊。何小燕后来揭开了谜底:"山里的规矩,抓到的第一只蛤蛛,都得这样处理……你别担心它疼。没两天它的断骨就能长好,还鼓出个小骨结呢!下一次别人抓到它,一摸它腿上有个鼓包,就得把它放了。"原来,这是村民们自古以来保持蛤蛛生态平衡的一种习俗,这样做,就既能不时捕食峪炼以作美味,又能保持蛤蛛永不绝种、绵绵再生。

由于小说中充满了这种根植于生活(绝不是从有关科普读物上移植)的生动插曲,而且这些插曲又无不丰满着森林这个主人公的动人形象,因此,当作者借着纪超凡这个人的嘴,发表出关于人类与大自然应有的正确关系的见解时,读者即使不一定能马上接受,也一定会理解并深思了。

三

像我这样的四十出头的一代人,当我们年轻的时候,听惯了这类的训谕和号召:"我们的任务不是等待大自然的恩赐,而是要向大自然索取。""向大自然进军!"乃至"向大自然开战!"因此,在很长的时间里,我们都把人类和大自然的关系,视作主人和仆人的关系,以至视作征服者和敌人的关系。

五十年代过去了,六十年代过去了……当我们到了七十年代和八十年代相交的时候,我们摆脱了极左的政治羁绊,打开了窗户,朝整个世界望去,我们才痛苦地发现,原来对大自然的无限制的征服,正给人类带来大自然倒施的惩罚;伴随着工业发展突飞猛进的凯歌,大自然发出的威胁人类安全的警报也越来越响;一些别的国家从六十年代起就已自觉地、有计划地调整人同大自然的关系,已经取得不同程度的良效，而我们相对来说却比较落后，这就产生了一种紧迫感。和平的这个中篇的主人公刘文杰，就是一个为这种紧迫感所驱使，而争分夺秒地行动着的科学家。我以为读者和评论家倘若只注意到作者赋予这个人物的那种为国家为民族的献身精神，而忽略了这个人物的那种科学头脑——不是一般地富有科学知识，而是在人类与大自然的关系上，有着科学的战略眼光——那就真正辜负了作者的一片苦心了。

作者通过纪超凡的嘴说："为什么要说'征服'和'强者'呢？（人类）成为大自然的朋友不行吗？平等的，而且是友好的朋友！"

正因为作者信奉这一观点，他才在这篇小说中，把人类的朋友森林写得那么富于情趣、充满启示而又深邃幽远；他所歌颂的主人公刘文杰以及他昔日的同学张伯坚、淑贞和那个爪哇女郎，才几十年如一日地、孜孜不倦地用整个生命去寻找那些格氏栲林，以期选育出针阔叶混生林的理想树种，来改变时下依然沿用着的培植单一型人工林（这实际是向大自然无节制地索取）的做法。

当我掩上和平这篇小说时，很自然地，我的思绪一度飘向我的故乡，飘向那株不复存在的皂角树。但我的思绪的的确确升华了。我对故乡大皂角树的挽悼，再不仅仅是一般的情感上的波动，而形成了一种哲理性的思索。故乡的同胞们啊，当我们治愈了"文革"动乱造成的创伤，我们该怎样协调我们同那片乡土的总体关系？我们要做的事，怕不仅仅是在那圆坡上，补种一株皂角树吧？

四

和平的这个中篇，在五光十色、娓娓动听、自然流畅的描写和叙述中，嵌入了一个神秘曲折的故事，这就是当年在海外留学的四个同学（刘文杰、张伯坚、淑贞、林娇珠），都为寻找英国传教士杰逊·詹姆斯在他著作中提及的格氏栲天然林，而呕尽心血的悲欢离合、生死歌哭。这固然为许多读者提供了一个富于诱惑力的悬念，增强了作品的趣味性，然而，我以为作品的主要弱点，也存在于这个情节的设计之中。

从来都是这样：大巧若拙，而大拙反若巧。也就是说，有的技法看去拙平而实则巧灵，有的技法用时巧妙读时却不免露拙。在小说接近尾声时，作者大概是为了不让读者的猜测落实，而求不落俗套的效果吧，交代"谜底"说：那个在"文革"初期给刘文杰寄出信件并以一只钻戒为凭的荒山野女，并不是淑贞，而是另一位"来自爪哇岛一个华侨的女儿"，一位麻风病患者林娇珠。这固然令读者大吃一惊，但问题跟着也来了：她那样一种出身、经历、身份，怎么可能在解放初进入福建偏僻山区的森林？麻风病患者不仅难以获得出发地的护照，也难以通过我国海关及有关部门的检查；再有，她既是十几年如同野人般独自生活在深山老林中，连"顿悟法师"也不愿接近，又如何获得纸笔，得以写信？她既心灵高尚，又懂科学，应当知道麻风病传染性极强，她的信及那枚钻戒到了传信人及刘文杰手中，势必使他们染上麻风病，这岂不形同害人？……所以，关天"麻风女"林娇珠的这一设计，是经不起推敲的。

这条故事线中经不起推敲处还有若干，就不一一列举了。我不愿说"白璧微瑕"一类的套话，我以为这些不足之处，是颇影响这篇作品的质量的，特别是因为这是一篇写科学家活动并进行颇为深刻的科学哲理思索的作品，因此无视麻风病具有强传染性这一类的疏漏，是很令人遗憾的。我早已把这一意见告知了和平，他说将在出单行本时加以改动，我想，改动后的小说必将更合理然而也更富魅力。

我将怎样捧着单行本读第三遍呢？还要配着音乐听。谁能借我几盘更新鲜的、关于森林和大自然的乐曲录音带？

1983 年 3 月 12 日写于北京垂杨柳

让孩子的眼睛善于发现
——《儿童文学》1982年获奖小说漫评

至今记得儿时头一次拿到望远镜的心情。正看，远处的景物逼到了眼前，自然激动不已；反看，近处的景物推到了远方，更是惊喜交集。原来平平常常的世界，只要换一种方法看，便变得那么样地不平常！

人人都长着一双眼睛。自在状态的眼睛，只能看见事物的表象。用放大镜、望远镜、显微镜武装起来的眼睛，则开始体察事物的内涵。而生活的磨炼，会使一部分人的眼睛渐渐进入自觉状态，能透过平凡琐细的表象，有所发现。于是乎我们便可以说：他们成熟了。

作为《儿童文学》杂志的一个忠实读者，读了该刊一九八二年评选出的六篇小说后，我产生了这样的想法：上乘的儿童文学作品，恐怕不能只是通过一个故事提供一点训谕，也恐怕不能只是通过流畅优美的文笔给予一些情趣，也就是说，它的功能不能只是局限于告诉孩子什么是好，什么是不好，而应当引导孩子们用自己的眼睛去发现——发现生活中的美，当然也发现生活中的丑，从而激动、思考，并渐渐化为在生活中向上的升力。

获奖的头篇作品，是沈石溪的《第七条猎狗》。对于绝大多数孩子来说，它有着把望远镜贴在眼睛上正看的强烈效果——祖国云南边陲的原始森林，纠结的植物群落，出没无定的眼镜蛇和豺狗，惊心动魄的生死搏斗，千钧一发的危急时刻……伴随着老猎人召盘巴、他的孙子艾苏苏和猎狗赤利的故事，斑驳陆离地搅作一团，放大凸现在了眼前，光那奇异的背景、环环紧逼的情节，已足够令人心跳了，然而掩卷之后，小读者们一定不免陷于沉思——因为这不是一篇仅以地方特色和惊险情节取悦于他们的小说，这篇小说不仅向他们展现了新奇的东西，而且还启迪着他们从自己周围未必新奇的东西中，去发现过去忽略的东西。这不是一个捉特务、擒匪帮、缉走私、防叛国的故事（以往这类背景中所展现的常是这类故事）。它别开生面，写的是老猎人召盘巴与他的猎犬赤利之间的内心冲突。召盘巴一次在林中遇到野猪袭击时，赤利居然没有来救，伤透了心的召盘巴决定将它处死。召盘巴的孙子艾苏苏出于怜悯，放走了赤利，赤利成了一条野狗。它之所以没有在野猪袭击时跑上前去援助主人，实在是因为发现了一条从另一角度袭向主人的眼镜蛇，而冒死同眼镜蛇进行了一番鏖战。后来，召盘巴和艾苏苏放牧集体的牛群，遭到大群豺狗围袭，正当千钧一发之际，赤利冲上前来，以一颗受了冤屈的心，拼死保卫了主人，贡献出了它的全部忠诚。一些小读者给刊物写来了读后感，他们由召盘巴和赤利而想到自己和周围的老师、同学们应当怎样相互信任，应当如何避免冤屈别人和不因冤屈而改易忠诚，这不就是一种对生活、对人、对人与人之间关系的发现吗？作者没有说的，由读者们自己领悟到了。

另外五篇获奖作品，则都好比是把望远镜反拿着贴到眼睛上——把孩子们周围最平凡琐细的生活，推开去一段距离，然后让孩子们来体察、回味，从而使他们尽可能有所发现。

贺晓彤的《美丽的丑小丫》，可以看作是她上一届获奖作品《新伙伴》的姐妹篇。这两篇都是透过城乡之间的差别，来歌颂农村儿童纯朴心灵和高尚情愫的。《新伙伴》是写城里男孩金娃到乡下姥姥家过暑假，同农村孩子毛狗、五斤兄弟俩建立了友谊，然后在一系列细节中，对比地展示出金娃的不知节俭、有优越感等缺点，和毛狗、五斤的知稼穑、爱劳动、向往文化等美德。《美丽的丑小丫》则是写乡下的小丫被接回到城里的家中，同她妈妈——一位爱打扮、厌"土气"、缺乏修养的妇女之间发生的冲突，从而展现出农村小丫在爷爷奶奶熏陶下所形成的知艰辛、尚节俭、爱劳动、懂礼貌等好品质。写法也是用一组组的细节将人物加以对比。这两篇作品的共同优点是生活气息浓郁，情节流动自然，但恕我直言：《美丽的丑小丫》并未超过前一篇《新伙伴》的水平，有点直奔主题。一个六岁半的小姑娘，在作品所安排的每一个细节中，处处都显示出具有不仅高于她的妈妈和爸爸，而且也几乎高于周围所有城里人的农民美德，结果，当作者想借作品中的人物赞美她时，就用了"我的小大人儿"这样的评语，这样写是不是欲扬之却反抑之了呢？

生活素材进入作品，自然应当经过作者的一番筛汰。筛子眼太大，则留住的都是些大块头，有时就显得单调生硬。筛子眼太小，则留下的东西过多，便难免又显得臃肿芜杂。另外三篇获奖作品，石海泉的《喜爱"长颈鹿"的兄妹》，写的是后母带着一个妹妹进入了男孩谢文良的生活。他如何在这家庭突变中克服心理障碍，同妹妹和后母建立和谐的关系；董宏猷的《吸力》，写的是新来的班主任老师李芳芳，如何以一颗赤诚的心赢得了顽皮学生的爱戴；方国荣《彩色的梦》，则以诗一般的笔触，写了一个乐于助人的男孩子如何想方设法去慰藉一个盲姑娘的心；我以为这三篇作品，在处理生活素材的过程中，筛子眼的大小都比较得体，因而既不是一览无余，也不是晦涩朦胧，尽管作者们并不一定都刻意于启迪小读者们去往生活中发现，但是，由于提供小读者们想象、补充的余地宽阔了，因此，用心的小读者们在掩卷之后，是应当能够举一反三，对生活有所发现的。特别是《彩色的梦》这一篇，作者既写了小哥哥对盲妹妹晓红的爱，也写了盲妹妹对小哥哥的感情反馈——小哥哥给她一朵花，对她说，那是"虹花"，当她举在手中时，便已开始次第地变换着颜色，她"含着泪在笑"，复明的渴望更强烈了，这时小哥哥忽然慌了，向她忏悔说："我刚才说的全是谎话，这花，根本不会变……"而她却笑了，她知道并没有那样的花，可她宁愿相信小哥哥的话——像这样的细节，它的力量，就绝不仅是展现了纯真的友情，它实在是启迪着孩子们去从生活中发现更多的美。

我特别喜欢的，是曹文轩的《弓》。作品在行文中似乎是不经意地说："近年来，北京城涌进三大帮外地人：安徽的保姆，河北的木匠，浙江的弹棉花的……"一下子就把读者们司空见惯的事物，远推近挪到了特异的位置。于是，一个平时恐怕最容易被我们忽略掉的临建小棚里的温州男孩黑豆儿，便进入了我们的视野。随着作者一支娓娓道来的笔，我们渐渐从平庸中发现了高尚，从不幸中发现了坚强，从困难中发现了希望。作者在写法上没有直奔主题，没有把黑豆儿写成完美无缺的楷模，当作者写到小提琴家从黑豆儿纯朴优美的形象中获得了灵感，创作出独奏曲《一个从乡下来的孩子》，并在头一次公演时特意邀请黑豆儿到场欣赏时，安排了这样的细节："人们被这充满情感的音乐所感染，屏声谛听，大厅静如月光下水平如镜的大海，只有那轻柔、委婉、缠绵、深沉的提琴声。然而，黑豆儿却抵抗不住一天的疲劳，歪着脑袋，在金丝绒软椅上睡着了，口水顺着嘴角流到脖子里……"从这样的描写中，我们不是能够发现出更多的东西么？

近几年儿童文学的发展是迅速的。作品的境界不再是就事论事的简单训谕，而越来越富于启迪性——即不再是简单地替孩子们用眼睛看，然后将看到的灌输给他们，而是教给他们用自己的眼睛去发现黑白美丑，促使他们善于独立思考。题材更广泛了，写法更多样了，作者队伍更不断扩大——这次获奖的六位作者恰巧都在三十、三十一岁上，便是儿童文学园地里新添的生力军的证明。不过，无论是作者、读者还是评论界也都还不能满足。别的姑且不说，仅就塑造出能够体现出我们这个时代鲜明生动、丰富饱满的儿童典型形象来说，尚不能如人意。现在有哪一部儿童文学作品里的主人公，能够说达到了《铁木耳和他的伙伴》中的铁木耳、《鸡毛信》中的海娃、《小兵张嘎》中的嘎子那样一种典型化的高度，具有了那样一种艺术魅力呢？

大家一齐努力吧！

1983 年 4 月 21 日

池塘生春草
——读冯亦代《龙套集》

我爱读散文。散文当然有各式各样的。比较常见的似乎是两种。一种是精雕细刻而成的，构思巧妙，字斟句酌，讲究藻饰，溢彩流光，读之如观一件独特的玉器或牙雕，使人在"难为他怎么写出来的"这样的惊叹中，获得一种美感。另一种却似乎漫不经心，犹如一场春雨后，针针绿草自然而然地钻出地皮，那绿草或许并不匀净，"草色遥看近却无"，但"细雨湿流光"，看在眼里，注到心头，让人的感情溶溶漾漾地化开去，得到一种常常是意外的满足。

最近读到冯亦代同志的《龙套集》，这个集子里所收的五十多篇文章，或忆亲友，或记往事，或评影剧，或谈翻译，角度不同，内容各异，给我的总体印象，却是一致的。我以为他的散文，便属于上述的第二种，读毕掩卷，我心头竟不期然地浮出了谢灵运"池塘生春草"的名句。你要问我为什么,我答不出,但倘若你也读读《龙套集》,或许便能共鸣于我的感受。

除了诗歌,文字构成的东西里,散文是最擅抒情的。散文固然也可以像诗歌那样直截了当地纯粹抒情,但散文之所以是散文,而不能由诗歌来取代,恐怕是在于它常常寓情于叙述性的文句之中;叙述中浸透情感了,那么逸出叙述本身的纯粹抒情竟可以一句不要,《龙套集》里的文章便大率如是。一塘清水,不刻意栽藕养荷,不求助于鹤舞鱼嬉,只任春草这里那里钻出来,朴朴素素、自自然然地把草尖指向湛蓝湛蓝的晴空。这大概便是风格吧。

集子里有一篇《纪念册带来的思念》,是回忆解放初周总理在作者纪念册上题字一事的。当年周总理不但在那纪念册上写下了"为建立人民文艺而努力!"的号召,而且,还意味深长地将作者的名字改写成了"一代"。双方并对此进行了一番有意义的谈话,而十多年以后,此事也还有令人感动的余波。这样的材料到了有的作者手里,怕可以织成一匹堆花铺绣的七彩锦缎,但冯亦代同志的文章却仅用了两千字,其特点还不仅是简约与含蓄,它仿佛是一块素淡的蜡染布,印下什么和省略什么,在无意之中却有无穷的意味。他用了不少的字数去描述那纪念册本身,"比三十二开本略小,封面是红色粒纹漆布的,上面用金色烫印着红旗和毛主席与鲁迅的侧面像……里面装的是白色轻磅道林纸,……如今已显得衰颓而非复有当年的光彩了。封面红色褪成暗红,烫金已削落或呈黑色,书心的道林纸则已带上灰黄……"这样一个当年寻常如今旧损的纪念册,为什么在冯亦代这样一个知识分子的生活中和心中,成为了无价的瑰宝呢?答案不仅在这一篇文章当中,我注意到,作者在好几篇文章里非常自然地写到他生命途中的一个难忘的时刻:在上海的一幢楼房里,当天空泛鱼肚色的时候,透过楼窗看到了第一支人民解放军的队伍,打头的是一面鲜艳的红旗,于是作者情不自禁地淌下了热泪。愿不仅是一般的读者,尤其是那些举足轻重的读者,能从这些质朴的文字里,去认识、理解和尊重成千上万"历史复杂"或"思想复杂"的中国知识分子的心!

冯亦代同志在《后记》中说,自他十八岁离开故乡杭州,"从此就浪迹江湖……

我所处的正是中国的伟大历史时期，七十年内经历了军阀混战，大革命，国民党反动统治，日帝入侵，八年抗战，全国解放，新中国建立后的历次运动，一直到拨乱反正，振兴中华，几乎没有一次历史的递嬗没有我的身影，但我没能在中国人民革命的行列里做个勇士，却只会站在一旁当一个摇旗呐喊的跑龙套，这是应该惭愧的。"其实世界这个大舞台上，是生、旦、净、末、丑、副、外、杂、武、流这"十头网子"谁也不可或缺的。所谓"流行"即龙套，真要当得地道也大不易，就以京剧中龙套的"跑"来说，要跑得快而不乱、率而不飘，将"站门"、"圆场"、"一条边"、"扯四门"、"二龙出水"、"鹞儿头会阵"等几十种走法恰当自然地组合起来，起到陪衬主角、烘托气氛的作用，没有功力和经验都是难以胜任的。冯亦代同志把自己在中国进步文化界中的地位喻为龙套，未免过谦，但他确实是一幕幕中国现、当代文化史剧的直接参演者，因此读他的《龙套集》，在鳞爪的显现中，我们不难想见和体味到全龙的雄姿和风采。

愿池塘长青，春草长绿，"一生爱好是天然"的风格长存。

1985 年 8 月 21 日

有个戴鸭舌帽的人
——读刘湛秋的无题抒情诗

开头，我们仅仅是邻居。严格意义上的邻居。

倘若邻居都能成为我们的朋友，那么，跑到远处去看朋友的事一定会显得很滑稽。

身近不一定心近。人的心灵，即人的精神世界，为什么这般复杂微妙？

湛秋知道我是写小说的，但他并不怎么读我的小说。我知道湛秋是写诗的，但我也并不怎么读他的诗。我们是邻居——同世界上大多数邻居一样，我们客客气气，彬彬有礼，在生活方面互相照应，但我们的感情世界，在相当长一段时间内并无交流。

有时我对他说："嘿，你看到了吗？我最近新发表了一篇小说。"他照例没看。后来看了，看了也就看了，他无兴致评议，我便也不问。有时他对我说："有几首诗，新发在刊物上……"那刊物我有，翻开看了，看了也就看了，再见他时想不起这个话题，他便也不问。自自然然地相处，这多么好。

渐渐地，出现了这种情况，他主动议论：你新发表的那篇小说，如何如何。我见了他也忍不住说：看见你新发表的几首诗，如何如何。与其说我们从对方的作品中产生了什么共鸣，不如说我们从对方的作品中发现和明晰了我们之间究竟有哪些不同。

人们仅能以礼相待而不能成为朋友，是否恰恰是因为不能明晰相互究竟有哪些不同。只有清醒地认识到相互的不同，才有可能产生充分的谅解。而充分的谅解应当是沟通人与人心灵的坚实的桥梁。

在这种情况下，我读到刘湛秋散发在刊物上的若干无题抒情诗。其中有一首说："谅解无声而温暖／互送一个苹果的微笑／初春的黎明／悄悄融化着雪水／……／如果谅解能溶于空气／为我们每个人所呼吸／被谅解是一种幸福／谅解别人也是一种幸福"。[1]

我想：这恰恰也是我所想到的。当然，我不是用诗的思维方式来想的。

我谅解。因为我理解了他。他在另一首中说："也许，一切又都会忘记／花儿开了，还要凋谢／在美丽却又是多事的世界／只祈求相逢多于离别"[2]。为什么那么渴求相逢而害怕离别呢？贾宝玉总怕盛筵有终，而小红却看准了"天下没有不散的筵席"，对聚散的情感与认识，往细微处观察，自古就有多种不同派别。也许我毕竟比湛秋小，生活经历比他单纯，所以我总渴望着有机会去见更为广

---

[1][2] 载《春风》1983 年第 1 期。

阔的世面，为此，我觉得离别次数多一点，也无所谓。当然，倘是"生离死别"，我也受不了。

不完全追求共鸣，而把别人的作品当做一个对比物，来衡量自己的情感和认识，引起思索，这是我阅读文学作品时所追求的一种乐趣。湛秋的另一首无题抒情诗写道："你从远方归来／踏着栀子花的清香／汲水的辘轳更光滑了／没衰老的还是那一轮月亮……往事如细冷的雨滴／落叶悄悄地把你张望"……倘若我从远方回到故乡，触动我的细节，牵动我的感情思缕，难道也会是这样的吗？但湛秋在诗的结尾处说："在这偏僻寂静的山沟，为什么会听到潮水的轰响／于是你又匆匆离开／去追逐那大海的波浪"。[1] 这倒可以肯定，我会这样的。我就这样读湛秋的诗。他希望我这样来读吗？他自己在一则短文中说：诗，"它是真诚情绪的勃发，是热点或冰点的一种升华和凝固"。"这种勃发的情绪，也不仅表现于外在的喜怒哀乐，也凝固于内在的深沉的思索，这种思索也是催开诗的花朵的力量。其实，思索本身也是情绪的特有的波动啊！"[2] 那么说，他一定赞成别人用思索的态度读思索的诗。

湛秋又在另一首无题抒情诗中勾勒了一个可爱的小姑娘的形象："她挎着一筐蓝色的小花／从一片没有砍伐的森林／淋着叶子筛落的阳光雨／踏着绿云般的青苔／笑声，象可爱的山雀……她是从不疲倦的风／眸子象永远燃烧的星云／心中怀着爱，也怀着痛苦……"[3] 她是谁？无疑的，她象征着一种值得追随的东西。湛秋在结尾时宣布："不管在记忆里／是金黄的果实还是衰败的落叶／有个戴鸭舌帽的人／会和她一起深情走去／不怕做出任何的牺牲"。我自认识湛秋起，就总见他戴着一顶鸭舌帽，所以这诗的最后一节，我认定是湛秋的自况——不管他承认，还是不承认。

---

[1] 载《青海湖》1983 年第 1 期。
[2] 载《长城》，1982 年第 2 期。
[3] 载《星星》，1982 年第 11 期。

读了这个戴鸭舌帽的邻居的若干诗，有想说的话，现在便把它说了。算什么呢？吹捧吗？批评吗？什么也算不上吧？

我们能够不仅仅是邻居，也是朋友吗？我说的是严格意义上的朋友。

1983 年 4 月 1 日于北京垂杨柳

魅力所在，令人信服
——《西安事变》观后漫笔

到目前为止，电影《西安事变》我只看过一遍。那天是用一架小放映机放映的，映出的画面清晰度不够，因此我所获得的感受，实际上是不充分的。尽管如此，我还是由衷地说：真好！

我的这个反应，不知怎的让《电影艺术》知道了，于是编辑同志来约我写篇文章。评论《西安事变》这样一部电影史诗，无论从哪方面来说，我都是不够格的，但是，我想编辑同志在组织专家们撰写正式的评析文章同时，也动员我来说说观后感，大约有两层用意，一是让外行从直感出发来发点议论，可能对编导者和影评家有着特殊的参考价值；二是让在西安事变发生后才出生的晚辈来说说信不信影片所反映的是历史真实，可供编导者和西安事变的目击者、同代人玩味。为不拂《电影艺术》的诚意，我便来坦率地谈谈自己的观后随想。

看《西安事变》以前，我以为呈现在我面前的影片，可能还是采取虚构的"小人物"加真实的大人物这样一种艺术构思。这诚然是一种过去曾经出现过佳作，现在和今后也仍可据之构成佳作的创作路数。前两年我看过甘肃省话剧团和西安市话剧团的话剧《西安事变》，记得也是用的这种办法。成荫同志在此以前的作品《拔哥的故事》，基本上也还是承袭着这一类型的艺术构思。

这一种对历史题材的艺术构思方法,有利也有弊,利是处理上比较自由,想撒开时可以凭艺术想象充分地撒开,想收拢时又可以藉真实历史人物和真实历史事件的正面出现收拢,其中贯串性的"小人物"以其个人命运在历史背景中的悲欢离合能够产生充分的戏剧性,其中偶现性的大人物又以其强烈的历史感使观众能够得到一种特殊的心理上的满足;弊呢,则是虚构的"小人物"和真实的大人物之间的关系处理上稍有不慎,观众便立即"出戏",表现"野史"与"正史"的不同段落之间的戏剧节奏也不易求得谐调,因而往往是构成一个作品比较顺利,但能成为上品者不多。

看完《西安事变》,我首先感佩的是:成荫同志以一个成熟的艺术家的气魄,勇敢地舍弃了上述那种惯常的艺术构思方法,而采取了另一种追求彻底的纪实性的艺术构思方法,并且基本上达到了他的目的,使《西安事变》成为一部有着独特风格的电影史诗。

如果说,采取前面说过的那种虚构的"小人物"加真实的大人物,即"野史"加"正史"的构思方式,能成为上品者已属不易,那么,采取成荫同志这样一种彻底的纪实性的艺术构思方式,要处理成超过中品的水平,就更为困难了。而成荫同志呕心沥血的成果,我以为确实达到了上品的水平,作为一个普通的观众,我由衷地祝贺他在自己的艺术生涯中,又立下了一块里程碑。

成荫同志的这部《西安事变》,几乎完全摒除了虚构的人物,而力图把观众带到这场惊心动魄的事变的历史进程里去,随着历史进程的逐步展现,一个个真实的历史人物出现在观众的眼前,没有外加的戏剧性冲突,也没有往历史人物身上撒"佐料",而是力求再现那曾经存在过的一切。有一篇评论《西安事变》的文章说:"作品着重从忠实表述整个事件的全部过程来刻画人物,这在一定程度上减弱了对不少人物的思想、性格和精神世界刻画的深度。"[1] 我的观感,却与这种评价相反。我以为这位评论者是在用虚构的"小人物"加历史的大人物那一类艺

----

[1]《巨大而浩繁的历史画卷》,《大众电影》1981 年第 12 期。

术构思的尺度，来衡量成荫同志的这部作品，那就好比用公斤制来衡量用十六两市斤制抓出的中药，是不能获得准确的艺术感觉的。从成荫同志以往的作品来看，他是很善于用专门的单场戏或鲜明的特设细节来刻画人物的，我以为他这回是故意没有采用那类老办法，而是别辟蹊径，力图在事变的进展过程当中，通过张学良、杨虎城、周恩来、蒋介石等人物在事变本身中的动作，以及他们之间关系的变化，来春云渐显、笋皮层剥般地刻画他们的性格的。比如对张学良的"帅"劲，也可以脱离开事变进程专门设计一组细节乃至一场戏来加以表现，但那样的处理方式，与现在所追求的纪实性的总体风格，将会呈现出不协调状态。成荫同志就断然舍弃了那样一种对他来说本是驾轻驭熟的处理手段，而毅然让张学良的"帅"劲，以及透过这股"帅"劲所反映出的他的爱国热情、自我优越感、牺牲精神乃至于导致最后"负荆请罪"的盲目性等等复杂的精神状态，都通过他在整个事变进程中的连续性动作，来加以多次渲染，最后完成他的艺术形象塑造。对杨虎城的温厚老练，也是这样的处理方式，其形象的塑造，应当说也是相当完整、可信、丰满的。

我想特别提一提影片对毛主席和蒋介石这两个人物的塑造。老实说，对以往影片中已出现过的毛主席形象，我都是不满意的，或单纯追求形似，或冠之以光轮，不可亲亦不可信。话剧《西安事变》中的毛主席形象，处理得比较严肃认真，也不无成功之处，但其言论、动作也有脱离开他在具体事件进程中（即规定情境中）可能具有的自然感，因而往往显得造作。电影《西安事变》中毛主席出场不多，但我以为成荫同志处理得颇有特点，就是不脱离开规定情境去另外添加枝节，以"突出"人物，而主要是通过展现延安窑洞中，毛主席主持召开政治局会议的场面，把他的高瞻远瞩，他与政治局成员之间的关系，他在整个历史进程中的巨大作用，比较朴实而准确地表现了出来。观众感觉到，这就是当年面对着西安事变发生后的形势，党中央政治局的一次意义重大但形式又非常单纯的会议，毛主席的言论、动作，都是他在那样一次会议上可能具有的，没有什么编导者特别添加进去的"佐料"。这种最不讨巧因而最难的貌似平淡无奇的处理方法，恰恰取得了应有的艺术效果，我以为是值得许多一味追求热闹、噱头和堆砌细节的导演思考和学习的。稍感遗憾的是扮演毛主席的演员似乎还不能同导演获得同样的艺术感觉，把握规定情境还不是那么富有连续性。而且，就整部影片来看，和对于张学良、杨虎城、蒋介石等人物的处理比较起来，我党一方的领导人物，显得性格不鲜明，不丰满。造成这个缺点的主要原因，恐怕和编导没有使我党领导人真正置身于戏剧冲突之中有关。蒋介石的形象，以往的几部影片中已经有过，大多流于漫画化或肤浅。《西安事变》中的蒋介石形象，却是相当准确、丰满、生动的。成荫同志在处理这一形象时看来是费了很大的心思，他难能可贵地做到了两点：既避免了从概念出发的脸谱化，又避免了单纯从所谓人物的复杂性出发的有意无意的美化，而这恰恰是目前不少戏剧、电影刻画反面人物的两种弊病，它们实际上是一张牌的两面，其要害就是都背弃了革命现实主义的创作方法，或为省力，或为哗众，没有站到一个正确的、居高临下的位置上去。成荫同志却坚持站在革命现实主义的高度上来处理这一形象。他先把西安事变的整个史实吃透。越把这段震惊中外的历史资料吃透，就会越清楚、越深刻地认识到蒋介石在这段历史中扮演的是一个什么角色，他的反动性和他被迫进行第二次国共合作的可能性，他的顽固性与他的脆弱性，用不着从事变进程以外去另外设置什么情节和细节来加以渲染，只要使演员能准确地在事变进程中的每一环节寻找到角色对规定情境的感觉和反应，并准确地表现出来，蒋介石其人的各个方面，乃至于本质，便可凸现在观众眼前。扮演蒋介石的演员看来完全理解并体现出了导演的意图，极为出色地完成了他的任务。特别令人叫绝的是事变发生后蒋介石在新城大楼里的那几场戏，在导演那极其高明的指导下，演员寻找到了富有连续性的规定情境中的自我感觉，成功地把一系列史料中有所记载的言论和动作贯串了起来，非常准确地通过他对看守的士兵、对张学良、对杨虎城、对端纳等人的不同的态度、反应，把一个完整的形象呈现在观众眼前，虽然影片并没有直接说出对这个历史人物的评价，但观众对其灵魂，却能窥透了。我还要特别提一下史料上有明确记载的这场戏：蒋介石在新城住地正坐立不安时，卫队长来让他换地方住，他误以为是把他带出去枪毙，于是坚决不走，并本能而机械地躺到床上，用被子蒙住了头。这场戏是最难导好也最难演好的，很容易搞成对蒋介石"外强中干本性"的图解，流于漫画化并招来不必要的闹剧效果。但是导演在镜头处理上和演员在表演上都恪守规定情境，把握分寸恰到好处，观众看来就觉得自然、可信，对于这场戏所要揭示的内涵，在回味中也便越能心领神会。

使我稍觉遗憾的是影片中的周恩来同志的形象没有出现什么突破，演员的表演尽管还是称职的，但留不下很深刻的印象，这究竟是我这个观众主观上的原因——从银幕上已出现过的周恩来同志形象中得到过一定满足，因而对这部影片所求过苛——所致，还是编导者和演员把这个形象的塑造看得比较容易，因而下功夫还不够，就说不大准了。

像《西安事变》这样的影片，当年的参与者、目击者及同代人，将更多地根据他们的生活经验来判定这部影片的"真伪"，这或许将导致对影片在处理史料上因艺术需要而产生的详略、虚实、挪移、细节是否都恰当的争论，但我们的电影观众，肯定还是以中青年观众居多，我便是其中的一员，西安事变发生六年以后，我才出生，因此我看《西安事变》时对它是否真实可信的判断，更多的是从编导者的艺术处理出发，编导者的艺术处理越使我感到不是端起架子在解释历史，不是在给历史人物写鉴定，我便越乐于接受。成荫同志采取的这种处理方式，好比站在同观众平等的地位，极为严谨，同时也相对冷静地把西安事变的全进程艺术地展现在观众眼前，千秋功罪，凭观众去评论，编导者对整个事件的分析和评价，只在很少的地方（如开头、结尾画龙点睛的旁白，和事件进展过程中毛主席、周恩来等的话语）加以适度的导引，更多的，是用纪实性的艺术画卷，去启发观众自己得出这样的结论：西安事变是蒋介石"先安内后攘外"的反动政策逼出来的，张、杨二将军的行动是在全国人民爱国主义热潮推动下产生的，而中国共产党的抗日民族统一战线政策被实践证明是正确的、可行的，在事件发生后，我们党成为了正确解决这一事件的主导力量，并终于促成了国共两党的第二次合作。

据说以纪实性的风格处理政治历史题材，西方国家一些电影导演早有尝试，并取得了显著的成绩，成荫同志拍摄《西安事变》，显然也从他们那里汲取了某些可资借鉴的东西，不过，从总的风格来看，《西安事变》也还保持着成荫同志以往导演的《南征北战》、《停战以后》等战争片所固有的粗犷中有细腻、大场面调度娴熟以及镜头运用流畅质朴的特色。有的同志说，电影界的中青年导演刻意求新有余、尊重传统不足，我以为就某些具体作品而言，可能确有此弊，但笼统概括之，就不一定准确了，有的中青年导演导出的片子，就既有优良的"遗传"，又有可喜的"变异"，看去是很舒服的。又有的同志说，电影界的老导演恪守传统有余，刻意求新不足，我以为这话也仅适用于某些具体的作品，而不能以此概括全貌。成荫同志是一位孜孜不倦于艺术探索的前辈，诚然，他也有过不成功的探索与实践，如当年拍摄的《上海姑娘》，刻意引进苏联现实题材影片的某些长处，但由于经验不足，未能很好地将汲取来的营养用之于培育民族生活之花，虽给观众带来了一些新意，却通体失之于造作；再如前几年拍摄的《拔哥的故事》，也许是被"四人帮"压抑的创作才华刚得苏醒，思路尚未打开吧，又未免涩滞呆板，缺乏创新，令人欣喜的是成荫同志能不断从不成功的实践中去寻求成功的途径，虽有丰富的经验，却同年轻人一样敢于"冒险"创新，《西安事变》的总体艺术构思和艺术处理，不就是一种气魄宏大的创新吗？而且这是一种不外露斧凿痕迹的创新，很可能有的观众在欣赏之余感觉不到这也是一种创新，从艺术创造的境界来说，这便算是达到比较高的境界了。

用纪实性的艺术手段来处理《西安事变》这样的史诗并取得了可喜的成绩，标志着我国电影事业的成熟，这首先需要有气魄、有经验而又有创新精神的大导演，此外当然还需要不是一两个而是一批艺术修养和表演技巧达到一定水平的演员，并且需要一个不是刻板地按导演指示工作，而是能从各个部门的角度与导演的艺术感觉取得一致、配合默契的摄制组，此外，也还需要整个国家文化水平的提高作为后盾，其标志便是群众场面所传达出的历史感和艺术感染力究竟如何，《西安事变》中的群众场面既反映出我们可资动员的群众演员已具有的比较整齐的文化素养，也反映出这种文化素养与所应达到的程度之间的差距，我以为如果可能，电影界是否能就这个问题，进行专题性研究。

我仅仅看了一遍小放映机放映的《西安事变》，就冒昧地发了这么一大通议论，充满了外行话，并且可能充满了谬误，动力究竟是什么呢？那就是《西安事变》这部影片本身的艺术魅力，它使我信服：啊，这就是历史上的西安事变。

1981 年 12 月

碧海青天夜夜心
——观黄健中新片《良家妇女》

在一些导演热衷于拍必定上座的武打片，另一些导演刻意寻求新题材的同时，黄健中却转身朝着古老的题材而去，究竟是一种什么样的创作冲动支配着他？

我没有读过李宽定的小说原作，也没有读据以改写的电影剧本，直接去看了刚拍成的《良家妇女》，我被影片征服了，我以为这是一部崭新的作品。

落后、野蛮的婚姻习俗，封建礼教的沉重枷锁，合理情欲的痛苦挣扎，自由恋爱的重重障碍，人情世态在不知觉中的流动与进化……这些因素无论是构成文艺作品的题材、内容还是主题，的确都是古已有之，而且中外皆然。只要人类的合理情欲仍然受到不合理的压抑，只要封建礼教的阴影仍在中国的大地上存在，那么，围绕着爱情和婚姻的这类题材，内容与主题，便不可避免地要一而再、再而三地在文艺作品中重现。

关键在于使古老的大树长出碧绿的新枝。黄健中的新片便是一杈新枝。在影片一开头所展现的大妻小夫的婚配场面中，我们原以为会循例出现凶蛮的公婆、贪婪的媒人、哀号的新妇、痴愚的幼夫、谄媚的食客、不平的善邻……但是，我们所预料的全都没有，一切似乎都很"自然"，都很平静……再往下看，我们惊讶地发现，新妇杏仙同她的小丈夫少伟，以及她的婆婆五娘，竟相处得颇为和谐。婆家的大嫂虽不乏劝她忍耐的说教，但其态度的诚恳是无可怀疑的；就是那位渐露锋芒的三嫂，一开头也与杏仙欢然相处；瀑布日复一日地流泻着，水潭中荡散着永不止息却又永远相似的水波，"日出而作，日入而息，凿井而饮，耕田而食"，难道这也是悲剧么？可是恰恰在这种似乎什么也没有发生的平静中，我们渐渐咀嚼出一种浓重的悲剧感。影片没有把对青春、爱情、合理的人际关系的压抑、囚禁、摧残、扭曲归结到个别人的罪恶身上，甚至连具体的时代气氛也淡化了，无意于从表现人们的阶级关系上、经济关系上去提供一种观众早已熟知的现成解释，而是动用了电影的全部特殊表现力，从总体情绪上，从银幕造型所唤起哲理性思考上，来感染观众、打动观众。当银幕上从迟缓乃至于停滞的节奏，表现出"倚帐冥思苦"的杏仙、"寒机晓犹织"的五娘，并传来迢递的猫儿叫春声和情男夜歌声时，我们对女主人公杏仙境遇的感受也许还只是一点淡淡的怜悯；当银幕上突然以急促运动的长镜头表现五娘在土匪进村后以孱弱之身奋力堵门护家，以及杏仙在愚昧的村民们捆走开炳后的狂奔时，我们便不仅仅是同情与关切；而当那富于象征性的疯女在古埚吹奏声中一再出现时，我们的心便不禁沉重而惊警了——于是我懂得了黄健中为什么那样地重视这部影片的片头与片尾的衬底。通常故事片的片头字幕长度不过是一百八十呎到二百四十呎，而现在由跪地女子、执帚女子、育婴女子、求子、生殖、裹足、碓米、推磨、出嫁、沉塘、哭寿十一幅仿汉砖雕刻的字幕衬底，在精心配制的音响和音乐的伴同下，触目惊心地展现在我们面前，竟达二百九十七呎之长，并在片尾又重复展现了九十呎，合起来有三分半钟左右，这样，片头片尾便成了影片内容的纵向延伸线。在这别开生面的银幕造型感染下，我们不能不就人类整个妇女的命运，特别是中国妇女的命运，又特别是至今仍未完全摆脱封建残余羁绊的普通中国劳动妇女的命运，进行一种情感性的、朦胧的，然而又是深入的、全景性的哲理思考。这，也许便是所谓艺术中的"理趣"吧。当影片中最后杏仙毅然离开五娘和少伟，却又在复杂的心情中双膝跪在窗外的石阶上这一镜头出现时，一定会有若干观众（特别是女观众）忍不住泪水夺眶而出，因为在影片的这种银幕造型的综合效应冲击下，任谁也能理解导演的苦心并产生强烈的共鸣。

过分强烈的艺术风格，总不免给审美者带来一种缺憾感。我知道黄健中尽管并不放弃塑造丰满可信的人物形象的艺术目标，也绝不放弃在展现人物命运的过程中结构出能吸引人的故事情节的通俗化目标，但诸如疯女人、石雕女像、瀑布的空镜头、油灯的几次明灭……这些旁人或许认为是"可有可无"的东西，却很可能是激起他创作冲动的原始动机，你要他放弃这些东西，那你简直就要了他的命！而这些东西占去了许多篇幅，一般意义上的人物塑造和故事情节当然就不免受到削弱，这究竟是影片的缺点还是特点呢？黄健中今后究竟是应当收敛割爱还是应当使其更奇峭浑成呢？我不敢妄作评判。不过，在影片中处于极为重要地位的开炳一角，现在无论如何是说不过去的，除了犁地一场戏让我们看到了他的强壮和勤劳外，其他场合他简直只是一幅眉目不清的剪影。追求含蓄自然是好的，但总不能弄到含混的地步，两千多年前的古代男子尚且敢于公开唱出"窈窕淑女，寤寐求之"，"静女其姝，俟我于城隅，爱而不见，搔首踟蹰"这样的歌来，银幕上的开炳却甚至在解放以后，也还是毫无强烈的爱情表现，这不能不影响到影片主题的开掘。

狂风吹落盛开的鲜花，固然令人无限悲惋，而盛开的鲜花只能静静地在禁锢中寂灭，该更是令人悲怆的事！我忽然想起了李商隐的诗："嫦娥应悔偷灵药，碧海青天夜夜心。"是的，影片所表现的妇女如同嫦娥般纯洁，她们也都一度如同嫦娥般自甘于寂寞和凄清，然而她们的心灵却遭受着难以形容的煎熬。她们的出路只有一条，便是杏仙所选择的。

1985 年 8 月 3 日

在"新、奇、怪"面前
——读《现代小说技巧初探》

一

前些时听一位老作家讲话，他指出：近年来有些年轻作者的创作脱离生活，一味追求所谓"新、奇、怪"，即盲目模仿西方现代文学的某些技法，走上了邪路。

确有此类现象出现。怎样解决这个问题？是下一纸命令，从今不准再阅读和参考西方现代文学的资料，还是反过来加强对西方现代文学的研究和介绍，使一知半解者逐渐成为知其所以然者，使盲目模仿者逐渐成为取其精华、弃其糟粕的创新者，哪种做法更好呢？

当然是第二种办法好。

二

近年来，报刊上散见的介绍西方现代小说发展情况的文章为数已然不少，也已经出版了一些较为系统地介绍作家、作品、流派、技巧的书籍，但是，像这样的书还是很罕见的：集中介绍西方现代小说的写作技巧，在介绍中把对作家作品、流派特色的分析与对中国当前创作实际的考察紧密结合起来，既摆脱了学院式的引经据典、概念阐述之枯燥程式，不拘一格，又体现着深思熟虑、融会贯通之生动活泼，粗成系统，而且文气流畅，涉笔成趣，读毕不免要掩卷深思。

高行健同志的《现代小说技巧初探》，便是这样一本难得的好书。

三

高行健同志的这本书以介绍西方现代小说技巧为主，书名却只题为《现代小说技巧初探》，我以为是大有深意的。

书前有老作家叶君健同志的一篇序,写得极好。这篇序文的一个主要论点,是指出小说写作技巧的演变实际上是受时代的生产方式和生活方式所影响的,生产方式的不断创新和变革,生活方式的不断变化和演进,势必推动着艺术表现方式——包括小说技巧的不断创新和发展。蒸汽机发明后,人类的生产方式和生活方式有了一个极大的变化,从而形成了西方十九世纪以来的新的文学,但随着蒸汽机时代的逐渐结束,这些以狄更斯、巴尔扎克、托尔斯泰……为其辉煌标志的文学,也便成为了古典的东西,现在人类已经跨入了电子和原子时代,并即将进入微电子技术占主导地位的时代,这样,文学,当然首先是小说的写作技巧,也便不能不受其影响,而又有新的发展和变化。

所以,现代小说技巧的发展的变化,只不过在西方随着工业革命的发展往往先露了端倪而已,这种小说技巧的发展和变化趋势当然会受到社会制度、民族传统、地域差别……因素的影响和制约,但它还是有着一个大体上的总发展趋势,高行健同志此书实际上是对这总趋势的一个粗略考察。因此,他虽然以介绍西方现代小说技巧为主,却又并不拘泥于此,而随时纵向地把中国自古典经"五四"时期到如今的小说技巧发展,以及横向地把一些当代中国小说作者在创作实践中的技巧运用糅合在一起,加以分析、综合,提出他的一家之言,所以书名称作《现代小说技巧初探》。要说特色,这恐怕是此书的第一个特色吧!

四

小说技巧有没有阶级性?

叶君健同志的序文,写得是很周到的。他大体上的意思,我体会是说一个时代的社会生产方式会影响、改变、推进一个时代的生活方式,从而影响、改变、推进小说技巧的发展,但这也仅仅是就小说技巧而言,小说的内容、主题思想、倾向性、社会功能等等方面的问题,则容当另论。高行健同志的立论也是这样一个前提,他考察和研究的也仅止是现代小说技巧的演变和发展。当然,他们都强调了技巧要为内容服务这一点。那么,读者势必会问:同一种技巧,是否能为不同的内容服务呢？具体来说，西方现代资产阶级作家的体现资产阶级思想、趣味、感情的小说所使用的技巧，中国当代无产阶级作家可否用来体现无产阶级的思想、趣味和感情？

《现代小说技巧初探》对此作了肯定性的回答。这种观点究竟对与不对，当然可以争鸣。但至少在我看来，该书在阐述这一观点时有着雄辩的说服力。比如在"意识流"这一节中，作者先对意识流这一精神现象作了如下判断："现代心理学家们发现，人的心理活动并不总是合乎逻辑的演绎，思想与感情、意识与下意识、意志与冲动与激情与欲望与任性，等等，像一条幽暗的河流，从生到死，长流不息，即使处在睡眠状态，也难以中断。而理性的思维活动则不过是这条幽暗的河流中的若干亮着灯火的航标。现代文学描摹人的内心世界的时候，不能不把握这个特点。这也就是意识流这种现代叙述语言产生的根据。"作者在指出"意识流"技巧的出现是以现代心理学研究为背景的（而心理学的确立又与现代生产方式的变革有关）以后，接着论述说："而心理活动的这般规律非英国人、法国人或德国人所专有，俄罗斯人、日本人或也用英语思维的美国人，当然也包括说汉语的中国人，其思维与感受的方式应该说本质上并无不同之处。工人和资本家，总统和车夫，他们的思想感情可以有阶级意识与政治态度上极大的差异，以及文化程度的差异和性格的差异，而心理规律毕竟相同，都可以用意识流这种文学语言来描摹他们各自的内心世界，复述他们的精神活动。腐朽的资本家和反动的政客并不等于用来描述他们的这种语言工具也腐朽，也反动，恰如记载帝王的无量功德的文言文本身无罪一样。"

看起来作者似乎是遵循着斯大林关于语言文字不是上层建筑等论断在进行思考，小说技巧从某种意义上来说也就是运用语言文字的技巧，同一技巧对不同的政治、哲学、思想、情感倾向的适应度是否相等，每一种小说技巧的独立性和可用度是否都能达到相同水平，作者基本上都给予了肯定性的答复，但我以为这是一个颇高深的理论问题，似乎还不宜轻易作出最后的结论。

五

小说技巧既然随一个时代的生产方式、生活方式而不断丰富、变化,那么,新、奇、怪实际上乃是一种正常的现象。《现代小说技巧初探》一书不但不回避、贬低新、奇、怪,而且,它实际上恰恰是在为新、奇、怪的现代小说技巧寻求理论上的依据和实践中的成绩,以证明其合理性、进步性及可用性。偏激吗?片面吗?也许,但读这本书的时候,你不能不被那接踵而来、七穿八达、融会贯通、有理有据而又娓娓动听的论述所吸引、所征服。该书共分十七章,几乎涉及到西方现代文学各种流派的各种写作技巧,如"意识流"、"怪诞与非逻辑"、"象征"、"艺术的抽象"、"超现实主义"、"黑色幽默",等等,而且对绝大多数西方现代文学流派所使用到的写作技巧,都结合实例对其表现力作了充分的肯定,这种肯定或许会给予人一定的刺激性和冲击力。

不过,我们对于某些封建社会的小说和大批西方古典小说的那种写作技巧,为什么却往往受之安然,甚至引以为艺术批评的当然尺度呢?叶君健同志在该书的序文里一针见血地指出:"我们现在的欣赏趣味,根据我们所出版的一些外国作品及其印数看,似乎是仍停留在蒸汽机时代。我们欣赏欧洲十八世纪的作品,如巴尔扎克和狄更斯的作品,甚至更早的《基度山恩仇记》,超过现代的作品。至于本国作品,现在还有一个奇特现象,有些人欣赏《七侠五义》,似乎超过了任何现代中国作家的作品——如果新华书店的定货能作为判断一部作品的欣赏价值的标准的话。这种'欣赏'趣味恐怕还大有封建时代的味道。这种现象的形成也可能是我们多年来无形中在文化上与世隔绝的结果。"

所以,我们必须打开窗户朝外看,了解现代世界文化——包括现代小说写作技巧——的状况与发展趋势。高行健同志的这本书即是一本四面开窗的书。当然,窗户乍开,八面来风,抵抗力弱的人,是会受风感冒的。有些作者,特别是年轻的作者,对西方现代小说的发展、演变及其写作技巧的精髓并没有真正搞清楚,更没有从现代生产方式、生活方式所带来的读者文化水准、思维方式、艺术趣味、欣赏习惯方面的变化这一角度,来考虑写作技巧的运用,而是生吞活剥、盲目模仿,乃至于从写作的内容和政治思想倾向上,去往西方资产阶级的偏见上靠,那样的"新、奇、怪",就确实有问题了。

<h1 style="text-align:center">六</h1>

《现代小说技巧初探》基本上以技巧的超阶级、超民族为论述的前提,而且致力于对我国一般作者和读者还不甚熟悉的西方现代小说技巧作肯定性的介绍,但论述中还是注意把握形式为内容服务、不能单纯耍弄技巧这一原则的。例如在《怪诞与非逻辑》这一节最后,作者严肃地指出:"怪诞和非逻辑是理性的产物,是用来创造一种抽象化了的现代艺术形象的有力工具,它们本身并不是艺术创作的目的。但如果盲目追求怪诞,一味崇尚非逻辑的方法,把两者作为一种新的艺术宗教来膜拜,听任下意识的摆布,不知其所云,则是不可取的。"对于第一次世界大战后西方出现的超现实主义文学流派,作者一方面指出:"作为一种文学现象,在语言艺术上给予语言规范的冲击,对于现代文学语言的发展……产生了不容忽视的作用。超现实主义在语言艺术上的试验促使现代文学发现了语言本身无比丰富的可塑性。"另一方面又指出:"……(超现实主义文学)也给语言造成了一种无政府状态的混乱,一些读者不明白、作者也不明白的莫名其妙的胡话也在文学作品中出现了……其实是盲目地追求革新者的一种蒙昧。一味革新而忘却了革新的目的,就会落到适得其反的可悲境地。"进而又总结说:"对语言手段的探索服从于文学创作的目的。文学服务于人生,服务于社会,不管文学家自己是否认可……倘单纯迷恋手段而失去了目标,自然免不了有空虚之感。这种分析我以为是比较中肯的。可惜作者没有把这种冷静的分析精神贯串全书。即便小说技巧本身确实是超阶级、超民族可以通用的一种写作手段吧,读者也不禁要问:难道所有的西方现代小说技巧,都是好的写作手段吗?都值得掌握和借鉴吗?统观全书,这方面的分析是很欠缺的。当然我们不能苛求作者,要他提供一个准确、全面的答案,但朝这个方面深入探索一下,提供一些思考

的线索，或许对读者将更有益吧。

作者认为小说技巧是超民族的，却没有回避文学创作的民族形式这一问题，在《现代技巧与民族精神》这一章中，作者明确地提出了他的观点："对用语言进行创作的作家来说，民族特色首先在于作家运用本民族语言的艺术特色……用民族语言来进行文学创作，必然会把本民族的文化传统、生活方式、思维习惯带进作品中去。作家哪怕再怎样借鉴外国文学的手法，只要是用道道地地的中文写作，就肯定会带上本民族的色彩。作家倘对本民族文化的修养越高，这种民族特色就越鲜明。……不管作家使用什么样的手法，只要他用的是民族语言，写的又是他本民族人民的生活，越写得生动，就越见其民族精神。"然而这一论点显然也是需要经受争鸣的考验的。我总觉得他的思路方向是对的，但具体论述时似乎失之于简单化。如果只要使用民族语言写作就必然会体现出民族性，那么民族性这一问题的提出便成为多余的了。显然这里面还包含着更复杂更奥秘的因素，技巧本身的特点究竟是否在一定程度上也体现着民族的特征呢？

七

新、奇、怪并不可怕。随着时代的发展，小说创作总要在技巧上不断突破、不断创新，只要是顺理成章的新、水到渠成的奇、瓜熟蒂落的怪，不但都可成立，而且必然会对读者产生新的吸引力和新的愉悦感。我们要反对的是形式主义的玩弄技巧，反对那种盲目照搬的"新"、囫囵吞枣的"奇"、装腔作势的"怪"。读毕《现代小说技巧初探》，在这一点上肯定能有最突出的收获。

我们应当承认，在生产方式和生活方式上，我们生产资料的公有制和社会生活的民主集中制等都是先进的，但同西方发达国家相比，我们中国的文明程度从物质水平上看还相当落后，我们的小说作者所面对的广大读者的文化水平是参差不齐，而且绝大多数是只受过中等和初等教育的。因此，采用比古典的讲故事技巧更为新颖的现代小说技巧写小说，恐怕还不能搞得太急，面铺得也不能太大，甚至在相当长的一个时期内，完全采用现代小说技巧写作的小说都还只能算是一种为数不多的实验性作品，基本上采用中国古典和西方蒸汽机时代批判现实主义小说技巧创作的小说，还将是小说创作中的主流。在这种情况下，我以为更要紧的是强调借鉴，强调把西方现代小说技巧中的易消化者，尽量渗透进中国当代的小说创作之中，以渐进法推动中国小说技巧的革新，而不宜笼统地鼓吹一种世界性的现代小说技巧。这方面强调过分，则有曲高和寡、脱离多数之弊。《现代小说技巧初探》对古典小说技巧的种种"法规"进行了强有力的冲击，意义是很重大的，但似乎顾及中国当前实际情况不够（需知：在中国的铁路上还奔跑着为数不少的蒸汽机！），特别是最后一章《未来的小说》，似乎立论和推测都走得过远，显得有些浮飘。倘若该书仅止是介绍西方现代小说技巧的发展状况，则不必这样苛求，但该书是紧密结合我们中国作者应当如何写小说这一角度来论述的，所以，我便诚挚地提出这个想法，供高行健同志在修订再版时参考。

1982 年 3 月 6 日写于北京垂杨柳

尝鼎一脔话性格

被俄狄浦斯猜破的司芬克斯之谜，其实远非深奥莫测，它所涉及的，不过是人在时间流逝中外部形态的变化；其实在人的诸种构成因素中，最鲜明易感却又最复杂难析的，却是人的性格。

"文学是人学"，这已是绝大多数人公认的论断。特别是文学各门类中占据主要地位的叙事性作品，它必写人，必表现人物的性格，因而从理论上探讨如何把握人的性格，如何在作品中完成人物形象的性格塑造，便理所当然地成为了一个与创作实践紧密相联的重要课题。

早听说刘再复同志正就这一课题进行深入的研究，并精心撰写自成体系的《性格组合论》。最近从《文学评论》1984年第3期上,看到了他披露的该书重要章节《论人物性格的二重组合原理》,真是"尝一脔肉而知一镬之味",感到兴会无穷。

再复首先提出来:"人的性格本身是一个很复杂的系统。每个人的性格,就是一个独特构造的世界,都自成一个独特结构的有机系统,形成这个系统的各种元素都有自己的排列方式和组合方式。但是,任何一个人,不管性格多么复杂,都是相反两极所构成的。"这个前提,也许不能被一些人认可,但因为再复对系统论等当代最新科学进展有横的了解,对文学理论本身的发展史更不消说有纵的考察,因此,他把对以往美学成果的继承和对当代最新观察角度的引进结合起来,便经纬协和地织出了他的整匹理论锦缎。你或许一下子消受不了他那新概念接踵而来、新观点迭出不已的酣畅论述,但是只要细读两遍,你至少得承认两点:他的论述是自圆其说的,是不怕用中外古今最杰出的文学作品去参照的。

再复认为,所谓性格的相反两极,包括从生物的进化角度看,有保留动物原始需求的动物性一极,有超越动物性特征的社会性一极,从而构成所谓"灵与肉"的矛盾;从个人与人类社会总体的关系来看,有适于社会前进要求的肯定性的一极,又有不适应社会前进要求的否定性的一极;从人的伦理角度来看,有善的一极,也有恶的一极;从人的社会实践角度来看,有真的一极,也有假的一极;从人的审美角度来看,有美的一极,也有丑的一极。此外,还可以从其他角度展示悲与喜、刚与柔、粗与细、崇高与滑稽、必然与偶然等等的性格两极。再复肯定地指出:"任何性格,任何心理状态,都是上述两极内容按照一定的结构方式进行组合的表现。性格的二重组合,就是性格两极的排列组合。""但是性格的这二重内容都不是抽象的。它是具体的、活生生的各种性格原素构成的。这些性格原素又分别形成一组一组对立统一的联系,即形成各种不同比重、不同形式的二重组合结构。……一个丰富的性格世界,则是许多组性格原素合成的复杂网络结构,在这种结构中各组性格原素互相依存、互相交织、互相渗透、互相转化并形成自己的结构层次,使性格呈现出复杂而有序的状态。"这些论述可以说是再复的"性格组合论"的核心。我觉得再复这种对性格的分析,至少有一个好处,就是促进我们不是从单一的角度去把握人的性格,也不是仅用一个参数就给人的性格定性,我特别欣赏他所提出来的"网络结构"(在后面他又指出每一个人的性格世界都是一个"张力场",这就把"网络结构"的含意更加深化了),的确,当我们进行简单的定点观察、直线式思维、平面式描摹时,我们是很难把握住事物的真谛的,倘若我们逐渐习惯于以网络结构来分析事物的存在方式,我们也许就能较为接近事物的真谛。当然,再复的这一观点似乎还可再表述得精确一些。比如,这里面用"性格原素"这样一个概念,"原素"我总以为不如易作"元素"恰当。还有,"必然与偶然"也作为性格的两极,与前面列举的种种排在一起,颇感费解。何谓"必然的性格"和"偶然的性格"? 此外,所谓性格的外向性和内向性,在提出总论点时,似也应加以顾及。

再复之所以提出"性格组合论",也有其针对时弊的迫切之情。他尖锐地指出:"我国当代文学艺术在一个相当长的历史时期中,在文学理论上未能充分重视性格构成的二重组合,而是用政治学原理来要求文学作品,用政治的价值观念来代替艺术的审美价值观念,从而放弃性格丰富的价值尺度,造成人物形象性格的贫血症。"也许他在激愤之情支配下写下的这些话会使某些人感到偏颇,我却与他强烈地共鸣:"一个人,当他被排除一切缺点及弱点时,便成了神;而当他被排除一切'善'的时候,便成了魔。所谓神性与魔性,乃是人的性格一极的畸形化——性格单一化的极端化。文学艺术一旦堕入这种极端化,就会变质,从人学蜕化成神学或魔学,从而丧失文学的本性。"其实就是写神魔的《西游记》那孙悟空和猪八戒的性格为什么使我们得到了极大的审美满足? 唐僧为什么也还留有较鲜明的印象? 而沙僧却显得苍白无力——尽管他也是主角之一,出场次数极多? 究其原因,也无非是因为孙悟空和猪八戒的性格展示得比较复杂丰富,唐僧也稍具立体感,而沙僧的性格却只有单一化的表现。《红楼梦》中也有相对塑造得不那么成功的形象,如赵姨娘——作者用在她身上的笔墨不算少,但那种把其性格推向一极加以表现的结果,只能使她的形象相对浅薄。

再复是研究鲁迅的,他在提出人物性格的二重组合原理时,自然而然地继承了鲁迅先生有关的美学思想。他用鲁迅的两个提法"美恶并举"和"美丑泯绝"

来概括人物性格二重组合的主要方式，并认为"前者表现为一个人的性格史上时而发生肯定性的性格行为，时而发生否定性的性格行为……这种组合形态比较容易理解"，"而后一种组合形态则是更带艺术性、更加高级形态的组合"，他花大力气论述了这一种组合。就我看到的这部分论述而言，我总觉得还不足以把文学史上所有成功的人物性格二重组合方式都概括进去。比如说，除了"美恶并举"和"美丑泯绝"而外，不也有"美恶难辨"和"美丑相彰"等等情况吗？《红楼梦》中的秦可卿这个人物的性格构成，就很难包容在"美恶并举"和"美丑泯绝"的组合公式中。当然，关于秦可卿这个人物形象的审美价值还有更多的争议。

再复关于文学人物性格塑造的研究绝不是心血来潮的产物，因此他的思路是缜密的，论述也是周到的。他在暂时把性格假定为静态加以考察后，随即便郑重地指出："实际上，性格是一种流动物，我们所说的二重性格也是流动中的结构。"这就从一般的宏观（常观）研究进入了微观和超宏观的研究，从对子系统的研究进入了对母系统和一系列子系统之间的制约关系的研究。他提醒作家："在塑造性格时，应当充分注意性格在环境发生变异时的差异性及多角性，多侧面地展示性格的组合。""文学中所塑造的成功性格，一般都有性格发展的历史"，因而应当写出人物性格的"二重流动性"。再复真可谓用心良苦。以我自己和一些我所熟悉的同行而言，我们下笔写人物时，往往是并不能作再复式的纯理性思考的。但我以为读读再复的这些论述，对搞创作毕竟还是有启迪作用的，它起码可以使我们对模特儿（人物原型）的感知更加敏锐、更加准确，从而使我们塑造出的人物形象更具有典型环境中的典型意义，并呈现出"红活圆实"（鲁迅语）的血肉感。

再复所提出的性格二重组合原理，很容易被一些望文生义的人误解为他主张性格元素的机械相加，以及主张两极性格元素的"平分秋色"，为避免这些误解，更为把自己提出的美学观念严整化，他详细地论证了"性格一元化"的命题。他指出："性格二重组合原理，一方面要求作家应当表现人物性格的丰富性、复杂性，另一方面又要求性格的整体性，即在性格的二重组合中保持一种统治的定性，一种决定性格运动方向的主导因素。更细致地说，在空间角度上，性格运动一方面表现出异向性，但另一方面又表现为定向性。在时间角度上，性格运动在不同时间阶段，发生前后性格的二重组合，显示出历史差异性，但是，在这种变动中又保存着某种稳定的东西，因此，性格运动又呈现出一种相对稳定性和一贯性。这……就是性格的一元化。我们所说的性格的二重组合，是一元化的二重组合。"他并明确地提出："人的性格状态自动排列整齐的几率极小，而混乱排列的几率却很大。文学性格的创造，要把人物从无序性的性格自然状态组合成有序性的性格运动，而且要力争实现一种最优的组合状态，但这种最优的组合状态在实现过程中的几率只有一个，而不符合组合最优状态的几率却有无数个。因此，作家为了创造一个最优状态的组合，使性格运动既多样而统一，既复杂而深邃，既'万殊'而'一贯'，就必须花费很大的功夫，而具有高级美学意义的典型，正寓于这种'不一'与'一'的最好组合状态中，作家的伟大才能，也正是在这里得到最充分的表现。"我之所以似乎是过多地引用这些原话，除了意在把"性格二重组合论"中的要义介绍给大家外，也是因为每次读到这里时，我都要停下来作较长时间的思考，他那论述的总体精神我是同意的，但我觉得他把远比司芬克斯之谜更其深奥难测的性格解析和性格塑造，都一下子说得太精确太肯定，反有胶柱鼓瑟之嫌。文学性格的创造，真是"最优的组合状态在实现过程中的几率只有一个"吗？作家塑造人物性格的过程，能够概括成寻求这一唯一的几率的过程吗？比如唐璜这一中世纪西班牙传说中的青年贵族原型，在西班牙剧作家蒂尔索·德莫利纳、法国剧作家莫里哀的剧本中，在英国诗人拜伦和俄国诗人普希金的笔下，以及在奥地利音乐家莫扎特谱曲的歌剧里，都构成了各有独立审美价值的艺术形象，可见对唐璜这一人物的性格组合并不止一个成功的几率。

　　尝鼎一脔，到底只是初领其味，还远不能获得满足。对于再复的《性格组合论》全书，我是引颈以待。我想，再复关于人物性格的二重组合原理的论述，对于活跃我们的文艺理论，促进创作的繁荣，以及增进理论界和创作人员之间的心理联系，都会具有不小的意义。

1984 年 9 月 11 日于劲松中街

淤水浊，流水清

——评《变色的白塔》

听编辑部的同志讲，董宇峰同志的这篇小说前后重写了七遍。

我向来反对单纯从重写或修改的遍数上来赞誉一部作品。一遍而成的佳作常有，重写数遍终成精品的例子也很多。但写出的稿子自己不中意，或自己满意了而编辑提出的意见动摇了"自我感觉"，这时都应把稿子再看一看，坐下来再想一想，有时甚至还需要到生活去感受感受，然后认真地改一改。也不是所有的稿子都能越改越好。改坏，乃至改不下去的情况，也时会发生。创作之难，由此可见一斑。

据编辑同志讲，这《变色的白塔》第一稿，既迸出作者的一股灵气，但又充斥着一种"浊气"。

这里所说的"浊气"完全是指艺术创作中的一种未臻完成的状态，绝不是指其内容污浊。

初试小说创作的同志，投出的头一稿常呈这种状态。生活这个源头是有的，引出的"水"蓄在构思的"池"中也为时久矣，然而笔下出来的东西总缺乏一种应有的清朗感。我认为，这主要是因为无论是对自己笔下的人物、生活，还是对把他们呈现给读者的叙述方式，都还缺乏总体把握的能力，源于生活的"水"在"池"中淤在了一块。水淤则浊，貌似深厚绚烂，实则浑沌杂驳。怎么办呢？看来董宇峰同志的做法是颇为灵验的：让淤住的水流动起来，也就是说，把对人物原型的原始兴趣和性格把握，流动而为对人物来龙去脉、心理过程的潺潺追踪，把对场景展现和情节因素的朴素组合，流动而为对矛盾冲突、哲理内涵的层层推进，这样修改的结果，必然是"浊气"的消失和"活气"的升腾。

我为董宇峰同志七易其稿而化"浊"为"清"的成绩高兴。这篇小说中所写到的几个人物，无伦是严肃地对待生活和艺术的青年音乐工作者石云舒、彭珊，还是面对着下一代的创新劲头而思绪复杂的两位教授，以及那位胖胖的，"性格像鼓足了气的皮球，希望有人来拍，可一拍就蹦起来"的李小英，都使我感到是生活中的真实的人，而不是为作者的主题而刻板动作的木偶，音乐学院的特定气氛，那里的人们特有的音乐思维，以及溶解在这种专业思维中的社会性因素，都呈现出一种流动的溪水般的清新感，而又并未落入概念化的俗套，体现出了一定程度的含蓄和蕴藉。

不过，坦率地说，我觉得这篇作品也存在一些弱点，如"变色的白塔"的寓意显得飘忽，用《吉檀迦利》中的诗句来充作"戏眼"显得生硬，而最令我失望的是关于"一张照片"的"谜底"的披露——其感觉正如在本来不错的演唱中，忽然听出了"气息失去支点"后的勉强支撑。石云舒和彭珊固然不乏倔强和锐气，但作者是否不必去欣赏他们的冷傲？两位教授尽管确实有其因循守旧的一面，但作者对他们心理状态的勾勒，是否也过于简单？当然，我的这些感觉可能并不准确，仅供作者参考吧！

一时要一百首也有
——《红楼启示录》的"气"

看朋友的新作是一种快乐。但王蒙这家伙的新作也委实太多！一会儿是《花城》上的中篇小说《蜘蛛》，刚被那"蜘蛛网"缠住，却又有《作家杂志》上的组诗《怀念与温暖》，还没温暖过来，又有一大堆载有他谈《红楼梦》文章的杂志摞到了我的案头，原以为读完杂志上的文章，也就不必再读他那本由《读书》杂志作为《读书文丛》推出、由三联书店 1991 年 5 月第一版发行的厚达三百零六页的《红楼启示录》，谁知一翻，发现该书又并非那些论贾宝玉、谈抄检大观园、评价后四十回续书等等散发文章的结集，而是另一部自成系统的书稿……他电话中告知尚有发表在《中国文化》杂志上的"正儿八经"的关于李商隐无题诗的话文，这令我想起他从1990年起延续至今在《读书》杂志上开辟的个人专栏《欲读书结》，那里面就曾谈及过李商隐的无题诗……而接到订阅的《外国文艺》杂志1991年第5期，本以为这下总算可以从朋友的文墨中跳脱出领略一下"陌生面孔"的味道，谁知目录中又有《新西兰小说五篇》，署名王蒙译，此王蒙与彼王蒙系同名同姓乎系一个人乎？打电话一问，竟还是他！

而以上我们开列出的创作成果，还远不是王蒙近一年来呈现于读者面前的全部。倘我是专搞当代文艺评论的，我决计要摒弃评论王蒙这个课题，因为他总在喷发，总在流动，总出人意表，总追踪不及……前些天他在《农民日报》上又有幽默文章《我爱喝稀粥》发表，谁读得全他那瀑布般下泻的文字！

对于王蒙来说，无论是写几百字的小小说，还是结撰几万字、十几万字、几十万字的中长篇小说，也无论是发表对《红楼梦》及其他中外古今文学文艺文化现象的见解，还是翻译例如新西兰詹·康普顿那样的"现代派"小说，似乎都极为轻松，一挥而就，毫无"郊寒岛瘦"的苦态，当然更没有如《红楼梦》中贾政那种所谓因"案牍劳烦"，便生疏于"怡情悦性"文章，"不免迂腐古板"的窘迫枯竭情状。

《红楼梦》中的林黛玉教香菱作诗，其口吻是："什么难事，也值得去学！""词句究竟还是末事，第一立意要紧。若意趣真了，连词句不用修饰，自然好的……""只管放开胆子去作。"在《魁夺菊花诗》之后，宝玉作了一首螃蟹咏，十分得意，说"我已吟成，谁还敢作？"

林黛玉却笑道："这样的诗，一时要一百首也有！""略一仰首微吟，提起笔来一挥，已有一首"，其才情文气，确实咄咄逼人！

我无意于将王蒙比之于林黛玉，以他那副男性化十足的怪模样和泪腺之不发达肺部之康健，如说他像林黛玉那简直是给他"一大哄"！但仅就"一时要一百首也有"

的自信和才情这一点而言，王蒙这"须眉浊物"也确实不让林黛玉那如水巾帼。

《红楼启示录》究竟能给读者多少启示？有没有学术价值有几分几厘几毫学术价值？凭此书是否即可判定"一颗红学新星正在冉冉升起"？……这些问题我都无资格也无兴致讨论。我只是告诉还没有这翻过这本书的人：此书读来最引人入胜的是那一股才思横溢的文气，思路之活泼，联想之丰富，语言之波俏，耙剔之细微，给人带来许多的惊奇小欣喜，但无拘无束却又避免了野马乱跑，七穿八达却又并不牵强附会，有一定学术高度和哲理升华却又通俗平易谐适度……当然，又同王蒙其他许多文章一样，会引出不同眼光的不同反应，可与争鸣之处简直随处可见，我读时肚皮里就不断冒出这样的批语：促狭鬼！贼聪明！偏你想得到，讨人嫌！亏你写得出，打屁股！甚至无端地联想到《红楼梦》二十八回里冯紫英唱的那首小曲儿："你是个可人，你是个多情，你是个刁钻古怪鬼灵精，你是个神仙也不灵。……"

大家面前的路都还长。王蒙的"语言瀑布"肯定还要充沛喧腾地流泻并奔腾到下一个世纪，究竟这股才情横溢的波涛能否融进历史的深处，则留待下个世纪的评论家们去"脑仁儿疼"吧！

1991 年 11 月 23 日绿叶居

《无主题变奏》序

我头一回看到徐星，我就感觉到他其实是一个在苦苦地寻觅主题的作者，他似乎很想凝聚为一点，但又总凝聚不成，所以构成了一种特殊的心态，其实能保持住这种心态，不温不火地写下去，我认为也就行了，谁知徐星经历过那次自行车旅行以后，下笔却越来越游移，发表出的作品似乎也不像《无主题变奏》那么叫好，我想这大概是他的心灵受到了什么刺激。

再见到徐星时，我惊讶地发现他口吃得十分厉害，厉害到同他谈一次话以后，我同别人再谈话时也忍不住地口吃起来。据说口吃是心理病态的外化，坦率地说，我以为徐星心理上起码是出了一点不大不小的问题。

读了他的"创作谈"《绝不"拿着豆包儿当点心"》，我深不以为然。我觉得徐星的心理病态在这篇短文中暴露得相当充分。他断言："我想世界上除了艺术神圣以外恐怕再没有别的什么神圣了"，"艺术家不是凡人"；他真诚地表白："面对无数艺术大师，我只有瑟瑟发抖"。其实他那篇《无主题变奏》就分明地说明着活生生的人和热乎乎的生活本身就远比艺术和艺术家神圣，艺术家为什么就不是凡人呢？至少，艺术家为什么就一定得不是凡人呢？而且，为什么要在艺术大师面前瑟瑟发抖呢？为一个艺术大师去瑟瑟发抖已属不必，世上有那么多艺术大师，我们统统为之发抖，得抖到几时？岂不是要一直抖进坟墓？徐星在这篇"创作谈"中显露出他似乎失去了自信，为什么失去了自信？我想这同他受到了某种刺激有关，为了同这种他其实并不愿意接受的刺激抗衡，他就故意把艺术的价值提升到无限的高度，把无数的艺术大师请出来，让圣人同他一起发抖。当然，他有的立论是对的，比如他说，"艺术对艺术家的要求严厉苛刻，它要求艺术家具有非凡的素质……在这个素质里，有一个最重要的组成部分，即艺术家的人格力量。"他表示："以后如果我还会变，也只会在自己做人的这个'段,上变。"这些话是堂皇的，我相信它们是绝对真诚，甚至充满激情的，但我依然觉得其心理背景活像一张因刺激而拉紧的弓，弓弦绷得那么细，简直要断掉。

徐星是因《无主题变奏》而为人所知的。《无主题变奏》是一篇获得轰动效应的小说。但对《无主题变奏》的褒与贬都相当强烈。有的引起争议的作品主要是由于其内容。关于《无主题变奏》的争议却除了内容以外，也涉及到其艺术表现，其中一种比较尖刻的意见，据我所知就是认为该小说有模仿美国塞林格的《麦田守望者》的痕迹，这种指责无异于向读者们说——这其实只是"豆包儿"，并不是"点心"。

徐星站出来说话了——"绝不拿着豆包儿当点心"。他"顺便告诉关心我的读者们，因为我做人不够'段'，尽管《无主题变奏》和《无为在歧路》是好小说，但它们是否是艺术品我不敢说"。在这里他诚心诚意向挑剔者摆出了一个对任何人来说都不得不肃然生畏的标准——做人得够"段"。这就越出了对他具体作品艺术水平讨论的范畴。所以徐星的内心深处其实又并不是失却了自信，反而是深深的自信，他坚持认为自己至少有两篇作品是"好小说"，只是鉴于自己做人还不够"段"，所以不敢自认是"艺术品"，这就将了刺激他的人一军——你们谈谈艺术，可你们做人究竟够不够"段"呢？

到头来徐星还是有种。只是他的自信和非自信（我暂不用"自卑"一词）扭曲缠绕在一起，弄得他内心好痛苦好游移，因此他变口吃了，我想这会连累得他笔也涩滞起来的。

其实，依我看来，就算《无主题变奏》确实受了塞林格或别的什么人的影响，确有某些可以指辨的痕迹，也不仅不失为一篇好的小说，而且不失为一件好的艺术品。有徐星这样起点的作家并不多，徐星完全不必在作品轰动之后听到一些尖刻的批评遇到一些挫折而产生扭曲迷乱的心态。

依我看来，讨论"能不能拿豆包儿当点心"这样的问题完全是多余的。做得好的豆包儿，比做得糟的点心可口得多。况且，在有的席面上，精致美味的豆包儿也就是一道正式的点心。

依我看来，对艺术创作抱严肃态度当然是对的，但也不必先从人格上、从做人的"段"数上把自己乃至别人的弦绷得那么紧，干哪一行不应有高尚的人格，不该在做人上够"段"呢？弄文学的，写小说的，因为是以灵魂对灵魂，当然应该对人格、对做人的"段"数，更重视些，但也不能先苦苦地在人格达标够"段"，然后才坐下来铺开稿纸填格儿，无妨边写边提高，边提高边写，所以，我劝徐星完全可以把心理状态调节得松弛一些，洒脱一些，自如一些，欢快一些。

徐星请我为他的第一个小说集作序，我不愿敷衍为文，就直率地写下了这么一篇话，供徐星参考，并祈盼能对读者也有一点益处。

1989 年 1 月 7 日

《安岳石刻艺术》序

我的祖籍是四川安岳。

童年的记忆中，安岳县城的高坡上，有一株巨大无朋的皂角树，它那浓密的树冠，在我幼小的心灵中注满了生命之绿；而树上所吊着的随风摇曳的皂角，使我眼前总浮现出城墙外河渠边洗衣的妇女们，她们用那皂角在衣物上搓出无数的白沫，随波泛出串串晶莹的水泡，我耳畔因之又响起谐谑的乡音和清脆的笑声……

"文革"中我因故回乡，破旧的长途汽车刚入县境，我便将头伸出窗外，引颈眺寻那令我魂牵梦绕的大皂角树，然而，始终不见它的踪影……汽车在尘土飞扬的停车场终于站定，我跳下车便问迎上来的亲戚："怎么没看见那坡上的大皂角树？"他们只是摇头……

原来那大皂角树在"文革"的武斗中被锯倒了。我去凭吊了它那残存的树桩和章鱼般的根系。那大皂角树总有三百年以上的树龄，而一夕之间便被戕害了。破坏原是一桩容易的事，建树却谈何容易！我心中的绿枯萎了一半，我没有去河边欣赏妇女们洗衣的场面，其实也不用去，因为那被污染的河渠飘来阵阵秽气，我深知河渠之美也随着皂角树的倒下而一并消失……

家乡的亲人带我到县城最高处，遥望圆觉洞。记得童年时，老人常从那儿指点，让我注意圆觉洞那山崖的剪影，恰成一个圆弧形。据说"圆觉"这名目的形成，不仅源于佛教教义也源于自然形态的巧合，这很可能是一种牵强附会，然而人世间这类美好的牵强附会，给心灵增添了许多的生趣，应是可永存的——但"文革"中的那天，亲人同我找到了昔日的观望点，朝圆觉洞方向望去，却惊异而痛楚地发现，那山崖的圆弧形剪影破碎变形了——据说，是"造反派"们为了破"四旧"存心凿毁的。呜呼，"文革"不仅革倒了美丽的大皂角树，也革碎了无辜的山崖，我为我的故乡一哭！

所幸的是，噩梦过去是新晨。"文革"之后，故乡恢复了勃勃生机，砍掉树木的地方,重新栽上了新树,而故乡所有的文物,该抢救的得到了抢救,该保护的得到了保护,该修整的得到了修整,还不仅如此,一些以往被淹没的文物,如大卧佛,被新发现出来,安岳的石刻艺术,开始同早就名声大噪的大足石刻艺术,相映生辉,争奇斗艳。

我对文物考古,是个门外汉;对石刻艺术,只知凭直觉感受其无尽的魅力,本是没有资格为这册著作作序的,然而汪毅同志来自故乡,他所带给我的,不仅有抄写工整的书稿,更有故乡皂角树的气息、河渠的水声、乡音的甜美,以及故乡石刻艺术所带给我的一份自豪与光荣。我相信,读者们从这一册《安岳石刻艺术》中,不仅可以得到许多有关的知识和审美愉悦,而且从中可以获得一种对我们民族优美事物的珍惜感。学会珍惜吧!这是我们心灵中应有的一道甘泉。正是由于心中洋溢着这样一种珍惜之情,我才不辞谬举,欣然命笔,写下了这样几段文字,是为序。

1989 年元旦于北京安定门

乐于适度的自嘲

——《中国文化风情丛书》序

中国如何才能更快地富强起来?面对这个问题,越来越多的炎黄子孙把目光和思路投向了中国传统文化,有的主张从中提炼出应当大力发扬的积极因素,有的立足于分析批判,主张进行深刻的反思。当然,也有不少人希望能把中国文化传统中的好东西同外国古今的好东西结合起来,以构成一种新的中国文化。在一种广泛的文化兴趣中,并不专攻文化学的读者,对文化问题既怀有浓厚的兴趣,同时又有点害怕正规文化学专著的深奥与沉重,能不能有这样一些书,它们不太厚，不那么学究气，读起来颇为轻松有味，却能传递出若干有意义的信息，引发出若干有教益的思考，深入浅出、雅俗共赏呢？

宽泛的文化概念，应包括人类社会所创造的全部物质产品和精神产品，以及在此基础上所形成的生活方式及思维方式，我们无力涉及中国文化的各个方面，但我们找到了一个想来读者诸君定会感到兴趣的切入点，就是中国的风俗人情。当然，我们这里所说的风俗，也是一个宽泛的概念，比如我们将讲到中国人的软幽默，这就是超出一般以节日庆典及专有模式为表象的、溶解在中国人日常生活中的广义的风俗，再比如我们将从个人命运的角度讲到历史上帝王后妃的隐秘一面，那就是超出一般政治历史伦理道德评价的广义的人情辨析，我们希望在这种别具一格的观察取向中，使读者获得从正规学术著作中难以获得的惊奇与联想。文化既是一种广泛的存在，又是一条自远古流来并向未来流去的大河，因而对文化的考察往往也就是对历史的回顾与反思。我们也许较多地从批判与反思的角度来考察我们中国的文化风情，但这丝毫也不意味着我们在对民族文化传统的总体评价上有什么先验的前提。一个具有充分自信心的人是乐于适度自嘲的，一个具有充分自信心的民族也应当不怕并乐于适度地自嘲。我们既希望能有若干本虽然出之轻松立足趣味但亦能达到学术专著的高度，我们也希望某些材料固然翔实但角度未免过于奇突立论未免过于偏激的部分能得到掩卷一笑的宽容。

时下世界上的书多如夏夜晴空的繁星，可读的很多，可不读的似乎更多，我们想把科学性同趣味性尽可能地水乳交融，使读者在闲暇中能比较轻松地获取一些精神上的滋补，因此或许果能使拿钱买这书的读者开卷有益。是为至盼焉！

1989 年 2 月 24 日

却嫌脂粉污颜色

——话说《当代》杂志

　　人的联想往往会是无端的，比如提到《当代》杂志，我会倏地想到两句唐诗："却嫌脂粉污颜色，淡扫蛾眉朝至尊。"这是杜甫咏虢国夫人的句子，怎么能拉扯到《当代》杂志？真真是拟于不伦。可是没有办法，联想比仲春的柳絮游丝更难拘束，它就是要无端地浮上心头，提到另一家大型文学杂志，我会想到"蜻蜓飞上玉搔头"，更岂有此理。

　　但是，细琢磨，人的那些无端的联想里，往往潜伏着对事物烂熟于心的理解，只是难以一一缕叙，急切里，也就顾不得逻辑上的推衍拴系，于是用听来似乎极为悖理的语句，将自己对那事物的独特感悟，一吐为快了。

　　记忆里的秦兆阳，从朦胧渐次清晰，我是在他创办《当代》杂志后才有缘与他相见的。他1956年发表了《现实主义——广阔的道路》一文，那是具有世界眼光的论文，也在那一时期，法国共产党的文艺理论家伽洛蒂发表了《无边的现实主义》，都体现出对教条主义桎梏的冲决，力图为直面社会现实的作家从理论上开辟出一条更宽阔的道路，从美学框架上提供有力度的支撑。这种冲决是要付出代价的，秦兆阳为此蒙难20年，伽洛蒂受到当时苏联官方理论家的猛烈批判。

　　改革开放曙光映照下的秦兆阳脸上漾着真诚的微笑，他不怎么愿意回答我就当年他那篇文章内容所提出的问题，只是跟我讲他手里正料理着的《当代》的一些具体事情，他那时心里所想的已不是理论务虚，而是以实践来现身说法。秦兆阳那时亲自为《当代》设计封面，那些封面真可谓素面朝天，这一风格被《当代》延续至今。封面里面呢？尽管秦兆阳和韦君宜等前辈都已仙去，杂志的负责人也因离、退休而更换几次，但可以说是"移步而不换形"。"移步而不换形"是梅兰芳对京剧改革奉献的一种观点。我一直以为无论是京剧还是文学以及别的什么文化门类，在发展中可以有多种多样乃至多元的路径，"奔跑脱形"只要自成一格，也未必就是糟蹋传统，但"移步而不换形"应该是一种最值得尊重的选择，因为这做起来更难，而一旦做成也会更为出色。

《当代》真的很当代。眼下中国社会脂粉气浓烈起来，有的杂志跟进脂粉，努力地"环肥"或者拼命地"燕瘦"以博文化消费者一粲，也不能简单地说人家就不对头了，但《当代》选择了"却嫌脂粉污颜色"的站位，所谓"淡扫蛾眉朝至尊"，如果在这里把"至尊"指认为读者，即广大的文化消费者，那么，要知道，其中相当大的一部分是并不喜欢脂粉气的，他们希望读到直面现实，针砭社会，描摹人生，汗泪交融，见血见肉，入骨三分，探究人性，浑然天成，那样的文字，《当代》迎向他们，他们拥抱《当代》，这是文学界生动的一景，是多元格局里一片蓊郁的具有可贵野趣的多彩植被。

我与《当代》缘分不浅。获茅盾文学奖的《钟鼓楼》和另一长篇小说《栖凤楼》都由《当代》首发，新世纪里我连续在《当代》上发表了四部中篇小说。我很感激《当代》对我创作的支持。我给《当代》的这四部中篇，都体现着我近期的追求，那就是"平和的批判性"，具体来说，也就是在描摹现实，展示当下社会人生的原生态时，保持审视的眼光，叩问的态度，绝不放弃对不合理不公正的批判性站位，但又绝不走极端，不以激情驾驭文本，承认社会人生中有相当难以判断的混沌区域，不自信自己对社会人生特别是人性有通释的能力，也就是两个不粉饰，一不粉饰生活，二不粉饰自己的认知，审美上力图沉浸于一种淡然的平和的境界，期盼在宁静幽微的观照中，与读者一起品味人生、思索真谛。我给《当代》稿子时倒从未跟他们这么说明过，但写到这里，我也就更加明白，我的这种追求，与《当代》一以贯之的品位间，确有相通之处，相信我们既然都"却嫌脂粉污颜色"，那么今后的合作一定更加默契，更加愉快。

江声浩荡

直到如今，还有一些作家企盼能被作家协会公派出国。某作家，终于遂愿，坐飞机抵达了异国机场。机场漆黑一片。来接的只有我国驻该国文化参赞。进了汽车，窗帘密掩。到了大使馆，送进房间，窗帘也密掩。原来，该国当天发生了军事政变。一夜无眠，参赞不断地联络，问机场何时恢复航班，终于有了结果。第二天，天还没亮，作家被摸黑送到机场，送上了回国的飞机。某作家没见到一位外国人、一瞬的外国风景，甚至没看到"外国月亮"。这算不算享用了一次"出国指标"？

"出国指标"很金贵。许多人在想方设法地争取。可是，作家协会几次请一位资深作家、编审率团出国，却回回都被婉谢。这当然并不意味着他对文学交流及开阔眼界持消极态度。这只体现出他个人的一种性格。性格人人有，难得是带棱带角、执著刚劲。"出国指标"于他可无，办好刊物于他则事比天大。当然，你也知道，我说的，是业已作古的文学前辈，长期担任过《当代》主编的秦兆阳。

《当代》二十年，里面倾注着秦兆阳大量的心血。当然，《当代》的"含血量"很大，心血不是他一个人在沥，办刊的同仁们哪个不是呕心以献？不过，秦兆阳在某种程度上，确实象征着《当代》这刊物的性格。"严肃文学"一词，有人质疑，这里不作讨论；但秦兆阳曾亲自设计过《当代》的封面，那风格好像一直延续到现在，真是既严肃，又文学，一望就有厚重感，也有儒雅气。

八十年代，对国内的大型文学刊物，曾有"四大名旦"之谑。仿佛是，有的被指认为正旦，有的被形容为青衣，有的则被说成是刀马旦、花旦。其中就有《当代》，记不真被指为了"正旦"还是"青衣"。其实"四大名旦"的含义不是四种旦角的行当，而是梅、程、尚、荀四种艺术流派。以哪个流派比喻《当代》更为恰切？其字正腔圆，颇近梅派，而宛转沉郁，又极近程派；我们都知道尚小云很早就大胆排演过《摩登伽女》，穿钟罩般的西洋大落地裙上场，革新"文本"，敢为人先；况"摩登"即英语"当代"译音，据此似乎又以尚派喻之更为对榫……

比喻永远是"半残废"，难令苛求准确性的人们满意。总而言之，《当代》有独特的性格。长期担任其主编的秦兆阳任期中虽没出国，《当代》可是在世界上许多地方都有订户。这本厚重的刊物，在现实主义——广阔的道路上，脚步坚定，越走越远。

曾写过一部《钟鼓楼》，稿成，想在某杂志分两期刊出，被告可以，但只能以跨 1984、1985 两年处理；当时对跨年度刊登产生了心理障碍，另求《当代》，被容纳于 1984 年第五、六两期。没想到因此竟符合了第二届茅盾文学奖的评选范畴，又经《当代》大力推荐，竟意外地获了奖。1996 年，于是把《栖凤楼》又投给了《当代》，也被爽快地容纳，这回无望得奖，但心里总觉得，跟《当代》有某种特殊的缘分。

二十年了。忽然想到罗曼·罗兰《约翰·克里斯朵夫》开篇的句子：江声浩荡。这不是比喻。听得很真切。一定的，《当代》将把跨世纪的浩荡江声，传递得更加清晰，更加激越。

1999 年 3 月 28 日绿叶居

今夏卧游首选
——神往普罗旺斯

据说彼得·梅尔的《普罗旺斯的一年》出版后，欧美游客几乎把法国的这个地区挤爆，连英国足球流氓也往这个根本不以足球见长的地方乱窜，于是有人预言，中国的"布波族"（即布尔乔亚加波希米亚，也就是小资加浪漫的那个群体）读了梅尔关于普罗旺斯风情的系列作品（另两部是《永远的普罗旺斯》和《重返普罗旺斯》）后，也会纷纷打点行囊，到那地方去"忘记时间"，享受一段神仙生活。其实梅尔自己就在后两本书里辟了谣，他的书虽然销得很好，对推动普罗旺斯地区旅游业发展也起到了一些作用，但远不是如某些书评家想当然的那样，已经，并且会有越多越多的人到普罗旺斯去置房买地、雇工种植，享受自然生态与古典风情，管他世界上别处在发生什么，只是悠哉游哉地过那咀嚼桃花源滋味的日子。细读其书，就可以发现，像梅尔这样的人，在西方也已经属于其"资"并不那么"小"的社会阶层，凡我中华同胞，千万谨慎与其画上等号。更何况，英国与法国间公民互免签证，梅尔这样的英国人也说得来法文，就这样，他还在书里抱怨法国官僚机构令他购房置地麻烦至极，并且一再通过生活细节说明文化差异所带来的尴尬与不快，好在他的英镑美元欧元储备看来都很充足，这也是他和妻子能以在那里山区一住就是一整年，可以不知袜子为何物、把手表搁到抽屉里再不取出的最坚实的原因。

中国人目前的旅游动向，"大资"不好调研，因为非常隐蔽，据说像美国拉斯维加斯赌场里的高级包间，以及法国巴黎红磨坊夜总会的贵宾席上，他们都已成为经常性豪客，是维系那些场所赢利的最可爱的"上帝"。"无资"者的消息时能见报，他们借高利贷，通过"蛇头"偷渡到西方，想圆的是一个发财梦，得到的却往往是悲惨与迷茫，尽管有时他们也会以旅游签证入西方国境然后再"黑"在那里，但其行为与旅游并不相涉。旅游透明度较高的社会群体确实是"小资"，目前向中国开放旅游市场的国家和地区已经增加很多，欧洲几乎是全境都向中国开放了，但就我所知，无论是旅行社方面还是旅游者个人，倘若是选择法国，那么重点一定是巴黎，或许会旁及一下普罗旺斯的蓝色海岸，在一天时间里匆匆一游马赛、戛纳、尼斯，外加紧挨在那儿的一个小国摩纳哥。去普罗旺斯山区小村享受一番从樱桃泛红到葡萄飘香的自助游？十年之内，恐怕都不是中国"小资"旅游者力所能及的。如果说养成一个有气质的贵族至少需要经过三代，那么，造就一个中国的彼得·梅尔式的旅游者，我以为至少需要两代的时间。

说了以上这些话，目的不是扫兴，而是助兴。正是因为我们中国人目前很难实践梅尔式的"亲近普罗旺斯",因此,他这几本关于普罗旺斯的旅游散文,才更适合于"睁大眼睛看世界"的中国读者们阅读。有一种旅游叫卧游,就是半倚半卧在自家的沙发上或床铺上,手持一卷,神往心游,去欣赏这星球上乃至宇宙中的美景。陕西师范大学出版社新近推出的彼得·梅尔的普罗旺斯系列散文,应是今夏我们卧游的首选。梅尔善于挖掘普罗旺斯地区的那些琐屑的美。宏观美与琐屑美相比,更难欣赏也更难描写的,是后者而不是前者。所谓贵族,所谓高雅,所谓脱俗,所谓诗意,从某种意义上说,其实就是善于把握细节,善于从幽微处有所发现,有所感动,有所憬悟。梅尔正是通过一串串的乍看平淡细品味酽的自然与人文细节,让我们领略到扑面而来的美感。这套书装帧得也不错,配图丰富而优雅,缺点是没有附一幅标志出普罗旺斯省的法国地图,而且,封面、内文里和书签上一再出现的,视觉上非常有诱惑力的紫色草本植物究竟是苜蓿、薰衣草还是迷迭香,似应注明。另外,《普罗旺斯的一年》246 页所插照片分明是美国纽约林肯中心前庭,那是世界上热闹得不堪,其意趣与普罗旺斯山乡最相抵牾的空间,误植此处,实属不伦。再版时希望改进。相信随着已经从卧读中得趣的"先行者"的口碑,梅尔的这几本书能在中国获得更多的"卧读知音"。

寄望于新一代思考者与行动者

——遇罗文《我家》序

　　本书作者遇罗文是遇罗克和遇罗锦的胞弟。

　　凡是经历过上世纪六十年代"文化大革命"的人们,都不会不知道 1967 年初曾有过一份《中学文革报》出现在街头,上面刊登过一篇不同凡响的《出身论》,而这篇反对"血统论"的文章的作者遇罗克,却在 1970 年被作为"现行反革命"

枪毙了。《中学文革报》实际上是遇罗文等几个中学生私自办的，这张只出过几期的报纸，现在已被世界上若干著名的图书馆珍藏。

凡经历过上世纪八十年代改革开放初期的人，都会记得遇罗克的冤案得以平反，并且，有遇罗锦那样一位女作家，连续发表出《冬天的童话》《春天的童话》等带有自传色彩的中篇小说，引起过轰动与争议。后来遇罗锦应邀到当时的西德访问，在那里留下，直到我写这篇序时仍没有归来。

仅仅是我上面所开列的因素，相信这本《我家》便会引出众多读者浓厚的阅读兴趣。

其实，遇罗文父亲遇崇基、母亲王秋琳，他自己，还有他弟弟遇罗勉的人生遭际，虽然没有遇罗克和遇罗锦那么具有爆炸性的雷声眩光，却也相当坎坷诡谲、惊心动魄，反映出上个世纪后半叶相当大数量的普通中国人的生存状态与心路轨迹，具有典型意义；因此，这本《我家》，确实是值得我们作为历史个案，仔细加以检视、研究的。

遇罗文写出书稿后，请当年他家的邻居任众写了一篇文章——任众的遭遇曾被我写成《树与林同在》一书（山东画报出版社出版）——任众在文章里，把遇家的遭遇和他自己，以及许许多多有着类似命运的人们的生命轨迹交汇在一起，发出了"千万不要忘记"和"不能让悲剧重演"的彻腑疾呼。我的心弦当然也与此强烈共振，但任众讲过的话我不拟重复，我想特别强调的是，遇罗文的这部著作还有着更为丰富的现实意义。

我们现在都已置身在一个崭新的世纪里。我们沐浴着新的曙光，但无可讳言，我们也面临着新的问题；希望使我们兴奋，问题令我们焦虑。有些人士，把冷战结束后全球一体化的推进，以及市场经济在中国大陆的推行，视为上世纪末本世纪初最重要的事件，提出"历史为零"的论断，呼吁"制度创新"；他们认为，在全球一体化的进程中，跨国资本的运作如大象巨脚，正无情地践踏着发展中国家的民族个性；而中国大陆市场经济迅猛发展，确也是在公平的"游戏规则"尚未健全的情况下，就已"玩"得人人心跳——仅这两大问题，就引出了深重的焦虑，焦虑者为了化解自身的焦虑，并以己度人，力求达到清明澄澈，有的就如饥似渴地从历史中抓取"可利用资源",上个世纪中国的"文化大革命",当然是重要的"资源"之一,比如,有的人士就提出来这样的论点:有两个"文革",一个是毛泽东的"文革",他要解决的是刘少奇为首的"资产阶级司令部"的问题,另一个呢,是"民间"的"文革",所期盼解决的,是官僚主义压迫、特权思想与特权制度等等问题。主张有"民间文革"的论者,所常常举出的例子,就是在"文革"初期,一般民众在享有"大民主"的情况下,可以"自由办报"、"自由结社"、"自由发言"。在某些人士看来,"文化大革命"的思想基石——"无产阶级专政下继续革命的理论",以及"民间文革"那"全民参政"的实践,还有当时对跨国资本的坚决排拒,以及自力更生发展经济所获得的可触摸成果(如南京长江大桥和大庆石油开发),都提供着"零历史"境况下,从事"制度创新"的借鉴,至少是能以激活灵感。好了,现在我们有了遇罗文的这部著作,从他栩实详尽的回忆里,我们可以了解到,那时像他和他哥哥那样的社会存在,是怎样利用时空中的可利用瞬间缝隙,来"自由办报"、"自由结社"和"自由发言"的,并且可以了解到,为此他们分别付出了什么样的代价;还可以从他父母,他姐姐和弟弟,以及他自己在他哥哥被杀害后,所经历的那些事情,引出深重的思考:从中是否可以找到抗拒全球一体化的悲壮之美,或能以提炼出"创新资源"?遇罗文写作时并没有跟我交流过,他完全没有我上面所陈述的思考前提,只是客观冷静地回叙那个渐渐远去的时代里,已然成为历史的种种细节,他本身并没有参与是否存在"两个文革"的争论,也并不清楚"历史为零"与"制度创新"之类的新论,但我以为,他的这个文本,在有关的讨论中,具有着无可替代的巨大参考价值——讨论的双方,甚至都可以从正面引述他的文字,以为立论的依据。

像任众那样的"过来人",所时刻提防的,还是那些整过人的极左分子。这种戒惕是值得尊重的,也是必要的。但实际上那样的一些人从年龄上说大都老迈,从社会站位来说也多半已然被边缘化了,他们对现实的不满程度,似在与日俱增,但回天无力。真正能左右现实中国走向的,应该说已是新的一代思考者与行动者,而这些人里,有的六十年代才陆续出生,全然没有"文化大革命"的生命体验,甚至改革开放初期，"实践是检验真理的唯一标准"的讨论中，以及后来关于人道主义的讨论过程里，"拓荒牛"们所遭遇的那些阻力，对于他们来说，也了无印象，他们其中一部分人的思考与行动，似乎更多地，会受到现实中负面存在的强烈刺激，以及从西方——比如法兰克福，以及实际上也是用财团的基金支撑的高等学府那类地方——传进来的某些高超理论的影响，从而形成某些独特的思路作为，这有令"过来人"理解、尊重的一面，却也有令"过来人"不解、担心的一面。遇罗文的这部著作，我以为应是新一代思考者与行动者的重要参考材料——毕竟，这是本土的，浸着血泪的，具有典型性的，而且还活着，并继续生长着的历史。我祈盼，新一代的中国思考者与行动者，终能具备睿智的头脑与坚实的脊梁，离开误区，面对国情，实事求是，稳健推进，掀开这东方古国闪烁着新辉的一页。

公元 2000 年，中国新龙年即将来临之际

二十一集电视连续剧《曹雪芹》阅读感想

总体感觉：

不错。

写曹雪芹很难，因为现在连《红楼梦》究竟是不是曹雪芹写的，都还有人怀疑。《红楼梦》系曹雪芹所著有坚实的历史资料可据，不应怀疑。曹雪芹是中国的伟大作家，也是世界的伟大作家，通过电视剧形式进一步弘扬曹雪芹，使他的名声与业绩深入人心，好。希望这个剧本经过修改后能投拍。

王家惠先生的这个剧本，灵活运用了下列材料：(1)《红楼梦》本身提供的，如"天地二赋论"等思想观点；(2)"红"学界对曹雪芹家世、经历、交游、著书过程的研究成果；他所采用的研究成果中，周汝昌先生的观点取用较多；现在剧本中对曹雪芹身世的述说基本上脉络清楚，至少已形成不容忽视的

一家之论；(3) 关于曹雪芹和《红楼梦》的有些传闻，如他曾偷听英商与他父亲讲述莎士比亚戏剧故事。虽然王先生根据上述材料进行了大胆想象和戏剧性的铺排，但整个剧本的格调还是正剧，是正儿八经的曹雪芹传，不是戏说。

就戏论戏，也还有情节，有悬念，甚至有噱头，布局也还均匀，每集末尾尽量留个"扣子"，以吸引观众去看下一集。

*关于曹雪芹这一形象的塑造：

看来王先生是想把他塑造成一个性格丰富的人物，不想把他完美化，比如他也曾命令手下人捆打老仆罗汉；罗汉这一名字见于故宫档案里有关曹家的部分，王先生试图把他跟《红楼梦》里的焦大联系起来，让观众感觉到他是焦大的原型；但我以为立足于把曹雪芹性格塑造丰满是对的，但面面俱到是没必要的，故意表现"他也有缺点"更没必要，比如他和罗汉的关系，现在的描写我觉得是不准确的，无论现实生活里的曹家还是《红楼梦》里的贾府，一般情况下对老仆都是格外"给脸"的，《红楼梦》里的焦大因为喊出了那样惊心动魄的话，才被贾蓉让人往嘴里塞马粪。剧本里曹雪芹和好几个女子都有感情纠葛，这样写是可以的，但《红楼梦》里的贾宝玉是"情不情"，对"无情"的生命也能去关爱，即使我们不把曹雪芹本人视为贾宝玉的原型，也应该把曹雪芹塑造成一个能"情不情"的形象。现在剧本里的曹雪芹"情不情"的情怀，即在时代发展中具有超前的先进性的人文情怀，表达不足，缺乏连贯，更没有力度。应该让观众看到一个对任何青春、纯净、不幸、卑微的生命都充满大悲悯情怀的曹雪芹，这方面可使用的材料很多，比如《红楼梦》里贾宝玉对农村二姑娘的关注，有关曹雪芹在西山农村与一位叫鄂拜的穷人交往的传说；王先生可能不相信有的"红学家"对所谓《废艺斋辑稿》的肯定性意见，剧本里也确实不一定要采纳这个具体的说法，但曹雪芹对残疾人的关爱，这类的情节还是应该有的。建议王先生再梳理一下给曹雪芹设置的所有"戏份"，能以一个"情不情"的"竹签"，把各场戏的"糖葫芦"串起来。我的意思不是说要在戏里出现"情不情"的字样，那不合适，对观众来说难懂。但要给观众一个惊讶——啊，曹雪芹这人好怪，可又怪得多么地好啊！

* 关于其他人物：

马氏这个人物不好处理。现在我们只知道曹頫死了以后她还活着，有人还认为曹雪芹是曹頫的遗腹子，也就是说，马氏是他亲妈。曹家被抄后，从南京移居北京，马氏还随往。但此人后来如何，查不到资料。现在剧本把她设定为被乾隆宠幸的凤藻的生母，却在凤藻就要省亲时突然失足落水死掉了。剧本写马氏显得很累赘，她的死是个偶然事件，起不到深化主题的作用，甚至会让观众觉得挺可笑。我觉得可以去掉这个人物。把凤藻写成曹頫和其夫人所出，是曹雪芹亲姐姐，有何不可？

李绮筠这个人物戏份极重。现在看来也是缺乏一根起串各场戏（"葫芦"）的"竹签"。既然设定她就是"脂砚斋"，参与了《红楼梦》（《石头记》）的创作，那就应该在这一点上下足笔墨，现在笔墨是不够的。另外，为什么非要另设置一个文篁的角色？而且把《红楼梦》里林黛玉的长歌说成是她代撰的，这不仅抢了绮筠的戏，也无助于对曹雪芹形象的塑造。戏里可以写曹雪芹和多个女子的纠葛，但现在缺的是他对身为奴才的下层女子之间的戏（奴才指原来就是那个身份的人，原来是主子后沦为奴才者另说），文篁现在设定为甄材的小妾，也还属于主子阶层。

罗汉这个老仆形象基本上成立。他的结局那样处理是可以的。

敦敏、敦诚、张宜泉历史上实有其人，材料比较丰富，现在剧本利用不够，成了串场人物。应该通过几个给人印象深刻的情节，使观众懂得他们是曹雪芹"著书黄叶村"的坚定的精神支柱。

弘历即乾隆现在这样处理还好。是他想出了以"武英殿本"形式来遮蔽了曹雪芹原稿，这一思路最早由周汝昌先生提出。此说虽有争议，但剧本把这一情节交代得很自然，像是乾隆说得出的话做得出的事。

* 关于全剧情调：

诗意不足。

王先生写此剧本既然参考了周汝昌先生多方面研究成果，为什么不多吸收些周先生对曹雪芹创作《红楼梦》的诗性开掘？周汝昌先生考证出曹雪芹出生在芒种节（饯花节），《红楼梦》里有整回关于贾宝玉和众儿女饯花的描写；又，《红楼梦》文本里关于落红阵阵,"沁芳"(花落水流红)的描写,都是可以用来贯穿全片的诗情画意。现在开头结尾的风筝画面的设计不错,但应再与"落红"、"沁芳"等结合起来才好,单是风筝还不足以让观众进入曹雪芹那特定的诗情诗心。当然,这一点在投拍时导演将起决定性的作用。剧本在这方面加强些提示,将来导演再下工夫,诗意盎然是不难做到的。像《大明宫词》那样的故事(骨肉相残争权夺利)尚且可以在荧屏上呈现诗意,这个剧本的题材基础摆在那儿,更该诗意浓郁了。

*其他:

对白还可提炼。有些不甚符合那个时代的那个特定人物。有的道白写得过长。

第二集很重要。通过凤藻的叙述,讲出曹家与康熙的特殊关系,以及雍正上台后为什么不喜欢曹家。现在剧本对这些回叙处理得还不够细,不能让非"红学"界的人印象深刻地明白所以然。如果在荧屏上也草草地"一遍过",观众更可能还是糊里糊涂。这部分要加强。我的想法,是不如第一集就把曹雪芹身世的这个至关重要的背景情况交代清楚,只要画面生动,旁白传达意思清晰,观众还是能耐心看下去的;背景材料交代清楚后,再进入具体的小情节(放风筝、丢风筝、找风筝什么的),观众可能更感兴趣。意大利贝托里奇的电影《末代皇帝》开篇的办法可以参考。

2000 年 9 月 28 日

野葫芦的梦

——对《南渡记》《东藏记》的一种解读

几年前,记不得是参加了一个什么活动,结束后与宗璞大姐一起散步,穿过地安门白米斜街时,她两眼透过厚厚的眼镜片,仔细地搜寻着什么,忽然,她小姑娘般地欢叫："对，就是这里！"那是一个院门，因为胡同是斜的，那院门为保持面向正南的架势，便在门前留下了一小块三角地，宗璞大姐毫不犹豫地踏入三角地，以回家般的神态迈进了那个院门，我跟了进去，影壁左边，是横长的前院，栽种着一排白杨树，那些白杨树很高大，风吹过，树叶哗哗地响，是在欢迎故人来归，还是在嗔怪不速之客？我看见，宗璞大姐的眼角，闪出些许泪光，于是，我什么都不问。

在宗璞的长篇系列《野葫芦引》第一卷《南渡记》里，她写到什刹海旁的香粟斜街，写到吕家那宽敞至五进并有后花园的宅院，当然，那是"真事隐去"后的"假语村言"，对于书中的某些地名，尤其是活跃于书中的人物，断不必按图索骥、对号入座，但正如曹雪芹宣布"闺阁中本自历历有人"，宗璞也正是在告诉我们"学府中本自历历有人"，其一把辛酸泪，尽自心臆来，岂一般纯虚构作品可比。

一般的论者，都把四部规模的《野葫芦引》定位于风格独特的描写知识分子抗日爱国情怀的长篇小说，从已写成出版的《南渡记》《东藏记》来看，这个定位当然是准确的。《南渡记》结尾，两个纤细的弱女生踏着沦陷地的落叶，往能以抗日的朝阳照射的地方走去。《东藏记》结尾，由一群书生喊出的"我们绝不投降"的声音滚过天空，有力地撞击在每个人心上。作家写在书前书中书尾的自度套曲，更把抗日爱国这一主题表达得淋漓尽致。

我却觉得，这书还可有另外的解读法。在我读时，我的第一感觉，就是书里的知识分子很奇特，因而在整个社会结构里，也就很边缘。比如，他们取名字的用字，有用"樾"字的，有用"卣"字的，有用"巽"字的，有用"杬"字的……这些字的读音字义一般人很难把握，像"杬"字，《现代汉语词典》里是查不到的，《辞海》里告诉我们，这字有两读，读为"元"时是木名，读为"完"时是按摩的意思。书里一个重要的人物叫卫葑，这个"葑"字也很冷僻，而且也有两读两意，读为"风"时是一种蔬菜芜菁（也叫蔓菁）的古名，读为"凤"时则是指蔬菜茭白（古名菰）的根部。宗璞给书里人物取这类名字，一是想表达出这些人都是书香门第的后裔，二是想传达出一种古色古香的传统文化的气息，另外，可能还另有深意存焉，比如孟樾的"樾",是树荫的意思,书中的孟嵋一直在这棵大树的荫盖下,休戚与共,甘苦同尝。

名字是一种符码。书里这些莘莘学子不仅个人符码古雅脱俗,他们还都掌握着中国古典与外国古典的符码系统,这样的人士在全中国人口里不消说只是一个边缘部族。这个族群顽固地坚持一种雅致生活。他们不仅有着独特的语言文字习惯,而且还有一套社交礼仪规则,有只有他们那个圈子才理解的含蓄与幽默,甚至有不同凡俗的肢体语言。在《东藏记》里,这些人到了本已偏远的云南昆明,又为躲避日机轰炸到了昆明东边极荒僻的村镇,可是在那样的地方同仁聚会,他们却会轮流用外文朗读《双城记》《简·爱》《卡拉玛卓夫兄弟》……以至波特莱尔的《恶之花》与缪塞的《五月之夜》。与其说他们是抗日爱国,不如说他们是面对野蛮荒谬,而坚贞地固守着人类的共享文明。

我把《南渡记》和《东藏记》当做边缘人写边缘生存的文本来读,于是一些也许别人会忽略的地方,我却觉得有热槌直击我的心窝。书里的孟嵋有着热爱文化的天性更有着热爱学习的家庭教养,她极其热爱学校,热爱师长,热爱同学,热爱课堂,她几乎能把这种热爱贯穿到她生命的每一时段,然而,她却不能忍受学校每周一的第一节名为"纪念周"的课程,这堂课循例要升国旗、唱国歌、背诵总理遗嘱,然后聆听校长和各方面负责人的讲话。作者非常准确地写出,这绝非是孟嵋不关心政治,更非对所有这些政治性符码、礼仪与宣讲心存异见,从另外许多情节里我们可以看到,孟嵋对抗日爱国是充满热情并身体力行的,但作为一个独立的生命,她有自己生存的尊严,"整整一节课学生都要肃立,嵋不喜欢的就是肃立"。直到如今的社会生活里,还有许多善于在仪式中肃立,肃立后却只是"忙完了私事后插空办点公事"而已的角色;书中的孟嵋在纪念周课程中不能承受肃立因而昏倒,但当校方宣布体弱有病的同学可以不必去为修建操场运土后,孟嵋却坚持要参加——这样的边缘人在如今的社会生活里,是多了还是少了?

边缘人有时候也会游动到中心,或有意,或无意;中心人物有时也会对边缘人产生兴趣,或早有意图,或随机而发。书中写到卫葑曾到延安任教,又一度被调到电台工作，一个傍晚，他从抗大回住处：

> ……路上迎面走来一个人。因在坡上，显得格外高大。他头发全向后梳，前额很宽，平静中显得十分威严。那人见卫莛走上来，问："学生子，做什么工作？"卫莛答了。那人又问："需要介绍我自己吗？""不需要，当然认识您。""那么，介绍你自己吧。从哪个城市来？"卫莛一一说了。不想那人一听明仑大学，倒有点刮目相看的意思，紧接着问："我问你一个人，不知可认识——孟樾，孟弗之，可认识？"卫莛很感意外，说明仑大学的人自然都知道孟先生。对面的人说："我倒是想找他谈谈，不谈别的，就谈《红楼梦》。"说着哈哈一笑，走过卫莛身边，说："把爱人接来吧，何必当牛郎织女！"

这是边缘人物与中心伟人生命轨迹相交的一幕，而且涉及到中心伟人在"红学"（很边缘的一门学问）上对边缘处的名学者的特别兴趣（这种兴趣在中心伟人的诸多兴趣里也只属于边缘兴趣）。这里所引的文本充分显示出本书作者的边缘写作姿态，这段情节若搁在刻意进入中心主流话语的作者笔下，一定会采用另样的叙述策略。

在《南渡记》开篇不久，作者就借孟樾的口气，面对熟睡的孩子们，自言自语了一阕交响诗般的《野葫芦的心》，先讲述了处在边缘的野葫芦与住在村子里的生命的互相呼应的微妙关系，再讲到侵略者杀进村里生灵涂炭，可是任凭侵略者对野葫芦砍、切、砸、磨，它们硬是连个缺纹也没有，敌人架起火烧也没用，最后被扔进山溪，更加地边缘化了，然而"来年野葫芦地里仍是枝蔓缠绕，一片阴凉。秋天，仍结了金黄的葫芦，高高低低悬挂着，像许多没有点燃的小灯笼"。最后，孟樾这样对孩子们的灵魂倾诉："许多事让人糊涂，但祖国这至高无上的词，是明白贴在人心上的。很难形容它究竟包含什么。它不是政府，不是制度，那都是可以更换的。它包括亲人、故乡，包括你们所依恋的方壶，我倾注了半生心血的学校，包括民族拼搏繁衍的历史，美丽丰饶的土地，古老辉煌的文化和沸腾着的现在。它不可更换，不可替代。它令人哽咽，令人觉得流在自己心中的血是滚烫的。"最后，孟樾坦言："我其实是个懦弱的人，从不敢任性，总希望自己有益于家国、社会，有益于他人，虽然我不一定能做到。我永远不能洒脱。所以十分钦佩那坚贞执著的秉性，如那些野葫芦。"这最后的话语在逻辑上未免有些个混乱。葫芦在野，本非中心人物，又怎能要求它们过高？葫芦其实常与糊涂通解，从野处望中心，"许多事让人糊涂"（难得糊涂！），但在维护一种自源头而来的文化这样的关键问题、大是大非上，野葫芦又的确是极坚韧坚贞坚强坚毅的。"嵋皱起眉，像要哭，她是不是在想，每个葫芦里，装着什么样的梦？"《野葫芦引》里，究竟装着什么样的梦？是在梦里祈祷：善待边缘人么？

《东藏记》临近结束，写到卫葑的两难处境：他信他所不爱的，而爱他所不信的。这只野葫芦的梦是个噩梦。但愿这样的梦没深藏在更多的野葫芦里面。有人对卫葑谆谆教导，既然做不到信自己所爱的，就要努力去爱自己所信的。"这就是改造主观世界。这是一条漫长的路，也许终身无法走完。"我们已经看到了卫葑怎样从边缘游动到中心，又怎样被中心抛掷到边缘的故事，因为目疾严重的宗璞大姐尚难把《野葫芦引》的后两部《西征记》《北归记》写讫推出，所以卫葑后来如何？在信与爱之间最后究竟达到了平衡没有？很难臆测，形成一个极有分量的悬念。仅仅是对这个人物的推测浮想，已令我心旌摆荡不已。

其实，即使《北归记》已出，书里这些边缘人物身处中心了，却未必就不边缘，乃至更加边缘。然而我们不能再要求作者往下叙述了。好在第一部卷首自度曲最末一节，作者已经告诉了我们："看红日东升。实指望春暖晴空，乐融融。又怎知是真是幻是辱是荣是热是冷是吉是凶？难收纵，自品评——且不说葫芦里迷踪，原都是梦里阴晴。"依我想来，一个健全的社会犹如一个生机勃勃的自然植物群落，其间有参天大树，有主要种类，也有各色稀少树种、灌木蕨藤，也容得下野葫芦这样的存在，也就是说，社会应该是有中心也有边缘的，中心与边缘的良性互动应是社会的一种保健方式，中心没必要强行扯动边缘不许其存在，边缘也没必要无故敌视中心制造麻烦，更不能任粗暴的力量搅动得中心与边缘混沌一锅整体耗损。就个体生命而言，或从边缘朝中心游动，或从中心向边缘滑行，只要没有危害社会他人的动机，各遂其愿，都无可厚非。野葫芦的梦里阴晴，正可在白日凝思中慢慢消化。

2001 年 10 月 8 日温榆斋

一读钟情的文字
——李黎散文集《一见钟情》序

台湾旅美女作家，老一辈的聂华苓、於梨华，大陆读者比较熟悉，李黎是聂、於之后实力最雄厚的一位，在台湾早已声名鹊起，屡获大奖，连任评委，其人其文，在台湾及海外文学界的影响与日俱增，她在大陆也出了书，像《新民晚报》"夜光杯"副刊也时有她的佳作刊出，有些大陆读者已经读得上瘾。最近一位北京名校的女大学生对我说：李黎的文章"真布波"！这话令我莞尔。"布波族"的说法，新近从美国传入大陆，按我的理解，是指以都市青年白领为核心的一个社会族群，他们一方面很"布尔乔亚"，也就是很"小资"，生活方式是富裕加文雅，另一方面则又很"波希米亚"，也就是浪漫，对精神自由的追求超过对物质的欲望，对情调的沉醉大于对世俗符码的重视，这"布波一族"在文字阅读方面，则要求既有高尚的文化内涵，又有优雅的语言风格，从这样的要求出发，那么李黎的文章确实恰对胃口，榫楔密合。

李黎的散文，应该向大陆更多的读者推荐。我的阅读感受，倒没有"布波"之类的理论为引导，不知为什么，读她散文后，常常不禁诵起唐·王维的《山居秋暝》来。她的文思，"空山新雨后"般清爽宜人；行文方式，则"明月松间照，清泉石上流"，自然空灵，不着力间已诗意盎然；她的文字意蕴深厚，却又仿佛"竹喧归浣女，莲动下渔舟"，绝不张扬直露，令你见竹森莲摆而去想象浣女渔舟；作为她的读者，翻阅她的集子，"随意春芳歇，王孙自可留"，确实，她那些充溢着才识、机敏与情趣的文字，幽微深邃地烛照出世道的不足与无奈，却又以睿智与旷达展拓着我们的视野与心胸，说她写下的是令我们一读钟情的文字，并不过分。

开卷有益，这话我们耳熟能详。但那"有益"的益处里如果只有"道理"而无韵味，只有"学识"而无幽默，只有"趣味"而无雅致，则开卷也还是件沉重的事。这本精选的李黎散文，则无论你是在下午茶时伴着咖啡，遮阳伞下听着海浪，还是赴约途中忽略了轨声，或者入睡前倚枕借着圈定的灯光，阅读的快感都会浸润你的心灵，你真是"布波族"么？李黎将给你高雅的轻松，以及真实的慰藉。

一卷已经在手，读吧。

2003 年 3 月 14 日绿叶居中

意识到我是自己
——嵌在生命年轮中的《约翰·克利斯朵夫》

16 岁至 20 岁的时候，我最心仪的作家是法国的罗曼·罗兰，最喜欢的一部书是他的巨著《约翰·克利斯朵夫》。附带也喜欢这部长篇小说的译者傅雷。说喜欢，其实还不够准确，读那部书时的感动与憬悟，其实已经超出了喜欢，达到灵魂为之震颤的程度。

我的 16 岁至 20 岁，正当 1958 年到 1962 年。那是一个强调集体主义、批判个人主义的时代。罗曼·罗兰的《约翰·克利斯朵夫》却是一部宣扬个人主义的作品。这样的作品能在那样的历史阶段在中国公开出版，让我这样的青年人看到，有其特殊的历史原因。原因之一，是罗曼·罗兰这个作家在政治上左倾，他反对第一次世界大战，对通过革命而出现的新兴国家苏联充满善意，与苏俄作家高尔基友情甚笃，是冲破政权封锁率先去苏联访问的西方作家之一，苏联也投桃报李，一直将他视为西方的进步作家，对《约翰·克利斯朵夫》的诠释，也尽量强调其抨击西方社会和文化的虚伪腐朽一面，把体现在主人公身上的个人主义一分为二，指出其脱离群众斗争的不可取，却也肯定其拒绝同流合污的可贵；原因之二，是中国1949年以前的左翼文化和1949年以后到1960年左右的新中国文化，在对待西方文学的态度上，是取法苏联，步其后尘的，比如苏联充分肯定英国女作家伏尼契的《牛虻》，我们也就从俄文转译过来大量印行，其实在英国和整个西方这不过是本无名籍籍的通俗政治小说罢了，罗曼·罗兰可是获得了诺贝尔文学奖的作家，在西方的名气是伏尼契辈无法望其项背的，苏联大力肯定，我们当然更乐得推介；原因之三，是中国左翼文人参加革命的最早动力，往往是追求个性解放，完全没能预见到真的加入革命队伍后，最后会推进到革个性的命，他们一度理直气壮地把《约翰·克利斯朵夫》视为反抗资产阶级虚伪腐朽的教科书，而1949后他们当中许多人进入了文化界的领导层，这也就使得这本书一度被普及，像我那样的青年（其实1958年我初读此书时还是个少年）很容易从图书馆和新华书店得到它。

1956年到1957年，报刊上已经有文章批判《约翰·克利斯朵夫》，严厉指出其宣扬的是地道的资产阶级个人主义，是与我们所强调的无产阶级集体主义相抵触的，不过那些批判基本上还是讲道理的。后来中、苏两党的分歧逐步公开化，再后来是"文化大革命"，大字报式的批判可就蛮横不顾逻辑了，连《牛虻》也扫荡了，遑论罗曼·罗兰的文字，傅雷也在那场浩劫中殒命。改革开放以后，傅译《约翰·克利斯朵夫》重新出版，我激动地去重购一部，那时我已37岁，读时依然心往神驰，不过也增添了许多的沧桑之慨。

现在的年轻人似乎很少有读罗曼·罗兰这部篇幅浩荡的长篇小说的。一位女白领要求我把这部书的内容给她"速成"一下，我试制了"方便面"式的"提要"给她，谁知她略尝几口就对我说："啊，原来主人公以贝多芬为原型，太古典了，那样的个人，承载的社会历史责任也未免太沉重了，读起来我会脑仁儿疼，还是读些轻松的成人漫画，更有利于我在激烈的生存竞争之余润滑心灵。"我也不跟她讨论，只是更痛切地意识到，正如"一朝天子一朝臣"，可谓"一茬读者一茬书"。

不管别人怎么样，就我个人而言，罗曼·罗兰的《约翰·克利斯朵夫》已经嵌在我的生命年轮里，再难消除。也无须消除。关于这本书，我不想在个人主义和集体主义的框架中去讨论它。书被我消化了，融进了我的生命。我对它心存感激，是因为它使我懂得了，我毕竟是一个独立的自己，我当然要努力合群，要尽力使自己于群体、他人有益，要有社会责任感，但自我的尊严，独立的思考，人格的完整，意志的自由，特别是内心深处的良知积累，是投入群体、交际他人的基础，这种铭心刻骨的"个人"感，不必称"主义"，却是生命中最可宝贵、不可出卖、绝难放弃的。

2004 年 6 月 21 日绿叶居中

镜头朝阳

——《张伟摄影作品集》序

北京朝阳区是一个丰富多彩的区域，从历史角度来说，这片地域的变化非常巨大，沧桑二字都不足以喻其貌的更迭、质的翻新；从城市发展来说，这是城区涟漪般向农村扩展的最典型的一个扇面；从文化结构来说，这里集中交融着古／今、中／外、雅／俗、精／粗的不同文化；从与世界的关系而言，这里有通往天竺机场的高速公路，有早已成为北京地标之一的国际贸易中心，有正迅疾发展着的 CBD 中央商业区，仿佛是北京这座伟城的一根天线……以这样一个特定的区域，作为自己主要的拍摄空间，固然与张伟的供职有一定关系，但更主要的，恐怕是他对这片地域怀有真挚的情感，镜头后的他与镜头所对准的事物之间，有一条无形而坚韧的纽带，那就是熔铸在"朝阳"这个符码里的爱与盼，而快门的一次次揿动，也就是"我以我血荐朝阳"这誓词的一再重申。

一滴水可以折射出太阳的光芒。张伟的这些摄影作品，折射出了朝阳区的艳丽，也折射出了北京城的光华，这些摄影作品里跳动着时代的脉搏，递送着社会迈进的足音，令观者喜悦、振奋。

看来，张伟不仅想以这些摄影作品吟颂时代与社会，他也是想通过这些作品，给人以审美的愉悦，并且能尽可能地使这些作品能超越一时的功利，进入艺术的殿堂，获得可持续欣赏的境界，从而使自己能跻身摄影艺术家的行列。这是应该给予支持与鼓励的。

张伟的摄影作品，有的是新闻性的，有的明显带有宣传的目的，有的是机智的抓拍，有的看得出是反复斟酌、细致准备、耐心等候才按下快门的，有的似乎又漫不经心，有的则是刻意追求品位的艺术摄影，题材、品种、风格呈现出多样化，从目前他所达到的状况来看，我觉得他确实还处在摸索的阶段，时有亮点夺人眼目，但还不能彻底摆脱模仿某些范式的痕迹。另外，从这本集子选出的作品来看，他的鸟瞰拍摄都比较成功，但特写手法的运用未免太少，多数是近景抓拍，角度还不够灵活，剪裁上还应再下工夫，而说明词也还可以再多点含蓄与幽默。克服平庸，力求突破，应该是他进一步追求的目标吧。

尽管张伟的摄影作为艺术而言，还不够成熟，但我觉得他通过长期的摸索与厚重的积累，前途是无量的。通过这本集子可以看出，他对朝阳区的空间感觉，是与时间感觉紧密胶着在一起的，他不仅有在流动的时间里记录同一空间变化的高度自觉性，而且，他并不总是从新／旧、美／丑、好／坏、进步／落后那样绝对化的二元思维出发，他有时颇能透过镜头里的沧桑，传达出某些微妙的，超越了二元对立范式的幽深意蕴，令人在时间／空间的变幻里，感受到变中的不变，比如醇厚的人情、芬芳的诗意。他如果能更加注意细节，在光影的把握上更细腻，尤其是，更自觉地把人文关怀作为从取景框往外窥视的动机，那么，他作品的力度、深度、美度，一定能更上层楼。另外，我觉得他很可以把新闻、宣传、广告的摄影品种，与风土民俗、文艺体育、群像肖像、建筑静物……直到包括抽象变形、追求纯光影趣味性的艺术摄影这些品种，更自觉地加以综合、融通、杂交，从而最终形成自己独特的风格，令人一看便能颔首：啊，这是张伟拍的。

太阳总会一再地从东方升起，张伟那相机的快门总会一再地揿下，这样的预期是不会落空的。时代·社会·生活·人·情感·向往·诗意·美……浓酽而和谐地融会在胶片上、精密而巧妙地记录在数码里，在以后的作品集里，我们与张伟重逢时，一定会获得更大的惊喜。

2004 年 2 月 18 日绿叶居

难得意趣真

——林桢武散文集序

《红楼梦》里有一处文字很古怪，那就是第 48 回写林黛玉教香菱写诗，她说："什么难事，也值得去学！不过是起承转合，当中承转是两副对子，平声对仄声，虚的对实的，实的对虚的……"我们都知道古诗的做法是虚词对虚词，实词对实词，林黛玉显然是说错了，但我们现在所见到的各种《红楼梦》抄本里，都这么白纸黑字地写着，为什么曹雪芹自己，还有脂砚斋，以及那么多的过录者，改正了不少笔误，却总保留着林黛玉这一错误呢？

关于林黛玉教香菱赋诗的情节里，尽管有这样的笔误，但曹雪芹通过林黛玉所揄扬的"诗论"，还是征服了不少后学者。特别是林黛玉的这一见解："词句究竟是末事，第一立意要紧，若意趣真了，连词句不用修饰，自是好的，这叫做'不以词害意'。"我很少写诗，但我写散文随笔时，就特别注意重意趣，而不在辞藻章法上去刻意雕琢。我也还记得二十几年前，冰心老前辈当面跟我讲的话，她说散文宁愿是活生生的荷叶，也别成了金雕玉琢的莲花，她为我的第一个散文集《垂柳集》写的短序，就表达了这一观念。

我读林桢武的一些文章时，助手鄂力正在一旁，他也读了几篇，问我：究竟散文、随笔、札记、小品……这些文体有什么区别呢？我跟他讨论起来。我想他之所以会提出这个问题，就是因为所读到的林桢武作品，或长或短，或写人，或叙事，或描写风景，或记录民俗，甚至仅仅写到一个盆景，完全不设细密的体裁前提，无拘无束，思丝情丝随风飘逸，如细雨滴萍，似蜻蜓立荷，潇洒自如，悠哉游哉，确实，倘非拿一把僵死的尺子去比量，则有时便会有"归于何类"的焦虑产生，但我以为，正因为林桢武注重真意趣，所以在我看来，无论他写的是什么，只要让我心里熨帖，生出美感，那就是好的散文。鄂力听了点头微笑。我告诉他，回想起了所读过的一些散文，鲁迅一本《野草》，几乎每篇一种写法，有的如《秋夜》可谓正宗散文，有的如《颓败线的颤动》视为超现实小说也无不可，《聪明人、傻子与奴才》则是讽刺小品，而《好的故事》分明是散文诗，鲁迅先生写它们的时候，想必是意趣到了心头便捉笔倾吐，哪管文体分类学者厘定的那些名堂呢。近五十年来的散文，也有例子可举，比如何为的《第二次考试》，有人物，有故事，后来还根据那短短的文章拍过一部电影呢，但为什么并不被归入小说，一直被认为是典型的好散文呢？恐怕就因为里头有真意趣，跟诗的亲缘关系更近一些吧？又想起郭风的散文，往往绝无人物，更无情节，甚至只写云朵、蘑菇什么的，也是意趣真切，让人觉得是难得的好散文。"与诗的亲缘关系更近"，这是我要特别重复发挥的一层意思，不是说小说不能有诗意，但散文随笔里确实应该有比小说多得多的"诗基因"，我曾把鲁迅先生的《死火》作为诗来朗诵，自己觉得遍体清凉，听者也有醍醐灌顶的特殊美感产生。写散文随笔，鲁迅先生是我们永远的启蒙者，而百多年来许多前辈的名篇佳什，足供我们揣摩。只是不必望贤生惭，束缚了自己，到头来，还是要记住林姑娘的那意趣要真的警策，而真意趣，只能来自生命体验，把自己独特的生命体验细化、诗化、升华，那一定会出好文章。

当然，林桢武的散文，有的篇章，似乎还生涩了一些，这恐怕主要不是词章修饰方面的问题，想来是酝酿得还不够成熟，意思有了，情趣还不够浓酽，就匆忙下笔所致。

总的来说，写散文随笔，我的体会是，意思容易生发，情趣难得氤氲，立意与情趣不是加法的关系，而应该是起化学反应，形成非常和谐的一种状态，也就是臻于真正的意趣。我自己写散文随笔，也并不是每篇都能把化学反应完成好。这想法如果有一定道理，那就与林桢武共勉吧！

2004 年 2 月 27 日于绿叶居

李黎系列序

李黎是台湾实力派作家之一。她两次获得台湾联合报小说奖，一次以《最后夜车》获 1982 年度短篇小说奖，一次以《倾城》获 1988 年度中篇小说奖；这在台湾是颇高的文学荣誉。她 1970 年赴美定居，七十年代末，她是最早回大陆参与文化活动的台湾作家之一，曾应北京三联书店邀请，公开发表演说，介绍台湾文学的状况，以及自己的心路历程，受到热烈欢迎。二十年过去，李黎在文学创作上结出了更多硕果，其文笔更老到，也更深沉，但始终又葆有鲜活灵动、睿智幽默的个性。

我们都知道，台湾的文学创作，以小说而论，似乎很早就有点"两极分化"，要么通俗到舍弃深刻的地步，要么前卫到一般读者难以解索的地步；在多元的文学格局中，不少读者期待着既有趣好读又意蕴醇厚的小说出现，李黎的创作，便具有这种雅俗共赏的特色，实在难能可贵。

十多年前，大陆读者阅读台湾作家作品，大都有从中了解台湾社会民情的欲求；李黎的许多作品，都可大大满足这种合理愿望；但李黎又是台湾旅美作家群中重要的一员，她的许多作品，还具有能令我们窥视这部分华裔移民内心世界的功能；不过，李黎没有把自己的文学思维，局限在以上的范畴，她的写作，从自我生命体验出发，辐射于全人类，试图穿透人性，探其底蕴，显得很大气，很丰富；那是一种突破了地域与族群局限，却又在流畅精美的方块字里，自然而然地浸润着中华文化素养的，属于全人类的写作。

这个系列，集中了李黎的几种力作。长篇小说《袋鼠男人》，题材十分新颖，既是一部想象力丰富的幽默之作，却又是一部有科学根据的"写实"之作；请注意，我没有用"科幻小说"这个称谓，因为，男人怀孕生产，不仅在理论上已然被验证，而且已经进入了可实验阶段，这当然不仅是生命科学发展中的一桩大事，更会引发出一系列法律、道德、伦理、情感等方面的交错复杂的问题；李黎在处理这个属于全人类的前沿题材时，没有忘记人物形象的细致刻画与内心世界的深入探索，并且生动地将东西文化的碰撞，通过许多饶有趣味的细节加以展现，读来令人时而忍俊不住，时而掩卷浮想。她的这部小说，由她自己改编，已在台湾拍成一部喜剧电影。就在李黎的《袋鼠男人》紧张拍摄时，好莱坞也开始拍摄一部内容极其雷同的影片，并请出大明星史瓦辛格扮演怀孕的男子，以为票房号召，这究竟是"英雄所见略同"，还是受李黎小说启发？有朋友鼓动李黎和好莱坞制片商对簿公堂，以维护自己的原创权，但在美国，打官司不仅极其费钱，而且往往要旷日持久地等待结果，李黎笑说，有那时间和精力，不如再写新作；这既显示了李黎的旷达与自信，也证明了李黎的创作思维确实常常处于整个人类文化发展轨迹的前列。

三个题目中带"城"字的中篇小说，凸现李黎从平淡的生活流程中提炼出趣味盎然的艺术想象空间的功力。我们都知道，随着现代化的进程，城市在膨胀，而且非城市地区也在迅速地城市化，在这样的空间变化中生活的个体生命，因"城"而派生出的欢欣亢奋和焦虑烦忧杂糅于心，并且往往在情爱领域衍化出悲喜正闹的种种活剧,李黎在涉足这类题材时,特别善于把现代都市中所谓"雅皮一族"那幽秘的性心理,惟妙惟肖地加以精微揭示,读来引人入胜,又发人深省。

李黎关于其爱子薛天不幸猝死后,在沉重的精神打击下,以书信形式写下的一组文字,则既是她个人心灵憬悟升华的瑰丽诗篇,也是令读者们不能不为之怦然心动的励志启示录;李黎在生活中和文字里都给当代随时可能遭遇意外变故的众生,树立了超越不幸与痛苦,坚强地完成人生跋涉的勇者榜样。我们这个系列中的这一部分,还包含了李黎在意味着薛天再世的小儿子天晴诞生后,所写下的若干新的书简,其中不仅洋溢着母爱的温情,也焕发着对生命花朵如歌的赞颂,读来令人眼濡心热,生命的尊严,爱心的神圣,尽现于自然抒卷的字里行间。

这个系列中的三本书,分开看如游三个氛围不同的时代花园,合起来读,则是一趟遍尝人生滋味的心灵之旅;不搞写作的"外行"有健康的热闹可看,搞写作的大陆读者,则可以从其门道里获得不小裨益。

李黎的创作,还在蓬勃地发展。读着她这些作品时,我们会想,这位创造力旺盛的作家,还会再给我们一些什么惊喜与启迪呢?望着这书上李黎照片的眼睛,你会感觉到,她在一眨眼之间,给了我们一个富有悬念的许诺。

1998 年 11 月 20 日北京绿叶居

无悔与悯人

这本《无悔的岁月》[1] 副标题是"我们姐妹的人生道路"。哪三姐妹?从云南宣威一个大宅院里,走出西南边陲,见识了上海、北京这样的大都会,最后投奔

---

[1]《无悔的岁月——我们姐妹的人生道路》,蒲代英著,华夏出版社,1999 年 1 月北京第一版,定价:29.00 元。

延安，参加了革命，又都缔结了革命姻缘，穿越了半个多世纪的风风雨雨，如今一位已逝，而两位依然健在；她们是蒲代英、蒲石英、蒲琼英。"革命姊妹花"的故事向来激动人心，不少人都还记得苏联作家阿·托尔斯泰曾有《苦难的历程》三部曲，那影响最大的头一部便是《三姊妹》。倘若你知道这部蒲代英所撰写的回忆录，里面所写的蒲琼英，后来易名卓琳，即邓小平的夫人，那你能更愿意一读为快了——产生这样的阅读心理是很自然的事，对不？

这部回忆录，具有许多革命老前辈所撰写的同类著作的共性：体现着革命理念的坚定性，充溢着永不衰竭的激情，真诚地勖勉后辈能把他们开创的事业继承下来并发扬光大，对民族发展的前景满怀乐观的预测……我想一定会有许多的评论者，会对书中的这些内容揭橥光大。我却只想说说，自己从这部回忆录中，所感觉到的，某些似乎是独特的韵味。

独特的韵味，首先是传主对自己所出身的家庭，父母兄长，叙述评价中所体现出的一种既有阶级原则，又通达温情的笔调。蒲氏姊妹的父亲，是一个经销"云腿"的富商，后来她们的二哥，继承了父业，书中对他有这样的描写："三十年代二哥在昆明商号任经理时，一天晚上有一个小偷爬进商号来偷东西，被店员们捉住，准备打一顿后送公安局，二哥立即阻止了他们，并说：'人家是穷极了才来偷一点东西救命的，人都是人生父母养的，有吃有穿的谁愿意当小偷来偷东西挨打呢，还是放了吧！'于是，店员们既未打也未骂就将小偷放了。"这位二哥信佛，还对中医颇有研究。他的命运最后如何呢？书中写到："土改的时候，二哥被划为地主，他被关在监狱里。他不理解新社会的变化，看不到自己的出路，最终于一九五二年一月在宣威第一看守所服毒自尽了，他享年五十六岁。"我注意到作者使用了"享年"这样的字眼。蒲氏三姊妹如果当年不能冲出家宅老院，到宽阔的天地里去吮吸时代潮流中的精华，并自主地选择了一条革命道路，那她们的生命之花，恐怕会寂寞而猥琐地谢落在边陲尘埃里，回首往事，岁月无悔，那心音笑容确是刚健而亮丽的。但作者却又能对二哥的命运体现出一种怜悯的情怀。承认革命大潮的合理性，而又能对受大潮冲击的具体生命作个案分析，有所理解，发出喟叹，这种已革命而能悯人的情怀，打动了我。

蒲氏三姐妹的夫君，后来都是高干，却又都受到过异乎寻常的错误打击。卓琳所经受的考验，惊心动魄的程度自不消说；雷迅（蒲石英）也经受了爱人被作为"右倾分子"挨整的艰难岁月；蒲代英自己呢，不看不知道，看了吓一跳：她的爱人乐少华，一位 1927 年入党的老红军，在 1952 年 1 月 15 日，因"三反运动"中被诬告，受到冲击，开枪自杀。书中把这些事，概括为"月有阴晴圆缺"。月圆时，亲情自然浓酽；月缺时呢？书中写到，1952 年，卓琳一家到了北京，卓琳一再邀请蒲代英到北京，蒲代英去了，"卓琳比往常更热情地招待了我，我知道，她是在用这种方式安慰我。我们姐妹之间，不管到什么时候，都是互相理解的，这的确给了我很大的慰藉……卓琳说：'乐少华那么好的一个人，他怎么可能会犯这样的错误呢？我是不相信的。'"对于乐少华的自杀，卓琳并不认为是"自绝于人民"，而说："谁都有一时糊涂的时候。"书中这些记叙，都使我感受到一种自然而亲切的革命人情味，在漫漫人生长路上，即使是最坚强的革命者，有时也需要这种出自肺腑的信任与关爱，这种手足情、同志情的呵护托举。

一本书，可以从不同的角度来阅读。不同的阅读者，可以从同一文本里，往自己心灵里撷拾不同的花瓣。我特别注意到，书中写到作者 1949 年在解放军的军医大学学解剖课，从荒山上拾回了一颗头骷髅，后来放在床头，作为研究头骨构造的标本。作者说，她当时就产生了如下的一些想法："……想当初这上面也有眼睛、鼻子、嘴巴，面部表情一定相当丰富，现在什么都没有了，只剩下这一副狰狞面目了。它过去曾经是一个什么样的人，男人，抑或女人？是谁家的孩子？谁家的丈夫？抑或谁家的父亲、母亲？它是怎么死的？死的时候可曾悲哀过？……我的这些疑问，它都无法告诉我。现在，属于它的只有沉默。对它来说，阳光、空气和一切的景物都失去了意义。它是零，只能在另一个世界里享受着虚无。想到这些，我开始对人、对生命有了新的领悟。"这真是很撞击我心灵的领悟。我们常说，革命老前辈的回忆录是生活的教科书，但愿老革命这一方面的领悟，也能代代相传。

哲思的榆钱

崔自铎同志是一位长期从事马克思哲学研究的老教授，他从 1954 年起，就在从事教学和理论著述之余，随时记下自己脑中闪过的零星哲思，现在他从近半个世纪的这类记录里，提炼出了一本通俗思想读物——《人之论说——岁月沉思录》[1]。他在自序里说，在现实世界里，以主（人）客体两大存在形态的关系为基础，形成四种关系，即主（人）客体之间的认识关系、实践关系、审美关系、利害关系（价值关系）等。人类把握上述关系的目的，在于追求真、善、美、利，所以，他将多年积累下来的哲思，以真、善、美、利为纲，分列为人的理想、人的价值、品德、人格、爱情、智慧、创造、情感、文化、民主、科学、成功、荣誉等节，贡献给了读者。

对一般人来说，真、善、美并列，是耳熟能详的，但在真、善、美之后，还并列出一个利，并指出只有把真、善、美、利并列，才能全面地把握主（人）客体之间的关系，这说明崔自铎同志多年来的思考，是随时代而推进，而调整，而发展，而丰富，而全面的。我们曾经经历过一个不能言利的时期，即使提及，也是把利整个儿否定掉，对言利者予以猛烈批判、无情打击。现在社会发展到实现社会主义市场经济的阶段，置身其中的人们，特别是青年人，很需要在究竟如何对待利这个问题上，得到智者的指点启发。崔自铎同志这本"沉思录"的出版，可谓是一阵及时雨。他理直气壮地告诉大家："如果人是历史的中轴，那么其轴心就是人们的利益。历史上一切群众运动都是围绕这个轴心转动的。"又说："利，是善的精髓、核心。利的正面功能就是善。"这都很振聋发聩。但他也随之指出："利益具有上帝的仆人和魔鬼的仆人这两重身份，所以它可以把人们引进天堂，也可以使人们堕入地狱。"这就启发着读者，不必讳言利益，人不仅可以追求正当的利益——包括物质利益，以金钱为符码的实际利益——而且还应当勇于捍卫自己的正当利益，并善于发展自

---

[1]《人之论说——岁月沉思录》，崔自铎著，中国青年出版社，1998 年北京第 1 版，定价：8.00 元。

己的正当利益；但是，一己的利益，必须与他人的利益，群体的利益，民族的利益，国家的利益，后人的利益，相协调，相融合，相辅相成，水涨船高；追求利益的最高境界，则是以利施人，以利行善；倘若唯利是图，不按法律、法规，非法谋利，则会堕入罪恶的渊薮，损害他人、群体、民族、国家的利益，并且到头来也损害，甚至毁灭掉自己。也许我的这些阅读心得未必完全吻合于崔自铎同志的论述，但从我的这些心得展示，可以证明崔自铎同志的这本书，确实具有启发性。

在有关真、善、美的哲思中，崔自铎同志也都有出新之论。而笼罩全书的，则是一种"人本"情怀。他毫不含糊地指出："人的尊严，是第一尊严；人的崇高，是第一崇高；人的价值，是第一价值；人类的命运，是第一命运。"呼吁："要尊重人！即使他是罪犯和囚徒。"在这个前提下，他诚恳而执著地从各个角度，阐述我们生而为人的意义与责任，引导读者确立正确的世界观、人生观、价值观，使自己有限的生命，能开发出健康而美丽的花朵，结出丰满而甜美的果实。

读着崔自铎同志的这本"沉思录"，我不禁联想到春天的老榆树，榆树是朴实无华的，但它那枝条上的串串榆钱，仿佛便是从它壮硕的身体里，以心灵酿蜜，所生发出来的片片哲思，而随着春风的吹拂，榆钱离枝飘飞，氤氲着生命的芬芳……榆钱看似轻小，却营养丰富，于人有益；我曾吃过榆钱饼，那新鲜而清爽的感觉，赛过了大鱼大肉。崔自铎同志在该书后记里说："这是《论说》第一集。如可能，我将继续写第二集。"我殷殷地期待着，在新的春日里，崔自铎同志那哲思的榆钱，能更欢快地迎风翻飞。

真话直说

六月中旬从美国明尼阿波利斯返回北京的飞机上，恰好与韦君宜的女儿挨着坐，遂问她韦君宜的那本回忆录出版了没有？她说因出国三个多月，不知进展得

中 国 作 家 与 当 代 世 界

如何，话语间频频叹息，说她母亲这本书的稿子由牧惠经手，转了好几个出版社，总未落实；而母亲如今瘫卧病床，已失去说话的能力，头脑却还清楚，那模样，是痴候着亲友把印好的回忆录举到她眼前，方能瞑目了！

我回到家中，整理积压邮件，竟意外地拆获了北京十月文艺出版社寄来的《思痛录》，韦君宜的这本掏心呕肺的回忆录，终于出版了！忙展读一通，读完后，感慨不已！

韦君宜1917年出生于一个富裕之家，可谓名门闺秀，家里的意思，是待她大学毕业后，便送到欧美留学，以她聪慧的资质、好强的性格，倘走了这条路，一定早就成了一位蜚声海内外的外籍华裔学者了，今天我们若读她的书，说不定还得有人从外文回译成中文，其读后感，当然会是别样的了。但韦君宜却在十八岁那年，自己毅然选择了另一条生活道路，她积极投入了"一二·九"学生运动，并在抗日救国的热潮中，于1939年到达延安，从此成为党的一个文化干部，建国后基本上在北京的中央单位工作，现在可算是一位有着光荣资历的老革命了。她的回忆录，不称《思快录》，而叫《思痛录》，怪道有人闻之生疑，甚或以为忤逆。其实，韦君宜在人生的尽头，其意也诚，其言也善，她坦言当年之所以参加革命，投奔共产党，并不是因为家里穷窘，也不是因为个人感到无前途、不自由，而是因为当时民族穷，受侵略、不自由，倘不奋起反抗，便会亡国灭种；而对此，她并无悔意，甚至于还引为自豪。现在民族正在复兴中，她自然也与我们大家一样，企盼能稳健地迈进到一个较为理想的境界，但作为一个"过来人"，她又不能不把积蓄已久的心中真言率直吐出："我跟着党，受苦受穷，吃糠咽菜，心甘情愿。真正使我感到痛苦的，是一生中所经历的历次政治运动给我们的党、国家造成的难以挽回的灾难。同时在左的思想的影响下，我既是受害者，也成了害人者。这是我尤其追悔莫及的。"这本回忆录，反思左的政治运动的荒谬危害，忏悔自身也曾整人，痛定思痛，对历史，对他人，对自己，负起应负的责任，升华出澄明的认知，实在难能可贵！

这是一本说真话的书。真话难说，直说尤难。韦君宜的这本书，把真话直说的文体，发挥到了极致。她不仅绝无扭捏作态之姿，一扫宛转吞吐之弊，甚至于干脆去藻饰、卸铺垫，往往是一步到位，干净利落脆，读来振聋发聩，令人热汗淋漓，不由得扪心自问：面对她的真话直说，我们何以自处？

可惜的是，韦君宜虽在多年病痛缠身的情况下，以顽强的毅力写下了这十多万字，但她还有许多想一吐为快的材料思绪，却因为倏然失却了书写与叙说的能力，不能不储留于她的心间，使我们无望得见了！作为晚辈，我期望有尚能执笔或叙说的韦君宜式老人，给我们留下更多的经验教训之谈，使我们在朝前迈进时，增添必要的警觉与戒惕，使历史的伤痛不再复现。

1998 年 7 月 21 日绿叶居

回头觅岸
——《午夜阳光》序

九十年代初，颇有一些作家"下海"，他们大多宣称"下海"的目的，一是体验商海生活，二是"挣钱养文"。但有若干这样的作家一去不返，读者们简直都想不起他们来了。却也有若干这样的作家，果然在几年后写出了他们在"海"中的搏击沉浮、情迹心路，并且也确实闯出了一条"富而后工"的路子。这样的作家写出的长篇，我已读过几部，现在又读到了邹国义的《午夜阳光》。

这部长篇，出版者称是采用了"新写实与传记艺术相结合的手法"。这个关于其手法的术语是否科学，或许还有可商榷处，但我想所强调出的"写实"和"传记"这两个特点，应该说是准确的。这也是这类作品的共性吧。这样的小说，不是亲身参与过其事，是虚构不出来的；书中的人物，往往都是有原型的，而自己在书内，更往往化为了主角之一。我读《午夜阳光》，与读《月亮背面》、《找不着北》、《罂粟花》等一样，充满了兴趣。我的首要兴趣，是急切地想知道，九十年代的头两年过后，那忽然在中国大陆涌荡的大炒房地产狂飙，以及股票、期货投机旋风什么的，其内幕究竟如何？投身于商海惊涛骇浪中的人们，他们的内心里究竟都有些什么甘苦哀乐、挣扎感悟？《午夜阳光》给了我这方面许多新的资讯，进一步提升了我对这些事态人心的认知，并引出了许多新的思绪。我想《午夜阳光》与上述所引的其了几部类似作品的著者们，绝没有一起商量过，然而他们在确定书名，也就是选择表达抒感的符码时，却不约而同地凸现了"暗昧"与"晕眩"、"恶之花"一类的意象。这不是偶然的。他们所描绘出的"暗昧"，是我们的社会近乎陡然地跨入了商品社会，而且一下子玩起了发达资本主义国家玩了几百年甚至也还没有玩顺溜的那些危险的游戏，如房地产，股票，期货，等等；游戏规则尚未健全，甚至还根本没有拟出，游戏却已然如火如荼地玩开了，因此难免出现混乱、腐败、荒唐、堕落，尤其是在财富恶性积累下所出现的精神危机，道德伦理问题成堆出现，纯真感情被逢场作戏撕裂……这种对"暗昧"的揭示，倘若是一味无肝肺地铺陈，那是不可取的，会令读者对改革开放的总方向产生怀疑，并派生出悲观、虚无一类的消极影响；然而以上所列举的这些作品，比如这本《午夜阳光》，它一方面绝不回避市场经济发育不健全时的种种暗昧景象，一方面又在叙事中处处渗透出对建立健全市场经济游戏规则与公平原则的激情呼唤，所谓"午夜"时的"阳光"，那阳光既是著者与读者的良知，也是历史进程必将提供给我们的可能，因此，这部小说具有很高的认知价值，并且其最终的思维导向，是乐观的，也是健康的。

香港女作家梁凤仪，九十年代一口气写出了几十本"财经小说"，在题材领域的展拓上有其一定的积极意义，但给人的总体感觉，是多数艺术上都较为粗糙。邹国义的这本长篇也可以称为"财经小说"，他"下海"数年，素材感受是极为丰沛的，按说他把这些素材甩成长长的面条，攒成"系列"，起码搞成"三部曲"，是不成问题的；可是他却很注意提炼与升华，在叙述方式上，语感节奏上，大结构的营造与小细节的选择上，都宁精勿滥，因此，这部《午夜阳光》具有一定的艺术品味，这是难能可贵的！

邹国义为写这部长篇，可谓含辛茹苦、呕心沥血。目前他身患重症，尚在与病魔抗争。我很高兴能先睹为快，并为这部长篇作序。这是一个认真的"下海"者，在遨游惊涛后，回头觅岸的执著之作。岸在何处？我想，康复的邹国义与我们，一定会在共同的良知中，踏上那坚实的岸崖。

1997 年，仲夏，于北京绿叶居

抹不掉的王朔

王朔哪里去了？

好一段时间，传媒中鲜有王朔的消息。听说他到美国去了。好像是，美国一家出版社，出了他的小说集，是由葛浩文翻译的。葛浩文的中译英，是被认为最具水平的。他的赴美，应是被邀去为他的书作宣传。这在西方是最正常的事。比如我们都知道英籍作家韩素音，她有一半中国血统，为我国几代领导人所看重，一来北京，便会安排她和高层的会见，其消息照例会登在报上，还常登在头版；她就当面亲口跟我讲过，她几乎每出一本新书，都要由书商安排，作巡回宣传，其方式有演讲、座谈、签名售书，等等。我们这边对作家自己出面宣传自己的著作，如签名售书，尚有訾议，但像韩素音这样的外国作家，是把这类行为视为天经地义的。别的例子不再举了，简言之，倘若韩素音巡回宣传、推销其著作不算离谱，则对王朔的赴美宣传、推销自己小说译本，当然不必感到惊奇。

王朔从国内传媒中淡出了。然而也不是毫无踪影。在今年 5 月 23 号的《济南时报》第六版上，有一条"本报讯"曰："琼瑶引来了言情小说，王朔兴起了'痞子文学'。姑且不论其文学价值，仅从休闲角度而言，确实在全国范围内吸引了众多读者，一时间形成言情小说热、王朔作品热、小女人散文热等种种潮流。但是，如今休闲读物却难现昔日潮流之辉煌……在最近开幕的上海文汇书展上……一位三十出头的先生告诉记者，尽管他喜欢闲暇时看看休闲读物，可是逛了一大圈却没有买书，理由很简单……能引起阅读兴趣的书实在太少。一位书店经理叹苦经：休闲读物出得很多，可就是形不成热点。尽管有些书媒体炒作得很红火，但是和当年的琼瑶、三毛或王朔相比就差得太远了……"这条消息的题目便是《琼瑶王朔后继乏人》。把王朔的作品简单地归入休闲读物，似非恰切，但这条消息是把王朔及其作品作为一种正面价值提出，并呼吁应"后继有人"，倒很引人深思。

王朔的不再红火，因素不止一端。但他的创作被谥为"痞子文学"，则似乎是导致他和他的作品淡出的最重要的一个原因。王朔＝痞子；王朔作品＝痞子文学；读王朔作品＝学当痞子——这似乎已铸成了铁案。但我却觉得，这即使不是百分之百的冤案，也是百分之七十的冤案。据说王朔说过"我是流氓我怕谁"。他是在什么时候，什么场合，对什么人说的？原始记录何在？他在自己公开署名发表的文章中，有过这样的宣言吗？我读过王朔不少的小说和文章，我没见到过，也许是我漏读了；但就我所读到的批评王朔的文章而言，提到这句话的时候都没有注明出处。现在能有人向我提供准确的原始出处吗？我倒是记得，在王朔最火的时候，有人编辑过一本关于王朔的书，满大街书摊上卖，那封面上倒是印着这句骇人听闻的话；我曾在书摊边草草翻过这本书，无论如何，这不是王朔本人的著作，印造前是否经他本人审阅同意，也很可疑；如果说是根据这本显然由个体书商粗制滥造，唯求一时赚钱的书，便断定王朔以"我是流氓我怕谁"为自己的创作旗帜，那我以为是有失公允的！

王朔是八十年代后期到九十年代中期，一个影响极大的作家。要对他作出结论，应认真研究他的全部或至少是大部分创作，而不能以朦胧的印象，道听途说，甚或片言只语，来轻率地行事。

王朔的作品，不能说成全属休闲读物。比如他的长篇小说《我是你爸爸》，便发表在绝非休闲性质的纯文学刊物《收获》上，并由人民文学出版社出了单行本。这显然是一部严肃的，属于雅文学的作品；当然，其可读性很强。值得注意的是，这部作品曾于 1992 年获得上海市第一届长中篇优秀小说大奖，这个奖项是在上海市委和市政府直接关注下设立的，其评定结果是要报批的。难道《收获》杂志，人民文学出版社，还有上海市，都是在支持"痞子文学"？在鼓励读者们跟着王朔去当"痞子"？我读过王朔的这部长篇，很喜欢。我以为这部作品里隐含有关于"我是谁的儿子？又是谁的爸爸？谁是我的儿子？"也就是"我是谁？"这一终极思考或曰终极追问的，叙述的语韵是在调侃中糅进了惆怅，是颇具"人文精神"的。我想即使我解读得不对，那么，给这部著作评上奖的评委们，颁奖的机构，总不至于落下"中国作家引导中国人民堕落"这类的罪名吧！

王朔还有相当不少的中篇小说，是首发在群众出版社的《啄木鸟》杂志上的。众所周知，群众出版社是公安部所属的出版社，《啄木鸟》所啄的害虫之一，便是流氓。如果王朔的小说是宣扬"我是流氓我怕谁"这样的主题，是教唆人当"痞子"，那么，群众出版社和《啄木鸟》会一而再、再而三地刊登他的小说吗？至少到目前为止，我没见到群众出版社和《啄木鸟》为刊登过王朔的作品作检讨。其实根本不要检讨。我在群众出版社也出过书，也给《啄木鸟》写过稿，《啄木鸟》至今期期惠赠于我，是很健康的刊物，上面所刊发的王朔的作品，差不多我都看过，有的喜欢有的不喜欢，但哪里有教唆读者当流氓或痞子的问题呢？

王朔的语言有他的风格。他常给他的小说取上一个吓人一跳的题目。《千万别把我当人》，这还得了！我怀疑有的人根本没看这篇小说，只是根据题目，便愤怒了。其实你试着读读，也许你不喜欢、不同意他的调侃，但是你能说他那便是教人学坏吗？我记得曾在报上读到一篇陈祖芬为这篇作品所写的文章，题目忘了，不是评论，而是随笔，她那文章的大意，是读得好开心，完全是赞叹，没什么批评；陈祖芬的意见固然仅是一家之言，但我想如果王朔是个流氓并且写诱人当流氓、痞子的小说，陈祖芬这样的作家读了恐怕只会愤慨和恶心，何能开心？还有《过把瘾就死》，光看这个题目，又吓一跳！这叫什么人生观？！可是这小说改编为电视连续剧后，很多观众喜欢，还评上了"飞天奖"，难道喜欢它的观众都是流氓或准流氓，而"飞天奖"的评委们呢？他们是不是犯了大错误？再有《动物凶猛》，也够炸耳的，由姜文改编为《阳光灿烂的日子》，你当然更可以一万个不喜欢，然而你恐怕也没道理用"臭流氓"一句话将其否定。

王朔不仅写小说，他在近十年的文化活动中，是由文学辐射出去，及于影视等领域，这就使得他一度出尽风头，名声大噪。九十年代初轰动一时的电视连续剧《渴望》，王朔是策划人之一。后来更策划并参与编剧，推出了脍炙人口的《编辑部的故事》。《编辑部的故事》是"王朔风格"的集大成。这部电视剧的主题歌，用纯情的童声高唱"人字的结构，就是相互支撑"，那不是赤裸裸的"人文精神"吗？你不喜欢，你讨厌，可你能把这也归拢到"痞子"的筐里吗？

王朔的衰落，是否出于江郎才尽？恐怕有这个因素。他自己似乎有过这样的直率表白。他写足了小说，"触电"不止，不仅策划、编剧，还发展到上镜表演，乃至于导演了根据自己长篇小说拍摄的电影《爸爸》。《爸爸》至今未修改好，但我问了有关人士，并未被"枪毙"。

我不是王朔的亲戚，更算不上朋友，也从未有过合作，仅只是认识而已。我也不是他的作品的热爱者，更不是研究者。然而我颇为王朔不平。

作家协会开五次代表大会，王朔是作协会员，本人也愿意参加，可是特邀了近百名代表，也还是把王朔排除在外。这令我不解。作为一个体现大团结的会，少了王朔，是个明显的缺陷。

还有一件事我也大惑不解。北京大学新出版了一套百年文学经典，连不是文学界的摇滚歌手崔健都有两首歌词入选，却不见王朔的名字和一篇作品。

我们的文学界，这些年来对历史上消失颇久的作家作品，真是做了许多的钩沉工作，最近我看到报刊上有关于敌伪时期北平作家梅娘的介绍，还刊出了她的作品获得"大东亚文学奖"的照片。"大东亚文学奖"是什么性质的奖？愿懂得的人有以教我。如果我们的视野里连"大东亚文学奖"的获得者都容得下，那为什么容不下上海市第一届优秀长中篇小说的获得者？

王朔其人其作可以批评、批判，却不可抹杀其存在，似乎在中国大陆的八十年代中期到九十年代中期，没这么个人，没那么些作品，这是无论如何说不通的！

历史的教训，已经很多。"反右"和"文革"不去说它了，零星地令作家作品消失的例子，我想得起来的，就有萧也牧因为《我们夫妇之间》等小说"不健康"而消失，写《关连长》的作者也因这一篇惹出了"资产阶级人道主义"的麻烦而再无踪影；连《围城》也有很多年不能再版；还有写《布谷鸟又叫了》的剧作家，叫杨履方，剧本被批判后显然伤了元气，再没引人注目的作品，或竟不再创作……回想这些事是很不愉快的，然而，为了不再轻率地"结束"一个作家及将其作品"下架"，我们，至少是作为同行，应当想一想，我们是不是该说点什么，甚至做点什么？

当然，王朔毕竟是抹杀不了的。《济南时报》上的一条小消息就告诉我们，不仅有读者想念他，也有书店经理在挂念他。听说王朔打算在美国多留一段时间，试着在那边给华人族群的文化机构写写影视剧本。又听说他那本译成英文的小说集不仅销得不错，传媒上的好评也不少；他说自己在国内算是已经火过去了，在海外，影响倒刚刚大起来，看来且能火一阵。这些传闻不知确否。不过，依我想来，王朔的文学不仅源于中国大陆的社会生活，而且也深深地根植在我们共同的母语之中，因此，他必定会回到我们身边，那时，我们也许能够，而且应该善待他，就如我们都应当善待自己，并且互相善待一样——我说的善待当然不是一团和气，而是包括了分歧、争论、碰撞乃至于有时会是很伤感情的激烈冲突，但是到头来我们还是要清醒地认识到：对方也有其存在的权利！也就是说，只要去掉了"灭掉他"的阴暗心理，履行"虽然我万万不能喜欢你认同你，可是为了你也能来一起开大会，也能在文学编年记录中留下应有的痕迹，我愿为你说话，为你做事"的原则，便是善待！

我终于写出了近几个月一直想公诸于世的这些话，胸中一时松快多了。我意识到自己的渺小，肤浅，特别是无能为力，然而我对自己说：写下并发表它是值得的。

1997 年 6 月 11 日凌晨于绿叶居

让心湖活水满盈

　　张典姊[1] 三十多年前从台湾到澳大利亚留学，后来在那里定居、执教，这种人生轨迹不仅是地域的变迁，更是文化环境的转移，一颗敏感的心，浸润在东西方两种文化的汁水里，个中滋味，真可谓一言难尽。虽难尽，却畅言，这便使得张典姊三十多年来，不间断地用母语撰写散文随笔，录下了心路履痕，在她自己来说，回望这些雪泥鸿爪是一种动情的享受，对于读友们呢，从这些自心灵深处耙剔而出的文字中，则能体味出人生相通的酸甜苦辣，并在与自己命运的比照中，生出联想，引发憬悟。

　　张典姊的不少散文，以介绍澳洲风物为依托，寄寓了自己对人生终极意义的反复叩问，这就使她的文字不仅有"画面"，而且有深度，读来厚重扎实。有时她又使用借物咏志的手法，以散文诗的体裁，相当空灵典雅的短句，化解内心的焦虑，抒发旷达的情怀。在岁月的嬗递中，因"林花谢了春红，太匆匆"而喟叹"人生苦短"已成文人笔下的滥觞，可是张典姊却从她的人生体验中提炼出这样清丽可诵的句子："去的是美好的。来的也将有去的一日，因此来的也是美好的。"她就在去去来来的日子里，管自哼着自己独特的歌。

　　一方面，归化了异乡，另一方面，却又坚守母语文化，张典姊的这种生命定位，在海外华人中是具代表性的。在《唐诗是神龛》一文中，她写到目睹已成为"国际文化名人"的钢琴家傅聪，在堪培拉演出后的庆功宴上，任是掌声鲜花恭维赞誉都已麻木，只是拉上一二知己到宴会的一角，一边饮酒一边吟诵唐诗名句，心才陶醉，眼才放光。母语文化中的精华，就这样构成了海外游子们心灵的活泉！

　　张典姊悠游在中西文化之间，她有些文字，是作东西文化的比较。她曾在澳洲悉尼华文作家协会的颁奖会上作《忆屈原》的演讲，讴歌屈夫子为理想不惜陨

---

[1] 张典姊：澳大利亚东亚文化艺术交流协会会长；《张典姊散文选》即将由人民文学出版社出版。

灭的豪情。她也译述过澳洲土著神话《佳民与水妖》，在那神话里，追求水妖之女的原住民好汉，即使最终被水妖裂成碎片，也还是不弃其执著的追求。屈原与佳民在不同的时空中，演绎出情节迥异的悲剧，然而他们以"美人"为理想寄托物，虽九死而不悔的精神，竟如此之相通。这说明东西方文化也好，各民族的地域文化也好，到头来人类还是一家，以文化为桥而心心相通，不仅可能，而且是实现"环球同此凉热"的最佳管道。

张典姊曾祝福自己："每日的心湖是活水满盈。"人生在世，心湖绝不能成为一潭死水，更不可任其干涸；操笔为文，更必须从心湖中引出清溪潺潺，注入读友性灵，使其心湖亦活波荡漾。来日方长，我们期待着张典姊从活水满盈的心湖中，漾出更多的碧波滟浪。

1998 年 3 月 5 日北京绿叶居

失父：一种生存困境

金庸最后一部武侠小说《鹿鼎记》曾使不少"金迷"感到困惑，以至不断有读者写信问他："《鹿鼎记》是不是别人代写的？"因为他们发觉，这部作品与金庸此前的作品有很大的不同，特别是其主人公韦小宝的品德，与一般的价值观念太过违反，"武侠小说的读者习惯于将自己代入书中的英雄，然则韦小宝是不能代入的。"金庸自己明言："《鹿鼎记》和我以前的武侠小说完全不同，那是故意的。"[1]

我以为，《鹿鼎记》中韦小宝这个主人公的出现，标志着金庸的小说已彻底超越了所谓"武侠小说"的范畴，而汇入了中国现代文学的主流之中。中国现代

---

[1]《鹿鼎记》《后记》，北京三联书店 1994 年版，1989 页。

文学的开山作，应推鲁迅先生的《狂人日记》，这篇小说激烈地抨击以"天、地、君、亲、师"为纲常的中国"礼教"传统，认为那是一个"吃人"的传统，"自己想吃人，又怕被别人吃了，都用着疑心极深的眼光，面面相觑。"[1] 这篇小说里虽然没有直接出现"父亲"的形象，但"大哥"这个人物实际上代表着"父亲"（中国人向来认为"长兄如父"）。小说的第十节，写到"狂人"与"大哥"短兵相接，他直截了当地劝诫"大哥"及其帮凶们："你们可以改了，从真心改起！要晓得将来容不得吃人的人，活在世上！"[2] 这既是痛入肺腑的劝诫与警告，更是高声呐喊的控诉与审判。这种"审父情结"贯穿在鲁迅以后的无数作品中。他也曾反过来表达这一思绪，例如写下了《我们现在怎样做父亲》，事情弄到必须探讨"怎样做父亲"才算得"父亲"的地步，可见实际上也就成为了一种"寻父情结"。这也说明，中国人往往处于"失父"状态。

鲁迅先生最好的小说，应推《阿Q正传》。阿Q便是一个"失父"的人。"我并不知道阿Q姓什么。有一回，他似乎姓赵，但第二日便模糊了。"因为他自称姓赵后，竟被未庄里的赵太爷"跳过去，给了他一个嘴巴"，并斥责他："你怎么会姓赵！——你那里配姓赵！"[3] 阿Q实际上是一个不能确认其父的野种。

金庸写《鹿鼎记》时，未必是想起了《阿Q正传》，但一种相通的深幽痛苦，使得他这一回决意冲破"武侠小说"的固有模式，来写一位"杂种"的奇诡命运。这"杂种"便是韦小宝。韦小宝生于清初扬州妓院"丽春院"，他的母亲是明确的：韦春花；但他父亲究竟是谁，连他母亲也不能确指。

文学史上，有过若干那样的作品，写儿子寻母或寻父，终于寻到，皆大欢喜。武侠小说中，这更是一种常见的情节模式。《阿Q正传》中的阿Q无父母，却并不是一个阿Q寻觅血亲的故事。但你不能说阿Q什么也没有追寻，他追求过吴妈，

［1］《狂人日记》，《鲁迅全集》第1卷，人民文学出版社1981年版，429页。

［2］同上书，430页。

［3］《阿Q正传》，同上书，488页。

以满足情欲，这当然只能说是浅层次的东西；但他也曾追求过革命，尽管他实际上并不懂得"革命"到底是怎么一回事儿。他的追求"革命"，是由于：

> 阿Q的耳朵里，本来早听到过革命党这一句话，今年又亲眼见过杀掉革命党。但他有一种不知从那里来的意见，以为革命党便是造反，造反便是与他为难，所以一向是"深恶而痛绝之"的。殊不料这却使百里闻名的举人老爷有这样怕，于是他未免也有些"神往"了，况且未庄的一群鸟男女的慌张的神情，也使阿Q更快意。
>
> "革命也好罢，"阿Q想，"革这伙妈妈的命，太可恶！太可恨！……便是我，也要投降革命党了。"[1]

冯友兰先生曾把人生的境界分为四个层次，以对人生意义的了解程度为序："（一）自然境界——最低级的，了解的程度最少，这一类人，大半是'顺才'或'顺习'。（二）功利境界——较高级的，需要进一层的了解。（三）道德境界——更高级的，需要更高深的理解。（四）天地境界——最高的境界，需要最彻底的理解。"[2] 阿Q的想"革命"，是从第一境界跨入了第二境界吧，但就连这一境界，他也逗留不久，因为革命党人不许他革命，而赵秀才和假洋鬼子等却"咸与革命"了。结局是人所共知的：阿Q被枪毙了。阿Q虽在小说里死掉了，却如幽灵般游荡在一代又一代中国读者心中，并且也游荡在此后一部又一部中国作家所撰写的小说里。真是"阴魂不散"，《阿Q正传》发表半个世纪左右，在金庸的《鹿鼎记》里，我们看到韦小宝时，真是不想不觉得，越想越蹊跷：这两个文学形象，怎么有着那么多的相通之处！

除了都是"野种"，阿Q与韦小宝这两个人物都既天真烂漫，又寡廉鲜耻；

---

[1] 同上书，513页。
[2]《冯友兰学术文化随笔》，中国青年出版社1996年6月版，100页。

既淳朴无辜，又欺软怕硬；既不肯出力，又得懒且懒；而且，都经常使用"精神胜利法"这个"不二法宝"，来填塞自己空虚的心灵。比如有一回韦小宝又遇到别人让他发誓赌咒：

> 发誓赌咒，于韦小宝原是稀松平常之极，上午说过，下午就忘了，下午说过，没等睡觉就忘了……忙道："皇天后土，韦小宝如将……秘密泄露了出去，日后糟糕之极，死得跟老婊子那个男扮女装的王八蛋师兄一模一样。"心想："要我男扮女装，跟老婊子去睡觉，这种事万万不会做，那就决不能跟这王八蛋师兄死得一模一样。"发了誓日后要应，他倒是信的，因此赌咒发誓之时，总得留下后步。[1]

这种欺天地鬼神的"发誓"方式他屡屡使用，以"留后步"来求得心理上的平衡、精神上的"战无不胜"。

但是《鹿鼎记》毕竟大大地不同于《阿Q正传》，韦小宝这一文学形象也毕竟是与阿Q有众多迥然不同之处的"这一个"。我之拿他们作对比，主要还是因为他们在中国现代文学史的文学形象谱系中，同属"失父一族"。

失父的第一层含义，自然是"无从指认其父"的意思。

失父的第二层含义，是他们总在冯友兰先生所说的"第一（自然）境界"与"第二（功利）境界"中游荡，尤其是阿Q，始终不能跃升至高些的境界之中。高些的境界，即"第三（道德）境界"和"第四（天地）境界"，实际上，便是获得一个"精神上的父亲"。一般来说，在中国文化的符码系统里，"母亲"往往意味着生育、喂养、抚爱、慈怜，而"父亲"则往往意味着教育、管束、指引、奖惩，也就是赋予生命以精神上的价值。中国传统道德将"孝道"置于伦理之首，"孝顺"便是要求子女尊重服从父亲的意志，唐君毅教授曾这样概括："父母之爱子女，纯

---

[1]《鹿鼎记》，版本同上，578页。

为生物的；而孝顺，对父母之爱戴，则非生物而为道德的，因其基于义务感或恩情，因而是精神的。"[1] 阿 Q 不仅不知道自己的生身父母为谁，也始终没有找到一个可以替代"父亲"好对之"孝顺"的对应物，终于在没有"精神"的情况下被糊里糊涂地杀了头。韦小宝比阿 Q 的境界略高，他懂得"讲义气"，这是他从与妓院相连属的茶肆书场戏院中听说书听来、看戏文看来的，浸润到他灵魂深处，使得他在许多关键场合跃升到冯友兰先生所说的"第三（道德）境界"，迸发出一些闪光的作为；然而到头来他还是没能找到一个坚实的"精神"，直到幕落时他也还是无从"孝顺父亲"，亦即从头到尾都处于"失父"状态。但韦小宝所演出的，却不是阿 Q 式的悲剧，倒是一出绝大的喜剧，乃至闹剧，他热热闹闹、轰轰烈烈地，全凭运气，渡过了无数难关劫波，成为了一个"大获全胜"的"通吃伯"和"鹿鼎侯"。

失父的第三层含义，是纵使你真遭逢了一个"精神"，但你还是不能确定，那"精神"是否便足以作为你的"父亲"。这是失父的最大悲哀。《鹿鼎记》的独特贡献，便是通过韦小宝的传奇经历，揭橥了这一份弥天盖地的大悲哀。

《鹿鼎记》的故事，借清康熙朝前期为背景展开。由于一个偶然的机缘，韦小宝竟得千里迢迢来到北京，并进入紫禁城中，以小太监身份，与康熙接近，并进一步取悦于康熙，帮助康熙制伏了心怀不轨的权臣鳌拜；谁知又由于另一个更偶然的缘由，他又胡里胡涂地被推举为了反清复明的秘密组织天地会的"青木堂香主"；这就使他陷入了"两个父亲中认哪一个才是？"的生存困境之中。倘若事情仅仅是这样，倒也罢了。金庸先生的生花妙笔，在一环扣一环，而环间更有反扣的紧张而诡谲的情节推进中，将韦小宝的失父状态写到了十二万分的尴尬的地步。有论家曾统计过韦小宝在小说中所拥有的一系列互相矛盾的身份，那起码有十二种以上："他的第一种身份当然是扬州妓院的小流氓，活动于妓院、戏院、书场及市井之中。第二种身份则是清廷红人：假太监而至五品；最后官至'抚远

---

[1]《中国人的心灵》，联经出版事业公司 1984 年版，159 页。

大将军'；爵至'鹿鼎公'——而且是一等公——离'王'只差一步之差；第三种身份是'反清复明'的组织天地会总舵主陈近南之徒，兼青木堂香主；第四种身份是卖国投俄的反动组织'神龙教'教主及夫人的记名弟子；第五种身份是前明公主独臂神尼的弟子，学得'神行百变'的功夫；第六种身份是少林寺记名弟子，兼五台山清凉寺住持方丈；第七种身份是西藏桑结喇嘛的拜把子弟兄又是蒙古王子葛尔丹的拜把子弟兄；第八种身份是俄罗斯摄政王索菲亚公主的情人、军师，封为'远东伯爵'之号；第九种身份是代理台湾地方最高行政官且政誉颇佳；第十种身份，则是康熙的妹婿，兼而又是李自成、吴三桂、陈圆圆的女婿；同时又是反清复明的沐王府小姐沐剑屏的丈夫，是王屋山草寇之王曾家的女婿……娶妻七人，其身份可谓包罗万象；第十一种身份则是明末清初汉族大儒顾炎武、吕留良、黄宗羲、查继佐等人的救命恩人兼生死之交；第十二种身份是太监海大富以及皇帝康熙等人的'记名弟子'……如此等等，不一而足，身份之复杂，简直是叫人匪夷所思！"[1] 韦小宝的这种"多重身份"，恰恰说明他是极度地失父，不仅经常在两个可以指认为"父亲"的"孝顺"对象面前感到无可适从，而且，往往是夹在两个以上的"对应物"之间，简直更不知谁可为其父了！

韦小宝在他的传奇性遭际中经常被提醒，不得"认贼作父"，如独臂神尼，法号九难，系明朝亡国皇帝崇祯的长公主，在捕获韦小宝后，就曾：

……脸一沉，森然道："你既是汉人，为什么认贼作父，舍命去保护皇帝？真是生成的奴才胚子！"

韦小宝心中一寒，这句话实在不易回答，当时这白衣尼行刺康熙，他情急之下，挺身遮挡，可全没想到要讨好皇帝，只觉康熙是自己世上最亲近之人，就像亲哥哥一样，无论如何不能让人杀了他。[2]

---

[1]《金庸小说赏析》，陈墨著，百花洲文艺出版社 1996 年 10 月版，334-336 页。
[2]《鹿鼎记》，版本同上，945 页。

其实韦小宝虽跟独臂神尼撒过谎，说自己是"扬州穷人家的孤儿，爹爹给鞑子杀死了"云云，却并不等于说自己一定就是汉人，他的自我意识里，并没有"我是汉人"这一"核心"，而康熙在他心目中，也只是一个既抽去了民族属性更遑论权力地位的亲密玩伴，对于韦小宝来说，并不能在心目中确定"反清复明"这一"大义"，他虽不是"认贼作父"，也确实是失父而不自知了！

据书中描写，康熙对韦小宝那真是爱勉有加、仁至义尽，甚至在韦小宝公然抗命，不但不去为康熙灭掉天地会，反逃避到海岛上"逍遥法外"，俨然"自我为王"之后，康熙仍对他只有想念与恩爱，而并无记恨惩罚之心，竟派出几批人在沿海各处搜寻，并命士兵齐声高呼："小桂子，小桂子你在哪里？小玄子记挂着你哪！"（"小桂子"是韦小宝初入宫充小太监时所使用的呼名。）从康熙方面来说，这位圣君威皇似乎大有爱韦小宝如子的心劲，但从韦小宝方面来说，他却始终至多把康熙视作一个"亲哥哥"而已，他并不将其奉为"亲生父亲"。到第四十三回，全书再有七回即将落幕，"身作红云长傍日"的韦小宝这才向康熙坦白出自己的种种真实面目：

> 韦小宝爬在地上……忙磕头道："是，是。皇上一切都已知道了，奴才怎敢再有丝毫隐瞒？"当下将如何去康亲王府杀鳌拜而为天地会所掳，如何拜陈近南为师，如何被迫入会做了青木堂香主等情，一一照实说了，最后述说如何遇到归家三人，如何掷骰子输给归钟，如何绘图密奏，如何在慈宁花园为归二娘所擒，如何指引三人袭击太妃鸾轿以求皇帝得警等等，至于盗四十二章经等等要紧关节，自然略过不提。他说了这般长篇大论，居然谎言甚少而真话极多，一生中算是破题儿第一遭了。[1]

可见到头来他还是不能把康熙视为父亲，把自己的肉体和精神都奉献给他。

---

[1] 同上书，1669页。

《四十二章经》是贯穿全书的一大悬念,几派人物都想把八部经书找全,若找全了,将藏在经书封皮里的上千块羊皮碎片细心拼合,则是一幅地图,上面标明清朝政权的"龙脉"所在,并标明其祖传的宝物埋藏处。所有痴心占有全部《四十二章经》的各派人物到头来都两手空空,唯独韦小宝或无心或有心,阴错阳差,天假人便,偏凑全了所有八部经书,并在双儿帮助下拼出了地图,但是韦小宝到头来未将从此书中搜拼出的地图献给任何一方,而是付之一炬。按说韦小宝若认明了自己应皈依的父亲,比如圣明天子康熙,他应将此地图竭诚奉献,以使大清江山"龙脉"永葆,并能丰盈国库;或他认反清复明的领袖,比如陈近南为父——他也确一度产生过这样的感情冲动,尤其是在陈近南遇害身亡时:

> 眼见陈近南已死,韦小宝悲不自胜⋯⋯哭道:"师父死了,死了!"他从来没有父亲,内心深处,早已将师父当成了父亲,以弥补这个缺陷,只是自己也不知道而已;此刻师父逝世,心中伤痛便如洪水溃堤,难以抑制,原来自己终究是个没父亲的野孩子。[1]

但这种感情冲动,也只是达到生物性地"认父"这一程度罢了。完全没有类似"革命尚未成功,同志仍需努力"那样的精神升华,倘是有那样一种坚信"师父精神不死"的情愫,那么,把已到手的全部《四十二章经》献给天地会,岂不是顺理成章之举吗?

就这样,韦小宝既不能"认君为父",也并没有"认贼为父",他甚至也没有强烈的"寻父意识",他就那么在失父的状态中,度过自己貌似幸运实为颠顿的人生!

《鹿鼎记》写出了失父人生的荒诞,也写出了若真想认父,那父可未必是好认的生存困境。康熙一再指责过韦小宝"脚踏两头船",那是把反清复明的势力

---

[1] 同上书,1740-1741 页。

当做了与其相对的"一头",其实反清复明的势力岂止"一头",就是天地会这一股力量,究其实,也未必都是"一头",韦小宝被天地会裹胁而去后,总舵主陈近南给他上课说:

> ……本会共有十堂,前五房五堂,后五房五堂。前五房莲花堂、洪顺堂、家后堂、参太堂、宏化堂。后五房青木堂、赤火堂、西金堂、玄水堂、黄土堂。[1]

真是分支繁复。倘若反清复明的"大业"果然成功,该哪一堂来坐龙庭呢?后来韦小宝又从高彦超和玄贞道人那里得知:

> ……沐王府是桂王手下,咱们天地会是当年唐王天子手下。……当年李闯攻入北京,逼死崇祯天子。吴三桂带领清兵入关,占我花花江山。各地的忠臣义士,纷纷推戴太祖皇帝的子孙为王。先是福王在南京做天子。后来福王给鞑子杀了,咱们唐王在福建做天子,那是国姓爷郑家一伙人拥戴的,自然是真命天子。哪知道另一批人在广西、云南推戴桂王做天子,又有一批人在浙江推戴鲁王做天子,那都是假的真命天子。[2]

这情势就更纠结复杂了。后来沐王府的人与天地会的人要联合对付清廷,凑到一处,因为争究竟谁是"真命天子",险些火并。面对这种情势,韦小宝纵使满心满意地要认一个"真命天子",把反掉清廷而恢复的那个明廷奉献给他,亦即认准其为"父亲"(不仅是利益归属上的"父亲",而且是精神上的"父亲"),也难矣哉!当然,或者先树立起一个"父亲的标准",比如,以古史中的圣君尧、

---

[1] 同上书,285页。
[2] 同上书,307页。

舜、禹、汤为楷模，那也不失为一种确认父亲的出发点，但韦小宝完全没有相应的历史常识，他听人说起四位圣贤，重复时只说是"鸟生"、"鱼汤"，连跟康熙交谈，也是如此。韦小宝心目中全然没有父亲的标尺，没有一点形而上的升华，因此只能是不断地被指斥为"认贼作父"，"只把他乡作故乡"，"更向荒唐演大荒"，糊里糊涂，浑浑噩噩，在失父的状态下享受人生中最浅陋鄙俗的"艳福"。

从某种意义上说，失父，也就是做不稳儿子，亦即做不稳"真命天子"的奴隶。鲁迅先生曾极其沉痛地指出：

> 任凭你爱排场的学者们怎样铺张，修史时候设些什么"汉族发祥时代""汉族发达时代""汉族中兴时代"的好题目，好意诚然是可感的，但措施太绕弯子了。有其更直截了当的说法在这里——
>
> 一，想做奴隶而不得的时代；
>
> 二，暂时做稳了奴隶的时代。[1]

韦小宝算是"三生有幸"，处于"暂时做稳了奴隶的时代"。注意，仅是"暂时做稳"。在《鹿鼎记》中，韦小宝虽与顾炎武等大儒结交，但并不能将他们那些形而上的思维成果奉为精神之父，出人意表的是，顾炎武等四位大儒反清复明的理想频频受挫后，"病笃乱投医"，竟提出来"韦香主自己做皇帝"！失父者反被推认为父，这真是金庸先生极富谐谑的一笔。是的，倘若一个生命个体实在找不到任何可以当作父亲的对应物，那么，使自己进入"道德世界"再跃升"天地境界"，以充实而高尚的理念"自我为父"，也未尝不可。然而韦小宝却这样向大儒们赤裸裸地坦陈自己的想法，其间也穿插着随机应变的胡说八道：

> "我是小流氓出身，拿手的本事只是骂人赌钱，做了将军大官，别

---

[1]《灯下漫笔》，《鲁迅全集》第1卷，版本同上，213页。

人心里已然不服，那里还能做皇帝？这真命天子，是要天大福气的。我
的八字不对，算命先生算过了，我要是做了皇帝，那就活不了三天。"

……

"大家是好朋友，我跟你们说老实话。"一面说，一面摸摸自己的脑
袋，又道："我这吃饭的家伙，还想留下来吃他妈的几十年饭。这家伙上
面还生了一对眼睛，要用来看戏看美女，生了一对耳朵，要用来听说书、
听曲子。我如果想做皇帝，这家伙多半也保不住，这一给砍下来，甚么
都是一塌胡涂。再说，做皇帝也没甚么开心。台湾打一阵大风，他要发
愁；云南有人造反，他又要伤脑筋。做皇帝的差使又辛苦又不好玩，我
是万万不干的。"[1]

这真是十足的"活命哲学"、"享乐主义"。韦小宝的想法，还不仅如此，有
一回他胡思乱想之中，忽有所悟：

"李自成带兵攻打到北京，我师父的爸爸崇祯皇帝就上吊死了，李
自成自己做了皇帝。清兵打走李自成，顺治老皇爷就做上了皇帝。吴三
桂想做皇帝，就得起兵造反。看来不论是谁要做皇帝，都得带了兵大战
一场，只杀得沙尘滚滚，血流成河，尸骨如山。"

……

他对中国历史的知识有限之极，只知道不打仗而做皇帝的，只是康
熙小皇帝一人，那是老皇爷出家而让位给他的。……总而言之，要做皇帝，
就非打不行。就算做了皇帝，如果打不过人家，皇帝还是会给人家抢去做，
就算不抢去，也会出丑倒霉。说书先生说《水浒传》，"林教头火并王伦"，
晁盖要做强盗头子，串通林冲，杀了梁山泊上原来的头子王伦。可见就

---

[1]《鹿鼎记》，版本同上，1907 页，1908 页。

算做强盗头子，也是要打。[1]

这一悟，如果落实到"不做皇帝，也不做强盗，做一个没有强权专制的合理制度下的自由人"，那该是多么好啊！然而，韦小宝却不是往上悟到"天地境界"里去，他的心灵反而由此更加堕落。他变本加厉地荒淫无耻，在扬州大闹"丽春院"，与七个女子大被同眠，又带着七个妻妾到通吃岛上，让她们每晚掷骰子赌输赢，谁赢了谁跟他过夜；他被委任到台湾当地方官后，第一天署官，便刮了一百万两银子，"此后财源滚滚，花巧多端，不必细表"，却又骗得台湾民众欢呼"韦大人厥功甚伟"，他离任时，"万民伞、护民旗送了无数"。他失父而不思父，既不认君为父，也不认贼为父，自己也不想做父，就那么行尸走肉般过他的"花花日子"，这是极辛辣的喜剧，更是极酸楚的悲剧。

《鹿鼎记》于一九六九年十月廿四日开始在《明报》连载，到一九七二年九月廿三日刊完，一共连载了两年另十一个月。金庸先生在其第一回后的长"注"中坦称："本书的写作时日是一九六九年十月廿三日到一九七二年九月廿二日。在构思之初，自然而然的想到了文字狱。"[2] 这"自然而然"有两个方面，一个方面，是著者自己有位祖先查嗣庭，在清雍正朝是"'维民所止'案"的主犯，事过两个半世纪，余痛犹存；另一方面，则是清康熙朝有过"明史案"，没想到"文化大革命"的爆发，亦以姚文元发表《评新编历史剧〈海瑞罢官〉》，首先构罪于明史专家吴晗为其序幕。

金庸先生在《金庸作品集'三联版'序》中称自己的十五部小说"分别注入了我当时的感情和思想"，那么，创作《鹿鼎记》的"当时"，正是中国大陆"文革"从如火如荼演化得格外迷离扑朔的阶段，那些波诡云谲的事态不可能不牵动着身为报人的金庸先生，从而使他感于时事的情绪和思想，潜移默化于这部武侠小说

---

[1] 同上书，1406页。

[2] 同上书，35页。

的创作之中。小说虽把康熙当做一位圣明天子来刻画，却偏从苛酷的文字狱"明史案"道来，实非偶然。事实上我们可以从这部小说中找到不少"当时"的痕迹，比如第六回的情节中提到了一部《端敬后语录》，这本是无关整部小说全局的一个极小的细节，他却刻意加注：

> 注：胡兆龙、王熙二学士奉旨编纂《端敬后语录》，系当时事实，见孟森所著《清代史·世祖出家事考实》一文。本书此段文字写于一九七〇年一月，此后并无增删。硬凑硬编之《语录》传世不久，自来皆然，不必智者而后知。[1]

他为什么强调"本书此段文字写于一九七〇年一月"？那是因为，彼时林彪"硬凑硬编之《语录》"尚未受到否定，仍"红焰万丈"。一九七〇年三月，毛泽东主席提出召开第四届全国人民代表大会和修改宪法的意见，建议不设国家主席；一九七〇年四月十一日，林彪提出设立国家主席，并建议由毛泽东担任，第二天毛泽东断然批示道："我不能再作此事，此议不妥。"结果到该年八月，中共九届二中全会在庐山召开，围绕着设不设国家主席的问题，毛与林彪集团展开了激烈斗争。毛在八月三十一日写了《我的一点意见》，表面是批判陈伯达，实际上指向林彪，并把林彪集团的这次表演形容为"大有炸平庐山，停止地球运动之势"。十二月十八日，毛接见美国人埃德加·斯诺，谈到个人崇拜问题，一方面认为在发动"文化大革命"时"需要一点个人崇拜"，同时又说："现在就不同了，崇拜得过分了，搞许多形式主义……讨嫌！"次年毛泽东南巡，沿路多次公开表达了对林彪所搞过的"大树特树毛泽东思想绝对权威"那一套，包括搞《语录》的厌恶。此后《语录》即"小红书"才逐渐遭到冷落，"传世不久"。[2]

---

[1] 同上书，215页。
[2] 可参考《文化大革命简史》，席宣、金春明著，中共党史出版社 1996 年 7 月版。

在《鹿鼎记》里,有时会冒出其发表"当时"正在"时髦"的"文革语言",如:

> 韦小宝……道:"咱们做奴才的,只是奉皇上的圣旨办事,就是一不
> 怕苦,二不怕死……"[1]

> 韦小宝大声念道:"……教主……战无不胜……攻无不克……"[2]

> 韦小宝道:"奴才忠字当头……"[3]

"文革"期间,日本宣称对我国固有领土钓鱼台岛享有主权,针对这一肆意
挑衅,我国政府当即发表强硬声明,不容日本对其染指,而台湾当局却态度软弱,
由此在海外,特别是美国,以台湾去的中国留学生为主,掀起了轰轰烈烈的"保
卫钓鱼岛运动",这个运动在香港也蓬勃发展。《鹿鼎记》第四十六回,便刻意安
排了韦小宝将隐居多年的通吃岛改名为钓鱼岛的情节,并在叙述文字中说:"至于
这钓鱼岛是否就是后世的钓鱼台岛,可惜史籍无从稽考。若能在岛上找得韦小宝
的遗迹,当知在康熙初年,该岛即曾由国人长期居住,曾派兵五百驻扎。"[4]

当然,金庸先生也在《金庸作品集'三联版'序》中郑重声明:"我写小说,
旨在刻画个性,抒写人性中的喜愁悲欢。小说并不影射什么。"这是确确实实的。
他的小说中融铸进了他写作"当时"的感情和思想,但他并不是用小说搞影射。
我们解读《鹿鼎记》,倘着眼于其故事是否影射了中国大陆"文革"的种种"故事",
甚至于将小说中人物与"文革"中的"风云人物"——"对号",那就不仅是胶

---

[1]《鹿鼎记》,版本同上,367 页。1969 年 8 月 1 日,《人民日报》发表毛泽东主席语录:我赞成这
　　样的口号,叫做"一不怕苦,二不怕死"。
[2] 同上书,617 页。
[3] 同上书,1827 页。
[4] 同上书,1813 页。

柱鼓瑟，而且是佛头着粪了。

但把《鹿鼎记》中韦小宝的生存困境，概括为失父，却可以成为一种宏观的解读角度，使我们有效地吮吸这部小说内在的思想精华。

在《鹿鼎记》里，清廷的圣君为一方，以反清复明为宗旨的天地会为另一方，构成了"有你无我"紧张至极的矛盾关系。天地会的成员，甚至将"天地父母，反清复明"八个字刺于胸膛，深入肌理。[1] 反清复明的理念，充满了以种族区敌我是非的色彩。满清，即鞑子，天地会是视作"非我族类"的。但康熙的血统，其实并非"纯种鞑子"，如从其母系血统算来，至少和韦小宝的种族状态不分伯仲。小说里康熙爽性跟韦小宝"打开天窗说亮话"：

> "父亲是满州人，我亲生母后孝康皇后是汉军旗人，我有一半是汉人。我对天下百姓一视同仁，决没丝毫亏待了汉人，为什么他们这样恨我，非杀了我不可？" [2]

可见以血统来定是非，血统"好"的可奉为父，血统"坏"的则斥为贼，这种"认父"的逻辑，搁到康熙身上，是无从推衍下去的。或者，超越血统之分别，以尧、舜、禹、汤为圭臬来作为"认父"的标准吧，那么，明朝的皇帝们，就一定比康熙皇帝够格么？小说最后，韦小宝对顾炎武等四位反清复明的精神领袖大发议论：

> 是啊。小皇帝说，他虽不是鸟生鱼汤，但跟明朝那些皇帝比较，也不见得差劲了，说不定还好些。他做皇帝，天下百姓的日子，就过得比明朝的时候好。兄弟没学问，没见识，也不知道他的话对不对。[3]

---

[1] 同上书，1620 页。
[2] 同上书，1952 页。
[3] 同上书，1969 页。

这番议论的效果是：

> 顾查黄吕四人你瞧瞧我，我瞧瞧你，想起了明朝各朝的皇帝，自
> 开国的明太祖直至末代皇帝崇祯，若不是残忍暴虐，便是昏庸胡涂，
> 有哪一个及得上康熙？他四人是当代大儒，熟知史事，不愿抹煞了良
> 心说话，不由得都默默点头。[1]

这点头是很可怕的事。是"事理"的轰毁，也是"认父"的失范。所以著者
紧接着戏谑地写到，顾炎武百无聊赖地说道："我们来劝韦香主自己做皇帝！"读
者读到这里，不免啼笑皆非。韦小宝曾公开声称："我不是好人，我只做买卖。"[2]
著者在叙述中也明白交代："他年纪幼小，从未读书，甚么满汉之分，国族之仇，
向来不放在心上。"[3]"他对康熙义气倒的确是有的，爱惜百姓什么的，却做梦也
没有想过。"[4]"这等营私舞弊、偷鸡摸狗的勾当，韦小宝算得是天赋奇才。"[5]"遇
上面对面的难事，撒谎骗人，溜之大吉，自是拿手好戏。"[6]"性喜赌博，输赢各半，
尚且要赌，如暗中作弊弄鬼，赢面占了九成十成，这样的赌钱机会便要了他的命
也决计不肯放过。"[7]"韦小宝是个庸俗不堪之人，周身没半根雅骨。"[8]至于他的武
功，虽后来拜师颇多，除了"逃之夭夭"的"神行百变功"稍见成效，其实始终
都还停留在张口咬人、撒石灰坏人眼睛、地下打滚、躲在桌子底下剁人脚板、钻
人裤裆、捏人阴囊、打输了大哭大叫、躺着装死等等下三滥的"水平"。这样的

---

[1] 同上书，1969 页。
[2] 同上书，481 页。
[3] 同上书，1787 页。
[4] 同上书，945 页。
[5] 同上书，194 页。
[6] 同上书，913 页。
[7] 同上书，227 页。
[8] 同上书，1494 页。

人做了皇帝，那真是"国将不国"了吧！

从天地会的诸英雄奉韦小宝为"青木堂香主"，到顾炎武等大儒劝韦小宝自己做皇帝，他们其实都没有仔细推敲过，此人真是汉族吗？恐怕不少读者在情节的紧张演进中也未遑细思之。小说最后，韦小宝得康熙准允"衣锦还乡"，到扬州见到母亲，似乎连他本人，也是忽然想到这个最根本的问题：我是谁的种？

> 韦小宝将母亲拉入房中，问道："妈，我的老子究竟是谁？"韦春芳瞪眼道："我怎知道？"韦小宝皱眉道："你肚子里有我之前，接过什么客人？"韦春芳道："那时你娘标致得很，每天有好几个客人，我怎记得这许多？"
>
> 韦小宝道："这些客人都是汉人罢？"韦春芳道："汉人自然有，满洲官儿也有，还有蒙古的武官呢。"
>
> 韦小宝道："外国鬼子没有罢？"韦春芳怒道："你当你娘是烂婊子吗？连外国鬼子也接？辣块妈妈，罗刹鬼、红毛鬼到丽春院来，老娘用大扫帚拍了出去。"韦小宝这才放心，道："那很好！"韦春芳抬起了头，回忆往事，道："那时候有个回子，常来找我，他相貌很俊，我心里常说，我家小宝的鼻子生得好，有点儿像他。"韦小宝道："汉满蒙回都有，有没有西藏人？"
>
> 韦春芳大是得意，道："怎么没有？那个西藏喇嘛，上床之前一定要念经，一面念经，眼珠子就骨溜溜的瞧我。你一双眼睛贼忒嘻嘻的，真像那个喇嘛！"（全书完）[1]

全书结束在这个地方，意味深长。原来韦小宝是汉、满、蒙、回、藏这概括着中华民族全体的产儿，他的血统是混杂的，却又是纯粹的——因为他断然没有

---

[1] 同上书，1979 页。

构成中华民族的诸分支以外的,比如"罗刹鬼"或"红毛鬼"等"外国鬼子"的血统。

韦小宝直到最后,也还是失父状态。这部巨著实际上是寓庄于谐,以喜剧乃至闹剧的包装,形成一个沉重的悲剧性讽喻。韦小宝和阿Q一样,使我们厌恶,却又不能不痛切地意识到,他们的血液,很可能在不同程度上,也淌流在我们各自的脉管中。什么是我们真正的父亲?如何摆脱失父的生存困境?著者在书中不由得慨叹:"中国立国千年,争夺帝皇权位、造反斫杀,经验之丰,举世无与伦比。"[1]显然,无论是以血统,还是以"鸟生""鱼汤"为父亲的标尺,也无论是以强权专制、暴力破坏来迫人认己为父,都只能是在悲剧中轮回。梁任公早在本世纪初,便在《中国积弱溯源论》中呼吁民族自省:

> 以今日中国如此之人心风俗,即使日日购船炮,日日筑铁路,日日开矿务,日日习洋操,亦不过披绮秀于粪墙,镂龙虫于朽木,非直无成,丑又甚焉。故今推本穷源,述国民所以腐败之由,条列而偻论之,非敢以玩世嫉俗之言,骂尽天下也;或者吾国民一读而猛省焉,庶几改之,予日望之。今将风俗之积弱根源者,举其荦荦大端如下:
>
> 一曰奴性。……嗟夫!奴隶云者,既无自治之力,亦无独立之心。……倚赖之外无思想,服从之外无性质,谄媚之外无笑语,奔走之外无事业,伺候之外无精神……
>
> 二曰愚昧。凡人之所以为人者,不徒眼耳鼻舌手足脏腑血脉而已,而尤必有司觉识之脑筋焉。使四肢五官俱备,而无脑筋,犹不得谓人也。惟国亦然。既有国形,复有国脑;脑之不具,形为虚存。国脑者何?则国民之智慧是已。……
>
> 三曰为我。……谚有之曰:"各人自扫门前雪,不管他人瓦上霜。"

---

[1] 同上书,1421页。

吾国民人脑中，皆横亘此二语，奉为名论，视为秘传……

四曰好伪。……

五为怯懦。……

六为无动。……

……若我国民徒责人而不知自责，徒望人而不知自勉，则吾恐中国之弱，正未有艾也。[1]

从梁任公愤激地说出这些话来，差不多整整一个世纪了，中国的总体状况，大为改观，强大起来了，近年也开始走向了富裕，然而，中华民族的国民性，仍待进一步地自觉改造，阿 Q 与韦小宝的后代，那血液中的毒素，仍需下力气滤除。如何摆脱失父的生存困境，获得超越权力斗争的精神之父？鲁迅先生七十多年前的话，至今仍具现实的启发性：

我们追悼了过去的人，还要发愿：要自己和别人，都纯洁聪明勇猛向上。要除去虚伪的脸谱。要除去于人生毫无意义的苦痛。要除去制造并赏玩别人苦痛的昏迷强暴。

我们还要发愿：要人类都受正当的幸福。[2]

中国觉醒的人，为想随顺长者解放幼者，便须一面清结旧账，一面开辟新路。就是……"自己背负着因袭的重担，肩住了黑暗的闸门，放他们到宽阔光明的地方去；此后幸福的度日，合理的做人。"[3]

[1]梁启超：《中国近十年史论·积弱溯源论》[后名《中国积弱溯源论》]第二节《积弱之源于风俗者》，1901 年 5 月《清议报》78-80 册；转引自《梁启超学术文化随笔》一书，中国青年出版社 1996 年 7 月版，21-34 页。

[2]《我之节烈观》；《鲁迅全集》第 1 卷，版本同上，125 页。

[3]《我们现在怎样做父亲》，同上书，140 页。

中国自《狂人日记》所开始的现代白话文学,充溢着审父的激情,巴金的《家》、曹禺的《雷雨》,乃至于郁达夫的《沉沦》(在这篇小说里,没能强大的国家等同于父亲)、张爱玲的《金锁记》(令人灵魂霉变的大家族等同于父亲)……都是其中突出的例子,而像茅盾的《蚀》,从反面着笔,写到对"革命"这个父亲的"幻灭"、"动摇"与"追求",充溢着失父之痛,叶圣陶的《倪焕之》写的也是失父的生存困境……而金庸的《鹿鼎记》,继承着,也发展了这一母题。到了这个世纪临近收尾,如王蒙的《活动变人形》,依然在审父,小说的主人公"在父亲辞世几年以后……想起父亲谈起父亲的时候仍能感到那莫名的震颤。……(父亲)怎么能是这个样子的?"[1]

我曾在十多年前一篇文章中说过:"当代作家的审父意识,其实是有史以来的文学中最高级的尊父意识,因为它的前提是一种对父辈的大悲悯。在审判之前,已经给予了父辈永恒的宽恕与赦免。"[2] 现在我要说,揭示失父的生存困境,正是为了在生存实践中不懈地寻求真理,力求做一个真人。

1997 年 11 月 6 日写完于北京

悬崖树·豌豆花
——刘邦禄《岁月风云》序

中国当代诗人曾卓有一首题为《悬崖边的树》的短诗,其中最打动我的两句是:"它弯曲的身体,留下了风的形状。"调动我们的生活经验,不难在脑海里呈现出

---

[1] 王蒙:《活动变人形》,人民文学出版社 1987 年 3 月版,345 页。

[2]《地球村·审父·自剖》,《刘心武文集》第 8 卷,华艺出版社 1993 年 12 月版,84 页。

悬崖树那倔强而又潇洒的伟岸身姿。2006年春天在纽约见到刘邦禄先生，听他谈起往事，后来又读了他自传性书稿，就觉得，他堪称是一棵悬崖树，只是他所留下的"风的形状"，只见于他的面庞，而他的腰板，在八十岁后，依然挺拔。

中国有着不少的"悬崖树"。经历风雨冲刷磨砺，根须牢牢抓住山土，虽然"留下了风的形状"，却拒绝沉沦，没有坠入崖下深谷，晴日里展示出一身顽强的青翠，成为一道历史性的风景，给后人以血脉贲张的感动与激励，这是"悬崖树"们的共性。

但是，邦禄先生这棵"悬崖树"，却又有着其独特的个性。他以近七十岁高龄，从中国移民美国，能够很快地融入美国社会，成为"9·11"事件后，美国新组建的民众安全服务队的一员，并因其出众的表现，获得美国主流社会的肯定；但他又并不因此而淡忘自己的根须祖土，他对中国社会的进步充满关怀，对唐人街华裔同胞手足情深，演绎出一段段佳话，丰富着人们的口碑。在这本自传性著作里，他对往日的坎坷记忆犹新而充满宽宥，对今日的幸福乐在其中而又时刻戒惕——他时时不忘这世上仍有许多不幸者，他竭尽全力救助可接近者，并对不可及者以宗教的情怀，默默祈祷，心香长燃。

这就又让我想到了丹麦童话大师安徒生的一篇童话，他写到一只成熟的豆荚里的几粒豌豆，起初自己不能决定自己的命运，被一个顽童拿来夹在弹弓里随意弹射，其中有一粒豌豆被弹射到了一处阁楼水笕旁的瓦缝中，那瓦缝里只有少量的淤泥，但那粒豌豆就在那一点泥土里扎下了根，长出藤蔓，开出粉白的花朵。那阁楼里住着一户贫穷人家，一个有残疾的孩子，不能下楼活动，每天只能从老虎窗里朝外张望，他听父母讲起过花园，却从来没有去过花园，但他忽然发现，老虎窗外渐渐有了绿苗，又渐渐有了藤蔓，后来更开出了鲜嫩的花朵，那不就是一个空中花园吗？于是他双手合十，感谢上帝这丰美的赐予。

邦禄先生也就如同那阁楼老虎窗外，水笕边，瓦缝里蹿出的豌豆花，他的乐善好施，给予人的绝不仅是物质上的襄助，而是宝贵的人情滋养。

悬崖树，充溢着阳刚之气；豌豆花，体现出脉脉柔情。邦禄先生一身兼秉刚柔二气，难能可贵。

邦禄先生自己说，总结一生，可用三个字概括：缘、善、爱。他这样排列这三个字，自有他潜在的道理。但是，依我一孔之见，这三个字无妨排列为：善、爱、缘。善是心根。一切美德，一切美人美事，皆根源于善。中国人常说的良知、良能，我以为就是善的本能与行善的能力。我与邦禄先生接触中，觉得他一言一语，一举手一投足，皆有善在。你看他无论跟谁合影，那肢体语言，自然亲切，整个儿是大写的善字。人因有善根，固能生发出爱苗，爱的枝叶繁茂了，能以开出艳丽的爱之花：人类大爱，家国大爱，社群之爱，亲情之爱，友情之爱，当然，还有男女情爱……而爱果成熟的过程里，缘分便纷至沓来。

这本《岁月风云》便是一枚硕大甜美的缘分之果。此书在手，缘分自在。

岁月匆匆流逝，而人心中的善是永恒的存在，会通过言传身教、默思禅悟，而世代传递，这也是我们对人类进步的信心来源。当然，在善的海洋里，《岁月风云》仅是一滴水。在这善一时竟成为稀缺物的诡谲时代，伸出您的舌尖，细品这一滴水，让它沁入您的肺腑吧！

写于 2007 年 2 月 19 日北京绿叶居中

如同理财那样理慧
——《思想锋芒丛书·文学卷》序

本来想把题目写成《如同理财那样理智》，但"理智"是个人们经常使用的名词，我打算把"理智"分解成"打理"和"智慧"的动宾结构，与"理财"相匹配，如不赶忙解释，必生歧义。现在写成《如同理财那样理慧》，尽管读来显得生拗，却总算表达出了一个明确的意思。

于是想到，人们使用文字这个符码系统进行沟通，真要了解彼此的意思，特别是深层的蕴味，实非易事。

上世纪初陈独秀、胡适他们集结在《新青年》，提倡白话文，胡适更以《文学改良刍议》和《尝试集》，从理论、创作两面开弓，意在弃绝文言，将"引车卖浆者流"的街市俗语，迎进文学殿堂，以构成全新的符码系统，形成全民的文学狂欢节。他们的努力，如同破冰之举，给我们后辈开辟出一条宽阔的出海航道。但是经过一百多年来的文学实践，人们就发现，所谓文学作品，其实很难完全由日常生活里那些"白话"构成，大多数还是需要融汇进"书面语言"，而所谓"书面语言"，其实也就是从文言文里，特别是从古诗词古骈文里，撷取的精华。

上世纪中期的作家，如赵树理，在坚持用农村俗语乃至"板话"（快板书）写小说方面，做出了巨大的努力，老舍则是"两手硬"——既能写《骆驼祥子》那样基本口语化的小说，也能写《微神》那样书卷气的小说。孙犁创作旺盛期的小说，全写农村，写抗战，但不"土"不"白"，很"雅"很"诗"。

从外国文化里汲取营养，鲁迅先生是带头人。读《伤逝》，如写涓生的心理活动："我便轻如行云，漂浮空际，上有蔚蓝的天，下是深山大海，广厦高楼，战场，摩托车，洋场，公馆，晴明的闹市，黑暗的夜……"这不是"意识流"是什么？此作写于 1925 年，那时候西方现代主义文学也才刚刚抬头，"意识流"技巧尚未成为滥觞，鲁迅先生显然并不是机械地引进西方文体，而是将西方心理学与人性剖析的精髓，创造性地融汇于心，从笔端自然天成地流淌出了以汉字符码构成的簇新文本。

上世纪八十年代，中国作家开始普遍有了"文本自觉"，但也出现了"唯语言颠覆为快"的过度亢奋，于是一般读者多埋怨"读不懂"。到本世纪，网络大行其道，不懂"解构主义"的写手，也多在对占据主流的习见文本进行无情解构。而现在的新问题是，"网络语言"逸出网络，渗透到纸质传媒，也进入最年轻一代作家的新书，与八十年代那些"先锋作家"奋力颠覆的劲头相反，他们懒洋洋地随意"涂鸦"，不仅"无心插柳柳成行"，竟大有"洋水仙成灾"之势，闹得"文学水域"里的固有生态大遭挑战。其实不必惊慌，因为就社会绝大多数受众而言，规范仍需坚守，约定需在俗成（即成熟，也就是水到渠成）之后；而"新物种"的适当引进，在经历一番波动后，势必达成新的相对平衡，那该是一种更丰富更美丽的局面。

文学创作，如今可以说变得更容易，也可以说变得更艰难。关键是你有没有运用文字这个符码系统，去跟别人交流的强烈欲望。心有欲，文自成。有人说文学的关键是文字，也对，但我更愿意说，文学的关键是沟通前的迫切感与传递时的大兴奋。

鹏华基金是个理财的机构，但他们坚持已达五年的内刊《鹏华》杂志却并非理财品种的宣传册，现在编辑成"思想锋芒丛书"，从文学卷就可看出，他们既能理财，亦能理慧——将许多不同的文学作品吸引过来，绚烂展示，表面看去似无章法，细推敲则如红线串珠，串的是人生智慧之珠、感悟世道之珠、经典探询之珠、心灵补养之珠。如同理财那样理慧，开卷有益，才智沁心，《鹏华》做了件有价值的事。

愿《鹏华》继续理慧之旅，在下一个五年，能开放出更多的繁花，结出更多的智果！

2007 年 10 月 3 日绿叶居中

瑞红女士的金陵十二钗

个性画？画个性？

人类漫长的历史里，贯穿着化个性。人必须群居生存，故个性往往必须化入群体之共性。曹雪芹的《红楼梦》，其实无妨作如是观：个体生命为维护个性尊严而抗争。贾宝玉不愿被化为国贼禄鬼。林黛玉、晴雯任个性张扬绝不顾忌其他。薛宝钗拼命压抑自己以化掉个性但最后依然是个生存悲剧。有论家说李纨"完美"，是没读懂读通，曹雪芹在第五回判词里已经说明她不能"积阴骘"而到头来被人耻笑，那该是八十回后的情节。人无法完美，也不必完美。人应该就是他（或她）自己，携带着绝非完美的个性，跋涉在人生之路。

不要把个性化掉。人家来化，要竭力抗争。抗争不来，至少也要尽量地保留。薛宝钗其实还是保留了小一半的个性。

一个好的社会，应该是一个在维护群体共存利益前提下，尽可能尊重个性的空间。人权，从某种意义上来说，首先是维护个性尊严之权。

抵制化个性。也不是说要搞什么个性化。个性与生俱来，问题在于你是否自知？是否珍惜？

观瑞红女士的金陵十二金钗油画，不要问"像不像"。"一千个人心中有一千个哈姆雷特"算不得什么了不起的哲言，"一千个人心中只许装同一个被审定的哈姆雷特"却实在是惊心动魄的戒律。朴素的哲言往往敌不过僵硬的戒律。连欣赏《红楼梦》也会有人来判决对错、厘定标准，这是我们生存环境中的悲苦一面。

你来看这些画，不是来找你心中的金陵十二钗，而是来旁观他人（不是"他们"，更不是"群众"、"人民"或"美术界"什么的，仅仅是一位画家）心中的金陵十二钗。

于是你会跟我一样，问：个性画？画个性？

嘘——莫出声。尽在无言中。

刘心武

2007 年 7 月 28 日偶兴

深海不弃涓流

忽然接到清华大学出版社寄来的两本新书，是《中华遗产·乡土建筑》中的《郭洞村》和《西华片民居与安贞堡》。虽是专业性很强的著作，翻阅中却觉得很贴近业外一般读者之心，甚至仿佛侦探小说，娓娓道来，由表及里，从宏观微观，揭示出被遮蔽的，耙剔出被讳言的，有惊心动魄之感，收掩卷沉思之效。

现在呼吁保护传统民居的声浪颇高，但不少呼吁者大体还停留在怀旧审美、文物收藏的层面。这两本书，与其说是研究民居，不如说是探索"民"与"居"的深层关系，看到那些关于古民居的调研文字，那些精心拍摄的照片，乃至那些专业性极强的测绘图，你会自然而然地产生出"生命·居所·环境·岁月·命运·涅槃"的联翩思绪。

楼庆西先生的《郭洞村》一书，最打动我的是对祠堂建筑使用流变的精微研究，"如今何氏宗祠修葺一新，仍是村民的活动中心，但祭祖活动已不举行，婚丧嫁娶也少在祠堂举办，只有上厅两侧堆放的棺木，代表老人固守的传统，下厅的房间变成老人协会，而且是宣传教育基地和商店，祠堂前的小广场，成为菜市场和晒衣场，惟有老戏台依然发挥作用，逢年过节上演热闹的社戏，但剧目已与旧时不同。"村里的祠堂仍是"活体"而非只待"保护"的"展品"，更非只待"升值"的"藏品"。生命的繁衍伴随着代间欲望的差异，而人的欲望决定了建筑的选址、喻意、形制、择材、装饰、配套、保存、改造，因此，万不可把古建筑与新建筑对立起来，如何令"古今合璧"，楼庆西先生及其弟子们，以个案引发出我们对民族建筑发展的普适性规律的深入思考。

陈志华、贺从容先生合著的《西华片民居与安贞堡》一书，除了对调研主体特别是蔚为奇观的安贞堡的图文令人着迷，更有两点令我感动。一是第16至17页以一组内容丰富的"人在居处"的照片，显示出这处村落在时代的进步里，并没有因新因素的渗入而放弃传统中那些诗意的东西，"村民以务农为主，日出而作，打柴、耕田，珍惜着大地所赐予的资源，偶有人家嫁女娶媳，挑着礼品走在弯曲小道，更添洋洋喜气，提醒节育的政策宣传，映衬着欢笑的童颜，这淳朴的乡间，永恒不变的是一份对土地的依恋。"这样把具体事物放到开阔的视野里考察，就揭示出表面冷寂无语的建筑物，其实正是生命歌哭的载体。另一点就是作者对考察对象不是一味夸赞——而我已经看到过太多"唯古是赞"或"唯民俗皆优"的简单化宣示——客观冷静地指出安贞堡建筑中时有采光不足的缺陷，尤其是在厕所洗浴排污止臭方面的问题，这一问题也严重地存在于是北京传统的胡同四合院中——当然少数高级四合院通过特殊处理解决了这一问题，但就保护区大量的老旧四合院而言，如何彻底改进排污系统仍是一个关系着其生死存亡的绝大问题。

以专业的眼光考察，以专业的文本成书，但这一套《乡土建筑》不仅是学术著作，也可以当做文艺书乃至休闲书来翻阅，因为，说到底，是可以陶冶性灵，使我们在审美中放松。

我说自己这些年在文字耕耘中，是栽种小说、随笔、建筑评论和《红楼梦》研究四棵树。与"红学"界大不相同的是，建筑界的人士不仅不嫌我"外行人"跑出来说些"外行话"，他们见了我的一些冒昧成文的建筑随笔，竟表现出由衷地欢迎与鼓励。楼庆西先生曾与我一起，参加过中央电视台科教频道《绿色空间》一个谈古民居系列节目的录制，他从专业角度，我从常人角度，互补着向一般观众谈论传统民居，他专业方面的精深，令我叹服，更令我感动的是，他不仅不嫌弃我的"外行话"，还很真诚地表示，愿意听到更多的来自"行外"的声音，从中获取"行内"往往欠缺的信息与启发。我曾在建筑工业出版社出版过一本《我眼中的建筑与环境》，并以其部分内容在北京电视台录制播出过系列节目《刘心武话建筑》，引起过建筑界老前辈吴良镛大师的注意，他通过其弟子马国馨（现在已是工程院院士、建筑大师）给我传话，表示想跟我面谈，令我受宠若惊。尽管后来因为吴先生太忙和我羞涩犹豫，未能实现，但建筑界普遍体现出来的一种博大胸怀，确是值得向社会一说的。

专家下听外行兴趣者的看法，对新、奇、怪的言论与尝试以宽容为前提，在精深博大的学问里，不惜选择最微小的个案作沉静的考察研究，这些，都可以概括为深海不弃涓流。我希望这篇文章不要被机械地视为"书评"，它的写法已经逸出图书评论的规范，那么，它究竟算什么？随笔？散文？杂文？小品？"四不像"吧？而浩瀚的文海，应该也不嫌弃"难以归类"的文本。感谢清华大学出版社赠书——使我此刻浸润在在一种触类旁通的畅快感里。

谁有不忍之心？
——《有父母的孤儿》序

乌尔沁曾著《不良父母》一书，读得我心有不忍。

但真正的写作者，必须克服直面严酷人生的心理障碍，敢秉刀斧之笔，才能现菩萨之心。

几年过去，乌尔沁又写成了这本书。他原来有个书名，我建议他用现在这个。他认为很贴切，采纳了。但我却颇有些后悔给他出了这么个点子。于心不忍。

没办法。无论回顾以往，还是注视现实，自私漠然、冷酷残忍，都是我们人生中难以完全避免的。

从某种意义上说，人生的历程，就是一次不懈地追求温暖的跋涉。

乌尔沁曾对我透露，他曾在静夜里，跑出楼林，到相对空旷的水域冰面上，伫立，并且放声哇哇大哭。那不是悲嚎，不是哀号，而是灵魂的大舒张。他把平时的隐忍，淋漓尽致地化解为从今不忍。

不忍有三义：一是狠不下心，一是难以容纳那么多悲情，第三义，则是不再软弱姑息。

在此书中，不忍的三义融会为流畅的文字，仿佛先是小溪，后成江河，有入海之势，却还待进一步奔流。

奔流的文字，期待着知音。《不良父母》有过一定影响，但没有引起足够的注意，无论是评论家还是阅读者，似乎都还没有体味到乌尔沁这条河流深处的滋味。现在乌尔沁沿着原有的航道继续奔流，他的笔触更加尖锐：并未失去父母，却成孤儿。这个叙述文本就不仅在唤起我们对父爱与母爱，对天伦与亲情的向往，同时也激发我们对人性诡谲的认知，它也构成一个巨大的隐喻，昭示我们深入思考：在我们共同的生活空间里，如何从血缘最近的生命开始，寻找人性中那些有可能链接彼此的亮点，从而使社会这个大家庭得以和谐。

乌尔沁曾对我说及，他从幼小到现在，从未与生母一起拍过照，成年以后，有一回在生母工作机关的大门外，生母忽然心血来潮，请一路人为他们母子拍一合影，对方取好景马上就要揿快门了，他生母却又忽然跑出镜头，摆手说"不拍了不拍了"，令那拍照者目瞪口呆，但乌尔沁并不感到意外，开始无所谓感动，事后也无所谓愤懑。这就是他的血缘，他的生活，他的际遇。他平静地接受一切。但他不能忘却。正因不忘，所以能把那一天那一刻的情形很细腻地讲给我听。他当然也写进了书稿，但对我说：付印前他也许会删去这个素材。由他。但我要替他写在这里。我要说：即使具有最亲近的血缘，最终也还是无法链接起心音，那也许是命运的赐予，无可怨怼，但毕竟去尝试过链接，这尝试的努力，也就足以温暖我们的余生。

谁有不忍之心？回答是其实每一个人都有，至少有我上面所列出的三义中的一义。读乌尔沁这本书，至少可以在一义中形成共鸣。在共鸣中，可以共思考、共探讨。

是为序。

2007 年 3 月 28 日绿叶居

一斛珍珠生趣盎然
——推介《岭南画人趣传》

现在人们见面，多强调"健康第一啊"，所谓身心健康，其实心康更胜于身康。现在又多有抑郁症出现，所谓抑郁，就是"了无生趣"，如果恢复了生趣，自然也就远离了抑郁。时光永恒，人生苦短，享受生命，秘诀就是珍惜当下，使自己现在就快活，就感受到劳作的愉快、闲适的潇洒、人际的融洽、自我的陶醉。

为提升生趣，有听音乐的，有练太极的，有去钓鱼的，更有卧读的。现在我推介一册妙书——《岭南画人趣传》[1]，可供卧读添趣。作者唐朝人先生是《羊城晚报》资深记者，他在《花地》副刊多年来主持《自画像写真》专栏，把岭南美术界精英一网打尽，还辐射到界外岭北，这本书就是秋实荟萃。我与唐朝人先生从未晤面，没必要客套，更不必敷衍，我现在表述的确实是真切感受：这本书读来实在有趣。

全书收入 132 位艺术家的一幅自画像和一幅代表作，另附一篇唐朝人写的短文。每奇数页码和相对的偶数页码，恰装下关于一位人士的内容，视觉上十分舒坦。这些提供自画像的人士，几乎全体现出浓酽的幽默感。幽默是人生乐趣中最不可或缺的元素。一个人自己不能幽默也不能承接别人的幽默，那么他的生命状态、生活质量，就都很可疑了。而幽默当中最主要的元素之一，则是自嘲。失却自嘲能力，也就是失却了自信心。自嘲能让人摆正自我与他人、与群体、与家国、与社会、与自然、与宇宙的位置，认识自己的渺小一面、卑微一面、弱点与缺失，是非常重要的心灵修养。那么，这本书里光是那些充溢着自嘲意味的幽默线条与题词，就足能使读者发出会心的微笑，从中汲取到许多难以概括与名状的心灵滋养。

全书出场人物按齿序排列。那么一翻开就会发现，至少有四位已年逾百岁。现在人多希望长寿，见了老寿星多想取延年益寿之经。那么这四位老寿星的自画像一定让你见颜心开——他们个个都不是自炫其美，而是自曝其拙、其憨、其恬淡、其无所谓，题词也都生趣盎然，114 岁的吕公紫剑曰："功夫打不厌，闲来画几笔；人生何所求，莫此快乐事。"101 岁的蔡翁敬翔则云："丹青不知老将至，萧条残墨不胜愁。"一位直言"乐"，一位婉言"愁"，其实思绪都已升腾超越于俗世恩怨喜乐之外，表达是一种通达彻悟，而这也就是人生的真趣所在。往后翻，人虽各异，性格有别，遭际同中有异，追求异中有同，而幽默的生趣一以贯之，

[1]《岭南画人趣传》，唐朝人著，广东人民出版社，2006 年 7 月第一版。

真是一斛珍珠，不该投暗；生趣盎然，实应推广。最后一位画家陈海宁才 33 岁，他的自画像突出大耳小嘴，自题曰："耳朵大，听听就算了；嘴巴小，啥也别多说。"他的自叙性文章题目是《有个男人在发呆》。愿你读了这册《岭南画人趣传》也能发呆——享受混沌生趣。

林斤澜的价值
——谁来练夏志清的活儿？

　　我大声呼唤："林大哥！心武看你来了！"他瞪圆眼睛望着我，稍许，现出一个非常强烈的笑容，笑完，我再呼唤，他再回应一个微笑，依然目不转睛地望着我。约四十分钟后，他仙去。这是 2009 年 4 月 11 日下午的事。三十年来林斤澜大哥一贯对我释放人性中至善至美的光辉，他甚至把生命最后的笑容赐予了我，这笑容丰富的含义将滋养我的余生。

　　在关于他仙去的报道里，出现了"近看像赵丹，远看像孙道临"的形象描绘，还有"怪味小说家"的提法，有"汪曾祺得到了充分评价，林斤澜没有"的喟叹，我很欣慰，因为这些形容、提法、感慨都是我曾公开表述过的，源头在我。

　　年年春节要给林大哥电话拜年。2006 年他接电话时呵呵大笑："心武你怎么又爆红起来！你把你那红运分给我点好不好？哈哈哈……"我的几次爆红林大哥都跟我开过玩笑。他对我好，好就好在他对我爆红的包容。什么叫包容？就是他明明知道我的爆红只是运气，他不嫉妒，也不泼冷水，他允许我享受爆得大名的俗世快乐，但他会在跟我细聊时，告诉我什么是虚的，什么是实的，让我在遍体清凉中，憬悟到某些真谛。大哥人淡如菊、与世无争，是口碑相传的。但他绝不装雅充圣，他跟记者说过也是俗人，对名对利并非一点也不在乎。我早在 1980

年7月就公开发表一篇文章,称他的短篇小说如"怪味鸡"、"怪味豆",可称"怪味小说",我跟他多次细聊过他的一些作品,如《姐妹》,素描一对姐妹在抗日救亡时代不同的生命流向,读后觉得"无主题","太朦胧",却又"甚舒服"、"心被挠",他很高兴,承认我算知音,但也呵呵自嘲:"你那'怪味小说'的提法,煞费苦心,可是根本流传不开啊!"后来有黄子平写了很扎实的评论,用"老树的精灵"来浓缩对他的评价,可惜影响也很有限。现在尽管人们频频称道他的人品、文品,但究竟他在现当代汉文学短篇小说的美学贡献上达到了一个什么高度?那评论的空间还远未充满。

林斤澜和汪曾祺有"文坛双璧"之称。但起码到目前为止,还是汪响林谐的局面。我对汪非常尊重。但我必须说出自己的心里话:对他的评价似已到顶。依我看来,汪的第一贡献是执笔写出了现代京剧剧本《沙家浜》,把"三突出"的美学公式体现得天衣无缝。第二贡献是在上世纪八十年代,他等于是代其老师沈从文"继续写小说",把中断了三十年的沈氏香火续上了。总体而言,汪的小说创作是前有师承、后有众多"私淑弟子"的。林斤澜却是绝对独家。前无师承,旁无流派,后无弟子。他非常孤独。而能乐乐呵呵在孤独的艺术追求中不懈地跋涉,这艺术骨气几人能比?

其实张爱玲原也孤独寂寞。谁知夏志清一本《中国现代文学史》,轰隆隆地把她和沈从文的价值呈现到金光炫目的程度。沈从文简直成了"文学圣人",张爱玲更简直成了"文学女皇"。有人揭出夏写此书接纳了不洁的赞助,更指出他政治立场的问题,又说他那用英文写成的书沉寂了很久,到二十几年前才先在台湾后在大陆"引爆",颇不以为然。我与夏先生有接触,觉得他是个性情中人,是位值得尊重的学者。我读他那本小说史的中译本,就他分析张爱玲《金锁记》一段而言,确好比从荒原里掘出黄金,那评论的功力不能不服。有的年轻人误以为张爱玲是"台湾作家"或"台湾旅美作家",其实张爱玲只短期访台,她的文学成就大半显现于大陆,小半显现于香港美国。现在有人用"垃圾"来表达对某些作家作品的否定,但张爱玲晚年扔出的真垃圾竟也有人去守候取出,如获至宝,用镊子分捡归类，详加评议，这虽怪异不经，却是夏志清评张的力度影响所致，不能不让人感叹：一份具有震撼力的文学评论可以让一位作家被人迷恋到何等程度。尽管现在嫌张厌张贬张斥张的言论也理所当然地出现，但喜张迷张赞张崇张的风潮并未过去。一本被张自己宣布永不要面世的《小团圆》最近竟在海峡两岸隆重推出开始热销，便是证明。

我 2006 年初夏在美国见到夏志清先生时，他告知已经完全不作文学评论工作了。他那样的活儿，该更年轻的几茬评论家去练了。在眼下的中国大陆，练文学评论活儿的不能算很少，也不能说没取得成绩，但就几乎都忽略着林斤澜而言，我心戚戚。

林斤澜人已去而作品尽在。他的短篇小说的美学价值并没有被充分揭示出来。那是一座富矿。而且可能还不是煤矿铁矿而是金矿钻石矿。期待有内地的"夏志清"出现，像把一度尘埋的沈从文、张爱玲及钱锺书的《围城》一书的价值开掘出来，先震动学界，继而推广到一般阅读者那样，让我们终于明白，林斤澜不是随便赞他几声人品或对他的小说讲几句"好话"就能搁到一边的。神州大地，或许某一时段会因有评论家将他作品的美学价值挖掘出来而出现"林热"。

有人或许会说，林的小说既然内涵朦胧风格怪异，恐怕不具商业价值，永难轰动流行。请问《尤里西斯》好懂吗？《围城》真那么好看吗？厉害的评论，会具有震撼力、穿透力，引导阅读，酿成潮流，而出版商和一般阅读者，都不会放弃机会，在一个时代的文化格局里大赚雅钱和附庸风雅，而我有一个很平实的看法：书商赚雅钱，读者逐雅潮，动机虽不够雅，却都有利于社会雅文化的养成。

呀！这算在悼念我敬爱的林大哥吗？他一定在天堂里呵呵地笑我。

2009 年 4 月 13 日

难得有一点点不同

很怀念十几年前的那些聚会。聚会的地点是京城北护城河东段的一家小小的三星餐厅。聚会的方式是我做东，若干忘年交不嫌餐馆档次欠高不弃我这边缘化的布衣，一起喝二锅头酒，吃汁酽味浓的干烧鱼，海阔天空，侃山说地。常常在座的，记得有王小波、张颐武、邱华栋、祝勇……诸君，而解玺璋，也偶会参与，他既不善饮，也不健谈，圆脸庞令我觉得永如满月，从无阴缺的联想，那挂在脸上的微笑，似乎无法卸下，也无意溢出，总是自自然然地笑眯眯，成为他的招牌面容，他听大家侃时候多，自己发表见解时少，一旦插进议论，却是心平气和，头头是道，这样的人，当然易于为各方所接受，我也很喜欢他。后来我迈过花甲的门槛，也不常在城里居住，三星餐厅的聚会侃山，也就只剩下渐渐远去的回忆。但聚会过的诸君，除后来名声大噪的王小波与始终不大为人所知的王姓记者不幸夭折无法再见外，其余的忘年朋友，多数也还保持着一定的联系，玺璋亦是其中之一。

玺璋现在已是京城著名评论家，其评论的范畴，从文学、影视、舞台演出一直延伸到诸多新的文化领域，除了对具体的作品进行品评，他还常从作者入手，品人论格。最近他忽然跑来，说是近年来"读人"之文，已经积累颇多，欲编为一集，以飨读者，我乍听，当然为他高兴，但他接着就提出请我作序，我一听，就为自己不高兴了。

说实在的，我懒于为人写序。我当然首先会对邀序者说，我不够为之作序的资格。我这样说是真诚的，然后却是无效的。人家找到你，当然是觉得你够资格。人家看得起你，你岂能自暴自弃？于是我往往接下来就会给邀序的人出难题，比如，我就问玺璋，你这个集子既然是写作家的，那么，某某某，你是否写了？如果写了他，那么，我明白地告诉你，那是我一生到目前为止仅此一位的仇家，你的"读人"里有他，我是万万不能写这个序的！我等着玺璋说，啊呀，不知道呀，既然如此，我就把写他的那篇撤下吧！于是我就会义正词严地说，你写他是你的自由，我岂能干预？你既写了当然就要保留，而且应该去找能接受他的人士来写这个序才是！谁知玺璋竟坦然地说，他虽写了如许多的"读人"文字，却偏偏并没有去"读"那一位，当然不是因为知道我与其人的过节，刻意要与我"同仇敌忾"，只不过是始终没对那位产生兴趣罢了。在世为人，有爱不必隐瞒，有恨也不必遮掩，但个人之间的恩仇，其实没必要都弄到诉诸公众的文字上去。我与那位仇家的恩怨，虽已在我断断续续写着的回忆录里有所揭橥，但相关的文字其实是把我与那人都作为特定时空中的生存个案，来冷静剖析，折射世道人心罢了，而我的回忆录，现在也还不成熟，远未达到可以出版的程度。为了摆脱作序，我连这个招数都使出来了，但对玺璋却是落了空，我最近才看了他早就通过电邮传给我的"读人"目录，林林总总，蔚为大观，确实没有我刻意要排拒的那位。但我还是推托，说我现在老眼昏花，无力去读他那些文章。他见招拆招地说，您跟我相交快二十年了，您写序无须读我的文章，您也"读人"，不就有话可说了吗？

噫，好个玺璋，倒真勾出了我能以为序的话语来。记得十几年前在三星餐厅，玺璋曾跟我聊到，曾在八面槽附近，偶然结识到一位书痴，此人学历不高，职业平凡，住在胡同杂院，居室湫隘，然而藏书甚丰，许多现在绝版的书，他那里都有，跟他交谈，似无口才，论相貌，则个子矬面皮粗，但……说到这里玺璋更加地笑眯眯，抖出包袱来——此人却惊人地有桃花运，清华的窈窕女硕士，对之一见倾倒！我忙问缘由，玺璋偏隐而不发，当时又有别的忘年交插进话来，引入对别的话题的争议，我也就始终未得其要领。现在回想起来，玺璋确有"读人"的眼力，可惜那次他所谈及的只是个无名之辈，倘若是知名人物，他在许多评家论者咳唾之外，也还能为我们抖出包袱——他的与众不同的"读点"与"变焦"来，哪怕只是与别人嚼过的馍多一点点不同的滋味，也就足令我们欢欣了！

评论不好弄，尤其是对早有人评论过的对象再加聚焦与解析，难得有一点点不同，有一点点已足可珍贵，如果不仅是一点点的新意，那就意味着突破。玺璋的这些"读人"文章是否有所突破，我不能瞎恭维，但回想起他对八面槽那位仁兄的"读"与"解"，就觉得，他是会多少提供给我们一些与其他评论者不同的东西的，在这个号称多元多样然而常常把人与事往一个模子里填塑的文化格局中，播种与收获哪怕是仅有一点点与众不同的思维，也是弥足珍贵的。

难得有一点点不同。我这篇序，也正是本着这样一种追求写出的。愿读者诸君，能从这本集子里，至少咀嚼出一点点不同的况味来。

2010 年虎年初到时

敬畏之心不可无

地球上生命的多样性，令我们惊叹。我们现在常说"以人为本"，这个说法的前提是就人类社会而言，也就是在组织社会生活的时候，一定要把对具体的人的尊严、权益的维护作为根本。但放大了范畴，把人以外的其他生命体都搁进来而论，则是否应将人的利益作为根本，就很值得斟酌了。我们必须深切地意识到，地球上的生命绝非仅是人类，有繁多种类的生命与人类共存。地球的现实状况是，由于人类将自身的利益无限扩张，已经造成其他地球生命的衰减乃至灭绝。于是，人与动物的关系，也就不仅是一个有趣的可供消闲的话题，更成为一个严肃的具有生命伦理内涵的话题了。

陈玉珍女士在《北京晚报》副刊上，多年来主持"人与动物"的专栏，陆陆续续刊出了许多篇什。一些文章写出人与宠物相依相爱的动人故事。对宠物的观念，我们社会在近三十年来，经历了从"玩物丧志"到"拥物怡情"的认知转换。宠物不仅可以怡情养性，更可以使人憬悟出生命的尊严。拿猫来说，大体而言，从很久以前，猫这种动物，就决定依附人类来延续自己的种群，世界上野生的猫早就非常稀少，绝大多数猫，都是家猫。当然，由于有的地方家猫繁衍过盛，又多有主人轻率遗弃，目前城镇里出现了不少流浪猫，但流浪猫与野生猫还是两回事，它们仍属于家猫，只不过不是一家一户之猫，而是众多居民共养之猫罢了。

在许多城镇的居民区里，给社区里的流浪猫送水送食，置备猫窝，乃至为它们实施绝育手术，已经成为惯常景象。我曾去属于马来西亚的北加里曼丹岛的古晋市游览，古晋的别称就是猫城。第一批在古晋定居下来的先民，留下遗嘱给后人，就是他们到达那地方的时候，明明白白看到是猫的群居地，他们实际上是占据了猫的地盘，来开埠生息，因此，后人必须尊重、爱护并养育此地的猫们。古晋不仅几乎是家家有猫，市区里也处处有猫，那些非一家一户所养的猫，在市区会随处吃到市民贡献的食物和洁净饮用水，车辆遇到猫，一定谦恭礼让。古晋市区里还有很多风格不一的猫的雕像，更有收罗丰富的猫博物馆。我曾在那里跟居民讨论：狗能为人类忠心耿耿地服务，豢养起来可以理解，猫除了号称能为人类除鼠以外，其实常是懒懒地蜷起睡觉，更何况绝无狗那么忠心，更换主人，毫无所谓，连马戏团的人士也说，猫最难训练，即使偶有猫的节目，也都比较简单短促，猫凭什么依赖人类代代相传却并不付出相应的服务代价？古晋人的回答令我沉思很久：人与猫不是主奴关系，是共生于这片土地的生命。

宠物只是人类与动物关系的一个方面。更有若干文章生动地写到人与野生动物之间的故事。如果说宠物与人类在生命尊严上是平等的，那么野生动物就更应令我们意识到，地球绝不仅仅属于人类，而且，保护野生动物的意义，也绝不是人类为动物做好事，而是人类责无旁贷的义务。关于野生动物的保护，常被纳入地球环境保护的议题，其实环境保护这个概念，不应只从人这个单方面来理解，更应从动物方面来考虑，试想，当人类驾驶的捕鲸船突进到大洋的巨鲸栖息区时，从鲸们来看，正是它们的生存环境遭到了破坏，保护环境的唯一方法，就是人类停止捕鲸。从各种野生动物的角度来考虑环境保护，我们就会懂得，环境保护的目的不是使人类的生存更加随意，而是要令人类对地球上生命的平等均衡共处的自然法则心存敬畏。

世界上各种宗教，都把一切生命的起源解释为造物主的杰作。面对生命形态的多样性丰富性，也确实容易引发出"唯有神赐"的感叹。曾在法国的墓园里参观，许多的墓座上有神的标志或敬神的符号，却也有一种墓座上只是一个被斜截掉的圆柱，那是无神论者墓的标志。曾问一位陪游的法国无神论者：你不相信神造天地万物，那你为什么对墓园里的乌鸦都那般怜惜？他说，那是对宇宙中地球自然进化的固有规律的敬畏。我想，当我们翻阅着这套《动物与人系列丛书》的时候，不仅能增加见闻，获得欢趣，感受温馨，更能培育出对宇宙天地自然万物运行生息那客观规律的敬畏之心！

[此文是为陈玉珍女士主编的《人与动物关系丛书》所作的序]

投湖入海
——《雪梦湖》序

那天，散步到北京什刹海畔，穿过一条小街，路过一个小学，从临街的教室里，传出伴着风琴的童声歌唱，那充溢着纯真气息，而又非常幼稚的歌声，使我心弦瑟瑟颤动。

童年的歌声，少年的惆怅，初恋的有花无果，迈过青春门槛的艰难，这些人生滋味永远氤氲在文学的厨房里。

在文学的餐厅，我等待着从文学厨房里，认真的烹调师郑重地捧出他所煎炒出的第一道菜。

《雪梦湖》就是这样的一道菜。它有着斑斓的色彩，浓烈的香气，甜苦相混的滋味。

吃着它，我想起了十九世纪德国作家施托姆的《茵梦湖》。其滋味有相通之处。但我甚至可以断定，作者写《雪梦湖》时，根本没有读过《茵梦湖》，无论从人物、结构乃至细节，看不出一丝《茵梦湖》的影响。那么，相通之处是什么？是人类在少年时期所共有的，心灵中的成长焦虑，以及情感挫折的呜咽。

书写少年时代的情感失落，以及迈过青春门槛时的怯懦，甚至任由奔腾的想象，发展为一个绝望的悲剧，恰恰是为了使心灵在文字宣泄中获得慰藉，从而在现实的奋争中获得勇气与信心。

打小，我们都是从这样的心理危机里挣扎出来的。这是我们共同的记忆。

初到北京时，听到什刹海、北海、中海、南海这样一些名称时，不免想象为浩瀚的水域，走到跟前，才明白所谓的海，其实只是一片湖水。人随着年龄的增长，阅历的丰富，再经过几番事业、人际、情感方面的危机考验，就会懂得，原来以为很了不起的海，其实只不过是湖罢了。

湖畔的忧伤，只是少年时代留在心灵上的伤疤。

书写少年时代的忧伤，抚摩那凸起的伤疤，落几滴清泪，恰是超越不成熟的方式之一。当故事里的主人公哀怨地投入雪梦湖时，书写者其实已经顺利地迈过了青春的门槛，而且漂洋过海，开创出了崭新的局面，确立了自己在"商海"里的地位。

听着什刹海畔小学教室里传出的那风琴伴奏下的童声合唱，瑟瑟颤动的心弦告诉我，这些歌声不会随风而去，正如《雪梦湖》的显得稚嫩的文字不会在阅读者的心上一掠而散，因为，有些心灵的秘密，特别是心性发育过程中，难以言说，而又一再有人尝试将其宣泄出来的人性的呻吟喟叹，具有永久的吸引力。

2001 年 4 月 15 日绿叶居

《旧信重温》吓人一跳

拆开厚厚的信袋，露出燕祥寄赠我的《旧信重温》[1]，原以为是他把写给别人的旧信或据底稿或又搜集回来，编为一集——那做法就并不稀奇——没想到，却

---

[1]《旧信重温》，曾卓主编，《跋涉者文丛》之一邵燕祥编，武汉出版社，1999 年 10 月第一版，定价:16 元。

是他将历年来别人写给他的信汇辑为了一本书，哇，可真吓了我一跳。

莫怪我产生出些个联想——四十七年前左右，有个人，先是发表了重读圣贤书的心得，以及致原来是挚友的某人的，具有摧毁性批判内容的公开信，后来，就把那前朋友以及所有相关人士写给他的信统统上交，最后被大张旗鼓公开"摘要"发表，并印成书发行（那时他那些前朋友大都被送进了监狱）——我现在书架上还有一本，是父兄辈传给我的，记得他们在许多年前，曾指着那本书，压低声音嘱咐我说："给朋友写信也要慎重啊……"

一翻《旧信重温》，写信者有一百多位，信有二百多封，以姓氏拼音的头一个字母为序编成此书，燕祥兄真可谓朋友遍天下，五湖四海，港台海外，老少几辈，男士女士，林林总总，蔚为大观，每位来信者前，亦有按语，除介绍身份，也略有评说，不乏"史笔"，多有喟叹。噫，燕祥何来此兴，编此奇书？

据燕祥自己在前言中申说，此编主要是重温友情。在以往的一个世纪里，最金贵的，当属友情。难得有这么多人，"不慎重"地给燕祥寄去那么些吐露真言的鱼雁，随便一翻，确有人间友情的馨香汩汩溢出书页。比如沙鸥1993年5月一信："记得五十年代反右之前，你穿着天蓝色宽松的绒线衫，浅灰的笔挺的西服裤，来西颂年我的家，引起全院的注目。那时，你可能只有23岁……"从朋友信中看到自己三十多年前的"心灵留影"，恐怕比翻阅自己当时用照相机拍下的"写真"，更有一种沁入肺腑的感动。1978年6月6日，王蒙信："阔别二十年……我们马上可以见面了。应中青社之约，我将去北戴河团中央休养所改稿。明日（七日）出发，十日夜抵京。十一日星期天，如此信到你手时未晚，请你在十一日下午到我家一叙。因我不知你的宿舍的找法，只好先劳动你了。地址：……坐无轨在朝阳门下，下后进一窄胡同名大石作的，再打听一下。如果信到得晚，我将在十二日和十三日上午九—十时给中央电台农村组去电话，如果文秀出差未归，你能否去接电话？或委托旁人把你家的找法详告。"12日再一信："循西前来，未遇……我明天上午十时到下午四时在家，朝阳门……信中所说有一个错误，就是穿行的小胡同名叫'后石道'，我误作'大石作'了……不知能否见到？"连读下来，那因老友离别多年而急欲一晤畅叙的心弦颤动，犹如感人的乐音。这仅是随手拈来的，甚至是很鸿毛的二例。但在我们对新世纪的渴望里，那种能以穿越狂风暴雨与沧桑巨变，能以超越诡谲世事与势利篱藩，非功利非虚荣的人间真情，特别是始终不渝却又清淡如水的友谊，难道不是最迫切的人生目标之一吗？阅读《旧信重温》，与燕祥分享人生中的这一份情感宴飨，实在是桩美好的事。

但此书的意义，也并不仅止于此。燕祥前些年先出了本《沉船》，平静地回忆了在反右中沉沦的经历，后来又出了本《人生败笔》，把自己在"文革"中的遭遇，特别是那些徒劳无益的认真检讨与"据理力争"的"翻案文章"，种种狼狈状与负隅相，和盘托出；都力图为历史留下一份小小的，然而栩实的个案资料。现在这本《旧信重温》，我以为可作为与上面两部呼应的"三部曲"的第三部，这回是从自己辐射开去，以"散点透视"，为上个世纪后半叶，中国大陆知识分子的"心电图"，呈现出些蛛丝马迹，意在引出些咸淡相间的回味与深浅随缘的思考。燕祥的用心，可谓良苦。

是的，乍见《旧信重温》，吓了一跳，但正如好朋友悄悄来至身后，突然以手蒙住我的眼睛，在那最初的惊吓之后，是意外的邂逅之乐！但愿有更多的读者，能产生出这一份兴奋。

陈独秀的小说观

1921 年上海亚东图书馆铅排出版《红楼梦》，要请名人作序，找到了陈独秀。那时亚东的老板当然知道陈政治上的激进立场，但不会预测出共产党的创建，以及后来陈在共产党内的沉浮。找名人就是找名人，往往并不去仔细推敲其政治立场是极右、中右、中间偏右、中间、骑墙，还是中间偏左、中左、极左，要的只是名人效应，能有助于书的销售就好。而那时的名人，也无论左、中、右，在进入学术、文学等领域时，也往往自觉地将其言论与政治诉求区别开来，常能发表出一些出人意表的新颖见解。

陈独秀为亚东版《红楼梦》写的后来置于卷首的文章题为《红楼梦新叙》，但在"红楼梦"三个字后他用括弧注明"我以为用《石头记》好些"。一个题目就见棱见角，不是你老板让我做什么我就服服帖帖地做什么，而是劈头便说明连老板选用的这个书名他很不以为然。那时的老板也算有气度，名人的文章来了，一字不改，这本封面上印着《红楼梦》的书，翻开即是陈独秀的文章，我现在再故意把其题目完整地显示一下：《红楼梦（我以为用〈石头记〉好些。）新叙》，从这一个细节也可窥见当年的文化风尚。

陈独秀的这篇文章仅千把字。一句废话没有。劈头便是大学问家厚积薄发的麻辣烫之论："中土小说出于稗官，意在善述故事；西洋小说起于神话，亦意在善述故事；这时候小说历史本没有什么区别。但西洋近代小说受了实证科学的方法之影响，变为专重善写人情一方面，善述故事一方面遂完全划归历史范围，这也是学术界底分工作用。""我们中国近代的小说，比起古代来自然是善写人情的方面日渐发展，而善述故事的方面也同时发展；因此中国小说底内容和西洋小说大不相同，这就是小说家和历史家没有分工底缘故。以小说而兼历史底作用，一方面减少小说底趣味，一方面又减少历史底正确性，这种不分工的结果，至于两败俱伤。"他在正文里坚持不用《红楼梦》的书名而一律称《石头记》，按他的评价，《石头记》里善述故事的部分"琐屑可厌"，"这不是作者没有本领，乃是因为历史与小说未曾分工底缘故"；"今后我们应当觉悟，我们领略《石头记》应该领略他的善写人情，不应该领略他的善述故事；今后我们更应该觉悟，我们做小说的人，只应该做善写人情的小说，不应该作善述故事的小说。"文末他有一个很郑重的建议："我尝以为如有名手将《石头记》琐屑的故事尽量删削，单留下善写人情的部分，可以算中国近代语的文学作品中代表著作。"他晚年流落四川江津，赋闲时其实正好来做这项删削工作，想是时过境迁，心情大变，早把自己的这一建议忘记；而直到如今，也还没有名手来落实这一工程；我虽绝非名手，也曾妄想遵先贤指示斗胆尝试，删削出一个只供自己赏玩的"善本"来，但《石头记》中哪些文字属于"述历史"，哪些文字属于"述人情"，先就弄不明白，竟举笔不能动手。

陈独秀的这个小说观，很值得玩味。他所说的"述历史"，"历史"一词的含义当然比字面丰富，可以心领；他所说的"小说底趣味"，"趣味"一词当然也比字面丰富，更不难意会。《石头记》真是中国文学里的一个异数，一座登其顶而览众山皆小丘的入云峻峰。与其大体产生在同时的《儒林外史》，就因为刻意于"为群儒作漫画像"，述其事详尽而写人情粗略，作为小说的趣味比较欠缺。清末民初的《官场现形记》《二十年目睹之怪现状》谴责心切，只想急功近利地反腐倡廉、廓清时弊，"为历史存照"，离文学的本性更远了；《老残游记》《孽海花》好一些，颇有善写人情的部分，但"琐屑可厌"的"历史故事"成分也颇多；《恨海》似乎更好一些，能够自觉地提升写人情的笔力，惜篇幅过短。依陈独秀的这个文学观来扫描上世纪前半叶的中国长篇小说，也许只有李劼人的《死水微澜》是及格的，作者把历史完全溶解在了个体生命的情感史与人际间的人情世故之相激相荡里头，文学趣味非常地到位。但他的《暴风雨前》就不能坚守"写人情"，虽然其中的人情味比起同时代一般长篇小说仍属盎然，却失败在拿若干篇幅去专门"述史"；到了写《大波》，那办法简直就颠倒了过来，是先设定一个述史的框架，然后把种种人物镶嵌到那框架里头去，尽管作者文字功底依然未退，但"琐屑可厌"处甚多，而文学趣味淡薄，作者最后也未能完工——恐怕并非都是健康方面的原因，而是创作环境里某些不能不遵从的因素力度越来越强，努力自律而不能得心应手，故而呈现出了窘态。

忽发奇想，设若陈独秀能驻颜于写此文之时，并且不去挑那其实并不适合他的总书记职务担子，而将其生命跳跃于今日，充任组织作家创作的某项职务，倒是件喜人的事情。他主张把"写人情"和"述历史"加以分工，"述历史"当然极其重要，且应避免"减少历史底正确性"，却不必让小说家司此职，而放手让小说家去"写人情"，尽情释放出小说文本的特殊"趣味"，果能如此，则当下小说创作，可望沐和风细雨而滋润繁荣，出现不止一部"近代语的文学作品中代表著作"焉。

2001 年 8 月 25 日绿叶居

东德文学的命运

在 2000 年夏季的欧洲访游中，一位从中国香港出去，前些年在德国某大学任访问学者，后来又到英国定居的文化人 K 君，跟我闲聊时，忽然提到了东德文学，他喟叹说：随风而散了……

现将我们的那一段交谈追记如下：

我： 东德，是不是要说成"前东德"？

K： 没必要。苏联就不该说成"前苏联"。苏联，还有东德即德意志民主共和国，都是历史上确实存在过的政治实体，直呼就行了，好比历史上有过波斯、普鲁士，现在我们提起来，没必要称为"前波斯"、"前普鲁士"。除非出现过"后苏联"、"后东德"，否则没必要给苏联、东德加"前"字。

我： 你说东德文学随风而散，是不是指东、西德统一以后，东德的作家协会不复存在了？

K： 那种作家协会当然不复存在。

我： 可是作家还在。他们出过的书还在。他们还可以写新的作品嘛。

K： 作家还在，看从什么意义层面上来说。从生理层面来说，还活着，这没什么好讨论的。要讨论的是，他们原来出的书，还有多少人愿意看？特别是，在统一的德国文化市场里，还有多少人自愿要消费那样的文化产品？他们即使想改弦易辙，面对新的局面写新的作品，一下子写不写得出来？写出来了有没有出版商接受，出版商倘若给出版了，能有多少人乐于去买？

我： 德国统一不久，你就去了那边，你觉得东德的作家处境如何？

K： 基本上都很不妙。

我： 西德那边的人看不起他们？

K： 在统一以前，西德的绝大多数民众对东德的文学没有什么好奇感，基本上是漠不关心。当然，个别东德作家他们还是看重的，比如布莱希特的剧本，但那是西德，乃至整个西方世界也一直在出版着的。可是，东德的民众，特别是年轻人，他们对西德的文学有好奇感。所以，统一以后，主要的阅读动向，是东边的人想读西边作家的书。如果说东德作家有被人看不起的问题，那么首先是东边的人，特别是年轻人看不起他们。他们的书再没人读，甚至一般图书馆也懒得再收藏，被当废纸卖掉，那情形确实有点惨。

我：东德存在了半个世纪，出现了很多作家，印刷出了那么多的书，难道就没有好东西吗？

K：你这个问题问得好。但是，究竟哪些作家、哪些作品有价值？这需要研究。谁来研究？当然要依靠文化机构的文化人，主要是大学里的文科教授。在统一以前，东德自己当然有不少这方面的论著，统一以后，价值坐标大转移，不算数了，这些印刷品的遭遇比里面所论述的作品更惨，恐怕首先被人们扔掉的，就是这些东西。西德原来有教授进行这方面的专门研究，但研究的角度，主要是通过东德文学，来窥视、剖析东德的政治、经济、社会、民情，很少有把重点放在纯粹的文学审美价值判断的。那时候，有一些基金会愿意为这样的研究投钱。统一以后呢，据我所知，这样的研究被认为已经功能终结，没人再搞了。即使还有个别教授仍有兴趣研究东德半个世纪的文学，比如说著一部专门的文学史，也找不到基金会给他出钱，当然校方更不可能拨给他经费，因为不可能让他开一门讲东德文学的课，这样的课也不会有学生来听，那么，他难道自己掏腰包搞这个项目吗？

我：你接触到过这样的个别教授吗？

K：没有。也没听别人提起过。实际上我那只是一个善意的假设。教授搞研究，经费是一个前提，此外，他也总是希望那个课题能给他带来学术上的成就，再，也还要符合他的兴趣。我想到中国的"文化大革命"后期，那时的出版社也出版了不少的小说，不光是《金光大道》、《虹南作战史》，我记得的就有一大串，随便回忆几个吧：《黄海红哨》《激战无名川》《千重浪》《小兵闯大山》《向阳院的故事》……有的很快被拍成了电影，它们的读者、观众在那时候都很多，可是，在如今的世道里，我们概括那一时期，总说是"没有文学"。请问，现在谁在花力气写一本描述评价那一阶段的文学史，或者把研究《黄海红哨》作为自己博士论文的课题呢？我倒要问你，国内有没有这样的人？

我：据我所知，没有。也许以后会有吧。

K：那一阶段的中国文学，除了极个别的如《金光大道》，基本上湮灭无闻了。东德文学的命运，有点类似。

我：依我想来，东德文学总不至于像中国那个阶段的文学那样。起码从文学性上来说，总体还是比较有水平的吧？

K：你说的文学性，指的是什么？这个问题讨论起来比较麻烦，我们暂放一旁吧。现在的问题是，统一后德国的绝大多数民众，对东德各式各样的文学都没有了兴趣。对歌颂东德体制的作品，没了兴趣；对反抗东德体制的作品，包括所谓"地下文学"，其兴趣甚至更衰减到冰点以下；对在性描写或表现暴力方面有"大胆尝试"和"勇敢突破"的作品，因为可以很方便地得到西德作家写出的早已不是尝试更无所谓勇敢不勇敢的，成熟得多的作品，当然也就弃之若敝屣；至于搞文本、语言颠覆的前卫作品，西德的更得风气之先，统一以后，东德作家写的那些东西，也不再令人觉得有多么前卫，甚至觉得有些个"土气"了……

我：东德作家，他们可以写统一以后，东部德国和在那里定居的德国人的生活、心态变化……他们还是有自己的优势的啊。

K：不过，对他们而言，需要调整的，首先还不是题材的选择，而是自己的思维与写作习惯，我指的是深层意义上的思维与写作习惯……据我所知，他们有的已经改行；有的还想写，却一时调整不好，无法拿出新作；有的写倒写出来了，却不被出版商接受……一句话，倘若他仍将自己定位于作家，那他恐怕必须剪断和东德文学之间的脐带，从头开始。

我：而西德作家们却不必从头开始？这多不公平！

K：公平不公平，跟谁去申述？并没有什么机构、什么人利用自己的权威，去强制性地造成了这样的局面。是事态本身的发展，自然而然地酿成了这样的结果。

我：如果有东德作家坚持自己原来的创作路数呢？

K：那只是一种假设。个体生命很难彻底摆脱现实环境的制约，特别是当你感觉被公众抛弃了以后。东德作家可以做到的，顶多是坚持认为自己原来所写的东西还是有价值的，之所以那样写，是有道理的。他现在写东西，就他自己而言，也实在是没必要那样地去写了。现在面对的就是一个统一的市场，在写作时再不必在文本立意或语言符码的使用上自控、自检、自律了。

我：我还是觉得，这不公平……

K：有些事情无法达到绝对公平。比如说，统一以后，是用西德马克取代了东德马克。但这种统一货币的方案绝大多数东德人是非常欢迎的。柏林墙拆除以后，东边的人特别是年轻人都想马上到西边看看，但多数西边的人包括年轻人却一点也不着急到东边旅游。现在东部经济仍然大大落后于西部，失业率颇高，而又出现了移民问题，许多从东边国境进来的移民，根据西德的法律——现在这些条文在整个德国都有效——要给他们房子住，还发生活费，这让某些在东德长大的人难以理解，特别是现在年纪还很轻的失业者，他们就去信奉新纳粹，剃光头，结伙袭击移民，甚至将移民殴打致死，还有的跑到西部刑事犯罪，搞得现在德国社会问题更多，以至有的在西德长大的人就发怪论，说不如把柏林墙再砌起来。啊，我扯远了。总之，我要明白无误地告诉你，东德文学，随风而散了……

我：但愿你的表述有误。我要再请教别的方家，也许他们会为我解惑正误。

K：当然，你应该多方了解，兼听则明嘛！

2000 年 11 月 25 日追记于北京绿叶居

火晶心的叙述

——读庞进《大悟骊山》

"水果"是一个很大的概念，"柿子"是水果之一种，但也还是一个笼统的概念，火晶柿子则是非常具体的一个独特品种，它那樱红色的泛着淡淡白霜的薄皮儿可以一溜一溜地旋揭到蒂根儿，举起把儿将火红的晶莹的一疙瘩沙瓤儿凑到嘴唇上，轻轻地那么一吸，一团软乎乎的甘甜就顺喉而下，直达丹田，这时你会感觉到，你是吃到别处没有的美味了！读庞进的《大悟骊山》[1]，就有吃骊山地区火晶柿子的快感。

庞进向读者娓娓介绍骊山及其周边的历史沿革、名胜古迹、民间传说、风俗习尚、宝物特产、奇人异事……如果他只是资料丰富、文笔生动，那阅过我也未必会有写篇文章的冲动。那样的地理书、导游书也真翻阅过不少，工具而已，有用，而难说有味。我欣赏的是庞进所采用的完全个性化的叙述文本。不是以"我们"的口气，"客观"的角度，"求衡"的心理，以期可以达到"各方面都能满意"的"功德"，而是彻底从个体生命感悟出发，凸现主观真实，时有带棱带角的议论，文体介乎文化大散文与社会大杂文之间，而又一气呵成，如龙穿云，时而见首藏尾，倏忽摆尾掩身，最后则首尾呼应，全龙欢舞，令人读来兴味盎然，回味不尽。

庞进是中国龙文化研究方面的专家，其专著引起国内外有关机构、人士重视。写骊山风情，他把这方面的研究心得糅合进去，庞进在这本书里多次表达了他个人对封建专制的痛恨，书中有一节题目是《悲悯情怀》，他认为历史上的专制流毒"毒化、扭曲了人的灵魂，践踏、糟蹋了人的尊严，把人性中丑恶的一面挤压、释放了出来……把人的良知搅得粉碎"，人间苦难概由此出，知识分子应以悲悯

---

[1]《大悟骊山》，庞进著，陕西师范大学出版社，2002 年 5 月第一版。

的情怀，直面人间苦难，充当社会良心，涤荡专制流毒。但他不同意有些人士把龙的形象说成完全是封建专制的符码，似乎"龙的传人"这个说法也成了问题。他指出，龙这一形象的出现，比专制帝王的出现要早得多，辽宁查海已发现据今八千年的龙，距今七千年到六千年的龙也先后在陕西、内蒙古、河南等地发现，这说明龙最早是石器时代原始先民创造出来的，是他们对"天"的崇拜、敬畏的一种符码。书中这类以扎实的学力为底气介绍的知识、发表的议论，至少是有着相当的参考价值。

作者就出生在骊山地区，长大成人后又长期在那一带工作、生活，因此书中绝大多数材料来自亲履的田野考察。如对所谓"骊山老母"的来历，对"太上老君"之"道"的"身外大力"的阐释，对石觉寺香词的搜集引述……都是独到而珍贵的。特别有意思的是，作者绝不厚古薄今，更不切割历史，如辟专节写到一位当地奇人杨仕会，此人从农业合作化一开始就坚持单干的立场，并且拿着有"入社退社自由"内容的政府文件，穿越几十年的极左风云，任凭"风刀霜剑严相逼"，文明抗争，竟终于在改革开放时期赢回了自己原来田亩的使用权和耕牛等的赔偿，活生生地体现出了骊山人性格中那"质直正义、爱好劳动、富于反抗精神"的精华，令人读来扼腕后又不禁莞尔。

个性化文本，目前不让虚构类如小说等专美，已经开始出现在报道类的写作中。当然，我以为用"我们"的口气，用尽量客观的角度，照顾到各方面意见，来写历史、地理或其他知识性的文字，仍是一种重要的文本，中、小学的一些教材就应该遵守这一叙述方式。但放到整个社会的话语空间，则个性化的表述其实不是多了而是少了，而且有些个性化文本在放纵个性的同时却忽略甚至背离了常识，因此在期待更多个性化叙述的"闲书"出现的同时，加强这方面的研讨，也是很重要的。

这回真的要走近

——汪毅《走近张大千》序

　　汪毅这本关于张大千大师的新书已经有了两篇序：他的自序与文史专家钱来忠先生的序。关于张大千大师是何等伟大，以及汪毅在评介张大千大师的"话语权"方面是何等裕如，看了那两篇序当已了然。但汪毅还是命我再作一序。我除了因祖籍安岳县现划归内江市，能以忝列为大千大师的同乡外，其实真没有什么下笔的由头。坦率地说，我对大千大师的了解，浮泛得很，他的画作，只看到过一些印刷出来的缩小样例，他的诗词文章也读得很少，当然更不可能品尝到他烹调出的美味。但正因为原来离得远，所以对能以在汪毅引领下走近这位文化伟人，产生出跃动的急迫感与莫可名状的大兴奋，我想这也是许多像我一样的普通人的共同心情。

　　对于我这样的普通人，正襟危坐地向我们宣谕大师的伟大，未必能引出心灵的震动。越是强调其天下无双、世界第一，倒可能越会让人敬而远之。忽然想到2000年在巴黎参观毕加索博物馆，既设专馆，敞门迎客，当然是因为觉得其人伟大，其作品精彩，走进去参观，即使是作为外行匆匆浏览，也不免满眼生辉、肃然起敬，但那馆里的种种文字介绍，无论引言还是个案分析，不但没有宣称他世界第一或西方第一的内容，倒还把某些对他的争议明示出来；在馆中售卖纪念品的地方，当然主要是陈列他的作品的复制件，但也兼售其他画家作品的复制品，一位售货女郎笑对我说，毕加索创作上太不节制，因此不是所有作品都好，见我挑选画册，她向我推荐马蒂斯的，说她认为马蒂斯比毕加索更精深。毕加索博物馆的这种气氛，使我感到特别舒服，因此我去了还想再去。也许那就是一种让人走近毕加索的巧妙手段。伟人存于世时是一个活人，活人就有缺点，有不足，而且会有争议，其人仙逝后，最好也还把他当做一个仍然活泼泼存在的生命，仿佛就在我们身边，不仅令我们钦敬，也令我们感到亲切。你看"四川文化名人"推介活动所推出的古今十大名人，哪位不是有缺点、有弱点、有争议的生命实体？倘若先把对文化名人的评价推到极致，吓得我们芸芸众生双腿瑟瑟，那就只有远远跪下的份儿，哪还可能一步步去走近？

汪毅对张大千大师的评介，体现在他一系列文章，包括此书的自序里，那是非常之高的。那当然都是出自汪毅真挚的胸臆。但这本书里的主要文字，却又以"打油诗"的形式出之。这就是汪毅的高明之处。按说，大千大师之伟大，唯有以悲鸿大师那样古奥高雅的文体推介，方堪匹配，如以诗的形式出之，要么仿屈夫子骚体，要么仿盛唐古风，再要么仿莎士比亚的"商籁体"，怎能公然"打油"？但恰恰是这一表现形式的选择，一下子让我们觉得大千大师是一位跟我们一样，离油盐柴米酱醋茶很近的，活泼泼的生命，他那获得永恒的生命不仅可以供我们钦敬学习，更可以引为我们的芳邻甚至挚友，一起经历人生的悲欢离合，一起享受人间的风花雪月。为此，我由衷地向广大读者推荐此书：这一回，我们真个是能切切实实地走近张大千了！

　　　　　　　　　　　　　　　　　　　壬午新春于绿叶居中

风急天高

影视圈名人出书，黄健中算比较晚的。这样的书一般总是非常注重封面的符码效应，一是突出著者名字，一是书名要么尽量通俗简洁，要么构成一句口语化的"名言"，以满足"追星族""窥私"的阅读心理，使他们能以轻松愉快地"走近名人"，受到熏陶，书也能以畅销，这应该说是正常，而且多半确实也是健康的文化现象。这本书封面上"黄健中著"的字样很不跳眼，虽放了一张他的工作照，但以变形方式处理，令人不知"庐山真面"。该书以《风急天高》[1]命名，马上会令人想到杜甫那"风急天高猿啸哀"的诗句，其实他并非以"啸猿"自比，而是借用这四个字来抒发自己不懈追求的人生志向。

这是非常值得阅读的一本高雅之作。读它至少能有三个层面的收获，一是可以知道黄健中何以从二十一年前实际执筒导演《小花》（虽然字幕上他只是副导演），当中几乎从未消歇过，至今仍活跃在影视界，总体趋势是更上层楼，但也始终处于争论之中，他那旺盛的创造力，究竟是怎么形成的？特别令人感佩的是，由于客观方面不可抗拒的因素，他并未曾在电影学院受到科班训练，他完全是依靠顽强而有方的自学，在实践与磨炼中成才得名的，这不仅对有志进入演艺圈的人士有重要的参考价值，也对所有置身于当前"风急天高"的竞争环境里的任何人士，有着难得的人生启迪作用。二是此书反映出黄健中是个唯美主义的"拼命三郎"，书中充溢着他对创造完美作品的激情，有许多独到的美学见解，比如他在调动起演员的创作激情以后，又特别强调避免去表现激情的顶点的顷刻，指出抑制的感情是最激动人心的情感。三是书里几乎没有什么"私语"，他婚姻美满，生活优雅，不是故意要隐瞒什么隐私，而是确实只醉心于艺术，他的生命似乎完全融化到他的影视创作中去了，而这种执著的情愫，也就构成了这本书最坚实的高雅格调。

读《人生的滋味》[2]

这本书里最重要的内容是比较系统地记录了中国作家协会从 1949 年到 1976 年历次政治运动的开展情况。因为作者五十年代初至八十年代初一直在中国作协任职，

[1]《风急天高》，黄健中著，作家出版社，2001 年 1 月第一版。
[2]《人生的滋味》，涂光群著，中国工人出版社，2002 年 1 月第一版。

并一度从边缘进入中心，又从中心逐渐地边缘化，既是诸多文化史上惊心动魄的大事件的当事人，又颇翻过几个筋斗，因此在今天书写这些事件时能尽可能以冷静客观的叙述文本出之。书中特别可贵的是提供了颇多的"现场实录"，如 1954 年周扬在中国文联和中国作协的主席团扩大会上作题为《我们必须战斗！》的报告，突然抛出了对"胡风集团"宣战的动员令，"我看见满座皆惊，连坐在主席台上的中国文联主席郭沫若和中国作协主席茅盾也显得举措不安"；又如丁玲命运在 1957 年 6 月本来已经似有摆脱"反党"帽子的转机，连周扬也在会上当面对她道了歉，但到了该年 7 月 25 日起，忽然又大张旗鼓地层层开会，号召大家"打退丁玲向党的进攻"，"记得一次开会，丁玲出场，她在台前站立，人们纷纷要她交代为何'向党进攻'，她有口难辩，半天做不得声，突然她伏在桌上痛哭失声"。此外关于 1964 年中国文联各协会的春节联欢会，书中也提供了不少细节，后因有人告状，惊动得毛主席发出了"这些协会……势必在未来的某一天，要变成像匈牙利裴多菲俱乐部那样的团体"的严厉定性，"文革"中文艺界也就闹了个犁庭拆院、全军覆没的下场。在《中国作协"文革"亲历记》里，因为作者既是当年贴出第一张大字报，又是头一批被揪出来的"黑帮"之一，在意识到"咎由自取"以后，反倒遍体清凉，时到今日，更能从容地展示许多鲜见于他人笔下的所见所闻。

作者显然仍有某些不必要的顾忌，有的事件里的人物仍以"某"代替。但我们不必苛求。阅读这些陈年往事的斑驳记录，我们要思考的不仅是如何避免悲剧的重演，还要据此探究人性何以能被扭曲到那般程度的深层原因。

这面筛子挺好的

这世界上的书真是太多了！就在我写下这句话的时候，肯定又有难计其数的新书出笼。一百年前的读书人，他可以自豪地说："我把该读的书都读了。"现在有哪一位读书人，敢说自己把该知道的书的题目和大概其的内容都掌握了呢？

于是，现代人就非常喜欢筛子。《书摘》就是一面筛子。它把当今以汉字排印的图书放到一个大筛子上，让一些值得我们读的内容漏到我们心臆里，把一些我们不一定非得咀嚼的东西留在筛眼上。当然，《书摘》不可能把所有的新书都搜集到，都放在它上面摇晃一翻，它在选择原料方面有局限性，或者说有其自主性，好在这类的筛子如今很多，各有角度，各有选择，各有特点，也便各自拥有喜爱光顾的常客。

筛子有经线和纬线。《书摘》的经线，是意在把读者忽略的、不知道的某些书籍和文章，介绍出来。《书摘》的纬线，则是意在把读者关注的、想知道的某些书籍和文章，先来尝鼎一脔。以这样的经纬线织成筛子，好。《书摘》偶尔也会发表一点独家的，非摘出来，而是专门约来的文章，这就好比不经筛子，直接往筛子底下投掷美味佳肴；不过，我因为这样的做法只能偶一为之，或每期只占1～2页，否则，筛子不成其为筛子，也就失却其特性了。

总的印象是，《书摘》这面筛子挺好的。每次筛下的文字，原来听说了想知道的，果然不少，读来解馋；原来闻所未闻，或模糊耳闻不以为然的，拿来读读，也半会觉得有益、有趣、有味。如果说不满足，那么，我觉得关于各个方面的边缘信息，应该增加一点，比如当今这世界，立陶宛、马拉维、文莱、冰岛……处的信息，怎能长期冷寂？世界首富方面说得不少，世界首贫方面就很少涉及。缅甸有何新作家新作品？秘鲁有否民族电影有何新作？中国现在究竟还有多少人能说满语或至少听得懂满语？有多少人以满文为自己的专业？……涉及这些内容的书籍文章不能总上不了筛面或总被筛子眼挡住吧？还有，长篇小说缩写，大体上每期一篇，很好；只是何必非专约一篇评论？跟这面筛子亲近的人，大都是独立思考能力强的，你只要把缩写筛得好，读者自会对那缩写传递的信息作出自己的判断，似不必设此蛇足；当然，如果那被缩写的作品已有公开发表过的评论，特别是出现了对其价值判断相左的不同文章，那倒值得放到筛子上摇一摇，从筛眼里漏些精华出来，供读者思考。

筛子是承接新鲜物事的东西，《书摘》全摘"时文"，古代经典也只拣新发现或新翻译的，我以为这很好。我甚至以为越新鲜越好，喜新厌旧笼统而言是个缺点，具体到筛子类的东西，那喜新厌旧就是个优点或者说是特点了。愿《书摘》长葆生猛、鲜活！

对出墙红杏的裁定
——读《自传契约》[1]有感

一枝红杏出墙来，这景色如何？倘若墙外是田野或街巷，即公众共享空间，那么，较多的可能，是被人指点、欣赏，甚至咏唱。但是，如果墙这边是另一家的私人空间，那么，这边的主人可以因为不欣赏红杏花，或者抛开审美因素，仅仅因为觉得是那边的事物侵犯了自己这边的私有权，就搭上梯子，登上去，咔嚓一声将那墙的部分剪掉。为什么出墙红杏在不同情况下会招致完全不同的评价与对待？这就构成了一个学术问题，而这个问题的核心，则是如何严格细密地裁定红杏究竟出墙了没有。

法国人菲力浦·勒热讷1971年出版了一本《法国的自传》，开始研究"何谓自传"的问题，此后他术有专攻，极少旁骛，抱定这一具有原创性、开拓性的课题，往深处探究，到1986年，又写成《自传契约》一书，提出了自己独到的学术见解。我们读过的书里，自称是自传的，以及我们觉得那就是自传的，一定会有，但是，究竟它们从学术意义上考察能否算作真正的自传？其实可疑者甚多。比如，我们就往往会把回忆录与自传混为一谈。再，我们会觉得必须还原历史及生活真实面

---

[1]《自传契约》，法国菲力浦·勒热讷著，杨国政译，北京三联书店，2001年10月第一版。

貌特别是细节的文本，才算得上是自传。菲力浦·勒热讷通过对十一世纪以来的几百部法语著作的仔细研究，最后作出了他对自传的科学定义："一个真实的人以其自身的生活为素材用散文体写成的回顾性叙事，它强调的是他的个人生活，尤其是他的个性的历史。"根据这个定义，那些出墙红杏般的文本就被剪掉了，而留在园内的红杏即使并不能准确地还原历史与生活的细节，却因其真实的个性表述而被裁定为合格的自传。根据这个裁定，我们阅读自传的第一乐趣就未必是透过那文本去认识历史，而是从字里行间去亲密接触了一个具体的生命，或者进一步说，是阅读了一个灵魂。

菲力浦·勒热讷通过深入研究进一步指出，自传作者所形成的文本会有很大差异，叙述策略花样百出，但有一点却不约而同，就是作者在文本里会试图与预期的读者形成一种契约关系，写作与阅读最后达成默契，这就是"自传契约"。安德列·马尔罗 1967 年出版了《反回忆录》，他强调"我称此书为《反回忆录》，因为它回答的不是一个回忆录所提出的问题，并且它也不回答回忆录所提出的问题"。尽管这本书里有许多关于历史和往昔生活的回忆，作者也并不是想故意地错忆乱记，实际上是提供了许多可供历史界和社会学家参考使用的宝贵资料，但作者与读者的契约却是地道的"自传契约"，作者主要是想写出个人感情与心理生命的历程，而读者所最应感受的，也应是一个独特生命的个性历险的诡谲轨迹。正是因为有"自传契约"，作者与读者把落点都首先放在"个性史"上，像这样的一些既非小说式虚构，也很难从历史中求证的叙述，得以让我们获得自传这一文体的特殊快感："当我写这些文字的时候，我仍能回想起那几乎辨不出轮廓的黑色物体对我所产生的难以名状的恐惧……""我感到它仍回荡在耳畔……"

中译本的《自传契约》是把菲力浦·勒热讷的两本著作的理论部分集中在一起，省略了文选部分与作品解读部分，这是译者根据原作者意愿来安排的，这样确实很适宜于一般中国读者阅读。我以为这本书对我们来说，其最大的意义倒未必是去具体参与对"什么是自传"这一问题的探讨，读它的好处是能够获得一种研究方法上的启迪。比如，现在我们对电视剧如何处理历史题材，时有争论，究竟历史能不能戏说？是应该尽可能地去正说亦即还原历史真貌呢，还是也可以利用历史人物和历史事件的素材来编造故事？争论的双方，有时还在电视的谈话节目里短兵相接，各执一词，难以调和。这种一般性的争论，往往只停留在赞成／反对、有害／无妨、杜绝／齐放的浅层次上。其实应该有学者站出来，像菲力浦·勒热讷研究"什么是自传"一样，从根本上构建出"什么是正说，什么是戏说"的裁定框架来，把学问做细、做深、做透。

朝霞中的蓝印花布

这是一本美丽的书。不是柔性灯箱广告那种时髦艳炫的美丽，而是清水出芙蓉风过荷香溢那样自然而灵动的美丽。祝勇的走笔蜿蜒在游记、地方志、田野考察、社会透视、文化随笔和散文诗的边缘交融地带，游刃有余，细腻剔透，仿佛春蚕在桑叶上绣出的吻痕。而李玉祥的那些视角独特的照片并不是一般意义上的插配，它们与祝勇的文字不仅是契合，实际上是各自消化了眼和心的感受后从一个吻里共同地吐丝。冷冰川的素笔写意画呢，渗透进许多西洋意趣，是对民间质朴美物给以遥相呼应的赞叹，还是刻意要营造出一种间离效果？全书在版式、装帧上的总体把握，也是值得一提的，在眼下人们对若干出版物"性趣"过多有媚俗以图畅销之嫌的情势下，《蓝印花布》[1]这本书真正做到了害怕脂粉污颜色而素面朝天，确实是高品位的制作。谁爱风流高格调？不要担心，首印8000册不到一个月就发行告罄，于是又马上印了第二次。

当然，类似这样选题的图书已经出过不少，面对农业社会最后的遗存，无论是那些没有钢筋混凝土玻璃幕墙钛钢外壳，只是木竹结构砖瓦土石的古老民居，

---

[1]《蓝印花布》祝勇／著文，李玉祥／摄影，冷冰川／插图，作家出版社2003年6月第一版。

还是蓝印花布这样的纯手工制品，著作者多半充满对工业文明、后工业文明的沉痛反思乃至悲愤抗议，文字里流淌着浓酽的怀旧情绪，配图的说明文字里也会溢出许多的哀愁，氤氲出一种"夕阳无限好，只是近黄昏"的无奈。这样的文本当然有其特殊的意义，对于一般人在珍惜与维护传统文化方面的麻木起着警示作用，对于有关职能部门更是一种监督与鞭策。但祝勇他们这本书不是对这种"从夕阳里拾金"的路数的跟进。祝勇在自序里说："我终于发现了自己的误区：我从一开始就将这两次旅行当成对于时光的逆向之旅……误以为颠簸晃动的长途汽车能把我送回唐宋明清。只有在古村落里生活，才能发现自己的错误在于混淆了时态——把自己的生活当做现在时，而将山水村落间的朴素岁月当成过去时。在追怀逝去岁月的时候，现代人的优越感稍不留神就露出马脚，那就是无处不在的'过来人'眼光，从某种意义上说，那种被命名为文化乡愁的东西，是现代人的富贵病，与田野作坊间劳作的村人们无关。那些长期隐于我们视线之外的乡民俚人，同样是生活于现代之中，与我们分享着同样的天空与阳光。他们的价值不在于让现代人回到过去，更在于为文化的多样性提供了生动的实例。"这是著作者交给我们的一把独特的钥匙，进入正文的阅读欣赏，我们以这把钥匙解读时就会发现，这本书面对农业社会遗存美物所抒发的并不是夕阳哀叹，而是清晨诗思，从书中扑鼻而来的不是出土文物的霉锈味，而是鲜活涸润的田野气息，朝霞中的蓝印花布因而更加美丽。这种不去夸大现代文明与传统文明的龃龉冲突，对人类在各个时段各个地域所创造出的美好事物都平等相待，尤其是，努力把传统文明融会到现代文明之中，对生生不息的人类具有持续创造力充满信心，心平气和地看待文明进程中的加减乘除的态度，确实是更上层楼、高屋建瓴，令人感佩，发人深省，因此我要说，这本书不是一般的美，而是有深度的美。

有的珍爱只能轻抱

紧紧拥抱，在一个开放的时代是很平常的示爱方式，城市街头已随处可见。拥抱这种肢体语言，化解着心灵深处由孤独而生的焦虑，化合出因为生命间的依偎而涌的快感，但并非所有的拥抱都是越紧越好，有的拥抱，只能是轻柔的，必须非常地适度，那是一种安谧、娴雅的生命态势，最典型的例子，就是抱猫。

猫是与狗并列的，人类宠物的首选品种。相比而言，猫比狗更依赖于人类，猫从什么时候开始，把依赖人类供养当做了自己这一物种延续的重要的，甚至可以说是唯一的方式？从古埃及的文物可以推测出，那至少已有五千年以上的历史。现在地球上已经很难找到真正意义上的野猫。我们现在所看到的野猫，几乎都生活在人居环境中，城镇、乡村中的野猫，实际是家养猫中派生出的弃猫，它们所依赖的食物，仍然主要是人类的唾余，完全生活在与人类隔绝的自然生态中的野猫，现在已经非常罕见，许多被动物学家分类划归为猫科的哺乳动物，包括猞猁、豹猫等，体积都比家猫大，像现在我们常见到的，其体积与人居宅所恰能相配的猫咪，在远离人居的田野山林里是几乎没有的。猫虽然有许多品种，体态间也存在许多差别，但跟狗一比，还是单纯多了，狗与狗之间的体态差别可以悬殊到令人咋舌的地步，所以像北京这样的城市有限养大型狗的法规出台。

田野山林中还有相当数量的野狗存在。狗也不仅只是宠物，在极地雪原中拉雪橇，在草原上充当牧羊犬，在人类狩猎时充当猎犬……狗是为人类服役的牲畜之一。马戏团节目单里必有驯狗这一项，而且狗的表演花样繁多，难度大，持续时间也可以比较长，驯猫则只有少数马戏团能够展示，而且猫的节目一般比较简单短促。猫捉老鼠算是为人类养育繁衍它这一物种的报答？但越来越多的现象是，当代宠物猫只吃猫饼干和猫罐头，有的见了老鼠甚感陌生，有的竟与老鼠嬉戏，视为玩伴。狗对主人竭力表忠，狗喜欢主人紧紧拥抱。猫却非常之傲慢，高兴了，或许会主动来亲热你，跟你玩一会儿，不高兴了，对不起，它一副对任何事物都不屑的表情，主人想抱一抱都不行，会狠命挣脱。猫有时会允许，甚至表示出喜欢主人抱抱它，但是你断不能紧紧拥抱，只能是轻轻地将它揽在怀中，柔柔地给它一个欲沾不沾的温吻。

宠物概念的确立、普及，宠物行业的兴起、繁荣，是社会生活与以阶级斗争为纲渐行渐远的重要标志之一，我在十几年前就在报纸副刊上开过《抱猫闲话》的随笔专栏，那样的文字延伸到今天，可以说是"布波族"即布尔乔亚加波希米亚情调的一种浸润，就是让在市场竞争愈加激烈的生活氛围里，为都市"小资"布下些轻柔抚慰心灵的语丝。我以为，市场时代的不公平确实仍需黄钟大吕的警示，激昂的呼喊、紧紧的拥抱，也就是强烈的爱憎，仍应流动于为文者的血脉，我自己也在继续写出跳脱于"小资"的，眼光朝向弱势生命的刚硬文字，但毕竟在多元的文化格局里，多几幅笔墨，既能紧紧拥抱，也会轻柔依偎，不是更好吗？我就很想为我家的猫写一本书，表述这样的情怀：有的珍爱只能轻抱。

没想到有人走到我前头了，这就是李靖女士推出的《你是不会说话的人——一个猫家族的故事》[1]，只有在一个越来越能容忍"小资"，不仅容忍他们那追求闲适的生活情调，更容忍他们的温情柔肠，容忍他们暂时忘却世上还有那么多的苦难、不公，来絮絮地缕叙自家爱猫的情爱浪漫、生老病死，这样的社会格局里，才会出现这样一本别致的书，14万温馨的文字里，还嵌有许多充满琐屑趣味的猫照，甚至其中有张照片只是一个小藤椅，说明那是猫咪莉莉曾经坐过的，说不定就会有"小资"读者为那一页的文图而鼻酸欷歔。

李靖写那么一本"猫书"的动机很单纯，我写这篇文章却心情复杂。我推荐李女士的书，同时，我盼望读者也能体味我那没有，也不必全说出来的意蕴。

---

[1]《你是不会说话的人——一个猫家族的故事》，李靖著，作家出版社，2003 年 10 月第一版，定价：
    19 元。

"随笔热"中的卞毓方

有些人对近年来的"随笔热"颇有訾议，其不以为然的逻辑，大体上是：一、随笔是小玩意儿，正经作家应致力于长篇巨制，方不负时代与人民的重望；二、有些作家的随笔几乎每隔数日便见报一篇，甚至于还搞个人专栏，毋乃太多太滥，好的艺术品应精雕细磨；三、随笔大多篇幅短小，且多发表在"报屁股"上，难免"弱肩挑不了重担"，往往不免表现些小题材、小道理、小悲欢、小情趣，因此令希望每读一篇文章便获得终极思考教益的人频频失望……

对"随笔热"的批评文字，屡见于报纸，并且也往往不幸地被排印在"报屁股"上，乃至于也与一篇被批评者谑为"阿猫阿狗"之类的"豆腐块"为邻。我想编辑既一边大发随笔一边又对批评"随笔热"的文章予以容纳，是有道理的。随笔的质量应有直率而到位的严格批评来加以控制。但"随笔热"其实绝非随笔作者所能营造，甚至也并非偏爱随笔的编辑所能促成，这股"热风"的形成，实在是因为越来越多的报刊不能不面对一个出版发行的大市场，是作为买方的读者，特别是自己掏腰包订阅报刊的读者中的多数，决定了作为卖方的报刊必须在坚持正确方针的前提下，尽可能迎合读者的口味。在当前这个转型期的历史阶段中，为数甚多的读者希望在报纸副刊上读到：一、与头版社论不同的较为轻松的话题；二、与头、二版长篇报道不同的尽可能短小的文章；三、熟悉的作者在固定栏目中的经常性出场……

在近两年的"随笔热"中，又出现了一位随笔高手卞毓方，他原是搞文学翻译（他精通日语）和干国际记者那一行的，但这两年他突发了写作随笔的兴致，以至你最近翻阅新到的报刊时会不时地遭遇他的随笔新作，并且像《读者》那样的发行量极大的选刊上，近来频频地选登着他的随笔精品。在他的个人成就中添写"随笔家"这一头衔，实在已水到渠成。

作家出版社新近出版的《岁月游虹》，是卞毓方的一本随笔精选集。这本集子的内容丰富多彩、文笔摇曳多姿，任凭弱水三千，我现在只取一瓢为样，那便是其中有一篇曰《仇家死了》。谁说短小的随笔只能流于轻、飘、浅、淡？这篇随笔涉及了人际间的交恶与怨恨这种颇为沉重的话题，以丝丝入扣的笔触，揭橥了人性中的某些奥秘，令人读来可憬悟，可慨叹，可深思，亦可发喙。像这样的篇什，实在是不可多得。而《岁月游虹》这本集子里，能令你掩卷后觉得后味无穷的，至少还有数篇。

我一贯不大能分清随笔与散文的界限，大体而言，我以为随笔的行文大概是夹叙夹议多些，而散文应专注于摹写具体的境界与心态；依我的这个拙见，则卞毓方的随笔似乎更有散文的韵致，形象化的描摹往往极为传神，而情感的宣泄，是很注意恰到好处，比如一个人即使哈哈大笑，也很注意不能过于放肆而走了雅形儿，体现出一种难得的学养与教养，这，或许便是他的风格所在吧！

《城市战车》值得一读

邱华栋的《城市战车》作为作家出版社1997年推出的"都市系列"丛书中的一种，不如其中的《找不着北》反响红火，但自有其鲜明特色，值得一读。

邱华栋生于1969年，到今年还不满三十岁。近几年有一批六十年代的作家不断地发表出充满新意的作品，邱华栋是其中之一。邱华栋从年龄上来说，固然属于当代文坛上的边缘人物，另外他又是北京这个大都会中的一个外来人，起码直到现在他心中的这一情结还未消弥；他出生于遥远的新疆，在武汉上完大学才来到北京，几经跳槽，才总算定位于一家报社任编辑和记者，这样他虽然得以进入了北京的文化圈，可是暂时也还是个边缘人物。这双重的边缘感，已使他内心中充溢着进取的激情与渴望成熟、成功的焦虑，谁知还有另一种更令他心灵难以平静的边缘感，那便是在他走向青春期的时候，这社会，特别是他所置身的这个大都会，已经出现了那么多法律所允许存在的商业消费与商业文化，诸如夜晚像钻石山那样高高耸立的星级大饭店，城市环路内外的高档商品楼，停满新轿车的汽车展销广场……既然出没在这种种丰美物质享受中的人物其大多数不仅是法律所允许的，甚或在中央电视台播出的广告中也常被宣揄为"成功人士"，那么，像邱华栋这一代的青年，他们觉得自己尚未成功、仍需努力，决定从财富的边缘向中心移动，我们又怎么能轻率粗暴地视他们这种欲望为堕落呢？为倾诉自己内心中的这种欲望，以及这欲望所必然撞击到的诸如是否合理、高尚、道德、善美等理性壁垒，邱华栋已写出了一系列的中篇小说与短篇小说，这部《城市战车》则是集大成之作，最充分地展示出了他的逼近式写实能力与对欲望和德行间如何才能取得平衡的煎心追索。

《城市战车》以第一人称叙述了主人公及他所必然和偶然遭际的种种城市边缘人，当然大多是已在文化界或想进入文化界或自认为已构成了另一个文化界，却都功未成名未就的一些年轻人，并且又大多是从外地甚至边陲闯入北京这个大都会，希冀一展鸿图的心旌摇动的敏感者，以及他们的种种夸张行为与纷乱思绪。这是比他们年纪大的上几代，以及内心中已有了精神定盘星，包括对当下的商业浪潮与商业文化所浸润的俗世持有全盘否定或严厉批判态的人们，也应当了解的社会景观与心灵图像。

邱华栋在这本书的后记中说，"这是一部焦虑之书……凸现了各种都市边缘意义上的杂乱信息，并充满了我的想象……我从来不是在面对虚无写作，在每个写作的夜晚，我都在期待天使一般的白昼尽快来临。我通过写作来摆脱黑夜的黑暗，不断地在幸福的朝霞中迎接到簇新的黎明。"我希望人们特别是批评家们注意到这位刚刚才二十八岁（此书写于他二十六岁时）的小说家的这些自白。他确实并不是一个只想奔向欲望的著作者，他真是想在欲望的合理性与欲望的陷阱间寻求内心的精神支撑与行为的达于成功，这样的舞步真能使他优美地抵于理想境界吗？不错，大家应拭目以待。

好故事，好心情
——《永不瞑目》序

  这是海岩继《便衣警察》《一场风花雪月的事》以后的又一部长篇力作。拿到这部书稿，未翻开时，我心中暗想：海岩这回还能给我们一个生动的故事吗？依我的看法，长篇小说，从通俗的到严肃的乃至于先锋性的，无论文字上怎么处理，直白到口语化也罢，实验性强到怪诞晦涩也罢，有一条应是相通的：讲故事。海岩此前的作品（包括他直接写出的电视剧本），总是在讲故事上凸现其巧思妙诀，难道他竟有说不完的好故事，可以一而再、再而三地俘获我们的阅读兴趣么？

  我翻开这本《永不瞑目》，本想慢慢地往下看，谁知一看开头，便舍不得撒手，竟一口气读了下去。我承认，看他笔下的故事，我的阅读，成为了与他构思布局的一场较量，我好赖也读过不老少中外古今情节性强的小说，而且自己好赖也写过一些个故事，因此，边读边猜：瞒得了别人瞒不过我，瞧吧，往下，这个人该这样了，那个人该那样了……这个关子没啥了不起！那个悬念必在后面如此收束！……猜中了，我不免洋洋得意，没猜对，鼻子里哼一声：能这么编故事么？及至在他抖出的某个"包袱"前傻了眼，却也拍了一下大腿，这才不得不嘿嘿一笑：果然是个编故事的能手，竟把我都"涮"了！

  如果仅仅是具备生动的故事，那这书只不过是本解闷的读物罢了。难得的是，这本书的题材是鲜活的近逼性的：它表现的是公安刑警缉毒的战斗生活。在我们刚刚收回了香港，彻底洗清了鸦片战争以来积存的国耻以后，读到这样一部小说时，心情是不可能停止在休闲娱乐上的，我们从这小说联想到所置身的现实，在社会生活走向开放富裕、丰富多彩的同时，也出现了诸多令人痛心的负面现象，贩毒、吸毒即其中最触目惊心的一种，而且这种毒雾瘴气这几年竟开始从边远地区朝政治、经济与文化中心弥漫，甚至于已钻进了京都，袭入了善良市民的生活圈！为了捍卫改革开放的正面成果，纯洁民族生活的发展进程，我们必须与贩毒、吸毒这一类腐蚀社会的犯罪行为进行坚持不懈的斗争！海岩的这部长篇，在这个骨节眼上出版，通过一个生动的故事，塑造出了欧庆春、李春强等战斗在缉毒第一线的刑警形象，他们身上所体现出的凛然正气、勇敢机智与献身精神，使我们获得了一种坚实的安全感，如果我们本来对贩毒、吸毒的阴云多少有些心情灰暗烦乱的话，读了这本小说后很可能会心情为之一畅：有这样一批勇士在日以继夜地与犯罪集团进行殊死的斗争，我们好人的生活环境与前景，确实是更加光明艳丽了！

　　海岩对公安战线的战斗生活非常熟悉，尤其难能可贵的是，他对一个个具体的公安战士的内心，也具有准确揭示、深入开掘的能力，他在公安干警的生动群像中，着力刻画了主人公刑警欧庆春，她并不只是故事中的一个贯穿性角色，而是一个见血见肉，并且有其独特个性，包括隐秘的内心情感波澜的，生动而丰满的艺术形象。海岩的生活阅历与活动范围比较广泛丰富，因此他也能写好商海、娱乐圈与学府里的生活，这个故事里的另一个主人公大学生肖童，塑造得也很成功，这是一个绝非从概念出发，或仅从情节发展需要而设置出的角色，这也是一个我们能从现实生活中找到依据的"熟悉的陌生人"，从肖童的身上，我们可以看到置身于这个社会转型期中的青年人，确实是既面对着机遇也隐伏凶险，他的性格中稚气与狡狯并存，正义感与好奇心杂糅，他在沉沦中挣扎，在奋发中惊醒，他的故事意味深长，掩卷后令我们扼腕太息，而又为之震动。

　　海岩是一个公务繁冗，只能利用夜晚临睡前有限的时间坚持"细水长流"地进行写作的作家，他能不断推出这样精彩的长篇，值得为他鼓掌。他走的是通俗的大众化的路子，而且，很显然，他在写小说时，已经考虑到了从文字符码向影视符码转换时的方便，他的小说被搬上荧屏银幕的可能性是不言而喻的，这是一种自觉的美学选择：在力求雅俗共赏时，更多地满足大众而其次才是面对"小众"。海岩跟我说他自知其小说的叙述语言够不上"美文"，比较粗糙，粗糙确实是一个应努力戒除的缺点，但以海岩自己所选定的审美追求来衡量他的小说，我倒觉得他很不必去追求纯文学的"美文",我读他的小说时,觉得有些叙述文字似乎还太文雅了,不如再口语化些,更能圆满其美学效应。

我读完海岩这部新作满心欢喜,这里有好故事,能给我们以好心情,这样的书值得推荐,是为序。

1997 年 9 月 1 日绿叶居

从韦老太的新书说起

甲:看了韦老太的《思痛录》吗?

乙:看了。把韦君宜老前辈称作韦老太,有的人听了恐怕会觉得是不尊重吧?

甲:其实恰恰体现出我们这些晚辈对她的尊重。这称谓有点"双枪老太婆"的味道哩!

乙:论革命资历,韦老太确实不比《红岩》里的那个"双枪老太婆"差,甚至于还要更高一些,她 1935 年十八岁时就投入了抗日救亡运动,在著名的"一二·九"学生运动中是一名干将。有一个传说,那一天反动军警把大群学生关在了景山的高墙里头,企图以此扑灭学生运动,忽然有一个女学生爬到围墙边的大树上,露出身子,指着墙外的反动军警们怒骂,因为义愤填膺,竟急不择词,骂出了一句最凶的粗话,令军警们目瞪口呆!

甲:我也听说过。想必有根有据。不过,韦君宜其实出生于富足之家,从小便得到很好的教养,倘若她当年不是执意选择了革命的道路,家里是一定会把她送到美国留学的,而以她的聪慧资质,后来成为一个著名的美裔学者、教授,那是简直不成问题的。倘若那样,也许我们今天会读到署名韦君宜的另一种著作。

乙:人生就是这样诡谲。韦老太在《思痛录》的"缘起"中,扼要地讲述了自己当年之所以选择革命道路的心路轨迹。简而言之,是因为她个体生命的青春期，恰处在了日寇肆虐中华，民族灾难深重的时空中，为了抗日，唯一可选择的路就是左倾，左倾的结果，便是加入共产党，成为党的一个干部，直到今天。

甲：听说她最近在医院中病情日益严重，已经不能说话，失去了和他人沟通的能力。

乙：但据说她头脑还是清楚的，心中有数，只是口不能言。她的这部书稿，托付给牧惠很长时间了，却周折颇多，付梓困难；她是一直期盼着能在病榻上，看到亲友们将印出的新书举到她眼前的……

甲：现在北京十月文艺出版社总算把书印出来，韦老太看到它，摩挲它，心灵一定得到很大的慰安！

乙：这本书不简单，可谓人之将逝，其言也真，也善，也直，也诚……

甲：一个人把自己一生都无偿地献给了革命，到最后写一部书，不叫《思快录》，却叫《思痛录》，确实触目惊心！

乙：这恐怕也是此书难产的原因，并且，现在书出来了，也会构成一些人不舒服、反感，甚而批判、反对的原因吧！

甲：她在"缘起"里说："我跟着党，吃糠咽菜，心甘情愿。真正使我感到痛苦的，是一生中所经历的历次运动给我们的党、国家造成的难以挽回的灾难。同时在左的思想的影响下，我既是受害者，也成了害人者。这是我尤其追悔莫及的。"她既思痛，也忏悔，这个文本是了不起的。

乙：我也注意到她的这种文笔，绝对不是九曲回肠式，而是"一根肠子通屁股"，快人爽语，敢说敢当；涉及到自己挨整时，不是怨而不怒、愠而不张，而是债有主，责有人；涉及到自己整人时，也不是推诿于时局、添恶于他人，而是蒺藜自收，严于自省。

甲：除了极少数地方，她都不以某某、××含混带过，而是直点其名，并且做到好处说好、坏处说坏，很有点"豁出去了"的劲头。

乙：我注意到黄秋耘和黄伟经有长篇对话，发表在《新文学史料》今年第一期上，有些内容，如"反右"时中国作家协会打"右派"的种种情形，可与韦老太的这本书互为对证。其中都具体点到了当时作协操有生杀予夺大权的责任者。

甲：其实，我想如今每个人都有说话的机会，倘那责任者认为韦君宜、黄秋耘说得不对，他是可以写文章公开澄清与反驳的。读者们期待的是，在不同的说法与解释中，通过鉴别、比较、思考、讨论，来认识历史，以为前瞻的出发点。

乙：还是来说韦老太这本书的文本，或者说文体，或者说文字风格；我觉得这种朴实无华的"直话"，放在我们共存的当前时空中，特别富于冲击力。

甲：是对当前文化语境总体趋于绮靡的一种反叛。

乙：举一些个小例子。比如该书第八段"缓过气来之后"，劈头一句是："全国濒临饿死的灾祸，尽力设法混过去了。"以如此爽脆的十七个字，概括 1958 年"大跃进"失败后，史称 1959 至 1961 年"三年困难时期"结束后的局面，以往在别人的文本中是不曾出现过的，无论是官方的文字还是私家的文字，也无论是哪一派人士的文字，凡公开发表出来的，反正我是没看到过。再如，该书第十段"当代人的悲剧"，是一篇悼念她爱人杨述的文章，劈头三句是："近两年，需要哀悼的人太多，悼文占了我所写的文章的相当部分。没有想到，现在我要来为扬述写悼文。他死了。"这第三句，按"常规"，是绝不能用这种口气来交代的，应该或说"他不幸也逝世了"，或说"他竟也别我而去了"；可是，一句"他死了"，勾连出下面秉笔直书的文字，读来却特别具有震撼力，杨述这个牺牲于现代迷信的老革命，他的悲剧，在这个文本中获得了典型性。

甲：从这个意义上说，这本非虚构的《思痛录》，也还是能作为文学作品来欣赏的。

乙：这本书也反映出作者逼近生命尽头的一种返璞归真的精神境界。书中讲到，"三年困难时期"，大女儿回家来，说老师让家长给讲忆苦思甜，她回答女儿说："妈妈家里从前不苦。"女儿问："不苦，你干吗参加革命呀？"她回答："我参加革命是因为民族苦。"我以为这是很重要的文字。我们这个民族，在这个世纪里，许许多多出生于小康乃至富贵人家的青年学生，知识分子，作家，艺术家，之所以一度大规模地自愿左倾，参加革命，投入群众运动，其最大的促因，就是民族贫困，外侮频来；直到改革开放时期，几乎所有被长期不公正地打击过的人士，都能放弃前嫌，团结起来朝前看，奉献一己才能于国家，也是因为有一种让民族尽快脱贫的激情……

甲：但到九十年代，有些知识分子发现，民族脱贫，到头来是搞现代化，而现代化这个东西，是跟西方科技、西方跨国资本、西方经济管理手段、全球一体化制式等等联系在一起的，因此，一个尖锐的问题就出现了：西方优秀的知识分子一直在批判的东西，我们这边大批的知识精英怎么倒奉为富国家强民族的好事物了？

乙：因此在文化界引出了争论，也在俗众中造成了认知混乱。韦老太的这本新书，也许会让一些文化界人士撇嘴：时下的当务之急，是批判诸如跨国资本、一体化的所谓现代化进程、市场经济的负面效应等等事物，你却还在那里唠叨不休地控诉什么"历次政治运动的伤痕"，岂非如祥林嫂般令人生厌？

甲：俗众中也出现了一些值得注意的情绪，比如面对当前社会不公问题凸出，贪官污吏层出不穷，再加上转型期里下岗问题日益严重，因而转从往昔的政治运动，尤其是"文革"的"群众运动"里寻求发泄与解脱的资源，比如我就听到有人说，哼，还不如再来次"文化大革命"，把那些贪官污吏统统揪出来游斗！把那些"三陪"场所、有钱人寻欢作乐的地方，统统当"四旧"破掉！

乙：这样看来，韦老太的这本书尤为可贵，她不拐弯儿地告诉读者：用接连不断的"群众运动"来净化社会、增进生产，不仅是乌托邦幻想，更会造成参与者（既包括被斗争的人也包括大多数斗争别人的人）的人生悲剧：此路不通！请另辟蹊径！

甲：但她也并不放弃初衷：要为民族脱苦脱贫而奋斗。

乙：把这个看似简单质朴的理念作为前提，再来讨论如何尽可能减少市场经济的负面效应，如何在全球一体化的现代浪潮中延续民族文化命脉，也许才能进入正确的思路，也才有助于解决实际问题吧！

甲：韦老太这本书的出版，是近来最值得注意的文化现象。

乙：也许会引出争论。那就更说明它是"及时雨"了！

1998 年 7 月 6 日绿叶居

滴水可知海味
——重阅《外国文艺》总第三期

从书架上随机抽取出一册上海译文出版社编辑出版的《外国文艺》，是 1978 年 11 月出版的该年第三期，也是该刊物创刊后的总第三期。

翻阅中，如晤深交的旧友，许许多多的往事竟倏地漾动在了心头。

将近二十年了。如果是这期刊物发行时落生的婴儿，那么，现在该可以在大学里读书了。倘若有这样一个十九岁的大学生，他从学校图书馆里借出这一册《外国文艺》来翻阅，他会产生出怎样的心情呢？

他不以为奇，那是一定的。

可是十九年前，我却觉得满眼地新奇。

且不说文字部分。这期刊物在封二、封三、封四刊出了四幅美国艺术家的作品，都属于"超级现实主义艺术"这一流派。封二上是查克·克洛斯的《苏珊》。这幅作于 1971 年的丙烯画乍看去似乎是一幅女人的照片。从视觉效果上说，真是"比照片还照片"。画这位苏珊女士干什么？她不仅不是一位美人，而且，连丑人也不配，这是那种在中国被称为"中间人物"的"芸芸众生"里最不起眼的角色。十九年前的我，是在黑白、美丑两极对立的功利性美学熏陶下进入艺术领域的。因此面对这样的绘画，不禁私心里频频质疑：画这样一个平凡得没有道理的女人有什么意义？！艺术家想对我说明什么？……我细看画页下的说明，克洛斯的这幅画的尺寸竟大到横向有两米以上，竖向达于两米八八还多！闭眼一想，吓了一跳！那该是多大的一个"凡女苏珊"！虽然我悟不出这幅画究竟想赋予我什么教益，但我不得不承认它对我具有一种不仅仅是视觉上，也包括心理和思绪上的强烈冲击。原来这种西方艺术流派的"逼真"效应，竟能如此强烈地震撼我这么个中国人！

几年以后，在北京的中国美术馆中央半圆厅里，出现了一幅中国四川籍画家罗中立的巨幅油画《父亲》。显然，《父亲》的创作是受到了西方"超级现实主义"这一艺术流派的影响，至少是从中获得了某种启示。当然，我以为《父亲》比《苏珊》要好。因为《父亲》的"逼真"效应让我几乎流出热泪。《父亲》里显然还融铸着中华民族特有的历史文化意蕴。我不清楚罗中立究竟怎么评价西方的"超级现实主义"艺术，以及他从中汲取营养的自觉意识有多强。但是我自己，却一度非常钟情于"逼真"的美学追求，并且有意识地借助于艺术通感，把这种"逼真"的手法运用到了我自己的若干小说中，例如我在长篇小说《钟鼓楼》里，便试图以"精微"与"还原"的叙述手法，来取得一种特异的阅读效果。我得承认，"超级现实主义"这一概念，以及它的代表作，我是从这一期的《外国文艺》上首次得知与观赏的，这于我实在是一次启蒙。十年后，1987年，我访问了美国，在那边的博物馆与画廊中，我才得以看到了若干"超级现实主义"艺术的原作，但那时"超级现实主义"已属于时髦过的艺术流派，我自己的小说创作，也开始寻求更新颖的美学滋养。然而，《外国文艺》总第三期关于"超级现实主义"艺术流派的介绍所给予我的惊奇与启发，难道是可以轻易忘怀的吗？

这期刊物里介绍的外国作家与作品视野相当开阔，有美国的索尔·贝娄和马拉默德，英国的安东尼·伯吉斯，西班牙的维森特·阿莱桑德雷，瑞士的弗里德里希·迪伦马特，还有日本安部公房与苏联作家拉斯普京以及法国的让－路易·巴罗……不仅所涉及的地域、语种多样，而且品种样式也丰富多彩，有小说、诗歌、剧本、论文等等，当时翻阅着这期新到手的刊物，真是由衷地感觉到：我们的国家真是走向开放了！我们的文化与外来文化，真是在进行良性的碰撞与交流了！

现在一个十九二十岁的青年人，他恐怕很难充分理解我这种人在那时的这种激动与喜悦!

要知道,1976 年 10 月虽然结束了"四人帮"的肆虐,但他们实行多年的严酷的文化专制主义的阴魂却并没有顷刻消散,到《外国文艺》这一期出版的时候,思想解放运动的潮流虽然奔腾不息,然而阻力重重,惊涛骇浪不断,而使中国定位于改革开放路线的中国共产党的十一届三中全会还未召开,需知那时并不是所有的出版社和刊物都能如此义无反顾地打开窗户让读者们观览外部世界的,因之,抚今追昔,上海译文出版社与《外国文艺》的胆识气魄,确实不能不令人感佩赞叹!

这期刊物所译介的美国作家索尔·贝娄与西班牙诗人维森特·阿莱桑德雷,分别是 1976 年与 1977 年诺贝尔文学奖的得主,如此及时地介绍诺贝尔文学奖得主的创作,在那个年代里也是难能可贵的。(不过,也许是出于资讯不确或排印错误,这期刊物将索尔·贝娄也说成是 1977 年的得主了。)这期于 1978 年 11 月出版的刊物还更为及时地报道了仅仅在 1978 年 10 月才揭晓的诺贝尔文学奖的最新消息——该年度的得主又是一位美国人,以意第绪语写作的波兰裔小说家艾萨克·巴什维斯·辛格。

现在二十来岁的年轻人也许想象不到,在距离这期《外国文艺》出版的仅仅两年以前,如果有人正面地提到诺贝尔文学奖,哪怕仅仅是言论,那也是非常危险的事情,更遑论以文字在公开出版物上揭橥了。可是这期《外国文艺》把诺贝尔文学奖公开而正面地介绍给了中国读者。这是非常有意义的。不是说诺贝尔文学奖有多么了不起。这个由瑞典文学院评定颁发的奖项,在评定过程中究竟有没有偏见与弊病,是大可以讨论的;然而一个开放的中国应当了解、借鉴、容纳甚至进入这个在全世界全人类中有着不可忽略的影响力的奖项。这毕竟是中国文学与外国文学相衔相撞、相窥相融的交汇点之一。

当时我很认真地阅读了刊物上索尔·贝娄《寻找格林先生》的译文,很喜欢。后来上海译文出版社译介了很不少历届诺贝尔文学奖得主的作品,我差不多都读了。我个人的感觉,是凡得到这个奖项的作家,都是挺不错的作家;虽然有的人那作品气象似乎小了一点。上海译文出版社,包括一直出版到今天的《外国文艺》,

在坚持译介诺贝尔文学奖得主的代表作方面固然积极性很高，但是也并没有唯这个奖的马首是瞻，而是很有眼光地不断把世界各民族以各语种写作，并属于不同流派，各具风格的优秀作家的力作成批地推出，并且很注意译文的质量，从排校、装帧、印装上也都相当讲究，这就为广大读者敞开了很大的一扇窗户，得以通过译文饱览世界文坛的风景，从古典到近、当代，从雅文学到通俗文学中的上品。正是通过大量阅读上海译文出版社及其他出版社提供的这些优秀的译文，我悟出，对诺贝尔文学奖既不必膜拜追求也不必鄙薄排拒，世界上真正优秀的作家是绝不会为得奖而写作的，而真正优秀的文学作品的价值，也并不一定要用得没得诺贝尔文学奖或其他的奖项来衡量。我想到了阿根廷作家博尔赫斯，他的小说集作为上海译文出版社的"外国文艺丛书"之一种，在八十年代的中国文坛上产生了巨大的影响，并一直延续到今天；虽然博尔赫斯直到谢世仍未能得到诺贝尔文学奖，可是喜爱他的读者对他在文学上成就的肯定与尊崇，那可能是任何奖项都无法比拟的！

当十九年前捧读《外国文艺》总第三期，吸收关于诺贝尔文学奖的资讯时，我是做梦也想不到，自己会在十四年后，1992年10月，得到邀请，有幸在瑞典的斯德哥尔摩访问了瑞典文学院，并有幸聆听该年诺贝尔文学奖得主德里克·沃尔科特的受奖演说。我们民族在包括文学交流在内的对外开放方面突进得多么迅猛多么广泛啊！这真是万分可喜的事！对于我们这一代以上的各代人来说，这是来之不易的啊！

现在的二十来岁的年轻人，真羡慕你们！然而，你们也该知道，改革开放的路，是怎么力排阻障，经过多少人努力，才从各个方面，包括大力译介、出版外国文学作品，推进到今天这么个繁荣局面的！

这本《外国文艺》总第三期，也留下了那个历史阶段的特有痕迹。比如在介绍国际上各种电影时，在"亚洲电影节"的介绍文字中称台湾当局为"蒋帮"；所发苏联《文学报》记者契波罗夫的《"朋克"访问记》，对西方摇滚乐全盘否定，然而行文波俏生动，是只有那个历史阶段才能产生出的文字，现在重读不禁感慨系之；"外国文艺动态"中的头条"美苏作家在纽约举行会议"中苏联作家们的发言摘要，浓缩了解体前的苏联文学界弥漫开来的困惑与焦虑，具有一定的史料价值。

滴水可知海味。重阅《外国文艺》总第三期，欣喜与祈盼之情交集。上海译文出版社包括《外国文艺》杂志二十来年成绩斐然。文化需要积累也需要精炼，开放仍要继续并需进一步扩大，我祝愿上海译文出版社再乘长风，勇破万里新浪！

1997 年 5 月 28 日于北京绿叶居

为即将到来的上海译文出版社社庆而作

读《往事知多少》[1]

名人自叙吸引人，是因为能满足读者的好奇心，如果那自叙能具有一种"钥匙孔"效应，令读者获得"从房门外朝钥匙孔里窥视"的快感，则一定畅销一时。非名人的自叙是很难获取"钥匙孔效应"的，也不应该追求那样的效应，最好是，比如敞开一间并非华屋的窗户，以个人命运的窗框，镶嵌出时代、社会的斑斓风景，令人眼界顿开，令人感动憬悟。

光明日报资深记者张安惠，退休后写成了一本书：《往事知多少》，这本书的头半本是她的自叙，后半本是她近年来写下的名人专访。她的自叙，深深地吸引了我，也深深地打动了我。其实张安惠女士在一定的范围内，也算得知名人物，可是咱们实事求是：就在整个社会的知名度而言，她毕竟还是"稍逊风骚"。张安

---

[1]《往事知多少——一个女记者的人生轨迹》，张安惠著，新华出版社，1997 年 6 月第一版，定价：18.50 元。

惠女士拿起笔来，铺叙自己的身世，并不是因为读者们想挤在她门外的"钥匙孔"往里窥视，而是因为，她有一种不能不敞开心灵窗牖的激情。但当她将这股激情泄于纸面时，却又变得异常地平静，她不是慷慨陈词，而是娓娓道来，在物换星移、人世沧桑中，她平实地撷拾着生命道路上的脚印，为慰藉自己的良心，也为滋润读者的胸臆。

张安惠讲述了自己艰辛奋进的早年身世。她忠于人与事的原初面貌，既不遮掩，更不拔高，写出了身为抗战时期四川合川县县长的父亲，怎样贫病而死；那时无党无派的中学女校长，如何近乎圣洁地笃信教育救国……解放初她幸运地被分配到新华日报后，如何谨慎地切断了与出身或个人成分不够纯洁的女友们的联系；而报社的领导之所以招收她这样的年轻女性，目的之一，是为了给战争岁月里一直无暇解决"个人问题"的战友提供机会；她写到自己与丈夫高丽生结合时，其实还根本不懂得爱情，然而他们逐渐磨合为了一段美满姻缘……这样一路坦率地写下去，写到了1958年外出采访时接触到了首长康生，觉得该人相当地平易近人，却又万没想到，"文革"前夕，康生亲自罗织了所谓"利用小说反党，是一大发明"的"反党小说《刘志丹》事件"，这就决定了当时在摘登这部小说的工人日报社负责的高丽生在劫难逃……然而，家破人亡的张安惠凭着信念与倔强，还有社会上正直而善良的普通人的关爱，终于挺了过来……九十年代，她焕发出再度青春，"白发打工"，为一家刊物一连写出了十多篇精彩的人物专访……

读这本书，我仿佛听到了一个饱满的雨点，欣悦地滴落进大海的音响。愿这声音能传入更多人的耳朵，滋润更多人的心灵。

1997年10月15日绿叶居

读《周妆昌红学精品集》[1]

华艺出版社前些时推出了《周汝昌红学精品集》，一共六部：《红楼梦新证》初版于 1953 年 9 月，产生过很大影响，奠定了从燕京大学英语系毕业的周先生在"红学"界的学术地位；《曹雪芹小传》是其在"红学"的大分支"曹学"方面的突出贡献；《红楼梦真貌》是其在"红学"另两大分支——"版本学"与"脂学"（专门研究《红楼梦》各种手抄本上署名"脂砚斋"及相关评语的一门学问）的宝贵成果；《红楼访真》表面上是"红学"一个小分支——"大观园原型考据"的专著，但其实是周先生研"红"总出发点的一大铺陈，周先生始终坚持认为，曹雪芹撰《红楼梦》"是以写实为基本的，其地点、人物，皆有'原型'"，因此根据史料及民间口传探究书中地点、人物乃至某些情节、细节的"原生态"，都是有助于理解这部旷世名著的；《红楼梦与中国文化》进入《红楼梦》的文本研究，其中最引人瞩目的是提出了关于《红楼梦》全书是"大对称对比的结构法则"，认为全书应为一百零八回，每九回为一单元，前五十四回与后五十四回各为一大"扇"；《红楼梦的真故事》则是其在"红学"最令人人迷的一个分支——"探佚学"方面的竭诚奉献，比如他探究出林黛玉应是泪尽沉湖而逝，妙玉应是犯官之女，携珍奇古瓷文玩藏匿于贾府，后贾府败落，为仇家追索，不屈惨死；宝玉先娶宝钗而后与湘云遇合，贫病中相依为命；袭人并非如高鹗续书所写的那样唯求自保，而是后来对落难的宝玉大有帮助……周先生的"红学"专著引证丰富，立论逻辑严谨，尤为可贵的是行文不仅流畅生动，而且绝无"八股"气，读来如入九曲回廊，引人入胜，趣味无穷，真是做到了深入浅出、雅俗共赏。

当然，周汝昌先生的"红学"见解，从来都处于争议之中，近年来甚至于更招致某些学术对立面的集中讨伐，有时某专业刊物在一期之中便有数文痛驳力斥周先

---

[1]《周汝昌红学精品集》，共六部七册，华艺出版社 1998 年 7 月第一版。

生的观点，但周先生的"红学"研究已自成体系，这回厚厚的六部"精品集"的校订推出，便显示出其学术体系的巍峨崇丽，你可以对之严苛批评，却不得不承认其俨然已是旗帜高竖的"红学"一大家了。周先生对种种批评訾议，也时有回应，在这过程之中，也不断调整着自己的思路论点，但在大的关节上，却绝不轻易改变自己的观点，其学术风骨，可谓坚韧不移。笔者从周先生著作中获益匪浅，但在若干具体问题上，却也不敢苟同，偶尔也曾与之通信论学，深感其学术体系的构建，有坚实的学养基础，更有持之以恒的不懈追求，虽因时代政治的无可逭逃的干预与影响，及自身作为党外无权无势的知识分子的可能是软弱的性格，一度在表述自己观点时有某些违心失当之处，不过一旦社会文化生态环境有所改进，也就很快能调整状态，这回精品集的校订，便是其学术大厦的一次大修葺，剔除灰尘、复其华彩、增加必要的配置，使其更精妙更贯通，读者入其中参观游览，当有耳目一新的喜悦。

对于一个作家来说，发表创作宣言也好，抨击文坛时弊也好，都是"软道理"，只有不断拿出新创作来才是硬道理。对于搞学术的而言，仅仅是博学强记，善于旁搜杂引，或者仅能在一枝一叶上有所研究，也都不勉显得"软弱"，到头来，还是建构出自己独特的学术体系，方是硬道理——哪怕这道理还大可推敲、商榷。我们祝愿周先生的学术大厦能进一步完善起来，并由此对下一个世纪中我国文学及学术的成体系发展前景，抱乐观的前瞻态度。

一个多面多棱旋转柱
——重读《风筝飘带》

王蒙的《风筝飘带》发表在1980年，距今已然十六年了。倘若那时《风筝飘带》是个妙龄少女，此时应俨然是个妇人了吧？但我重读这篇小说，却不得不承认，《风筝飘带》竟然一点也没有"老","她"还是那么风姿绰约，鲜丽动人！

这是恭维么？说实在的，我很不情愿恭维王蒙。1978 年，我曾发表过一篇《爱情的位置》，不是我夸口，在七十年代末八十年代初，我的这篇小说在一般读者中的影响，是王蒙的《风筝飘带》所难望其项背的。光这篇《爱情的位置》，就引来过几千封读者来信啊！论内容，王蒙的《风筝飘带》所写的，其实也无非是一个青年女性的情窦初开，因为这篇小说出在《爱情的位置》后头，所以，我甚至可以说，所谓"风筝飘带"，无非是把爱情给了一个升在空中的位置罢了！有什么新奇的！

但是，我不得不辛酸地承认，十八年过去，《爱情的位置》却已然不堪卒读，如果说当年那篇小说是婀娜多姿的窈窕淑女，那么，现在它连老大嫂都不是，而简直是个满嘴假牙的老妪了！

这是为什么？

当然，首先可以从内容来上来分析。《爱情的位置》直奔主题，而且，跟当时的社会政治形势结合得很紧，这就决定了它既单纯又单薄，既以"合时"而艳开也必以"时过"而萎谢。《风筝飘带》却是个"复调小说"。像《爱情的位置》所具有的那些积极而鲜明的主题：对把一切问题都政治化的做法的否定啦，迎接一个需要发展生产、尊重知识和人才的新时期的到来啦，优秀青年的雷锋精神啦，困境中的奋进啦，寓伟大理想于平凡岗位啦……《风筝飘带》中全有，甚至还要多些；但它却更具有《爱情的位置》所缺乏的，超越一个历史时期、一个具体过渡阶段的那种对人际、人情、人道、人性的探究，并且还在触及这些领域的扫描游动中，常常是有意模糊了判断，留给读者很大的想象与思考的空间。这就决定了它丰盈经久的素质，所以十六年后，我与《风筝飘带》重逢，仍觉得"她"是一根鲜靓的水葱！

不过，这还不是最主要的。说到底，《风筝飘带》的优势主要是它的语言。像我在写《爱情的位置》那样的小说时，思想上的开放度应当说够可以的了，但语言上放不开，叙述上虽然努力去"生动"，然而依然显得逻辑性过分严谨，基本上还是戴着"枷锁"在跳舞。那时候我写小说所考虑的主要还是主题的选择，突破禁区的勇气，新思路的急不可耐的宣泄，等等，说实在的，我还没有作为语言艺术的小说的叙述方式的思考与探索。但是王蒙至少是在写《风筝飘带》时，已经在绝不轻视内容、主题的前提下，把小说的叙述方式，也就是小说艺术语言的美感问题，当做了自觉的追求。《风筝飘带》的语言是彻底松了绑的文学语言。它把作者（叙述者）的客观描述，人物的对话，与主人公素素的主观视角和心理语言，以及偶尔穿插进来的其他人物的视角与心理，非常从容也相当复杂地搅作一团，五光十色，斑驳陆离，或藕断而丝连，或曲径而通幽，或打水漂似的连蹦远遁，或鸭凫水似的波走一线，时而在平淡处陡现奇突，忽又在"绝境"中巧出"胜境"，七穿八达，玲珑剔透，浸透着幽默，更时而跃出尖利的调侃，并用主人公素素梦境中幻境中的那个风筝上的飘带，作为笼罩全局的一个象征，使整篇小说的语言充满了艺术张力。我以为，这确实是王蒙这篇小说永葆"水灵"的秘诀。到头来小说是语言的艺术，是叙述美感的载体。时过了，境迁了，内容上的某些东西或许会显得老化、过时，可是语言本身的魅力，却有可能获得一种相对独立的经久不衰的青春。

《风筝飘带》中写到素素的思维时，有一句"一个多面多棱旋转柱"，恰可移用来评价这篇小说的放射式结构，特别是其非线性的摇曳多姿的叙述风格。

细细考察起来，王蒙在小说创作上的语言自觉性，是在他一开始发表作品时就具有的。他的成名作《组织部来了个年轻人》，因其思想内涵上的突破性与尖锐性十分强烈，所以常常使论家无暇顾及其语言上的特点。其实《组织部来了个年轻人》不仅是内容具有突破性，其叙述语言也有若干"反常规"的独创性特质。可惜至今仍未有从这一角度加以研究揭橥的论者。七十年代末八十年代初，王蒙复出后所一篇接一篇发表出来的小说，更越来越凸现着他在小说叙述语言上的自觉意识，他自觉地把展拓小说的语言张力当做创新的一个重要方面，他是最早，也是最成功地把意识流等等语言技巧，运用到表现改革开放的新生活新人物的作家之一。到了近年，他的小说叙述语言经常呈现为"语言瀑布"状态，以至于有人抱怨他在语言上未免太放肆，太杂芜，也太"过剩"；也因此引出过若干别人对他小说无意或有意的"误读"。但不管怎么说，王蒙在改革开放的新时期里，对文学，特别是小说创作的语言创新，是一个开先河者。

当年初读《风筝飘带》，我所受到的刺激，首先便是语言上的刺激。这当然是一个良性的刺激。我到了 1981 年以后，再写小说时，也便具有了语言上的自觉性。当然，说到头，一个作家的风格，也便是他的语言风格，因此，要想具有自己的风格，不但绝不能去模仿别人的语言，还要努力开掘出自己在语言上的潜能来，我在 1981 年发表了中篇小说《立体交叉桥》，那是我的小说创作真正进入文学的开端，就语言而论，《立体交叉桥》已经完全从《爱情的位置》那样的硬壳里蜕化了出来，初步显示出了我个人的小说语言风格。当然，后来我又有所发展。激活我在文学语言上的自觉性的因素不止一个，但王蒙的《风筝飘带》，应当说是其中最重要的"一击"。

1996 年 3 年 11 日绿叶居

燃着蓝焰的青春心
——《蓝焰文丛》总序

这套丛书中所收的，都是六十年代出生的作家们的作品。其中好几位是直到六十年代末才落生的。他们写作这些篇章时，正处于走向三十岁，或接近四十岁的人生途程。

我也曾有过自己的青春岁月。比我更年长的一代当然也都有过自己的青春岁月。即使在最艰难困苦的时空中，青春的花朵也总是要力求恣肆地开放，并努力地使自己的花盘绽成浑圆，散发出往往是充盈着浓酽理想情怀与浪漫追寻的芳馥；

接着而来的会是花瓣的谢落，外在华美的暂时脱卸，但同时也便胀出了青果，饱含遗传密码与个体变异信息的青果将在人世的风雨中经受更深层次的锤炼与雕塑，于是那循环在果实内的汁液往往会更富于理性，或更幽默风趣……逼近三十岁，走向四十岁，超前而立，惑之弥深，这是果实痛苦而甜蜜地膨起并充实的岁月！这个人生时段中的文学，常常不仅凝聚为作家个人一生创作中的代表作，在作为一辈人的总体推进中，也往往凝聚为一代文风，或至少是文学史上的一道明显的印痕。

当然，每一代，或者不贸然划代，而说成每一茬吧，各茬作家在其三十岁上下的创作，由于所处时代环境特别是文化氛围的不尽相同甚至大异其趣，便会在总体风貌上，显现出有别于上下各茬的独特韵味。六十年代出生的这一茬，"文革"时他们或仅仅有些朦胧的社会性记忆，或竟全然没有相关的生命体验；因而他们的文字一般不会抚摩"伤痕"，也不大会慨叹"蹉跎岁月"；他们心性的成熟期，已处于大开大放的社会转型之中，物欲即使不能说是业已横流，但给予他们身心强刺激的已不是诸如"红袖章"、"国防绿"、"黄土地"以及"黑墨汁"加"批判稿"加"糨糊桶"等等社会因子；尤其是进入九十年代以后，最令他们心旌摇动，或至少是引动他们观察思考的，已是都市里万丈红尘中的光怪陆离、农村里飞速跃动改变着的天际轮廓线与鸟瞰效应，其中包括诸如股票期货、多媒体电脑、好莱坞大片、家用汽车销售广场、西方国家领事馆外等待签证的队伍、夜晚像钻石山般赫然耸立的五星级大饭店……以及豪华俱乐部外的乞丐、离风景区很近的以破屋土桌等待"希望工程"快来救援的小学、在被污染的江河湖泊边上新开辟出的巨型人工景点、生机勃勃的高科技开发区与圈起来却未及开发的荒芜耕地，个体书报摊上花花绿绿的纷然杂陈，等等。于是他们或令上几茬人吃惊地倾诉欲望，语涉比如说性爱这样的话题，或以想象力的飞扬与叙述策略的趣味为其美学追求的核心，令习惯于将社会责任感与严肃性作为阅读与评说规矩的人们不知从何处抓挠，欲听任之而不忍，欲规劝之而畏难。但是这些六十年代的作家们喷涌般地书写着，在他们的文字中，欲望与调侃固然常常令一些人感到担忧与可疑，然而你细细地品味吧，你可能会发现，其实在他们张扬欲望的悲欢嬉怨中，融汇着力求灵与肉、欲与德、行与法、意与矩、己与群之间达到平衡和谐的焦虑与索求；在有几位作者的文字中，更显示出对前辈精神结晶的积极继承，与处在新的人文环境中自我沐灵的自觉性。

不管人们的出生年代是多么接近，甚至于是"生辰八字"全然一致的人，他们即使基本上一直生活在相同的人文环境中，他们个体生命的独特性，依然使他们在一旦进入文学创作时，显现出不同的美学取向与文字风格。这套丛书这一辑所收的六位作家的作品，个性特色十分彰著；分开看是独特的心灵图像，合拢来是互补的断代绘画。相信会有感兴趣的读者，在阅读中产生出多味而厚重的审美快感。

常常忆念自己已逝的青春岁月，也偶尔翻阅自己在那独特的生命悸动期中，匆促而真挚地书写出的东西，时时"马后炮"似的自问：为什么不能更沉稳些？更精致些？更成熟些也更深刻些？青春期便结出无疵硕果，因而不悔少作的天才，世上曾经有过，将来更必会再有，然而那真是凤毛麟角，非我们一般作家与文学爱好者所敢跻身于列。我的想法，是既有一颗燃着蓝焰的青春心脏在强烈地悸动，那便无妨先将创造一个文学空间的欲望尽可能灿烂地释放出来，犹如花蕾拼力地胀圆，或许那过分强烈的开放所带出的某个花瓣未及规整，又或是某个花瓣竟过早坠落，但花至开期最好还是放胆地开，莫待无花空有枝！这不是为自己的少作辩解，更不是教唆现在的青年人勿重质量单求频频发表，而是实实在在地悟到：人生只有一个三十岁上下的由花变果的微妙期，这时期的生命体验与心灵悸动，实在是铸就血肉鲜活的文字篇章的最佳精魂！我祝福这些六十年代出生的作家在九十年代留下了这些鸿影心迹；我祈盼在今后的人生途程里，还能从他们的心焰中获得光与热、惊与喜！

1997 年 5 月 27 日绿叶居

[《蓝焰文丛》刘心武主编 / 祝勇陈勇策划第一辑收入：邱华栋的小说集《都市新人类》；李洁非的小说集《循环游戏》；李冯的小说集《中国故事》；祝勇的散文集《驿路回眸》；凸凹的散文集《游思无轨》；陈勇的散文随笔集《两性拼图》]

在北京看《薪传》

几年前听说台湾有"云门舞集"的现代舞,"雅音小集"的改良京剧,"兰陵剧坊"的实验话剧,后来看到一些舞台演出的照片,引出的兴趣十分有限,也没有想到,会亲眼看到他们的演出;谁知昨天(1993年10月22日)却在北京保利大厦国际剧场真真切切地看到了"云门舞集"的代表作《薪传》,演出结束后,虽有热烈的鼓掌和持续的喝彩声,演员们也多次谢幕,"云门舞集"的创办人、《薪传》的策划编作林怀民也走到台前抚胸致意,其火爆的程度,似乎反不如他们十八次国外演出的某些场面;不过,这《薪传》的第一百三十七场演出,毕竟具有空前的特殊意义:这是在北京,面对着隔绝了那么久的骨肉同胞!

我想,当林怀民与台上的演员们,和台下的非仅是来观舞的同胞们在将散的一瞬间,恐怕都有点"相对如梦寐"的恍惚感吧!

在为这次赴大陆演出专门印制的说明书上,引录了若干海外与台湾岛内的传媒赞语,如"当代台湾最重要的活文化财!""这个舞团与世界新旧现代舞团相较,不仅并驾齐驱,甚有超越之势。""史诗的格局……连悲剧性的独舞也充满豪华歌剧的张力。"如此等等。但北京演出散场后,以我个人所听到的反应而言,却并不落于上述窠臼。论"活文化财",大陆或许数量比台湾更多,且多到令人不以为"财"的地步,"暴殄天珍"的例子是不难举出的。与世界上别的演艺团体相比较,也不是大陆评家的思维习惯。说到"史诗"、"豪华",大陆只要发挥计划经济的优势,可以完全免除资金和人员调配方面的后顾之忧,以北京观众看惯了大型团体操和《东方红》式动辄上百人在台上排列组合的眼光,《薪传》这样的舞台面至多不过是小二十人活动的演出,是很难引出外在的史诗感的。

但北京的观众还是受到了一次震动,有的朋友更对我说,是受到了心灵的震撼。

　　我不知道以下这些在剧场外和回家在电话交谈中听到的反应，对于林怀民和"云门舞集"，有没有和《纽约时报》《国际芭蕾杂志》《费加罗报》《南华早报》那些传媒的评语同样重要的价值。

　　一位北京舞蹈界的人士说："他们的舞蹈语汇，在我们看来没有什么'生词儿'，无论是西洋的古典芭蕾，我们民族的'平足舞'，中国传统戏曲特别是京剧和歌仔戏，中国武术杂技和气功，本世纪以来的西洋现代舞，乃至西方'霹雳舞'里的快若闪电与慢若'太空步'，诸如此类的'舞语'，我们这边也都在运用，但《薪传》在表现闽南先民渡海去台，筚路蓝缕，拓殖新土，薪烬火传，世代不息，这三百多年的悲欢离合、生死歌哭时，把这些语汇交融得不仅天衣无缝，而且在《渡海》《野地的祝福》两段里达到了出神入化、惊心动魄的程度！"

　　一位年轻的观众说："我完全没有想到，呈现在我眼前的是这样的舞蹈——当然，我指的是前面的几段。他们不仅在用四肢跳，使我吃惊的是他们的身躯也在跳，我没想到舞蹈演员的胸部、腹部也能表达出那么丰富的美感和意蕴……他们或许简直是在用心灵用魂儿跳，当朱宗庆打击乐团用震耳的大鼓声把舞台面的生命跃动煽得台上台下都要发狂时，我忽然有一种'不忍目睹'的感觉……但是《耕种》一段就没劲了，很像大陆的舞蹈《大生产》，最后一段《节庆》，整个是我们熟悉的《红绸舞》，新鲜感立马减少了……"

　　与这位年轻观众感觉差不多的北京人颇多，他们对本是将舞剧推向最高潮的"红绸舞"觉得"似曾相识"，反没了开始观看时的新奇感。这大概是《薪传》演出以来的颇为独特的一种观众反应。

　　一位朋友和我讨论，我们都对"云门舞集"的演员们过硬的基本功，以及在魂魄投入的舞动中把肢体拼力伸向宇宙，在丹田的气息吞吐中坦然地把生命的喘息诉之观众，留下了很深的印象；此外，作为《间奏曲》的陈达演唱的《思想起》，有一种褫神摄魄的感染力——其实北京人几乎根本听不懂唱词，现场打出的繁体字字幕光度又不足——在北京人耳朵里，陈达的吟唱已超出了关于台湾的主题，而浸透了至少是本世纪以来全体中国人的酸甜苦辣；对于那块展开几乎覆盖全台的大白绸的巧妙运用，以及男舞者的裸露上身、女舞者的青布长裙等基本造型处理，都提起来便赞叹不已，除了最后一段，整个演出的纯舞蹈意味非常浓酽，不过，离对整个人类命运的形而上哲思，似乎还差小小的一步。

记得1992年冬在瑞典斯德哥尔摩皇家歌剧院看皇家芭蕾舞团演出的《倍尔·金特》，那也是打破古典格局的现代舞，确实，就策划编作和演出水平而言，"云门"甚或还略胜一筹；但看他们的演出，那些舞蹈语汇所引出的，是关于个体生命生存困境和奋力挣扎的联想，而看《薪传》，是关于生命群体生存困境和不息拼搏的思绪，东西文化，真是泾渭分明。什么时候，一种从内涵到"语汇"都能把二者融化得出神入妙的舞蹈，能呈现在我们眼前呢？

1993 年 10 月 23 日于北京绿叶居

《文化探秘丛书》总序

这几年，海峡两边都有股"文化热"，人们都乐于从文化的角度，来探究身外与心内的底蕴。单是这方面的学术著作，就出了很不少。可是对一般人来说，太学术的东西，读起来吃力，既无专修之必要，又无消闲之乐趣，不读也罢！那么，能不能有一些这样的读物，它们引领我们到文化风情中去探幽寻胜，是在茶余饭后的消闲消遣中，通过有一搭无一搭地阅读，令我们舒舒服服地就获得了若干可靠的、有益的文化滋养呢？现在呈现在读者诸君面前的，正是这样的一套读物！

作为这套丛书的主编，我自然是这些书稿的第一读者。写书的朋友，要么是中国大陆第一流的民俗学家，或社会学、文化学、人类学、美学方面的研究人员，要么就是业余潜心琢磨那学问的能人，他们厚积薄发、殚精竭虑，将自己的一个方面的探秘收获，以既成系统，而又活泼灵动的笔触，娓娓道出，令我在阅稿过程中，常常"失去角色"，忘了编审应有的冷静，或忍俊不住，或拍案惊奇。当然到头来我还是给他们提出了一些修改、调整的建议，因为我们要更细致地考虑一般读者，尤其是课业或工作、家务已相当繁忙的学生、员工与主妇们的阅读可能；我的构想，是这些文化探秘的小册子，既是一般性的增智添慧的精神"快餐"，也是攀登文化学民俗学等学术殿堂的阶梯，能起到"外行有热闹看，内行有门道看"的作用。功夫不负苦心人，经过我和另几位牵头选题、审稿、定稿的编书人与北京国际文化出版公司的努力，特别是诸本专书作者的一再打磨，分为两辑共十二册的《中华文化风情探秘丛书》在大陆出版后，颇受欢迎，口碑皆佳；现在我们又与台湾幼狮文化事业公司合作，从中选出十种，并将补入新著，在台推出《文化探秘丛书》，希望能和台湾的读友们，携手于文化探秘的"曲径"，去共享一番"禅房花木深"的幽趣！

煌煌中华，灿烂文化，斑斓风情，无尽内含，携手探秘，其乐无穷，大家鼓舞起来，继续努力，如何？新书里再见！

1994 年 9 月 22 日北京绿叶居

建立中国的"西方学"

这是一个很大的题目，大到笔者难以承担的地步。

难以承担为什么还要来说？因为笔者骨鲠在喉，却一直等着别人来说，希图在一听之后，得大快一吐；也许是笔者孤陋寡闻，至今却仍未见到所盼的建议出现，故而不揣浅陋，抛出此砖。

或问，研究西方，在我国由来已久，马克思主义、列宁主义、斯大林主义，至少在近半个世纪中，得到了很隆重的研究，尤其是马克思主义，直到当前，我们不只是研究，而且写在了党章、宪法里面，这方面的学问，当今世界上，我国名列前茅，当无疑义。但作为一种指导我们的革命理论，我们历来所强调的，是与中国的实际相结合，并强调实践的检验，又强调随时代而发展，所以，这一研究，到最后，也就逸出了"研究西方"的范畴，因此，在以下的讨论中，我们不再把这一方面的研究纳入我们的议题。

又或问，远了不说，就说现在，我们有很不少的部门、专家、学者，包括我们大学里面正在学习的学生，不都在投入对西方的研究吗？而且分工相当细密，举凡历史、民族、政治、经济、法律、社会、宗教、民俗、典籍、文学、艺术、科学、技术、国力、国情、军事、教育……乃至大众传媒，几乎是无所不至，鲜有空白，难道这些研究，都还不是"西方学"吗？

我说，还不是。

这些研究，其中最主要的一种研究目的，是为了"知己知彼"，从而达到"西为中用"。我说，这很好，这样的研究不仅必要，而且，其成为对西方研究中的主流，也属必然。

还有一些研究，是把西方完全作为一种需提防、排拒的东西，这样的研究，从八十年代以降，日渐式微，不过现在还有，我个人以为，作为一种研究的出发点，如所推出确属学术性成果，应让其有自己的园地。当然，如果化为一种政治性言行，导致对八十年代以来改革开放的否定，那就是极左，应予反对了。

另有一种研究，八十年代中期开始火炽，八十年代末发展到狂热的地步，就是把西方文明奉为圭臬，用西中对比，引出越来越沉重的民族反思，就思潮而论，确可名之为"全盘西化"。我个人以为，单作为一种研究角度，提出的如是学术性见解，亦无妨存在。

问题是，这样的研究，无论是全盘否定还是全盘肯定，或一分为二、取其精华弃其糟粕，都还不具有纯粹的"西方学"意义。这样的研究都还是太功利了。当然要有功利性的研究，但是不能只有功利性的研究。现在，到了创建纯粹的学术性的"西方学"的时候了!

西方人对东方、对我们中国的研究,何尝没有功利性的! 他们那里,也有因为讨厌自己所在的西方,因而全盘肯定我们东方的学人,写出若干崇尚东方文明的著作的;也有因为讨厌我们东方的现状,因而全盘否定我们东方文明,乃至攻击到我们东方人民族性的;当然更有"两说着",也对我们取精去粗的。

不过,在西方,确有一种相当纯粹的"东方学"。说它纯粹,并不是说这门学问的嘴里吐出的都是象牙,而是说,它至少有下列几个特点:

承认东方文明是他们不能包容的;

清醒地意识到东方文明对他们来说是"非我族类",是一种异质的、具有"他性"的东西;

感到东方文明是神秘的,很难真正进入的;

必须耐心地、点点滴滴地、一步一个脚印地、遵守学术的全部"游戏规则"地,来做关于东方的学问;

这门学问的目的,首先是为了"弄懂东方";

由细密的分支研究,逐渐整合为一个体系。

这种"东方学",你可以戳穿它——到头来,还是要进入功利层次的,否则,研究经费从何而来? 政府也好,财团也好,无论打着什么基金会的牌子,他们之所以乐于往这种纯学术研究中投钱,当然有深意存焉;不过,那意确实可以埋得很深,所以,你可以在西方搞"东方学"的学者那里,看到很多这一类往往令你吃惊的论文题目:《中国的尺子》《汉语词汇里关于烹调的动词研究》《中国清代服饰与明代的区别》《痰盂与马桶》《晚清和民国初年的玻璃镜画》《当代中国人街头谈话时的常见身体距离和肢体语言》……

我们也必须在这样一些基点上来研究西方:

坦率地承认,西方文化在当今世界上已成为强势文化,别的不说,仅举一例:

奥林匹克运动，是西方人发明的，并浸透着着西方文化的汁水，可是现在似乎已成了全世界无论东西南北、人皆接受的一种共享文化；我们并不是因为西方文化如此强势，心理不平衡，才单把它挑出来，加以检验，我们是要深入地弄清楚：究竟是为什么，西方文化走到了这一步？"是几时，孟光接了梁鸿案？"

尽管我们当今的中国人，穿西装，吃面包，喝咖啡，看电视，坐汽车，乘飞机，打电话，用电脑……但西方文明，就其本质而言，仍是我们包容不进的一种异物，那不是一般的"彼"，而是具有厚重浓酽"他性"的东西。

西方对于我们来说，也许不像他们对我们那样，动不动概括为"神秘"；但西方人的"文化心理"，的确令我们感到"匪夷所思"。王蒙最近在一篇文章里写到，在美国，到银行开一个、销一个信用卡户头，都是免费的，但用旧卡换一张新卡，却要收五美元；中国人去了，就觉得奇怪，问：我销一张旧卡，再开一张新卡，跟换一张旧卡，不是一样的效果吗？为什么换卡就要交你五美元呢？我本来是要换，现在不换了，请给我销一个开一个！美国人听了却更感到奇怪，说从没有美国人提出过这个问题……最后他们代付五美元，给要换卡的中国人换了卡。在这个例子里，中国人美国人都无所谓对错，却体现出全然不同的文化心理。怎么回事儿？难道不值得研究吗？

所以要有"西方学"，其学术目的，首先是"弄懂西方"。

研究"西方学"，用什么方法？

全盘采用中国的"国学"方法？显然不行。

用西方近些年直到最近涌现的那些方法，如结构主义、后结构主义、解构主义、女权主义、后现代主义……乃至于目前在中国学术界也炒得很热的东方主义、后殖民主义等等"新批评"的方法，来作为我们建立中国"西方学"的学术架构，显然也不行。就好比一个人自己的脏器是不能用来"移植"于自己一样。

必须有人站出来，创立一种中国式的，又是全新的方法，来竖起中国"西方学"的大旗。有一个人也好。当然，多几个人，多几种方法更好。能涌现出不少人，使出不少的招数就更好了——倒也不一定非"百家争鸣"，可以"百家自鸣"；西方搞解构主义的就不一定去和搞后殖民主义的争鸣，在我们看来，不是他们的相互攻讦，而是他们的自盘炉灶自得其乐，整合成了当代西方的一种学术奇观。

我们这些年常用"走向世界"的提法，其实，这个提法在很大程度上是"走向西方"的意思。以文学界的情况而言，"走向世界"的标志是：作品翻译为西方语言，受到西方汉学家重视，被西方的"名人录"列为词条，被人提名去争取获得诺贝尔文学奖，被邀请到西方访问……从文学批评的角度，则是作品被纳入后现代主义、女权主义……范畴，与福克纳、马尔克斯、赫尔博斯……相提并论，而文学理论家、批评家，则进入上述种种西方时髦理论的"语境"，搬用那种种"兵器"，在中国的文学刊物上进行"泰西武术表演"。

这都是时势、世势所趋。不但无足怪讶，而且应该说还是有趣的、有益的。我自己就跻身于上面的"走向"之中，对于"泰西武术表演"，我更是兴致勃勃的看客。

不过，现在我清醒地意识到，无论我们怎样努力地"走向"，也许个别人能以侥幸进入西方文化主流，绝大多数中国知识分子，尤其是中国作家，又尤其是用中国方块字写比如说后现代主义批评的批评家，都是几乎没有那个可能的。

因而也就没有那个必要。起码没有那么大必要。

值得特别说一下的是：即使是东方主义、后殖民主义，其理论是批判西方的，认为西方的文化霸权侵入、阉割、宰制了东方文化；即使其提出者赛义德是个东方血统（巴勒斯坦）的人，究其实，那也还是西方文化的产物，赛义德受的是系统的西方教育，并留在西方不归，他的书是用西方文字写的，喝彩的首先也是西方人，他并以此在西方大学讲堂上立足；西方这类人历来都有，他们的学说批判西方，但那也还是一种西方学说，就像中国的"文化大革命"把中国的文化传统全否定了，甚至于搞"破四旧"把中国文化中的许多瑰宝无情地毁灭掉了，但那也还是中国人的中国文化行为之一，研究"中国学"，也得作为一个课题。对赛义德及其学说的研究，当然也应是研究"西方学"的一部分。对赛义德的后殖民主义理论的兴趣，如果发展到引为同志、奉为圭臬、如获至宝的地步，那就好笑了！

西方又有个亨廷顿突发"怪论"，说是二十一世纪的世界格局，不再是政治制度、意识形态之间的冲突，而是三大文化圈——基督教文化、伊斯兰文化和儒教文化——的冲突。是不是这样，走着瞧吧！

亨廷顿的理论，也可从"西方学"的角度来加以观照，就是说，先不去验证其对错，也且不忙剖析其"险恶用心"，而是研究一下，西方人形成这类思路和采取这类表达方式，有无其文化心路的轨迹可循。

我们要弄懂，他为什么要这么说，用这样一种方式说，形成这样一种效应？

也许，应当有中国人，写出比如说《亨廷顿论文中的插入语》这样的论文。

繁琐吗？缥缈吗？无用吗？

是的，从某种意义上说，是繁琐、缥缈、无用。

但，从长计议，有备无患，这种看似"浪费"的研究，对于我们整个民族来说，还是应当有其一角空间。

西方人容纳他们的"东方学"，到了有人出钱供养《中国唐朝的扇子》《潮州方言中的鼻音》这种论文作者的地步，我们中国的"西方学"就算一时不能或不必达到这样一种奢侈的程度，也总该先开创出来吧！

细想想，这哪里是浪费！所需人不多，园地更可以少至一二而已，扫一扫我们公款大吃大喝的地缝儿，那漏下的"零镚儿"也就足够了。

亨廷顿的理论，不管是对是错，起码，给了我们下面这样一些启发：

西方文明不是人类唯一的文明；

西方文明在当前虽是一种强势文明，特别是其科技文明、工业文明、商业文明、视听文明……都明显地在侵入、融化东方文明，但，它也不是在一切方面都强；

西方文明的这种强势不见得是永久的；

因此，西方文明与人类文明当然不能画等号；

也因此，就不能把西方文明视为最优或最高级的文明；

东方的知识分子，就个人而言，有可能进入西方文明，乃至进入其文明的主流，但这只是他或她个人的事，其几率极低；就群体而言，无论如何努力，都看不到现实的可能性；

把西方文明当做"绝对文明"，奉为至高至善的标准，在西方人和东方人的智者眼中，都是好笑的；

像解构主义、后殖民主义这类西方的时髦理论，就好比西方的高档服装和香水一样，在西方不仅并没有成为大众文化消费品，而且在高级知识分子中也并非都趋之若鹜，只是一部分知识分子，特别是一些大学生，对之非常热衷，因此，中国这边的知识分子固然应及时介绍，也可以有人热情皈依，但如形成"人人皆欲进入其语境"或"今朝不谈赛义德，读尽诗书也枉然"的氛围，那就是有病了。

我不敢苟同亨廷顿高论，主要是我不以为东西方文明的冲突会成为二十一世纪人类活动的主轴；而且，所谓世界性的儒教文明，究竟存不存在，也还需要研究。

提出研究"西方学"，前提是把西方作为一个"异物"，会不会导致民族主义？乃至于要问：是不是有一个潜在的"义和团情结"？

担心得好，问得虽尖锐，也好。

确实，要警惕。"义和团情结"，经过一个世纪的化解，起码已不成其为一个"结"。

现在的中国人，特别是年轻的一代，反西方的情绪说是淡薄都未必准确，因为更使老年人担心的，是他们已经明显地有崇洋迷外的倾向。

提出创立中国的"西方学"，不可能解决这样一个问题。即使间接作用，也几乎无从说起。"西方学"应是一门纯粹到令非专业人员或特殊爱好者以外的人，都难以涉猎更难以理解的学问。

防止狭隘的民族主义情绪生发、膨胀，是一切有理性的中国人都应尽到的人类义务，中国知识分子更责无旁贷。

把西方作为"非我族类"的研究对象，无论如何，总比把西方作为"一等外宾"的优待对象，更有利于我们，也更适合于他们。

为了弄懂西方，我们一定要建立中国的"西方学"。

可以慢慢来，但，一定要来啊！

1994 年 3 月 2 日绿叶居

健全的美
——伍立杨《浮世逸草》序

美不是无边的，因为还有丑。但美是多元的。有各种各样的美，其中包括缺陷美，比如《红楼梦》中的林黛玉。就作家和作品而言，不仅身体上有残疾的作家可能写出具有特殊美感力度的作品——比如中国的司马迁；而且，某些心性异常的作家，也可能创作出极具魅惑力的美文——比如俄罗斯那经历了死刑判决与长期流放的陀思妥耶夫斯基。但在多元的美境中，健全的美应当是非常重要的一种，其所能征服的审美者，数目也最多。

读伍立杨的随笔，我最强烈的感受，便是一种勃然浓酽的健全之美迎面扑来，如骀荡的春风，令人神为之旺，心为之醉。伍立杨 1964 年出生，比我整小一轮，他体魄健康，受到过正规的学术训练，加以他个人的努力，一方面在阅读领悟中华古籍上颇称丰精，一方面又具有直接阅读欣赏英文书籍的能力；他既能融通中西学问，又能坚持独立思考，写出的随笔大都在书卷气中透露出一派清新活气，而在对社会现实的回应中，则又体现出智者的冷静与幽默。这真难能可贵。不是我牵强附会——读其文，确乎有面对蓝天下，黄土上，高高拔地而起，挺秀蹿天的一排（不止五株）白杨树般的感觉。

本世纪九十年代以降，中国大陆因改革开放的总推动力，而带动起报刊与出版业的繁荣，特别是报纸副刊对"千字文"的需求量的激增，促使衍生出了一股被称为"随笔热"的文化浪潮。从九十多岁的文坛宿星到二十啷当岁的文坛新手，都嬉戏于这股随笔的热浪中，真是一派"四世同堂"的兴旺景象！随笔多了，关于随笔的批评意见自然也多了起来；这些意见中最尖锐的，是认为有志气的作家文人犯不上为了挣一点稿费而来写这种"泡沫"文字，他们应当在某个偏僻的山村中清贫饥苦甘于寂寞地撰写鸿篇伟著甚至是死后方可见天日的"禁书"；而最宽容的意见，则是认为在这样一个社会上大多数人几乎都丧失了阅读"大部头"的时间与兴致的人文环境里，恰恰是随笔能"短平快"地慰藉常人那充满焦虑的心灵。不管尖锐的批评是多么地义正词严，这随笔热的浪潮看来在近期是一定要继续涌荡下去；也不管宽容的意见是多么地热诚呵护，随笔之不可能永领风骚，之综合恒定价值难敌文学"大部头"，是明摆在那儿本不必费力撕捋辨析的。想到此，我们不能不敬畏操纵社会发展的那只名曰"客观规律"的巨手。到头来，我们每一个作家文人和读者及批评家，纵使能翻出孙悟空那样的筋斗，也还是终难翻出这只巨手的手心。

回过头来说伍立杨的随笔，不消说，他是在这只巨手手心上翻筋斗，可是他属于健全的筋斗手，他尊重这只巨手，他愿与其他的筋斗手亲和，他没有乖戾之气，绝不无病呻吟，既不自恋，亦不唬人，风格唯美而不刁钻，文字精雕而不板涩，在自我心灵的路径中平和地反照出时代的光影，又在社会文化扫描中自然地逗漏出心底的思绪，天光云影共一池，观之令人心旷神怡。

我愿伍立杨常葆此种健全之美的文风。但我也有一点意见，就是好比他的文章全是"一把子水葱"似的美人儿，但这些健康活泼的美人儿，大多缺一点"美人痣"之类的东西。《红楼梦》里最具健全美的人物是薛宝琴，她从相貌、身段到性格、才情各个方面都很完美，作者在她身上费的笔墨也很不少，但她却还不能算是个魅力四射的艺术形象；我想这是因为作者在表现她的健全美上过分地不遗余力，而没有像写也是相当地具有健全之美的史湘云那样，留下一点"余力"来，写一笔如何把"二哥哥"叫成"爱哥哥"的"大舌头"那种无伤大雅，却偏达于大雅的文字。我这怂恿伍立杨点"美人痣"的意见，是否太孟浪了一点？但我读了他许多篇什后确有此想，也便不揣冒昧，坦然陈言，仅供他和喜欢他文章的读者与批评家们参考。

1996 年 2 月 26 日绿叶居

是多大就多大
——姜明散文集序

老乡姜明让我给他的随笔集写序，我读了他的一些随笔，感到颇有情趣，也恰好有些关于随笔的话要说，因此，便应允下来。

这几年，随着报纸副刊以及容纳随笔的刊物的增多与活跃，写随笔的人多起来了；写的人多，读的人也不少；这说明在文化走向多元的过程中，逐步形成了一个不小的随笔市场；与报刊随笔繁荣同步，各路出版社也颇为热心地推出随笔集，销路看好，煞是热闹。

面对着随笔的走俏与热销，也有人产生了忧心。他们对随笔热的批评中，一个很重要的观点，便是认为出现了大量的"小男人随笔"；所谓"小男人随笔"，就是作者虽是男人，却并非崇高的伟人，所写的，并不是重大的政治、社会、道德话题，往往只是从自己那平凡的生活经历里，撷取些小浪花、小感悟，写成些零碎文字；他们对这样的随笔很不以为然，十分鄙夷，甚至怀疑其有否继续存在的权利。

一个健康的社会，应是一个包容性尽可能大的社会，一个既拥有伟大人物更拥有小人物的社会，一个既有伟人发出的黄钟大吕的时代强音，也有无数次伟大、不太伟大、算不上伟大但颇优秀……乃至于只能算是平凡的、普通的小人物所发出的不同层次不同强弱不同韵律不同诉求的丰富多彩的声音。"大男人"固然令人佩服，"大男人随笔"可能确是"沉甸甸"的传世之作，但"中男人"、"小男人"，只要是这社会中的守法公民，他们既然有生存权、工作权、表达权，当然也就可以写随笔，只要有地方能发表，发表后有人共鸣，也便可以结集出书，倘认为他们的文章未免"轻飘飘"，只不过是些转瞬即逝的"泡沫"，你可以轻视，可以不看，却也无权禁绝。俄罗斯大作家安东·契诃夫说过，大狗叫，小狗也可以叫。他的意思就是说，写长篇巨制的伟大作家可以创作他的伟著，写短东西的作家也可以心安理得地写他的"小作品"。契诃夫一生写了不少小说，但一部长篇也没有；他的一些很短的小说，如《小公务员之死》等，当年都是首发在被文化精英嗤之以鼻的消遣消闲的幽默杂志上的。当然历史对契诃夫不薄，并未因他一生无长篇，尽写些"小东西"而忽视他的价值，应当说，他得算是那个时代俄罗斯乃至全世界的堪称伟大的作家之一。我国的学术界老前辈周谷城在六十年代初曾提出"时代精神汇合论"，大意是说一个时代的总精神，是各种各样的乃至互相激荡的不同思想与诉求汇合而成的，那里面既有英雄伟人的声音，也有凡夫俗子的声音；他的这一论点在"文革"中曾被口诛笔伐，但现在看来，你可以不同意他的观点，却也应承认他那确也是自成一说，可备后人仔细检验。

姜明现在才二十岁出头，光从年龄上算，我也不敢恭维他已是一位"大男人"、"伟丈夫"，而且，他的若干篇什，确也只在叙说、抒发他个人有限的平凡的生活阅历中的一些感悟；但我从他的这些篇什中，看到了真诚，读出了情趣，感受到了一派温馨关爱，因此，我鼓励他写下去，并以为他结集出版自己的随笔，于我这样的读者，于社会，于他自己，都至少是有如在大花园中增添了一花一叶，这花虽嫩这叶虽小，却绝不应受到"你为什么不伟大"的责难。

姜明的写作生涯刚刚开始。他是有希望壮大的。他这集子里有一篇《死亡功课》，涉及到生与死这样的大话题，这确是"大男人"的可以提升到无限哲理高度的"大随笔"的题材；当然我以为他还没能把这么一个非常难的话题展开得丰沛深刻，但这说明，只要确实有来自生命体验的真实感受，他是完全可以超越"小男人"境界的。

我以为，我们是多大的人，就实事求是地抒写我们"这一个"的情怀。是"大男人"有大胸怀再好不过，确实还没那么大，也不必硬装"伟壮"，倘个人气质确实只够得上"小男人"，那么，只要所抒写的是健康的小情趣，则无妨"苔花如米小，也学牡丹开"。

这些话，仅供姜明参考，并期待着方家指正。

1995 年 10 月 15 日绿叶居

《千年来文学备忘录》序

一千年对个体生命来说是个吓人的数字，但是对人类而言那也实在只不过是浩荡历史进程中的一瞬罢了。我觉得卡尔维诺的这些文学讲稿，是在这样的心理前提下形成的：逼近二十一世纪的人类社会已经进入了所谓的"后工业社会"，微电子技术的突飞猛进，视听文化的汹涌澎湃，大众文化的浅薄化与粗鄙化……那么，严肃的文学创作，以书籍这一传统载体而流布的文学，优雅精致的文学，它还有没有起码绵延千年的生命力与魅惑力？他的回答自然是肯定的。正因为抱有起码是千年的信心，他从容而潇洒地探讨了文学创作中一些最基本的美学问题：关于轻逸，关于迅速，关于确切，关于易见与繁复……

卡尔维诺是意大利作家，他的这些文学演讲是在西方的学术讲台上，面对西方作家，并且除了极偶然地引用过一点比如说中国庄子的例子，立论基本上全从西方文学的典籍出发；他所谓"未来千年"，也是针对西方文学的"以往千年"

而来的，即以往我们的文学有过某些一以贯之的"千年美学原则"，那么，以后的千年之内，我们仍应继承发展这些"美学黄金律"。对于我们中国作家来说，前溯一千年不过才是唐朝，远不是有记载成规模的文学源头，如果从《诗经》《楚辞》讲起，那么后顾前瞻，都"一千年太少"。不过人类各民族、各母语使用者的文学创作，虽有千差万别，却也有着很不少的相通之处，彼此在文学的美学意蕴上的思考探讨，是大可相互交流补充与融通的。卡尔维诺的这本文学演讲集，我读了之后，受益匪浅，相信对中国其他作家及文学爱好者，也是几道有营养的大菜。可惜他未及将所有拟定出版的演讲稿都弄妥，便溘然仙逝，这真是无可弥补的损失！

文学永存。但我们也还是慎言"永恒"。我比较喜欢"久远"这个字眼。卡尔维诺这本书教我们去追寻文学的久远价值，但不妄言永恒。这让我更看重这本书的分量：它虽薄薄一册，却扎实可信，汁浓味醇。

1996 年 10 月 4 日绿叶居

我们自己的批评语境

年初在台湾参加中国时报举办的"两岸三边华文小说研讨会"，会上，我发言时说：听台湾小说家的发言，感到都很独特，但是听了若干台湾评论家的发言，却感到颇为耳熟——与某些大陆评论家的批评文章，在遵从西方"新批评理论"这一点上，何其相似乃尔！我只是发了个感慨，并没有展开论述，可是，却惹得一位台湾留美博士、现台湾某大学教授光火，他激动地站起来抨击我说："大陆知识分子里，近年来有一种反西方情绪，刘先生的发言，便是生动的一例；其实，像刘先生这样的知识分子，对西方的了解，恐怕是很有限的……"说着，他便用几种西方语言列举了一大串西方最新潮的理论家和他们代表著作的名字，然后问：

"读过吗？"又气呼呼地说："刘先生的言论，使我感到他是一位坚定的马克思主义者！不过，马克思也是西方人，讲马克思主义，也是宣扬西方理论嘛！"

他的发言如此动肝火，使得会场气氛顿时紧张起来，主持人问我是否使用三分钟答辩权，我当然不放弃。

我说，我首先承认，我对西方的了解确实有限，我是很愿提升自己的了解度的；但是，我是一个用华文写小说，写华人的生活、心态、情感，写出来主要是给读华文的人看的，因此，我不必一定要掌握西方语言，更不必一定要读那些西方新潮理论家的大作；现在的问题是，在大陆和台湾，都有若干文学评论家，当他们用华文写评论和用华语作评论发言时，特别是涉及到华文小说乃至我个人作品时，所使用的评判标准，却是西方新潮文论，举凡结构主义、后结构主义、解构主义、女权主义、后现代主义……直到最新近的东方主义、后殖民主义，和亨廷顿的"未来世纪是基督文化、伊斯兰文化和儒教文化三大文明的冲突"的论断，等等，这种评论，我看到听到时，常有生吞活剥、简单挪用之感，所以，我不是反对借鉴西方的新批评理论和方法，我只是不同意把西方的新潮文论奉为圭臬，我寄希望于两岸谙熟西方新文论的学者们，把西方学说与华文创作的实际，能更自然有机地契合，特别欢迎能把我们中华文明与西方文明融会贯通地架构出一种（或很多种）我们中国人自己的文化理论；大陆知识界近来有否"反西方思潮"，待研究，但我本人是并无反西方情绪，恰恰相反，我对西方的兴趣甚浓；说我是"坚定的马克思主义者"，实在不敢当，我觉得自己连一个一般的马克思主义者也够不上，当然，我少年和青年时代都受的是马克思主义教育，不过，我们大陆民众受这种教育，都是通过马克思理论和中国实际相结合的华文著作来完成的，那"文本"里一般绝不嵌入外文（而这次台北研讨会上，若干评论家的发言，几乎每涉及一个概念，都必嵌入一个英文词儿），用"马克思主义也是西方理论"的逻辑，来为现在把西方新潮文论当做"真理标准"确立合理性，是一种诡辩。

我的发言直到限时铃声响起，才停下来。会场上许多人为我鼓掌，我注意观察，台湾的小说家们都很支持我，我身旁的一位作家还握住我的手说："你是对的！"

　　我也未必一定对。但我很高兴能坦率地说出自己积蓄已久的看法，尤其是在这样的一个场合。

　　当天晚上，在一个盛大的晚宴上，与我碰撞的那位台湾青年教授主动拿着酒杯来找我敬酒，他笑着说：会上的争论很有意思，不过，乍听了我的话，觉得自尊心有些受损，因为我开头有一句话是：恐怕大陆和台湾有的年轻学者是在同一些西方大学，由同一些西方学者调教出来的吧……他说，现在冷静下来一想，大陆某些年轻学人，跟他们确实是同窗，他们学的，就是那么一套；他还是希望我这样的作家，对西方文化有更浓厚的兴趣。我与他碰杯言欢，并说，如果我的发言伤及他的自尊心，我很抱歉，但我仍希望两岸的年轻学人能架构出属于我们华人和华文自己的批评理论和方法来！

　　现在回忆起两个多月前台北研讨会上的这段故事，我要补充说，我真是很支持年轻的大陆学人把西方的种种文论介绍给我这样的作家，比如说，我现在就在自己的文章里运用由他们引进的这一类概念：文本（或"本文"），意指，能指，话语，语境，消解，平面化，语言的颠覆，同一空间中不同时间的并列……；我特别喜欢看他们客观介绍西方文论的文章，有的评论家用后现主义、解构主义的方法分析我的创作，我觉得他们很下工夫，读了颇受启发；我所不喜欢的，是某些大陆的评论家，他们并未通读过西方新潮批评家的著作，有的不但未读过原文，连译本也没读（许多这样的西方论著也尚无译本），只是读了一点别人的介绍文字，便凭自己的悟性和勇气，用来评论当代作家的创作，这样的文字——有时连文字都不是，而是作品讨论会上的发言——确实令人有并不真懂时髦，而贸然投入时髦的感觉。

　　一定的文化理论和批评方法，把我们引入一定的语境之中。我这里所说的，也是依据美国的那位"东方主义"和"后殖民主义"的肇始者赛义德的逻辑：西方，尤其是美国的强势文化，把它的概念，侵入到我们中国的新潮文化中，使得我们的文学批评，也形成了新的语境。就连我在这里反对全盘西化或全盘美化，也不禁使用了美国人提出的美国理论作为叙述策略，想起来真有点滑稽。（赛义德虽是巴勒斯坦血统，可是他早已归化美国，用英文著书，在美国大学用流利的英语讲课，他的"反西方"，是西方人反己方的一种"左翼"行为。）

不怕重复地再申明一下我的想法：在继承我们中华文化传统的同时，积极汲取西方文化中的可借鉴处，并很好地契合于我们的时代，我们转型期社会的特点，我们当代作家的创作实际，由一个生气勃勃的批评家群体，来造就我们自己的一种新批评语境！

1994 年 3 月 29 日

与生命共时空的文字
—— 邱华栋小说集《城市中的马群》序

1994 年快终结时，爆红的小说家王朔宣告"金盆洗手"——不再写小说了。我相信他的这一宣告来自内心的驱动，是真实而郑重的，因而深感遗憾。我并不是一个"王朔小说迷"，然而我愿读他的小说。从社会学的角度，王朔的小说给我打开了好几扇窗户，使我增加了许多有益的知识，这些知识往往是从别的地方得不到的。从纯粹的审美角度，他那把一切化为笑谈的独特文本，那直接从最贴近的生活时空中撷取的新俚语，还有凭借他那鬼聪明"虚构"出的"俗话"，都常常令我忍俊不住，享受到一种怪异的愉悦。

王朔的小说，大体而言，都取材自他本人，或同代人，又尤其是他那一阶层的人，所经历，所体验，所认同或所排拒，所掳获或所失落的生命感悟。这与苏童、叶兆言等与他共享红运的同代作家有所不同。苏童往往写出些他个人生命史开始之前的故事，他落生后哪儿还有姨太太之间的争风吃醋、妓女嫖客之间的情感纠葛呢？但他却把那样一些与他个人生命"非共时空"的故事叙述得那么娓娓动听，真令人羡慕他的才能。

正当王朔宣布他不再写小说，而苏童等的大作越来越"不与时空同步"，像我这样偏爱阅读"与生命共时空的文字"的人，便开始注意有没有那样一种新作家的新作品出现：他的写作，以他个体生命的"现在时"进行，所写的，与我们大体上处于同一个空间，也就是说，他写的是"与生命共时空的文字"，并且是"最当前""现社会"。在这样一种阅读需求的驱使下，我发现了邱华栋和他的小说。

严格而言，邱华栋并不是一个"文学新人"，他虽然到1995年才26岁，却早在20岁左右便出版过诗集和小说集。近两年他的小说创作突如泉涌，而且所刊发的园地，由较"边缘"的杂志，向就影响而言在文坛上颇居"中心"的杂志挺进，在1995年年初的几家"大杂志"上，他的小说都被重点推出，比如1995年第一期的《上海文学》封面提要，用二号字开列了四位作家的名字，依次是王蒙、邱华栋、韩少功、白桦；因此，我说我发现了邱华栋，多少有点"偷功"，其实是邱华栋凭借着他的写作实力，首先为编辑们的慧眼瞄中，我只是作为一个"看客"，"坐享其成"罢了。

邱华栋比王朔、苏童他们又小了差不多有十岁。这是最新一茬的作家。王朔的小说，最逼近生活的，大体上也是八十年代的事儿，邱华栋的小说却表现的是九十年代的小青年在九十年代的大都会（基本上是北京）的新状态、新体验、新浮沉与新歌哭，因此，至少对我来说，犹如刚从土里面拔出的小萝卜，碧翠的缨子，鲜亮的皮儿，撕开皮，雪白结实的肉儿立刻冲出一股子虎生生的气息。这小萝卜咬一口真脆嫩，确是"新菜"，自己吃着顺口，少不得帮着吆喝：快来尝新！

邱华栋笔下的九十年代青年，大都不是北京土生土长的有根基有仗恃的，而是从小地方进入到这个瞬息万变的大都会，并立刻在滚滚升腾的万丈红尘里迷失的"马群"。进入到九十年代的北京城，究竟都有了些什么样的奇诡景观与新潮生态？我想许许多多的"老北京"也未必清楚，邱华栋的小说可让我们大开眼界，那些像钻石山一样的星级大饭店里，自助餐厅的各色菜肴，迪斯科舞厅里的霹雳震响，假面舞会中的奇形怪状；还有玻璃幕墙的巍峨写字楼里的白领，郊区豪华别墅室内泳池中的暴富者与揩油者，各种牌号的小轿车在急驶中的秘密……还有穿着英国"死者"摇滚乐队的"褴褛"队服的青年，和怀揣英吉莎比首的女士，他们的爱与恨，生与死，这些都搅成一团，以浓烈的色彩，喧嚣的音响，诡异的氛围，快速的节奏，朝我们扑面而来。不管怎么说，这是与我们共时空中的真实，当然只是部分的真实，往往又是我们模模糊糊知道，却不得其详的真实，邱华栋以他不怯阵的笔，将那声光色电活灵活现地灌进我们的意识。从这一点上说，他有如王朔——给读者打开了几扇窗户，窗外风光你未必以为旖旎动人，但至少是望望也好。

九十年代的都市风光，王朔不写了；苏童他们的走向是愈远而不是靠近；还有些青年作家结构着基本上是非写实的寓言化小说；也有些青年作家对语言本身、小说结构本身的兴趣大大超过了语言与结构究竟承载什么的兴趣；当然，于是就有了最新一茬的某些青年作家，他们的兴趣复归于写实，却并不是要复归"旧路"，皈依"古典"，他们之所以要这样写，是因为，一、转型期的中国，急剧地变化、变换乃至变幻着其人文面貌，个体生命如何与从计划经济朝市场经过转化的大潮相处？特别是在似乎人人都在找钱、都向往发财的市俗浪潮中，年轻的生命如何把握自己的灵肉？这样的"时空"，为新写实流派的小说提供了空前丰富与生猛的写作资源；二、他们自身，多半都还处于"功不成，名不就"的状态，在生活里，往往以巴尔扎克《高老头》里的那个穷愁但绝不潦倒的拉斯蒂涅自喻，他们要和所身处的这个大都会，拼一拼自己的机遇，闯一闯自己的命运！因此他们的生命体验流泻到文字中，便很自然地形成了"大真实，小虚构"的文本。邱华栋是这一茬写实派小说家的一个样本。

如果邱华栋的小说仅仅是展览了大都会里市场经济大潮中色块线条的跃动，只具有社会学的认识价值，那我未必会加以称道。邱华栋说，他写这些小说，是由一股生命的激情驱使。其实，如今更受到文坛尊崇的叙述文本，是冷静，是不动声色，是保持距离，是注重"间离效果"，是"不置可否"，是将一切都归于"复杂难解"。我对上述的叙述策略也是很看重的，并正尽可能融汇在自己的创作里。

但我这人不走极端，主张美学前提包括小说叙述策略的文本多元，因此，看到邱华栋这样的出自内心的激情文本，还是很高兴的。其实贯穿在邱华栋小说中的叙述气韵，与其说是激情，不如说是焦虑。对于他这样一位年轻的小说家来说，这种焦虑感实在是难能可贵的。邱华栋笔下的"城市马群"，特别是第一人称的那个"我"（多半是作者的化身），在滚滚而来的大都会物质诱惑，以及主要是外来文化的魑魅引力面前，一方面往往身不由己地迎上前拼命抓甚至沉溺乃至沉沦，一方面又不断地自我警策自我忏悔自我拯救，于是，那良知的挣扎，灵魂的煎熬，便对读者有了一种深沉的启示，不仅是一段历史时空中的生命见证，也是通向人性深处的挖掘尝试。

邱华栋毕竟还不成熟，他这个集子里的小说，叙述风格的个性化很不够，有些篇什，其依托性（如往塞林格《麦田守望者》的叙述风格上靠）未免太露。另外，从他若干篇什看，他总体构思能力颇强，确是一位早慧的作家，但一到下笔，限于生命体验与艺术修养的不足，在具体展开时往往开篇气壮如牛，中途回荡勉为其难，再往后如何收束似乎就没辙了，因此结尾时已气若悬丝。这该是他今后写作中要重点解决的一个问题。

一茬又一茬的新作家，尤其是二十多岁的新作家，不断地涌现于文坛，各色各样的千奇百诡的新作品，频频出现在各个文学杂志，而"与生命共时空的文字"依然生机勃勃，我在此情此景中，真禁不住"遥吟俯畅，逸兴遄飞"！

1995 年 3 月 11 日绿叶居

铃铛作钟鸣

——评《第18，475支香》

微型小说和长篇小说都是小说，有着相同的特性，但又有着相当的不同。那不同之处，打个比方，好比铃铛和大钟，把一个放大，将一个缩小，当二者等大时，简直可以一模一样。但铃铛发出的声音，跟大钟发出的声音，那差别可就太明显了。我过去一贯以为，微型小说如铃铛，只适合小题材，小悲欢，小情趣，所发出的，只能是清脆而单薄的声响。直到现在，我自己写微型小说，也还是在追求"铃铛效应"，能使人一颦，一笑，一颔首，一摇头，轻轻一叹，微微一吁，使读者有铃铛摇响于耳边的小愉悦，足矣。

但是，读了《新华文学》第53期《启动宇宙小酒窝》专辑里黄孟文先生的《第18，475支香》以后，我颇为吃惊——呀，原来千把多字的微型小说，"小铃铛"，竟也能发出洪亮的钟鸣！

黄孟文先生是微型小说的老手、高手。2000年我和王蒙为中国辽宁人民出版社主编了一套从小学到高中的共12册的《课外语文》，在高中一年级那册里，就选用了黄孟文先生一篇微型小说《生日快乐》，在文前的导读里，有这样的评述："这篇小小说写了一出人间悲剧，但它却是以喜剧开场的。起初你会陶醉在生日的喜悦之中，而转瞬之间你的心情就急剧下沉，看至结尾时恐怕眼睛已经湿润了。这就是本文的魅力。"又这样向中国中学生介绍作者："黄孟文，新加坡作家，他擅长用规范的汉语撰写小小说。"选入黄孟文先生微型小说的这册《课外语文》发行量到2001年春天已逾十三万册。《生日快乐》写的是个体生命的悲剧，基本上还是"小铃铛"。

《第18，475支香》却写到了一个民族的悲剧。朝鲜的金日熙六十年里每天清晨点燃一支香，祈盼能和韩国的父母重聚。在公元2000年8月15日早上，他点燃了第18，475支香后，终于挨到了赴首尔重睹慈颜的时刻，但他虽然见到了母亲，却无缘再见到父亲——那条横亘在一个民族之间的，人为的三十八度线，实在存在得太久，而又开通得太迟慢了！这本是一部长篇小说的题材，甚至可以作成一部史诗，是最适合于铸成一口大钟的；黄孟文先生却只用一个微型小说，一只"小铃铛"，就发出了催人深思的黄钟大吕的宏音。读了这篇微型小说，我敬佩黄孟文先生对当代人类处境高度关注的创作情怀。这可以说是一篇国际题材的微型小说。它启示着微型小说的作者，微型小说不仅能从身边琐事里捕捉素材，也完全可以容纳非常开阔的视野与相当重大的题材。当然，处理这样一个题材，对于微型小说来说，难度很大。黄孟文先生以主人公六十年来每天清晨燃一支香来结构整篇小说，人生几何？岁月悠悠！18，475这个数字因此具有了钟声效应。黄孟文先生对叙述语调的把握，平静，甚至于冷静，通篇几乎全是白描，去矫饰，无废话。我为他驾驭微型小说这一文学形式的娴熟而折服。同时，更为他不仅规范地运用汉语，而且在开掘汉语传情达意的潜力上的功力而由衷地赞叹。小说里有这样的句子："那时的妈妈呀，既朝鲜又美丽！""仔细端详母亲的脸，在他的心目中，今日的'欧妈妮'，那是更为朝鲜，更为美丽！"一派白描中，两用"朝鲜"为形容词，很跳眼；这双关的字眼能引出读者丰盈的思绪。

当然，铃铛虽然偶尔可以发出钟鸣，但并不等于说今后我们制作铃铛时都要去强求它们发出洪钟的声音。黄孟文先生今后的微型小说创作，相信仍会常常以铃铛的叮咚音韵感动我们，但我要祝愿他今后能在类似《第18，475支香》这样的路数上，有更多新作问世，令我们从铃铛的摇动里，觉得有洪亮的警世钟在长鸣，令我们的心臆在震动中，获得憬悟。

2001 年 5 月 10 日北京绿叶居

丢失的父亲

张艺谋的《我的父亲母亲》演过好久了，先在威尼斯电影节夺得了金狮，前
不久又在南宁抱了金鸡，关于这部影片的宣传，似乎已达到了"把话说尽"的地
步，再去评说，怕没什么人想听了。但我却觉得有话在喉，不能不吐。有一个现
象我很奇怪，就是宣传、评说这部影片为时已经很长，有关文字不说是汗牛充栋，
也绝对已经满盆满钵，但基本上都集中在关于母亲的话题上：张艺谋如何再一次
发现了巩俐式的明星章子怡，章子怡如何体现出了农村少女的纯真情感，特别是
银幕上那些当年母亲在田原上奔跑的长镜头，如何地富有诗情画意……我在无数
报刊上看到对章子怡的报道、访谈，电视上有关的场景也很多，这回的金鸡奖章
子怡还得到了最佳女主角提名，堪称一时之胜。但是，现在要问：这部电影有没
有男主角？就影片使用的片名而言，不但有，而且，那父亲应该是影片的第一角
色；那么，要再问：这个父亲的形象塑造得怎么样？我的回答是：好极了！我和一
些朋友交换过看法，他们也这样认为。就影片的故事而言，没有一个令人觉得可
敬可爱的父亲，也就支撑不起母亲那一角色的全部情感与行为的基础；就影片里
角色的造型而言，父亲的形象最具时代感、地域感，特别是那样的发型与衣衫；
就演员的表演而论，虽然父亲的戏份比母亲稍少，导演也没有提供他以大幅度的
肢体语言和较多的特写镜头来塑造人物的机会，更往往以慢镜头和中、远景来表
现他与学生的和谐关系，但演员却分寸把握极为得体，浑身是戏，从那造型中氤
氲出了浓郁的个性色彩，使观众相信在那样一处空间里，那样一段时间内，确实
存在过那样一位可亲可敬的青年教师。这样精彩的银幕形象，如此成功的表演，
为什么竟被传媒弃之如敝屣？怎么就不去问一下张艺谋是怎么选到这样的男演员
的？怎么就不去访问一下这位演员，向广大观众报道一下他是怎么塑造出这样一
个艺术形象的？他怎么就不能也被提名为最佳男主角奖？现在弄得章子怡的名气
如雷贯耳，而演父亲的演员叫什么竟很少有人记住，这很不公平！我希望人们能

记住这位以扮演父亲而展示出才华潜质的男演员的名字——郑昊。

其实，平心而论，章子怡在这部影片里的母亲造型，与郑昊的父亲造型相比，在还原时代、地域、社会族群的准确性上，是较为逊色的，特别是影片最后用一位非职业演员来呈现"现在时"的母亲，面容粗粝，说的地方土话，场景追求记实风格，使许多观众觉得年轻时的母亲与老年母亲对不上榫儿。当然，我们也不能用一种刻板的现实主义标准来衡量这样的处理，也许张艺谋是故意要让前后两个母亲形象产生"断裂"。章子怡那样近乎浪漫的细嫩造型，反正是在故事叙述者（"我"）的生命史前的一种想象中的存在，具有一定程度的超现实色彩，是可以自圆其说的。

传媒在关于《我的父亲母亲》的宣传报道中的"丢父"现象，值得深思。一部影片面对市场，寻找"卖点"，这是难免的。在《我的父亲母亲》的电影海报上就有"张艺谋的初恋故事"这类的暧昧词句。这样写并不是要你理解为"张艺谋（拍摄的）初恋故事"，而是故意要你错以为就是张艺谋自己发生过的初恋故事，有的电影院更在放大绘制这张海报时，因为那时还不知道章子怡究竟能不能打动观众，就干脆画上一个张艺谋一个巩俐。传媒上的一般性推介，突出章子怡倒也无可厚非，但具有电影评论性质的文章，竟也对影片中至关重要的父亲一角忽略不计，这就说明，我们有的电影评论是既"好色"又"色盲"，这样的"眼疾"，实在该好好治一治了！

谋杀艰涩枯燥

这是一本破案的书。开篇就写到美国加州伯克利大学一位被视作"后现代主义之父"的名教授主持一次会议，突然短暂停电，灯亮后，发现他已被谋杀，而且是被施用四种方式杀害的——脑瓜被枪击出一个窟窿，背上戳了把银剑，面颊上射进了一支飞镖，刚喝过的酒杯打翻后正冒出硫酸的味道。在场的几个活人自然都成了嫌疑犯，包括他的妻子、法国哲学家、俄国语言学家、他的年轻女助手、英国小说家、日本女教授。于是来了警探亨特，对上述人等展开了询问调查。真奇特，真抓人，让人翻开就不忍释手，可以一口气读下去。

然而这本书的目的却是介绍后现代主义这样一种学问。后现代主义上世纪后半叶就像落到宣纸上的墨滴，从西方向全世界各地的社会科学领域里浸润弥散，中国从上世纪八十年代末至整个九十年代，不仅大学讲堂与社会科学界里有"后现代热"，还影响到文学、电影、造型艺术、小剧场话剧、建筑设计、工艺美术……广泛的领域，有的代表性人物还被冠以了"×后主"的称谓，杂志上多有相关的文章，翻译过来及自我发挥的专著也颇多，跨过世纪以后，这股热乎劲还不见减退，因此，不管你是一听后现代主义就喜欢，就好奇，还是一听后现代主义就反感，就纳闷，首先，你该把究竟什么是后现代主义，闹个明白，是不是？可是，如果不是专门作学问的人，不想去读那些后现代主义的大厚本原著，而想轻松速成地了解有关后现代主义的ABC，那么，就无妨来读美国人阿瑟·A.伯格的这本《一个后现代主义者的谋杀》[1]，该书1997年出版，现在还属于"刚出炉的面包"，热腾腾，香喷喷，没想到中国这么快就推出了译本，我建议阅读趁早。

学术专著深奥玄妙，自不可免，但介绍学术知识的书如果写得艰涩枯燥、诘屈聱牙、味同嚼蜡，那真是既浪费写作者的时间更耽误阅读者的工夫，可惜现在我们有的这类文章书籍仍患有此类疾病，实在应该改进一番了，而伯格的这本书，把虚构的人物与真实的后现代主义大师纠葛在一起，巧妙地引领读者在阅读破案故事的过程里，把后现代主义究竟是怎么回事儿梳理得水清影晰，这种介绍新知识(无论自然科学还是社会科学知识)的手段,实在值得我们借鉴！

特别令人高兴的是，广西师范大学出版社印制的这本译著极其精美，里面还

---

[1]《一个后现代主义者的谋杀》,美国阿瑟·A.伯格著,洪洁译,广西师范大学出版社2001年1月第一版,
　定价：88元。

穿插了几百幅彩色与黑白的现代主义和后现代主义的艺术作品,不光有架上画,更有装置艺术、行为艺术、观念艺术、人体艺术……特别难得的是,除西欧北美的作品外,还有难得见到的当代俄罗斯、东欧、南美和中国自己艺术家的最新创作,因此,这本书也成了一个丰富的艺术展览会和资料库。

从某种意义上说,这本书的出现是对艰涩枯燥文本的一次正义的谋杀。我们应该支持这一行为!

男辩还是女辩?

2000年夏天在巴黎,先是从互联网上看到有关哈金的《等待》在美国走红的消息,然后又看到有关国内的《中华读书报》发表文章对《等待》批评的消息,再后则又看到香港某刊物上对《中华读书报》上的批评文章予以反驳的文章,一时只觉得眼花缭乱,有趣,却又摸不着头脑。

在海外的中国作家——这里只就血统而言,其人具体持有怎样的护照,是否获得了外国"绿卡"或入了外国籍,姑暂勿论——这些年来直接用西方语言写作,其著作出版后在西方获得商业上的成功,有的还获得了西方文化界的著名奖项,这样的例子越来越多,以我知道的举例,1992年张戎用英文撰写了《鸿》,这本书写的是她外祖母、母亲和她自己,三代中国女性的故事,出版后一炮打响,获得了英国文学最高奖"布克奖",英国大出版社现在约请她撰写《毛泽东传》,出资让她周游列国搜集资料,包括回中国从各个角度挖掘新素材,她每回到北京大都下榻王府饭店,气派很大,据她自己告诉我,该书已基本成型,再细致加工后,将于2002年春天隆重推出,出版社当然期望能引起比《鸿》更强烈的轰动效应。这两年张戎已经不是一枝独秀,在法国,先是程抱一用法文写了本自传性长篇小说《天意》,写他从上世纪四十年代留学法国后的遭际与心路历程,获得好评,后来戴思杰也用法文直接写出了长篇小说《巴尔扎克和他的小女裁缝》,这本书的题目很讨法国人的巧,但内容却是写的中国"知青"在"文革"中的遭遇,此书长时间高居法国图书销售量排行榜前列,各大报的图书评论版上可谓好评如潮,因为有轰动效应,所以法国人一个时期互相送礼,都是买本戴思杰的书,觉得出手十分时髦体面。我7月短期赴伦敦,又发现英国最著名的企鹅出版社刚出版了一本《天边》,是一位中国女士高安民直接用英文写的,内容是她自己在中国近四十多年的坎坷遭际,看报上的评论也是调门很高。至于在美国的哈金,他那本长篇小说《等待》,写的是上个世纪六十年代一位医生被迫与一位小脚女人结婚,婚后身心饱受伤害,后来他与一位大脚的女护士产生了感情,但千辛万苦离成了婚后,却已经失却了性爱的能力。国内作家有不少声言喜爱甚至崇拜福克纳的,但美国评定福克纳文学奖的人士大概根本不知道这些作家作品的存在,因为他们只审读直接用英语写作的作品,而哈金的《等待》令他们觉得非常之好,所以把这个大奖评给了他。有人告诉我,像英国的"布克奖"、美国的"福克纳奖",在西方人眼里是不亚于诺贝尔文学奖的,至少,获得这样的奖项也就意味着离诺贝尔文学奖仅仅只有一步之遥了。

我写这篇文章时,还不知道2000年诺贝尔文学奖的得主是谁,但是,倘若获奖者是个并不定居在中国大陆或台湾的,并且是直接用西方语言写作出版其作品的,或面对西方翻译家写作,其作品并不是主要以中文流布,而是在西方比在中国国内更为人所知所赏的,那样的中国作家(或者严格而言,只是有中国血统,按实际身份算,应为西方某国的"少数民族作家"),那我是一点也不会感到惊讶的。一位朋友对我说,中国作家作品这样地"走向世界",没有了方块字,不面对认识方块字的读者,甚至作家本人按护照论也不是中国国籍了,只是所讲述的故事是中国的,中国读者得等待着有人把那作品从西方文字再翻译成中文,才能分享"中国文学终于走向了世界"的辉煌,想到此,真不知是该把这"走向"的历程称之为"悲壮",还是"悲惨"!我倒觉得定居何处、用什么文字写作,属于作家创作自由的一部分,人家的初衷也未必是要代表中国文学走向世界,很可能只是谋求自我的事业成功，并不代表任何其他人士或群体，对此，我们应该心平气和。

《鸿》有张戎弟弟张朴的中文译本，由香港一家出版社出版，我读过，也许因为我是中国人而不是英国人，又也许张戎的英文非常漂亮而张朴的译文未能达到漂亮，读后感可以用三个字概括："不稀奇。"戴思杰和哈金的小说没听说有中文译本。这里再啰唆几句——有人以为这些作品至少是作家先有个中文稿本再转换为西文的，非也，人家是直接诉诸西文的，他们之所以能在西方获得成功，就是因为从一开始就考虑到要面对西方读者，按西方的思维方式进入创作，用西方人喜欢的叙述方式和认为是漂亮的文字来达到西方认定的优秀标准，所以他们的这些作品有的竟并不适宜翻译为中文。

在巴黎从互联网上看到的报道说，《中国读书报》上批评哈金《等待》的那篇文章，认为哈金是用"小脚""辫子"这些丑恶的东西来满足西方读者的猎奇心理。在上个世纪六十年代，还有小脚新娘吗？该书的封面上，印着一截竖着的大辫子，能以这样的符码来象征现代中国吗？而香港某杂志对这一批评的驳诘则说，怎见得上个世纪六十年代就没有了小脚新娘？即使那时小脚新娘在中国大陆已经非常稀少，作家却有选取稀少个案来构成故事的创作自由。这一驳诘从逻辑上是成立的。网上有《等待》的书影，封面上的那条大辫子非常抢眼，香港某杂志说，怎见得那是条清朝男人的辫子？那很可能是条女人的发辫，那是现在中国少女脑后依然可能存在的发式，何必大惊小怪？对于这一驳评，我个人却觉得难以认同。

虽然早在十三世纪西方就出现过《马可·波罗》游记，对西方人了解中国起到过重要的作用，但那只是纯文字记载，而且至今仍有人怀疑其真实性；西方人对中国有比较多的感性认知，还是从十九世纪开始，特别是二十世纪初，照相术发明后，一些西方人到中国实地拍摄了大量的照片，照片的作用比文字大得多，后来又有电影纪录片的拍摄，自然给一般西方人更强烈的印象；在那些照片和纪录片里，中国男人脑后拖着辫子，中国妇女普遍缠足，而且那时中国的富绅士子多数都以"金莲"为美,越小越美,这在《金瓶梅》那样的书里有淋漓尽致的描写,而《金瓶梅》全本早就在西方翻译出版,甚至直到今天仍比不写"金莲之美"的《红楼梦》影响要大许多,西方人把这样的中国书和来自中国的照片、纪录电影合观,得出"小脚 + 男辫 = 中国特色"的结论,实在也是顺理成章的事。

在英国伦敦的肯辛顿花园里,有维多利亚女王为其先亡的爱夫阿尔伯特建造的镏金巨像,在安置巨型坐像的尖顶亭的平台四角,有四组象征英国殖民事业胜利的雕塑,其中东方的那组雕塑里,有一个中国男人的形象,用以象征英国对香港的统治,那个男人着长衫、蹬布靴,脑后拖着一条硕大的发辫,那男辫的造型,我以为倒并不是要丑化中国人,而是"实录",甚至还刻意将其塑得富态端庄,以显示中国人在英国治下的幸福安康。在法国巴黎的卢森堡花园里,面对着天文台,有一座著名的喷泉,当心有一座名为"地角四方"的铜雕,是著名雕塑家卡尔波的作品,这个完成于 1875 年的铜雕用四个不同民族的少女托举着一个地球仪来概括人类与地球的亲和关系,其中东方塑的是中国少女,我仔细观察,那少女头上却是一条清代男子的发辫。在中国清代,满族入关统治后,强迫所有汉族男子剃发拖辫,其推行之严酷有"留发不留头"之说;我们从现在制作得认真的影视图像里可以看到,清式男辫的特点,是脑袋前半部的头发要全部剃光,从脑壳中部开始,才留出长发以成辫子,而且鬓角也是不许有散发的,亦必须剃得精光。而女辫,后面看去或许与男辫差不多,前面却不必剃去头发,可以有刘海,更可以有鬓发。卡尔波同一题材的变体作品现在陈列在奥赛博物馆里,那代表东方的中国少女也是清代男辫的发型,前半个脑壳剃得精光发亮,无刘海鬓发。卡尔波的这个对中国人绝无恶意的作品之所以塑成女体男辫,使我懂得西方人心目里的"中国人"形象,在很长的时间里,是与清式男辫这一符码紧紧地粘连在一起,难以掰拆开来;现在虽然一些专门研究中国的汉学家,以及一些常与中国打交道的政治家、企业家对中国也有洋房汽车,中国男人也时兴西服革履,是非常清楚的,但就广大的一般西方普通民众而言,他们心目里的中国和中国人,就还是常常与女人小脚、男人长辫、黄包车、抬轿子等符码联系在一起的,而且那也构成着他们对中国和中国人的好奇心、兴趣点。

这样再来看哈金那本《等待》的封面，我觉得设计者以一条清式男辫来与书里的女人小脚相呼应，以突出他们所理解的"中国特色"，应是没有疑义的了。我以为美国的封面设计者，该书的出版商，这样包装这本书并没有"辱华"的意思，其实也就像中国北京已经改造得甚至比西方更"现代化"的王府井商业区，偏要在街头安置拉黄包车的"祥子"，以及旧式剃头匠给顾客剃头的雕塑一样，为的是突出"中国文化的味道"。

记得好像是1999年，有一期《钟山》杂志的封面上，刊登了一幅老照片，照片上有个中国人打着伞背对着镜头，那人脑后拖着一条长辫。那人究竟是男是女？那辫子究竟是男辫还是女辫？那张照片是1912年由西方摄影师斯提芬尼拍摄的，被许多出版物采用过。从照片上那人的短衫、扎裤腿的长裤、白袜子、圆口布鞋和一双大脚判断，应该是一个男人，那时虽然辛亥革命已经发生，但民国的剪辫运动尚未爆发，有这样仍留着清式长辫的男子被摄入镜头，是平常的事。但有人写文章谈论这张照片，却断定照片上是位女子，辫子自然也就是条女辫。我们中国年轻的一代已然分不清斯提芬尼那张照片上的辫子是男辫还是女辫，可是一些西方人还固执地将清式男辫作为中国人的符码，怎么办呢？一是进一步发展我们自身，一是耐心等待那些西方人的觉醒吧。

2000年9月27日温榆斋

采得杂花酿蜜糖

田野上，许多花陆续开放，好多叫不出名儿来，也不知是哪朵在氤氲香气，也不知为什么有的格外惹那蜂蝶造访……

想起自己，也曾年轻，也曾狂妄，也曾愤世嫉俗，也曾浪漫奔放；倏忽，中年已过，老之将至，问天，天无语，叩地，地缄默，但有那无名的感悟，*丝丝缕缕*，旋于心上。

忽见那边厢，河湾处，土道旁，蜂把式，正开箱，割那蜜，金黄，甜香，趋前问，什么蜜？微微笑，三个字：杂花蜜，啊，采得杂花酿蜜糖！

满地满坡的田原野花啊，你们产生出多少细细的花粉，谁去注意你们，谁把你们放在心上？原来是，小蜜蜂，扇翅膀，嗡嗡嗡，工作忙，阳光下，细雨中，飞出很远，衔回花粉，巢中精酿，谁知蜜中甜，*丝丝出衷肠*！

青春的花粉，如果没有辛勤的蜜蜂，采撷，酿化，风吹落，雨淋光，花谢无痕，叶落无忆，徒然是，白来世上一场。

我那青春的花粉啊，回头看，细思量，有浪费，有损伤，却大多得到蜂儿相帮，雁去雁又还，花凋还花旺，多多少少，转化为蜜，奉献世人，虽微薄，有营养，人人为我，我为人人，世界是个大花园，互慰藉，勤相帮！

愿青春常在，岁月却那样吟唱：去了，去了，今天燕巢，明日空梁……于是懂得，青春留不住，唯有那，青春花粉酿成的蜜，奉献给时代，敬呈给历史，于是，个体的青春，也就融进了民族的演进，获得了永恒的荣光！

渺小啊，田野上的小花；伟大啊，开花的田野！谁将渺小与伟大融汇？谁把暂时定格为永远？蜜蜂知情，却绝不声张。该感谢的实在太多：太阳，月亮，星星，极光，平原，山岗，黄河，长江……但人生宏大的叙事里，又怎能没有细节，没有种种琐屑的情状，于是，就会常常忆起，是谁，从田野上采撷来那样一束束的鲜花，又是谁，精心地将花粉酿成了花蜜，美我人生，沁我心脾，净我心灵，实我心仓，那人类中的工蜂啊，你更令我们感佩，此生中，长相忆，永不忘！

2005 年 10 月 2 日

读《百家姓》

《百家姓》这本书很薄，其内涵却又很厚重。半个世纪以来，陆陆续续上新式学校的学生，甚至于上过大学的知识分子，竟没有读过《百家姓》的，大有人在。不要武断地认为，半个世纪以前，私塾，旧学校，所用的教材，如《百家姓》，全是糟粕，或简直没有什么用处；其实，不应该把发展中的新文化，与存在过的旧文化，一刀两断；新的事物，如不从存在过的，哪怕真是"腐土"般的事物中，汲取营养，化腐朽为神奇，那也很难生长得结实丰茂。

《百家姓》在以往的私塾教材中，应当说是糟粕少到近乎于无，而精华满溢的一种。"老百姓"这个词儿，"百家争鸣"这个成语，全从《百家姓》里生发出来。读着它，你不由得就想到，我们中华民族，真是好大好大的一个大家庭啊！有那么多的群体，加入其中，他们的悲欢离合、生死歌哭、爱恨情仇、酸甜苦辣，在这本薄薄的小册子里，融为一派朗朗上口的音符，读着读着，你心头会涌现出许多亲朋好友、同窗同侪、同仁同伙、熟人以及"半熟脸"的生动形象，于是你意识到，这个世界不但不是仅仅属于你的，也不是仅仅属于你一家一姓的，它是属于"百姓"的，是"百家"共享的。

"百"是言其多的意思。其实最早的宋代的《百家姓》版本，所收的姓氏也不止一百种。《百家姓》里，汉族的姓氏收得较多，单字姓较多，不过也收了若干复姓；有的单字姓，和复姓一样，是汉族以外的，兄弟民族的姓氏；这里面还有若干的姓氏，是一个以上的民族共用的；因此可以说，《百家姓》里，实际上蕴涵着一部中华民族大融汇、大亲和的二十五史，字里行间，跳动着我们这个多民族大家庭的强劲脉搏，读来令人豪情满怀、意气风发。

《百家姓》的姓氏排列，除了因为最早产生于宋朝，所以把皇帝家的姓氏放在了第一位以外，大体而言，是"排名不分先后"的。它在编排技巧上，重视平仄音韵，使你朗读时有一种如歌的美感。如果默读，则可以仔细观赏那一个个的方块字，你会欣喜地发现，每一个字都是一幅活灵活现的图画，这是拼音文字所不可能具有的特殊美感。

在目前的中小学教材里，《百家姓》尚未获得——或者说尚未恢复其应有的位置，这是颇令人遗憾的事。不过，学校的老师，富有远见的家长，以及有自觉展拓自己知识领域愿望的在校学生——包括此前未读过此书的大学生和社会各界人士，实在都应该带头来阅读，以及把这本《百家姓》推荐给身边的人，同来一读。读过《百家姓》，你才是个知识结构没缺陷的"老百姓"啊！

1999 年 1 月 11 日绿叶居

我的文学边缘化

阳春三月，到上海、南京、苏州签名售书，我的心几次被读者的热情鼓励所打动。在上海图书商城，三个小时里，我签干了四支油性笔。在南京，一位读者不仅买了我新的随笔集《人生如梦总难醒》，还买了我的长篇《四牌楼》，并拿来了他早就买到读过的几本我的书一并让我签名，还说："你的《仰望苍天》含金量最高！"那是我前年出版的随笔集，和另两种一样，都已再版，有的已三版。在苏州，一位出示军官证（为了让我把他的名字写到书的扉页上）的中年人还对我说："你再多写点《富心有术》那样的文章！是不能光'富身'不'富心'呀！"

买了书等着我签名的读者里，最多是四十多岁的人，他们见到我说得最多的一句话便是"我那时候在（农村、工厂、学校……）读过你的《班主任》！"他们并不因为文学的发展早已使那篇东西成为了非文学的"历史与社会学资料"鄙夷它，且至今对我抱有某种信任与期望。他们有的带着上小学或初中的孩子一起来买我的书，并让我上款签上孩子名字，说是要让孩子读我的书。

众多读者的热情鼓励，使我意识到，我的文学航船没有搁浅，在宽阔的时代河道上，它仍能扬帆前行。

当然，在文学的大河中，我是在逐渐地"边缘化"。当八十年代"现代派"风起云涌时，我自愿成为他们的朋友，并尽我的绵薄之力，在他们的发展中助一臂之力，但我不是那个大浪潮里的一员。由于在美学见解上的不同，我的某些文章还引出了他们当中某些人的不满，不过这并没有从根本上改变我和他们当中大多数成员的友善关系。

到九十年代，许多"现代派"的"先锋作家"也旋转到了边缘，以王朔为代表的"痞子文学"和以苏童为代表的"新历史小说"一度成为了大热门，还有一些其他的热门，我总是努力地去认知他们，警惕仅凭"远远一望"或自以为灵敏的"嗅觉"乃至"第六感觉"，便对他们作出价值判断。我读他们的一些作品，研究、思考，并写出一些有细致分析的文章，发表在《读书》一类的严肃园地。我的总体感想是，他们的出现标志着我们文学的多元格局的初步形成，这是中国当代作家群和中国当代作家自"胡风事件"、"反右斗争"以至"文化大革命"以来的，在客观环境的改善与自身努力的双重因素互动下，所得之不易的新格局。当然我自己又并不是这一时期的文学热点里的人物，我仍沿着自己的美学理想在自己的航道上前进，我的具体处境也更加"边缘"，这倒更有利于我直面俗世，在转型期社会中做一个心平气和的观察者。我很理解王朔等人的爆红所引出的批评乃至于非常动肝火的批判，确实，在他那样的作品里不但看不到"理想之光"，还充满了横冲直撞的几乎是全方位的调侃，这种创作路数里的这个特点在我的创作里是没有的，我的美学追求在这一点上与其很不相同。

最近王朔似乎也"边缘化"了，又有新的声音响起，虽尚未以创作的实绩真正居于"话语中心"，但回响不凡。其中有一种被称为"新理想主义"，呐喊着呼唤理想与崇高。我也很乐于倾听、研究这种呐喊。确实，多元文学格局里更不能没有高擎理想与崇高的一元，但我已是一个五十多岁的人了，目睹过"反右"，经历过"文革"，以我个人的生命体验，过于狂热的"唯我独对"并以摧毁"他元"为手段的理想，往往造成真诚的理想主义者也始料不及的负面效果。我个人更愿从常人常情常理的基础上升华理想，也比较容易接受有包容性的、尽量以非暴力手段推行、对与其持有不同认知的个人和群体有感召力和亲和性的理想，在文学的理想上尤其应该如此，比如，不能因为激赏丁玲便痛斥张爱玲，或因敬仰沈从文便将茅盾叉出文学史。中国文学过去、现在与将来都应以斑斓多彩的多元格局为总理想，比如我们格外喜欢《红楼梦》，因为其中洋溢着耀眼的理想光芒，但我们也不能因为《金瓶梅》全无理想便引为我们文学传统的耻辱，因为另外一些因素确实决定着，那也是一本相当具有文学价值的巨著。

九十年代已经将及一半，市场经济把我们置身其中的人文环境变得陌生而诡谲，文学现状也光怪陆离，公认的充满理想力度、崇高情怀与巨大艺术魅力的当代文学巨著不但没有出现，倒涌现了大量平凡、平庸或充其量是小巧而已的小文章、小册子，因此现在出版社仍在积极出版，报纸副刊仍在积极组稿的散文随笔的集子和专栏文章，已经引出了不少评论者的訾议，特别是对散文随笔热当中的"小题材"现象，如写猫狗植物、家庭亲情、饮酒喝茶、个人心情等等，有的论者简直是义愤填膺，几乎在于吁请扫荡。

别人的情况我不敢说，就我个人而言，我也写了一些小题材的小随笔，我并不认为那是什么罪衍，因为一个多元的文化、文学格局中，小文章、小册子、看过就算的报纸副刊专栏，以及小题材，和不过是抒发一点"人与人之间应当理解和谅解的浅显道理"的文章，也是一些小花小草，凡花素叶，不能因为大树没有长成，便一气之下将其芟除。我这样说当然不意味着我的文学理想便是写这些个"小东西"，实际上即使在我的随笔集中，最主要的篇幅，都是含有浓酽的社会性，并频频涉及"大文化"、人类处境、人生意义乃至彼岸（关于死亡）之思的。从我文章开头所举的一些书名便能看出，总体而言，我的随笔并非那么轻飘，只供消遣消闲。有读者肯定其中的"含金量"，我深受鼓励，当然，对于真是读过我较多随笔并善意地提出尖锐批评的人士，我也极为感谢。并且，散文随笔的从红火到挨嘘，也让我意识到社会对严肃作家写充溢理想光芒的大作品的期待已到了不耐烦的地步，这是应有的合理的心态，我只祈望这种"催生"的舆论能少些急躁的呵斥责难，而多些理性的分析与温暖的助力。

归根结底，我把自己定位为写小说的。

我在九十年代已经出版了两本长篇小说：《风过耳》(1992)、《四牌楼》(1993)；有些人只看到过我在报纸上的小文章，或仅听说我在报刊上有不少专栏，而并没读过我九十年代的小说（除了长篇，我还发表了若干中篇，如改编成电视连续剧的《小墩子》，也有若干短篇），因此对我有一些误会，我主张"直面俗世"并不是说我不要理想和高尚，而只不过是愿意认知这个市场经济蓬勃发展的中国现实。我对这个转型期里所出现的种种负面现象当然也充满忧思，但我愿多作深入研究，尽可能朝前看，往新路子上探索新办法。比如说对"三陪"现象我当然也视为疮痍痈疽，但我不会主张用"文革"中"红卫兵"的那种"理想"激情，采取禁绝一切娱乐场所、"大破四旧"的方式，来清污荡垢，或更激昂地勒令所有妇女戴上面纱，只许她们过纯洁的禁欲生活，虽然那样做必定能使"三陪"乃至更多的丑恶现象一夜间不复存在。

我写散文随笔，写小文章，好比跳高运动员，他不能总在那儿飞越横杆，他必得用许多的准备动作，来积蓄和调整体力，但到头来他会努力一跃，争取跳出新的横杆。

当然我再努力，也还是文学河流中的一只比较"边缘"的航船，如果"新理想主义"成为中心，我也就离那中心更远些，但我钉我一贯的文学理想，从《班主任》、《我爱每一片绿叶》、《如意》、《立体交叉桥》、《钟鼓楼》到《四牌楼》，我在自己认定的追求阶梯上攀进，那就是从政治社会性关怀，到人情开掘，到人道主义呼唤，到人性探索，并且我总是从常人常情常理中去升华。我正在写的新长篇《栖凤楼》将特别增强人性探索的力度。但我的作品里没有超人的宗教激情与"原旨性"虔诚，这对热衷于此的某些人来说可能会不仅大失所望，而且无比鄙夷，但我想我这样的美学元，也该能有一隙生存的空间。我对他人的美学元尽可能友善，也祈盼自己的文学理想和实践得到宽容。

1995 年 5 月 5 日绿叶居

在多元文学格局中寻找定位

——与邱华栋的对话

多元文学格局已经形成

邱华栋：刘老师，我记得在去年的一次文学讨论会上，听你谈到当前的文学"已经形成了多种美学圈，并互相切割"，也就是说，中国当代文学的多元格局是否已经形成了呢？

刘心武：毫无疑问，当代文学的确已经形成了多元共存的格局。只是我曾经收到过一个理科大学生的信，他说我最初的用语"当代文学多种美学圈相切"是不科学的，实际上应该是相割。因为相切是只有一个点相接触，而相割则有一个重叠的叶形的弧面，九十年代文学现状的一个特征就是美学前提多元共存，并相切、相割、相叠，这是在社会发展中的多种合力下形成的，出现这种经十几年发展后的多元整合与亲和的文学状态，是非常好的事情，来之不易，既出人意料也令人惊喜。

邱华栋：去年和今年，几家主要的文学杂志纷纷打出"新市民小说"、"新体验小说"、"新状态小说"的旗号，这是否是文学多元格局的表现？

刘心武：不，严格意义上讲，上述这几种"新××"的旗号并不是多元文学的表现本身，而是促进美学多元的手段与策略。我说的多元格局不是从美学旗号出发，而是从创作实绩考察的结果。

邱华栋：依你看，中国当代文学发展到今天，有哪几种重要的"美学元"呢？

刘心武：让我们来做一次粗略的当代文学现状扫描吧。当代文学发展到九十年代，其中大约有三个重要的"美学元"，或者说三种重要的文学向度。第一种，我把它命名为"新理想主义"。在"新理想主义"这一大"元"下，又分几种小"元"；其一，我称之为激进理想主义。持这类观点的作家悲剧意识相当浓，否定的面相当宽，有一种"众人皆醉我独醒"的味道。他们对现实的认知，是大体上以为既庸劣充塞、理想沉沦，故而需要呐喊、抗争、不宽容。他们那种理想主义的情怀集中表现在道德伦理上，对俗世有一种大愤懑，有的拯救与承担义务和责任的意识很浓酽，有的非常遗世独立。这类作家还有很强烈的宗教情绪，甚至有些"原教旨主义"者的激烈与执拗。

邱华栋：张承志应该算做是这类作家的代表人物了。尤其是近两年来，他激烈的"泛宗教"文学话语与文本（主要是一些散文）已引起了越来越多的人的关注，以至于评论家李洁非惊呼，"到头来发现张承志才是真正的先锋派作家"。

刘心武：他可以归入激进理想主义这一类。新理想主义的第二个小"元"，是温和的理想主义。处在这一元中的作家虽然在有些言论上也不无激烈的言辞，对现实也采取批判的态度，但其创作的文本则以浪漫文本为特征，有一种温和的浪漫情怀，表现出这些作家对现实认知的困惑。如韩少功最近的小说，就强烈地表现出"认知之苦"，什么是现在？什么是过去？什么是幸福？什么是艰辛？似乎都"极难说"。因为"过去"、"现在"其实都不理想，"未来"也很可疑。他在一些论文中则表达出对民族文化在世界文化格局中的边缘化现状的忧心。他似乎在呼吁保持我们自己文化的"原贞性"。再比如张炜，他的长篇小说《九月寓言》正是这样一个温和的浪漫理想主义的文本。他小说中那种对大地、田野、乡村的泛自然崇拜，是很浪漫与温和的。但他以那样的理想寄托表达了对现实的不宽容。

邱华栋：那么新理想主义的第三个小"元"呢？

刘心武：第三个小"元"，我称之为平民理想主义。代表作家如梁晓声。他的态度是站在平民立场上，反对一切不平等，比如经济上的贫富不均，比如人格尊严的不平等，他都站在平民的立场上予以抨击、呐喊。他认为现实是不符合他的理想的。总的来说，新理想主义这一大"元"是非常好的，是一部分优秀作家对九十年代中国现实的一种回应。几个小"元"的圆心不同，但对现实都有一种精神性的不满，故而诉诸理想的唤求。

邱华栋：那么，第二大"元"是什么呢？

刘心武：还有一"元"可以叫做新保守主义。这里所说的"保守"不带任何贬义，只是指出他们的美学追求更多地从传统中汲取灵感。新保守主义这一大"元"中的一个小"元"是直截了当地回归传统，持有这种观点的作家对现实也有一种离弃的愿望，对现实既不愿意直面，更不愿意拥抱，从学术研究派别上讲有"新国学"的兴起。在文学创作中，我觉得《白鹿原》就是这样一个思路，可以划归新保守主义。《废都》也可以划归新保守主义。从中外的文学发展过程来考察，当作家对现实非常难以认知的时候，都会出现这样一种美学追求，一种保守的文化态势，比如中国文学史上的古文运动。这两部作品就是新保守主义的两种表现，《白鹿原》诠释本世纪中国农村的激荡历史，最后的落脚点不是任何一种政权、政党的或民间的武装势力，他认为真正决定中国农村社会文化品格的恰恰是几千年来没有多少变化的宗法传统力量，这是到头来最有生命力的东西。他形成了这样一种认知，他想来想去还是认为传统可畏。而《废都》体现出一种在现实中的酒色消磨，这在中国古代文人中是有传统的，即将生活彻底地审美化、精致化、个人化，达到对现实的解脱，我也将之归为文化保守主义的一支。文学新保守主义还有一个小"元"是唯美。它不一定颓废，但非常注重"美文"，注重文本，文字、文辞，对社会与人类不承担任何责任，主要面向形式，在极度个人化的表述中获得大快乐。

邱华栋：我觉得有一些女作家的作品，比如林白、陈染、海男等介乎唯美与颓废之间的作品，应该算做这一小"元"中的。

刘心武：对。这些女作家的小说有日本文学中的"私小说"的一些特征，放弃对社会的认知，把私人生活写得很差，把个体生命感受加以诗化，形式上也很精雅。这也是新保守主义中的一个小"元"。

邱华栋：我现在觉得，像苏童、余华、格非、叶兆言、吕新等一批"先锋派"作家，实际上也是"新保守主义"的一"元"。他们大都描写他们个体生命开始以前的事，对现实相当疏离，一度我们认为他们是先锋文学革命者，可现在我却发现，这些作家对现实并不具有很浓厚的兴趣，他们宁愿进行"伪历史主义"的文本操作。就我自己的阅读经验来说，当1992年以后我本着强烈的期待心理盼望这批作家对日益复杂的现实表态并拿出文本，而这批作家仍旧在结构着历史颓败的寓言时，我才明白作为更年轻一代的作家，我的首要任务就是去表达我们所面对的现实了，而他们太保守了。

刘心武：因此，我们到头来还得提到另外一大"元"，即新现实主义，它跨越过八十年代后，在九十年代的文学格局中又有十分蓬勃的发展与表现。

当代社会文化状况与新现实主义

邱华栋：自 90 年代以来，连续十几年的中国改革进程从政策创新过程，推进到了以大规模社会结构分化与结构转型的中期改革。也就是说，中国社会变革进入到了"利益分化期"，因而，出现了快速的社会分层与贫富分化以及城市新人类、白领、新市民的崛起。中国社会现实的矛盾也将日益突出，而这一时期又是中国社会改革进程中较长的一段，如此纷繁复杂的、比巴尔扎克时代还丰富一百倍的社会现实，已经让越来越多的作家无法回避了。也就是说，我们的作家从来没有面对过如此难以确定与认知的社会状况和丰富的写作资源，现实主义文学的大发展当然也是势在必行。

刘心武：对，现实主义在当代文学的流变中有其丰富的历史。新现实主义在九十年代中已经经历了好几个大"元"的突进，正是作家对迅速变化的中国社会现实的迅速反应。比如王朔的作品，他的作品可称之为解构现实主义，他不逃避现实，但他以笑谑的方式来解构现实，以具有八十年代中国社会特征的细节真实性文本解构现实，对我们认知现实提供了十分有趣的一个视角。

邱华栋：在新现实主义这一大"元"中，新写实作家们，以刘震云、池莉、方方为代表的作家，以写小市民真实的生活状态著称，也应是新现实主义中重要的一小"元"。

刘心武：是的。但新写实作家们并不对现实进行解构，他们只是描述状态，我称之为"鸡毛现实主义"，或用八个字概括叫做"烦恼人生，一地鸡毛"，他们很真实地描写出了八十年代末中国小市民的生活状况。他们的特点是把一切都化为沉重，与王朔的把一切都化为轻松刚好相反。

邱华栋：此外，王蒙和你的创作，也是新现实主义创作中的一个发展的"元"。

刘心武：像王蒙的早期现实主义作品，可以称之为"人道现实主义"，还听命于一种召唤，但进入九十年代以来，他已进入到我称之为"人性现实主义"的阶段，比如他的长篇小说《恋爱的季节》、《失态的季节》、《暗杀》等，由社会意识形态层面过渡到人性的层次去进行现实描摹。我同样也是如此，1985 年我写《钟鼓楼》的时候，我觉得当时中国社会有一种亲和与建构的趋向，因此我也倾向于人性温暖性的描写，相信人性是善的，可随后的社会发展却仍有一种全面解构的态势，而且在今天还在解构，我也认识到人性犹如一个幽暗的深渊，其恶的东西和难以言传的东西同样是非常深邃的。于是我就写了长篇小说《风过耳》和《四牌楼》，对人性的复杂性进行了追索。包括我正在进行的长篇小说《栖凤楼》，也是这样一部一边进行、一边自我推翻与解构的怀疑性与越来越不确定的文本。可以说我和王蒙也站在新现实主义这一"元"中，参与着整个当代文学的最新进展。

邱华栋：那么，九十年代的中国社会现实状况，有哪些方面叫作家们为之困惑的重要趋向呢？

刘心武：我认为有两个趋向是当代作家无法回避的。其一是九十年代的商业化浪潮，它来势之猛，对中国社会影响之大是中国历史上从来没有出现过的。我在搞《金瓶梅》评点本时，就觉得现在的市场经济的发展程度、对社会各阶层的影响程度比明末厉害多了，由此，知识分子在商业化浪潮中寻找自己的定位便十分重要：面对这样的环境，你总得拿出一个态度来。

邱华栋：面对这种商业化席卷社会各个角落的局面，知识分子一度得了失语症，找不到自己的角色了。

刘心武：其实一个优秀的知识分子，总是应该在迅速变化的社会文化格局中寻找到自己的定位的。还有一个大问题就是和世界接轨的问题。从中国历史上来看，没有哪一个时代像今天的中国这样，从经济、文化、科技、政治等各个层面，全面与世界接轨，由此便派生出了很多问题，从而使中国知识分子面临着严重的两难选择。像我这一代人和比我再大一代的人，其中不少人对市场经济带来的社会巨大变革是取基本赞同态度的，因为相对过去几十年，我们的生活真是好多了，这不仅表现在至少在货架上什么东西都可以买到，只要你有钱。更表现在你可以基本上不受出身、血统、父母所存在的"政治历史问题"、"海外关系"等等"以阶级斗争为纲"的历史时期几乎无可遁逃的强大压抑，比较自由地在社会中选取自己的角色，至少社会的"缝隙"比以前多多了，也大多了，只要你努力，你有较多机会表现自己、发展自己。但是，像我们这样的知识分子，对市场经济所带来的种种问题，包括拜金主义、人欲横流、腐败堕落现象，当然也一直保持着严厉的批判态度，而且，这种社会转型所带来的问题，非常之复杂乃至于诡谲。进入到九十年代，在与世界全面接轨的问题上，中国知识分子的处境更变得尴尬起来。

邱华栋：那中国知识分子有哪些选择呢？

刘心武：由于商业化进展超越了中国历史上所有的模式，参与全球的经济、文化交流的愿望也越来越强烈，在这样一种情况下，问题便派生出很多，中国知识分子的心情是非常复杂的。第一，对比极"左"时代，那时我们不但与资本主义对立，就是与社会主义大阵营中的其他模式也对立，我们谁都不依靠，想通过绝对化的"自力更生"来建设一个美好社会，不但要割"资本主义尾巴"，还要消灭一切资产阶级法权，可实践的结果是经济面临崩溃、人民大众生活苦——你们这一代没有什么体会了。所以我们对当前经济发展持肯定态度，即便有不平衡的状态，但我们仍旧乐于认知它，持一种亲和态度。这也就是我所说的"直面俗世"的意思。但是在面对国际接轨问题上，我的思维也出现了摆荡。

邱华栋：赛义德提出的东方主义，即是第三世界知识分子对这种处境的一种回应吧。

刘心武：当跨国资本以它势不可挡的力量进入到这样一个民族特点很突出的生存空间里面来，像你作品中"钻石山一样的饭店"，立交桥、高速公路、麦当劳快餐店、摇滚乐、"十部大片进中国"，都是这种西方强势文化在第三世界国家的"后殖民"——这样的状况下，当然会有强烈对应的声音。

邱华栋：前几天，我花20元一张的票价看了"十部大片"之一的《真实的谎言》，电影院人潮如涌，而影片确实也非常过瘾。

刘心武：我是花30元在紫光影院看的，而且还差一点儿买不到票。所以，在这种西方强势文化或曰"后殖民文化"的冲击下，中国作家便有各种回应。像韩少功在他的《世界》一文中，表示出对西方强势文化的反感与忧虑。当英语日益地成为国际语言时，用方块字写作的中国作家的地位就十分尴尬了，有一些在中国本土生活过的作家，就直接到西方用外文写作，比如张戎、闵安琪等，甘愿成为西方的少数民族作家，这是一种选择。但在中国的作家，面对这样的文化现实，如何参与全球化文化运作，却遭到了伤心的打击。因为英语就是世界性语言，你在世界任何场合参加文化性活动，如说英语便"如鱼得水"，如不会说英语又无人翻译便只能向隅呆立。在西方强势文化给我们本土文化带来威胁的问题面前，往往产生一种愤懑，对九十年代的发展往往又采取一种批判的态度。像我，就在这两种情绪的扯动下，从事文学创作的。

邱华栋：可我倒觉得，后殖民文化"现象也许不过是一个幻象，一个没有选择的自然结局：到底存在文化殖民吗？比如我一位同事刚从美国回来，他说在美国吃法式菜、意大利菜、中国菜，也是吃"外国菜"，就是说美国文化已经是人类各种文明的汇集合成物，它集中了人类到目前为止很多优秀的民族文化形态，是目前我们人类文明发展的一种样板，所以，这样的样板文化自然就推行到世界各个角落。我倒觉得所谓"后殖民文化"不过是第三世界知识分子的恐惧症，其实一点也不可怕：试想如果不及时看到《真实的谎言》，我的生活就缺少了色彩。你就是给中国导演一亿美元，他也拍不出这么刺激的影片。我倒希望这样的东西进来得越多越好。我们难道真的"被殖民"了吗？

刘心武：所以，在这样复杂的现实背景下，作家们便有了各种不同的态度，表现在我们刚才谈论的新理想主义、新保守主义与新现实主义三大"元"的各个小"元"中。你们这些更年轻的作家则也在新现实主义这一大"元"中。

文坛"新生代"与"城市斑马系列"

刘心武：我注意到，在新理想主义和新保守主义两大"元"的作家们表现出对现实的疏离与批判的时候，这几年一批可以称之为"晚生代"，或者叫做"新生代"作家，则表现出了对现实的强烈参与性与认知态度，比如述平、何顿、张曼、朱文、韩东，加上你。你们这样一批新生代作家对现实是非常关注的，并以自己的方式在强烈地表述着，从而成为我所说的新现实主义这一大"元"中迅速发展的一个强势"元"。

邱华栋：现实主义文学的基本特征是细节的真实。像我在写作时，就非常注意以具有九十年代城市标志的一些细节来充填作品，比如大饭店中各种美食的名称，各种流行汽车牌号、各种流行摇滚音乐以及别墅中各种设施，都在我作品中予以凸现。我想我得以我的作品保留下九十年代城市青年文化的一些标志性"符码"。

刘心武：这是非常难能可贵的。你和这样一批"新生代"作家，我可以称之为"与生命共时空的文学"，因为你们写的是与你们生命体验相同的东西。

邱华栋：这两年我曾经怀着强烈的期待，来盼望以漂亮的文本著称的一些作家，比如苏童、余华、叶兆言、格非拿出让我感兴趣的当代题材的作品时，我失望了，这也是促使我拿起笔来写现实的原因之一。既然你们不写，那么好吧，我自己来讲点儿我们自己的事。

刘心武：这些作家有不写现实的权利，你不应如此要求。正是因为考虑到文学发展已经到了今天这样的情况，我才应华艺出版社的邀请，担纲主编了一套"城市斑马小说系列"，第一辑收入了你、朱文、张小波的小说集和严力的一部长篇。你们几个人的作品都可算是新现实主义作品。像你的作品，表现出一种对现实的非常难能可贵的认同，同时又有一种青年人在当前激烈变革的社会中的焦虑感。你的焦虑感是因为城市中有那么多汽车、大饭店、别墅、豪华场所，而你小说中的主人公没有拥有或没有全部拥有。

邱华栋：我本人也非常想拥有这些东西，当然什么时候我才能得到就不好说了。我表达了我们这一代青年人中很大一群的共同想法：既然机会这么多，那么赶紧捞上几把吧，否则，在利益分化期结束以后，社会重新稳固，社会分层时期结束，下层人就很难跃入上层阶层了。

刘心武：这使我想起了巴尔扎克的作品中的一个野心家"拉斯蒂涅"这个形象。社会现实已经提供了让作家写出这类形象的土壤，可我们的作家还没有创造出这样的形象来，在你的作品中已经出现了这一类的人物的影子，但还远远不够丰满与成熟。

邱华栋：这与社会现实的发育不够也有关系。也就是说，现在的中国社会现实可以让我们写出小"拉斯蒂涅"，但还写不出大"拉斯蒂涅"这个形象。不过，在未来的十几年间，中国城市化的速度将会越来越快。我看到一份材料，说到时候中国将出现4、5座千万人以上的大城市。35座500万人以上的城市，100万以上的城市有200座之多，城市总人口超过9亿人，这样迅速的城市化浪潮无疑给作家们提供了进入城市小说写作的领域。我希望越来越多的作家能够摆脱"乡村小说"与"文人小说"两大模式，进入方兴未艾的城市文学的广阔写作天地中去。

刘心武：我发现你们"晚生代"或者叫"新生代"作家们有不少都已经将视点瞄在了城市文学上。现在看来，城市生活囊括了中国当代社会的许多重要矛盾：贫富分化、阶层分离、治安问题严峻、企业破产、工人失业、民工潮，等等，甚至农村社会的矛盾也在城市生活中折射得非常强烈。而且，我刚才想，或者可以把你们这几位更年轻的作家称之为"欲望现实主义"？在你们的作品中，充盈着勃勃向上的欲望，以及这些欲望引发的各种故事与图景，你们的作品中，九十年代的气息已经相当强烈了。

邱华栋：我把我们的创作称之为"彻底现实主义"作品。因为我们认为存在的价值不在抽象的理想中，而在彻底的"现实化"过程中。昨天我与先锋艺术家任戬等聊天，发现这些原先搞绘画与摄影的先锋艺术家要进入时装领域了。他们说时装是最好的中介，他们认为艺术家必须在现实中获取权力，而不应逃避现实，大众恰好是尺度、杠杆。我们竟是如此接近，因此，我称我们的文学创作为"彻底现实主义"作品，即对现实的强烈参与认同，并去热烈拥抱。好的作家总是一个时代的标志的记录者。像我非常喜欢的美国作家菲茨杰拉德，他的《了不起的盖茨比》中，小说结尾是大富豪盖茨比仰面朝天地漂浮在他自己的豪华别墅的游泳池里。这样一个不可磨灭的形象完全是美国三四十年代"爵士时代"的象征。

刘心武：但对我们来说，中国社会的"爵士时代"还远未到来，只是在很多局部地区出现了这样的气息，于是也出现了描写这些气息的年轻的作家。对于新理想主义者来说，你们如此没有"崇高的理想"而自甘作"现实欲望"的刻画者，真是非常可怕！但我从你们的作品中，也分明看出了欲望燃烧中的良知挣扎，看到了人性在这其中的诸般异象，就文学多元格局的形成而言，你们的出现是一桩好事。我主编、策划这一套"城市斑马"系列丛书，也即在此：把描写九十年代城市生活的年轻作家们集中起来，以期对新时代文学发展进行潮流性关注。在这套丛书的第一辑中，先收入了你的中短篇小说集《城市中的马群》、张小波的《每天淹死一个儿童的河》、朱文的《弯腰吃草》和旅美华裔画家、诗人、作家严力的长篇小说《带母语回家》。你们这些作品是一种新的现实主义，既不同于王朔的调侃，也不同于刘震云式的那种描写"庸俗市民"的小说。在你们的作品中都有一种青春生命的燃烧，形成了一种焦虑的青春叙述文体。由于没有找到合适的标签，我便起了个"城市斑马"系列的名字来进行"泛命名"。"城市斑马"是个什么含义呢？在城市中，目前还没有你们的真实地位，除了动物园以外你说斑马有什么用？只有观赏价值。但城市之中，全世界的人行道都由斑马线构成，所有的商品也有斑马标，这就构成了一种潜意识：斑马其实在城市中又随处可见。你们对现实只是认同的，有非常强的占有欲：当你小说中的主人公觉得自己还没有得到城市认同时，主人公恨不得像推倒多米诺骨牌一样把城市中所有的楼厦全部推倒，焦虑感、愤懑贯穿在你们的文本中，这都很难能可贵，很有特点。从王朔、刘震云以前的作家，对于九十年代都还没有透露出这样的文学回应：我们的生命就燃烧在90年代。

邱华栋：我们正是这样一种状态。但对我们这样的状态的认知，文学界还很模糊。但我已越来越清晰了：我知道我该写些什么。就我个人而言，我并不赞同那些在九十年代之前去寻找理想和价值杠杆的作家们。

刘心武：我对你们的想法是有保留的，但今天我们的对话其实一直贯穿着这样的一个前提：对当前文学表现中的任何一"元"，我们都渴望去认知它，而不应诋毁、灭掉任何一"元"。当然，最近已经出现了一些"元"间的"摩擦"乃至于攻讦，这也是难免的。有时，惟其强烈地"见不得"另一美学"元"，才能焕发出本美学"元"的光彩。只要这种"元"间争论不要搞成"政治斗争"，形成"群众运动"，并且尽量避免人身攻击和激烈的非礼行为，应当说不仅未必是坏事，也许恰恰是形成一个多姿多彩的中华文学多元格局不可或缺的"磨合过程"。

邱华栋：是的。我发现王蒙和你，你们这一代作家中的另外一些人，其实一贯就盼望着文学多元局面的形成，并对一系列新生的文学现象都首先表现出"存在权"的认可、创新上的赞同甚至是惊喜，这让我们很感动。这对一个功成名就的作家来说，甚至对一个普通人来说都很难得。并不是每一个人对新生事物都赞同，而往往表现出敌意的更多。实际上，到现在为止，王蒙和你，你们这样一批作家依旧扛着反击"左派"的闸门，我们则从闸门下溜了出去，更欢畅地写着我们想写的东西。像叶兆言写过乱伦的题材，这在以前简直不可想象。但你们那一代作家到现在仍旧颇具悲剧性地扛着那个大闸门，一些极"左"人士他们仍然不清楚叶兆言何许人也，仍在找你们"算账"。

刘心武：鲁迅在他的《坟》中有一篇文章叫做《我们现在怎样做父亲》，其中有一段话是这样说的："自己背着因袭的重担，肩住了黑暗的闸门，放他们到宽阔光明的地方去；此后幸福的度日，合理的做人。"我现在已到了当父亲的年龄，当我再读这段话时，我心中涌动着一种悲壮的情怀。我想有不少成为"父兄辈"的作家，愿意听命于鲁迅的这个号召，扮演这样的"悲剧角色"。

邱华栋：我在费正清主编的《剑桥中华人民共和国史》中读到了一段您在"文革"刚刚结束时的发言，那段话在现在看来仍然是相当有力量的。

刘心武：文学就是一代代发展下去的。作家与作家的精神联系犹如链条一样。像我很喜欢老舍、赵树理这些作家，虽然你在我的作品中看不到多少他们的影子，但一代代作家都有他们个体生命要面对和承担的具体现实。中国社会目前正处于激烈的商业化和与世界全面接轨的前所未有的浪潮之中，其对人心、对文学与一切社会价值影响之大无法估量，而且，我们民族、我们国家面临的种种问题与矛盾同样也是世界乃至人类面对的问题与矛盾。描写我们民族和现实的处境，在当代社会同样具有全人类的意义。对此，中国作家应该有信心，有更好的对自己的定位：在多元格局之下，我赞同哪一"元"？我怎么样发出我的独特声音？这是每一个作家要选择的。

1995 年 5 月 12 日

中国作家，你扮演着什么样的社会角色？

赵：最近，王蒙在和我的一次谈话中指出，改革开放以来中国人的文化心态发生了一个重要变化，那就是从政治化心态向商业化心态的转换。我十分赞同他的看法。从政治化心态向商业化心态的转换，同时也带来了文化心态的其他一些同样重要的转换，例如从一元化向多元化、从崇拜型向怀疑型、从尚同型向自主型、从集体型向个体型、从封闭型向开放型、从务虚型向务实型、从求稳型向求变型、从严肃型向游戏型，等等。那么在这样一些转换中，或者进一层说，在新时期的社会变迁中，中国作家扮演了什么样的角色呢？

刘：这个问题值得一谈。新时期以前，这个问题没有成为问题，也不允许成为问题。那时候，作家只能是战士，只能是在文艺这条战线上宣传党的政策的战士。他的唯一使命就是搞文艺战线的阶级斗争，"文革"时又加上路线斗争。新时期以来，情况有了变化。

赵：变化恐怕要以"伤痕文学"之父《班主任》的发表为标志（编者按：《班主任》为刘心武所作）。这部作品及《伤痕》《神圣的使命》等作品的相继问世，"伤痕文学"的形成，表明当代中国大陆作家开始担任某种独立的社会角色，开始产生了自我意识和承担精神。

适应政治家和民众两方面的需要

刘：《班主任》等作品之所以一发表就受到普遍热烈的欢迎，而且是从上到下都欢迎，客观地讲，是由于它们适应了政治家和民众两个方面的迫切需要。粉碎"四人帮"后，政治家有一种迫切的需要，就是要将当时的政治变化以各种方式传达给民众，并获得民众的广泛认同；民众也有一种迫切的需要，也有一种郁积已久的东西要表达、要倾诉、要渲泄，但他们想说又说不好或不敢说，非常希望能有作家这一烦人代他们表达、倾诉、宣泄，替他们说。"伤痕文学"恰好满足了政治家和民众上述两个方面的迫切需要，结果是一举成名天下知。官方对《班主任》的肯定和赞扬超乎寻常。在报纸上用那么大的篇幅，那么特殊的字体来报道、评价一部小说，不用说建国以来，就是本世纪以来也未曾有过。

赵：特别值得注意的是，官方和民众对一部文学作品都投赞成票，这种认同对于"外人所是，庙堂必以为非；外人所非，庙堂必以为是"的传统来说，更是空前的。

刘：在一般情况下，官方那样看重一部作品，会引起百姓的反感。但这次情况不同。不过这需要强调指出的是，《班主任》发表后受到的欢迎并非我始料所及。相反，当初写这部作品是冒着很大风险的。写《班主任》并不是组织交给的任务，无论党的组织，还是共青团、妇联等，都没有授意你写这样的东西，你凭着激情自作主张地写，是要拿出勇气来的。

赵：尽管客观地符合了当时的政治需要，却不符合写作的惯例。并非接受任务，而是从作家自我的良知与激情出发进行独立创作，这在当时那种春寒料峭的社会氛围中，确实要有点冒险精神。

刘：官方欢迎，作家又没有违心，因此很坦然。但蜜月是短暂的，作家不可能长久地扮演这种政治角色。八十年代初，新的政治架构建立，作家面临着角色的转换，有的不能转换，就在文坛上消失，或选择了另外的角色。当时我意识到，一个作家扮演具有政治色彩的角色，哪怕不是被胁迫，而是自发，也很难持久。你要写小说，企图在每篇作品中都提出问题和答案，你当然可以这样做，但肯定不能持久。

赵：下一步倒真的是问题小说。不过作家的视域已从政治问题转向社会问题，作家们从扮演政治角色转而扮演社会角色，他们从新时期可能介许的深度和自由度上探掘、反思着种种人生和社会的问题。

刘：《爱情的故事》开始突破既有格局，《爱，是不能忘记的》写个人隐秘情感，《我爱每一片绿叶》写个性问题；就连改革文学，也开始侧重于关注改革中的问题，如蒋子龙的《乔厂长上任记》正面写改革，到了《一个工厂秘书的日记》，就已经是在暴露改革中的问题。但所谓问题小说很快也就前景不妙。讲暴露问题，新闻较之小说显然具有更大的优势，等到问题领域由新闻填补了空白以后，新闻便代替了小说，人们显然更愿意从新闻而不是从小说中发现和了解问题。

赵：人们也显然更有理由从新闻而不是从小说中发现和了解问题。新闻暴露社会问题较之小说，显然更具有直接的真实性和切近性。不过，这一来，作家们又面临着角色的选择、移位。

刘：中国作家面临着最重要的角色选择。长时间地扮演政治角色是困难的，长时间地扮演暴露社会问题的角色也是困难的，这些都不是他们的本行。

赵：有个重要区别，那就是政治角色分为政批判者与政治帮衬者，后一种政治角色永远只能是一种政治配角。伴随着新时期文学心灵的日益开放、自由，作家再扮演这种政治角色显然只能被作家淘汰。还有一种现象也值得注意，当新闻格外敏感的时候，以虚构、编织、创造等艺术想象为由而淡化敏感度，形成距离感的小说，或许更有可能触及、暴露某些重大问题。不过我还是赞成：作家无论介入政治，还是关注社会，如果讲职业方式，总应有自己的独特角度或说切入点。

转向心灵关注

刘：这个独特角度或说切入点应该是心灵关注。中国作家转向心灵关注，是角色选择的一个彻底性突破，它引发了激烈的理论冲突。

赵：转向心灵关注，这是一个富于深度的角色选择，在一定意义上说，它其实就是作家选择成为作家。

刘：转向心灵关注，意味着1949年后第一次有可能出现真正的作家。关注心灵，就是讲人性、人情、人道。拿我来说，从《班主任》到《我爱每一片绿叶》，再到《如意》，不难看出从政治、社会、改革问题到人性问题的关注焦点的转移。其他作家，如戴厚英写《人呵！人》，反思"文革"，艺术上并不十分成功，但角度却别开生面，这个角度就是人性角度。反思"文革"可以有很多角度，其他角度可以由别人去注意，作家却要专注于这一类问题：在"文革"中，人作为个体生命的困境是什么？我的《如意》很快就拍成电影，戴厚英的《人呵！人》也受到普遍欢迎'这表明读者对作家转向心灵关注、表现人性、人情、人道问题的广泛认同。

赵：理论界也出现了同样的思潮。特别是李泽厚的哲学思想、美学思想，刘再复的文艺思想，更是代表了一个时代的思想精华。他们是当代中国发现和确立人的尊严、地位、价值的理论前驱，他们的理论活动影响了不止一两代人。

刘：李泽厚先生对北岛、舒婷的率先肯定，他对个体本质问题的研究，刘再复先生提出的文学主体性，都对文艺界产生了巨大的影响。这时期文学领域提出的知识分子位置究竟何在等问题，都是有时代的深度。特别耐人寻味的是，就连文化官僚周扬这样的人也就人道主义问题发表了不错的见解。

赵：周扬的晚年醒觉为他的一生打上了一个沉重的、辉煌的、令人回味无穷的句号，但如所周矢口——

刘：他的见解引发了批评，掀起了很大的波澜，政治上的反应就是清除精神污染，但伴随着社会的发展，这种见解又被忽视了。

"都在找这种感觉"

刘：话题捡回来。80 年代中期，理论界有李泽厚、刘再复，小说界有王蒙和我等一些作家，确实进入了另一个境界。王蒙恰在这一时期完成了他的力作《活动变人形》，这部力作直接诛心，超越了当时的具体斗争。一部小说承载着所有的政治、社会冲突、两党斗争、贫富斗争，这些是外在的东西，对作家是一种煎熬。《活动变人形》是最被误解的作品，这部作品是纯粹人文，找到的感觉特好，尽管它未获茅盾文学奖。我写《钟鼓楼》，张炜写《古船》，王安忆写《小鲍庄》，都在找这种感觉。

赵：这种感觉其实是一种心灵的深度，人性的深度，它超越了一切外在的，无常的社会纠葛，直接指向、探寻人本体的某些东西，这些东西即社会而超社会，在时空的流衍中积淀，浓缩为永恒的人性。

刘：张洁的《云舟》也不是政治主题，而是写人道的东西，写一个独身女人。应充分肯定，80 年代中期一大批作家找到了自己的位置。政治家、经济家，教育家，各有自己的位置，作家干什么？他关注、表现心灵的东西，这是一种整体的人性关系。政治家往往对此毫不理解，提出什么主旋律，等等。

赵：政治家固然有政治家的需要，他亦很自然地要从他们的职业角度考虑问题。但不管怎样，这不应该是对作家创作自由的某种硬性干预，这是现代文明的要求，这方面的历史教训是太沉痛了。

刘：回顾历史，巴尔扎克说工业家无耻，破坏了田园生活，但对工业并无损害。他的作品对穷人是慰藉，让富人产生负罪感，小姐读了流眼泪，产生一种心理上的赎罪。俄国沙皇让读《钦差大臣》，允许雨果的《九三年》流行，却并不指责那是革命党人要推翻社会。

赵：问题还是要回到文学和政治的关系。矫枉过正，对政治家应提出一种要求：应尽量避免用政治眼光，特别是从现实政治利害出发评断、取舍作品。我甚至以为，文学家有权关注政治，政治家却不应干预文学，因为文学的关注超不出言论范围，政治家的干预却意味着强制性的权力、暴力、国家机器,这不符合现代文明的规则。

刘：在各个社会中,文学都能缓解社会焦虑。

赵：你的《公共汽车咏叹调》就是这类作品。

刘：中国封建社会也有这种认识,统治者对社会利益瓜分得最多,在潜意识中有一种负罪感,他们有时赞成被剥夺者的情绪通过文学作品得到宣泄、满足,能够欣赏、容忍这类作品。这也是批判现实主义,一些阴郁古怪的作品能够长期存在的基本原因。

赵：新时期文学的下一步发展似乎出现了文体革命。

刘：再往下发展,出现了新的问题。随着改革开放和与外部世界接轨越来越多,在文学领域,从文学批评到作品,一部分作家热望走向世界,扮演世界角色。80年代中后期达到炽热程度,这使中国作家开始走向纯粹作家的位置上去。小说讲究文字排列组合、讲究叙述方式、语言创新技巧,为文学而文学。小说的文体革命,王蒙起了带头作用。《夜的眼》、《海之梦》、《春之声》一直到《活动变人形》。

赵：除了文体革命外,又出现了一些新的文学流派。如先锋文学、寻根文学等。

刘：寻根文学受拉美文学的影响,拉美文学大爆炸,它的特点是将西方和本土结合。

赵：出现了《百年孤独》这样的优秀作品。

刘：我们这儿开始写看不懂的小说。先锋文学、寻根文学、语言变革,赶不上后现代派、超现代派。《你别无选择》、《无主题变奏》是代表性作品。写躁动、孤独、痛苦、死亡。从社会价值的角度看,它们的正面效应是:小说更有独立品格,成为艺术的。过去是载道,现在是多样化,已成为乱穿衣。

赵：那么负面效应呢?

刘：负面效应是产生两种心理障碍。第一种是文化官员的不满。过去,作为计划经济的产物,出书怎样出,哪个作者有像,哪个作者无像,多少开本,都是规定好的,现在全乱了套。他们对王蒙特别不能容忍,说:你也是文化官员,却带头随便。第二种是民众阅读习惯不能接受。读者群缩小,败了胃口。由现代派使我想到，每一次变革都有极端行为。如土改把地主一刀一刀割死。"文革"更不消说，理论上是解放全人类，实践上是反社会、反人性，现代派或超现代派们说是要为下一个世纪写，不给这一代人看，他们骂王蒙，对王蒙站在高角度上谈论文学变革，也给予批评。总之，80 年代后期，是作家角色冲突、文化心理、趣味、理想冲突激荡的时期。

赵： 到了 90 年代，商业大潮席卷了一切，文学领域也不能不受到激烈的冲击。分化、震荡的规模、速度、性质是前所未有的。

严肃文学陷入低潮

刘： 进入 90 年代后，严肃文学受到商业大潮的冲击而陷入低潮，有一些作家成为被人派定的社会角色。整个地讲，作家状况不如 80 年代。但有两点值得注意：第一，有许多作家还是关注社会心态、关注人类问题。我们不当文化官，仍固守作家的角色，作品都是严肃的。所谓严肃，就是关注心灵。如王蒙《恋爱的季节》不回避政治、社会，但穿越了这些东西。

赵： 严肃就是关注心灵这个提法有深意，很耐琢磨，不过需要阐发。

刘： 作家应落实到人的心灵处境。有一些作家关注这样一些问题：我是谁？谁是我？人类是怎么在 1985 年召开的作协代表大会上，（左起）女作家张洁、张辛欣与刘心武一起交谈。回事？生活是什么？这已经进入哲学层面，承载着终极性思考。80 年代末至 90 年代初，在剧烈的社会震荡中，一些作家仍旧坚定地站在作家的位置上。

赵： 这是真正的，本来意义的作家，这样的作家本世纪以来也数不出几个。

刘： 晚清以降，摇筛子摇出来的作家，社会、政府应该珍视，社会性承认非常重要，也非常可喜。值得指出的是，开始出现某种社会力量，这种社会力量不一定和官方对抗，但将官方顾不到的搞起来进行整合。

赵： 在和王蒙的那次对话中，他也提到作家相对独立的社会活动圈子，这应说是社会变迁的一个突出征象，可喜征象。

刘：世界作家 90 年代受挫。一些知识分子由此产生反西方的思潮、情绪，刘索拉就说：文化不可交流。

赵：大陆知识分子最大的挫折、痛苦，恐怕还不在这里。

刘：对于作家、艺术家，个别政治家未能充分肯定价值甚至经常误读文本。当然，有的是极左分子捣乱，如王蒙的《坚硬的稀粥》，那么主流派政治家能否理解是误读呢？

赵：这其实还是涉及到对文学艺术的基本态度、基本认识、基本政策问题。当然，这也关系到政治家的资质、修养。我倒认为，像王蒙这样的作家同时作为政治家也极为合适，他无疑也是共和国最出色的一任文化部长。说来说去还是一个老问题，政府应该真正发挥知识分子的作用，不仅是自然科学领域的作用，也是社会科学领域的作用，不仅是经济领域的作用，也是人文领域的作用。严重的问题在于：尊重知识，尊重人才喊了多少年，但一碰到实际问题，知识分子往往一钱不值。对于某些人事司、干部处来说，官阶如果是一座大山，那么学历、知识水平就如同一只老鼠，这是我在文化部数年的切身体会。

刘：王蒙这样的人，仅仅当作家很可惜。社会存在各种问题，政府需要知识分子滋补社会。例如社会除了政治压抑外，还存在性压抑，禁欲主义很严重，建设时期也像打仗一样，这方面官方不怎么管。现在文化市场中性文艺存在，性的方面需要辅导，但有的是恶辅，一些非理性、非科学的东西也大肆泛滥，这里面的关键问题是怎样架构良知体系。千岛湖事件灭绝人性到那种地步，还有报章大量登载的犯罪事件，良知、良心到哪里去了？官方对此无能为力。我觉得，除了严峻法律，正面教育之外，最根本的问题是架构新的良知体系。这正是知识分子的责任、角色。知识分子应该有地位，他不一定是官员，但却是大众的朋友。这方面的问题认识得不够。

赵：作为建构、范导社会的精神体系的知识分子，在这个真的已经翻天覆地的时代，自己也面临着精神的重塑，价值的重构。所谓世界作家拒绝世界的文化现象值得深思。一些曾经激进得了不得，专吃激进饭的知识分子，到了国外，突然就是一个 180 度的大转弯，转到保守主义。这裏除了个人境遇的因素外，确乎有个文化异质性问题，异质文化能否交流？怎样交流？文化冲突能否避免？怎样避免？这是未来世界面临的头号问题，如亨廷顿的文化冲突论所表明的那样，文化问题是绕不过去的世界性问题，过于悲观的看法固然不足取，过于乐观的态度也很危险。

刘：文化异质性被最激进的知识分子认识到是好事，我觉得新保守主义值得注意。

赵：这已经开始形成思潮。

刘：新保守主义认识到，尽管现实令人不满，但必须在已有的社会架构上来改造，对现状的需要改造，民间、官方都承认，现有的组织结构也承认现实不可能僵化不变。这方面应该形成民族共识。在哲理层次上，对不同文化的异质性，亨廷顿提出了新视角。中国人只能想中国的办法。

赵：但必须看到，一种民族主义的危险倾向已经出现。文化人竟喊出了只有东方文化才能拯救人类的昏话。世纪之交，民族主义只能摧残我们这个民族，政治家不能浅薄短视地肯定民族主义，高唱"我的中国心"的同时，也应该唱一唱我的世界心！中国学人始终未能克服偏狭心态，未能克服那种空洞的优越感，希望这样的学人开拓一下心胸，不妨看一看我们的近邻日本的学人怎样对待民族与世界的问题，不妨看一看沟口雄三这样的学者对世界性的论说。

刘：要防止新保守主义堕入民族主义泥坑，要接受学习西方的变革，对新保守主义思潮要谨慎观察，我这里强调建设性，应建立起一个多数中国人接受的价值体系。

赵：建立这样一种价值体系，意味着对老传统和新传统的扬弃。

刘：是这样。今天，那种严格意义的学雷锋，毫不利己，专门利人，严格意义的艰苦朴素，和现在的生活态势满抒，即便是好心好意也徒劳，或者匝有限度，因为它不能应变。

赵：当年学雷锋，一个真雷锋引出了千万个假雷锋，把学雷锋等道德行为作为进身阶梯和利禄之具，这是最严重的道德败坏，现在那些空喊高调却利欲熏心的人都是这样。宋儒程伊川说：人才有意于为公，便是私。这话很深刻，有意于为公，就是将公当成私的手段。哪些人可以对号，真是清清楚楚。回到文学，眺望新的世纪，中国作家在世界中的位置也是一个值得讨论的课题。

刘：从文学的范围考察，成为世界性作家的可能性越来越小。围绕诺贝尔奖屡次提出翻译问题。文字作为文化的载体，有无数的差异。张戎的《鸿》用西语（英文）写作，直接进入西方文化，陈冲在好莱坞的努力，悲剧在于成为西方文化的边缘人物，无法进入主潮。

建立当代中国的良知体系

赵：中国作家在国内也有一个确立位置的问题，担当什么样的社会角色的问题。

刘：还是那句话，建立当代中国的良知体系。当代作家，严雅纯的作家应该做这件事，从现在开始，作家点点滴滴地做这件事，就是为防止社会动乱做贡献，比政治动乱更可怕的是社会动乱。说来说去，这是作家的最佳位置。我们不想扮演持不同政见者，这样看至少是一种误读。

赵：你的看法使我想起我的导师李泽厚受到的蓄意歪曲和误读，如果说学界之外的政治家可能是误读，那么自称属于学界的某些人却是蓄意歪曲。

刘：将李泽厚这样的人说成持不同政见者，至少是一种误读。关注政治的大知识分子，不一定是反现实政治的角色，当然也不是给现实政治当奴才的角色。

赵：对李泽厚，一直是有人骂他激进，有人骂他保守，对王蒙也出现过这种情况。

刘：还是要谈到新保守主义。新保守主义应从独立立场、从中国现实、从人类利益出发。新保守主义应是把双刃剑，一面针对激进主义，一面针对民族主义，西方文明有许多东西应是人类共有的。如对人权的尊重，对个体生命的尊重，个人言论思想信仰自由。一提这些，官方就感到很可怕，好像是威胁。其实，西方这些东西还跟进另一些观念，如群体协调、社会契约、游戏规则、法理观念等。

赵：新保守主义不同于传统保守主义的特征应该是更具有世界视野和胸襟。

刘：由人及物、对人和自然的关系，和外星球的关系的探讨，应该是人类共同的文明成果，新保守主义无非是把人类共同的文明成果，在中国加以体现，如此而已，并无恶意。新保守主义有可能在 90 年代中期达到高潮，这是我的预测。从功利角度看，它对政府、对民族、对知识分子的角色选择都是好事，如果在理解上能够沟通'对民族是件大好事，不如此就将激起社会动荡。

赵：如果保守是对人类文明成果的保守，是不乏创造性和进取精神的保守'那么这样的新保守主义我也是举双手赞成的。[完]

面对文体革命
——刘心武·刘再复·刘湛秋三人谈

文体革命就是改变"代圣贤立言"

刘再复：我觉得我们已经经历了一场文体革命，这场革命还在进行。它包括文学批评和文学创作。我很希望听听你们对文学创作方面文体革命的认识。

邱华栋：你对文体概念应先作个界定。

刘再复：我的界定首先是吸收了别林斯基关于文体界定的优点，他把文本与人本结合起来，不仅把文本视为单纯的语言技巧，而且包括作家的人性、思想等因素；但是，别林斯基忽略了语言在文体构成中的重大作用，忽略了语言对思维的潜在制约作用。

邱华栋："五四"文学革命也是一场文体革命。不过，用今天的眼光看，"五四"

时期的文本革命很不彻底,我隐隐感觉到,我们近几十年的文体,实际上还有从
"五四"时期倒退的现象。

刘湛秋: 心武觉得倒退在什么地方呢?

邱华栋: "五四"的白话文运动本是同个性解放联系在一起的,当时即使不成
功的文学作品,总也还是表述一已情怀的。但后来我们的文体似乎又回到了"代
圣贤立言"的路数上,只不过用的是白话文罢了。最明显的是 1957 年"反右"
以后的大量文学创作,作者之所以行文写作,并不是张扬他的个性,或透过他的
个性来体现他自觉选择的政治立场,而是代无产阶级、代贫下中农、代全世界劳
动群众,来写他的小说、他的散文、他的诗,到六十年代中期以后就干脆是代"真
理"立言,因此文风很霸道。

刘再复: "代圣贤立言"是传统八股文的基本思路,也是我们五六十年代就开
始形成,而在"文化大革命"中发展到高峰的新八股文的基本思路。八十年代的
文本革命,就是要改变这种思路。

邱华栋: 后来发展到"三突出"。作为一种文本现象,就是赤裸裸地主张代"圣
贤"立言、代阶级立言、代"革命"立言的一种典型性文本。而过去批判"三突出"
时说它是一种"阴谋文艺"的模式,那仅是一种政治批判。

刘湛秋: 我对政治批判不感兴趣,因为任何政治都可以去搞适用于它的东西。
我们应当从纯粹的文体意义上来讨论。比如,在"三突出"盛行的情况下,也有
一些作家写了一些作品,主观上并没有去配合"四人帮"的什么政治阴谋,"四人帮"
也未必在利用那样的东西搞政治阴谋。那么,从文本的角度而言,其悲剧何在呢?

邱华栋: 悲剧就在于背离了文学本性,因而尽管作了很大的努力,仍然不能
获得真正的成功。

刘湛秋: 听再复说起要把文本的变革作为一个历史转折来看,我深入地想了
一下。越想下去越觉得震惊,也越觉得有趣。很多方面的束缚与我们的文本大有
关系。"以阶级斗争为纲"就必然派生出大批判的文体、红卫兵文体。新闻中采
用灌输式文体,导致结论和宣传目的比事实更重要。重视结论,不重视过程;重

视宣传，不重视事实；重视一人领唱万人随和，不重视七嘴八舌众说纷纭……导致了这种模式化的文体。我看可以用个形象比喻，叫做"混凝土式文体"，因为：(1) 它是板结的，又是牢固的；(2) 它是简单的，是灰和水的单纯混合物；(3) 它是灰色的，缺乏色彩变化。或者也可以称作"秘书式文本"。

刘再复：你这个比喻很有趣。作家们应当意识到自己并不是"阶级的秘书"。

邱华栋：这也就是确立作家主体性的问题。

刘湛秋：所谓文体革命，它首先也就应该是一种主体思维方式与感知方式的觉醒和突破。

刘再复：文体也就是思维方式和感知方式的外化。思维方式其实是比观念处于更深的文化结构中。

刘湛秋：对，外化为语言。但语言也不仅仅是表达思想的一种工具，它一旦产生以后，就有它独立存在的价值。

文体革命的三次浪潮

刘再复：我以为，近十年来，就文本而言，有三次革新潮。第一次是 1981 年和 1982 年围绕着王蒙的"意识流"小说、高行健的《现代小说技巧初探》所引起的思考和论争。

邱华栋：那时对于文体的变革，只能说朦胧地意味到。这种讨论确实涉及到改变传统文本模式的问题。

刘再复：第二次浪潮是 1985 年。莫言、张承志、阿城、韩少功、刘索拉，这些多少带点"鬼才"味道的顽童相继世，他们已经不顾传统是否允许，而以更自由的心态，按照他们的主体需要，充分地发挥自己的特长，并着意尝试，创和前辈作家不同的文本了。例如阿城，他的小说尽管在文本意识（对传统的态度方面）可以有争议，但从美学上着眼，不能不承认他创作了一种不露声色、不露痕迹的文体，形成一种只属于阿城的独特的格调。

第三次浪潮是近两年来出现的"小字辈"，残雪、李锐、马原等。这些人的身上似乎都长了一种天生的感觉器和形器，世界万物，经过他们的感觉，全部焕然一新，而且全变色、变形、变意，沉湎于个人的感觉世界中，似乎并不知道文学曾经有过什么规律、规范、规则，只顾由着自己的心灵编织自己的文章，心灵的自由就是文学的最高法律。

刘湛秋：我觉得1977年底心武那篇《班主任》的出现，以及1978年以《今天》形式正式向社会亮相的朦胧诗，应算作文本变革的先声。建国以来整个新时期以前的文学，有一个很大的问题就是它的确定性。不管你写诗也好，写散文也好，写小说也好，你创造的人物，你抒发的感情几乎都是确定的。《班主任》这篇小说今天再读实在枯燥，但当时它的某种不确定性震撼了我，这种不确定性是文本变革的一种先兆。朦胧诗就更带来了一种迷人的不确定性。

刘再复：我更注意文学批评和文学理论文体的变化，这种变化对文学创作文本的变化起了很大的冲击作用。

刘湛秋：文本包括几个方面，一个是语言的选择，一个是语言的结构方式，再一个就是整个思维的逻辑结构。

刘再复：还有一个，就是渗透在作品中的个性、气质、情怀、境界等。

刘湛秋：个性的，它就不一定属于文本了。

刘再复：以往讲文本，一般是指纯粹的文本结构，但是，任何形式都是有意味的形式，文本中其实也包含着"人本"的意味，个性的意味，

刘湛秋：不，你们这是从广义上来讲，我觉得窄一点来讲的话：主要是语言的选择，文本的结构，表达的方式，这是主要的。

邱华栋："五四"时期有一个非常明显的外化标志，就是用白话文取代文言文。我们面对的这一项文本革命却并没有统一的外化标志，因而不大容易被人觉察。

刘湛秋：因为它没有一个群体共式，它本身的内涵又正反对群体共式。

邱华栋：这一回并不是摧毁或摒弃白话文这个大的符号系统，而是在这一大符号系统的母系统下各自创立自己独具个性的子系统。这个改变甚至比"五四"时期的白话文革命还要困难。因为白话文革命的政治背景是反封建的，其伦理背

景是反传统，其文化背景是面向西方，众多的文化人都处于同一地位上，比较容易形成共识并汇成潮流。我们目前面对的文本革命却并不是在上述民族危机感下产生的，它着重在个体与群体的调整上，要完完全全地把自己充分地表现出来，所以现在文坛上流派很难形成而纠纷很多。

文体革命的三种阻力

邱华栋：现在有三种现象。一种现象是有人本能地反对一切出自个性的东西，还要求作家"代圣贤立言"，认为应该回复到接近于传声筒，或"民众的喉舌"那样一种状态，所以若从这个角度来考察刘再复与姚雪垠之争的话，我们就会发现这是两种文本的大搏击。它是一种历史文化现象，想避免也避免不了的。如果不在刘、姚之间，那也必定在另外的什么人之间的什么问题上，迟早爆发出来。

刘湛秋：你这所谓第一种模式，就是指新旧文体的交锋。

邱华栋：更严密一点说，是在大的文体取向不能形成共识的情况下发生的正面的冲突。这是第一种模式。第二种模式，由于中国人一般来说缺乏个性，或虽有潜在个性但难以确立主体性而加以张扬，所以就转化为强烈的认同趋向。一种新文体出现后，不是学其精髓，而是迅速认同，结果也会形成冲突，即互相抵消式的冲突。自从朦胧诗站稳脚跟以后，很快形成了不是北岛也北岛、并非舒婷更舒婷那么一种无诗不朦胧的局面，而自从刘索拉、徐星等人的小说出来以后，也有点不是索拉也索拉的势头。"寻根派"们寻根自有他们的道理，而"追寻根派"们的模仿则令人哑然失笑。这种起而仿之如果放在"五四"时期，那是好事，但现在大的语言符号系统并没有发生那样的变革，人们所应作的努力是在这个语言符号的母系统下，顽强地树立自己的子系统，所以任何仿效都是与这次的文体革命背道而驰的。

刘湛秋：难道就完全不可能形成一次语言符号母系统的大变革吗？

邱华栋：我认为积累还远远不够。只有当众多的子系统纷纷建立起来以后，才能促使母系统发生重大变革。

刘再复：你所说的当前文本革命的第二种阻力是盲目认同，这很有趣。

邱华栋：文体革命所遇到的第三种阻力就是漠不关心。这第三种模式就是糊里糊涂，混沌到底。现在一些作者，写得很快，产量极高，王蒙把这种积累叫做"平面延伸"，他们甚至不耐烦听任何关于文体革命的说法，认为默默耕耘必有收获。这一次的文体革命因为内核是真正树立并高扬自己的个性，所以进行起来比"五四"时更艰难。那时候首先要树立的是民族个性，从胡适到李大钊，从吴虞到鲁迅，汇集到一起做同一件事情，在同一个"打倒孔家店"的口号下可以创造出各自的价值。现在就很难了，现在只有自己去创造自己独特的文学世界，才能有所突破，获得独有的价值。

刘再复：关键是时代变了。特别是近十年来，我们这个民族开始重新确定我们的生存方式。我们处在一个建设的时代而不是破坏的时代，处在一个和平的时代而不是战争的时代，处在一个走向多元化的时代而不是一元独尊的时代，处在一个抒发自我而不是群体搏击的时代，所以，想到有的人还在那儿搞大批判式的文体，总觉得自己是在代表一个阶级在那儿进行"战斗"，要将别人扫荡，真是觉得好笑。

刘湛秋：最近中国一下子刮起了那么大的"西北风"，这种歌曲是内心的吐露，自然纯真，和以往那种硬灌式的歌曲根本不同，旋律、结构都不同了，唱法也不同了，这也是"文体"的变革吧！

刘再复：这是艺术领域中特殊的"文体"变革。

刘湛秋：还有造型艺术方面的"文体"变化，其实比文学更大胆、更泼辣，也更见成绩！

刘再复：我们还是应把讨论的涉及面限制在以文字构成的符号系统中，首先是文学创作和文学批评以及文学理论的文体。

关键是每个人都认识到自我

刘湛秋：我对近两年的纪实文学、报告文学很感兴趣。从张辛欣的《北京人》以后，《阴阳大裂变》、《唐山大地震》、《少男少女的隐秘世界》、《伐木者，醒来》

等等，不仅气度恢弘，而且刷新文体，没有丝毫代"圣贤"立言的味道，它们带来的突破是全局性的，而且开始影响整个文艺。电视剧《河殇》实际上就是报告文体。为什么这样一部看来可能很枯燥的片子吸引了那么多人？为什么解说词中表面看来似乎是概念化的语言却那么震撼人心！我觉得这恐怕也是文体变革的结果。和以往不一样，它是真实的，不是结论式的，它是选择式的，不是单一灌输；它是平等交谈，不是居高临下；它是潜在的激情，不是表面的虚张声势。我觉得这代表了一大部分报告式作品的新走向。纪实文学的崛起不是偶然现象。

刘再复：现在中西文化进行着大撞击，这种撞击对我们的文体革命有着不可估量的影响。

邱华栋：当然。过去如果有人说某某作家的文字风格如同翻译过来的外国作品一样，那肯定是贬义，现在似乎不尽然了。随着中西文化的大撞击，怎么看待现在许多中国文人的文字里面越来越多的"洋味"（再复：欧化的句式）？应该对此作怎样的科学的历史评价？你们二位觉得怎么样？

刘湛秋：我这个人认为这不足为训。中国作家里面我觉得陆文夫、汪曾祺的语言比较好。他们的语言既是个性化的，又符合一般的语言规范。王蒙有些句式就比较欧化。当然这是个复杂现象。也许这正是新文体的一种需要。

邱华栋：他最近在《人民文学》1988年第10期上发表了一篇名叫《球星奇遇记》的中篇，是语言瀑布。一个作家笔尖底下流泻出那么多的语言，使人感到惊诧。它既给人一种丰富神奇的印象，又给人一种杂乱、困惑的感觉。他在文体上确实有创新，他总是试图不断变化自己的文体。他常常有意打乱句子的传统结构，他的语言表达出了不同于传统的思维方式。

刘再复：语言是人创造出来的，是使人区别于动物的东西。但语言一旦成为规范以后，它就要束缚人的思想，变成异化的力量，对语言的反抗、对文化的反抗是很重要的。我们过去缺少这种意识，看来王蒙有这种意识，而且很浓。

刘湛秋：传统的美学观念信奉的是"真、善、美"。这个美学概念反映在文体上面，要求准确性和鲜明性。我们现在要开始打破这种东西，这种东西来源于农业文明的稳定性，这种稳定性造成对"信、达、雅"的规范的要求，成为一种模式。文体的变革不是一个孤立的现象，它已形成一种新潮，有许多人已自觉去这么做了。这种写法在过去，无论是鲁迅的作品，还是茅盾和老舍的作品里都没有。对生活的一种随便的态度，是一种有意识的不呆板的态度，这种不呆板也可能是对旧的礼仪和规范的一种叛逆。

邱华栋：过去我们在墙上写标语口号用排笔刷，西方就拿喷枪喷，这样就根本改变了标语的文本。从这儿我们是不是以联想到王蒙的创作，他的思路大概就是喷枪式的。这种特点恐怕不像英些年轻人所误解的是有意回避什么，是为"保护自己"所选择的下策，我想他是有意不想把理性诉诸文字，而采取了半理性的态度，但他内心深处应该还是有一种潜在的理性。这方面有时我能看出来，有时却看不出来。比如他的《活动变人形》的语言瀑布后面，有它非常深刻的东西，他对那个父亲究竟是喜欢还是不喜欢？是鄙夷他还是赞赏他？是羡慕他还是贬低他？有时候真是捉摸不定。但它最深层的东西是"审父意识"，它不是低层次的对父辈的批判，而是在淋漓尽致地剖析父辈心理中最卑微猥琐的东西以后，宣布了对他们实行永远的赦免，体现出一种撼人心魄的大悲悯。

刘再复：现在中国作家有两种表现。一种像王蒙。王蒙这种做法是一种大胆尝试，我们已经意识到了。在中国作家里面有他这样的勇气和魄力的恐怕是少数。我体会到，他在尝试一个作家驾驭中国语言可以达到什么样的程度，也就是说，要探求究竟是我驾驭语言还是语言驾驭我，我在语言面前究竟获得多少自由度；另外有一批作家跟他正相反，他们的语言很稳定，比如刚才讲到的陆文夫和汪曾祺，他们用一种非常纯正的汉语，写起来不动声色，描述过程中不露痕迹。以纯正的比较传统的汉语充分地抒发个性，仍有广阔的前途，而这种抒发越是个性的，其对传统汉语的潜变也就越深刻，因而到头来仍是一场深刻的文体革命。

刘湛秋：唔，心武，你也可以谈谈你在语言艺术上的尝试。

邱华栋：我觉得我是离不开理性的。从一开始就没有离开理性。有时候我也试图引入一些非理性的东西，从文体上体现一些内心里面的骚动，但恐怕我做不到而且也没有必要强迫自己去做，因为我的性格和气质决定了我必须寻找一种从我的性格和气质出发的新的突破。我觉得文体革命的最根本的一点是每一个作家都认识到自我，彻头彻尾地做到我说我自己的话，大多数人这么做了，自然会形成文体革命的高潮。我经常借助于具体的人物形象对现实进行精密的分析，靠这个来获得我的优势。

刘湛秋：读你的作品，往往在心一动、眼一亮的同时，又掺杂着明显的不满足乃至遗憾。

刘再复：你的语言个性化还不足，尽管你的心理状态和思维方式往往是很独特的。

邱华栋：当前文学理论和文学批评的文体也正发生着极大的变化。那么多年轻人，他们吸收了很多新的信息以后，很快就把它拿来实践和运用。但青年批评家中盘出自己的新灶来的还很少。他们大体上还是一种急切地向新接触的西方文论和西方批评方法认同的态势，现炒现卖。他们这样做从整体上给文学理论和文学批评带来了一股新气流，但如果他们总不能盘出新灶来，则很可能成为过眼烟云。

不仅是技术的操作，更是心灵的操作

刘再复：中国人现在要有一个新的思想境界。不要寄希望于万能而尽美的一元，要开创出一个多元并存、多元整合的局面。要充分发扬自己的个性，同时要充分尊重别人的个性。整个文体革命的基础应该就是这个。我一直感到文体革命不仅仅是一种技术的操作，实际上它是一种心灵的操作。

邱华栋：能否预测一下，当前中国的文体革命能推进到什么程度？

刘湛秋：我是乐观的。因为已经有人说，现在自己不知道怎么写东西了，不仅仅是老头老太太，中年人也有这么说的，甚至三十多岁也有这么说的，这就反证出来一种新的文本已经具有某种威慑力了。

刘再复：我觉得光是像心武那样强调个性化还不够，文体革命到头来还得实行语言转移。尤其是文学理论和文学批评的文体，一方面我们不能简单照搬西方的新观念、新术语、新名词，另一方面我们不能用鄙夷的态度来对待信息大爆炸。我觉得在这一点上，王蒙有时也不够冷静，他也曾对理论批评界的新名词、新术语层出不穷持嘲讽的态度，但面对《新学科手册》一本本印出来，我们不能不考虑建构新的理论批评语言符号系统的问题。我们要进行深层的语言转移，文体革命毕竟还是要外化于语言。

刘湛秋： 文体革命最后能不能站住脚，还要看它能不能影响人们的生活方式，生活方式与新文本相适应，那么这个新文体就算确立了。如果人们的生活方式一直还是大白菜秋天定量供应，老百姓拿一张定量卡去排大队，那么这种生活方式与王蒙那种小说文体还是格格不入的。

刘再复： "五四"文本革命的成功标志之一是进入中小学教科书。但我们目前的中小学教科书白话文部分主要还是近二十年以前的文章，近十年的新文体还基本上不能进入教科书。

邱华栋： 我的着眼点倒不在庄子是否进入教科书或是进入民众的日常语言。过去的思想统治实际上是一种文体统治。我们致力于文体革命，就是要打破这种专制式的思想统治，而通过文体革命解放思想，使心灵获得最大的自由。

（刊登于《上海文论》一九八九年第一期）

《我心我身》序

人身和人心应是和谐的。但"应是"不等于"必是"。人心是可以变化的。人身自然有发育之过程，但一些基本要素，却是不能更易。比如，一个人为什么不是生在 1921 年而是生在 1962 年？为什么不是生在香港而是生在甘肃？为什么不是金发碧眼而是黑发棕眼？为什么是女而不是男？为什么是这样的身材面貌而不是那样的身材面貌⋯⋯这就令人不能不想到命运的问题。

上述关于人身的若干基本要素，便是所谓"命"。就目前地球上人类而言，生在哪一种社会制度的国家，长在哪一种文化背景之下，以及生在哪一种政治经济地位的家庭，受到哪一程度的文化教育，都属于人的"命"中最要紧关口。一定的"命"影响造就着一定的"心"。但对于生活在这个地球上的当代人来说，好就好在除了"命"以外尚有越来越起重大作用的"运"。"运"即机会，有大机会，如社会运动方向所提供的机会。中国大陆自 70 年代末开始推行改革开放的新国策，这个大机会就给无数生逢其时的中国人提供了新的运气；除大机会外尚有中机会、小机会，例如个人家庭的由贫转富、个人婚恋中的某种幸运因素、个人求学过程中遇到好的导师、个人在人际关系中获得了友谊和倚赖⋯⋯善于抓住机会的人便有可能大大改变自己的身心状态，特别是心态，但不善于抓住机会的人也可能搞得身心交瘁，而令人无限惆怅的是，往往并非自己主观上没有努力，而是身之所限，运之不济，到头来仍是失败，那布满伤痕的心，尚能保持坚强与乐观否？

梁荔玲女士在这本书里所讲的两个故事，表层上，都讲的是中、西文化背景不同的两种人的心理冲激，而充其底蕴，我想都讲的是独立的个体如何在"命"与"运"的交互作用中挣扎，或沉沦，或奋起，或游移而惆怅，或痛苦而苏醒⋯⋯

无论如何，我们的身既独属自己，那么，我们的心也应保持独立、清醒、坚强、乐观的境界。我身我心，终应归于康健与和谐。

不是吗？

读《土地》三部曲

　　倒头便能酣睡的少年时代一去不返了，如今我的睡眠是轻浅而多梦的。曾有这样一梦：三只雪白的天鹅在墨玉般的背景上舒翅飞翔，渐渐远了⋯⋯倏尔，陡见一室如穴，椅上坐着个满头白发、阔面宽肩的老叟，正默默地用荨麻编着衣衫，鲜血顺着他的手指淌落地下⋯⋯

　　出现这样的梦境不是偶然的。安徒生的童话名篇《野天鹅》，是我孩提时最为之心醉的文学作品之一。而在中国译出安徒生童话全集的老作家叶君健同志，又是我参加编辑《十月》文学丛刊后最早接触的文学前辈之一。《野天鹅》里受到妖后迫害的公主艾丽莎，为了让被妖术变作天鹅的哥哥们复归人形，饱受荨麻刺烫之苦，惨遭谗言误会之害，甘作哑巴，历尽艰辛，终于迎来了转机，达到了目的。叶君健同志在十年混乱中，同千千万万正直的知识分子一样，先被揪斗，继而"靠边"，罚入圊厕，贬若蝼蚁，"忍看朋辈成新鬼"，"敢有歌吟动地哀"，只有隐忍、沉默。然而，正如艾丽莎一样，隐忍是为了进取，沉默用以掩护抗争。白天在单位里被侮辱被损害之后，晚上回到家里，叶君健同志便屏息掉一切杂念，精心结撰他早已构思好的《土地》三部曲；在爱人苑茵同志的支持与帮助下，至粉碎"四人帮"之前，终于完成了这一百多万字的巨著，并复写了一式三份，妥善地保存到了粉碎"四人帮"之后。当我作为《十月》的编辑，拿到了叶君健同志的手稿，了解到这三部曲的创作过程，一口气读完了一百多万字以后，在入睡时形成那样的梦境，实在是不难解释的事。

　　然而，我之喜欢《土地》三部曲，绝不仅是因为可尊敬的作者有这样一段可尊敬的创作历程。《土地》三部曲，第一部《火花》，已由人民文学出版社于1979年7月出版，印了22000册；第二部《自由》，已由北京出版社的《十月》文学丛刊提前发表（1978年12月出版的第二期，当时丛刊还称"丛书"），那一期《十月》印了11万册，所以影响比《火花》为大；第三部《曙光》，已有部分章节在《长江》文学丛刊上发表；《自由》和《曙光》与《火花》配套的单行本，据说可望在1980年内出齐。三部曲的内容，是写辛亥革命前夕到五四运动爆发这个历史阶段，长江中游从农村到城市的生活画面，出现了众多的农民形象，同时也写到从破产农民中产生的最早的产业工人，以及市镇上的屠夫、地主、豪绅、官僚、军阀、买办……第三部并写到了中国劳工在第一次世界大战的欧洲战场上的遭遇，把读者的视野引到了国外。这里不想向大家介绍三部曲的具体内容，只想集中谈一点对这三部曲的写法的感受，这也就是我之所以喜爱这三部曲的主要原因。

像这样题材的一种三部曲，形容起来，我们往往会不假思索地使用"波澜壮阔"之类的词语，然而细品叶君健同志的文笔，就会感到，用这一类的词语来形容《土地》三部曲，是并不恰当的。叶君健同志曾说，他的写法是"平淡无奇"的。的确，《自由》在《十月》刊出之后，有一些读者觉得这部长篇行文似较平淡，节奏似较缓慢，因而不大能接受。但也有一些读者觉得它味似橄榄，颇有后味，堪称耐读的力作。本来"萝卜韭菜，各有所爱"，读者的口味，是用不着加以统一的。但是，倘若《土地》三部曲的写法能令更多的读者所理解，我以为是会有更多的人喜欢它的。

《十月》刊出三部曲第二部《自由》时，在"编者按"中有这样的评价："作者的笔法颇为独特，冷静的陈述，精炼的白描，向读者展示出一种与众不同的风格。"在"编后记"中又说："作者借鉴了国外当代文学的某些特点，笔触冷静，情致淡远，别具一格。"这"编者按"与"编后记"都是我起草的，现在看来，当时因为掌握情况不全，所作的评价是不甚中肯的。其中有的看法我要坚持，有的则必须修正。

要坚持的，是对叶君健同志用笔冷静的钦佩。当我得知了叶君健同志创作三部曲的境遇而未及展读文稿时，曾以为这是一部喷溢着忧愤之情的金刚怒目式作品，而且必不可免会在历史的回顾之中，于人物、场面上对现实有所影射。当时我曾接触了另一些作者处于同样困境中的文稿，那些文稿大多具有我上面所说的特点。那当然不但是无可疵议，而且是极易理解的。然而叶君健同志的三部曲却全然是另一种写法，他并没有把自身所遭遇的不幸与主观的忧愤带进作品里去，只是极为冷静地娓娓而叙着几十年前长江中游乡村、小镇、城埠里各种各样人物的生活与命运，保持着一种不温不火的客观态度。所谓客观态度，当然不是说作者没有自己的立场、好恶与倾向，而是指行文的方式，亦即叙述与描写的手法，那确是情致淡远，后味醇郁的。比如《自由》中有一段，写到黄土村的贫苦农民们出于对地主豪绅的愤懑，决心为两位被官府杀害的老农刘延良、王树海实行合葬，这本是一场激烈的阶级斗争，似乎宜用浓墨泼洒，写它个电闪雷鸣、飞扬恣肆，然而作者的行文却冷峭之极，不露声色地作如下叙述：当这两位老人合葬的日期和时间一确定以后，消息马上就传遍了四方。大家在哀悼的心情中同时也感到兴奋。庄稼人这天都放下了手头上的活计，一大清早就络绎不绝地向入葬的地点奔来。他们都争先恐后地要抢机会抬一下这两个老佃户的棺木，以表示他们对这两个老庄稼人的爱戴。虽然这两个棺木没有什么装饰，连油漆都没有涂上，但大家都认为这是一次很隆重的葬礼。大家前呼后拥，小心翼翼地轮流把它们扛在肩上，生怕惊动安息在里面的人，抬着王树海棺木的那些庄稼人，挪着沉重的步子，默默地一步步地走出他出生的村子，来到田畈上，向黄土村的方向进发。田畈上是一片寂静，好像也在为这个老人默哀。但这里并不是空无一人。赶来送葬的男女老少，这时都从沿路的山间小径和村子里走出来，参加到这送葬的行列中。人群越往前走，这个行列就越向前后左右膨胀。太阳越升得高，在田畈上行进的行列也就越扩大。然后写到人们如何把棺木轻轻放进事先掘好了的墓穴里，又如何"争先恐后地接过铁锹，在这新掘起的坟墓上各自加一锹土"。紧接着是极精炼的白描：坟的体积在不断地增高，增大。最后它们就像两座纪念碑式的雄伟建筑，昂然地立在山坡之上，俯视着下面一片广漠的、由庄稼人耕种出来的田野。

我曾听到几个读者的反应，他们感到从这质朴无华的叙述里，获得了丰富的联想，并从心底漾出了一股柔情；此外，认为作者对那个时代的那种地方的那些农民的描绘，是比较恰如其分的，没有拔高的"现代化"气味。

叶君健同志曾向我说明过，他为什么要采用这种写法。他认为我们的小说读者，其平均文化水平正在不断提高，随着时代步伐的进展，将来的读者可以说大多是同作者有同等学历、同等文化修养和思考能力的人，因此，那种把看长篇小说当成"听说书人说书"的读者，那种希望作者在情节上给予强刺激、在语言上重视藻饰、在人物塑造上浓施脂粉、在主题表达上说个一清二楚的读者，将会越来越少。因此，他采取了这样一种写法：以平等的身份与读者相见，冷静地把生活场景、人物活动、人物心理向读者叙述出来，相信读者有足够的想象力和判断力在阅读中进行"再创造"与深入思考。概括地说，这种写法就是：重视生活面目的准确勾勒而不求细节的刻意渲染，重视人物思维逻辑的严谨记录而不求"性格化语言"的色彩效果，尊重生活进程中动与静、喧闹与沉默的自然节奏而不作夸张的戏剧性集中。

读着叶君健同志的《土地》三部曲，我常常联想到我所接触到的某些欧美当代作家的新作在艺术手法上给我的感受。比如当我只知道西德的伯尔是 1972 年诺贝尔文学奖金的获得者，而未读他的作品时，总主观地以为他的小说一定是花里胡哨的，谁知当我读到他的《被损害了名誉的卡塔琳娜·勃罗姆》时，却不免吃了一惊，因为他的写法既不怪诞也不花哨，而是极平直地叙述着，交代多于描写，理智多于感情，冷静到了漠然的程度。而据说这本小说，一度在西德成为畅销书。我经过思考以后，才悟出这是因为伯尔面对着广泛受过较高教育的读者，他们对作家的要求主要的一条是希望你准确、全面地摆出"事实"，由他们去独立思考，作出判断。这恐怕也就是为什么近些年在西方"纪实性"文学作品往往畅销，或虽不甚畅销而文化界评价却甚高的原因吧。

不了解叶君健同志全部情况的人，读了《土地》三部曲之后，恐怕也会和《十月》的"编者按"持同样观点，以为他的写法是"借鉴了国外当代文学的某些特点"，其实这样说是极不确切的。叶君健同志早在 1937 年就用世界语写作并出版了短篇小说集《被遗忘的人们》，这部反映中国贫苦农民悲惨境遇的小说集的写法，已经具备冷静淡远的特点，在欧洲文学界产生了一定的影响，至 1945 年后，更以"马耳"的笔名，用英文写作并出版了《山乡》、《他们飞向南方》等三部长篇小说，其中头两部长篇三十多年来不断地被欧洲一些大出版社再版，一些欧洲文学界的进步人士、知名人物，都曾赞扬过它们，如冰岛大文豪、诺贝尔文学奖金获得者拉克司奈斯，就曾为叶君健同志的长篇小说冰岛文版作序，除了肯定其内容之外，对其写作手法推崇备至，认为具有真正的史诗的气质，雅淡而醇厚，堪与当代欧美一系列名著齐肩。南斯拉夫著名剧作家米洛西·米尔庚（世界"笔会"贝尔格莱德中心的负责人）去年还驰书北京，告知叶君健同志他对《山乡》的倾心激赏，并说南斯拉夫决定于 1980 年春用斯洛文尼亚和塞尔维亚文同时出版《山乡》等两个长篇。由此可见，《土地》三部曲的写作方法，并不是"借鉴了国外当代文学的某些特点"，而是作者本身多年来在长期的创作实践中所形成、发展、坚持的固有风格。由于叶君健同志在国外的创作活动及其影响，国内的人们知之不多，因此一般只把他当做安徒生童话翻译者和儿童文学工作者看待（在这两方面，他也的确取得了极其显著的成就），对于《土地》三部曲的出现，有的同志甚至表现出一种惊奇（"原来叶君健同志也会写长篇小说"），并且对这三部曲的写法很不理解。

有趣的是，《土地》三部曲的陆续出版，在国内并未引起多大反响，而在国外却颇受重视，例如我就在日本的某些刊物上看到过对《自由》的报道与评论，连刊载《自由》的《十月》的封面，同叶君健同志的照片、《自由》的题头也一齐影印，认为是一件大事。国际知名的作家韩素音，拿到《火花》后一口气读完，兴奋地说"这部书写得有风格！"探其详，也是以为长篇小说最忌"青春发动期"般的激昂、艳饰的写法，而应如《土地》三部曲般，以恬淡自然、冷静质朴的"纪实"风格取胜。

当然，国外一些作家、评论家、出版社对叶君健同志写作风格的推崇，可能与叶君健同志本人一度置身于欧洲的文学潮流之中这一特殊情况有关，我们倒并不一定要完全同意他们的评析，更不必又由此而否定或贬低我国其他作者的写作方法，但是我们应当从不了解情况的盲目状态中解脱出来，以新的眼光鉴赏《土地》三部曲，并从中汲取丰富的营养。

1980 年 4 月 6 日

写于垂杨柳

春风又绿江南岸

——读孔捷生《南方的岸》随想

去年在庐山，一天晚饭后，我和孔捷生回到居室，各自坐下，默默无语。窗外的鹅掌楸偶尔飘下一张黄叶，仿佛牵引着夕阳的光缕，渐渐地隐去。室内暗了下来，不知我俩谁说了一声："开灯吧！"这才拉亮了灯，各自坐到桌前，接着去写各自的作品。

捷生所写的，便是如今发表在《十月》双月刊1982年第二期上的《南方的岸》。

前年结伴同去福建，去年结伴同去江西，我和捷生总是同住一屋。有时我们言谈极欢，有时我们却又相处无言。我们所谈的，大抵是自己、对方及别人已发表出来的作品，褒贬无忌，往往还要引申勾连，但对于各自尚未完成的作品，却很少谈及。每逢相处无言时，各自都清楚：你我又都陷入自己的构思中，积蓄着创作的动力了。

我们的友谊，便是在这种欢谈与默然相交错的形式中，渐渐凝结起来的。

捷生没有告诉我，他将在《十月》上发表的中篇写的是什么。

然而我却能猜出来。我读了他前年发表在《花城》上的《那过去了的……》和去年发表在《人民日报》上的《海与灯塔》两个短篇后，就估出了他创作思路的伸延趋向。

我特别喜欢他那篇《那过去了的……》，喜欢那里面透出的一股味儿。据说有人认为他写得未免失之于迷离怅惘，我却以为那其实是一种趋于成熟的标志——对生活和人不再用简单的眼光加以估量，决心迎向纷繁杂错的现实生活，在追求实实在在的光明。

一气读完了《南方的岸》后，我的心弦竟被他撩拨得颤鸣不止。如果说《那过去了的……》溢出的旋律还多少有些单调、混浊，那么，《南方的岸》的旋律则有着交响乐般的雄浑与丰富。小说中的麦老师在批评主人公易杰的一部手稿时说:"……没有悬念,也缺少一条主线。枝蔓过多,撒开去很难收回。……很有生活气息,也有真情。但这感情很复杂,令人难以捉摸。是爱? 是恨? 是悔? 这恐怕连你自己也还没理清楚。这就严重影响了主题……"很显然,这透露出了捷生在构思他这部作品时所越过的心理障碍,他预计到会有人这样批评,同时他也预防着自己真的弄得仿佛没有了主旋律,而只有着一片杂乱的噪音。他没有知难而退,也没有故弄玄虚。他写出了一部交响乐,有主旋律,也有副旋律,并且有着丰富而适度的配器。感情和思绪诚然都是复杂的,然而趋向却很分明。小说是什么主题? 一句话说不清。如何用许多句话去说清,可能读者之间还会有一定分歧。不管怎么说,读者总得承认,他写出了真实的生活,真实的人物,真实的感情,以及真诚而执拗的追求。

《南方的岸》,这是一部"老知青"的罗曼史。

自从有了"知识青年上山下乡"这个事物,便有了反映这个事物的文学作品。

大约是 1973 年以后吧,相继出现了《征途》、《青春》、《草原新牧民》……一批反映知青生活的中、长篇小说。不要因为时过境迁,便仅只对它们撇嘴一笑吧。我相信其中许多作者是真诚的,作品中所反映的某些生活场景和人物表现,在现实生活中也是确有踪迹可寻的。然而它们或多或少都打上了令当今读者厌弃的印记。这当然不能怪作者和编辑,而只能怪产生那些作品的具体历史环境。要相信以后的文学史研究者比我们客观,他们将会从这一批作品中,剔选、考察出凝聚在其中的时代风貌和时代偏见,以及艺术才能在宗教式的创作法规窒息下的畸形发展。

1978 年以后,则出现了另一些反映知青生活的小说,不知道今后有没有研究者愿作这样的实验,比如说,把《征途》和《生活的路》连起来读,并加以分析、考察。哪一种描写更真实? 更接近于事物的本质? 结论让他们去作吧,我只能说出这样的直感:像《生活的路》这样的小说的出现,标志着我们恢复了说真话的权利,"知识青年上山下乡"这个"新生事物"里远不是仅有英雄业绩和欢乐歌舞,它也有着理不清的复杂情况和想不到的阴暗面，我们不能回避这些真情实况。从有意粉饰发展到毋庸避讳，这应当说是文学创作的一大进步。

然而人们对一个复杂的事物不能仅只是单纯地爱或恨，颂或咒。复杂的事物需要用复杂的笔触去从各个侧面加以描绘，要由点及线，由线及面，由面及体，并且要立体交叉。越对一个复杂的事物进行深入的解剖、探索，人们便越不甘让一种单纯的情绪所统治，人们的感情和思绪也便会变得复杂乃至矛盾起来。

《南方的岸》当然既不是第一部也不是最后一部这样的作品：它开始以一种复杂的笔触，怀着一种复杂的感情，来描写一群"老知青"过去和现在的生活。它不想肯定一切，也不企图否定一切，它既不想用空洞的说教来"鼓舞"读者，也绝不是把读者引向虚无。它浸透着一代人对根植在祖国土地上的青春岁月的依恋和珍惜，它响彻着一代人对置身于其中的时代的美好前景的呼唤，它体现着忍辱负重的开拓者精神，它迸射着顽强的追求真谛的心灵火花。

我仿佛能触摸到《南方的岸》中这一群"老知青"的灵魂：易杰、暮珍、阿威、四眼、丽容……他们在上山下乡的热潮中，曾处于同一个位置，然而时代的浪潮，把他们全数卷回了城里，他们开始分化，这不仅表现在他们各自处于不同乃至很为悬殊的"位置"上，更表现在他们各自对生活的认识和态度竟有着那么多的差异……

我至今还没有去过广州，更没有去过海南岛，然而捷生那行云流水般的笔触，把我引到了羊城的不同场所，我仿佛闻到了"老知青粥粉铺"那生滚鱼生粥的香味，看到了珠江中"簇簇浪尖都炫化为枚枚镍币，晶亮晃眼"；我仿佛进入到了热带雨林中，身旁就有一人高的巨型蒲公英——飞机草，前面就是那弥散着牛乳般气息的胶林……啊，原来捷生那一茬广东仔的青春，便是在祖国的这一爿土地上度过，他们这样地流过汗乃至于血，他们这样地痛苦过和憧憬过，他们这样地奋争着和思考着……

啊，我可爱的弟妹们啊，包括那粗鲁肤浅的阿威、讲求实惠的四眼、自诩"看透了"的丽容，在故乡的土地上，你们受苦了！我们父母兄姊们，本应给你们安排更合理更美满的生活，铺更宽阔更美丽的光明之路，然而由于种种复杂的原因，我们没有做到……

我不同意那一类的论调：青年人所面临的任何艰难困苦都是他们理应经受的，社会主义事业的进程就是一代又一代人经受同样沉重的磨难。不！我们固然应当教育青年人要经受得起艰难困苦的磨炼，因为要使生我们长我们的这个大地变得繁荣富强，我们面临的形势是严峻而紧迫的，任务是繁重而棘手的，然而，我们总得通过一代、两代人的艰苦奋斗，使下一代人不至于仍遭受同等状况的磨难。他们所面临的困难，应当是新的意义上的困难。他们的生活，理应比我们更合理、更美丽、更光明。

读《南方的岸》时，我心中时时涌出一种难以名状的感动。我想到了交相衔接的三茬人的命运……

人们总是笼统地说：中青年作者。

这是一个多么宽泛的概念啊！从五十多岁的刘宾雁，到二十多岁的王安忆，都囊括在了这个称谓中。

中国的许多概念都是粗疏的，不精密的。这也许既是中国的长处，也是中国的短处。我以为越来越会成为一大短处。

还是对事物分析得精密一些吧。

中青年作者，至少可以分为三茬互相衔接的人。第一茬是那些在五十年代已经进入青年时代的人，他们的许多作品，勾勒出了他们那一茬人的肖像和灵魂。他们是"虽九死其犹未悔"的一茬。第二茬是那些在六十年代中进入青年时代的人，他们一般既没有在反右扩大化一类的政治风浪中沉没过，也没有像下面一茬那样没上足学便"上山下乡"当过"知青"，他们的许多作品，反映出了他们这一茬人在漩涡之外的观察和思考，别具特色。再就是"老知青"这一茬，他们年龄虽比头两茬要小十多岁，却在世界观尚未成熟时便一下子被送到了生活的最底层，用他们自己的话说："我们什么没有见过，什么没有经过！"想要他们听从现成的往往是简单化的结论（更不用说有时还是不准确的乃至错误的）而放弃独立思考，那是根本不可能的。他们的作品比头两茬人的作品呈现出更其纷繁复杂的状况。你或许会嫌他们的某些作品偏激、谬误、混乱、朦胧，然而你又往往不得不为他们那纵横恣肆的才气所折服，为他们作品中所揭示的生活真相和激荡其中的率真感情而震动。

老作家应当指导中青年作家。

然而，请一定要先把中青年作家的情况吃透。我关于这三茬人的粗略分析，仅供老作家和读者们参考。

《南方的岸》中的易杰和暮珍，最后决定重返海南岛，去那他们曾经贡献过九年青春的地方，重当胶农，我不知捷生这样写有无坚实的现实依据，这或许仅是一种浪漫主义的追求，然而，从这两个人物身上，我却感受到了上面所谈的第三茬人的精神闪光。易杰是一个时时陷于哲理性思考、感情丰富细腻而过分敏感的人，暮珍却是一个心地单纯、沉默寡言而能承受忍耐外界刺激的人。他们的家庭背景、性格际遇各异，然而终于找到了一条通向南方的岸的新路，这一点确实是发人深省的。

不过也仅仅是指出了深省的方向。我看捷生他自己也还没有悟透，所以他以舒婷那"也许开始已经错，结果还是错"的诗句来作为自己小说的题记。这就说明这篇小说远不是捷生在"老知青"这一题材上探索的终结，而仅仅是一个新的、有趣的开始。

桃红又是一年春。我很高兴一开春便看到了捷生的新作，真是春风又绿江南岸。《南方的岸》，这题目初看以为平常，现在越咀嚼越有味道。愿南岸永绿。

我和捷生又将结伴作四川之行。我们要把开拓眼界和开辟生活基地这两个方面更有机地结合起来。川行之后，他要深入广东农村，我要深入北京的学校和工厂，我们将继续对已发表出的作品纵情评论，对构思和写作中的作品尽量保持沉默。

而我们的友谊，便会在这欢谈与默然相交错的形式中，越发深厚起来。

1982 年 3 月于北京垂杨柳

绕

《花溪》要搞"小说创作十二谈",每月一篇,让我来写第一篇。我哪里懂得什么小说技巧?不过我是"作茧自缚",只好硬着头皮来写。此话怎讲?后面再点明。

我觉得,写小说下笔要立足于一个"绕"字。怎么个绕法?别人写过的,你一定要绕过去。不然就会雷同。自己已经发表过的,你也一定要绕过去,不然读者就会起腻。下笔的时候,你要时时想着读者,读者不想看的、已经熟知的、能够猜出来的,你都要绕过去。

两点之间,直线为最短;从甲地到乙地,最好选择最捷路径前往。然而短直和便捷,对于写小说来说却绝非最佳手法。读者读小说,不同于读几何定理和交通指南,他总希望从中获得些意外的启发和探究的乐趣,当然还有美感方面的满足。打个比方,读小说好比逛公园,既然从前门进去了,当然并不急于从后门出去,更不喜欢进了前门便望见后门,最好是或曲径通幽,或柳暗花明,既能登高望远,也能临池低照,如能回环借景、七通八达,则更觉快意无穷。总之,除了特殊人物特殊原因,游客逛公园的路线必是绕来绕去的。绕既是游客的心理需要,那么布置公园的人则一定要尽量在有限的空间之内,给游客提供充分的绕的乐趣。曹雪芹是写小说的高手,你看他写"大观园试才题对额"一段,大观园的种种景色,他当然早已设计停当,甚而至于,他案头都有一张为写小说而画就的大观园全图。然而他写贾政带人进得园去,却并不安排他们顺园内主道顺序观览,而是偏从小道入内,绕来绕去;整个大观园的情况,这一回也并不说尽,后面随着情节发展,不断加以补充,最后才把大观园的全貌,绘于读者心中,真可谓善绕也!这一回里他写贾宝玉才思敏捷,每题一匾一对,描写的方法也变换不板。你以为他处处都要把宝玉突出,他却偏有一两回让清客所吟出的对子,也颇有可取之处,而宝玉也不再讥笑替代;写贾政对宝玉的态度,也不是一味地贬斥,偶尔也还有暗喜的反应。这也是绕。就是不但在大处使读者出乎意料，在小处也使读者顿感灵动活泼。写贾宝玉、蒋玉菡、冯紫英、薛蟠和妓女云儿喝酒行令唱曲一节，在使薛蟠出够了丑的时候，忽然让他说出一句极雅极文的词句。这又是绕。其效果，是愈发使我们感到薛蟠真是一位在特定的社会环境中产生出的呆霸王！中外古今的经典小说中此类例子不胜枚举，所以它们互不雷同，各具风味。仔细琢磨，不甘直来直去而善于绕来绕去，实在是写小说的一种基本技巧。

我很怕有的文学青年听了我这话，简单化地以为绕就是"卖关子"，就是设置悬念。悬念固然是一种绕，然而我所谈的绕，包含的内容比这宽泛得多。在立意上就应当绕，这绕不是说立意要古怪或晦涩，而是说应当出新并力求深刻。我自己近几年学着写小说，处在很幼稚的状态，本不配谈技巧，更不配举自己的小说为例，然而考虑到这类文章主要是文学青年们读，他们实在是希望我这类发表了一点小说的人能结合自己的创作来谈，从而显得亲切活泼一点，所以我也就不揣浅陋，举一点自己的创作实践来说明问题。我写《班主任》，构思了好久，从某种意义上讲，也就是绕了好久。最初，我脑中形成了宋宝琦的形象。然而那时人们已普遍认识到"四人帮"造成了宋宝琦一类的畸形儿，倘若急于提笔来写，那么便难免与别人的作品立意相似。所以我就不甘心，脑子里继续绕，也就是往深处思考，这样就逐渐凸现了谢惠敏的形象。捕捉到了这个形象以后，我才动笔写那篇小说。结果读者读那篇小说时，本以为出现的团支部书记形象，是一个以前已经见识过的帮助挽救小流氓的正面形象，没想到小说后面所写，却绕过了他所熟识的形象和猜想，展现出他未曾想象到的意境：谢惠敏从某种意义上来说，是更令人焦虑的畸形儿！读者从作者的绕中得到了一点启发和满足，因而愿意支持和欢迎这样的作品。所以我认为绕，不仅是个情节安排的问题，而首先是个绕过陈旧的主题，雷同的立意，似曾相识的人物形象的问题，也就是不嚼别人嚼过的馍，力图从生活出发，去出新制胜。

再强调一下，我这里所说的绕，不是关在屋子里挖空心思地瞎编，似乎越曲折越离奇，甚至于越怪诞越出格，便越成功。你一定要从生活出发，要追求艺术的真实,要力图塑造出典型环境中的典型人物,要顾及到内容和形式的和谐,要美。正如不是每一所可以绕来绕去的公园都那么可爱一样,并不是每一篇绕来绕去的小说都必定有较高价值。绕,要有正确的立场,要出于健康的美学趣味,要符合逻辑,要遵守文学创作的一系列规范,而归根结蒂要为作品的思想内容和人物塑造服务。为绕而绕,便成了小孩子捉迷藏,属于文字游戏而非文学创作了。

有的文学青年可能会问:难道开门见山、白描式的写法,就不足取吗?这倒不然。大凡当绕来绕去的写法蜂起,而且不少作品绕得过分,令读者厌烦之时,一种反璞归真的开门见山、白描式的写法反会令人眼目一新。这其实也是一种绕,就说绕过那些绕得花哨的作品,好比在峰回路转、花木交错的公园中,忽然安排出一泓清亮的湖水或一片开阔的草坪,常能反而以单纯到一目了然的地步而产生魅力。据说国外文学的发展,在出现了包括意识流、荒诞派、黑色幽默……以形式上绕得出奇的文学流派的汹涌浪潮之后,现在反倒有不少作家,采取一种接近古典现实主义的手法来写小说。从外在形式上看,不但平铺直叙,甚而交代多于描写。而这样的作品,影响反倒又大了起来。我想这一现象很值得我们深思。前些时一位文学青年来找我,苦恼地说:"我的作品上不去,看来主要是意识流流不起来!"我问他:"你为什么非得要意识流流起来呢?"他高声抗辩说:"现在不是时兴这种时空交错的意识流写法吗?这种写法不正是你所谈的绕的写法吗?我绕不上去不该着急吗?"我告诉他:既然现在时空交错的意识流式写法已不新鲜了,你又何必非去凑热闹呢?我所说的绕,绝不是仅仅指形式上的东西,最最要紧的,是绕过别人已经写过、用过、试过的东西,去开辟自己的新路!

当然,篇篇从内容和形式上完全绕过别人和自己已经发过的作品,一般人的确难以做到,也不必这样苛求自己:但每写一篇新作,总该至少在一个方面,或立意上,或人物形象上,或结构上,或细节上,或语言上……是明显绕过了别人和自己已发表过的作品吧,否则,不只能算是模仿和重复吗?

写文章如此,办刊物也是如此,要避免"英雄所见略同",才有吸引力。《花溪》的同志来北京约稿,出的题目本是"我写第一篇作品的时候"。我告诉他们,我知道类似的栏目已有《文艺报》等五家刊物用过或正拟采用，而组稿对象也大同小异。这样不但作者为难，读者将来也难免腻烦，何不另辟新栏目，如"小说技巧十二谈"，一年约十二位作家撰稿，岂不有趣？他们当即采纳了我的建议。但同时也就宣布："你来写头一篇！"我本想把他们的约稿绕过去，没想到却被他们当场抓住脱不了身，没办法，只好勉为其难写成此篇。好在后面的十一位作家的技巧谈有真货在，读者恕我浅薄，且绕过这一篇，等着往下看吧！

1981 年 12 月 2 日写于北京沙板庄

一支笔，一叠纸，这还不够……
——致文学爱好者

朋友，当夜风吹动着你居室的窗帘，当入睡的亲人发出轻微的鼾声，你坐在书桌前，在台灯射出的光圈中，铺开了稿纸，拿起了笔，又一次开始了你八小时以外的创作尝试……

啊，朋友，文学这个精灵，它是如此迷人，如此调皮，它撩拨你的心弦，使你手痒，然而当你真的铺开纸、拿起笔时，它却往往又突然躲藏到了什么地方，你举起的笔竟不知该如何落到纸上……

朋友，从你熟悉的生活、人物、场景、气氛中去寻找它吧，从你感受到的时代脉搏——你心灵深处的爱和憎中去寻找它吧。你从生活这个源泉出发，你从平时爱读的文学作品的条条涓流中汇聚营养，然后去形成你自己的小溪吧。不要胆怯，不要慌张，文学的门槛就在你的面前，你一定能够迈进去……

你勇敢地迈进了，你从你熟悉的、激动着你的生活中撷取了人物形象、情节和细节，你开始写一个短篇小说，一行行，一页页……窗外的星光照耀着你，桌上的灯光温暖着你，然而，写着写着，你却写不下去了，你气馁，你沮丧。啊，朋友，且慢团掉你写过的稿纸，且莫急躁烦恼、灰心丧气……

让我们冷静下来，促膝谈心。

你爱文学，你尤爱小说，读过不少，你也有生活，有创作冲动，可为什么你写起来却这样吃力？为什么往往开头笔尖能潺潺地流出灵感，而中途却枯涩了，以至于总不能写出成形的作品？

原因可能很多，但我以为最主要的一个原因，恐怕是你还没有学会构思。

没有一个完整的构思，很难写出一篇像样的小说。

北方住平房的人，没有暖气设备，便需生火炉取暖。为了生燃煤炉，首先需要劈柴和引火纸。两个人在两间屋生两个火炉，给他们同样数量的劈柴和引火纸，一个生着了，另一个却生不着。为什么？就因为前一个人善于把劈柴劈细，并且善于把它们在炉膛里架得既互相交错又留有通气的空隙，而且他也善于使用引火纸，所以火柴一点，不一会儿炉里便跳动起红色的焰苗，趁势将一定的煤球倒进去，一炉火便生着了。而后一个人虽然有同样多的材料，却鲁莽地将它们一股脑儿扔进了炉膛，引火纸被劈柴压得堵死了炉箅，劈柴间几乎没留下什么空隙，结果火柴一点，先冒浓烟，下面的劈柴尽管燃了，上面的劈柴却仅只是发黑发烫而已，空气不对流，终于熄灭……

写小说也是这样。光有素材不行，你还得善于安排和使用素材。而这主要就得解决一个构思的问题。

你的写作冲动，可能主要萌发于一个你熟悉的人物，或者主要萌发于一件使你感兴趣的事情，有时还可能萌发于一个场面，一句惊动你的话，一种袭上你心头的强烈的情绪……

千万不要仅仅有了一种朦胧的写作冲动，便盲目地铺下稿纸动笔。

要保持这种冲动，但更要丰富它、发展它，使它由点及面，由面及体，好比给予一粒有生命力的种子以适当的土壤、温度、湿度、阳光、肥料、空气……让最初的胚芽，冲破外壳，钻出土壤，伸出根须，挺出茎叶……

最初的胚芽如果是个人物，那么在构思中就要让这个人物行动起来，他（或她）的行动会受到环境或他人的什么干扰、限制、阻挠？这就要为他（或她）设想出矛盾冲突，在这矛盾冲突中去表现他（或她）以及对立面的性格、风貌、思想、品质……要寻找最恰当的场面、细节和他（或她）的最准确的心理状态……

最初的胚芽如果是个事件，那么在构思中就要把生活中你所看见或听到的这个事件加以解剖，从中分析、综合出必需的人物形象来，确定以哪一两个或更多的真实人物为模特儿，哪一些真实的人物则可以溶合进艺术形象中或加以舍弃，并顺着事件发展的脉络，为设计好的人物形象寻找外部动作并摸索他们的内心状态，当然，也要考虑好最生动的细节乃至最有表现力的"贯串道具"……

总之，构思的过程，我以为也就是从原始冲动这个胚芽为起点，从各方面去促成它生根出芽、挺茎张叶、开花结果的过程。构思完成的标志，应当是"胸有成竹"——也就是整篇小说的主要人物、次要人物、故事情节、主要场面、必需的细节……乃至有着特殊意义的道具、对某些人物心理状态进行描摹的大体设想、某些人物的重要语言，等等，都在脑海中大体确定下来了。

这样确定下来以后，再动笔去写，多半就不至于半途而废，或者虽然写完却自己也不知所云、成为废稿了。

朋友，你可能会问：一篇小说的题目，究竟是事先定下呢，还是写完以后再回过头来定呢？这与形成构思，有什么关系呢？

据我所知，不同的作者有不同的习惯。有的作者的构思过程，从某种意义上来说，也就是选择一个富有深意或别具特色的题目的过程。对这类作者来说，小说题目的命名是一件很要紧的事，什么时候题目定下来了，构思也便大体完成了。另一些作者则不大在乎小说的题目。他构思时全然不去为题目伤脑筋。他构思好了，一气呵成，然后再回过头来，为自己的小说定一个题目。他们定下的题目往往很朴素，他们相信自己小说本身的力量，并不依靠一个新鲜题目来吸引读者。这两种作者都可能产生杰作，也都可能出现败笔。也有的作者因篇而异，这篇可能先定准题目，那篇则是完稿后再说。我自己比较多的是先定下题目。我以为初学写作时，还是用选择题目的办法来调整自己的构思比较有抓挠。比如说我在 1982 年第一期的《北京文学》上发表了一篇《八十六颗星星》，这篇小说写了一个下肢瘫痪的少女，实际上是患了癌症，她的家庭经济不富裕，文化也比较低，她的天地很小，然而她和她家里其他的人心灵都很美好，他们在平凡的、琐细的、不被人注意的情况下，默默地为我们这个社会做着他们微小然而不可缺少的贡献。在构思中，我不断调整下笔的角度，我想来想去，觉得这样一些人物，这样一段事情，没有什么矛盾冲突，缺乏戏剧性，恐怕一般的写法，不足以引起读者的阅读兴趣；于是我决定从诗意的开掘上下工夫，我为主人公设置了这样一个环境和心理状态：从她卧病的床位上朝窗外望去，每夜只能望到一块不大的天空，她多次数过，最多曾从那块夜空中数出了八十六颗星星，于是她默默地问自己：我还能活上八十六天吗？我还来得及做八十六件好事吗？……我决定把这个当做这篇小说的"戏眼"，于是便定下了《八十六颗星星》的题目，铺开稿纸以后，我首先写下的就是这个题目。这种构思的方法绝不是唯一的，更未必是最好的，朋友，我不揣浅陋，竭诚地讲给你听，不过是为了给你提供一个实例，以备你参考。

构思的过程，既是甜蜜的，也是痛苦的。这就仿佛胎儿躁动于母腹中一样。怀胎一般需满十月，方可一朝分娩，构思一般也需经历相当的时间，方趋成熟。急于求成，仓促成篇，常会造成"流产"，许多作者都有过这样的教训：很饱满的创作冲动，很不错的创作素材，很有希望的艺术构思，本应写出成功的作品，却仅仅由于急躁，一下子弄成了半生不熟的东西，创作热情消退了，创作素材糟蹋了，艺术构思无从修补，只好不了了之。"夹生饭"是最令人难堪的，朋友，精心地构思吧，千万不要煮出"夹生饭"！

构思成熟了，下笔写时，必得拘泥于预先的构思吗？越是有功夫的作者，他越不拘泥。构思的成果也许是一个详细的提纲，但下笔写时，应当既尊重这个提纲，更尊重生活本身和笔下人物自身的发展逻辑。列夫·托尔斯泰写《安娜·卡列尼娜》前，有着充分的构思，然而一旦下笔写了起来，安娜这个形象便有了相对的独立性；结果，写到最后，连托尔斯泰本人也吓了一跳：安娜决定卧轨自杀！托尔斯泰说他笔下的人物跟他开了一个大玩笑，这件事情值得我们细加揣摩。如果说构思的过程便是将素材来回来去地摆弄、消融、调适的过程，那么下笔后更应是这样一个过程。朋友，你写得多了，运笔自如了，常常会从笔下涌出一些构思中没有的随处点染、涉笔成趣的"作料"来，甚至会在中途增删、扭转你原有的构思。这说明构思是贯串于创作全过程的，甚至在完篇后的反复修改中，你的构思活动仍在继续，直到定稿，一篇小说的构思，才算凝固于成品之中。

磨炼构思能力的最好办法，是反复研读名篇，不是一般地读，而是边读边琢磨：作者是怎么形成、完成并体现他的构思的？

朋友，今夜的星光照耀着你，明晨的彩霞迎接着你，你精心构思、大胆创作吧！然而你应当懂得，要写出像样的作品，仅仅有一支笔，一叠纸，这还不够……

这里头大有学问。让我们经常保持联系，共同钻研吧！看，成功的星辰正在天空闪烁，召唤着我们……

与林斤澜书

斤澜同志：

你一定记得，第四次文代会闭幕的那天，你我在人民大会堂等待茶话会开始的那段时间里，推心置腹的一席谈话吧？我们还没来得及尽抒心臆，茶话会便开始入场了，这以后我们再未得谈话机会，本想会后抽空到你家再求促膝之乐，又听说你已赴太湖之滨，参加一个座谈会去了，因此我决心写此信给你，进行一次恳切的笔谈。

那日谈话时，你问我最心爱的当代文学作品有哪些，我说其中有孙犁同志的《铁木前传》，你不禁吃惊，因为你觉得我写的那些东西，格调实在距孙犁同志作品甚远。你的惊讶是有道理的,我爱在短篇小说里发议论,描写上往往粗疏直憨,而孙犁同志的作品全凭形象说话,笔触细腻明丽,我既私下里尊崇孙犁同志为师,却为何操起笔来却又背师道而逆行呢?

说实在的,这个矛盾现象,我自己一时也解释不清。我只想到:风格,这是一个作家在艺术上追求的极致,而风格是最不允许仿效的,因为风格绝不仅是行文的方式,它首先是作家思维习惯的体现,它融铸着作家对自然、社会、人的独特感受、见解和渴求,难怪人们常常引用这句话:"风格就是人。"我爱孙犁同志的作品,主要就是爱他作品的风格,我觉得从他的一系列作品中,可以想见他为人的风度——孙犁同志这次因病未能出席文代会,我未能实现同他认识的愿望,实在是一大憾事——如果说,许多前辈作家的作品都对我起过启蒙的作用,如李劼人的《死水微澜》使我悟出"从一粒米看大千世界"的取材方式;王汶石的《春夜》使我悟出细节描写和气氛烘托的重要性;杜鹏程的《在和平的日子里》使我悟出内心的开掘远比外在的描摹更为有力;骆宾基的《山区收购站》使我悟出生活积累的硬功是作品坚实的基础……而孙犁同志的《铁木前传》对我的启蒙,则主要集中在这一点上——它使我悟出艺术性的精髓就在于独特的风格。

我爱《铁木前传》,自它的单行本印行以后,我已读坏了四册,我曾经迷醉地背诵过其中不少段落,我逐句逐段地研究过它的行文,还在边上涂写过不少心得和评语;但是有一个问题我迷惑不解:为什么这样一部艺术精品,问世二十多年来,却一直未能得到充分的评论与肯定?

是你,分析了我们文学批评工作的状况,为我解答了这个问题。你说,多年来,我们的文学批评的路子一直比创作更其狭窄。过去的且不去说它了,即以当前而论,报刊上的文学批评文章虽然不乏少数精彩警人之作,但大多数仍属以下三种:一、理论性的,往往流于从政治路线上表态,似乎完全无暇从艺术性角度来探讨问题;二、新作品评析,大多着重乃至全部从作品的思想内容上去分析优劣,说到艺术性往往只有寥寥几段乃至几行,而且大多用"瑕不掩瑜"一类空虚的字样来敷衍塞责;三、经典作品分析,这种文章能够作艺术性上的阐述了,但大多停留在"人、手、刀、口、尺"的幼稚阶段,一提契诃夫,总是《变色龙》、《套中人》,永不见分析到《带小狗的女人》、《亮光》;一提莫泊桑,总是《项链》、《羊脂球》,永不见分析到《俊友》、《温泉》……谈中国的,当代部分虽也能提到孙犁,但总是翻来覆去地评介《荷花淀》,似乎那就是孙犁同志创作的峰巅,而绝少提及《铁木前传》——并且这类分析又往往并不能深入、准确地探讨风格问题。在这样一种文学批评的状况下,与政治路线的斗争联系得不那么直接紧密,其思想内容的含意又不那么直露应时,其艺术技巧又不是"人、手、刀、口、尺"之类普及性分析所能容纳的《铁木前传》,自然便会遭到冷遇了。

而《铁木前传》作为我国社会主义时期文学创作中出现的一块美玉,它是多么值得认真地、深入地、细致地加以研讨啊!我以为,这是一部彻底地摒弃了任何公式化、概念化的因素,真正地从生活本身出发,从生活中真实的活生生的人物出发,去探求真、善、美的一部精心结撰之作,它虽然只有四万五千字的篇幅,却足以扫荡四万五千部从概念出发、文笔拙劣的"纸砖"。作者在探究农村社会主义改造初期,各种人物的人性,以及人物同人物的人情方面,深入到了多么细微的程度啊!像九儿、四儿、黎老东这些人物,是不能贴上"走社会主义道路的积极分子、先进人物"这类标签就能解释清楚的,特别是九儿这个形象,作者对她的人性美的细微入发的展现,体现着作者对我们这个时代,我们这个时代的主人、我们置身其中的生活的发展方向的一种美学上的追求,这种热切的、执拗的、深沉的美的追求,使得九儿这个形象获得了一种接近永恒的性质,你看,经历过了那么多年的风云变幻,到如今农村经济政策的调整,引起了人们对过去走过的道路那么多思索,以至使得一些十几年前享有盛名的农村题材的作品,在读者乃至作者本人心目中都动摇着其美学价值的当口,《铁木前传》却犹如经霜愈美的菊花,九儿这个形象也葆其芬芳的劳动人民的人性美而魅力未减,这不能说不是一份值得总结的经验吧!至于作品中的六儿、黎大傻夫妇、杨卯儿这些人物,就更不是用"中间人物""落后人物""反面人物"这类简约化的标签所能解释得了的。特别值得文学批评家们写专论研讨的,是小满儿这个人物,这是作者在美学上的一次探险，他为我国自"五四"运动以来的新文学的人物画廊，增添了一个不寻常的、绝不与任何其他人物雷同的、独特而又真实的新形象。一切冬烘式的评论家都会在这个形象面前咋舌却步，而一切尚有艺术感应力的读者却都会在这个形象面前得到一次震撼。总起来说，我认为孙犁同志的风格，首先还不在于一再被人们称颂的语言明丽自如，描绘细腻入微，而主要在他对描绘对象的内心世界的孜孜不倦的、深入透辟的探求。我们出了某些这样的中、长篇小说——其中的每一个人物，都"恰如其分"地体现着其隶属的阶级或阶层的共性，他们的灵魂似乎都经过了一次蒸馏，干净到无时无刻不在体现着阶级性，几乎不再含有任何阶级性以外的"杂质"，他们的个性只不过是外在的一些差别：有人粗鲁有人文静，有人莽撞有人精细，有人果断有人迟疑……如此而已；这些小说中的人物全都围着一场作者所设计的"中心事件"转，他们的一言一行、一笑一哭，无不依附于这个"中心事件"，仿佛除了为在这个"中心事件"中体现出他们所代表的阶级的阶级性外，竟无别的事情可做……这样的中、长篇小说也可能文笔十分流畅，语言相当波俏，某些场景的渲染也很有生活气息，细节安排上也颇为别致精巧，但这样的作品实在是不能与《铁木前传》相比的，因为那些作者笔下的人物不过是躺在纸上的人物，是由着作者凭主观意志呼来唤去的傀儡，是某种观念和既定主题的绣像图；《铁木前传》中的人物则与其说是由孙犁同志写出来的，莫如说他们实际上是从生活中透过孙犁同志的笔尖跳到读者眼前的，他们带着生活中的真实灵魂的全部复杂性，驱使着孙犁同志带领读者一同去探索、去解释、去爱去憎、去奖去罚……像小满儿这个形象，孙犁同志在小说中借对那位下乡干部的心理描绘提出了这样的看法："了解一个人是困难的，至少现在他就不能完全猜出这位女人的心情。"作者没有让这位干部硬猜，自己也没有站出来硬作解释，并且也不希望读者根据简单的"阶级分析法"提出一种公式化的"谜底"，这是一种尊重生活、尊重活生生的人，也尊重艺术的极其严肃的现实主义创作态度。斤澜同志，难道这种对中国农民丰富而复杂的灵魂的独特的探求，不正是孙犁同志作品风格中最突出的一点吗？值得我们注意的还有，《铁木前传》并没有人为地设置什么

"中心事件"，它只有短短的四万五千字，但它所描绘的小小村落中的生活，包罗着多么丰富、多么厚实的内容啊；作品没有生硬地去安排社会主义势力同自发资本主义势力的"一个回合又一个回合直至胜利"的情节，但作品的内容又紧扣着时代的脉搏，在作品的每一个片段里、细节里，又极其自然地、真实地、深刻地渗透着这样一场深刻的冲突，虽然作品中的每一个场面，每一个波澜都是精心构思、工笔勾勒出来的，但看去又像未经雕琢的生活的原始面目那么自然浑成。唉唉，我几时才修得到这般的艺术功力？写到这里，我忆起《光明日报》上就我的作品所展开的讨论，后来这场讨论被称作"短篇小说艺术风格讨论"，这场讨论对我来说是极其有益的。老实讲，这一点自知之明我还是有的——我的短篇小说只能算是在磕磕绊绊地摸索着一条路子，还远说不到已经形成了什么风格；在孙犁同志这样的大师面前，我为自己那些窳陋的习作感到脸红。但是我不羞于谈论风格，我不怕别人说我狂妄——我的确渴望着形成自己独有的风格。如果我没有这样一种追求，我觉得反而对不起孙犁同志这样的前辈，也对不起《铁木前传》这样的精品对我的哺养；如果一个作者仅仅是追求发表的数量和短暂的轰动，而不追求自己独有的风格，那他怎么可能成为一个有出息的人呢？

我仰慕孙犁同志，我热爱《铁木前传》，我愿借鉴他那种以亲切而温情的态度去深入探究人物灵魂的艺术风格，但我却不能走仿效他人风格之路，因为风格，这应当是一个作家独特的生活道路、独特的性格气质、独特的思维习惯和独特的表达方式的总和，而且风格的形成也往往受着时代潮流、客观氛围的制约；我把自己的小说写成了目前这个样子，虽然也浸透着对生活真挚、痛切的思考，却不能如孙犁同志那么高瞻远瞩、心平气和，我不能冷静蕴藉地描绘而是不断地发出急促、紧迫的呼号。仔细想来，这实在并不是偶然的，我正当步入青年时代，灵魂尚未磨炼得纯净刚强时，便遇上了民族的一场骇人听闻的浩劫，我的灵魂被扭曲过、煎熬过，当它从欺瞒和混沌中清醒过来时，不免愤激，也不免还挟带着还未洗涮干净的污泥浊水，所以它的呼号未免过于直露，而在描写中带出的议论又往往失之于缠夹不清、啰唆重复；今后我应当力求保持痛定思痛的强烈爱憎和清醒后的敏锐感，同时逐步地使自己能对人物和事件作出较为冷静、细致的描绘，使议论的成分能更为精当有力，也许，我有希望终于形成自己的一种个人风格吧？斤澜同志，请你在这一点上多多对我指教！

说到你的风格，斤澜同志，我以为那是非常独特和鲜明的。我接触到的许多同志，特别是中年以上的短篇小说作者和爱好者，也都这样看的。那天在人大会堂，你坦率地说出了你的苦闷：你近一两年发表了不少新作，有的是溶入了大量心血的力作，但是无论是读者还是专家，总的来说，反应都比较冷淡。你问我："是不是时代前进了，而我的这种写法不合时宜了？"这些天我一直在琢磨这个问题。记得今年年初，参加《人民文学》举办的全国短篇小说评奖会期间，我和王蒙、邓友梅、陆文夫等同志就议论过，以为你发表在《人民文学》上的那篇《竹》，似应列入得奖作品之中。当然，评奖活动是初次来搞，难免挂一漏万，况且你和许多未入选的短篇小说作者也不会因此介意的，但我仍愿把我们的这样一种想法告诉给你。这就说明，你的独特风格并不是没有知音的，而且，据我所知，嗜爱者还是大有人在的——前些时河南作家徐慎同志来我家叙谈，说及你发表在《上海文学》上的《开锅饼》和《拳头》，我们不约而同地发出了由衷的赞叹；此外，你发表在《十月》上的《膏药医生》，也有不少同志认为是一篇不可多得的佳作。

我曾开玩笑地对你说过，你的小说是"冷色小说"；是的，现在绝大多数作者所写的东西，都可以说是以暖色为主，或者竟完全是暖色，也就是较多地采取激昂慷慨的叙述方式，较多地塑造性格热情奔放的主人公，较多地追求奇兀曲折的情节，较多地采用明丽铿锵的藻饰，而你的小说则不然，叙述的语调是冷静沉稳的，塑造的多是些内省多于动作的人物，情节从平淡中逐步向内在的冲突开展而往往又复归于平淡，造句多用不要定语、状语的短句，因此，的确给人一种"第一是冷静，第二是冷静，第三还是冷静"的感觉。我以为你的短篇在结构上是最讲究的，绝不甘心于"何时何地何人何事"的原始叙述公式，因此绝不像是中、长篇的浓缩的提纲（而这恰是目前许多短篇小说结构上的通病），打个比方说，你是在引导读者游览苏州园林，你的导游公式，绝不是一步步由门而廊，由廊而亭……而是一下子使读者立于园林中心的九曲桥上，只觉得四面皆景，诸景交错，刹那间难免有点眼花缭乱，摸不着头脑，而在你再加引导后，方能领略出园林胜景之妙。难怪一位青年读者对我说，他初读《拳头》不知何意，再读《拳头》颇觉有趣，三读《拳头》而终于喜爱。我想，这说明你的短篇确实不具备苹果、鸭梨那种触口即令人爱的风格，如果你不生气的话，我想爽性比之于苦瓜，初尝苦瓜的人无不以为各色难吃，但多尝几次以后，也许便会喜好成嗜，无论荤素清炒、辣炒，都要赞不绝口了。斤澜同志，我以为你不必发出"不合时宜"的兴叹，你的独特风格，一定会逐步赢得更多的欣赏者的。

但是，诚如你自己所感，目前广大的读者和评论界，的确对你的作品比较冷淡，就是孙犁同志的《铁木前传》，在书店中也绝不是畅销书，一些醉心于学习写小说的文学青年，他们可以到处去抢购《希腊棺材之谜》，而还不懂得买回一本孙犁同志的《村歌》精读后能获得多么有益的启示与熏陶。这就说明，畅销书不一定都是最好的书，而不畅销的书倒未必不是最好的书。大约是从去年起吧，报刊上提出了"人民群众是文艺作品最权威的评定者"的口号，按我的理解，这个口号是针对某些以"长官意志"代替科学批评的领导同志，以及某些棍棒专家、帽厂掌柜提出来的，从这个意义上说，这个口号是了不起的，应当举双手拥护，因为它体现着从社会实践看作品优劣的唯物主义原则。但是，我以为对人民群众的评定，也不能作机械的理解，比如，单纯看什么最畅销、什么得到的信件、选票最多，便判定什么是最优秀的作品，就未必十分科学、准确。畅销，得到的信件、选票多，自然是好现象，说明作品是人民群众喜闻乐见的，予以重视、表扬、奖励都是必要的；但由于人民群众的艺术鉴赏能力不是一刀齐的，而且往往多数只具有中等水平，对某些题材不那么应时、艺术风格比较特别、含义比较高深、手法比较新奇的作品，人民群众中的多数不一定欣赏，只有少数人欣赏，这时候，"少数服从多数"的原则就不适用了，当然也不能用少数人的意见去硬性统一多数人的意见，这就需要专家们出来做工作，对确实优秀却一时不能为大多数人理解的作品加以解释，这一方面提高了人民群众的鉴赏能力，另一方面随着鉴赏能力的提高，人民群众的多数也就会对某些以往的"冷门"作品生出浓厚的兴趣、发出由衷的赞叹，而一些经不起时间考验的"热门"作品，虽然有过一时的畅销与声誉，最终却会被时间冲淡到消失于大多数人的记忆之中，文学史上这样的事例难道还少吗？鉴于此，我以为我们搞作品的人应当只问耕耘，不问收获（不是不求积极的社会效果，而是不计较一时的反响），"打响了"不必沾沾自喜，未"打响"也不必妄自菲薄。我的短篇小说在青年读者中颇有市场，反应可谓比较强烈，写出的东西也算畅销吧，但我清醒地意识到，一方面，这说明我也许有自己的长处，要保持；另一方面，这种轰动未必能经受时间和历史的考验，我要想写出真正能传下去供后人认识今天和得到美的享受的艺术品，功力其实还差得甚远，万万不能沉溺于浅薄的虚荣心之中。斤澜同志，我真诚地认为，我的某些名噪一时的短篇，其生命力未必有你们前辈作家不那么轰动的力作为久，因为后者在艺术风格上更为成熟，即使脱离了产生它们的时期，仍能传达出一种艺术感受上的魅力，所以，我需要老老实实地向你们学技巧，对于你，我特别要学安排结构的匠心，学干净利索的叙述方式。我有个雄心壮志，我是在博采众家之长的基础上，坚持闯我自己的路子，努力使自己也终于形成一种风格，使自己的作品也能获得美学上的长久的价值。

好，就写到这里。你如一时不能返京，盼得你回信；你如近日返京，盼早日面聆教诲。

握手！

刘心武

1979 年 11 月 25 日

艺术个性问题浅谈

一个青年作者问我：你能写出这些短篇小说，想必你的个人经历非常复杂，非常丰富，你的视野非常开阔。当然，一个人经历丰富，视野开阔，对创作是会很有帮助的。但是，我的经历却非常简单：1942 年出生，解放时七岁，然后上小学、中学，然后上北京师范专科学校，毕业后分配当中学教员，当了几年中学教员后，到出版社当个编辑，编了一段《十月》杂志，今年四月调到北京作协，成了专业创作者。我们每个人的经历，不管复杂也好，简单也好，我们每个人都是独立的个体，我们要珍惜我们童年、少年和青年时代的种种感受。我当了十几年教师和几年编辑，熟悉了我周围的生活，积累了不少素材，对我走上文学道路很有帮助。

文学的作用是什么呢？现在很多年轻人要求我们的文学作品能够不断帮助他们解决生活当中的实际问题，不断对社会生活中的重大问题表态，不断把街头巷议的大实话反映到作品中来。但我感觉文学艺术不可能长期地承担这样的历史任务。现在有人看到社会上一些阴暗的东西，如官僚主义，裙带风，对人民群众的疾苦漠不关心，大吃大喝，特权，希望能及时在文学作品中得到反映，帮他们出出气。文学虽然也多多少少能起到这个作用，但这不是文学长期的稳定的一个任务。王蒙同志讲过一段话：你们老要求我们反官僚主义，其实我们在这方面又能起多大作用呢？我们不但不能通过几篇小说打倒官僚主义，我们本身却很容易被官僚主义打倒。当然，反官僚主义、反特权、反封建残余，这种强烈地干预生活的作品，也构成整个社会舆论的一部分，对阻碍我们社会生活健康发展的腐朽势力有着鞭挞、遏止的作用，但这种作用是有限的。要求作家通过几篇作品解决生活中一些重大的社会问题，实际上是不可能的。

那么文学艺术就没有作用了吗？不，有作用。它的作用主要不是在解决具体问题上，文学作品更重要、更持久、更独特的作用是陶冶人的灵魂，进行心灵建设。它可以使你更自觉地意识到你是一个大写的人。因此，你读了大量的好作品以后，就会加强你作为一个人的尊严感，促使你真正地自爱，促使你去和别人建立一个和谐的关系，使你有一种人道主义的博爱精神；文学可以使你产生事业上的进取心、奋斗精神，给你灵魂以安慰，能够满足你对周围一切美好事物的一种欣赏的要求。当然，文学还有加深你对过去、现在、将来的世界的认识作用，但它这个熏陶、塑造优美的灵魂的作用，是绝对不能忽视的。我们这个社会上有些"幸运儿"，生活中所有物质享受他都不缺乏，但这样的人也有极其悲哀的一面，他们完全不懂得文学，他们的灵魂是非常苍白的，甚至是肮脏的。人的生活，只有在精神和物质两方面都达到丰富和美好，这才是幸福的。文学更多是解决心灵的问题。所以我呼吁读者和文学爱好者，不要过多地让文艺去承担它承担不了的任务，那样会出现一些相反的效果。有些读者，他们对作者的要求就是，你在政治上越大胆越好，你写一篇评价毛泽东的！但这个问题通过一篇艺术作品去解决是很困难的。还有一些读者说，你写一篇反特权的，官儿写得越大越好，否则你就是胆怯，要不就是受了"招安"了。我以为这是一种偏激的情绪，同时也是对文学的独特功能认识不足。我希望不要在文学作品上过多地去追求写一种刺激性的题材，政治上大叫大喊，企图通过文学作品表达一种不同的政见，等等。还是让文学能够朝它本身的优点方面发展，更多地去注意人的心灵的问题，不一定和政治挂得那么紧，许多问题可以由政治家去解决，或者通过你的非文学的政治活动去解决，而不要把这一切完全压在文学这个担子上。文学还是陶冶人的心灵，使人们对生活产生信心，使人们感到生活得更有意思，使自己和别人都变得更美好。

当前的中短篇小说创作的发展趋势非常好，好在走向了多元化，主要特征就是，作家的艺术个性开始显露出来。这大体上表现在两个方面：一个是作家对生活观察有独特的眼光，他在生活中有独特的发现；一个是表达自己发现的时候有越来越多的独特的表达方式。

例如蒋子龙同志，他对生活的观察着眼于大处，研究和反映一些重大的问题，他在表达这种观察的时候有特殊的方式，他的文笔好像用大的排笔在那儿挥舞。而张洁，目前对生活的观察更多的是投向道德伦理领域里面，投向人的内心领域当中一些细微的部分。这些部分往往不为社会上多数人所关心和理解。如她最近发表的一篇小说《漫长的路》，提出在生活中人能不能欣赏人这样一个问题来探讨。这是全人类都面临的一个问题，在中国多少年来不许提这种问题，她大胆地提出，而且予以肯定：人类社会将来一定会进化到这样一个境界。我觉得这反映了她观察生活的角度很特殊，很有个性。

再如王蒙，现在大家比较注意他在形式上的探索，我觉得应该更多地琢磨他对生活观察的特点。我对他这个特点有点体察，王蒙对生活的态度带有一种浓郁的幽默感，在他的小说里面，即便是写一种让大家很气愤的事情，也往往采用一种轻松的、诙谐的、笑骂的笔法。我以为这是王蒙的思想趋向成熟的表现，不像我们一些年轻的同志，看到不合理的事情，就急躁烦闷，痛不欲生。他主张采取另一种手法——巧斗。作者对生活形成这么一种看法，所以在作品里经常把极端相反的意思搁在一个句子里。他有他的艺术个性。

又如从维熙，他经常写冤案，写监狱里的情况。他的作品里，男女主角一定有一个基督般的受难者的形象，表现一种在非人境域里却非常高尚、纯洁的伟大人格，能够拨动许多富有同情心的读者的心弦。在艺术上他追求情节性，悬念很强，色彩非常浓烈。

还有谌容，她对生活充满温情。她的作品有同蒋子龙接近的地方，抓住了一些重大的社会普遍关心的问题。比如中年知识分子的境遇问题，这是牵动千百万人心弦的问题。但她又有跟张洁相近之处，不让人物在剧烈的冲突中表现自己，而是从细微的生活琐事中去表现自己，完成一个重大的主题。她的《人到中年》中对"马列主义老太太"的抨击也很含蓄，女主角陆文婷并不与这个"老太太"构成长期稳定的矛盾。她在艺术处理上很有自己的独到之处。

北京还有一位女作家叫宗璞。去年她的一篇小说《我是谁》引起了不太广泛但很尖锐的争论。它体现了宗璞对生活的独特看法。这绝不是一篇响应政治家号召的作品，也不是一种现成的文艺理论感召下的产物，完全出自作者本身对生活的理解，是从作者自己的生活经历、家庭教养、性格气质、艺术修养等各种因素的交互作用中产生出来的。艺术个性很强。她认为，我们当前关于人的自我意识、人的尊严问题还没有解决。她在北大校园生活过，对"牛鬼蛇神"这种字眼的出现和大规模的人身侮辱场面深有感触。当时那一系列的做法，都是为了硬把人弄成不是人的样子，践踏人的自尊，所以在那种情况下就得考虑"我"究竟是什么的问题，于是她构思了这篇作品。宗璞不是简单地模仿别人，而是从许多她涉猎过的作品中寻找出最能为她消化、为她所用的艺术语言，来发展自己的艺术个性。

孔捷生小说创作的发展也很快。从《姻缘》开始，一步步往前走。最近他发表的一篇小说《那过去了的……》很值得一读。他开始找到了他自己对生活的独特的聚焦点，找到了自己的艺术个性。他就是写社会生活中妨碍人与人之间建立美好关系的复杂的社会因素。这是一个在很长的历史时期带有永恒性质的问题。当初他写《姻缘》，路子很明显，从政治角度、政策角度着眼。后来他觉得自己并不具备那种写国家政治经济改革中的重大问题的艺术气质。所以在《因为有了她》那篇小说里，他就更多地接触青年人思想感情方面的问题。这是一篇过渡性的作品。经过反复实践，他终于意识到，根据他的个人性格、志趣，不可能走那样一条创作道路——在每篇新作品中提出一个重大的社会问题，所以他就完全排除了自己不适应的东西，而充分地发挥自己的长处，向当代青年的感情生活领域深入，去形成自己的艺术个性。

有人问我，《爱情的位置》这篇小说是不是"两结合"的一个尝试？我认为《爱情的位置》是一篇肤浅的作品，不但浪漫主义谈不上，连现实主义也很不充分。这是那么一个特定的历史阶段的特定的产物。当时我的想法很简单，就是把爱情题材拉回到文学领域里来，冲破禁区。这也是一篇过渡性的小说，没有长期的艺术欣赏价值。对《班主任》这篇小说，我敝帚自珍，觉得多少有点儿个性，对生活有点儿自己的发现，作为艺术形象的谢惠敏算不上丰满，但通过她多少体现了我对生活的独特看法，这就是我今天进一步去追求艺术个性的一个萌芽。

艺术个性是绝对禁止模仿和追随的，有些年轻作者，有时他们很激昂，但自我感并不强。你要发现自我。这种艺术个性是和一个人的生活经历、家庭背景、社会环境、风土人情、性格气质乃至你的遗传基因都有关系。你应该尊崇名家的独创性而不必崇拜他具体的言论和写作路数。他唤起了你的良知，使你觉得自己也应该是艺术上独立自主的人。你的艺术个性应该从你的自我特殊性出发。

关于人性的问题，我呼吁大家都来关心。现在很多人对这个问题麻木不仁。当然，我们是马克思主义者，我们要确立的，是马克思主义的人性观。十多年的"文化大革命"，我觉得人性大沦丧，大规模的人身侮辱、人格侮辱，在人类文明史上恐怕是不多见的。戴高帽、挂黑牌……各种各样的形式，总之就是不但要残害受害者的肉体，残害他的信仰，而且要改变他作为一个人的基本形象。种种手段，都是为了从视觉上、感官上让他不是人。这样践踏人，我觉得对那些给别人戴高帽的人来说，本身也是一种人格的侮辱。这是一个很大的问题，很值得研究。为什么发生了这种情况？怎样认识？怎样杜绝？不能容忍这种现象再存在下去了。我的这些想法，将会陆续地体现在我的新作品中。这也许并不是独特的见解，但我要顽强地表现我的观点，我对生活的聚焦点可能会在较长时间内集中在这一点上。

现在中短篇小说的艺术个性越来越明显，呈现多元现象。对这种现象，有些人反对，觉得大势不好，要打破一元化状态他们很不习惯，他们对呈现多元化多元状态感到非常惶恐。所以现在关于创作方法的讨论都是停留在允许不允许呀、要不要呀之上。其实，排除了政治方面的因素不论，任何一种文学艺术作品的存在都是天然合理的，只有美与不美的问题，你只能是用你的美学观念来衡量它，判定它美不美，并且通过人民群众和时间的筛选，通过自由竞赛，来解决问题。我们长期存在着一些简单的一元化的艺术批评标准，如认为主题思想必须明确，其实有些文学作品的主题是丰富而不明确的，主题思想清楚的作品只是众多文学作品中的一个品类。在国外，早就有一些优美的文学作品，它的主题思想就是不清楚的。应该允许一部作品有好多个主题。如王蒙的《风筝飘带》，我认为是交响乐式的，有主旋律，有副旋律，配合得非常和谐，而且很难说出主题是什么，但它完全可以和《谁是最可爱的人》一齐并存嘛。我们过去还一律要求一篇小说结构要均衡，头尾要照应，说实在的，这是一种古典的写法。现在外国小说中就有追求结构不均衡的。不均衡搞得好也能产生美感。再如过去一律要求小说中的人物性格突出、丰满。王蒙说过，要求人物个性鲜明突出，那我们三十年的文学作品，最成功的形象算是相声《买猴》里的马大哈。但是他是不是一个很成功、很美的艺术形象呢？恐怕不是。由于艺术上这种一元化的要求，使我们作品里往往都是性格畸形的人物。你不是要让人物性格鲜明吗？那就只好让人物性格特异化，向极端发展。现实生活中性格平庸的人也是很多的，这些人难道不能成为文学作品的描写对象吗？我们应当更多地展现人物的内心。还有，过去一律要求细节，成了我们一元化的美学体系当中极其重要的法宝。重视细节的小说当然可以成为很好的小说，生命力很强，但不重视艺术细节的小说，在国外大量存在，也拥有大量的读者，艺术上也有独到之处。所以我们的思想应该活跃一点，应当允许有不同的美学观念，不同的艺术实践，不同的艺术批评标准，以及不同的艺术欣赏趣味。

我觉得，对艺术个性的发展，有些人老在那儿反对，是没有道理的。有人认为一些文学作品情调不健康。这个问题比较复杂，我主张仔细加以研究。文学毕竟不是医学，在文学艺术领域里面，不健康往往构成一种很要紧的美。如林黛玉的形象，读者读后感到一种病态的美。我们中国的金鱼、菊花，其实都是使野性状态的健康物种向病态发展，达到一种特异的美。所以我们的思想一定要从僵死的框框里解放出来。另外感到不满的，是批评界对艺术个性问题的冷漠。一些批评家的敏感性不足。更多的是从文学与政治关系上去分析作品。所以他感兴趣的作品还是一些重大政治、社会问题题材的作品，而对一些向道德、伦理、人性领域、人的感情领域里发展的作品重视得不够。我希望有更多的文学批评家能够重视现在文学艺术创作个性的产生，而且要维护艺术个性的发展，指导艺术个性的发展。

1980 年秋

绿窗明月在

——读王任重同志《读书笔记》

一年前得到王任重同志题赠的《读书笔记》（中共党史资料出版社 1989 年 11 月北京第一版），近日从书架上取出细读，感慨良多。

书前有作者的《我的一点说明》，不过五百多字，却携带着三十年历史的沉重感。《读书笔记》是作者在 1961 年和 1962 年，阅读《资治通鉴》时写的一些笔记和杂感（即按语），当时并未公开发表，只在湖北省委内部刊物的增刊上印了一下，供省内一定范围的干部们参考。当时作者正届壮年，公务繁冗中犹能读史，读时能联系现实中的诸多方面作有益的思考，并能展纸录下自己的一得之见，又能竭诚地奉献于同仁以作参考，应当说都是难能可贵的。但到了 1967 年 9 月，反革命文痞在《红旗》杂志上抛出了《评陶铸的两本书》的长文，除攻击诬陷陶铸同志外，还附带给王任重同志扣上了一顶"反革命修正主义分子"的吓人大帽，置之于死地；而根据之一，便是现在才公诸于世的这些读《资治通鉴》的笔记。

在我们后辈人读来，这些读史笔记固然可以如作者所说，从中"学习一些历史知识作为借鉴，对于克服主观主义、官僚主义，关心群众生活，密切联系群众还是有益处的"；但同时，我们也能从中获得这四十多年来我国政治文化发展阶段中的多种印记。现在公开的这些笔记，分两部分，据作者说明，"除个别词句有所增删之外，按原文印出"，因此基本完整地保持着三十年前的历史风貌。《笔记》基本由四个要素构成，一是每辑前面的引言，二是史书的原文摘录，三是白话译文（由作者请另外几位同志完成），四是作者的"按语"即读史笔记的关键部分。作为一种三十年前一个省的范围内的一种供"被允许阅读党内一般文件"的党内干部们的学习参考材料，这种文本从学术角度考察是有政治文化的时代范本性质的。引言自不消说，所摘录的《资治通鉴》原文，精确地反映出当时的一位省级负责人以史作镜时，哪些史实构成了他心中的亮点，从而与他在现实中面临的问题和矛盾形成了一种映照，并撞出了思想的火花，而他又如何欣喜地并多少有点急迫地将那面截取出的史镜奉献给与他组合成一个机制的同仁们；译文部分如从纯然的学术尺度衡量，那很可以商榷之处和粗疏之处，但那种"译其大意"的文体，也颇能反映出那个时代的一种"古为今用"的思维架构，同一部古书，不同时代对其解读的方式、侧重点、通体把握态势，都会有细微的差别，这些译文便在恒定的通达中蕴涵着一些细微的浮动性特征；而构成《读书笔记》"文眼"的不消说便是作者的那些按语，都不长（最短的只有几十个字，最长的不逾五百字），时隔三十年读来，仍能从中感受到作者对把党的事情国家的事情人民的事情办好的一种真诚、迫切、执著的情怀，而且实践已经证明，这些按语即使不说是百分之百也绝大多数都早成了无须再加争议的社会共识。

我对作者当年写那些按语的文体很感兴趣。我以为最具有政治文化学的历史样品价值。因为政务繁冗，所以文字必须简约，没有冗言赘文，更无暇雕琢藻饰，却时有这类字句："汉剧烹萌彻一戏，刘邦封蒯彻为占辩侯。""'霸王别姬'一戏的故事在此。""这就是'萧规曹随'的故事。"不仅可以使我们看出笔记作者每写一段按语都顾及与他合作时特别是下面的干部群体的文化素质，并且也能启发后人从"史—戏—口传故事—现实生活"的互动性影响中去深入研究中国社会政治文化的深层机制。

这样一部即使在当年读来也十分稳妥的内部刊行的《读书笔记》，何以被姚文痞之流扣上了"反革命修正主义"的大帽子？尤其是，这哪里有一星一点是反对毛泽东和毛泽东思想呢？毛泽东本人不是既身体力行也经常号召大家"学一点历史"吗？《笔记》里强调克服主观主义、官僚主义，关心群众生活、密切联系群众等等，不正是宣传揄扬毛泽东思想吗？……带着这些问题从书架上翻出了当年姚文痞的《评陶铸的两本书》一文，硬着头皮读完，悟出政治流氓们搞"大批判"和阴谋夺权的伎俩，正如当年某些"造反派"自己总结的那样，无非是反复使用三个法宝，一是"谎言重复千遍便是真理"，二是"利用对方的力量搞倒对方"，三是"诱导对方犯错误"。即如对付王任重同志的《读书笔记》，他们发动"造反派"千遍万遍地重复其"是反革命修正主义铁证"的谎言，那确实能使一部分人不见其书也耳痛心避。但谎言终究会被揭穿，"利用对方力量搞倒对方"的最后一幕也只能是自己倒台，至于"诱导对方犯错误"，计虽毒辣而收效甚难，清醒而坚定的抗邪者会越来越多，历史的笑靥，最终还是要展现在正义一边，人民一边。《读书笔记》的终于正式出版，便是历史微笑中的一道小小的然而从容自在的笑纹。

《红楼梦》八十九回中，林黛玉写了一副对子："绿窗明月在，青史古人空"。不知出自何处？大概是高兰墅自己的，续书时顺便送给了林黛玉。下联未免悲观、虚无了些，但"绿窗明月在"一句很好。明月无今占，象征着一种超出我们每个人意志的客观见证力，那力量是随着时间的推移而愈益强大，并无可抗拒地要窥衡"绿窗"（人世）中的一切的。我们无妨把下句改为"青史今人推"，个体生命是在不断地逝去，然而群体生命——人民、人类，是永远富于活力的，他们必将推动历史的巨轮向前，而姚文痞之类的政治流氓被历史巨轮辗瘪的命运，也确是无可逭逃的。

1992 年 11 月 6 日

请读《死水微澜》

10 月 8 日星期六

"《死水微澜》？看过！"一位大学生这样回答我的询问。

可是他看的是电视连续剧，还有那部改名叫《狂》的电影。

我说的是小说原作。《死水微澜》，李劼人著，他后来还写有《暴风雨前》、《大波》，试图构成内涵相呼的三部曲，但《暴风雨前》已不如《死水微澜》圆熟，《大波》则根本没有写完；看他的书，看一部《死水微澜》足矣。

《死水微澜》确是一本难得的好小说，尤其是它那"本文"或说"文本"，也就是它那符码系统，眼过脑筛，极舒服——至少于我是如此。我觉得它那叙述语言有下列几个特点：潜在着一种中国传统的文字美；这跟作者古文即文言文的功底，以及对中国特有的诗、词、赋、曲的消化融通是分不开的。但呈现于表面的白话文，又是流畅圆润，毫不显夹生滞涩。作者曾旅法多年，谙法语，对法国文学有所钻研，从法兰西文化中汲取了不少营养，如小说中对人物"前史"的交代，就大有雨果的风骨，但又绝非因袭。最难得的是作者后来在四川搞实业（写小说对他来说是业余爱好），不仅斡旋于上层，也相当广泛地接触到社会的中下层，因此对溶解在四川人斑驳陆离的市井生活中的俗文化，以及这种文化的符码系统，特别是俗言俚语，心理逻辑，都有较深的领悟把握，融会到小说中，由俗见雅，因雅透俗，读起来如餐正宗的麻婆豆腐，妙不可言。

《死水微澜》，其思想内涵论家一般都极力肯定，认为是表现了辛亥革命前夕，四川两大社会势力——"袍哥"和"教民"的相激相荡，从中折射出本世纪初中国传统文化的困境，及社会大变革的无可避免；像凌子风改编的那部电影《狂》，则强调了男女主人公为争取个人的狂恋自由，在封建壁垒前付出的惨重代价。读《死水微澜》这部小说，自然可以从这些政治的、社会的、伦理的角度去获得某些认识价值，但我个人上大学时初读这部小说，主要的感受，却是人物——尤其蔡大嫂、罗歪嘴、傻子、刘三金这四个角色——的活灵活现，令我产生出一种惊奇：怎么凭借"第二信号系统"的文字，将其排列组合一番，便可在阅读者脑海中，"还原"出有血有肉有灵性有情感的活人来呢？我决心自己也试试写小说，那愿望虽不是从读《死水微澜》开始的，却一定是从读了它才铁铸般无可挪移的。后来我真的写起小说，因为我打八岁起就定居北京，所以写的大都是北京的人和事，因此有论家将我归入"京味小说"一流，而且断言对我影响最大的前辈作家是老舍，其实，我觉得自己倒并非在热衷于追逐一个单纯的什么味儿，老舍固然是我很热爱的作家，潜移默化的影响肯定是有的，但我自己能明确意识到受其影响的，应该说还是李劼人，是这本《死水微澜》。

据说由于视听文化的发达，90年代的大学生，除了文科生作为学业范围的东西不得不读些正儿八经的小说外，一般很少或根本不读这样的书，要读也只读消遣消闲的通俗小说，我不知这说法是否太夸张；但我坚信，就算目前真是个"严肃文学"背时的低谷吧，像《死水微澜》这样的小说，还是不会湮灭的，新的严肃的创新之作，还是可望陆续出版，并找到知音的。我那由上海文艺出版社出版的长篇《四牌楼》，其中便融注了我许多的苦心——特别是符码系统的选择和变通上，我也希望能全靠"第二信号系统"的功能，唤起读者"还原"生灵的快感。

大学生们如果问：你到底是让我们读李劼人的《死水微澜》还是读你的《四牌楼》啊？那我立刻爽快地回答：希望都读，谢谢！

红布里的金莲

中国文学"走向世界"的话题，现在不大热门了，热门的似乎是"走向高价"，不过估计也热不了几时，文学整个儿退出热门的大趋势已无可追逭。

现在还来说"走向世界"，算是找了个"温门话题"吧。"走向世界"本无绝对标志，获得诺贝尔文学奖也许算是个相对标志，但该奖发了近一个世纪，直到今年还是不给中国作家，给的是美国黑人女作家托尼·莫里森，美国已有十一名作家染指该奖了，究其原因，也未必是他们的作品写得多么好，瑞典文学院（诺贝尔文学奖的评定机构）的十八名院士全懂英文，拿起他们的书便可以直接阅读，方便，这不能不说是美国（还有其他用英语写作的作家）的占便宜处；中国作家呢，对不起，人家十八名院士里只有一位懂中文，有时他看了原文推荐说真好，另外的十多位看了英文的译本，说"我怎么看不出好来？"也就是说翻译不出中文原著的神韵，所以中国作家"走向世界"，能否有个好的外文尤其是英文译本，成为了关键的关键。

于是中国人直接用英文写作，"一步到位"地"走向世界"的例子，多了起来，在美国，有两种这样的人，一种是生在长在美国的华裔，他们有的反而已不能用中文写作，乃至已说不来中国话，他们所写的书，严格来说，属于美国的"少数民族著作"，如获诺贝尔文学奖，大概得算是美国作家又一次获奖吧，很难被我们中国本土引以为荣。这样的作家，有写《幸运俱乐部》和《灶神娘子》的谭恩美，写《女豪杰》和《金山勇士》的汤亭亭，写《花鼓歌》的黎景扬……另一类是近一二十年才去美国的，如写《上海生死劫》的郑念，在英国，最近则有写《鸿》的张戎，她这书最先也还是在美国出版的。

我去冬在北欧访问时，几乎在每个书店都看到书架上陈列着张戎这本书（北欧凡成人几乎都能看英文书），封面上自上而下排列着三张妇女的照片，第一张是她祖母，第二张是她戴着军帽的母亲，第三张是一头披肩发、戴着长项链的作者本人，使读者一目了然，知道是本写中国本世纪三代妇女命运的自传体著作，经过出版商和作者的努力促销，以及有名气的报纸书评赞好，这本书自 1991 年出版后在英国连续三十周名列畅销书排名榜，并获得了英国的 NCR 图书奖。此书在香港已出了中译本，是她弟弟张朴译的，张朴并在伦敦出版的《中国人》杂志 1993 年夏季号上发表了《震动西方文坛的中国作家》一文，文章题目很准确，因为直接用英文写作，尽管获得成功，也无所谓"走向世界"了——世界上人数最大的一个中国读者群反而被排除在被原著"震动"的范围之外，该书的"世界"，比没能"走出世界"的中国本土作家的方块字的书所面对的世界，小多了。

要"震动西方文坛"，确实不易。现引张朴文章中的一段话，可见一斑："在英美等发达国家……书也是商品，销售好坏，固然取决于质量，但也与装潢、宣传，甚至在书店橱窗里的摆放位置有关，张戎在横贯美国的宣传旅行中，每天平均要会见六七个电台、电视台和报刊记者，参加大大小小的演讲会……如何在这样短的时间里讲出自己要讲的话，吊住观众胃口，不是一门小学问……面对观众她开场便是：'我祖母……'她趁台下的洋女人没有觉悟过来，拿出一个红布包：'这是我祖母的鞋子，我们叫做三寸金莲……'"

这个拿出红布包展示祖母三寸金莲的促销法宝，确实达到了"震动西方"的效果。我没看过《鸿》，我估计《鸿》并不是一本集中写三寸金莲的书，乃至书中只有很少的部分写到这个东西，我无资格评价这本书，我只是想说，张戎不得不拿出红布包展示三寸金莲，以"吊住观众胃口"，这个出自她弟弟并且也是中译者笔下的真实细节，使我感慨万端。

国内有人批评张艺谋的电影，说他是专拍中国的落后面给西方人看，以取悦于西洋人，去达到"震动西方"的目的。我总是为张艺谋辩护，我看了他的片子，我觉得他拍出的是内涵深厚的艺术精品。也许张戎的《鸿》也是这样的作品。问题倒是出在西方人那边，为什么他们来"品"我们中国人表现中国人生活的作品时，总是揣着那么一个胃口？害得我们好好的艺术家，推销我们好好的艺术品时，总不得不抓紧"拿出一个红包：'这是我祖母的鞋子，我们叫做三寸金莲……'"

西方人看我们的眼光，有问题，就绝大多数西方人而言，那不是故意的。他们甚至根本意识不到那是一种"斜眼症"。他们在当你展示"红布里的金莲"时才坐得住，才来神，才从那里进入你的艺术世界，才终于和你有所沟通，才赞你好，才给你他们的奖，这是我们的悲剧，还是他们的悲剧？

现在美国有一位巴勒斯坦血统的学者爱德华·赛义德(Edward Said)，通过他的《东方主义》《文化和帝国霸权主义》等书，兴起了被称作"东方主义"或"后殖民主义"的理论，他的意思，大体是说西方的殖民主义和霸权主义，在虽已取得政治独立的东方，仍通过其以发达经济为后盾的强势文化，以其符码、语境、眼光、褒贬……因素宰制着东方不发达国家的文化走势。他的理论很值得我们研究,我想,我们要"走向世界"，首要的，倒不一定是急咻咻地展示"红布里的金莲"，而是把西方人在历史进程中形成的对东方人和东方文化的眼光心态思维定势弄弄清楚，做到知己知彼，然后再心平气和地进行平等的双向交流。就中国本土作家而言，先不管能不能有好的英译本吧，且面对认识方块字的读者，把自己的作品扎扎实实地写好再说！

1993 年 10 月 22 日

话说 "严雅纯"

"严肃文学"、"雅文学"、"纯文学",这些"符码",目前大体是一个意思。

这样的文学,或者干脆叫它"严雅纯"算了。

"严雅纯"在沉沦,尤其是在商业浪潮中,作家们纷纷失贞,很令一些批评家痛心。痛心的批评家们,提出了一些箴规,希望"严雅纯"的作家们能不仅超越于意识形态,还要超然于最一般的社会时尚,要坦然乃至欣悦地忍受寂寞、孤独、误解、排拒、贫困、潦倒,写作时不但不要考虑一切方面的需求,甚至应当根本不去考虑出版的事,只从至为严肃至为高雅至为纯粹的自我"文学追求"出发,去呕心沥血、死而后已,据说唯有这样,才能产生出真正够得上称之为"严雅纯"的伟大作品。

所举出的例子,几乎都是《红楼梦》。

"如果曹雪芹总想着发表,他能写出《红楼梦》来吗?"这样的话,常见于时下的报刊。

但是,你现在拿不出绝对的、无可驳辩的材料,来证明曹雪芹写《红楼梦》,就没有使之面世的目的,面世也就是发表。提供书稿给书商出版,挣稿费、版税或其他形式的报酬,是发表;自费印制分送各方,也是发表;没条件印,抄出很多部,赠与亲友,也是发表。从《红楼梦》的版本史上,不难寻出一条曹雪芹还有那位跟他极其亲密的脂砚斋想方设法争取读者的心路轨迹,他们甚至一开笔就设想到,或许会有很不友好乃至对他们来说是很敌对很险恶的眼睛,来读这部书,所以一再申明:"虽有些指奸责佞贬恶诛邪之语,亦非伤时骂世之旨","毫不干涉时世";在整理书稿时,所进行的删改,亦非统统出于艺术性的考虑,"秦可卿淫丧天香楼"一回的"大手术"(一气删掉四、五页),便显然是出于使之更易面世的目的。而《风月宝鉴》、《情僧录》、《石头记》和《红楼梦》起码达于四种的"符码"选择,也未始没有适应更多读者口味的命名心理。在《红楼梦》的"本文"("文本"?)

中，甚至有明显的段落，是作家针对批评家可能提出的批评而进行提前辩护的，如元妃省亲一回，写到匾灯上明现着"蓼汀花溆"四个字这一情节时，写作情绪马上便不纯净起来，嵌入一段这样的话："按此四字……系上回贾政偶然一试宝玉之课艺才情耳，何今日认真用此匾联？况贾政世代诗书，来往诸客屏侍座陪者，悉皆才技之流，岂无一名手题撰，竟用小儿一戏之辞苟且搪塞？真似暴发新荣之家……岂……宁荣贾府所为哉！据此论之，竟大相矛盾了。诸公不知，待蠢物将原委说明，大家方知。"所辩护的，是"合理性问题"。倘曹雪芹根本不考虑面世，不考虑读者和评家的意见，他也就不怕别人说他"自相矛盾"，无须费笔墨来"将原委说明"了。曹雪芹的友人，说他"卖画钱来付酒家"，可见他对艺术行为的商品化，本是坦然的，如果绳之以必须"严雅纯"到底的标准，那他的每一幅画，也应是抱着宗教般的虔诚来绘，宁愿饿死，也不能去适应酒家的需求，他应该在诗、书、画、小说的各种精神劳作中，都甘当"烈士"才是。

曹雪芹的遭遇，其实比"烈士"更惨，《红楼梦》的后三十回，基本完成而未能留存，他死后《红楼梦》终于出版，而且是皇家武英殿修书处用木活字排印的，却是经过粗暴的删改，又硬配上与他原意不符的别人伪作的"后四十回"，他若地下有知，不知会如何喟叹！更何况究竟他是不是这部书的作者，因信史的缺乏和一时难以捋清的新材料的出现，都还有人悬疑。即使曹雪芹那甘于"举家食粥酒常赊"的生活状态，竟真是他写出这部伟大著作的因素之一，我们作为后人，难道就应该奉为"严雅纯"作家的"标准生态"吗？二百多年来中国为什么再无可望其项背的伟大文学作品产生，我们不从改善作家所处的环境上多作研究、多加努力，却一再地责备中国作家不能承受寂寞、孤独、贫困、潦倒，甚至于要他们根本不要考虑发表，为当"文学烈士"而"埋头写作"，这太残酷，也太奇怪了！

哪位作家是绝对的"严雅纯"？谁能达到"痛心于作家们沉沦"的批评家所提出的那些个"甘于"的苛刻标准？

在我看来，作家不过是一种社会职业，跟其他的社会职业，并无本质区别。不错，有严肃追求的作家，品味趋雅的作家，热爱写作因而功利心不那么强烈也就是说比较"纯粹"的作家,他写作时,要体现特立独行的人格、充溢创造性发挥的"文本"、新奇诡异的个人风格,可是他不能不考虑安全问题、温饱问题、出版问题,当然他应在可达性与可行性之间求得一个最大也最优的生存系数,他如向社会规范和市井俗尚过分尊媚,当然有碍他的突破创新,但是他完全不顾所在的环境而放肆地"伤时骂世"、心无读者地"严雅纯"到底,以至全然不考虑出版面世,那么,他不是傻子必是疯子,失败湮灭的他,也未必真会被"痛心于作家沉沦"的批评家封为可尊敬的"烈士"。

眼下的中国社会,是否真到了"严雅纯"的文学无处容身地步?商品经济的大潮,是否必定敲响"严雅纯"文学的丧钟?我以为时下一些报刊上的言论,多少有点危言耸听,其实,如细细统计,大体属于"严雅纯"的文学刊物和报纸副刊,不仅相比于港、台是很不少,就是在全球范围,也颇壮观;大体上忠于"严雅纯"美学要求的作家,也并非凤毛麟角,难以寻觅;至于在其出版业务中,以"哪怕赔钱也出"的态度支持"严雅纯"的出版机构,也还很明显地存在;1993年全国所出的长篇小说,作家自认是"严雅纯"的数量很不少,即使被批评家斥退一些、读者嘘掉一些,比之于1953年、1963年、1973年和1983年,数量和质量都不仅未必羞于启齿,倒很可能堪称丰收。特别要指出的是,一些忠于"严雅纯"的作家所推出的新作,市场效益也还不错,他们不至于"泪尽而逝"、徒留残作,当然还没有《红楼梦》那样的巨著出世,不过其他各界既然一时也还没有很伟大的业绩和人物出现,容俟将来,那么,偏要作家们自责、苦行和"埋头",绳之以许多的"甘于",也就毋乃太偏颇!

是的,社会在转型,商潮在汹涌,文化已失范,文学有危机,作家处窘境,出版趋市俗,"大众"挤"小众",伟著无踪影,智者寻夹缝,无人甘"节烈",读者难解渴,评者无适从,"话语"太杂芜,"语境"难把握,"东""西"频碰撞,晕头又转向……我们面临着不止一个斯芬克斯不止一个答不出来就会被吞噬的问题,我们苦恼,我们求索,我们奋斗,我们企盼,但是,我们没有道理要作家为"严雅纯"而"甘于牺牲",恰恰相反,批评家和社会上其他的贤达人物,应发挥他们的最大作用,使中国当代作家能正正常常地写他们的作品，并在出版上获得最大可能，在这个前提下，我们一起讨论人生坎坷与心灵痛苦在创作中那不可或缺的乃至了不起的作用，才有基本的学术意义，也才有可能催生出新时代的《红楼梦》。

1994 年 3 月 10 日绿叶居

夜行者的呼唤
——《浪漫的毁灭》序

我没见过这些诗的作者。前几天他曾从天津来过电话，说来北京治病，想顺便到我家来谈谈，竟被我近乎残酷地拒绝了。我自然是忙，忙些自己列在日程表上的事。我近来确实尤其忙，因为我在夏天就接到瑞典科学院的邀请，到北欧三国（瑞典、挪威、丹麦）五所大学访问，但一直未能顺利获准及办妥手续，所以要为自己作为一个作家去国外从事文学活动的公民权利而进行一番努力。这努力直到我写这篇序时也还没有一个最明确的结果。因此我心里颇为烦乱。烦乱中我常常不能从事闲适高雅的谈话。因此我不想同这些诗的作者在这样一种心情中见面。其实这些话究竟也仍不是心底里最深沉的那种感觉。把那种感觉说出来实在找不到精确的语言和文字。

但我仍愿写这篇序。因为我的朋友修晓林是这位我不相识的诗人的朋友，有着共同的朋友因此也就似乎有了某种不可推卸的义务，我也不曾产生过一些推卸的想法。修晓林从上海一打电话过来提出这件事，我即刻就答应了。因为我把一部长篇小说《四牌楼》的稿子给了修晓林，请他担任责任编辑。他担任了，并在几次电话中说到他对我那作品的理解。我感谢理解。理解我写出的这些文字似乎并不那么容易，我说的是深层次的理解。我为什么写得那么琐屑？为什么要把清白无辜的人们灵魂撕开，进行无情的拷问？修晓林读毕理解了，知道我在那拷问中更残酷地拷问了自己，并充满了一种对个体生存困境的大悲悯。

修晓林既然理解了我，那么他也自然理解这位写十四行诗的诗人，因而我觉得我也可以理解。诗人冯勇将一些诗寄来了，我一读就感到我确能理解，因为那诗句里也跳动着个体生命鲜活的感受，并且也呈现出个体在生存困境中的挣扎，那挣扎有时成为超越的欢欣，但更多的时候仍凝结为心灵的痛苦。

我愿为一位有痛苦感的诗人写序。因为眼下海峡两岸的文学园地中快活的人似乎实在是太多了。文学，我指的是严肃的文学，越来越成为可以嘲笑、鄙夷、轻蔑、调侃乃至阉割和蹂躏的东西，然而却独独不被贩卖。我很高兴这位诗人仍能以个体生存的痛苦吐出丝来。你看，我说了高兴，我不是觉得快活的人似乎实在太多了吗？又为什么高兴？但我以为高兴和快活或许并不是一回事，高兴常常体现于相互理解，而快活常常只是大家一块儿玩玩。

说到底文学是个人心灵的产物，作家、诗人和读者的关系，有时就如在夜路中，连火把都没有，每个人又都离得不近，于是便以呼唤声应和，在那应和中人们甚至并不能看到彼此的面貌，但心中却一定有痛苦的甜蜜或甜蜜的痛苦。所以我觉得同这本诗集的作者不见面也罢。我们在夜路中已经互相呼唤了。是为序。

1994 年 9 月 12 日

（冯勇十四行诗集《浪漫的毁灭》由台湾佳恩出版社出版。）

重读《钢铁是怎样炼成的》

在我的少年时代，《钢铁是怎样炼成的》可以说是"小说中的《圣经》"。现在重读，仍感受到一定的冲击力。这部长篇小说的第一部结构较为严谨，叙述技巧也较为生动，特别是主人公保尔，形象相当鲜明，又特别是表现他憎恨富人的阶级感情时，非常地自然，确实有"血管里流出的都是血"的感觉。第二部结构越来越松散，概念化的倾向出现了，叙述的方式也笨拙起来。然而第二部中"筑路"的部分，读来依然感人至深。在小说所描写的"当时"，筑通铁路，将森林中伐下的木柴运进城里，首先具有捍卫红色政权的政治意义。在我少年时代，小说所描写的这个事件具有极强烈的象征性喻意——革命者为了革命事业，那种不惜以超越人的体能极限，去拼命，去牺牲的精神，是我们必须学习，照办的。现在，小说所描写的已成为了悠远的"过去"，但是，因为小说这一情节所设定的规定情境是：倘若不能在严冬最酷寒的阶段将木柴，也就是生产与生活的能源，送达那座城市，那么，将在饥寒中倒毙的，不仅是先进的革命者，也包括暂时还不那么先进，或简直还是比较落后的一般市民。所以，关于为了拯救城市而以血肉筑路的共青团员们的描写，便具有了一种超越具体时空的，可为全人类大多数所认同的人道精神，这种精神的血脉，甚至于可以追溯到中国古代神话里的"后羿射日"，和古希腊神话里的"普罗米修斯盗火"。

这是一部自传性小说。作者虽然因家境贫穷，只上到小学三年级便被迫辍学，以及少年时代便投身革命，戎马倥偬，公务繁忙，一直也未能受到正规的教育，但他显然具有一定的文学秉赋，后来自己努力，几乎读遍了能够找到的古典名著，故而著此书时，非一般的业余作者可比，写出的文字，是相当有文学味道的。小说开篇便是一声恶吼："节前到我家里补考的，都站起来！"由此引出神父对保尔等学童的审讯，并叙述保尔失学后走向广阔人生的历程，我当年阅读时，一下子便被吸引住了。契诃夫的小说就惯于"开始便跳到动作上"，也便是开篇便"流动"起来，而不是先絮絮地——交代何时、何地、何人、何事……这部小说的作者在学习古典名著的艺术手法方面，"活学活用"之处甚多，后面关于小镇电报员接收列宁逝世的消息，从麻木到震惊，那段描写也很好，都是例子。

但这部小说的作者凡描写到非无产阶级的人物时，多半都给他们一个丑恶的外貌，瓦西里神父是"虚胖"的，有一对"凶恶的小眼睛"；车站食堂老板"面色苍白、眼睛无神"；出身资产阶级家庭的年轻人"淡黄眉毛、满脸雀斑"；律师的儿子维克多"又瘦又高"而且娇气；反动武装头目彼得留拉"一个有棱角的大脑袋牢牢地栽在紫红的脖子上"……即使还并非异己阶级的人物，只要作者派定他当了反面角色，那么，在肖像描写时便不惜予以丑化，如丘查姆老头（此人后来应算保尔的岳父）"肥胖得像只骟猪"；等等。这种描写，是作者阶级感情充沛、爱憎分明的体现自不消说，但是倾向性是否通过情节自然流露会更好些呢？（这也是恩格斯著名的主张。）不过，也还不好说作者是把人物一律地"脸谱化"了，作者毕竟是在描写自己所熟悉的人物，大都有原型，有所经历的真事为本，因此，若干反面人物还是颇为生动、丰满的。

我高中是上的北京六十五中，大约是 1958 年或 1959 年，当时学校荣幸地请到了作者仍健在的夫人到校，给我们作报告，记得她坦陈小说中的达雅便是她，这倒在意料之中，可是给我印象极深的是，她说冬妮亚确有原型，关于保尔与冬妮亚的初恋，还有冬妮亚母女收留危难中的保尔等情节，都是实有其事，不过，后来"筑路"一段，保尔与冬妮亚在风雪中邂逅，冬妮亚已变成一个浑身散发着卫生球气味的资产阶级太太，保尔对之痛鄙，等等情节，作者夫人却告诉我们，那全是为了完成小说所要体现的主题，和为了塑造出典型人物，而虚构出来的！据作者夫人说，冬妮亚的原型在苏维埃政权下，成了一名优秀的中学教师，并且当时还健在！这真让我们听报告的师生兴奋了好久。不过，那时便热爱文学，也极愿写写小说，并在小说中刻画出典型环境中的典型人物的我，也曾困惑了好久：倘若如实地写出冬妮亚的命运，就一定不典型了吗？

作者奥斯特洛夫斯基是有超越生活真实，营造虚构的艺术世界的能力的，但他的这种能力，显然又受到了限制。总的来说，这部小说的自传性未免过强，尤其是第二部，因为作者后来调动频仍，共事者变换得也快，他似乎实在无力为保尔设计出一个相对稳定的舞台，文学的笔触，便被动地让真人真事的轨迹牵引着往前赶，结果是片片段段，幕开幕落，出将入相，鱼贯而过，交代多于描写，概括多于细节，文气不足，韵味索然。

中苏关系交恶后，这部作品在中国也还被肯定，但在"文革"中，我曾听到有一定影响力的人说，这部作品问题也不少，例如写保尔与冬妮亚的初恋，虽然保尔后来觉悟，与其划清界限了，但毕竟是思想感情一度陷于了不健康；又，写保尔在健康情况极度恶化的情况下曾有过自杀的闪念，是"给英雄人物抹黑"，等等。现在这部作品又大量重印，并几乎出现在向所有青年人乃至所有家庭推荐的书目中。可是现在又从苏联解体前出版的俄文版本中，译出了作者曾写出又删掉的文字，我以为最值得注意的，是第一部末尾被删掉的大段文字。看了这段文字，才恍悟，为什么第二部一开始，出身工人阶级，又很早参加革命，并经受了出生入死严峻考验的保尔·柯察金，却不仅并未入党，而且在共青团组织里也简直没有什么地位，仅从他个人不想谋取职务，甘当"普通一兵"来解释，是不怎么能解释得通的；冬妮亚在严寒中与他邂逅时，惊讶地说："……真没想到你会弄成这个样子。难道你不能在现在的政府里找到一个比挖土好一点的差事吗？我还以为你早当了委员或是有了什么同样的职位了……"这固然是冬妮亚没有正确的价值观，可是也确实令人疑惑。原来，作者本是老老实实地依据自身的经历，写了保尔在列宁和全党实行"新经济政策"的时候，先是想不通，并激烈地反对，以至成为了"工人反对派"中的一员，从而被开除了团籍，后来才觉悟过来，到大会上作了深刻检讨，得以恢复了团籍，这样一些情节。这样的写法，真实是真实，却有损于小说主人公这一英雄人物的高大完美，因此后来作者、编辑都认为应当删去。可是因为作者毕竟缺乏超越真实彻底虚构的大勇大力，故而未能给"筑路"时的保尔何以那么"潦倒"（甚至会让伙房的女厨误会为怠工者）一个圆满的解释。小说第二部写到了苏联共产党当时反托洛斯基、季诺维也夫、加米诺夫的情形，有一位现在二十啷当岁的读者来问我："小说的这种叙述是正确的吗？"这个我说不准；他又问："小说对保尔的哥哥娶了媳妇以后，又当工人又种地，十分地鄙夷反感；后来列宁逝世，保尔哥哥阿尔焦姆震惊后激动地申请入党，可是就有人认为他种地是个问题，后来他表示舍弃那块地不种，只当工人，这才被接纳入党。这些情节说明了什么？是不是只有工人才是革命的？农民种自己的地，便是不革命的？"我还表示说不准；他却又问："小说里几次写到，从那时顶多再过20

年，全世界就要连成一片，国境全都消失，都是无产阶级当家做主的地方了；还说那时就要把受够了苦的乌克兰劳苦大众，都送到温暖的意大利去疗养……保尔的这个理想，为什么到现在不但未能实现，却连苏联也解体了？我们现在既然把这本小说当做青年的生活教科书，那么，我如果真照保尔那么去想，现在我们中国所搞的这些，岂不是……"我制止住他，不让他再说下去。因为我实在不具备解答他这一连串问题的能力。我只是跟他说，无论什么样的小说都不可能充当生活的《圣经》，应当把这本书作为前人留下的历史小说来读。

重读这本书，感慨万千。除了末尾，书里差不多写的全是乌克兰的事，并且大量篇幅是写乌克兰和波兰边界旁的故事。现在俄罗斯与乌克兰已俨然是两个国家，这位作家和这本书，该算是乌克兰作家写的一本乌克兰文学作品呢，还是也可以算是俄罗斯作家写的一本俄罗斯文学作品呢？

1997 年 7 月 30 日绿叶居

"泛东方"想象

一般的西方人，也就是说，除去高层政治家、东方学研究者、汉学家，以及因为商业或其他原因来过中国或特别关心中国的人士，那些西方世界里的芸芸众生，他们对中国往往是极其无知的。虽无知，却也不乏猎奇的兴趣。茶余（或饮咖啡之余）饭后（或吃冰激凌之后），有时也将包括中国在内的"东方奇闻"作为谈资。在某些上层社会的沙龙里，特别能"侃东方"的巧舌如簧者，还很可能成为沙龙的明星。这种情形起码存在好几百年了。如今随着世界新格局的形成，虽或有所改变，但三尺之冰，也非一时可以溶化得了的。

1980 年在法国首版并于 1986 年出修订版的《环球百科全书》，郑重其事地告诉读者，欲了解台湾的情况，可参考乔治·撒玛纳札 (George　Psalmanaazaar) 所

著的《FORMOSA》（这是简称，原书名是《FORMOSA 史地纪实》）一书。这
《环球百科全书》可是由素享盛名的法国索尔邦大学的学究们指导编纂的。撒玛
纳札何许人也？《FORMOSA》何书？这位撒玛纳札，其实是个隐瞒了真实身份，
一辈子根本没有走出过欧洲的大骗子。据考，他约生于 1679 年，出身地应为法
国南部的朗格多克 (Languedoc)，读过神学，当过家庭教师，被开除后一路乞讨，
经过了德国、荷兰、比利时等地，后又投入荷兰陆军；他一再使用假护照，变换
假身份，是个十足的无赖、混混。他生活的转机开始于随荷军驻扎于史莱色 (Sluvs)
时。他向人们宣称，他是个随耶稣会教师辗转来到欧洲的东方人，他在台湾出生、
长大，他把台湾称作"Formosa"，称他极不满耶稣会，而愿皈依英国圣公会。于
是被一位英国圣公会牧师带往了英国，到处讲述他"故土"的故事，成为不少沙
龙听众的宠儿。他于是在 1704 年用拉丁文写下了《FORMOSA》一书，译成英
文刊行后竟惊动了欧洲上流社会，1705 年再印行了英文修订版，旋即又出了法
语、荷兰语和德语译本，再后又一版再版。这本写于中国清康熙四十三年的讲述
中国台湾事情的书，劈头便告诉读者，台湾乃是日本的属国，是由一个叫莫里安
大奴的日本国王设巧计征服的，其巧计的要点是佯称要给台湾国王送祭品，但由
大象所驮的"祭品笼"里，藏的都是全副武装的军人。仅此一点，便可知这本书
是胡说八道。中国台湾实际上直到 1895 年（光绪二十一年）"马关条约"后才被
日本占据。西方有见地的东方学家，在本世纪初已彻底揭穿了撒玛纳札的骗子行
径。1926 年伦敦一家出版社编辑出版了"骗子丛书"，将他的这本胡诌八咧的书
收为其中一种。但令人遗憾的是，至今仍有不少西方人受其影响，将台湾称为"福
尔摩沙"，并且如上所述，"严肃"的法国《环球百科全书》，十年前仍极不严肃
地将大骗子的行骗之书，列为了解台湾的一本"必读参考书"。这位自称叫撒玛
纳札的大骗子死于 1763 年，可谓高寿。其实他在遗嘱中已供认了《FORMOSA》
一书"全部或大部为余罔顾事实之凭空想象"，并有所忏悔，但他的行骗之书在
西方社会所造成的影响极大，而他晚年的自供与忏悔却鲜为人知。

　　此书去年在台湾有了中译本，译者与出版社故意将书名译为《福尔摩啥》，"啥"

字在封面上还特意放大，显然不仅仅是幽默。现在我们无妨研究一下，为什么明明是胡说八道，却不仅在三百来年以前轰动、畅销于西方，而且即使到了今天，这类的"东方奇闻"仍有某些市场？我以为，这里面蕴涵着一种为数不能算太少的西方人的"泛东方"想象的心理趋向。因为在近代史以前，东方和西方基本上是各自在自己的地盘上发展，除了个别的人士和小群体，由于这样那样的原因，游弋到彼方或竟定居于、融入到其中，以及通过比如说"丝绸之路"有了"线性"的交流与渗透，但对于绝大多数普通人来说，彼方实在还是极其"异质"乃至"异端"的一种存在。于是对彼方的狂放想象，便往往替代了真情实况。撒玛纳札的这本《FORMOSA》固然是他个人凭空想象的产物，但他也实在是"看人下菜碟"，他知道对于那些具有猎奇心理的西方听众与读者，编造些什么东西方能满足他们的"食欲"。

首先，撒玛纳札满足了不少西方人视东方为"神秘之地"的想象。"神秘"是"泛东方"想象的第一主题。"神秘"的极致便是"不可解"，所谓"匪夷所思"，"居然如此"。据撒玛纳札称，"福尔摩沙多雷击、地震、暴风雨、冰雹，天灾时常导致严重损失……除冬季以外甚少降雨，雨季仅三个月……因夏季炎热，岛民必须移居地穴……"这些惯于"穴居"的岛民却又在山上建造了三座造型怪异的祭坛，一为太阳祭坛，一为月亮祭坛，一为星辰祭坛；"在山上拜祭日月星辰时，人们屈右膝，右手举向天空。朗读《甲尔哈巴底翁德》（据说这是岛上的经书）相关章节时，人们手牵手站立……"岛上又广建魔鬼祭坛，其偶像"一律是怪异狰狞的，有多个可怖的脑袋和面孔，上下到处长出尖角、恶龙、毒蛇、蛤蟆等等"。怀孕妇女至前会吓得小产，所以祭司们下令："孕妇不得走近魔鬼偶像。"在岛上的一座大城里有一处喷泉，塑着以后脚作人立状的大象，有二十"肘尺"高，象身各部位一度能喷出水果、肉和甜酒来！……岛上人们交往，朋友见面时先互握双手，再互吻双手；男女都戴臂镯，妇女还要戴颈环；腹绞痛是岛上最常见的疾病，治疗方法是饮烈酒、吞银弹丸，或是将患者头上脚下吊起来；不论老少贫富都抽烟，儿童打能拿稳烟斗的时候起，母亲就要教他抽烟，有些婴儿尚未断奶就学会抽烟了；妇女分娩后绝不哺乳，而是尽快使乳汁退干，哺育婴儿都是母鹿和母羊的责任……诸如此类，不一而足，实在是神秘、古怪、不近情理得可以。但需说明的是，由于这位撒谎者实在是根本与真实的台湾了无关系，所以他所凭借的想象资本，除了从去过东方的基督教传教士那里听来的零碎信息，便也只能是"对镜画鬼"。我们可以从该书的一系列插图看出，虽经夸张、变形，那些所谓福尔摩沙的建筑、衣装，在我们地道的东方人眼中，实在还是非常明显的"西洋景"。

仅仅是神秘，倒也罢了。问题是，生产力一旦超过了东方，并通过"海上霸权"掠夺到了东方，其为数不少的人士，也未必都是富人，更未必都是参与了那掠夺东方行动的军人和商人，在对东方进行想象时，便基于其"文明优越感"，将东方尽情地"野蛮化"，撒玛纳札在这方面更是不遗余力。"野蛮"是他那本行骗书中对福尔摩沙描述中的"重头戏"，也是他在英国各处沙龙中，以绘声绘色的讲述，使那些把裙腰勒得细细的妇女们不断用羽毛扇遮住红唇，闭眼发出尖叫的"绝活"。使《FORMOSA》一书畅销和使撒玛纳札成为伦敦等地沙龙中"抢手人物"的"凭空想象"，主要便是他对福尔摩沙岛上种种达到荒谬地步的野蛮习俗的报道。据他说，岛上人们在庙内建坛祭祀，不但要献祭公牛一百头、公羊一百头、山羊一百头，还要取九岁以下男童两万人的心脏在祭坛上烧化，以便神向人们显现。剖两万男童的心！他的这一说法，在当时便引起了一些人质疑，但他不但在当众答辩时振振有词地坚持这一骇人听闻的数目，更在重印他那书时加以补充说明："假使岛人凑不足应献祭的男童数目，又该如何呢？……可用不满九岁的女童献祭，但必须先使女童通过土水风火四行之净化。其净化步骤如下：准备作祭品的少女由一名祭司导引至神庙正门，此处有专司净身仪式之处所。首先，裸体之少女须自颈部以下全身埋入土中。埋土礼进行十二次之后，再浸入水中，仍为十二次。然后，少女须经稻草燃的小火苗十二次，末了，再走过风中十二次，少女便有被献祭的资格了。"又说在新年元旦的当天，用一万八千名儿童祭祀，祭司长先斩下儿童的头，再用大刀剖开其胸部，取心脏在烙架上烧化，其尸身则投入备好的池中。为了取得"言之凿凿"、"不容置疑"的效果，撒玛纳札称他父亲生了三个儿子，他二哥一岁半时便被剖心献祭了，大哥因半身长了毒瘤，太不洁净因而幸免于献祭，他可是差一点被拿去开祭，多亏他父亲急中生智，巧送赎金，才使他保住了性命。他的这一"现身说法"，想必大大地博得了沙龙妇女们的欷歔慨叹。那些自视很高的西方人，是极愿在这类"东方式野蛮"的紧张想象中，松弛地升华自己的博爱情愫的。而撒玛纳札还并不满足于以这一杀上万儿童以作祭祀的报道来突出福尔摩沙岛民的野蛮凶残，他进一步报道说，那岛上的居民干脆就嗜食人肉："除了吃被俘虏被杀的敌人之肉，也吃被处死刑的罪犯，而罪犯的肉一般视为佳肴，价格比其他稀有美味肉品贵上三倍。买死刑罪犯的肉要找刽子手，因为依法，行刑者的尸体乃是刽子手的薪酬。受刑者死后，他便将尸体分割，放掉尸血。他的家于是变成肉铺，买得起的人便可上门光顾。"为了令听闻者"百信不疑"，他又"现身说法"："我记得约十年前，一名十九岁的丰腴、漂亮、美肤的高个子小姐被处死。她本是邦主的梳妆女侍，因为计谋毒死邦主而被判了叛国罪，依法要受最残酷的死刑。因此她被钉上了十字架，每当她痛得晕过去，执刑者就给她灌烈酒，尽量拖长她受苦的时间。钉至第六天，她死了。长久的疼痛，加上她年轻肉嫩，使她的尸肉又柔韧又美味，价钱卖得极贵……买者争先恐后，连富贵人家都未必抢购得到。"他就差写上，他也吃到了这一"美味"了！据他说，由于福尔摩沙的岛民嗜吃人肉，因此连吃动物的肉，也都是生食，"偶尔（极为难得）会看见，有人把肉放入滚水去烫干净或弄熟，或有人把肉放在火上烤干水分，即使这么做了，仍是等肉凉了才食用"。真活脱脱是一群专吃血淋淋生肉的"食人生番"！除了神秘、野蛮，那第三种想象，便是把来自虽属遥远的东方，却分明是针对着西方，并且似乎是在日见迫近的"潜在威胁"，阴云般地显示出来。据撒玛纳札说，福尔摩沙岛严厉排拒信奉基督教的西方世界，其"治国律法"的第四条便明文规定，"邦主不可容许基督教徒居于境内，必须派人员在各海港检查搜索，凡外国人抵境，即令其践踏十字架，以测试其是否为基督徒……能践踏十字架的外国人，准许自由通行于各城市，但以不超过二十人为限。"还规定，"凡外国人被发现是基督教徒，或外国人曾引诱或试图引诱本邦人去信基督教者，将被下狱，受引诱者也一并监禁。外国基督教徒若愿意唾弃基督教而崇拜偶像，不但可以赦其罪，而且可获发给生活津贴。若坚决不肯者，将被活活烧死。至于遭引诱的本邦人，若愿意回归拜偶教，便可获释出狱；若不肯，就要受绞刑。此外，奉基督教的外地人来经商或从事其他行业者，若肯放弃基督教信仰，便可继续从事其行业，并自由离境；若不肯放弃，将被钉十字架。"据撒玛纳札称，福尔摩沙的邦主"有一整库的日本兵器，以备战时之用"；岛上的人"都很善战，爱战斗甚于和平"。虽然撒玛纳札后来皈依了英国新教而斥基督教其余教派为谬种，但他对"未受上帝启示之愚昧国度"，尤为蔑视，认为其宗教信仰荒诞，群体行为伪诈，如埃及人"竟然崇拜鳄鱼"，他的"祖国"福尔摩沙的宗教信仰亦荒谬绝伦。他暗示，西方纯正的基督教与东方的种种"荒谬信仰"间的"文明冲突"，势不可免。这种暗示想必给当年在沙龙里听他侃侃而谈、读他那本畅销书津津有味的西方人士，在以自我优越性为缰绳的"泛东方"想象中得到极大的心理满足的同时，又平添了几分斗牛士携着短剑进入了斗牛场般的心理刺激。

我说西方人对东方有一种"泛想象"，即"泛东方想象"，是有切身体会的。我在近十年里到美国、西欧访问时，凡一人独行，而衣装比较个性化时，一些西方人（汉学家一类专门人士除外）总是，一、断定我是一个"来自东方的游客"；二、不能猜出我究竟来何方，他们的问句一般的排列顺序如下："你来自……日本？韩国？新加坡？马来西亚？香港？台湾？……"当我告诉他们我来自北京时，他们总是表示颇为惊讶。我发现许多最普通的西方老百姓不仅分不清进入他们视野的中国人、蒙古人、朝鲜人、越南人……甚至于也搞不清这些国家的具体地理位置，甚至于在某些人的想象之中，这些东方国家的男人或许脑后还拖着辫子，头上顶着斗笠，拉着黄包车，而车上坐着的女人裹着小脚，手里握着鸦片烟枪……或者是头上一律戴着绿军帽，胳臂上套着红袖章，而手里提着一个红灯笼……就是相当有知识有地位的人士，比如一位头回到中国农村参观的女记者，她看到一群女孩子在乡村小学简陋的校舍前跳绳嬉戏，竟惊呆了，不是为校舍的简陋惊呆，对那校舍的简陋她是有心理准备的，让她觉得不可思议的是，居然有那么多女孩在活蹦乱跳，她问："咦，不是你们这里重男轻女，生下女婴便立刻溺毙吗？！"显然，她是受到了某些极度夸张的报道的影响，在长久被那一类报道的"熏陶"下，她的"泛东方"想象里，已经容不下若许活泼快乐的中国农村女孩的身影。虽然自撒玛纳札抛出他那满纸谎言的《FORMOSA》已经近三百年了，他的那些具体想象已未必有多大市场了，但他那"泛东方"想象里所蕴涵的把东方神秘化、野蛮化（妖魔化），以及"潜在威胁"的暗示，都依然还存在于不能说是少数的西方人的心理趋向中。这里面当然还有本世纪种种复杂情况的催化与变形。真是一言难尽。不过，确确实实，是彻底破除凭空臆造与极度夸大的"泛东方"想象的时候了！至于我们中国人的"泛西方"想象里存在的问题，容当在别的由头下再论。

1997 年 3 月 27 日绿叶居

文学三岔口

甲：现在弄文学的人，面临着一个三岔口……

乙：此话怎讲？

甲：第一个道口，引你去写"主旋律精品"……

乙：这是正道嘛！

甲：当然。这样的作品，过去有，现在有，以后也还会有……

乙：你且莫去说以后，先说说过去吧！

甲：还用说吗？明摆着，有的已成经典了嘛！

乙：经典？我最近倒看到一部多卷本的"百年经典"，应是严肃而严格权威性选本吧。可是，过去许多公认的"主旋律精品"，却都纷纷落选。仅以长篇小说为例，举凡《太阳照在桑干河上》、《暴风骤雨》、《创业史》、《青春之歌》、《我们播种爱情》……都被排除在外。

甲：那选家也许是在给作家们指往另一条路……

乙：也许！另一条路是……？

甲：艺术至上，艺术第一……

乙：唯美？

甲：唯美神而臣服之，不作时代的传声筒，不当俗众代言人，不取"重大题材"，不惜一时被"主旋律"所排斥，甚至甘在一个时期里被文学主流抛至边缘以外……

乙：比如——？

甲：沈从文，钱钟书，张爱玲……

乙：《边城》，《围城》，《金锁记》……

甲：对啦！

乙：这样的眼光，是夏志清在《中国现代文学史》里头显露出来的吧？我记得他这书是先用英文写成出版，然后再由别人译为中文出版的……

甲：影响极大。中国大陆眼下的论家、选家，一多半以上取这样的眼光来看待文学。

乙：眼下往这条岔道里奔的中国大陆作家不少。

甲：不过，真奔出点名堂的似还不多。

乙：那第三个岔道口，引向何方呢？

甲：简言之：畅销！

乙：这样概括恐怕不对头。"主旋律精品"难道就一定不畅销吗？有的这样的作品，照样卖得很火嘛！

甲：不过，"主旋律"的前提，毕竟是要写"主旋律"啊！

乙：究竟什么是"主旋律"？

甲：那有一些个套语来界说。不过，一般人大多都只从题材上去指认。

乙："改革题材"？也有能畅销的嘛！唯美的东西现在也能畅销啊！张爱玲的书不是比丁玲的书卖得火吗？沈从文的书更比茅盾的好卖！甚至于，周作人的书也比周树人的书更畅销！

甲：可是，我所说的这第三条岔道，它是不把"主旋律"或"美文"考虑在先，甚至于是赤裸裸地为畅销而畅销，那样的作品……

乙：对了，有这样的作者，这样的书，他（或她）自己就说：嗨，我算不得作家，我这书也不打算千古流传，不过是写写好玩啦，您读读觉得好玩，我就很高兴啦！

甲：他（或她）当然高兴，因为在现在的市场经济条件下，一本书哪怕只畅销了一阵子，那他（或她）的钱包就高高地鼓起来啦！

乙：其实他们不过是小钱包、小意思罢咧，真正鼓胀了大钱包的是所谓的个体书商，他们对书稿的要求就是一条：要有卖点！大卖点！

甲：的确如此。我认识一位组织创作的文化官员，他听到作家有作品要出来时总问："是不是主旋律？能不能成为精品？"而我所认识的一位个体书商，他对作家作品就总是问："有没有绝活儿？估计头一甩能不能三五万？"当然，我也认识把沈从文奉为文学之神的批评家，他则总是问："是不是纯粹的美文？"

乙：一个作家拿出一个作品，有没有可能对这三方面都给予肯定的回答呢？我觉得，现在有的作家，他不想只走一条路，在你所说的这个三岔口，他的腿可是哪个岔口都想往里迈……

甲：一开始，他可以往这条路窜窜，再退回来往那条路里逛逛，甚至三条道都走上一阵子……可是，这样一来，他在每条道上都走不远，其结果，必然是浮躁、肤浅、粗糙……

乙：你的意思，是他（或她）在每条路上都只能浅尝辄止……可是，比喻总有规定性太僵硬的毛病，你这三岔口的比喻，就生把三条路当成越远越不能沟通的放射线了；其实，三条路也未必是走得越深距离越远，而且三条路之间还可能有一些横通的路径，并且，实在没有横路，那有智慧、有勇气、有韧性的作家，他还可能在不同的道路间掘出隧道来呢……

甲：你这思路，逻辑性颇强，可是，请举出实例来……

乙：唔，实例总还是可以想出来的……问题是，我就是举出来，你怕也未必认同，结果我们两人便会陷入过分具体的事例的争辩中。

甲：你这等于是承认，鱼与熊掌其实是很难兼得的，何况我说的还是三岔口，除了鱼和熊掌，还有大龙虾什么的，要想占全，那就更难了！

乙：看来，作家选哪条路，写什么作品，只好由他（或她）去吧！

甲：事情本来如此。可是，我那位文化官员朋友可着急了，他的政绩，全在于抓出"主旋律精品"啊！往往是，并没什么作家跟他配合，于是，他只好让下属帮他从业已发表的作品里，努力筛选出大致上还够得上这种称谓的作品来……

乙：有时候会"乱点鸳鸯谱"……

甲："拉郎配"，那也顾不得许多了！

乙：真是艰苦而艰巨的工作！

甲：而我那位批评家朋友，他也很着急，因为他期待着沈从文式的沉静之美，却出来了怪异的"以丑为美"；他期待着《围城》式的冷幽默，却出来了痞子味的热调侃；他期待着张爱玲式的冷艳精致，却出来了私空间里的变态呓语……

乙：他着哪门子急呢？依我看来，真正的文学批评家，他的任务应该是面对文学现实，作出美学意义上的阐释，而不是也像你那文化官员朋友一样，形成一种"美学官员意识"，动辄向作家发号令、作指示……

甲：他那是呼唤与期盼……

乙：也许对作家而言，冷静地分析现有的作品并给予美学定位，比感情用事的呼唤与期盼更有用处……

甲：相比之下，倒是我那个体书商的朋友比较沉着笃定，他大体上是推出一本畅销一本。

乙：他的优势在哪里？

甲：他置身市场经济之中，他直接进行文化的市场操作。他和文化官员交朋友，从中知道可以打出什么样的"擦边球"，不判罚还得分。他也结交伺奉美神的批评家，从中测出雅与俗的最佳交切点。

乙：这样说来，于今的作家每次进行文学跋涉，起步前总面对着这么三个岔口，而且三个岔口的路牌前还总分别有人在向他们……呼唤与期盼？

甲：确实如此。当然，有的作家其实早已选定了自己的方向，踏上了不归之路。

乙：而且，一定有那样的作家，他根本没有你这种什么三岔口呀之类的意识，他走自己认定的路，并不是基于弄清了还有哪些个岔口可进，从中对比选择的结果，他就是那么走罢了！

甲：是的，他也许会在本来没有路的地方，蹚出一条独特的路来。

乙：比如王小波？

甲：可惜他英年早逝。

乙：好像，不仅文化官员不待见他，他也入不了文学批评权威的视野，甚至个体书商也对他的书稿缺乏畅销的信心。

甲：然而平心而论，像《黄金时代》那么既入世，又美文，好读而深刻，通俗而如诗的当代华文小说，真不多见。

乙：他成了一个文坛外的特例。你的三岔口论恐怕也与他挨不上边。

甲：确实。

乙：那你这三岔口的立论还有什么意义呢？

甲：就大多数写作者而言，面对三岔口确实并非我凭空臆造出的比喻。

乙：那倒也是。现在细想，似乎那个唯美的岔口所延伸出的路径对较多的作家有较强的吸引力。

甲：然而，以《边城》、《围城》、《金锁记》为楷模，是否气象小了一点？

乙：是的，倘若不满于《子夜》的"主题先行"，或《创业史》的"意识形态"，那么，总也不能把这样作品的气势也否定掉了！

甲：要美文，但也应有气势，成一种大气象吧！

乙：《边城》、《围城》、《金锁记》的人性探索，层次都还不够深。《边城》主要揭示人性美，《围城》揭示了人性恶，《金锁记》涉及到人性的复杂，然而读来都令人在审美快感上仍难得到充分满足。

甲：都还缺乏大拷问的力度与大悲悯的情怀。

乙：我们这岂不也是呼唤与期盼上了？

甲：好在我们一不是文化官员，二不是文学批评家，三不是个体书商，我们只是一般读者罢了。

乙：不会有人在乎我们说了些什么。作家们会各择其路，各举其步的。

甲：祝他们都一路平安吧！

因忧伤而高贵
——读王刚《英格力士》，致青年读者

读王刚的这本新长篇，享受忧伤。

我很少在读了一位未谋面的作家的书后，产生去认识其人的冲动。钱钟书先生说过，你觉得鸡蛋好吃尽管吃，有什么必要非见那只下蛋的鸡呢？诚哉斯言。

但我也偶有例外，一次是在书店立读了王小波的《黄金时代》以后，不但觉得非同寻常地好，而且想跟他认识、侃谈，后来他果然应我之邀到我家来，相聚甚欢，以后又在我家楼下小饭馆餐聚过两次，可惜那不久以后他竟溘然仙去，令我神伤许久。另一次，是读了王刚的《月亮背面》，也是托人知会，问能不能来聊聊。他来了，当我由衷夸赞他写得好时，他竟突然失态，眼里涌出泪花来。我跟王小波和王刚约会时，早已是去职赋闲的边缘人物，他们不弃，而且还很重视我对他们作品的反应，这多少令我有些意外。

我欣赏王刚的《月亮背面》，主要是觉得他对所描写的人与事，不仅是熟稔，而且根本就是打那舞台和人堆里滚过来的，因此也就不仅是一般的生动、深刻，可以说是力透纸背、入木三分。我没有写关于《月亮背面》的文章，但我口荐给不少人，其中不乏比王刚还小一两茬的年轻人，他们的反应是一致认为过瘾有趣，

听到他们发出"投机活,投资死"这类言过其实的读后感慨,我就觉得作为写书的,王刚至少是已经在种豆得豆了。

后来很少听到王刚写小说的消息,也跟他相忘于江湖。

忽然眼前来了本他的新长篇小说《英格力士》。我所期望的是《月亮背面》的续篇,一读,竟不是。可王刚为什么非得照顾不管是来自任何方面的期望呢?他只根据自己内心的冲动来写。这样的写作出发点,使作品一开始便具有了成功的可能。

就人物、故事、细节、对话而言,我并不觉得有多么稀奇。"文革"以及那前后极左当道的大背景里政治与性的双重压抑,不说境外的写作者,就是本土的作家,已经都积累了不少的文本。《英格力士》里写到的婚外恋或者说是婚外的性关系,以及少年从性懵懂到性开窍,实在都太常态,整本书里完全没有性变态,人性恶也都只能算是些小恶,所有的人物都平庸得那么可爱,这多少有些令我意外。可能是王刚只想把这本书写成一部隐去实名的回忆录或者是忏悔录吧,他并没有张开自己本来具有的想象力双翅,我不用拘泥这个词,我宁愿用恪守这个语汇——他在把握文本时,是在力图恪守少年的鲜活记忆,他像罗丹从事雕刻一样,在这部书里只是去掉那些他认为是多余的东西,让那记忆中的原生态准确地显现出来。这些素材如果让另外的作家处理,或者王刚本人在另一种心境和写作状态下书写,是很容易通过想象与虚构,将人物、情节原型变化得更丰富,更诡谲,也更具前卫性和刺激力的。比如,那位仁慈的英语教师在深重的性苦闷泥潭里挣扎时,他是完全可能在求欢失败、偷窥失算、意淫难补的绝望中,转而从那同性的忘年交方面去真诚而惶恐地寻求代偿的。曹雪芹早借《红楼梦》里贾母之口发表了这样的宣言:"什么要紧的事!小孩子们年轻,馋嘴猫儿似的,那里保得住不这么着。从小儿世人都打这么过的。"现在书里的英语老师完全是被冤枉的,他站在"我"的肩上并没能窥视到那位美女的胴体,其实,就是他完全看清楚了,并在窥视中禁不住自慰,又怎么着?如果是莫泊桑或者是列夫·托尔斯泰,会对笔下的这一人物这一情节,持怎样的心怀?如果我们对此的猜测结果还会有所分歧，那么，如果是放在大江健三郎或者奈保尔笔下，我们的答案恐怕就很容易趋于一致了。而在所有这作家的笔下，这位绅士风度的英语教师仍然能保持其令读者心悸的超常仁慈。

作为笼罩全书的意象，那本厚大的词典，以及"英格力士"这个作为书名的符码的意蕴，表达力度都还欠缺。语言文字是文化的载体。"英格力士"的文化魅惑力，主人公对这一在当时尤具魔鬼特性的魅惑的内心反应，应该有更细化的揭示。这是我未能感到满足的地方。

但我对整部作品的叙述策略，或者说叙述语调，或者根本就不是先理性地加以设定，而是从内心里汩汩流淌出的叙述情调，非常地满足。

这正是我所渴望的，也是我打算向读者推荐的。

那贯穿全书的情调，就是忧伤。

有评论家指出，书中英语教师的形象浸泡在仁慈的情怀里，仁慈是高贵的品质，而高贵的品质常需借助忧伤的情绪加以提升。历史上这样的例子很多：暴君一旦忧伤，那么或者大赦政敌，或者暂放屠刀。而卑微的存在一旦不知忧伤为何，也可能做出极其残暴的事情来。

来来来，来读《英格力士》，享受忧伤。在这本书的第53页，作者，也应该就是小说里的"我"，叙述到那位英语教师时这样写道："我常问自己：在记忆里，每当面对他的微笑时，为什么你总是伤心？"这是不需要回答的问题。能够忧伤，这人就有福了。

当今世道里，许多人忧而不伤，愁而不伤，恨而不伤，怒而不伤，伤感成了稀罕的生命情绪，正因为如此，《英格力士》具有上个世纪德国史托姆《茵梦湖》那样的适时出现的魅惑力，它能提醒国人：你为什么不懂得忧伤？忧伤催人忏悔，忧伤促人宽容。忧伤如果不能洁净世界，起码可以洁净自我。

一位去世多年的文化界前辈陈荒煤——我不知道如今的年轻人还有几位能知道他是谁，但他在上个世纪曾是颇有影响的人物——对我说过："我最不喜欢'淡淡的哀愁'那样的提法。"我不知道"淡淡的哀愁"是谁的提法，但我听到这个提法一点也不反感。陈荒煤年轻时候是位小说家，其《长江上》一篇曾产生影响。他送了我一本"文革"后新印的小说集，读《长江上》，我读出了淡淡的哀愁。他最后一篇小说题目叫《在教堂里歌唱的人》，尽管他努力地从其文本里剔除忧伤的因子，令其弥漫着豪迈的革命强音，但他那题目就仍然还是引出了我这个读者的淡淡哀愁——就写小说而言，他真是退步得太快了。他没有"身后有余忘缩手"，随着革命的进程，他缩手不再弄小说，成为了主管电影的一位文化官员，但还没等到"文革"正式开始，他就因支持拍摄《林家铺子》、《早春二月》、《舞台姐妹》等"大毒草"而被揪出批判，后来更身陷囹圄，直到"四人帮"倒台才恢复自由并回到文化中心。我跟他结识时，他一定是已经深谙这样一个不成文的"道理"——就人类诸般情绪而言，若加以政治判断，则忧伤绝非革命所能容纳的情绪，"眼前无路想回头"，作为一个过来人，他是语重心长地教诲我：莫与"淡淡的哀愁"为伍——危险！止步！

但我却改不了喜欢忧伤的脾性。这句话你也可以视为自我表扬。当然，忧伤并不能都归结为"淡淡的哀愁"，忧伤情绪也是多元的，非常复杂，相当诡谲。现在谁也不至于因为忧伤、因为追求"淡淡的哀愁"而挨批受罚了，但这一脉情绪因子却成为了稀有，像王刚这样整本地以忧伤述之的长篇小说，似乎也很稀缺。

《月亮背面》现在来看仍不过时，但那个文本里没什么忧伤。《英格力士》能够忧伤，我以为是成熟的表现。读这本书而能欣赏忧伤，我以为能接近或进入高贵的心灵境界。

或许会有人问：倘若作家们都忧伤起来，以至影响得社会上也忧伤过甚，那时候你还会激赏忧伤吗？我也会的。因为一种东西忽然变成了一窝蜂、一股潮，那也未见得就是供应过甚，那里面一定会有大量的伪劣品，而从大量伪劣忧伤的乱象中识别出真忧伤来，再进行深度鉴赏，其审美愉悦一定会更加浓酽。

世道真有可能会发展到连真忧伤也过多了，那又怎么样呢？我从不回答预言性问题，我对《英格力士》的感想也就说到这里为止。Goodbye！

造塔成焰为哪般

——读《柔福帝姬》[1]

这本书的作者署名为米兰Lady，自我介绍说"就是一个写字的女子，喜欢与米兰有关的事物：米兰城，AC米兰，那种叫米兰的花和这个笔名米兰"。我觉得有点奇怪，为什么不特别提出米兰大教堂？

我在米兰游览过，去了直奔米兰大教堂。那是世界第三大的天主教堂。从1386年建造到1500年才终于建成。世界上有哥特式尖塔的教堂多矣，一般都只有一个到几个尖塔，但是米兰大教堂却造出了153座尖塔，密密的尖塔仿佛一片蹿天的火焰，因此俗众称它为火焰大教堂。在米兰大教堂外面的广场上，我调换距离和角度反复欣赏，心里不住地想：这位设计者，为什么要造塔成焰、密集一片？是什么样的激情，促成了他非这样不可？他想留给世人的，除了视觉上的冲击，究竟还有什么朝着灵魂而去的启示？

米兰Lady的历史小说《柔福帝姬》篇幅浩荡，有65万字，人物众多，结构复杂，作者提笔前写作中一直在读正史、查资料，但到头来却还是任凭自己的想象力在历史资料的大框架的留白处狂放驰骋。整部小说的叙述风格仿佛苏绣，针脚细密，色彩斑斓，在从容不迫中，却又有内在的焦虑忧伤与孜孜汲汲的追问探究在燃烧，确实，很像米兰大教堂。我掩卷后不禁喃喃低问：造塔成焰为哪般？

你写历史小说，为什么偏选择宋朝的靖康之难这一段？既写这一段，怎么又把亡国之君和胜利之王都作为配角设置，偏选择柔福帝姬这样一位在正史上无足轻重的小女子来当大主角？既把她当成统领全书的中心人物，怎么又非把她的命运写得那么诡谲凄楚？……

---

[1]《柔福帝姬》，米兰lady著，新世界出版社2006年2月第一版，定价：42.00元。

显然，米兰 Lady 自有她的道理，但她并不把那内在的"心灵命令"直接宣示出来，她只负责用文字呈现出一座密集着火焰尖塔的恢弘宫殿，她让我们自己通过进入其中徜徉，去品味，去体察。

《柔福帝姬》是先在网络上一段段贴上去，先有网上读者，然后才终于完成，再加润色，才印制成纸质书籍的。这看起来只是个技术性问题，实际上，这样的发表过程本身，昭示着一种新的文化正在我们这个处于转型期的社会里蓬勃生成。

新的生命，不仅意味着具有新鲜的生理结构，必须懂得，新的心理结构，新的情感结构，新的思维和新的追求，都在老中青幼共享的这个时空里生成，当然也就生成着新的文化，包括新的小说，新的历史小说。新鲜不能万岁，万岁也就远离新鲜了，但所有得以延续的事物，在不断更新的过程里保鲜，则是铁的规律。《柔福帝姬》是新鲜的。它的最大优点，我以为就是留有余地。怪不得米兰 Lady 说她喜欢米兰的事物，却并不特别提出火焰大教堂来。

2006 年 2 月 27 日

熏出一颗诗心

古典诗词鉴赏类书籍不少，有以词典形式出现的，也有以一个诗人为对象的，最近华艺出版社推出了周汝昌先生解说的《唐宋诗词鉴赏讲座》[1]，从书名上看，似是一本配合唐宋诗史的注释选本，翻开细品，则发现并非循唐宋诗史脉络编就，而具有鲜明的个性化色彩。全书选讲了唐宋诗词计六十首（阕），不按作者生卒年及写作年代依次排列，亦不问其人其作在诗歌史上是否有"定评"，更不搞人

---

[1]《唐宋诗词鉴赏讲座·千秋一寸心》，周汝昌解说，周丽苓整编，华艺出版社 2000 年 6 月第一版第一次印刷，定价 15.00 元。

选上题材上的"平衡",完全是依照周先生自己的兴趣感受,有话,则长短不拘,尽兴挥洒讲解,无话,则绝不因其"地位重要"而勉强发言。正因为是率性而出,肺腑之言,铭心之感,所以令人读来有棱有角,有香有色,有活泼之气,有独到之解。也许你并不能完全同意周先生的解说,但他那些有如珠转玉盘、鹤翔彩云的文字,让你眼睛舒服,心里高兴,不知不觉地,你也就跟诗接近了,掩卷之后,你会颔首拊掌,对自己说:唔,不仅开卷有益,而且开卷得趣。

诗词鉴赏,如只是逐句逐段逐阕地串讲其含义,最后归纳几句"主题思想"、"写作特点",对读者而言,即使其味略胜嚼蜡,终究还是有严师正襟危坐于前的感觉,也许有利于应付某些考试,却全然不会有灵性舒张、诗心抽芽的效果。周先生的讲解虽然也大体逐句梳理,却把重点放在了把握"诗髓"上。比如讲秦观的《踏莎行》,末尾一句"夕阳回首青无限",一般解说者会解为:山本无愁,是人愁而觉山愁——此乃"文艺理论"中的"移情说"是也。但周先生对这种动辄把西方的文艺理论拿来套我们中国古典诗词意境的做法很不以为然,他甚至这样说:"掩耳掩耳,俗套俗套。倘如此赏词,词之风流扫地尽矣。"他的理解是:"下片由景入情,追念昔年同来踏青拾翠之游……抬头一望,乃见山来入目,一似有人教它特地供愁送恨者。"他又提及周美成有"烟中列岫青无数",更早的唐钱起有"曲终人不见,江上数峰青",柳宗元有"日出烟消不见人,欸乃一声山水绿",这些对山水青绿的咏叹,都并不是西方式的"移情",而是因为在东方人眼里,特别是中国古代诗人眼里心里,山水本来有情,大自然与人是融为一体的,不用"移"而天人合一情愫自在。这样的讲解,你说是不是很独到?很耐人寻味?他这本鉴赏讲座又名《千秋一寸心》,所以虽绝大多数讲的是唐诗宋词,但又不拘时限,偶尔地下延到元乃至清,他讲王实甫《西厢记》里的《赏花时》,讲到"花落水流红",发挥道:"红字在中华文化生活中,哲理认识上,都无比重要。要领会:绿是宇宙的生命生机的颜色,而红则是这种生命生机的结晶与升华……红永远是吉祥、快乐、喜庆的首色:新年的春联,婚嫁的装饰,祝贺的拜帖……哪一样不是大红的?因此,红色也就代表美好的佳色,比如中国的妇女,称为红颜、红粉、红妆、红袖、红裳、红裙……连美人之所居，也是红楼！那么，美就标志着一切美：美的韶华，美的景色，美的日期，美的人物。这样说来，当那闺中少女有眼看见忽地已是满地的落花——落红、残红、飞红、坠红，随着那溶溶漾漾的溪水，漂流而去！她心头的感受，当是一种如何伤感莫名的滋味呢？这就无怪乎，花落水流红，五个大字，字字掷地有声，声声撼人魂魄。"这样的解说岂止是鞭辟入里，本身也诗意盎然。这本书可放在沙发睡榻边不按顺序随意展读，它可熏陶出你一颗诗心。

《金瓶梅》札记

1

《金瓶梅》传至今日，大体上有两种本子。一种是明朝万历年间的《金瓶梅词话》，另一种是明朝崇祯年间的《绣像批评金瓶梅》；后者到了清朝康熙年间，又经张竹坡改动评点，称"第一奇书"，影响很大。万历本比崇祯本早好几十年，保持着原汁原味，最明显的不同，就是它开篇从武松打虎的故事讲起，头六回与《水浒传》里的第二十回到二十六回很相近；崇祯本的头一回却劈头先讲"西门庆热结十兄弟"。

我觉得从武松打虎讲起，让读者刚看此书时，恍若还在读《水浒》，是非常好的"借树开花"起法。更夸张一点说，这是"种豆得瓜"。因为在《水浒》里，西门庆和潘金莲都是小配角，好比"豆"，可是《金瓶梅》却从这"豆"萌生、发展、成熟出好大的一个"瓜"来。这种起法，在我国小说创作史上是个创举，外国也不多见。

读过《水浒》的人，细想一下，便可发现，那本书基本上只肯定一百单八个英雄人物的价值，其余的角色，无论奸邪，还是善民，或者不好不坏亦好亦坏的中间人物，他们似乎都没有什么特别的价值；在《金瓶梅》以前的中国长篇小说，如《三国演义》《西游记》，也都是主要展现帝王将相、神佛仙人的功业，虽然为了故事情节的发展和陪衬主要人物，也写到市井生活和三教九流的凡人俗人，却都不能占据中心位置。《金瓶梅》很了不起，它是我国文学史上，第一部将常态的市井生活与市井人物当做描写对象的长篇小说，这对清朝《红楼梦》《儒林外史》等长篇杰作的产生，有着非常重大的启示与影响。

2

《金瓶梅》中有不少色情描写。我认为，色情描写与情色描写是文学中关于性的两种描写方式。色情描写直接写到性交，乃至于直接写到性器官，给人以肉欲的感官挑逗，对一般读者特别是未成年人起着不良的作用。而情色描写，虽然也写到性，点到做爱，却较含蓄，并且透过那描写表现着超越性事的内容。实际上"色情"与"情色"的界限并不是那么好划分。《金瓶梅》写性，下笔往往坦率直露，基本上都属于色情范畴。到了《红楼梦》中，才有了所谓"意淫"的情色描写。

3

此书中武松杀潘金莲、张胜杀陈经济等段落中，都有血淋淋的暴力描写。其实过分直露的暴力文字与过分直露的色情文字一样，不利于人的健康心性。直到目前，中国一般人有"扫黄"的呼吁，却少有"扫暴"的心理需求。特别是当描写到"好人"以暴力对付"坏人"以及"无足轻重的人"时（像《水浒》中的某些文字），就更觉得无所谓。这是一个值得探讨的问题。

4

难得的是，此书写潘金莲、吴月娘、孟玉楼等的对话，全用流畅而又绝不拘泥于"语法"的纯口语，并且她们嘴里也不时"撒村"，我们读来却能将她们各自的"语感"严格地区分开来,各自性格宛然不同。当代小说中,驾驭人物语言达于这一程度的,如果不能说没有,也一定要说:实在罕见。此书的文学价值,由此凸现。当代作家可借鉴者多多!

5

读《红楼梦》,见"酸凤姐大闹宁国府",有"舍得一身剐,敢把皇帝拉下马"的话,颇感其"恶攻"之大胆。读至此,方知语出此书,且是来旺儿说的。"原版"是"破着一命剐,便把皇帝打!"来旺儿这番酒后厉骂,气势磅礴,酣畅淋漓,是此书开篇后最快人心的檄文,亏作者写得出!

另外许多在《红楼梦》中"出彩"的语言,如"千里搭长棚,没有个不散的筵席","不当家花花的","烧糊了的卷子","打旋磨儿",乃至脂砚斋评语中提及的"少年色嫩不坚牢",等等,都是《金瓶梅》里极恰切地运用过的。《红》从《金》中汲取了丰富滋养,由此也可见一斑。

6

作者用了整整五回写关于仆妇宋蕙莲与西门庆私通的故事。宋蕙莲既不是个烈女贞妇,也很难说是个单纯的被侮辱与被损害者。她主动与西门庆勾搭,图财图利,恃宠撒娇,得意便忘形,抓"理"不让人。但她却并无明确的"战略目标",比如争取当西门庆的"七房";她几乎只满足于当一个"公开的下等情妇"。因此,当西门庆感到她丈夫来旺成为一个"赘瘤",一种威胁,必欲除之而后快时,她却出乎所有人的意料,采取了死保丈夫的立场,当她发现西门庆在这个问题上欺骗了她,丈夫已被发配,又遭潘金莲所挑唆的孙雪娥的奚落,便在一场厮打后,愤而自缢了。她那开棺材铺的父亲,为她申冤不成,也被西门庆害死。宋蕙莲的悲剧,构成了此书中重要的篇章。宋蕙莲是此书中一个重要的艺术形象。

我们很难找到一个准确的概念，来诠释宋蕙莲死保来旺的动机。来旺其实也并不忠于宋蕙莲。来旺也许更喜欢孙雪娥。这一点宋蕙莲也知道。西门庆除掉来旺，不仅不会株连到她，甚至反会使她更方便地享受情妇之乐。可是宋蕙莲心底有一只看不见的手，总指挥着她，不由分说地死保来旺。这只手叫做"天良"或"良知"吗？那么，究竟什么是"天良"和"良知"？这是个体生命与生俱来的东西，还是在生命发展过程中逐步积淀起来的？为什么有的人就有，有的人就没有？此书作者只是冷静客观地写出"情况"，不负责回答这样的问题，然而我们掩卷后，却不由得会联想到若干的"为什么"来。

在这"宋五回"中，其他人物的性格也都在枝叶繁盛的情节之树上发展着、丰满着。这样高超的文学性是《水浒》等之前的古典小说所未能达到的。特别是潘金莲这一形象。她的聪慧与自私，活泼与狠毒，撮合与挑拨，豁达与狭隘，在与包括宋蕙莲在内的多角人物关系中，被刻画得淋漓尽致。

7

作者用"吴神仙"给西门一家算命，暗示了本书这些角色的命运归宿。后来《红楼梦》用"太虚幻境"的"册子"和"十二支曲"暗示"金陵十二钗"的命运归宿，可能受到此书此回启发。

说西门庆"一生耿直"，并无讽刺之意。"吴神仙"没有，此书作者也无借"吴神仙"之口进行反讽之意。我们如果超越政治、道德评价的角度，仅就西门庆的性格而论，那么，不能不承认，他是个"一根肠子通屁股"的直性子人，他很少隐瞒自己的观点，并相当地敢作敢为。

8

人类的性欲，从根本上说是为传延后代而存在。西门庆初得贵子，正沉浸在"成功感"中，性欲相对有所减弱。李瓶儿更是如此。而且，一般来说，女性的生育成功，往往使其性渴望更加淡化。

但人类的性欲，又确有超"传种"的一面。男性的性欲尤其如此。往往会把"快乐"升至第一位。

9

写王六儿和韩二捣被"捉奸捉双"一幕甚生动。

市井百姓好捉奸。

捉奸乐，乐融融。

自己没捉，围观奸夫淫妇也是一大乐子。填补了自己潜意识里的性饥渴，却又安全而可靠。围观者其实是集体手淫。

10

此书在宏阔的背景上来展示西门庆的生存状态。

他通过赍送厚礼，取得权贵欢心，竟因此当上了有实权地方官，并在官场上威福并施，所向披靡。因李瓶儿生下了儿子，他的子嗣问题也得到了解决。他的生存状态达到了最佳境界。但他的"性史"也仍在谱写出新的篇章。也许是因为完全排除了"生育目的"的考虑，他的"性趣"开始更多地朝变态的方向恣意发展。"人逢喜事精神爽"，虽然他有时拷拷小厮毫不留情，但这一时期他却常常表现出对妻妾的温厚，对朋友的照顾，对同僚的通达，对小事的洒脱，对妓女乐工伶人的爱怜，特别是对独生子官哥的父爱，令他的面目有了较多的软线条。此书作者仍只是平静地客观地写出他的这些"状态"，而并不负褒贬臧否的责任，也很少剖析他的心理动机与情内涵。

从这些描写中，我们看到了那个时代那个社会那些人们更多的黑暗、龌龊、卑鄙、无耻、下流、无聊，更多的穷奢极欲与悲苦无告，没有理想的闪光、真理的存在、道义的伸张，可是人们就那么生存着，甚至是有滋有味的；活不下去的，便如蚊蝇般死去。令人惊异的是，作者叙述这一切时使用着一种不动声色的语调，构成一种冷漠无情的文本，仿佛亘古以来，世界、人生无非就是这么个样子。

但在这极为平静的叙述中，作者所写出的人物对话，仍是那么生猛鲜活，显示出非凡的白描功力。在挖掘潘金莲等角色的性恶时，也仍保持着相当的深度，毫无不忍之心，却又很少批判否定。

11

经过十来回关于西门庆一家子"好日子"的有时未免令人感到过分细琐的白描，此书又将笔触延伸到官场的黑暗，显示出本书作者实在并不是只有"性趣"。

对于西门庆、夏提刑沆瀣一气，贪赃枉法，放走命犯，作书人当然是持否定态度的，在叙述语言中，也时有"常言道：火到猪头烂，钱到公事办"一类的抨击之词，但具体到对人物行为的描摹中，却依然是一派冷静。他只负责写出"他们这么干"，而不负责揭示"他们这么干时心里想些什么"。西门庆作出贪赃决定时仿佛毫无心理过程，而只不过是听命于其"固有的本能"。

作者这样写，是因缺乏理想而形成的麻木，还是一种更为沉痛的"人性批判"？

12

此书花不少笔墨写到西门庆与其市井朋友的滥饮厮混，展现出他既俗不可耐，却又不失其平民脾性的为人特点。

他所"热结"的"兄弟"，只要不触犯到他的利益，或不令他感到去帮衬别人、"变节投靠"，他对这些市井兄弟是很热络的，因为他除了官场、生意上的"正事"和那对他来说十分重要的"性生活"，也还需要消遣、消闲，在他和这些市井兄弟厮混时，他不必冠冕堂皇，也不必倾力而为，充满了安全感、优越感，在漫不经心的松弛与戏谑中，填补了人生中的若干空白。

在大多数情况下，西门庆对忠于他的结拜兄弟是平等的、平和的，也是慷慨的、宽容的。他们有共同的下流语言，共同的庸俗趣味，聚在一起时是热闹而泼撒的。由于有这些市井朋友，西门庆的个人生活可能比那些科举出身的职业官吏要丰富而活泼一些。

13

李瓶儿死之前，西门庆"性多情少"，乃至常呈现为一种"尽性而为"的"色狼"面貌。李瓶儿之死，却突然打开了西门庆作为一个完整的生命存在另一扇人性之门，让我们惊异于他原来竟也能有那样强烈、执著、率真、纯净的情爱。在此回里，作者不厌其烦地重复迭进地描写李瓶儿的色槁身秽，以此映衬西门庆的超"色"之纯情，并且淋漓尽致地描写西门庆"大哭李瓶儿"，那种"不顾体统"的恨不能死在一处的大哭，在作者笔下确实传达出一种震撼力，许多此书的读者都有这样的感受：通体而言，此书是一种"冷文本"，它绝不使我们感动，只令我们在"冷观"中"寂悟"，然而此回是个例外，它让西门庆与李瓶儿的生死恋情，在迭进的细节中，生发出一种令读者心热眼也热的"感动效应"，这种"以热间冷"的手法，使此书不仅在揭橥人性的复杂方面又升上了一个台阶，也使此书的艺术魅力，平添了更多的光彩。

李瓶儿之死，从通部书的结构上来说，也是一个大变局、大转折。从此西门庆的生活打破了"美满""兴旺"的总体格局，开始出现越来越多的失落、扫兴、疑虑、凶兆，虽然仍有某些"意外"的乐趣填补着他的空虚与缺憾，但他本人和他家庭的前景，确是趋于暗淡与衰落了！

14

此书写到传言。

传言准确处，往往都在点中本质。

传言不准确处，往往都在细节里。

所以传言不可不信。

所以传言不可尽信。

对所传人来说，传言实可畏。

对获传言者来说，传言实可贵。

15

西门庆死得好痛苦。

在世三十三年。

暴发过，快活过，残暴过，洒脱过，贪婪过，享受过，恶毒过，颠顶过，糊涂过，精明过，蛮横过，宽容过，下流过，攀附过，无耻过，温情过，变态过，纯情过，放纵过，痛苦过……然后，他死了。

此书基本上是纯客观地写了这么一个活生生的男人的一生。

留给今天读者的值得咀嚼的厚味，当然并不是其文本中嵌入的那些苍白的的说教与告诫。

人需寿几何？人生价何在？

千古悠悠之思，宁不令我们怅然！

16

初读此书者，直到读至前一回，大概都不曾想到，西门庆竟在第七十九回中一命呜呼了。在细考此回文本，西门庆之死却是前面无数线索总合为一张"索命网"，在他性放纵达于狂肆程度的情况下，"一收网纲"的必然结果。

此书内容丰富，就塑西门庆这一艺术形象而言，也是全方位的、立体的、多棱多面，并且内蕴酽浓的，但其以表现西门庆的性生活为主线，并透过他的"性史"来挖掘人性之诡谲，不能不说是此书的一大特色，而且不仅在全部中国古典文学中，是登峰造极之作；就是放在世界古典文学中衡量，恐怕也是少有能与之匹敌的。

西门庆本是一个能够将情与性融为一体，并将"性享受"至少保持在不至身状态，但他却终于"忘情耽性"，并越来越疯狂地纵欲，以至痛苦地死于性病引发的并发症。导致这一结果有许多种因素，从外在的方面说，那本是一个纵欲的时候时代，从宫廷、贵族到一般市民，乃至于底层社会，食色之享都既是生活的流程，也是生存的目标；一夫一妻多妾的婚姻制度、娼妓的"合法经营"，男性霸权的思索方式与"通行话语"，等等，都作用于西门庆，使他不仅"自然而然"地"以性为乐"，而且"性追索"的成功，甚至也成了他提升自我价值的一个最重要的心理尺度。从内在的方面说，西门庆的性格一方面具有强烈的侵略性，一方面又具有黏稠的依赖性，他既不能抑制对每一个"性目标"的疯狂占有欲，又不能摆脱"性伙伴"的妖邪引诱，所以他总是不仅忙于"猎艳"，也总是沦为"被掳获者"，在这样的双向耗损中，他的生命终于难以支撑，结果在暴淫无度中死亡。

西门庆之死，是一出什么剧？既非正剧，也非悲剧，更非喜剧和闹剧。我们无法用习见的模式、标签概括我们的感受，可是我们却有堪称丰厚的感受。

这恐怕正证明着《金瓶梅》这本"奇书"的"了不起"。

17

此书作者写及僧尼道士，多刻薄挖苦。

但此书又用佛道训诫"归结全书"。

看来此书作者并不那么看重他所提供的宗教性训诫。那是他不得不写出来以"将就"当时社会主流意识形态的"文本策略"。

此书作者所真正重视的，是人的命运的流程，他津津乐道那"过程"，只负责写出"这个样"，而不负责回答"为什么这个样"，更不负责回答"应该怎么样"。

18

敏感的读者，或者会猜想庞春梅与潘金莲有同性恋的关系。

否则祭奠潘金莲时，为何要哭出"实指望和你同床儿共枕"的"心愿"来？这样去"解读"，或许可以圆满地理解她二人为何那样地感情深厚，几无龃龉发生。

在中国古典文学作品中，表现男性同性恋的例子不胜枚举，但几乎举不出一例表现女同性恋的作品。有时写到男子装作女子，骗取别的女子信任，然后借"同性共寝"的机会，奸污那女子，但这显然并不是在表现女性同性恋。

像《金瓶梅》这样的作品，在写"性"方面似乎是"百无禁忌"，举凡男性与女性间的所有性交往方式，从"合法"的到"非法"的，从"常态"的到"变态"的，从"实交"到"梦交"，都有淋漓尽致的大胆描写，而且写男性间的性行为，也可以写到不怕读者作十日呕的地步，但你却看不到一笔明显的女性间性关系的描写。这是为什么？是作者对女性同性恋（性行为）缺乏认知，还是受到了那个社会总体认知水平的限制，抑或是有更深层的社会学、伦理学或其他方面的原因？这显然是一个我们应当加以探讨的学术问题。

19

西门庆"原女婿"当道士的情节很古怪。

按那时主流文化的逻辑，陈经济堕落后得遇"居士"，又被护送至道观，应能在宗教中获得拯救，"修成正果"；但大出人意料，他到了道观竟比当叫花子还要堕落，那道观简直是个污糟淫窟，陈经济变得完全成了一个近乎"活畜生"式的怪物。

这一回再次显示出此书作者毁僧谤道的立场。但此书作者在刻薄地讥讽了佛道以后，却又不想提自己主张的拯救之道。没有理想，没有理性，没有升华，也不剩浪漫，在情节进入"后西门庆时代"以后，作者几近于残酷地，加快节奏地给我们展现出一幕幕人间怪剧丑剧，我们是惊诧莫名还是不以为奇，是掩卷深思还是抛书一笑，他都不管了。

20

此书的"第三大女角"春梅在后二十回中大露主角。

潘金莲为了排除其情欲的"障碍"，下毒手杀害了善良无辜的武大。

李瓶儿在放纵自身情欲时，对其前夫花子虚、蒋竹山都极其无情而残酷。

现在我们又看到了春梅怀着不可告人的目的，甚至不惜欺瞒、耍弄那宠爱她的周守备，以极其无耻的手段，将有碍于她与陈经济重新勾搭的孙雪娥往死里迫害。

本书对人性恶的表现，是毫不打折扣的。

但本书作者似乎也并不是要表现"世上狠毒莫过妇人心"或"女人是祸水"一类的"主题"。

在本书作者的笔下，三位女主角都只不过是循着一种"自然而然"的内心驱动在那里为人处世，走着她们的人生之路。

三位女主角都显得格外真实。

此书不但绝不"主题先行"，甚至也不经意于"通过人物塑造与情节流动"来升华出"主题"，它实在是有点"无主题"。或者说，它虽在这里、那里嵌进了某些训诫性的"套话"，但那"态度"实在是并不怎么严律认真。可是这种写法不仅没有伤害到它的"文本魅力"，反而显示出特异的"艺术真实感"。此种创作方法值得研究。

21

对于"春梅游玩旧家池馆"，历来多有论家以为是著书者以此表现"春梅念旧主人"（清张竹坡评语），"有怀旧的真情"（上海古籍出版社《金瓶梅鉴赏辞典》"春梅"条），但我读此回，感想却大相径庭。

春梅回西门府，主要是向吴月娘等人显示她的腾达，以获得变相报复的心理快感。她对西门庆并无很深的怀念（当然也无对吴月娘那样的恶感），如果说她有"怀旧"之情，那么她怀的是潘金莲和陈经济，尤其是陈经济，这是一种人性恶的体现，而非什么值得称颂的"真情"。

就"性恶"的深度而言，"梅"是胜于"瓶"和"金"的。此书写出此点，是有意为之，还是"意外收获"呢？

22

有论者详证此书作者是刻意影射明嘉靖朝的政治变局。

宋朝蔡京父子确也获罪，但父死在子前；明嘉靖朝奸臣严嵩及子严世藩获罪时，却是严世藩先问的死罪，故此书韩道国所说的政局变化，并不符合宋朝情形，反极符合明朝情形。

此书虽以表现市井风情、家庭纷争及色欲性事为主，却又有相当篇幅写到高层政治和商情货贸，并频频影射明代嘉靖一朝的"时事"，表现出对严氏父子"祸国"的极大鄙夷和终于伏诛的拍手称快。

但将此书称作一部"政治影射小说"，我以为未免夸张。

单把此书称作一部"世情小说"，又不全面。

将此书视为一部"色情小说"，则更偏狭。

说是一部"奇书"，则又未免大而空泛。

也许，不硬性地给这部书"贴标签"，而是真正地尊重它，欣赏它，倒可能更多地从中获益。

23

韩爱姐为陈经济"守节"的情节很怪。

按道理说，陈经济与韩爱姐的关系，充其量是痴心嫖客与私窠子妓女间的"常包关系"，陈经济死，妓女如丧亲夫，犹可理解，但最后郑重其事地为他"守节"，并且被他的正配夫人与名为堂妹其实是姘妇的守备府夫人接进府去，堂而皇之地做起"节妇"来了，岂不怪诞？

但此书这样写，想来一非向壁虚构，二非故意荒唐，而是因为当时社会中有类似事例耳。

这也说明，明代社会发展到那个阶段，市俗的道德观、伦理观，都已冲破了"古典礼教"的死板规范，而演变出了千奇百诡的"新现象"、"新观念"。

24

陈经济的"结果"很吓人。

此书写陈经济笔墨不少。在西门庆健在时，他有色无胆，是个窝窝囊囊的陪衬角色；当然，那时他在场面上还是"拿得出去"的，在承办商贸事宜上，也还算有能力，颇为严谨。在"后西门庆时期"，他才成为一个重要角色；第一阶段里，他与潘金莲、春梅斗胆偷情，构成一种狂热而"和谐"的"一对二"的性关系；被吴月娘逐出府后的第二阶段里，他一步步堕落到"性怪物"的不堪地步；经春梅将他"搜救"到守备府后，正如春梅对守备并不"贞"一样，他对老婆葛翠屏和春梅也并不"忠"，而是另寻性放纵的"理想伙伴"；最后被本来对他有恩，而且也并非与他有不可调和的矛盾的张胜，在获知他欲恩将仇报的情形下，狂暴地将他杀死。

此书所写的这个人物，令我们感到真实可信。在那个时代那个地方，很可能有这样一个人物存在过。

但这个人物究竟算是个"什么东西"？作者写出这样一个人物，究竟是出于什么"意图"？我们又一次陷入了困惑。

是为了让我们为人性恶而战栗么？

25

书中先后死去的人物在最后一回中纷纷托生。

奇怪的是偏张胜、孙雪娥、西门大姐所托生的是贪人乃至番役。其实相对而言他们的恶最轻。像西门大姐尤其无辜，而独托生到番役家。

这难道称得上是"恶有恶报"吗？

此书作者这样写，难道是"严肃"的吗？

前面明明说西门庆往东京城内富户沈通家，托生为次子沈钺；后面却又说孝哥即是西门庆托生，自我矛盾如此。请问究竟是怎么一回事儿？

作者或者真想以佛理结束此书，但因他其实根本并不真信佛理，所以写起来不免捉襟见肘。

26

清人张竹坡盛赞此书以"孝"作结，是表现了"其所以为天性至命者，孝而已矣。""呜呼！结至'孝'字，至矣哉！大矣哉！"真是"一唱三叹"。其实无论普静法师的劝诫还是终场诗里都并没有强调"孝"字。他还说此书是"以弟（悌）始"，因为他所评点的"崇祯本"，跟"词话本"有所不同，最大的区别就在于他那个本子的头一回是"西门庆热结十兄弟"，而"词话本"却始于"景阳冈武松打虎"。张竹坡说此书以"热"起以"冷"终，以"弟"起以"孝"结，只是他个人的一种直感，在我看来，未免牵强。

我以为，此书写到"后西门庆时代"，文笔越来越不如前面，虽然这后二十来回里他主要完成了春梅和陈经济这两个艺术形象的塑造，也堪称真实，但不仅人物的行为逻辑时常有突兀生硬之感，人物语言也远不如前面那么丰富多彩、生猛鲜活；在把握叙述节奏和细节安排上，也失之匆促和粗糙；尤其令人不敢称道的，便是全书的"收束"，明显地表露出无所皈依与乏技乏力。

但此书总体而言，实在还是一部伟大的长篇小说。对于它的伟大性，我们至今不仅认识不够，而且还存在着浓重的误会。张竹坡力辩此书绝非"淫书"，他的论证我们未必同意，他的这个结论却是基本正确的。

我以为此书最大的震撼力是挖掘人性的深度，尤其是对人性恶的坦然揭橥，达到了不仅空前，也可以说是至今尚"无后"的地步。

此书的真髓，我以为主要体现在了笼罩全书的"叙述调式"或"文本特征"中，那便是客观、冷静、不动声色、处变不惊、怨而不怒、生死由之，它昭示着我们，世界不可能那么理想，生活不可能那么美满，人间本来就一定会有龃龉，人性本来就一定会有缺陷，善恶界限往往难划，是非标准常常摆移，人际间必生龃龉，自我亦难以把握，爱情远比肉欲脆弱，友情最难持久，树倒猢狲必散，炎热必引趋附，死的自死，活的自活，而且"人们到处生活"，并且"生生不息"……这些感想必然导致悲观、颓废么？然而，通过此书的"文本"，你又会感受到俗世的魅力，凡人琐事的"天然合理"，世道中超越黑暗的那些"共享乐趣"，以及不必为"形而上"约束的洒脱与狂放，当然还有"我色，故我在"的坦然，超出个人际遇的那种自然美景与"人创繁华"，死的未必可怖，生的不必那么沉重，等等，从而又生出一些乐观与旷达，自珍与自谅。

在这二十世纪的尾上，我们面临着许多的困惑，怀有非常强烈的企盼，因而派生出了若干思潮的激荡，乃至于种种人际、群际的摩擦与冲突，在这种情势下读《金瓶梅》，我以为我们有可能比前人更悚然于人性的诡谲莫测，却又可能比后人更刻骨地领略到冷静从容的叙述风格那魅惑的美感！

　　　　　　　　　　　　　　　　　　1995 年春于绿叶居

《封神演义》浅说

《封神演义》是一部明代出现的长篇小说,现存明刊本题为钟山逸叟许仲琳编,但也有人说是一位叫陆西星的道士编写的。古时候的人们并不认为写小说是桩光彩的事,所以往往不署名或只署一个假名。不过现在人们在印行《封神演义》时,大都署许仲琳编。

《封神演义》的故事框架,是说三千多年前,商朝末年,纣王无道,西岐的周武王在丞相姜子牙的辅佐下,联合各路诸侯,终于打进商都朝歌,灭了商朝,建立西周的经过。但这并不是一部历史小说,而是一部神怪小说。按这部小说的说法,这场俗世间政权的更迭,其实也是两个神仙系统的战斗,一方是元始天尊和老子所统领的阐教,另一方是通天教主所带领的截教,双方的众多仙人都卷入了这场恶斗;大体而言,阐教众仙都是协助周武王和姜子牙伐商的,而截教诸怪都是跳出来帮助纣王抵抗的。其结果,是双方都有神祇战亡,这些战亡的神祇和因战亡而得到神位的将帅,其灵魂最后都上了封神台,这也便是这本书叫这个名字的缘由。小说中还写到西方教,其教主接引道人经常在截教某神被阐教的法术弄得现了原形,几乎被杀,狼狈不堪时,跑来将其度化,带往西方,修成正果。因此此书也可以说是写了三教斗法,只不过阐教和西方教是结成同盟,共同遏制截教的罢了。

这部书的最大特色,是充满了生动而诡奇的想象力,把读者引入了一个神奇有趣的童话世界,像哪吒,其出生时是个肉球,父亲用剑砍开,他从中跳出,满地红光,面如傅粉,右手套一个叫"乾坤圈"的金镯,肚子上围一块叫"混天绫"的红绫,活泼可爱;他后来自坏肉身,又由太乙真人化为莲花之身;最后更化为三头六臂,所向无敌。再如雷震子,身高二丈,鼻高面青、发红眼暴,胁生二翅,扇翅风起雷动;杨任被纣王剜去双目后,仙人使其眼中可出手臂,手掌心中有眼,反而能观望上下左右乃至地下动静;杨戬能变化无穷,且有哮天犬可以咬死敌手;土行孙虽个子矮小,却有土遁之功,很多回都是在被敌人逮住斩杀时,钻入土中消失,令敌人惊诧莫名……类似的例子,真是不胜枚举。至于写到战斗双方斗法，那种种诱敌、惑敌、擒敌、来敌的方式，更令人目眩神迷，叹为观止！有人说，现代科技的种种发明，在这部书里几乎都已想象到了，像掌心发雷、瞬间千里、身若鸿毛、化土为铁、钻入人体、伸缩自如、匿身隐形、遁迹天外等等，或者已为现代科技所实现，或继续启迪着现代科技文明的推进，实在是读来兴味盎然！

《封神演义》这本书对于将进入二十一世纪的中国读者，尤其是青少年来说，仍不失为一本有益的读物。它不仅可以展拓读者的想象力，而且，更可贵的是，它可以使读者在阅读过程中得到我们民族文化传统的熏陶。现在有的读者只熟悉诸如"变形金刚"或"超人"一类的他民族的文化想象，而不大清楚我们本民族传统文化中的神奇东西，其实我们中华民族所积累的哪吒之类的生动而神奇的文化想象，不仅极其丰富，并且产生得很早，并且诉诸文字记载也非常之早，《封神演义》也仅是集大成的书中的一部而已。

《封神演义》的主题，有积极的一面，就是表现正义与善良一定会战胜邪恶与残暴。书中写到纣王不仅用酷刑杀害妨碍他过荒淫无耻的奢靡生活的臣属，甚至仅仅是出于好奇，竟把完全无辜的少年和老人捉来，将其骨头敲开，以检验其骨髓是否果然不同；又把一些无辜孕妇抓来，剖开其腹，看她们所怀的孩子是否同预测的一样。而周武王却与之不同，关心民间疾苦，不施酷刑。该书表达出一种顺民心者昌、逆民心者灭，否定暴政，颂扬仁政的思想倾向。这在客观上能给今天的读者这样的启迪：凡是有利于发展社会生产力，使民众过上安生富足日子的政权，总是要取代破坏生产力、残害人民的政权的，这应当说是一个规律。

不过《封神演义》全书也笼罩着宿命的色彩。按编书者的想法，商汤的覆灭、西周的勃兴，都不仅是双方统治者命中所注定，而且，更有神仙在幕后操纵。书中所有在战斗中阵亡的角色，不仅他们的死是无可避免的，而且他们死于何时、死在谁手、怎样死去，也都是早就设定好的。这种把生死命运归结为"劫数"的主题，当然是消极的，是并不符合社会发展、人生历程的客观规律的。这个缩写本所删缩的，主要是这部分内容。就阅读而言，这些删却的部分是并不可惜的，因为大都沦为反复说教，是书中较枯燥的文字。

1995 年岁末于绿叶居中

刘心武张颐武对话录

《刘心武张颐武对话录》序言

以对话形式著书立说，中外文化史上都不乏先例。然而到这个世纪之末，有一种新的文化气象，就是对话式著述不再仅是圣贤立言的专利，这种方式逐步民间化、平民化了；中国大陆进入 90 年代以后，仅文学一界，便不仅报刊上频频出现对话式文章，对话录的出版，也引出了出版界的兴趣；而面对图书市场的出版者们之所以有这样的兴趣，除了意在为一个时代的文化发展留下痕迹外，当然也是对会有相当数量的读者来充当对话录的文化消费者，抱有并非虚妄的信心。漓江出版社前些时推出《王蒙王干对话录》，不长的时间便进行再版；现在他们又支持我们，继"二王"对话录后，再推出这"二武"对话录，看样子他们还可能陆续推出可构成系列的对话录，我们除了感激他们的容纳外，也非常佩服他们的胆识和魄力。

我出生于 1942 年，颐武出生于 1962 年，我们应该说已属于两代人了，我们之间在人生体验、性格特征、心理结构、教育训练、美学取向和参与当前文化实践的方式上，都存在着很大差异；此前我们来往也不多；这或许恰是我们乐于坐下来作一次涉及面广泛并尽可能深入探究的对话的原动力。在这个社会生活的各个方面，特别是文化又尤其是文学，开始呈现出明显的多元分流趋向的转型期中，各元之间，已站定一元或正在选择甚至创建新元的文化人之间，当然不可避免会摩擦甚或碰撞，因此元间对话便成为非常必要的事了，这不仅可以促进各元的良性定位，更可能使各异趣乃至异质的元得以尽可能在切磋争论中互补互济，整合为一种有利于世道人心和社会进步的新的文化景观。

这本书的外在形式是我们两个人的对话，而其实质又是在参与当前文化界特别是文学界的热点讨论。因此，这"对话"的含义不是单一的而是多向面的。在对话中，我们发现各自从独立的经验与思考出发，都对从1995年在文学界凸现出来的一些浮躁与焦虑的论说，如判定当下"中国作家正领导中国人民走向堕落"，以及尝试发动"抵抗投降"的"圣战"，也就是从立论开始进入实际操作，欲拿文化界特别是文学界又特别是某些作家开刀，以此一揽子解决当下中国社会所存在的问题，这样一种苗头与态势，不能苟同并深感忧虑；因此我们针对这种我们称之为文化冒险的现象，直言不讳，并且相当尖锐地发出了我们的反对声音。我们的这种共识与共鸣并非事先所规定，而是在交谈过程里逐步形成的。值得特别提出的是，某些持文化冒险立场的人，他们推出来作为旗帜与楷模的作家本身，其实或仅仅是在其著述言论中表达一种属于其个人的认知与皈依，并不一定是要推及他人和整个社会，或总体而言并非推崇他们的人所诠释的那样，给他们所贴的标签或所引申出的东西，多属于有意无意的误读，对此我们是心中有数的，我们力图在评议中将二者区分开来；但有的作家的著作确也给持文化冒险立场的人提供了可使用资源，我们便不得不在对话中与这些作家的某些论点迎面碰撞。当然，我们不仅并不以为我们的想法一定正确，我们还真挚地期待着所涉及者，以及所有读到这本书的人，对我们的论说提出批评，以期能引出更深入的讨论与思索。

正当我们整理这部书稿的过程中，发生了以色列总理拉宾被刺杀的事件。这一惨剧的最令人震惊之处，在于经过精心策划、冲上前去将拉宾刺杀的，并非以色列的对立面巴勒斯坦的恐怖分子，而是一位地地道道的以色列犹太青年，一位高等学府的法律系学生；他把对原有的对外敌的仇恨，转化到自己营垒中主张以和平方式解决争端的人身上，并以暴烈的恐怖行为，不是把枪口对准外敌，而是爽性以国际禁用的达姆弹，来"实地解决"掉自己营垒中与自己想法做法不同的人，这一思路和做法本身，作为一种政治、社会的文化现象、心理现象，实在值得进行学理性研究。我以为这其中积淀着20世纪人类的大苦闷。20世纪里的各种理想，似乎都未能如愿以偿。"阿芙乐尔"的一声炮响过后，曾开出了多么艳丽并且硕大的理想之花，万没想到"苏东波"过后，却出现了目前呈现于我们面前的怪局；

而那些曾经不惜以"卷毯式轰炸"的"特种战争",扑灭其视为绝不能任其"蔓延"的主义的纯西方价值理想观的坚守者,他们现在也不得不眼睁睁看着美国政府与那里的当局改善关系;并且,那被"卷毯式轰炸"过的地方,也在自我发生着很大的变化;至于我们中国大陆近二十年来的变化,不要说对于旁观者来说往往目瞪口呆,就是置身其中的我们,又有几位敢说已获得了充分的诠释权? 可以说,到这下一个世纪即将来临的前夜,人类中的各种理想主义者,包括同一理想范畴之内的左右两翼与各个分支派别,谁都不会非常满意;并且,越来越多的人意识到,以一己的理想统一人类实在非常困难,尤其是在实践理想的过程之中,不得不更多地与异己的理想持有者从战场转到谈判桌边,并痛苦地认识到,适度的妥协并非投降,在经济领域和资讯交流中实行国际合作实不可免……也许,人类社会本应尽可能容纳各种不同的宗教信仰,各种不同的政治、社会理想;在精神领域中,文化活动,尤其是文学艺术的实践中,美学理想更不必也更不可能划一。

我们其实也是在困惑的大苦闷中来进行这个对话的。我们只对必欲杀灭其他各元的那一元持严厉的批评态度。我们企盼"后世纪"尽可能减少你死我活的暴力冲突,而能是一个多元并存、并以和平渐进的方式提升的世界。

1995 年 12 月 1 日绿叶居

第一章　全球化与民族主义

(1) "冷战"后的文化思考

张:"冷战"结束之后,人类的文化及社会的发展都有了很大的变化。人们对人类文化的发展有很多不同的探测、描述及思考。过去以两大阵营的意识形态的差异作为前提,在社会主义、资本主义的对立与冲突中建立起一种社会和文化结构。这种结构倒也相对地稳定了。80年代后期世界格局的这场巨变，却使得世界历史的方向显得模糊而迷茫了。原有的一切好像被打碎了。这个90年代有点理不清、弄不懂的样子，好像是突然走出了一片大山之后，见到了一片原野，草木丛生，有点把握不住。于是在西方和全世界，各种各样对90年代以后世界的解释也多起来了。人们都尝试提供各式各样的阐释模式，给予这个充满不确定性的世界一个"形象"。这里最有名的大概是两个人物的书，一个是福山在90年代初发表了一篇文章叫《历史的终结》。福山是个美籍日本人，这篇文章后来也扩展成一本书，题目叫《历史的终结和最后一个人》。这篇文章当时引起了极大的轰动。它似乎也迎合了当时西方对"冷战后"文化的一种乐观而自信的情绪。福山的见解很直截了当。他认为世界如今随着东欧、苏联的崩溃，人类已经进入了一种由西方价值为前提的新的时代，历史由原有的二元对立所建构的种种故事业已终结。当前经济的问题、社会的问题、全球的问题都可以通过西方价值观的普遍化而得到解决。这似乎反映了西方的一种在"冷战"结束后的极其乐观的情绪，似乎一个西方主宰的、格局井然的"世界新秩序"立即就要到来了。它承诺经济问题、文化问题、种族问题都会在西方价值观和发达的经济能力的支配下得到整体的解决。但当下历史的日程表却并不是按此进行的。首先，苏联、东欧在发生了巨变之后，似乎空前地实现了西方价值观，但并未成为预想的丰裕社会，民主带来面包的神话并未在一个夜晚实现。历史给天真的人们开了一个大玩笑，失去了预想的控制。

刘：这是一个很大的讽刺，福山的预言变成了一个很残酷的对照。这个对照正是全部预言都走向了自己的反面，人们似乎都没有想到，但它却成了一个客观的现实。

张：另一个问题是意识形态的争斗衰败之后，民族的冲突、社会阶层之间的冲突业已发展得十分尖锐，像波黑的冲突、卢旺达的冲突等，一旦没有了意识形态的约束，问题似乎就不可遏制了。意识形态争斗的结束，没有结束世界的分裂，反而使这种分裂局部化了，分成了许多不同的面向之间的纠结、复杂却又互相无法化约的问题，苏联地区也发生了大规模的民族冲突。西方也发现这种西方的意识形态解决不了这么多分裂或不同面向的问题。那么这样的经济、民族、社会的综合的问题，似乎已无法得到合理的解释，福山的表述里的问题似乎就表露出来了。于是有了一个著名的学者，亨廷顿。他在80年代在中国大陆曾以《变革社会的政治秩序》一书而非常著名。他在1993年又写了一篇文章,《文明的冲突？》。在这篇文章中，此人提出了一个"文明的冲突"的模式，认为西方在冷战结束以后会遇到与之文化传统有极大差别的社会，如儒教文化圈及伊斯兰文化圈等均会对西方构成挑战和威胁。亨廷顿倒是承认："冷战结束后，国际政治已迈出西方阶段，重心转到西方与非西方文明，以及非西方文明彼此间的相互作用上。在涉及文明的政治中，非西方文明不再是西方殖民主义下的历史客体，而是像西方一样成为推动、塑造历史的力量。"他认定"文明的分界线将是未来的冲突线"。这些说法又把儒家文化圈，特别是正在发展中的，经济高速成长的东亚，作为自己的"假想敌"。他的说法不管怎么说，反映了西方社会中对"冷战后"社会及文化的全球格局的一种忧虑情绪。他们认为全球化也无法解决人类的一切问题。原先构想只要现代化一发展，社会一发展，民族问题等即可自然而然地解决。这看起来不那么容易了。经济的问题也没有解决。甚至第一世界内部的少数族群的问题也没有解决，像洛杉矶出现的罗德尼·金的事弄出了大规模的种族冲突。美国或西方所构想的完整的由西方(7+1)主宰世界的构想看来也不现实了。西方用了这么大的力量，解决一个波黑的冲突尚且难乎其难。那么，一方面是全球化的大发展，一方面是社会和世界在分化。反而现在国家利益，被突出出来了。原来的两大集团的冲突一结束，被压抑的问题就突出了，世界更复杂，或是说"多极化"，或者说五极、六极在这个世界起作用，都是说明对目前的世界，大家都不那么有把握。这是个大问题。

所谓"全球化"，像高技术的广泛的使用带来的旧的界限的消失，已很明显。像全球计算机的网络"Internet"，全球就有三千多万个用户同时使用。好像民族国家的界限已经被打破了。但民族主义、民族认同更强大了。不知你如何想这个问题？

刘：你基本上勾勒出了90年代全球格局所遇到的一些问题。这里面有许多具体的问题。一是如何看中国，这不仅是我们处身中国国内的知识分子，而且海外的学者也都关注中国如何发展的问题。像在美国的崔之元，还有一个美国人昂格，他们都在探讨中国90年代以来的情况。这个情况现在看得比较清晰，不管怎么说，出现了一个相对稳定的结构。还有一个情况也不能否认，就是它的经济不但没有衰落反而有了极大的发展，这个情况大家都是看到了的。你可以指出中国有种种毛病和问题，如道德的滑坡，人欲的横流，腐败的盛行之类，但它在国际上的位置，它的气势，它的经济规模，都有了大发展。尽管可能还潜伏着极多的问题，但我们毕竟有了一个繁荣的开端。所谓"只要有了钱就什么都能买到"，这不是容易做到的，也不是世界每个地方都有的。像在苏联，它解体以后，思想和言论很自由，但恐怕要买到想要的东西就难得多。中国是世界的很大的一块，如何看它还是一个大问题，你得提出解释，绕不过去的。1989年、1990年，福山的说法，现在看是比较浮躁的，比较粗糙的，解释中国就是无力的。中国的人口、中国发出声音的强大，它还是联合国的安理会成员国。它没有发生苏联东欧这样的变化。中国这个情况你必须做出诠释，有些小的地方似乎理论家们可以忽略不计了，但是中国不能视而不见。像崔之元他们关于中国目前乃是一次"制度创新"的论点，我不清楚他们影响有多大，但他们的说法还是很重要的。他们对中国的情况很兴奋，觉得中国有可能创造出一个既不同于旧的计划经济的社会主义，又不同于资本主义的新的人类生活的体制和法则，甚至是一种新的希望。而且我最近看到一个报道，说李泽厚最近对中国社会也有一系列的新想法。他也认为中国目前的形势是很独特的，对人类的生活是有独特的意义的。他从一个学者的学理的角度进行的思考，他也提供了一个不同的思路。所以在这个阐释中国的问题上，不同的看法和思路被凸现出来了。

另一个引起我思考的就是近几个月来出现的一系列的事件。一个是俄克拉荷马出现的爆炸案，一个是奥姆真理教在日本东京地铁里施放毒气的事件。原来这些国家往往认为他们那里还是比较平静的，出现恐怖主义也往往是来自中东或一些边缘地区的极端主义的小组织，或是一些极端主义的教派。本国人皈依这些教派来反帝，也是一种旧的情况。但这两件事却很大，很严峻的地方在于它都是一些本土的思想中产生的暴力事件。于是，我们可以想想，刚才你说的那些理论家的论点，退一万步来说，有对的方面的话，那苏联、东欧的解体，带来了西方主导的或是三大文明冲突的社会。那么像这样由本土的思想、本国人来做的恐怖主义，很显然这两种理论都装不下的。像麻原彰晃，是纯粹的日本人，而俄克拉荷马的爆炸案也是本国的白人的右翼集团干的。他们反政府是由于政府妨碍他们自己的利益，采取暴力行为，而且是非常残暴的行为，不惜残杀无辜，来进行恐怖活动。这说明本世纪末，人类的问题确实增多了。这就为我们，中国的文化人提出了在这个这么大的变化的世界里如何生存的问题，这种巨大的个体生存困境更为深刻，那么就是说我们所面对的世界问题非常之多。作为你，前一阶段一直用一种"后现代"的理论思路分析当下的中国，那么你觉得如何诠释现在所面对的诸多现象？

张：你刚才说的的确是很重要的背景。我觉得在这么纷纭复杂的问题面前，似乎理论框架与模式都有一点解释失灵的感觉。像"后现代"这样的理论也面临着一些挑战。像奥姆真理教这类的教派都是追求深度、追求终极意义的，这里有一个问题，20世纪的许多理论解释20世纪末的种种问题，面临挑战。"后现代"作为一种阐释方法，它对于大众传播、商品化及消费化等问题上解释能力是很强的，表现出很好的适用性的。"后现代"理论的影响在欧洲美国均很大，它对当代社会进程的阐释还是有用的。但现在这些事情的确让人去思考，像中国的发展等问题都有待用理论加以详尽的阐发。这里有个难题，也就是集团的经济力量为杠杆的作用下，社会转向了新的形态的结果如何？但"后现代"是一种解释的态度，思考的态度，而且我们的设想一直是既借用理论来阐释中国的情况，又以中国的情况来修正、改造、重写理论。因此，面对目前这种纷纭复杂的现实情况我想我们还是需要分析、解释、探讨，而不是很狂躁地，不加分析地骂倒一切。那么干，最终是一事无成的，甚至会造成很大的危害。我觉得人类的问题我们在面对时的确感到纷乱，找不着明确的目标。这就有两种态度。一是像你的一篇文章所言，要"直面俗世"，寻找解释分析；一种是不加分析，要毕其功于一役，要对俗世俗人宣战，他是看到了世界的问题多、难、乱，寻找解释不得，就蛮干起来。奥姆真理教及俄克拉荷马的事恐怕都是解释无力的结果，导向了狂躁。这两件事凸现了我们如何面对俗世的大问题。这是一个很大的选择的问题。人类目前似乎是一个面对很多挑战的时代。面对世界有什么立场的问题，被这两个事件不由分说地摆在了面前。我们都可能成为这样的事件的受害者，他们把这个问题用最残酷的方式提到我们面前来了。解释的问题好像更迫切了。如何去思考、面对世界变成了特别巨大的挑战。我想这种激进的事件正是很大的启示，告诉我们要选择。如何选择？面对人类未来的选择。我不知你如何看目前的人类的问题。

刘：我觉得从很深的层次去想，人类的生存状态大概有两种。一种是相对稳定与繁荣的格局，各个社会群体还比较能够接受这个现实。另一种是社会矛盾尖锐，社会问题多。好多次都有人预言世界的末日到了，或者是说某一个群体、某一个社会形态的末日到了。这是一种末日情绪。那么在前边一种情况下，理性认知的思想占优势，而一旦后一种情况出现，那么激进主义、冒险主义就可能占上风，理性认知较困难。从20世纪历史上来看，有两个大的事件对人类造成了难以弥合的创伤。一个是法西斯主义，它存在的时间还不算长，但对人类精神的伤害却极大。作为群体的记忆是极深刻的。让我们这些没有经过这些事的人感到惊异的是，从上一代给我们留下的资料来看的话，还是难于理解。这么一种极端疯狂的东西为什么还是有这么多人卷入。比如说德国，就很难理解。虽然我也很仔细地阅读威廉·夏依勒的《第三帝国的兴亡》和其他可供认知的材料，他里面的分析也是一环扣一环的，有条有理。但仍然无法解决我从感情上的震惊。另一个是本世纪最重要的事件，也就是十月革命带来的社会主义的选择。"阿芙乐尔"号上的一声炮声，带来了人类历史的一个巨变。通过了艰苦的努力，终于开出了美丽的花朵，到了本世纪50年代，可以说开成了一个繁花茂盛的大花园。那个时候真是觉得共产主义就要实现了。我那时作为一个年轻人，充满了信心，不做第二想。

但现在我还未到老年，才年近半百，就眼看着这个重大的历史进程出现了严重的转折。令人失望的花朵的凋谢也出现了，起码是它最大的一朵——苏联，已不复存在了。我现在看到有关俄罗斯的报道，真令人感慨万千。那么我们回顾一下历史，俄罗斯的沙俄时代，其经济社会状况、文化状况都不是世界上最坏的。比不上美国、西欧，但比起现在的第三世界国家来则是不能以道里计的。那时世界文化的许多新发展都在俄罗斯。最重要的文学家、最杰出的音乐家、最好的画家……像电影这种最年轻的艺术也在俄罗斯有所发展。当时俄国的知识分子看到了有许多社会问题，就试图以激进主义的方式彻底改造社会。社会主义在俄国的发展经历了几十年之后，取得了极为巨大的成就，却又如何很快地到了今天的状况呢？我们不能说由于它解体了，就说过去的选择是错的，也不能说我们自己和这些事有许多千丝万缕的联系，就从感情角度去对待这些事情，不愿客观地把它当一个学理研究的对象来看。这两个大事件会给中国知识分子很大的反思和启示。

目前中国的知识分子面对的很大的一个问题，就是如何面对现实，种种矛盾及分化皆由此而生。像中国的腐败现象、道德沦丧等等，像什么以权谋私，以钱谋私，什么"三陪"现象，吸毒现象，甚至是纳妾现象，社会治安也不好。对于这些问题，大家的忧虑、愤慨、不满几乎是一致的，对于情况的严重，特别是道德情况的严重都很担心，这都是不消说的。至于文化方面，也是光怪陆离，驳杂混乱，我们后面还要详加分析。大家对这些情况都不满意，甚至还有深层次的不满，像政治上、经济结构上等等。那么这么不满的时候，有两个选择。一个就是激进主义的信仰，激进主义的主张，甚至发展为一种激进主义的实践。本世纪初中国也有过激进主义与保守主义的争论。这种思路我没有进入，但我观察它，也是有它存在的合理性。它是面对这么多问题，一下子急躁起来，要一下子就解决所有的问题。像奥姆真理教之类的事件也就发生了。

张："奥姆"这个词在日语里就是崇高的意思，它来源于梵文。

刘：试图以崇高的名义宣判普通人有罪。我看到有关奥姆真理教的报道，其中不少人都是从事科学研究或专业工作的高学历的知识分子。其中一位有医学学位的医生，到地铁里去施放毒气。他看着地铁里的芸芸众生都很不崇高。走来走去不过是为了一些世俗的目标。像一个母亲还为孩子买一个非常世俗的冰激凌，他们都没有什么崇高的目标，是非常不堪的。但他还是有些犹豫，因为医生毕竟是救人的。但他最后还是想到了他的教主麻原彰晃的神圣的指令，就泄露了毒气，把针扎向那只装毒液的塑料袋。这种解决人类问题的方法是毕其功于一役，一举成功，"最后一战"，而且还要从重从快，（笑。）一夜解决问题，以灭绝人类的行为解决人类的问题！俄克拉荷马的爆炸案倒不是针对全人类，而是针对美国政府。不跟政府讲理了，炸一下子算了。这两个事件是极端性的，但是不是有一些人会组织起来，为了某种这样的抽象的理念，进行更多的这类活动或其他的活动呢？事情还只是刚刚开始，千万不可以为东欧、苏联解体之后，就认定只有文明形态的冲突，或是只有同一目标下的人的利益的冲突了。

那么，还有另外一种思路，也就是理性认知的思路。这一派由于行动不特别急，往往被看成是一种保守主义。现在在这个冷战后的非常复杂的环境下，恐怕这种思路不能叫做保守主义。它也是要解决，要面对种种社会的、文化的问题。但它采取的不是凭感觉、远远一望就下结论的方法，而是具体地分析问题。但现在有些人还是热衷于那种凭感觉、远远一望的方法。如有的评论家很激愤，说他感觉很不平，凭什么像池莉这样一个人就这么有名。这很不应该。这些话就这么随便说出来了，也没有分析。"凭什么"之类的句式里边是没有论据的。如果是我的话，我不会采取这样的远远一望的方法，我会研究池莉作为一个作家的作品，她的思想，她与同代作家的异同，我把一些当时的评论和报道看一下，为什么这么有名。如果我觉得她不该排名这么靠前，不该有名，我就要写文章论说我的"为什么"。所以说现在确实有一股极端的、浮躁的风气，形成了比较广泛的潮流。

但我们也要讨论一下，这种全球化进程中间，民族主义、民族特性的强调也是一个大潮，甚至酿成了波黑这样的长时间持续的局部战争。这的确令我们不得不深深地思考。

张： 我想这个问题的发生是背景非常复杂的。全球化也是与一体化相联系的。

从十四五世纪的航海大发现及殖民主义时代以来，人类被纳入一个全球体系之内的进程似乎就是不可阻挡地发展。但在 20 世纪的后半叶，一个世界市场，一个世界的体系似乎已经完全形成了。一体化的一个标志是跨国资本的全球流动，另一个标志是信息传播的全球化。举一个最普通的例子，像卫星电视已经使得极遥远地方发生的事就和在我们家里发生的一样，如世界杯的足球赛，就是一个很好的例子。全球有好几十亿人在同一个时刻看球，什么时差之类的问题，都挡不住这种全球化。另一个例子是我们的现代汉语的白话。这个白话里的许许多多概念和词都是外来词，都是由日语转译或直接译西方语言的词借过来的。像我们最常用的许多词如"文化"、"文学"、"理想"之类，还有诸如现象／本质、绝对／相对、主观／客观之类，全是外来词。有一次我和一个要求回到传统的很极端的学者坐在一桌吃饭。他很激动地对我说：他要找到一个纯粹的中国的"本体"。当时我觉得很奇怪，"本体"这个词也是一个外来词，靠这个词，"本体"的中国肯定不本体了。这说明全球化对我们的影响之大。再举一个例子，最近一段时间，中国大陆电视台和电影里放了不少有关在外国公司驻京机构工作的中方雇员的生活的影视片。这些片子都显示了跨国资本在中国的存在已是我们的日常生活的一部分了。这些片子里那些中方雇员的身份是相当尴尬的。一方面，他们从文化和社会关系上看，无疑具有一个确定的中国人的民族身份。他们不能做违背中国利益的事。但另一方面，从经济上看，他们又从属于跨国公司，应该为跨国公司争取更多的利润。生活就很矛盾。这种片子又很拘谨，又要张扬民族情感，又不能影响跨国资本的投资的存在。这里面一般安排三种女孩。一种是只和跨国资本联系，只想取悦洋人，却最后被洋人和自己人都抛弃了，变成毫无价值的人；而另一种是有狭隘的民族情绪的人，他们则被写成偏执的人，简单化，过了时了；片子里肯定的是一种既有民族感情，维护民族利益，又能与跨国公司的老板和谐相处的人。这些片子的意蕴相当复杂，但我们可以从中窥见中国全球化的走向已渗入到何等程度了。涉及民族这种概念，特别复杂。像《北京人在纽约》里的王起明，到了美国，就得按美国的法则行事。那么文化上、心灵上的痛苦如何办，只好用地下室里一群中国人聚在一起唱歌，这样一些方法来表达一下。这就说明身份的问题、民族及文化的归属问题与经济等问题极为复杂地纠结在一起，它们既无法化约又无法消除。有些很弱小的少数族群，不像中国这样大的民族所发出声音，有这样强大的力量，它的困境就已经显得很大了。一种命运就是被抛在世界历史之外，像许多非洲的社会和民族一样。原来在冷战时代，这些社会因为美苏的地缘战略的全球争夺，还有一定的价值，还受到一些重视，还能吸收一些发展资金。而一旦冷战结束，这些社会反而没人管了。美苏或其他国家都开始以经济利益为中心。一些既没有什么资源，又没有什么开发价值的地区就被全球体系抛在外边了。这些地区变成世界历史的郊区，没有任何制约的力量。这种被抛在外面之后，没有声音，就可能出现卢旺达这样的一百万人的被屠杀与流亡。这是很可怕的。但对它的关注也还是很弱的。这样许多小的族群就不得不自己管自己，自己寻找自己的生存空间，认同就不能不空前地强烈。另一方面，纳入到世界历史之中去的主张，就像你刚才说的，中国一方面太大，人口太多，你没法忽略不计，没法不理它；另一方面它也很稳定，有一个巨大的市场。它必然引起广泛的关注。国际贸易、国际投资也把中国作为一个新的中心。像这样的地方出现的民族认同的问题就更大了。一方面我觉得中国民族意识有一些强化的趋势。像刚才我们谈到有些作家主张抵抗、抗战文学之类，主张用很狂暴的方式对抗西方，这似乎说明民族问题是最容易导致极端主义的温床和土壤。

民族的问题是一个具有爆炸性的问题，它好像是最容易情绪化，最容易让人动感情的东西。亨廷顿的见解正是基于西方对这种局面无法控制的焦虑。不知你如何看？

刘：亨廷顿是站在白人的立场，或基督教文化的立场上看这个问题，好像下棋看三步，提出了自己对未来的估计，认为他们所能遇到的威胁是民族文化的冲突。那么我的问题是现在世界上有没有为被压迫的社会群体，为亨廷顿的立场的反面说话的理论？我对这个问题非常有兴趣。

(2) "后殖民"、殖民、文化选择

刘：现在一般大家很感兴趣的是赛义德的"东方主义"的理论，认为他的理论很有代表性。不过据我所知，赛义德是个美籍巴勒斯坦人，他的理论好像没怎么涉及中国的情况。中国知识分子好像没有更好的工具，把你刚才说的那一大堆的困境加以学理的认知和分析。你说的这种民族文化的问题大家都感到很大的压力。大家都把焦点放在了民族的情绪上，因为这种情绪现在看来还是比较强烈的。这种情绪第一还是不大体现在政治上，因为在政治上感觉中国缺少发言权的情形还是比较少的，不管怎么说中国还是安理会的常任理事国，还是很有分量的，说出话来还是厉害的。第二，也不完全集中在经济上，当然经济上的困扰比较多一点，但你说知识分子或文化人对跨国资本的全球运作就这么关注，也好像不是很明确的。其实不少知识分子也都进到跨国资本的运作里边去了。且不说像张艺谋、陈凯歌的电影，就说一些小的，如乐团的演出，如作家的出访交流之类，也都是跨国资本的钱。像美国新闻署的邀请国际访问者访美一个月，都把钱给了国家来进行运作，就更明显了。但这方面的焦虑也还是比较少的。那么目前的焦虑究竟何在呢？我想主要是文化焦虑。我觉得作为一个民族的知识分子，这个文化上的地位还是引起焦虑的中心。因为许多即使是非常激烈地反西方的知识分子，主张"抗战"的知识分子，也都是多次接受西方基金会为背景的邀请。但最关注的恐怕还是文化地位的问题。作为中华人民共和国的公民的地位，在外面还是有尊严感的。而且现在中国作家也能够拿到一些国际的稿费、版税等等。甚至有一些作家由于种种特殊的原因，生活得比某些第一世界的作家还好。但文化上的焦虑却是很严重的，它也无法被消除掉，这里一个最重要的问题就是语言问题。韩少功的《世界》一文中最感情投入、最激切愤怒之处就是"请你说中文"，但是人家却不说中文。这是很让人伤心的。"中文"被韩少功认为是最美的语言，屈原、李白用它写过那么好的诗，曹雪芹用它写过这么美的小说。但现在的现实的确是相当残酷。世界上确实有一种柴门霍夫的"世界语"。我还曾有一度学过世界语，但

我发现这世界语几乎就太不世界了，几乎没有人能用它日常交际，东欧国家有些人可能还用它，但它在世界上根本没有通行。目前世界上最主要的语言仍然是英语，你去开任何一个国际会议，通行的是英语，你不管去什么国家访问，英语也可以进行日常交际了。进入学术、文化圈会英语的话问题就不大了。为什么中国作家进入世界之后会产生一些愤懑呢？恐怕语言的问题是关键的，是一个中心问题。像张艺谋、陈凯歌的电影，之所以进入世界的问题不大，那是因为电影是视觉形象，这种语言是可以通过视觉就能大体上了解的，有相当大的共通性。除了盲人看不见，聋人都可以看，可以说是通用的符码。但文学"走向世界"这个问题就很大，很困难。从80年代中期开始，瑞典文学院的那些评诺贝尔奖的院士们，特别是马悦然，他懂中文，指出许多中国作品得不了诺贝尔奖的原因不是作品本身不好，而是译本不好，特别是我们外文局出的一些译本。但我们反过来想一下，英美作家，或是德国作家等等，就根本不存在这个问题，欧洲人不但懂英文，也有不少懂德文的。甚至马尔克斯这样的作家，他用西班牙语写作，这也还是一种欧洲语言，与其他西方语言的差别比较小一点，可译性也强得多。中文的难度就大了。

张：我接触的汉学家都抱怨中文难学。

刘：所以中国作家心情就很不平，为什么我们现在就不行，总是不能"走向世界"。这种情绪90年代以后就发展得非常地充分，变成一种很激烈的情绪。如认为有些作家写的是一种"汉奸文学"，主张"抗战文学"。我想这"抗战文学"倒不一定是一种政治诉求，当然也有可能有人有这种政治诉求，但主要还是在文化上的。他们要和这种全球化的趋势相抗衡。那么你看理论上还有没有能够解释这个全球化时代问题的方法？是否能从理论上较好地解释这些现象？

张：目前和赛义德齐名的还有好几位有名的理论家，都对殖民、后殖民等问题提出了自己的看法，这些理论家大多来自第三世界，后在欧美大学里任教，像斯皮瓦克、荷米·巴巴等等。斯皮瓦克是印度人，一位女性学者；而荷米·巴巴的身份就更含混了，他是一个印度成长的波斯人。在印度他就是个少数民族，波斯人在印度和犹太人在欧洲有一点像，都是又比较有钱、但又比较受歧视的人。后来到英国念书教书，身份就显得更怪了。英国人熟悉印度人，但他却是印度的波斯人，这就更奇怪了。这几个人大都有一种跨文化的经验。像赛义德是比较激烈的，因为他一度参与政治实践多一些，是巴解的执委，还是阿拉法特的朋友，现在好像疏远了。但他一直不肯去哈佛教书，据说是便于参加政治及社会活动，可以和巴勒斯坦的领导人保持接触。这些理论家的理论上的差异也还是不小的。赛义德大体上是比较强调对抗的，虽然他也谈到民族本质的不确定性，但主要强调对抗。像荷米·巴巴、斯皮瓦克往往强调一种含混，一种交织杂糅的情况，一种边界不清的状况。特别是像印度这种殖民化很深的社会，很多人都会说英语，受殖民化的印记极深。印度又有许多种不同的语言，大家也只有用英文才能互相交流。印度的历史是无法记述的，它不是像中国一样，有完整的编年史，印度的历史文献并不是记载清楚的。因此这些学者要去探究和认知印度本身的历史，往往还不得不大量借助于英国的殖民文献，如通过殖民文献来发现一个妇女的命运等等。他们也不能不借助英文来批判西方主流文化。所以他们往往很重视"模仿"，认为被殖民者对殖民者的"模仿"往往造成一种像／不完全是的状况，使殖民者的合法性和权威受到质疑，印度人可以用此来颠覆英国殖民主义。因为像／不完全是的情况对于西方来说是很别扭的。因此这些理论家往往发掘这种资源，进行批判和思考。如荷米·巴巴就讨论了印度的社会中贫困、冲突和优雅、丰裕并存的图景，与你的《风过耳》中对北京的有些描写有点相像，我感觉他们的理论往往是立足于混杂，立足于边缘性，认定回到一种纯洁的状态不太可能了，世界这么复杂，怎么可以由一种模式来运作呢？一个绝对的东西，一个本质的"中国"是不可能了。这似乎应使我们受到很大的启发。混杂本身就是我们的资源。所以这些理论家都不要找一个社群的本质，不要用本质框定自身，而是立足于此时此地的文化状况，将这个状态作为自身的主体的显现。于是，它要的就是我们本土的当下的状态，而不是古代的东西或是西方的东西，可能这些东西都有的，但它们是"混"在一起的。

刘：这些理论当然很有意思，它说明回到一种传统状态是不可能的。所以现在我们谈这个全球化的世界上，中国知识分子的选择中的焦虑，像民族文化的焦虑，有时是要找一个民族的本体。要找一个民族的本体我想在这个全球化的，"你中有我，我中有你"的世界上恐怕也只能找到一些碎片了。

张：关于这个寻找"本体"的事，我遇到过十分有趣的例子。一位 80 年代激进反传统的作家，90 年代以后，就要以电视的纪录片的制作来寻找一个中国的"本体"。他要找的是一种宗法制的管理秩序，他认为这是一个很有趣的潮流。有次和这位作家一道吃饭，他讲到要发掘出一个中国本体来，但我觉得这种说法的可笑之处在于，其实本体这个词，也是西方语言通过日本译过来的。"本体"的表述就是很西方化的。这也是一个非常残酷的幽默。要找"本质"，却发现连要找的这个词都是外来词。"本质"也就只有像云端的神仙或是梦中人一样，很缥缈吧。

刘：不过韩少功的焦虑有些不同，他的问题是针对语言这种符号系统。这恐怕比本体这种很抽象的东西还要困难。也许 21 世纪全球的人都可能要学懂中文，但中国致力于写作的人把这前景作为具体运作的前提，恐怕无甚作用，因为短期内这种前景是无法实现的。那么这种语言的问题的超越也有一个直接的方法，也比较简单，也就是像张戎、巫宁坤、闵安琪，还有在法国的亚丁，等等人，直接用西方语言来写作，这大概是一个捷径。这比陈凯歌、张艺谋还彻底，可以说是直接接轨。许多都是直接用英文、法文写，根本就没有中文版，有些中文版也是别人译回中文的。我看到一篇张戎（有名的《鸿》的作者）的弟弟写的文章，内容想来应该是可信的。这篇文章讲他姐姐写一本书不容易，出版后出版商带着作者到处去演讲、推销，到了西雅图这样的地方，在演讲时，不少人觉得有点沉闷，就要离开，这时她从一个红布包中拿出一只绣花鞋，说是她家传的外祖母穿在脚上的。于是这些要走的人就又回来听她讲这很奇怪的事情。我还就这个事情写了一篇文章叫《红布包中的金莲》，讲的就是这种中国作家"走向世界"的文化困境。这些人已经是以西方语言来写作，已经是完全面对西方读者，完全由西方出版商进行运作了，但在这个演讲会上还是不得不靠三寸金莲抓住读者，还得靠诡异的奇观，靠东方特色来招徕。

张：这大概很像张艺谋、陈凯歌的电影，用跨国资本来运作，但这资本观众是看不到的，观众看到的是一个"中国"的奇观。

刘：充分供给东方的奇观，如《大红灯笼高高挂》里，乔家大院里挂红灯笼或是敲脚心增进性欲，都不是中国固有的民俗，不见于任何民俗资料。但它可以表现"中国"有多么怪。据说张戎的《鸿》已被译成中文了，但译成中文后，反应却不见佳，很多人认为是像白开水一样，实在不稀奇。类似这样的故事在国内是汗牛充栋的，国内写这样经历的作品比它精彩的有许多，但它们或是未能译成英文，或是译成英文却仅仅是由很小的大学出版社出版的，没有进入主流的行销网而默默无闻。像张戎这种书正是进入了主流渠道，但反而更为边缘了。在这种情况下中国作家感到很大的困境。所以有两个选择，一个是很激进的路，一个是冷静认知的路。我是取后者的。

张：这里面你提出了一个很大的问题，就是一个纯粹的"人的本质"或是纯粹的"中国本质"，都是很虚妄的。像张戎这样的作家用西方语言写出了很有名的著作，应该是达到了对"人的本质"的表述了。实际上，"五四"以来我们的文学都在追求这种以"普遍人性"来表达的方法，但西方人眼中，这还是一个"中国"的本质。还不是西方人眼中的普遍性。其实最特殊的"中国"正是存在于这种最普通的语言之中。我前几天看到一个法国报纸上对张艺谋的新片《摇啊摇，摇到外婆桥》的评论，提出了一个很有趣的论点。这篇文章认为这部片子一开始就有十里洋场、夜总会等等都市景观，让他看着觉得不像"中国"，让他很不放心，但说看到后半部分，巩俐演的歌手到农村去了，这位作者就放下心来了，觉得"中国"回来了，他一下子就安心了。原来城市、现代的空间都无权叫做"中国"。这里面当然有它的意识形态和偏见在里边。

刘：这当然是一种西方的偏见在其中发挥作用，但对这种情况似乎也不能用一种简单的情绪化的方式来处理，这样无助于把这个问题弄清楚。我觉得还是冷静认知很重要，我举几个小例子说明这当中的一些问题：

　　我在美国的时候见过一个中国作家，此人不是太著名，但已用英文出版了一本小说，还要写第二本。对此人我姑隐其名，用她作例子不是对她不尊重，而是为了说明这种现象。她很直率地对我说起她正在写的第二本书里有关1949年后中国农村土地改革的。这个题材的选择也是无可厚非的。但她对我说，她写好了第一章以后，拿给她的出版商去看。她的出版商对这些背景很复杂的人和事看不懂，像什么土改工作队队员之类的说法，都完全不懂。因此为了出版这本书，就把土改工作队员都改成"红卫兵"。因为自60年代后期以来，"红卫兵"这个词在西方主流媒体里出现过的次数极多，对之报道也多，用在书里便于理解和接受。因此，她这本有关50年代中国农村土改的书中就有了红卫兵的故事。那么我当时感到非常震惊，她并不是要写一本政治幻想小说，但为了让美国读者了解，不得不这么写。我觉得它说明这个文化差异之大，互相了解沟通之难，她为了接受不得不扭曲自己和自己的文化到这个地步，也确实令人深思。也就是在跟这位女士谈过之后，我也就放弃了让西方读者接受我的书的企盼。有人翻译我很高兴，有人出版我也很高兴，但让我去追求这个目标，我不去做了。

　　还有一个例子，是我在法国时发生的。当时我和一群法国的中学教师见面。中学教师在法国是很有地位的人。这些中学教师是外省的，我和他们聊天的时候，就请他们说出任意的十个中国人的名字，一开始他们请我说出十个法国人的名字，这实在是太容易了。但他们所十个中国人的名字却十分困难。我说出五十个法国人的名字都不困难。但他们说十个中国人却让你吓一跳。第一个是孔子，这是意味深长的，第二个就能让你气死，你怎么也想不到，是李小龙，功夫片的大师。第三个是老子，第四个就真让你毫无办法了，是陈查理。这个陈查理根本就不是一个真正的中国人，而是三四十年代美国好莱坞电影里的一个中国侦探，一个虚构的东方人，他甚至连中国电影里德人物都不是。第五个他们就有点不清楚了。我就问他们，你们不知道毛泽东吗？一个女教师突然恍然大悟，说："对，毛。"他们报纸上"毛"的报道很多。正像中国不少乡下人知道马克思，不知道卡尔一样。然后我就问"周恩来"，这些外省的中学教师竟然都不清楚。我就对他们说，前不久在巴黎刚在周恩来的故居前钉了一块牌子。他们都笑了，说法国人钉牌子多极了，他们城里就有几十块。他不认为这有多么重要。但更重要的是一种认知上的分歧。有一个人问他是做什么的，我说是中国的总理，建国以来一直是总理。他们又不懂了。说为什么几十年都是总理。我对他们说是由于他好，他们都还是无法理解。这说明在认知上的难于沟通是多么严重。我还在南特的一个儒勒·凡尔纳博物馆参观，儒勒·凡尔纳就出生于此地。全世界的儒勒·凡尔纳的译本都在这里陈列，却惟独没有中文版。这实在是太奇怪了，中国人对儒勒·凡尔纳的兴趣差不多是世界上最大的。中国青年出版社这家中国大出版社差不多把他的书都出全了。什么《海底两万里》、《机器岛》……

张：我们小时候对他的书迷得不得了。

刘：特别是中国的大文豪鲁迅，很早就翻译过他的《月界旅行》和《地心游记》。在他翻的时候是 1905 年，儒勒·凡尔纳还在世，在同步翻译，根本不是等他成了经典才翻的。他就很兴奋地问我：如何弄到这些作品，他要陈列。我说你们当然应该陈列。但这时他却问了我一个非常朴素的问题："Who is Lu Xun？"（谁是鲁迅？）（笑）

他的确没有什么歧视和恶意，而是他确实不了解，没听说过。他让我给他拼出来，以便补充他的展品。差距就这么大。

再回到张戎的那本《鸿》，我到北欧时，我看到书店时到处都是张戎的《鸿》，非常之时髦，而且还得了一个英国的文学大奖，北欧人也大多能看英文，所以这本书极为流行。我当时就看到一个极为有名，经常在各种大报上写书评的书评家看了这本书之后激动得不得了。他有句话我印象很深："我读了这本书，就成了一个五岁的孩子。"当然，马悦然这类研究汉学的人对此是不以为然的。但张戎的书是一本时文，也得到了这样的时评，这不是学院里的研究而是一般人的一种感想。张戎的书里的事，如果对中国人来讲，是平淡无奇的，像她的祖母缠小脚之类的事，她非常耐心地讲小脚是怎么缠的。她的父母亲是干部，又要写他们"文革"中如何挨批斗，什么叫批斗。这种东西中国人自己恐怕没法看，因为你讲的都是众所周知的事，甚至读者本身知道的乃至经历过的比你写的还要丰富得多。但它竟然使一个西方书评家感动到这种程度，也是让人吃惊的。

其关键，就在于张戎是用西方的语言，以西方人的思维方式，按西方人的认知基础，来写她的书的。所以我就顿悟，像我的小说，根本就没法翻译，每一个社会文化背景都需要解释，甚至每句话都要解释。你说"大跃进"，怎么理解？都得解释。这里面的东西不仅仅是一个政治的问题，而且有文化、历史、社会等等缠在一起。这和电影还不大一样，电影你可以把这些东西用筛子筛出去，但文学里你很难避开这些问题。我想我这些例子虽然很小，但它都说明理解不是一朝一夕之功。这是不是需要很激愤地反抗？我觉得也不能如此，恐怕还是得认知。由此，以我们为本位，去升华到一种认知理性，一种把沟通提出来的认知上的解释。

张：这的确是极为重要的，我记得你提过一个"西方学"之说。刚才你说的是，西方对东方的误解、困惑、隔膜，那么中国人对西方也有许多误解在里面。但我觉得好像中国人对西方的了解比西方人对中国的了解还是多一些的。中国人毕竟是面对过西方人，见过，毕竟是有些了解。但西方和中国由于种种背景之差，误解之多也不可避免。我想西方人对中国的关注主要是两个方面，一个是民俗，这是许多文化的代码；一个是政治，中国有特殊的政治和意识形态。这些里面有中国和西方的差异中最为明显和尖锐的差异，就要去认识，引起很大的兴趣。

特别是 90 年代以后，中国的情势有一个很大的特点，就是有高速的经济和社会发展，这种发展是很多人，包括一直关注中国问题，对中国有研究的人都没有估计到的。以往的中国，不管是与西方对抗，还是向它们学习，是可以理解的。西方可以讨厌你，但它却能知道你的行动的理由，像意识形态的、社会的因素，它基本上能说得通，但 90 年代以后中国的许多发展变化的确出人意料，没法估计，让人大跌眼镜。认知上的困难很大，了解的热情更强了。像崔之元的现代化的不同选择的解释也是可取的。所以这种认知的兴趣也有它积极的一面。

刘：是的，我很同意你说的这个意见。崔之元他们是一种认知的努力。我们国内的人也在用我们自己的理解进行这种认知的尝试。

所以现在我看对"中国"的思考里面，激进狂躁的思潮大概也很难遏制，它可能成为文化思潮之一翼。我就希望有另一翼，也就是冷静认知的思潮能有所发展，在这么两翼扯动下，可能会形成良性的结构。所以我强调要做诠释。你在《二十一世纪》今年第 2 期上的那篇文章提到原有的各类诠释都不太行了，那么恐怕更需要各种不同的诠释。对中国、西方都不做简单化的理解。我提的"西方学"一说，大概就是由此出发的。在这一方面，我是主张和倡导一种精微的分析的。这种倡导还未得到很大的反响。像文化冒险主义或激进主义它根本不耐烦认知，你们搞什么迂远的事情呢？其他一些急功近利的人也难于去弄这些事。但是我在西方，虽然我对西方的了解非常皮毛，但我发觉他们许多基金会出一些钱，做的一些项目都是非常莫名其妙的。如我在德国威尔兹堡大学，看到他们和巴黎第七大学一起研究道藏，首先要把道藏全部输入电脑，这看起来非常迂远的功夫，你说要跟中国做生意，或是对中国有什么企图，这似乎也太遥远了一点。尽管这也与跨国资本的运作或是全球问题有联系，但我还是觉得其间的距离是相当遥远的。我作为一个中国作家对于"道"，也只读过老子的五千言的《道德经》，仅限于这么多，这也是惭愧的。我看到那里的道藏大概占了图书馆里的三面墙，很宏伟，我觉得还是受到了启发。另外我在丹麦看到一个小伙子在做博士论文，题目是《中国烹调中的动词》。他见到中国人就给你一张列满动词的表，做一个心理测试，让你看看你知道的就打钩。他还能很详细地和你讨论"熬"与"煲"的差别。他就研究这么偏的问题，却也得到了一大笔研究基金，足够他在中国餐馆里吃许多顿。大家都觉得很奇怪。还有许多匪夷所思的课题，诸如什么中国尺子，什么晚清的一种镜面上的仕女画之类。我一开始也认定这是洋人的怪癖，十分可笑。但后来我觉得这也颇有道理，因为，这起码是承认中国与西方有多么大的差别，这是一个很好的认知前提。第二，它提示我们必须老老实实、踏踏实实地从一点一滴做起。第三是最后我们把这些研究整合起来进行认真的探究，能够找到一种比较好的认知的方向，这还是很了不起。但是西方的急功近利的研究也是不少的。像哈佛和普林斯顿这样的学校里的中国问题专家，大多不懂中文，从事一种战略研究、宏观研究。我看是从急功近利的到最不急功近利的研究都有。看来我们都不能简单化。中国的文化人对于西方有时候有一种毛病，就是觉得自己对西方很了解，很熟悉。有些知识分子、文化人往往是直接进入一种下结论的、进行判断西方如何的阶段，他们往往不通外文，不了解外国思想的面貌，有时仓促发言。这我想是勇气可嘉，却成果可疑。像最近有人引福克纳，专引他在获诺贝尔奖的发言里的一段话以证明他很有理想，但恰好就是同时出来的《读书》1995年第 4 期上，有一位旅美的学人殷小苓女士，写了一篇题为《艺术与伦理的对峙》的文章，恰恰也是拿福克纳作为例子，她认为福克纳是反道德的，是个以艺术反道德的人。

张：这多么煞风景。

刘：你看这种根据几个片段、远远一望就下的结论是多么靠不住。许多人不耐烦认知一个人，一件事，随便找几句话就来说事儿，这种风气恐怕很难说是有价值的。你就像《河殇》，抛开那些政治上的问题不说，就看它发表的文化意见，如"蓝色文明"、"黄色文明"之类的大问题，又缺少实证的资料，立即提出一个大模式。其实倒可以研究一些看起来小的、不起眼的问题，其实那里面往往有许多很重要的东西。所以恐怕需要慢慢地进行一些细致的思考。急功近利的鼓动也是需要的，但我们目前缺的是踏实的研究。

张：你提到的这些问题，似乎也是"五四"以来我们学术或思想的一个比较严重的问题。功利性太强，效果一定不很持久。有些甚至是西方人的只言片语，就作为解决中国问题的根据。像刚才你说的引福克纳的那段话，不是去看看福克纳为什么说这句话，这话在当下中国语境中有什么意义等等，都不耐烦去研究，这种风气的确是很大的毛病。最近这种毛病又起来了。这里的文化逻辑是很奇怪的。用西方人的说法来比附中国是很有毛病的。

刘：你用西方作家的话来谈中国，提醒中国作家，就得选择精到。这当然还是比较低的层次上的事，毛病也很容易看得出来。从更高一点的层次上看，目前所出现的激进主义的文化浪潮，它一方面会造成很大的危害，有一定的危险性，应该引起我们的充分的警惕，因为它不是冷静地思考和探索问题。但另一方面看，它还不太可能引发社会的分裂。所以也不太值得重视，但在思想方法上的问题还是值得思考的。

张：从这个角度上看，目前有不少有比较激烈的民族主义情绪的思想，还是有一些值得思考的积极内容的。如王山的《第三只眼睛看中国》这样的书，或是像一些老先生关于"三十年河东，三十年河西"，中国文化复兴论等等，都还是有一定价值的。如 21 世纪是中国的世纪，儒家拯救中国……这些思考有的是学术讨论，有的是一种社会诉求。

刘：这些思路有一些是理想、愿望大于思考。有一些也反映了中国社会发展的某些情况，还是值得重视的。

张：但这里面也有一些是很极端的，甚至是很有破坏性的思想。像张承志有一篇《无援的思想》，里面谈抗战文学，认为日本人来拍摄长城或黄河这样的电视纪录片乃是祖国"正在被她的儿女们贱卖"，认为"已经有大批大批的中国人，已经准备好'从肉体到感情'地出卖了"，或者说"庞大的中国知识分子阵营，为什么如此软弱，软弱得只剩下向西方献媚一个声音"之类。这里还是有一些启发性的因素的，如他对新殖民主义的警惕等。但这里有一种极端的民族情绪，一种以恨来处理文化问题的情绪却也是值得注意的。它说明了有些知识分子对于当下纷纭复杂的文化格局没有什么把握，难于加入当下复杂的进程之中。把中国／西方之间的关系简单地解释为一种单向的对立关系，都反映了一种比较复杂的文化心态，体现出一些人被抛在历史进程之外的那种急躁的情绪。历史的进程太复杂，问题的面向也特别复杂。他们就耐不住性子。他们好像和历史"脱节"了，与全球化"脱节"之后，因为历史运行得特别迅速，像一辆特别快车，所以他们只有用像卧轨之类的方法硬干一下。这和上述的学术探讨或文化、社会诉求不同，而消极性的东西更多一些，冒险性更大一些。

刘：我也觉得有这样的问题。像我提出的"直面俗世"，或是王蒙提的"躲避崇高"，这样两个命题，有些人就很激愤，认为我们在主张堕落。如"躲避崇高"，究竟是不是要反对有理想，躲避真正的崇高？直面俗世是不是就要向世俗投降，主张媚俗？不能哪怕稍微仔细一点看一看。这种极端的思想也不能认为它完全不可能出现一种危险的局面，掀起一种社会群体的狂热。本世纪初的一个很大的事件"义和团"运动，还是对今天很有启发性，很值得关注的，尽管不能作简单的类比，但还是值得我们警惕。对这次农民和市民的运动曾有过像"文革"中那种简单的全面肯定，实际上它是一个很驳杂、很混乱的农民和市民运动。我读过一些资料，你可以发现由于中国／西方的冲突，从丧权辱国、赔款，到文化上的，甚至人种上的差异，却导致了调动了东方的一种最神秘的、最粗鄙的、也是最不美的东西去反抗的悲剧。最后是非常惨烈的失败。这里面非理性的、迷信的东西太厉害了，后来甚至整个王朝都信仰这些东西，认为一下子可以靠东方的神秘功夫打败侵略。不能说现在已有走向这种方向的可能，但目前这种有非常大苦闷的局面，又有人进行这么一种诉求，还是有一种隐含的危险性存在。他们把很多矛盾集中在一个"排外"上，用"排外"来整合社会力量。这种思路无助于冷静地思考，冷静地应对，冷静地探索我们民族的发展。所以，作为文化人，我们还是要注意这些问题，发出我们的一些不同的声音。

张：这恐怕也是我们把全球化与民族主义的问题集中来谈的意义了。

第二章　商品化与消费化

(1) 商品化社会的文化形态

刘：最近有一些冒险主义的主张，如一些激烈的作家很气愤，觉得许多作家正在迅速地堕落，甚至认为是作家引导人民堕落。在文化界把问题提得非常之严厉。其实这里面有许多问题都是市场经济带来的结果。你像大家谈得很多的，诸如什么"媚俗"、"迎合"的问题，什么报纸上随笔流行的问题，一些很快应市的大部头著作的七拼八凑的问题，还有一些"私小说"的问题，还有为了改编电影，为国际电影节得大奖写小说的问题。这些问题都不是一个作家的问题，正像水煮开了，你不能说是水本身自己就能开，而是有柴的燃烧为前提的。老实说，80年代人们还没有感到市场经济对文化有这么大的支配作用和影响，但90年代以后，特别是最近以来，情形变得非常地尖锐和戏剧化。

张：80年代开始的时候，市场化、消费化、社会公共空间的多元化等等都是知识分子自己倡导和追求的东西，但现在知识分子的一部分好像是一些叶公好龙的角色，一旦这些东西真来到的时候，反而情绪很急躁，不能接受。80年代追求好的日常生活，追求一种世俗的生活空间的丰富，都是知识分子的一种很普遍的社会共识。我还记得你很早的作品《我爱每一片绿叶》，那个作品讲的是一个人的私生活是不应该受到压抑的，在他个人的空间里应该完全可以有他自己的兴趣、爱好，自己的私生活。"个性"也需要落实政策。这是一个叫魏锦星的人还在抽屉里藏着一张女人的照片。当时大概除了极少的人之外，大家对这种私生活空间的拓展都是没有什么疑义的。而这种日常生活的丰富也是人们一致肯定的，而社会市场化也已是提供这种情形出现的一个保障。"新时期"文化的主要的目标恰恰是从一种禁欲主义、极端道德化的世界之中解放普通人，让他们过一种较为宽松的、平常的生活。像张炜的《古船》里的那个隋抱朴，正是发现那种斗来斗去杀来杀去不行了，他最后才落实到村里的粉丝大厂的物质生产的发展的目标上去。

到了80年代后期，可能是感觉到这个物质生产发展、日常生活改善的目标完成得还不够快，要把一种"现代化"的总体解决问题的方法极端化，才产生了一系列的碰撞和冲突。那么这个碰撞造成了这种整体化的解决方式的挫折，结果挫折反而构成了一种不同的思路下的发展。这几年的经济、社会进程也说明了一种不同的思路、不同的选择起了作用。那么现在"龙"来了，一下子知识分子自己就有许多问题逼上前来了。一个问题是过去作家都是很了不得的，都是为人民"启蒙"和"代言"的中心。现在要通过市场的选择，而市场本身又是一个相当冷漠、犬儒的系统，它是不管你过去多么了不得，你是多么伟大的人物，它是以自己的运作来选择你。这当然是使许多原来处于文化中心的知识分子边缘化了。这是一个方面。另一方面许多作家、文化人有一种害怕面对问题的心态。市场化肯定要带来许许多多的问题，像腐败、"三陪"、治安等前边我们都举过的问题，随着市场化的发展，这些问题作为一种负面的结果，已经相当严重地存在。其原因也很多，我想有许多问题首先不是一个道德问题。有相当多的问题是技术化的，是社会进程中出现的一些状况，它肯定和道德有关系，但也不应夸大道德堕落的严重性。如"三陪"、贩毒等等坏现象，有一些固然有道德上的因素，也有追求利益最大化等方面的因素，也有管理方面的问题。有加强法制和加大执法力度等解决的方法，这些东西恐怕甚至比道德上的教育还要重要，当然这也不是否认道德教育的重要性。但要有很多技术的措施才能解决问题。这往往是靠法制，也靠一些基本的道德规范，而不是靠终极关怀能够奏效的。你给一个毒贩子讲终极关怀恐怕用处不会大，恐怕还是依法处置用处较大，然后教给他基本的规范才行。那么，恐怕这种很激进的思路，它针对的还不是毒贩子或是"三陪"小姐之类的人，还是知识分子内部或是作家内部的。这种很激昂的情绪一方面是市场化带来的不适、焦虑。另一方面恐怕还有计划经济体制下的很多好处开始消失，体制转轨造成了很多问题，如作家在五六十年代在稿费收入上还是可观的，比照当时一般的生活水平还是大大超出了一般人的。许多作家的小院都是当时买的，现在作家能买得起小院的恐怕极少吧。当然当时的作家、知识分子的隐形收入也还是可观的。如相当好的社会地位，如担任政协委员，如免费的旅行，深入生活等等。当时情况也是很复杂的，远不像今天推想得那么简单。这恐怕也是作家、文人失落的一个方面的原因。过去作家、文人都在体制内，虽然有许多时候挨批判，但毕竟是完全依赖体制生活的，是计划经济的文化生产的运作过程的一个环节。但现在社会的转型却改变了这种情况，作家、知识分子的很大一部分需要进入市场。于是，转变中的不适就显示出来了。

刘：不过韩少功提出的一个见解还是值得考虑的。他认为知识分子的使命就

是批判，批判工作是无论任何时代、任何地点，天然应该进行的。知识分子就应
该站在俗世的对立面上，不管如何都应该按一种最高的标准来评价社会，应该给
社会一些最高的原则。

张：我想知识分子的确有不同的面向，在西方知识分子的面向中也是对社会、
文化既有认同，又有反抗、批判，恐怕不能像韩少功这样做一种比较机械的理解。
批判或是否定都是有一些前提的，都是有一些范围的，也不是绝对的。像黑格尔
这样为国家提供合法性的知识分子也是有的。而目前的西方，也有许多所谓政策
知识分子，他们和国家的政策之间有许多联系，为国家政策服务的，这也是一派。
在中国，这一派知识分子 90 年代以后也已经出现了，且还有相当的影响力。如
许多经济学者、政治学者、社会学者等等，他们的声音也渐渐很大了。不少见解
也在社会及国家运作中有所反映。但目前我们谈的是人文知识分子，是属于"百
无一用是书生"一类的，和这些政策知识分子是有很大的差别的。人文知识分子
的批判性的确是较强的，他也有责任提出一些不同的声音。但这些工作恐怕也是
有几个前提，一是这种批判恐怕是以对人们的关切，而不是仇恨为基础的；二是
这种批判乃是以对社会的精细的分析，是以学理为基础的，也是以直面社会状况
为前提的。离开了这些前提，变成"为批判而批判"也收不到任何效果，反而没
有任何意义。所有的文人、知识分子对于社会的批判恐怕还是有这样的前提的。
比如像你和王蒙这些作家都是对市场化是有批判的，但不是不管三七二十一的猛
张飞式的方法来做的。而且市场本身能够容纳各式各样的声音，包括很激烈的批
判的声音。像美国的语言学的大师乔姆斯基对美国的传媒批判十分激烈，但他的
思想的传播也只有靠媒体、靠出版业来做。这也说明市场选择的多元性的面向。
这种激烈的声音往往被市场吸纳之后变成了一种没有多少破坏力的东西。我在《文
学自由谈》1995 年第 2 期上分析张承志的那篇文章，其实也是探讨像张承志这样
的作家进入市场的方式。我觉得张承志、韩少功等人的困境在于，他们都对自己
的运作方式、自己受到欢迎的情况、自己与市场的极为微妙的互动关系还缺少或
根本没有反思。这与德里达、福柯这样的思想家批判社会的同时也批判自己是不

同的。这样他们的自信、自傲、唯我独醒，就不可避免地带有独断的色彩和专制的味道。张承志、张炜、韩少功，绝对否定世界，而绝对肯定自己。

刘： 比如他们对崇高的追求，首先就是以对自我的肯定为前提，来否定他人。这是很奇怪的，这在现代的世界上是很少了。像我们提到的福柯、德里达这样一些思想家首先批判自身，然后怀着一种痛苦来认知世界。

张： 我们的张承志等人先是确定自己不受这个世界的制约，站在这个世界之外，而批判这个世界。但他们却不是如此选择，他们却是在世界之中进行反思的。

刘： 那么现在有没有可能有没有人文知识分子可以在市场化之外存在。这里首先遇到的一个例子是《红楼梦》，这部著作是一个不求闻达、没有任何影响、非常贫困潦倒的人写作的。到现在曹雪芹的家世也还是一个谜，引出了那么多红学家的研究。但这部书在他死后，经过传抄和印刷才成为一部人类历史上的文化经典。这个例子是不是可以说明一个人可以完全不和当时的文化打交道就能创造出一种经典呢？最近以此为例的文章也有不少。

张： 这里面其实反映的是一个前工业社会、农业社会的状况，曹雪芹不是说他要不要稿费的问题，而是他根本无处去要稿费。根本就没有一个市场存在。而且当时对于作者的概念也是很不在意的。福柯就有一篇极为有名的文章《何谓作者》，讲目前这种有版权稿费、有作者权益的机制，这样一种署名的制度，都是资本主义运作的结果。

刘： 当时是对署名很不重视，像《金瓶梅》根本没有署名，兰陵笑笑生还是后来加上去的。有了文化市场，才有稿费，才有职业作家。

张： 由此看来，曹雪芹的写作可以说是一个爱好者的业余活动。这种状况似乎只有农业时代才可能有。有人用这个例子来说作家不应要钱，不应有经济利益，恐怕是没有什么道理的。张中行先生在一篇文章里有个开玩笑的说法，说曹雪芹的"举家食粥酒常赊"乃是文人的夸张。曹雪芹恐怕还是食粥之余，也能吃点炒肉丝之类。这当然是一种幽默，但也反映出某种事实。写"穷"其实也是中国的一种文学传统。

刘：你这个意见会不会导致一种看法，就是说写名著一定要在古典时代，要在农业社会里才行。而目前市场化、消费化、商品化的时代不可能有名著出来。那么，是不是说在市场经济下，甚至比较计较稿酬、版税收入的作家，就不可能出现大作家、大作品呢？

张：这是一个相当奇怪的问题，这些在西方早期资本主义出现的一些困惑又开始在目前的中国再重演一次。这个问题就很典型。这在西方资本社会中很早就有人提过这个问题。也就是黑格尔感兴趣的"艺术死亡"的问题。这个问题今天这么提出来，恰恰说明了今天这个时代本身在发展变化已到了一个关口。恰恰艺术在不同的时代要有不同的追求，要有不同的写作，它们是不可替代地去表达自己时代的文化和精神的要求。我们只能要求我们的作家写出此时此地要写的作品。

刘：这里面实际上有一个相当世俗的问题。在市场化的时代，你要获得一个作家的名声，一定要依靠市场。但在中国大陆这还是一个很大的问题，变成了许多作家的一个很大的困扰，不少人认为作家怎么能依靠市场呢？有人认为王朔说作家和木匠之类没有什么不同，或是叫"码字儿的"，是一种极大的堕落。我的说法与王朔不同，但我也认为作家写作当然是一种职业。这职业当然是有职业的一些道德标准。也可能这种职业的道德标准比别的职业更严格一些。如外科医生的道德标准的确可能要比街上卖白菜的要严格一些，因为他从事的毕竟是人命关天的事情。作家也许要求也应严格一些，因为他从事的毕竟是一种精神生产，会对读者产生一定的影响。但这些都不能否认他从事的也是一个职业。那么这些职业都是由市场决定的。要求作家或文人这个群体为计划体制守节，不许它进入市场，这种心态现在流露得很多，不知你怎么看？

张：我觉得只有回到一个计划体制之中，他们的想法才得以实现，纯洁而不受市场影响的作家大概才可以生存下去。这种想法是相当奇怪的。市场本身有它的毛病，但因为有这些毛病就说它坏，是没有什么道理的。而且这个时代一定会有自己的一种文学。

刘：这恐怕也不以人的意志为转移。

张：这种情况与资本主义最初在欧洲发展时有一点相似性。那也是原本由贵族养的文人突然脱离出去，导致经济地位下降。中世纪到资本主义发展的情况，使知识分子处于极为不利的地位。这当然是对文化发展不利的局面。于是马克思这样的伟大的思想家才会批判资本主义对艺术发展不利，因为马克思不可能知道今天的跨国资本时代的问题，今天西方资本对高雅艺术的支持既通过国家投入又通过基金会等，把税收和一部分利润转化为高雅文化所需的投资。

刘：这些基金和投资会用在欣赏的人很少，却是人类精神的瑰奇的花朵上。我们这种机制恐怕还未建立，文学上也就更谈不到。像一位诗人，受到了出国的邀请，想弄几万元出国，也没有可能，还受到大款的冷遇，这真是令人感到悲凉。其实这样的有名望的作家若在国外，的确很容易从一些基金会申请到一些基金，像飞机票这样的事是很容易解决的。这种事的确是文化转型时期里的矛盾和问题。引起一些心理的、文化的撞击是很自然的事。但由此引发出有关人们都在堕落的概括却又是太过于简单了。

现在似乎有很多这种概括恐怕都是从这样一些事里引出来的。但这么一种情绪，这么一种思路究竟是如何形成的呢？怎么会文化界、文学界只剩下几个人是有理想有抱负的，其他人都是堕落，都无理想呢？这从何说起呢？不知你怎么看。

张：这些说法反映了更为复杂的问题。因为发展中的社会，像中国这样的社会，贫困仍然是一个具体的存在。不仅仅作家、艺术家或者知识分子有资源的供给不足的问题，那么其他的社群所面对的这方面的不足也很严重。在计划经济体制之下，国家可以集中有限的资源在文化工业之中，来完成国家的团结人民、教育人民、打击敌人的宣传和教育作用。但一旦转化为市场化，国家的管理机制由完全的介入和支配，变成了一种协商、对话及依靠法律管理的方式，这些都使国家的资源不可能直接大量地投入文化产业之中，而是依靠社会及市场的自我循环和调节。这使得某些得不到市场支持的文化部门处于一种困境之中，而它们中的一部分又不能得到国家的有力支持。这里产生一种失落感也是不可避免的。王跃生曾在《读书》上发了一篇讨论俄罗斯文化的文章，他认为俄罗斯经过转型，实在养不起这么多文化产业。因为过去是依赖计划强制维持的虚假的繁荣，一旦这种强制维护不再维持了，问题也就明朗了，该萎缩的部门也萎缩了，没有效益、只投入不产出的部门受冲击，几乎也难以避免。原有的文化产业的兴盛，是以国家削减了一些其他资源，拆东墙补西墙的结果。繁荣也不免于畸形。现在看起来，目前这种情况也有一定合理性。看看俄罗斯、东欧这种彻底西方化了的地方，文人、艺术家、高雅文化的惨状是让人长太息的。像索尔仁尼琴这样被放逐的作家，认为这种自由化的局面的出现，乃是他自己的胜利之日，他一定会受到热烈的欢迎。没想到他的书一旦被随意出版后，反而没有了读者，国内是一片骂声。

刘: 官方甚至可以公布那些有关当时苏联政治的材料，比索尔仁尼琴写的翔实具体得多。许多当时的档案都公布了。

张: 那个转型恐怕比中国残酷得多了。苏联电影原来是世界电影的一颗明珠。在世界上有它独到的风格，也有它的光辉的历史，而且是获奖频频。但现在俄罗斯电影大量地变成了三级片。这么看的话，中国的转型的运作由于比较温和，比较缓慢，所以还是比较好的。中国艺术家还能愤怒，还能发出骂声，说明了中国的转型还是不错的。说句笑话，连饭都没得吃时，骂都没法骂了。国家与社会起了相当多的良性作用。目前看来中国的文化所受的经济的冲击虽然有，但已被限制在比较小的范围之内了，比起苏联、东欧那种原始积累的、赤裸裸的冲击来，要好得多。当然问题仍很严重，但还是有一定的限度的。这反而论证了中国市场转型的合理性。

(2) 文人在市场中

刘: 我们不管如何讨论这个问题，但像我这样的作家的认知中，我觉得目前市场经济所提供的多元格局当然还有许多的问题，但还是五十年，甚至一百多年来难得的。经过胡风事件、反右斗争、十年"文化大革命"，目前的多元格局的确是来之不易。无论有什么"泡沫文学"、什么"大花猫文学"，我觉得毕竟是没有出现那种一提"主观战斗精神"便一伙人关进监狱，或是一提"现实主义——

广阔的道路"，还没提浪漫主义、或是"现代主义"之类，就被打成右派，比起仅仅主张写"中间人物"便要惨死监狱，那要好得太多了。也许"大花猫"之类的东西你觉得不够伟大，不够永恒，但你也不必去横扫，你可以提供，还可以自己去写"非"大花猫的文学。或者你看到有的是写永恒名著的胚子，你可以培养他，发现他。但也不必这么愤愤不平。

张：我看不少人这种愤愤不平是一种对自由的恐惧，就像曹禺《北京人》里面的曾文清，要给他自由，他都不敢要。这种情况，我认为是来自于一个"现代性"的焦虑。这个焦虑是基于"现代性"的一个内在的矛盾。现代的追求的东西实际上相当具体，相当实在，日常生活的改善实际上是极为极为世俗的目标。但这个目标的实现的过程极为伟大。像当年一些写理想实现的戏，诸如田汉老前辈的戏《十三陵水库畅想曲》，除了又有钱又舒适的东西，体现了"理想"的物质条件一下子到来的情景，这种畅想其实还是很乏味的。而上海有个作家陈继光，这个人专写一些高技术对人生活影响的科幻式的小说，但似乎也不太成功。由此看来，写满足、写享受或成功的作品也不甚有趣。这说明写作者追求很终极的目标，但弄出来却是种相当平庸的想象。如果看到人类追求的目标的世俗性，那许多人是会失望的。一句话，"现代"就是以伟大崇高来追求平凡。目前，中国的社会正是在一种世俗氛围中走向生活的进一步的改善，这造成的失落与反抗也的确厉害。

刘：你看这些崇高、理想的诉求，可以说是针尖，另一些可能是针鼻，针尖是刺破，针鼻拖着欲望的长线在扯动。针尖不断刺破，针鼻不断缝合，可能形成一种良性的关系，但也不排除有相当的危险性在里面。这种危险我们还是不能不正视的。当然文化人中有这种文化冒险的冲动，但只要不为政治力量所利用，就尚不致造成很大的威胁。但一旦它否定中国近十几年的改革开放的政策，甚至主张回到某种"专制"之中，如某种伊斯兰的禁欲主义，这我认为是很可怕的，我要坚决反对的。如"三陪"现象，我当然认为是一种社会的坏现象，这的确败坏了社会风气。但解决这种问题有一个最简单的方法却也为我所不取，就是让妇女一律不许到公众场所去，上街则要人人戴上面纱，否则就严厉处置。这的确可以一夜之间"解决问题",但这恐怕是最坏的解决办法,最坏的思路。

张:我看市场经济中面对的问题,只能依靠法制,当然也需要道德上的制约。但道德化、道德主义恐怕不能搞成神学,不能搞成一种道德专制。一句话,应该有一些界限,道德宣传不应以强制的、极端的方式进行。同时还有一个身体力行的原则。提倡道德的人首先得自己言行一致,要身体力行,否则就弄成"假道学"了,变成对自己的一种嘲弄,就更滑稽了。宣传道德的人首先你要有一个道德上的承诺,你必须恪守你倡导的道德准则。钱钟书先生在《谈教训》一文里讲,假道学是把道德变成了一种艺术,真道学只好死后进天堂,假道学则生前就上讲堂。这当然是幽默,但也可以从中看出,如果你都不信你宣传的东西,那你宣传它不就成了欺骗,成了最大的不道德了吗?比如有人猛批商业的炒作之类是堕落,但他反对商业炒作的大著却又要通过这种炒作来推向市场,这恐怕就极为无聊了。批判别人的时候,如果不批判自己的话,那就是一种"假道学"的生活方式。

刘:商品化、消费化的冲击带来了许多文化上的新现象。像《渴望》开始的这种电视剧的制作,像流行歌曲之类的现象,确实提供了一个相当丰富的"俗世"的景观,这要引起思考。而不是回避或自己躲在家里生气。敢不敢直面俗世,其实是一个颇有挑战性的工作。恐怕很激愤,很恼火,很不痛快用处也不大。我觉得还要以"平常心"来对待为好,太急太躁,不仅无济于事,反而会出事。

张:你的忧虑是有道理的。恐怕加强社会分裂,最后会自食其果。对于我们共有的这个社群不但无助益,还会引发出意想不到的后果。我们的确不能坐视这种激进主义浪潮随意泛滥。那是会让文化冒险主义肆意横行的。我们作为知识分子和文化人还是要发出一些不同的声音。

刘:对商品化、消费化带来的问题自然应该尽一个文化人的责任,进行反思、批判,但这应该是有理智的,是分析和思考的。离开了这些前提,批判有可能变成盲动,最后导向文化冒险主义的极端诉求。

第三章　市民社会的成长

(1) 市民阶层的兴起

张：中国的"市民社会"的崛起，是近来海内外的学者和文化人都很关注的热点问题。"市民社会"是一个17世纪就已出现了的概念，它表现为一种与政治权利不尽相同的经济与社会中的人们之间的交往关系。人们都认为这样一个市民社会在中国的崛起已是一个无可辩驳的事实。这是与80年代以来的中国现代化的总的进程相一致的。你的作品我觉得一直非常清楚地思考、追踪、探索市民社会的发展的问题，你创造了一个有关中国"市民社会"成长历史的一幅全景式的壮阔画卷。这我觉得是很有意义的。像《钟鼓楼》到《风过耳》这样不同时期的作品都勾出了市民社会发展的轨迹，而且你的《立体交叉桥》和《四牌楼》则对市民社会的心理嬗变也做了很深入的刻画。你写出了一种随着市场经济转型形成的市民社会的从隐到显的发展过程。可以说是市民社会的历史的见证人。原来是国家把社会的一切责任都承担起来，国家对社会实施包下来的政策。但在改革开放中，还有许多未包起来的，或包不下去的方面，被你的小说写出来了。而在解放后包起来的许多盲点之处也被你的《如意》等小说写出来了。一般作家是很少注意这个层面的生活，你是一直关注这个没被包起来的社会的作家。在《风过耳》里，我们可以发现这个没有被包起来的社会如何成为社会中最重要的力量的。这是90年代的现象。我感兴趣的是你对市民社会成长的关切和思考的发展是如何展开的。这与你这个人的生活经历有什么关系，我觉得这方面你是最有发言权的。

刘：我来北京时是8岁，1950年来北京，从此就没有离开过，我一直生活在市民中间，一直关注这个问题，你刚才说得很对，北京是一个政治中心，冠盖满京华，"处级"以上的干部大概是随处可见，"局级"以上的也多得是。这些人一般地来说是国家包下来，住国家机关分配的房子。还有就是一部分社会精英，像大学、文化单位、研究部门里的知识分子，他们也都组织在国家的机构里面。他们的人生目的和情趣还是较高的，也与市民不尽相干。而就是国家机关的一般工作人员或是部队的干部战士等由于其组织形态和生活状态不一样，也与市民有较大的差别。北京除了这些人之外，还有许多人。这些人的情形我在《钟鼓楼》里进行了一些比较简略的分析。首先是他们的工作或职业还是比较边缘的，像服务行业，像电汽车的售票员，遍布满街的小商店的售货员，以及小学教师，幼儿园的阿姨。还有许多人的职业是不可思议的，像每年春秋两季为园林局剪树枝子的临时工，这些人都是不为人所瞩目，没有什么声望的人，但他们毕竟是社会中的一种存在。再比如说，有一些补车胎的等等。这么一些人的总量也还是不少的。这些人和大的政治中心枢纽是比较疏离的，他们不怎么介入政治和社会生活的主流。和大的经济活动之间也缺少那种必然的联系。很多人一直就没有被国家全包下来。如烧锅炉的临时工，北京市烧锅炉的时间是国家统一规定的，从 11 月 15日到 3 月 15 日之间。这段时间过完了，又得等下一段时间到来。这期间用那几个月的钱勉强维生，或是卖冰棍，开一个自行车修理点等等。他们也没有医疗保险，也没有住房分配，一般是住自己祖传的住房，或是等拆迁之类。这部分人在 70 年代后期以前，由于没有一个开放的态势能够让他们起来，所以不仅很边缘，而且还在相当迅速地萎缩。他们不可能具有意义，乃是一些不被任何人关注的默默的存在。我有一次见到外文所的朱虹。她当时对我说，她平时根本不看中国小说，她看到我的《立体交叉桥》之后，却心为之动。她每次回到她家的大院之前，要穿过一片平房的居民区，那里面的人如何生活她不关心，她觉得那些人跟她毫无关系。但读了这篇小说，她再看到那些人，就感到自己与他们还是有一种情感上的沟通和联系，有一些精神上的关系。她认识到那些在低矮的平房之中生活的人，有他们的痛苦、欢乐、忧患，也有他们的人性的煎熬。比如看到一个老太太出来倒脏土，这是她的生活的废弃物，那么她没有废弃的是什么？这引起朱虹很多的联想。这虽然不是文学评论，却引起了我的兴趣，使我非常高兴。因为我促进了不同的群体之间的相互了解。让这些原来相互隔绝的人有一定的沟通，这大概是一个作家的幸运。这在社会边缘的人一直是没有声音的，但一旦有了机会，他们也会产生很大的作用，在历史进程中发挥自己的影响。

另有一件事值得在此一提，我最近在做一件事。就是评点《金瓶梅》……

张：噢，就是不久要开会讨论的漓江出的一套古典小说评点里的一本。

刘：对。我评点《金瓶梅》时，仔细的阅读过这个小说，我觉得它的确是非常了不起的一本小说。它把明代的随着经济发展崛起的市民社会表现地得栩栩如生。其中很重要的是西门庆这个人物的特征。这个人物出身是很卑贱的，他家里是个小贩，只传给他一个生药铺。他在所生活的县城里，社会地位也是非常低的，是个暴发户。小说里的称呼也相当怪，虽然暴发，但却被叫做"破落户"。暴发和破落都指一个人。他虽然暴发，但他既没有官府的背景，也没有世代富豪的背景。所以还是"破落"，别人还是看不起他。但他通过一系列相当粗鄙的手段来聚敛财富，包括娶一个非常有钱的老婆，人财两得。作为一个市民的强人，他又想和官府发生联系，就向贪官污吏们行贿，买通他们，甚至给他们当干儿子。最后他就成了在清河县一跺脚，整个县里就要抖三抖的人物。这个人物表现了市民社会的兴起。当然，如果论他的财富、权势，当然还是比不了那些当高官的。但他和他们不同之处正在于他创造了一种完全不同的市民文化。比如说在西门庆的府里，妓女能登堂入室。像应伯爵这样很粗俗的、不入流的朋友，在他家里地位很高。这我们在《红楼梦》中是看不到的。像刘姥姥之类的人只是偶供取笑。还有《金瓶梅》中几次写了元宵灯会，这是一种市民共享的节日，充满了共享的繁华与乐趣。

张：有点像巴赫金说的狂欢节。

刘：这个节日里彩灯、牌楼之类都是市民的一种很璀璨的民间文化的创造，全县城的人一起共享的东西。而在这个灯会上，西门庆的那些妻妾都相当出格，在街上很放肆地穿街走巷，招摇过市。甚至还在楼上一边观灯，一面说笑嗑瓜子。楼下观灯的人也看她们。这是林黛玉、薛宝钗所不能想象的。你看《红楼梦》里那个小道士挡了一下路，就被凤姐一耳光打出去了。

这些人根本不可能去上街看灯。只有西门庆这样的人物的家中才会出现这样的市民"奇观"。不但如此，西门庆要解决问题，要做坏事，也和贾家抢石呆子的扇子的方法不同。西门庆主要是雇佣流氓，污言秽语的挑衅，或是上门捣乱，搅得你不得安宁，或是滋扰生事。这创造了一种相当新奇的人际交往的形态。从这些事看起来，在宋、明时代，中国的市民社会就有了一定的发展，诸如《清明上河图》之类都是一些象征。我想清以后，清朝由于是一个少数民族的统治，为了保证本民族在社会冲突中的凝聚力，采取了一个全包下来的办法，把"八旗"全由国家包下来，"八旗"制度实际上是一种供给制。这反而使自己的族群衰落了。这种制度的存在抑制了市民社会的成长。当然到了民国之后，随着资本主义和殖民化，市民社会有了较大发展。但由于异族入侵、内战及社会主义公有制的建立与成功发展，市民社会一直没有作为一个历史中重要的力量发挥作用。到了近十几年的改革开放时期，市民社会就好像打开的潘多拉的魔盒一样，释放出更多的能量。它的膨胀和发展到了令人震惊的程度。许多文化人那种焦虑，其实是来自对于这个市民社会崛起的愤懑不安。他们当然对于比如腐败现象等等国家工作人员之中的问题也还有很多意见，但这并不是主要的。当然也有知识分子精英内部的焦虑，比如人文知识分子与社会科学或自然科学家之间的一些分歧，或是对于社会技术的问题的焦虑。但这都还是比较薄弱的。其实对于诸如信息高速公路对中国的影响，或是生物技术的发展，以及像中国的产业结构的问题等等，人文知识分子有时是根本缺少关心的。

张：的确如此，不少人文知识分子其实是相当缺少"知识"的。关注的视点相当狭小。这个问题似乎关注的人不多，也未见提出来。

刘：有个美国朋友前几天来我这聊天，他在研究卢浮宫的绘画。他的计算机是全球联网的，美术品的研究已进到了全球网络，"Internet"里已输进了这些美术品详尽的资料。他觉得这是件大事。

张：全球网络的确是个很大的奇迹。我曾看过北大在网上的计算机，的确非常迷人。像你甚至可以在网上下围棋，可以与在美国波士顿的一位爱好者一道手谈一局。在网上你甚至可以定级。如你和网上的二段下棋总赢，他就给你升级。

但我们这里能进网的很少。

刘：但这种问题，如网络的发展根本就没进入我们的视野。甚至与作家息息相关的问题，像知识产权的问题，也根本没有引起多大的关切。主要的焦虑是针对"市民"阶层的扩张，形成了一个极为重要的焦点。这的确也反映出"市民"作为一种历史角色的崛起的影响力。倒也不仅仅是知识分子杞人忧天。

这么看起来，主要有下面几个方面的问题确实引人注目。首先是他们经济的翻身，获得了较好的经济地位。因为他们未被国家包下来，他们中便越有可能出暴发户，过去是万元户，现在甚至是几十万元、几百万元户了。这对于我们这些在国家机关、事业单位工作的人来说，的确很是触目惊心。你比如说，国家工作人员处级以上的就要申报财产，可这些人根本不受这个约束。反腐倡廉，也主要不是针对他们的。这种暴富的人还在你面前晃来晃去，他还要炫耀。一般工作人员富了还要藏富，可他们一定要招摇过市。什么名牌车、"大哥大"。手持"大哥大"甚至过斑马线时还要打。你说这有多刺激。这的确触目惊心。

另一个问题是这些人的出身，要说起来不过是一些社会的填充物。社会里微末的人，其中一些刑满释放人员，按过去的说法是些"坏分子"一类的人，现在却开始崛起了。他们原来是一些自生自灭的社会填充物，你不关注他也没有什么关系，因为他本身在社会中的意义就不大。比如过去每年夏天都有捞鱼虫去卖的。虽然前几十年的中国社会中对人的管理紧密严格，但还是有养鱼的，特别是70年代以后，还一度形成过养鱼的热潮。这就有对鱼虫的很大的需求。你自己去捞鱼虫是不大可能的，但他用很低的价格卖给你。这也就是社会填充物。可现在这个社会填充物开始膨胀起来了。你再到西直门的花鸟鱼市去看一看。就发现那里卖的金龙鱼、银龙鱼都达到了五千到一万块钱一条。那些人本来都是拿一个盆，三分钱、五分钱捞了一勺鱼虫卖的小打小闹，现在却都成了非常有钱的人。经济上急剧的暴发，从不明显状态到成为庞大的存在物。这些人的特点是过去在体制之外，所以往往是有一些不洁历史的角色。如劳改释放的、出身不好的、大学毕业之后不服从分配的等等。

张：我还记得小时候，我家不远就住着一个好多年靠打零工生活的，就是不服从分配而留在北京。他生活相当困难，没有什么办法。

刘：还有各种原因被下放、被遣送又回流北京的。这些人在市民中也还是少数。但其比例比其他社会群体来说还是要大得多了。所以常被人认为这个群体整体上就是这个样子。这种印象和他们在经济上的暴发构成了相当鲜明的对照，尤其让人无法容忍。于是许多文化人以之为例来批评他们和社会的堕落。

张：由此看来，近十几年的社会变动带来了许多阶层上的升降变化。比如原来是地位很高的国营企业的职工，反而经济地位下降了。而这些社会填充物，在过去的历史进程中找不到任何影子的角色却成了当下历史戏剧的主角，这是具有讽刺性的。也引起了困扰。

(2) 市民文化的特色

刘：这种社会力量的存在，让人更不能容忍的是，他们甚至在创造一种属于他们自己的文化。他们喜欢看的书完全不是我们理解的文学，而是那些你根本想不到的书。即使有些文化人认定的堕落、"投降"的"大花猫"文学之类，他们也不去看。他们倒是看一些诸如气功、命相之类的书。文学类能进入他们视野的是武侠小说，他们看金庸或古龙的小说。金庸近年大家评价挺高，这也说明他的覆盖面的确很宽。因为我交往的多是男性，所以女性看些什么还有待进行个案研究。文字的阅读对他们来说都是很次要的，"文字"已不甚重要了。他们要的是直观的，直接诉诸第一信号系统的。于是什么歌厅舞场、卡拉OK，各类餐厅大吃大喝，还有超级的购物中心之类，这些都成为他们文化消费的首选。

还有我注意到北京的精品的礼品店是如何兴起的，这种商店是专卖一些小卡片、小挂件、八音盒、小饰物之类的东西的。

张：创造一种浪漫主义的情调的。

刘：这实际上是为了满足这些暴发起来的市民的第二代的需求开办起来的。像我就认识一家，纯粹为满足自己家的孩子及孩子的朋友、亲戚家的孩子的需求，在 80 年代中期开了一个这样的店。当时还要从广东和香港进货。这家店开起来，生意好得不得了，别人看到这种生意有得做，也就开起这种店来，创造了一种很新颖的市场。市民社会就这样创造文化。这也造成了精英阶层的很多焦虑。因为这种暴发几乎没有过渡，一夜暴富的例子的确是存在的。如股市上一夜暴富的事并不奇怪。由于他们又是不洁的，所以他们行事有时不顾社会规范，不讲规矩。同时他们创造的文化也是相当粗鄙的。

这里的问题是极多的。现在的关键是，你是不是必须面对它。你要是不愿面对它，你就不得不去面对造成这样一些问题的社会，乃至怀疑这十几年来中国的发展之路的正确性。我想如果从这样一些文化上的问题得出中国目前走的路都错了的结论，那也是不公正的。我对这种现象也有不安，有困扰。但必须冷静分析它，不能用"破四旧"的办法，不能用"文革"的方法来处理市民文化。实际上"破四旧"倒不仅仅是破坏传统，而是对市民文化发起的攻击，消灭民间的空间，消灭社会上的填充物。

张：这个消灭民间空间的努力的确是"破四旧"的真谛。很多海外的学者以为只是打倒传统经典的文化，不是很确实的。抄家、禁止什么奇装异服之类，都是向市民宣战的一种暴烈行为。"文革"时出于巨大的乌托邦的幻想，是不能容忍在国家之外有这些边缘物存在的。所以"文革"时的确相当奇怪，一面看上去好像是无政府的，好像是公共空间的大解放，但实际上却是一个很具压抑性的事件。目前海外许多人正在探讨中国的"公共空间"的问题，其实"文革"时就是把这个"公共空间"以一种群众运动的方式加以清扫。但没想到十几年后却产生了反效果，反而使这个空间扩大了。国家反而为市民社会腾出了更多的地盘。这个历史的过程是非常值得反复思考和探究的。实际上"文革"从反面证明了你要以文化来解决社会问题是不大可能的。从文化上消灭一种东西，而不是对非常多的面向进行深入的变革，只能解决一些表面的问题。"文化"只是一个社会的一个面向或局部。与此同时，市民文化是否就是完全消极的，我觉得也不能简单地判断。市民文化也有它本身有活力的、有创造性的部分。像这几年的电视肥皂剧，也不仅仅是低俗无聊，它也为我们创造了一种非常有益的社会共识。像《渴望》，直到《过把瘾》，你可以看到市民阶层成长的轨迹。它已由一种底层的平民的文化想象转到了一种白领和中产阶级式的文化想象了。像《渴望》里的刘慧芳、刘大妈这样的底层的市民的表征，她们远在体制之外，只是在与知识分子的接合中才受到了伤害的。这个非常感伤的故事对于经历了很大转变的冲击，处在一种文化休克状态中的社会是一个很大的精神和心理的抚慰。我感觉它对于整个社会的公共空间的拓展是极有意义的。它在主流媒体里的播出正是体现了某种协商、沟通的精神。到了《过把瘾》，你发现市民文化的趣味也比较成熟了。我曾提过一个"后知识分子"的概念，指的就是王朔及像北京电视艺术中心这样的制作电视的群体对于文化想象的创造的支配作用。他们恰恰是相当了解主流媒体的运作程序，也了解市民的趣味，能够为市民的人生提供有力的表达，这些人可以提供许多的文化产品。由此可以见出市民文化正在形成之中。

刘：这种形成也有各式各样的形态。它的成长和成熟的速度是非常快的。像现在如雨后春笋般崛起的俱乐部，像许多餐饮业的迅速的发展，都与这个市民的文化形态联在一起的。比如我认识一个身份不明的角色，他按说应该说是管理着一个国营的公司，但其实他只要每年交给主管部门几十万，其他一切都是他自己的。这种归属、身份都不明的人却成了文化消费的主体，他享受名牌，要买别墅。又比如他对我说我们一起去吃自助餐，认为香格里拉的马来西亚咖喱饭很不错，而想吃德式的香肠则要去丽都等等。这些地方也正是靠这些顾客发起来了。我还注意到粤海皇都饭店的餐厅里的音乐已由西洋乐器的演奏转变为民乐的演奏，打扬琴或笙胡。民乐开始替代西洋乐。

张：最近好像很多酒店都有这种情况出现，西洋乐器被本土乐器打败了。

刘：这是为什么呢？当年这些场所刚刚出现之时，它们要成为国际一流，要与国际接轨，所以一定要西洋乐器才行。但现在外国客人的数量不稳定，而本地的顾客成熟了。原来是开洋荤，见世面，现在是常客了，和经理之类也熟悉了。这样原来你演奏四重奏，演奏钢琴我不懂也只好听。现在我成了常客，就打个招呼，于是就按这些顾客的要求办了。这说明这种文化兴起得很快。文化人在这里面其实是没有什么影响力的。你说它"堕落"，它也存在；你说你去了解它，直面俗世，它也存在。文化人对此也不能负责任。文化人既不是摧毁者，也不是始作俑者。这种文化是如何形成的，恐怕主要是经济活动的结果。我是觉得对此还是要特别审慎，仔细地分析之。这种文化当然有它很多问题。比如它对色情和暴力恐怕会有持续的兴趣。因为这样一些出身边缘的人很容易对这些东西有兴趣。但这些东西不是全部。我觉得像把西洋音乐变成了民乐，这还是对文化之间的沟通交流有一些良性的作用的。我觉得对这种文化还是要密切注意。

张：这种文化的兴起也就是人们总困扰、焦虑、弄不清楚的"大众文化"的兴起。它肯定是有两个方面的作用。一方面当然它有控制大众的消极性功能，比如用比较简单的东西对人们进行熏染之类。但另一方面，它也使得原来根本不能享受文化的人进入了文化。它也提供了一些有益的社会共识。它的作用也是很大的。最近西方的研究也早就超出了法兰克福学派的"文化批判"的单纯模式，而是用更复杂的眼光来看大众文化了。我觉得首先不应采取一种高高在上的态度。

刘：我有几个例子可以说明这方面的积极的因素。首先是有强烈地对教育的渴求。当然教育对他们自己来说已经晚了，但对于他们的第二代的教育是非常关注的。最近为什么社会上有那么多形形色色的班出现？为什么钢琴考级都挤破头？为什么到处都是奥林匹克学校以致国家教委不能不强令取消？都已影响了正常教育了。到处都有好多家教的小招贴。你可以看到这些人对教育的期望是很强烈的。他们对于希望工程的捐款，或是对高雅艺术的支持，都是不能抹杀的。有时候国营机构捐钱有一些出账上的困难，有技术上的问题，但这些市民阶层里新兴的有钱人出钱支持的情况也是相当多的。像广州的《花城》和《随笔》杂志，经济上发生困难，就是一个承包者先拿了五万块解决了燃眉之急，这两个杂志也就接着出下去了。所以市民文化也还是没有脱离社会和文化发展的轨道的。有时对子女教育的关注甚至超过了精英阶层。像出现了引起毁誉参半的"贵族学校"。不管这里面有多么大的问题，其总的走势还是积极的，是与民族的发展相联系的。

尽管可能还层次较浅，也没有什么"终极关怀"，但还是有很多积极因素的。

另一个方面，这些市民阶层的兴起，对于第二渠道的图书发行有很大的促进作用。这种图书发行渠道的展拓也为作家或精英提供了一个民间的空间。尽管这里还有不少问题，但连新闻出版署这样的机构也还是肯定他们的作用。连一些宣传理想精神的报纸，也不得不通过二渠道来发行。我建议北京每一个文化人或是知识分子都到水碓子那个图书发行市场去看一下，你会在很驳杂的景象中看到许多有价值的，值得读的书。如果没有市民文化来填补国家在退出计划经济体制时退出的那部分空间的话，也可能文化的现状是坏得多的。

第三个方面，他们对消费文化的引导上也有良性的因素存在。如刚才说的精品店等等也还是很有它的意义的。过去我们作为一个社会人，也只有"衣食住行"，或是开门七件事"柴米油盐酱醋茶"，虽多达七件，但也不过是如此而已了。但人际之间的感情诉求，我们就很不注意，很粗糙的了。电话也不普及，写信也用个破信封。但现在精品店里那些小卡片、小玩意在很大程度上是满足、填补这些感情需要。你可以批评它还比较粉色，比较肤浅，但绝不能说它是肮脏的，或是毒品。所以我觉得在中国城市中市民阶层的兴起是不能忽略，也不可蔑视的。五六十年代我们对人的品级的定位往往是用出身来定，到了80年代文凭又成了品级上定位的标志。到现在世俗的标准变成了有多少钱来观察人。你看这些问题究竟是如何发展下去，会有什么前景？

张：我觉得你对于市民社会的确是非常之熟悉，这些要概括应该是一本书的内容。我觉得你大可以写一部市民社会的历史。我只想补充一点，不仅仅是原有的市民阶层在迅速地壮大，而且这些年中，还有大批的人由国家体制内游离出去，这些人量也很大。像中关村一条街上的高技术公司，一开始几乎都是由体制内游离出去的。

刘：甚至是国家倡导这样做的。

张：的确是政府培植起来了。这是高科技从业人员或是知识分子从体制内游离出去，而作家、演员等等游离出去的就更多。而且随着市场经济的发展，国家从许多空间中退了出来，它除了用法律管理之外，不再进行具体的操作。这些空间也渐渐被市民社会所占据。比如电视台是影响最大的主流媒体，但现在像《东方时空》这样的节目已经成了非常重要的节目，它一旦进入中央电视台之后，就极其迅速地从一个早间的很不起眼的节目变成了最有分量和影响的节目。《东方时空》的人员绝大多数都是兼职，有些人并不是国家电视台的在编职工，却在国家和市民社会之间打开了一个合作的通道。而且这些节目所讨论的问题，介绍的人物，都是公众的兴趣之所在。这意义就不一样了。还有一个很值得提及的，是每天晚上三十分钟的《新闻联播》之后，有一个很有名的节目《焦点访谈》。这个节目可以说正是经常把一些有一定敏感性的人物、事件加以报道。它既是《新闻联播》的补充，又在一定程度上提供了更有趣、更新鲜的新闻资源，像一个人竟然突发奇想，把国家的一座铁路桥卖给了别人来骗钱。它比《新闻联播》大胆，又很有收视率。这种节目也说明主流媒体中也容纳了有差异的声音，市民社会也把它的关注点、它的许多诉求放在了节目之中。电视台也很快地多样化了。市民社会与国家也建立了一种合作协商、沟通对话的新的关系。它们不是冲突和对立，而是"官民合作"，创造一个"公共空间"。原来国家的宣传机构的功能当然仍然很有作用，但反映市民社会的要求与想象的部分也在变得丰富起来。媒体的这种转变，使得市民社会的声音可以听得很清楚了。这就使得国家与市民社会之间建立了一种新型的关系，过去是国家全面地管理、控制社会，现在是市民社会与国家之间建立一个"公共空间"，在这个公共空间之中创造了一种独特的当下的"后新时期"的文化。像杨小霞这样媒体广泛报道的事件，正是国家与市民社会的结合的例子。一个小姑娘得了一种谁也不知名目的怪病，一方面她住进了解放军的医院，由国家加以救治；另一方面则通过市民社会的捐助给予经济上的支持，最终治好了她的病。而像"希望工程"这样的事更是一个国家与市民社会的共同的目标，通过一种"怜悯话语"达到了一种社会共识，就是说我们需要对我们所共有的这个社群中被抛在历史之外的那些人给予充分的关切。像《编辑部的故事》的最后一集名为《人民帮人民一把》，讲的是1991年安徽水灾后，城市居民捐款

的事情，也说明了这一点。"人民帮人民一把"，国家起了沟通、运送等同样不可
缺的功能。所以我觉得中国在 90 年代在国家与市民社会之间所建起的这个公共
空间实在是非常可贵的，其间当然是有差异，有利益面向上的矛盾，但一种新型
的文化正在孕育之中，则是没有疑问的。也许中国大陆正在创造一种全世界很少
见到的国家与市民社会的合作与沟通，但又不是谁吃了谁的新的关系。这个公共
空间的文化想象同样是非常有意思的。中国的国家与市民社会非对立的新关系是
90 年代文化的很大的一个成果。80 年代最后岁月所出现的社会断裂，在很大程
度上是市民社会还未成熟，还不能了解自身的具体的要求是什么。因而它认定自
己的发展要与国家相冲突。那么 90 年代以后，恐怕是进入了一个新的方向，新
的思路。

刘：有时候市民社会为了向国家要求一些未开放的社会空间，甚至采取了违
法的手段。有时行贿等事恰恰也有这种功能。所以行贿是与腐败共生的。有些社
会学家认为这里面也不仅仅有消极的东西，有时候是有市民社会要发展的诉求，
也有官僚机器的办事效率不高等方面的问题。这一方面要打击、制止，也要有新的、
更合理的制度化的改善才行。

(3) 分层的发展与沟通的诉求

张：我也注意到一个倾向，也就是随着社会的这种急剧的变化，中国社会一
方面是"白领"，中产阶级的品味和群体正在形成之中，另一方面恐怕也在形成
一个令人忧虑的底层。如一些国营大中型企业的职工随着企业的改造而游离出去，
成了城市里相当模糊的一种隐形的存在。还有如一些离退休的职工，也由于通货
膨胀，变得经济上也有些下降。而且国家原本比较完备的医疗保险、社会福利的
若干体系化的运作，也面临着相当大的冲击。我发觉不同的阶层之间的利益诉求
与面向的差别也越来越大。举一个很小的例子，在北京街头现在经常有老头老太
太扭秧歌，他们打扮得花枝招展，虽然年纪很大了，却扭得很觉淋漓酣畅，非常
快乐。但他们却与楼上要求安静的文化人发生了很尖锐的冲突。这种冲突矛盾当

然只是一个无伤大雅的小例子，但它背后却喻示着很深刻复杂的社会矛盾，也是中国目前的全球化与市场化进程的一个无法被忽略的问题，也就是一个数目相当大的社会群体有可能无法加入这些进程。这种社会分化的前景，王山的《第三只眼睛看中国》里还是有些描述的，我觉得这个问题非常之大。

刘：这里面情形也较复杂。国家包下来的企业、事业部门现在已经很难再像过去一样包下来。很多单位或是让你自负盈亏，还有些办不了自负盈亏的，也只好自谋生路了。国家放开了市场，而不是把一切收入自己都拿下来，许多方面已经是靠社会自己运行了，因此这些不创造收入的机构，包下来也是没有道理的，从国家组织的角度来看，这样的资源配置也不是没有道理的。但从具体个人的角度来看，你的工作对国家的发展用处不大，因而不得不加以调整的话，这种冲击还是相当之大的。现在许多单位，你要当负责人的话你就必须管养活大家的经济问题，而不是先考虑你业务的开展。比如出版社或是杂志社，你如果当主编，你首先恐怕不是考虑你的美学理想的实现，还要把这些人，不仅仅是现在上班的人，而且有大量的离退休职工等等，他们的经济及日常生活的经济保证当做第一位的问题。这里仅工资、医疗等等方面维持下来就不容易，更不用说如何提高大家生活水平了。这样连国家体制内的机构都转变成一种市民社会的思维，才能运作下去。现在看来，你就是有理想的人，最崇高的人，你也不能不面对这些问题。你回避是没有用的。哪怕是最小的、最切身的一点理想的实现，也需要各种具体的思考、探索、追求，需要许多技术化的手段和方法，才能实现。

至于阶层之间的利益与面向的分化，如果从经济上去研究恐怕是有一定难度的，因为统计资料等等都要有专门的研究。但是如果从一个文化的层面上看，就比较清楚。目前看来，无论如何，大众文化、通俗文化的空间还是比较大的。对这种情况还是有两种态度，一是文化冒险主义，他们搞一种试图进行全面的社会压制的方案和构想，试图让社会回到一个抹掉一切差异的局面中。其实是一种红卫兵式的"原军"的追求，一种"原红军"的追求。这恐怕会导向一种浩劫和苦难。另一种态度就是进行深入的反思，不是提出一个一揽子的彻底解决方案，而是要提出很具体的分析思考，慢慢地导向一个良性的和健康的文化的形成。这恐怕是不能放弃的、有效的办法。本世纪以来，许多民族都被文化冒险及社会生活中的冒险主义的盲动导向了社会的巨大的破坏。这仍然是值得人们警惕的。

张：他们实际上是和整个社会对抗。文化冒险主义实际上是要毁灭人和社会的一种诉求。

刘：他们闹到最后实际上只有两个方面的诉求。一是把责任算在政府身上，然后进行活动。二是绕过政府，直接把账算在普通百姓身上，这就是麻原彰晃的办法。

张：这两种办法对于社会都要有极大的破坏性。我看到最近有一个关于麻原彰晃的报道，这原是一个深思的人，由于个人生活的一些挫折，产生了很强烈的反社会情绪。他眼睛视力很差，大学又没有考上，就到印度学习某种神秘的宗教，然后回到日本就传教，宣传世界末日之说，招引了不少信徒，走向了反社会的道路。而社会上许多找不到出路的人，甚至有相当多的科学家、知识分子都相信了他。所以这种毁掉整个社会的方法，不是一个认真的、关心人们的人能够或应该提倡的。像我们这里，也有这种"没有什么恐怖主义，只有无助的人绝望的战斗"之类的喧嚣，的确值得我们警惕。

所以我想，一种沟通的方法是必要的，不同社群，不同的想法，不同的利益面向之间恐怕要寻找一些共同点，以沟通代替分裂。面对今天寻找一个情感空间的建立，哪怕相当低俗的东西，也不应该一笔抹杀之，而是在批判中寻找交流的可能性。这也不能局限在知识分子内部。我们恐怕应该像你的《立体交叉桥》里写的，做一种造桥的人，促进人们之间的了解，而不是筑"墙"，在人们之间建立不信任、仇恨和分裂。知识分子恐怕还是有这方面的责任的，这是逃不脱的。因为这毕竟是我们自己生存的土地，毕竟是我们共有的社群。尽管有许多问题，尽管这种社群难免有杂芜的特点，但我们还要在这个社群里生活下去，这恐怕是一个最关键的地方。这也是我们和文化冒险的思路的根本分歧。我们后面还要讨论这个问题。

第四章 媒体的兴盛及其功能

(1) 媒体在九十年代

张：媒体的问题是与我们前面谈的种种问题紧密相关的。它既是市民社会与国家交互作用的"场"，又是消费化、商品化的纽带，又是全球化的发展的一个结果。媒体在我们的日常经验之中也是相当重要的，我们每个人的家里至少都有一台电视机。至于报纸，像街头摊上的小报等也有了空前的繁荣。媒体的影响力的扩大也的确让人震惊，这里面有一些基本的对媒体的看法，一种是"压抑论"，认为媒体导致了人们对自己的真实的要求的误认，因而是一种完全负面的东西。这种看法好像是相当流行的。但在具体分析上也有不同的方法和策略，海外的研究者强调政治性的东西多一点，往往还是将中国大陆的媒体视为一种平面的宣传工具。而本土的学者则往往强调经济因素，强调商业化所造成的负面影响，或是导致了文化的低俗化等等。这里面其实有许多问题值得更切实、更仔细地加以讨论，而不是仓促下结论。这样才能得到较为明澈的认知。

我觉得对于"媒体"的理解中，有一个关键的问题就是对"大众"和"大众文化"的看法。我们以往的文化思路中是没有"大众"的，只有一个极为神圣、极为超验的"人民"的概念，往往我们连起来说"人民大众"，却只是关注一个永恒的历史主体——人民。这个"人民"是非常崇高和理想的，它也不是指某一个具体的人，而是从根本上超出了具体的人。"人民"是十分抽象的概念。这让我想到有关"文革"的一个笑话，一个人去买东西，售货员对他态度不好。他很生气，念出了语录："为人民服务。"可售货员来得也很快，说："我为人民服务，不是为你服务。"这里因为人民是历史主体的象征，一个个人不足以承载这么大的概念，所以他也无话可说。这里还有个事值得一说，就是《大众电影》杂志，50年代、60年代一直叫这个名字，可是70年代后期复刊时却叫《人民电影》，到了1979年以后才改回到《大众电影》。你可以发现这里面用词看起来差不多，还是有很微妙的差异的。"人民"是比较抽象，比较高的，而"大众"则是比较世俗的，比较低的。在中文中这两个词之间的意义的差别还是很耐琢磨的。我的想法是"新时期"虽然追求崇高，追求总体性地解决一切问题，但它是承认与"人民"有区别的"大众"的存在的。实际上离开了世俗的"大众"，"人民"又何在呢？从1979年以来，媒体崛起了，它与商业化是联起来的。1979年中国电视里播出了第一条广告，还有1978年底中央电视台播出了《望乡》、《追捕》等几个日本电影。我还很清楚地记得我当时还是一个中学生，坐在邻居家的一台九英寸的电视机前面，看这些电影时的兴奋的心情。巴金的《随想录》的第一篇都是为"大众文化"的出现辩护的，题目就是《谈〈望乡〉》，回击了一些保守的人的看法。当时对于"大众"的多样的需求通过媒体的发展来得到满足这一点，好像是没有任何疑义的。以至于把这几部同时在影院里刚刚放映的首轮电影拿到电视这种媒体中上映。这一方面说明那时电视还不足以威胁电影院线的生存，它本身还不够普及；但另一方面，也说明了大家对于媒体的发展的巨大的热情。所以七八十年代好像人们对媒体的看法还不是相当消极。你作为一个与整个"新时期"同步走过来的作家，不知对于媒体的这种发展有何看法？

刘：我觉得媒体是随着市场经济发展兴起来的。它在70年代末、80年代都有一个与改革开放相联系的背景。

张：我还记得1979年3月，邓小平访美时，电视里演了一些美国节目的实况转播。当时看着的确非常之新鲜。

刘：我觉得这些你举出的许多现象之中，有一个很重要的因素，这从70年代末就形成了，而且一直保持到了今天，就是国家媒体内部也有了一些有差异的声音。这在五六十年代是根本不可能的。过去我们一看就看"两报一刊"，这是领导、中央的声音，声音是完全一致，完全统一的。但现在这些年的情况是有变化的。《红旗》杂志已逐渐分流出去了，它已经变为了《求是》，虽还有一定的影响，但已难于从其中了解当下国家意识形态运作的内容了。甚至还出现了像《中流》、《真理的追求》、《当代思潮》之类的刊物。它持有一种和主流不同的声音，有时甚至公开和主流思想争论，也是和主流的社会文化思路争论。我觉得这种情况一般民间往往是不太重视的，但它的意义也不应该忽视。它喻示了一个过去的传统的社会主义模式中所没有的一些东西。从这么一种很特殊的国家内部的差异性的存在中，也可以看出中国的当下的社会选择的独特性。这是相当有趣的。这种和当前的思想、社会发展方向不尽一致，在党内，或在用党的经费办的报刊上发出有差异的声音，让人觉得是提供了新的东西。我觉得这种现象是我们思考媒体时，绝不能忽略的。

回到你刚才说的那个问题上，我们如果从你说的角度再往下分析的话，我们可以发现，媒体的确是有了极大的变化，原来的媒体无论你是一份晚报，或是一台晚会综艺节目，也一般要主要反映党的方针政策，或是宣传一种精神。现在的变化可以从下面几个方面来看。

一个就是广告现象，现在广告几乎是弥漫于各种媒体之中。即使是很大的报纸也刊出几乎整版的广告。这些广告宣传的都是一种过去严格拒绝的生活方式和文化趣味。甚至有不少都采用了在过去的意识形态之中是被否定和批判的东西，诸如什么富豪、贵族、帝王等等。这些似乎都是敌人的称谓。可如今这些都变成了生活消费的一种时尚。甚至国家的报纸、电视台中都有大量的广告。这是在国外也不多见的，如我在瑞典时，发现他们的官方电视台里根本就不播广告。那里有商业电视台，才以播广告为主。我们这里中央电视台却是最大的广告经营者。这说明广告的确表现了中国媒体的转型。我在上海的许多地方看了一种大的显示屏，上海这种显示屏比北京多得多。这种显示屏上不断地在播放许多的广告，当然其间也有些是新闻或口号之类的穿插，但时间是比较少的。我看到人民广场上的那块显示屏上有各式各样的广告，这个广场的名字也很有趣，正好合乎你刚才的分析。而东方明珠电视塔边的大屏幕，也是充满了广告的。这恐怕也是世界上自有社会主义国家以来，最为独特、恐怕还没有过的现象。恐怕也是文化人的许多焦虑产生的原因。以致我也有时候提问，能这么做么？这么做合适么？

另一个很明显的事情是许多报纸走的都是市民化的路子。各省市除了那份主要报刊国家仍给予充足的补贴；或是由于它传统上的发行量相当大，广告收入很多，不需要做什么变动，就能维持运转；但其他报纸都不能不走市场的路子，不能不适应大众文化的趣味。这种现象在广东的报纸中尤其多。不少新创刊的报纸，只是拿到一个号，有一个主管单位，其他的运作都是在市场中自己发展的。像《南方周末》、《羊城晚报》都还是大报格局。跟我联系的还有《粤港信息日报》、《粤港企业家报》等等。各色报纸就在广州这么一个地方林林总总地存在、发展。深圳是个弹丸之地，但和我联系的报纸就有《深圳特区报》、《深圳晚报》、《金融早报》、《开放日报》等等。这么多报纸都是有合法的登记证号的。像惠州有一个报叫《现代生活报》，这个报就是一个外地女士，做生意发了财，就办一份报纸，给一些文化人、知名人士寄赠。这些报纸的民间色彩是相当浓的。现在有一个现象是很有趣的，本来新闻出版署宣布说再也不批准增加新的报刊了，但我几乎每个月都能收到一份新创刊的刊物或报纸的约稿信。这些报纸、刊物几乎都登记成功了，这些报刊实际上并不真的属于一个党政机关，虽然它可能挂靠在某个机关，找到一个刊号之后，它就可以运作。实际上，可能它里面的编辑和工作人员都是些没有正式编制的人。另一方面，它如果在法律法规的限制之内活动，几乎就没有任何行政性的干预。其可供运作的空间是极大的。不但可能是我们国家没有过这样大的自由度，恐怕也是原来的社会主义国家或是许多第三世界国家难于做到的。第三个方面是它的赢利目的，商业色彩非常之浓，正因为它不商业化就没法存在，所以不能不制造许多颇有耸动性的话题，有时是没事找事。由于他们这些报纸非常活跃，抢占了不少地盘，导致了不少国家报纸，那些不太重要的国家报纸，由于编辑人员相对年轻，管理也不那么严格，这些报纸也往往趋于离心化。像《北京青年报》，它确实是北京团市委的机关报，但它却采取了相当特殊的方式，采用了很明确的市场的导向。从版式的设计，到标题的安排都有它独到之处。有时候甚或超规范地"抢新闻"。这些报纸一定程度上也是那种社会填充物，是所谓"摊报摊刊"，它的编辑记者也往往采用合同制、临时聘用等办法雇用，所以其走向必然受这种状况的制约。这就决定它一定要包装好。它们还有一个方面的特点，也就是这些刊物追求国际接轨，还标榜它是国际发行。它很希望超出自己特定的意识形态的特点，做得很国际化。

(2) 媒体、知识分子、大众

刘：这些传媒景观确实很芜乱，很复杂，很难界定，很难弄清，它会造成很多种面向的效应。但它总的来说还是充满活力的，文化人对它还是不能采取一种消灭的、敌视的态度，而是必须直接面对这种现状，做出分析阐释。不能把"大众"视为仇敌。目前的"文化冒险主义"，恐怕就是对于文化领域的一些这样的现象，十分恐惧和激愤，导致了极端主义的诉求，要在文化领域中进行一种"清扫"运动。这样的事情我们这几十年来的教训实在是已经很深了。诸如胡风集团，显然是认为不够清洁因而要清扫掉，到了反"右派"时一下子有几十万人被宣判为不清洁，也清扫掉了。但这以后又发觉像邵荃麟这样的原来反右斗争中没问题的人也仍然不清洁，居然主张"中间人物论"，也要扫掉。到了"文化大革命"，不清洁的人那就已经成千成万了。像周扬这样领导文艺界，做过许多批判的工作的人，在姚文元一类人看来也仍然不清洁，于是《反革命两面派周扬》这样的文章就成了战斗的檄文。这样高举"清洁"的旗帜，最后当然是"成果累累"。清洁到最后，诸如什么《创业史》、《红旗谱》、《青春之歌》这样很革命的作品也不清洁，像赵树理这样的以农民语言写作、最为深入民间的作家也不清洁。所以高举清洁的旗帜，横扫千军，可谓是痛快淋漓，不过这里的界限和限度问题却是无法确定的，只有这么无限地清洁下去了。其实连毛泽东这样极具理想精神的人物都反复强调"水至清则无鱼"，强调"人无完人"，他不是在"清洁"的口号下，还是有许多这样的言论和说法的情况下，尚且产生了很大的问题，更何况今天的高举"清洁"的口号了，最后只能变成奥姆真理教式的向普通人宣战，进行肉体消灭了。所以"清洁"的旗帜本身是有相当的消极性的。我们也一定要对此保持一些清醒的、仔细的分析。

张：你的分析相当地清晰，讲得很透了。实际上有些文化冒险主义者，也是生活在媒体之中，如在充满着他认定的不洁的气息的广告的报纸上接受采访。像张承志有些提法的确是非常之可笑的。如他有一篇文章名为《撕名片的方法》，就要撕掉所有的名片，拒绝与俗世俗人打交道，却又不断在俗世的报纸、杂志上发文章。当然有人就写杂文挖苦了，问他为什么既然已撕掉了所有名片，不和俗人交往了，却又能准确无误地将文章寄发到大杂志的编辑。这的确相当可笑。这些人的尴尬的处境在于，他们既要反对、彻底否定媒体的作用和功能，但又不能不处于媒体之中，不能不依靠媒体来自我宣传，这就使得他们进入了难于摆脱的困境。当然这也有它可以理解的一面，也就是体现、反映了一部分知识分子难于进入市场化的社会进程，也对于这种进程提不出任何有力的解释，产生的很大的焦虑。他们对于传媒的仇恨恐怕还是来源于解释失灵的精神的震荡的结果。这个困境如果没有改变，这种文化冒险的思路恐怕很难消除掉。

刘：他们有一种说法，把目前的许多文化现象均称之为"泡沫"，认定这些泡沫是极其有害的。他们要求写出作品就要伟大，一办刊物即求不朽。这种高见高则高矣，却也是并无道理的。其实"泡沫"也要做具体分析，没有"泡沫"，也不会有伟大的作品。"泡沫"的出现，是活水在流动的标志，是生机和活力的标志。我想"泡沫"的确是转瞬即逝的东西，但它却装点了一个时代的文化，也还是有它自己的价值的。而且有些甚至当时被视为"泡沫"的，后世也许会有不同的看法。像《红楼梦》，也并非是绝对的清洁之作，里面也有诸如贾宝玉与秦钟的关系之类的描写，也在当时以诗词为高雅文学的时代里用的是一种相当通俗的形式，而它的意义却是"五四"以后才为人们所深识的。由此看来，对于"泡沫"恐怕也不能笼而统之，远远一望就加以清扫，所以媒体的问题要复杂得多。

张：我还有一个想法，目前还出现了一批也不可忽略的大型的文化、文学类的刊物，被记者们称之为"白领丽刊"的，像《东方》、《大家》、《战略与管理》、《上海文化》等等。还有我们几个朋友办起来的《今日先锋》。这些刊物里有一些是由政府资助的，但更多的却是由民间的力量进行运作的。这些刊物都相当精美，其定位也是文化性、思想性的探讨，或是纯文学的刊物。这也是在市民社会中发展出来的，得到国家的认可的刊物。它们探讨的问题都是大文化的，其关切也相当地高层次。

而且销售也日渐看好。这种新的媒体也只有这个市场化的时代里才可能出现。如果没有今天这样一个文化市场，我们就会只有《求是》，不会有《东方》。而现在我们既有《求是》又有《东方》，情况就非常有趣。像《读书》杂志，它定位非常明确，这些年来也在非常平稳地增加销售量。它可以说是很清楚地成为知识阶层的刊物，提供新的知识视界，一定程度上也反映知识阶层的一些利益的和情感的诉求。这个刊物却越办越成功，几乎成了当下文化中的一个很独特的现象。所以随着市场化的成长，一个相对收入较高，有很好的文化素养的白领的阶层也在形成之中。他们对于文化是有关切和了解的，他们的存在也是市场的发育日渐成熟的结果。市场化固然造成了比较俗的文化的扩张，但也为雅俗分流、雅文化本身的自我发展创造了条件。过去雅俗文化是一锅煮，没有比较清晰的差别和界定。读书看戏大家都是欣赏同一些东西，这些东西究竟是雅是俗也不清楚，所以产生了雅文化极为发达的印象。其实五六十年代的文化里究竟什么算是"雅"的，什么算是"俗"的，其实是极难区分的。那时的文化与计划体制的一体化的管理是同构的。但现在是雅俗的分流比较清楚，多样化为人们创造了不同的文化空间，人们可以在其中比较明确地进行选择。同时这种市场化，也使得国家更明确地支持和扶助高雅艺术，国家开始将自己的有限的资源投入高雅艺术之中。过去的大众化、通俗化的诉求反而由市场自身来实现了。过去多少年要求作家下去，要求喜闻乐见，但似乎总是成效不彰，以致有一种强烈的"大众化"焦虑，如认定中宣部是"阎王殿"，其原因出于帝王将相、才子佳人之类在占领舞台，工农兵不够多。但现在许多年达不到的目标却在市场这只看不见的手的作用下悄然达到了。当然目前文化市场中问题仍然不少，但毕竟建立了较为有效的机制，都已达到了国家不必再强调大众化的程度，足见市场本身的力量。原来在五六十年代或70年代前期，一直在被批判、被否定的"大、洋、古"，几十年没有被政治的声浪弄垮，在市场中却反而风雨飘摇了。不过分流之后，这种雅文化的自身运作也进一步规范化了。国家对它的支持创造了一个稳定的、规范的自身运作的"高雅艺术"。像交响乐芭蕾舞等等都是这样依赖国家的支持。现在这些都有相当大的资源的支持。所以有讽刺意味的是那些要清扫的、觉得社会不洁的人，一方面硬是认为国家对高雅艺术没有支持，另一方面要消灭大众文化。这就形成了他们相当模糊的立场。我想高雅艺术的确是亟待支持的，而且也获得了支持和稳定的观赏群。但现在我们似乎也应加强对于大众文化的研究，有一些实事求是的解释和分析，而不是采用一笔抹杀的方法。这似乎是我们与文化冒险主义的区别。其实进行文化冒险主义的写作的人，发出自己声音的途径也依然是市场。这也是没有办法的事情了。它也是市场里的一部分，尽管它可能影响力较为有限，但它也是市场中的多极的一极。像最近炒得非常热的"抵抗投降书系"，也是依靠二渠道运作的，依靠书摊来卖的。虽然它宣传张承志和张炜的思想，激烈地批判市场和世俗文化，却是依靠市场和世俗文化来运作。我想重要的还不仅仅是这种矛盾，还有一个无法回避的问题，就是需要在这种市场化的多元的选择之中，有不同的声音出现。如对于张承志、张炜的那些非常激烈的、相当情绪化的言论，确实不应沉默，不应只让这种反对世俗文化，压抑差异和不同的意见的观念发出声音，而其他声音则不能发出，这种现象是不能接受的。这些文化冒险主义者已发出了挑战书。他们当然有权发出他们自己的声音。但其他人也应该发出他们与之争辩的声音。任何人也没有什么对于真理的垄断权，而是必须有许多不同的声音构成的"众声喧哗"。一个开放的社会需要不同的声音。我们也有责任发出声音，这也是我们应有的社会责任。

第五章　"位置"的再寻求

(1)"新时期"之初的"启蒙"

张：前面我们已经把许多问题，特别是比较大的问题展开了。现在我们进入另一些与我们自身更近的话题之中。主要是想清理一下 80 年代以来的文化思潮的演变。因为文学与文化思潮的演变的关系一直是非常密切的。所以我们必须稍稍清理一下 80 年代以来的思潮，也是清理我们走过来的路。在这里，有许多问题值得清理。但我觉得其间最为关键的恐怕是一个"启蒙"的问题。这似乎也是自"五四"开始贯穿于中国知识分子内部的一个问题。中国的知识分子面对着民族的巨大的困局，试图以新的思想、观念教育启发民众，促进民众的觉悟，这正是启蒙的思想基础。这种启蒙有一个特点，也就是"我"启"你"蒙。知识分子乃是已觉悟者，而群众或人民则是未觉悟者。它的文化设计是一旦人们获得了觉悟，则社会能够得以迅速发展。这种思路在整个"新时期"文化中是居于主导的地位的。知识分子作为"启蒙者"的身份在"新时期"文化中是相当清晰的。这种启蒙意识使知识分子居于一个文化中心的"位置"上。像李泽厚就曾指出过："中国知识分子如同古代的士大夫一样，确乎起了引领时代步伐的先锋者的作用。由于没有一个强大的资产阶级，这一点在近现代中国便更为突出。中外古今在他们心灵上思想上的错综交织，融会冲突，是中国近现代史的深层逻辑，至今仍然如此。这些知识分子如何能从传统中转换出来，用创造性的历史工作，把中国真正引向世界，是虽连绵万代却至今尚远未完成的课题。这仍是一条漫长的路。"

李泽厚这一段在《中国现代思想史论》的《后记》中的话讲得非常清楚，把中国"引向世界"完成现代化是靠知识分子来进行的。知识分子为"中国"提供思想，提供向前发展的合法性的地位在李泽厚这里是没有任何疑义的。这也是一个"启蒙者"地位的确立。但 90 年代以后中国发展的过程却超出了知识分子的把握和估计。应该说"新时期"思想解放运动、实践是检验真理的唯一标准的讨论，直到"人性"、"主体"等等问题的提出，知识分子的确在"新时期"文化中起着极为关键的作用。但到了"后新时期"，这种作用仿佛不那么清晰了。对社会发展方面、社会进程的走向及社会话语的运作所起的作用不那么明显了。特别是 90 年代中国的社会经济的发展速度仍很快，而且其方法和道路也与 80 年代有了极大的反差。这种"边缘化"处境的出现引起了不少知识分子的焦虑与激愤之情。但也是一个估价、反思"启蒙"作为知识分子的使命的作用的机会。好像知识分子正在面临着自己的重新定位，重新寻找自身的"位置"的时刻。这次 1995

年的大争论、大分歧，我们与文化冒险主义者的分歧和争论无非喻示着知识分子内部的旧的"共识"业已破裂，喻示着知识分子也要重新选择。这里牵涉着许许多多问题，但其中心却仍是如何看待"启蒙"，这样一个伟大的叙事的问题。

刘：有关"启蒙"的说法，一定要有一个前提，就是一定要认定有极为严重的蒙昧存在，由于某种原因，人们连最基本的道理都不清楚，必须要进行教育，或是由于大的变革要出现了，这个时候，作为启蒙者的角色一定非常重要，社会也一定要提供一个空间，为启蒙创造一些条件，而且启蒙也能迅速收到一些效果。民众也会很快吸纳这种声音，甚至也能影响社会群体的行为。"新时期"以来的整个启蒙的进程，我本人也是一个参与者，等于说我是自己来反思这个进程本身。我甚至还在一个特定的阶段，是比较中心的，一度还是相当中心的。70年代末，"文化大革命"的结束，形成了一个很巨大的社会心理空间。1976年从政治上解决问题是一个起点，由这个起点开始，很多问题就可以逐步解决了。如"文革"的评价，"四五"运动的评价，这些政治问题所造成的社会问题，心理问题，个人私生活的问题，诸如爱情问题，按阶级出身给群体和个人定位的问题，个人财产权的问题等等。当时由于进入了华国锋时代，政治上的转变还是比较缓慢的。政治家所考虑的是"班子"的问题，主要是由什么样的人来领导中国的问题，就一直在进行组织的调整。直到1978年逐渐调整到以邓小平为中心的结构，真正调整好政治结构问题要到1980年了。但这个社会的群体的心理空间在转变中出现了许多空白，填补是很困难的。因此反而是文学提供了对这种转变的一种投射，像电影这样的艺术也是速度较慢的，因为它有个工业化制作的问题，是个规模行为。而文学则比较简单，只要有个人写出来了，有个刊物给他发表，这个过程就完成了。而当时刊物还是比较少的，所以它一旦出现就传播得很快。像《班主任》这样文学性较差的作品，也能够造成可以说是非常巨大的反响。像《爱情的位置》和《醒来吧，弟弟》也是影响大到了完全不能想象的地步。这三篇小说看起来有点可笑，它们提出的问题都让人震惊地简单，中国这样一个大国在20世纪70年代竟还需要提出这样一些问题。但事情就真的到了这个地步。《班主任》提出的是一个面对世界文化的问题，它得出的是一个很粗略的答案，就是说你还是不可能也不应该和世界的文明断裂与隔绝。即使这篇小说所举的例子是像《牛虻》这样在世界文学中根本没有多少地位的作品，但它的指向是明确的。民众在此时已对于这种既与古典文化又与外界文化隔绝的状况感到不满和压抑。当时由《人民文学》杂志发表，一下子造成了轰动。这篇小说实际上是否定"文革"的，因为"文革"是不破不立，破字当头的，是要封闭的，要把一切，从西方到中国古典，乃至30年代的左翼文学及十七年的文学统统一笔抹杀，全部消灭。这个小说填补了这个空间，形成了一种启蒙的文化。它提出了一个要不要传统与外部文明的问题，它的结论很明确就是：还要。

《爱情的位置》也是比较有趣的，它提出了一个个体生命价值问题。它提出一个人除了他作为革命的螺丝钉之外，他的情感的要求还该不该存在的问题。《醒来吧，弟弟》的启蒙是想探究是否我们还有希望。这是针对当时在一片震惊与困惑中，很多人出现的一种绝望的情绪而发的。这几篇小说各有自己试图启蒙的读者群，也起到了相当的作用。当时还有许多作家的写作也是努力这样做的，卢新华的《伤痕》，它突破的重点是有关"血统"的"政治原罪"问题，最后小说题目成了这样一个很大的文学潮流的符码，说明它影响也是很大的。几乎全社会的焦点都集中在这些大问题上。我在80年代中期曾遇到过一位时髦女郎，那个时候的时髦主要是与港台接轨的，一身的名牌服装，我跟她闲谈时提起，像她这样时髦的人还读我的作品吗？当时中国的先锋文学已经兴起了，我的作品已经开始边缘化了。但她就很郑重地对我说：你的作品《爱情的位置》我们是在插队时在广播里听到的，当时我激动得不得了，觉得你让我懂得了我除了是一个上山下乡的知青之外，还是有感情的女青年，我可以有政治以外的个人感情。而且不但是我，整个我们集体户的知青都听得很兴奋，很感动。这影响了我的人生道路。这位女士的话也可以证实像我这样的人当时确实参与了启蒙的工作。但我现在也要不客气地指出，这种启蒙也是有它的非常明显的局限，一旦启蒙把社会心理和文化的空缺填得较满的时候，它的作用就不太大了。而且国家很快跟上了群众的诉求，国家对于启蒙的要求比文学还要迫切，而且国家有很强大的媒体及传播方法。如它自己还没有能力拍出电影时，它可以引进像《巴黎圣母院》这样的电影，像恢复《大众电影》的刊名等等措施都被迅速地使用出来。这样更直观、更有力的传播方式出来之后，文学的位置就很快转化了，它的作用、功能的改变是相当快的。于是像我这样的作家也转向了对人性的思索。启蒙作为文学的一种功能的作用有了新的发展与演化。启蒙不再是社会、政治的诉求，变成了文化的、精神的诉求，变成了对人性的思索、追问。所以像《我爱每一片绿叶》这样的作品，我想可能是一种"二线"的启蒙，不再那么直接、那么明了。

张：我想这个变化的轨迹是相当清晰的，像《爱情的位置》这样的作品，它的社会功能、生活教科书的色彩是很浓的。它起的作用是把个人的私生活的空间，个人的趣味、情感、选择等等还给个人。它也就是要在原有的很严格的国家管理与支配社会生活的全能的形态之中，找到一些个人的存在的另类的空间。我最近看王蒙的《恋爱的季节》，感到他所描写的 50 年代初的情形，正与你写的 70 年代末相反，那时是国家的管理开始进入私生活的领域之中，开始全面有效地介入社会的整个进程，各种"死角"几乎都被消灭了。王蒙小说里有许多非常有趣的细节写国家管理的高效率及强大的力量。但 70 年代末的情况正好是反过来。私生活、个人的选择等等被赋予了很大的意义。你的《醒来吧，弟弟》、《穿米黄色大衣的青年》都是探讨这些问题。我觉得这两篇小说有很重要的价值。它们都提出了一个问题，也就是那种强力的控制反而造成了青年的意义的匮乏，精神生活的困窘。其中的"弟弟"与"穿米黄色大衣的青年"的徘徊迷茫正是由于对于无所不在的控制所造成的僵硬的文化及社会形态的反抗。但你认为这种"无意义"的徘徊迷茫固然有其理由，却不可取。于是写了许多俗世的人间欢乐及对于未来目标的重新确认的可能性。《醒来吧，弟弟》中的朱瑞芹和卢书记可以说是这两个方向的代表。朱瑞芹所体现的那种人间的世俗的乐趣，当时就给还在上中学的我留下了很深的印象。像她背一个"马桶包"，带来了一些樱桃之类的细节，直到现在我还能记得很清楚。卢书记则喻示了国家走出了旧的轨道，为个人的发展提供了条件，他作为一个权威和领导者，亲自关心走入迷途的"弟弟"。这些都体现了小说进行"启蒙"的作用，也就是试图给予"个人"一种教育，一种启示，要给予个人一个合乎理性的生活。"意义"就附着在这些人物的故事上面，发挥自己的作用。这样就达到了国家和社会都需要的把"文革"的严厉的压抑抛弃清除的作用。这时的小说可以说是一种生活的教科书，它的作用和影响在今天可能都无法想象了。当时一切文化，像人文科学的理论或是日常生活的指导的专栏文章之类，几乎都需要在文学中寻找，"文学"当时顶替了社会上所缺少的一切文化。它变成了文化资源获取的唯一的渠道。你的小说当时几乎就是"文革"话语的一个全能的替代物。"文革话语"当时被批判否定几乎都是依赖你的小说的冲击力。你的小说中传递的信息在很大程度上起到了建构新的社会话语的功能。当然这种功能后来很快消退了，但当时的作用之大，还是一种极为重要的历史现象。现在我还是对这样一个问题很感兴趣，究竟你是如何迅速地把握时代的潮流，使自己的写作领先于时代一步。抓住当时整个社会及文化的走向，这的确很不容易。我想你现在回顾起来，一定是有新的反思。我们可以回过头去再分析一下，你的小说几乎是每一篇都创造了一个新的文化空间，可供人们从头开拓，这的确是文化发展中一个相当奇特的现象，非常值得我们思考。

刘：这可能牵涉到我个人生命史上的一些问题，这也可以说明一个文化人究竟能在社会和文化之中起到什么作用。我的家庭和我的背景也起了一定的作用，我的父亲是旧时代海关的一个高级职员。当时的海关是由外国人管理的，虽然行政系统由中国政府领导，但它的专业性、技术性非常之强。解放以后，接收旧海关之后，也必须要有新海关，这是现代人类生活中不可缺少的一种东西。它的技术操作是国际通行的东西。你要保留海关，保留对外的交往的话，就得使用这种国际通行的管理办法。当时英国和北欧的一些国家立即就与中国建交了，海关仍是不可缺少的。我的父亲当时就被留用，而且得到一定程度的信任和重用。这样我作为他的后代，就变成了在这个社会中归属感、阶级意识均不太明确的人。我小学初中填表时，我的成分算什么就很为难。说我是"革命干部"成分，我父亲

又不是共产党员，但你说他不是革命干部，他的级别又定得很高。因为他的专业
知识很丰富，他又受到一定的重用。解放前他是在重庆海关，而解放后却调到了
北京的海关总署，而且是统计处的副处长。当时早期的处长还是很有权力的。我
当时就被视为一个干部子弟，但从真正的老区来的干部子女来看，又觉得我是一
个外来的、异类的人，所以我在中学加入共青团时就碰到一定的困难，关键问题
就是出身、成分怎么定的问题。像这样一种含混不清的社会定位，使我处在某种
旁观者的角色上。加上我比别人早上两年学，高中毕业就非常早，这在我在"文
革"的经历中起了相当大的作用。1959年我就高中毕业了，成绩也非常好。有一
段历史我很少披露的，我高中毕业时曾考过中央戏剧学院，而且考的是导演系，
并且几轮我也通过了，包括表演小品和朗诵，你现在看不出我还有这方面的专长
了。（笑。）在当时要不要录取的情况下，我却政审未通过。一个理由是我的这种
暧昧不明的家庭背景，特别是我父亲在1957年还有过一些言论。虽没定"右派"，
却属于内控。另外还有些个人的原因，因而不予录取。可是1959年那一年又是
庐山会议之后，班上的很多精英的学生都未被录取。我们班的同学最近又有一次
聚会，又回顾了这一段的历程。但当时的师范院校却又招不满生，只好从这些考
分很高，却被排除在录取之外的学生里再找补回一些。这样就把我"找补"到了
师范院校。到"文革"开始时，我已经是一个中学的教师了。当时我的年纪还是
很小的，我如果上了大学的话，就很可能参加红卫兵，或者是卷入学生运动。但
我是一个教师就不一样了。

　张：身份不同，立场、角色也不同了。

　刘：我也就成了一个位置相当尴尬的人物，与红卫兵间的关系既与学生的参
与介入不同，也和老教师的受迫害和受压抑不同。不少老教师或是由于自身历史
有问题而被揪出来，或是有言论，或是摘帽右派等等，运动一开始就受到相当大
的冲击。我刚工作不久，很年轻，和高中学生年龄差距很小。当时的高中生大概
十八九岁，我的年纪是二十四岁。学生当然把我看成同道，而我个人的历史在老
师中间又是最清白的，我几乎没有什么值得提出来的个人历史。所以我就成了一

个"位置"不大清楚，也没有什么紧迫的选择的旁观者。我一开始就成了一个观察者，一个有机会从容观察的人。所以写这些作品，也不是偶然的，而是来源于较长时间相对平静的观察。我写这些小说时仅仅是北京出版社的一个普通编辑，也还没有入党。可能这构成了我参与文学启蒙的一个条件，可以有一些机会沉静下来思考一些事。但这些小说一经发表，很快得到了官方的肯定、认同，动员文化机器加以宣传流布。其他时期的文学作品，恐怕都难于获得许多政府官员的认同。我现在到一些地方去，有些市长、书记等等都读过《班主任》，这个启蒙的效用，还是很大的。这些人只是在那个特定时期读过一些文学作品，后来他们恐怕既无兴趣、又无时间精力来读小说了。而那个时候，这些作品的启蒙效用还是很大的。那次启蒙有很奇怪的一些特点。像对于一些对于其他社会来说或者其他时代来说都是很普通的常识，竟然成为启蒙需要解决的东西，这是让人惊讶的。很多人研究这段历史都感到大惑不解。而这次启蒙和许多历史上的启蒙不同的地方在于许多启蒙运动都会同官方发生冲突，都会和官方的许多政策有矛盾；但这一次却是官民一致地彻底摆脱"文革"，脱离那时的僵硬的社会生活。所以我们这一批作家当时受到了这么强烈的欢迎，是不奇怪的。当时我们小说中的许多诉求，后来就变成了国家的政策。比如彻底否定"文革"，如对人的正当的情感和物质要求的肯定，这些都成了国家的方针政策。这些作品起到它的作用以后，其比较明快直接的效用就消失了，因为社会已给予了这些小说所呼唤的东西。启蒙已引发了广泛的社会实践。这时启蒙就进入了低潮。80 年代中期以后，一种与启蒙无关的文学开始兴起。这时对于"文本"的重视及文本的作用被极大地推向了文学的前台。对于形式和语言，对于风格的追求变得非常强烈，这时的文学景观是以在文学内部寻找新的可能为主了。

到了 90 年代中期，现在好像又出现了一种启蒙的诉求，诸如什么"人文精神"的倡导，甚至有"抵抗投降"的诉求。但历史环境和 70 年代末 80 年代初也大不相同了。那时是由一个文化沙漠中挣脱出来，试图重建文化。而现在好像文化过剩，文化太多所造成的杂芜激起了反感，是面对杂乱的一种启蒙的诉求。所以我看那时候的启蒙主要是做"加法",是要给文化提供更丰富多样的滋养,而现在的启蒙则是要做"减法",要对社会上形形色色的文化现象采取措施,有一些甚至希望自己的呼唤和某些建议能够为政府机构所采纳。这种启蒙的愿望有两个流向。一个是一种冒险主义的立场,它觉得目前的文化发展太多太杂,芜乱不堪,于是就吁请清除,清扫。它想打起"清洁"的旗帜,觉得目前的情况是"脏、乱、差"。但另外一些人则采取不同的思路,不同的方向。它也主张要有序,要有规范,但绝不是做减法,不是吁请清除许多东西。它不要求做减法……

张:恐怕不是单纯的加减法。

刘:对,它要提出的是面对今天极为复杂的文化状况的一些深层次的理解,提出一些个体与群体、群体与群体之间的新的理解和沟通的途径。它不是要找到一种绝对的清洁的方法,而是要进行更有序的文化建设。不是要清扫什么,而是以"平常心"对待文化的进程。作为这整个进程的一个参与者,回顾这些情况还是很有趣的。

(2)"新时期"启蒙的盲点及文化转变

张:我还有一个很感兴趣的方面,就是你在 80 年代中叶的一些作品。像《立体交叉桥》和比较大的作品像《钟鼓楼》这些作品的影响力就更深一些,不是引发一些具体的社会操作,而是诉诸心灵和思想,力求找到社会群体之间的沟通与接合的"点"。这些想法我觉得是比较重要的。

刘:我当时个人的选择是很特别。80 年代中叶整个文学界转向文本、语言的实验,倡导一种"形式"上的突破,也有力图从文化角度去思考的,像"寻根"这样的思潮。我和这些思潮都是很友好的。但我个人的思路还是在自己发展……

张:我觉得像你的《黑墙》就是一个比较重要的例子。它是从个人 / 群体间的关系上着眼去继续启蒙的志业的,它思考了社会或群体对个人行为的容忍的程度的问题。

刘:这一篇《黑墙》乃是我顺着启蒙的路继续向下思考的结果。它使我和一些我很尊敬的老一辈的批评家产生了一些分歧。当时像冯牧先生，一位非常值得尊敬的老一代批评家，对我一向是相当支持的，有很多鼓励和具体的帮助。像《班主任》发表之后，他还参与在《人民日报》上发了一个大块评论员文章，加以鼓励。这在文学界是很少见的。《班主任》是要对外开放的，而另一个作品，当时也被《人民日报》肯定的王亚平的《神圣的使命》则起到了为老干部平反的作用，都从很具体的方向上对于社会的发展进程起了作用。在这个进程中冯牧的作用是很大的，他在文学方面的影响力是很大的，他对于选择这些本文加以推介抱以极大的热情。但我的《黑墙》出来以后，他却很不以为然。他对于这种"加法"做到了《黑墙》这样的程度，他不能接受了。这可以用一个比喻来说明，就好像一个水罐子，经过不断的加水之后，终于满出来了。于是就在《文艺报》上请一个年轻的评论家写了一篇《绿叶 黄金 黑墙》从我的三个作品分析我的创作道路。对《黑墙》提出了比较严厉的批评。这个批评也是很客气的，也还是讲道理的。这篇文章认为《这里有黄金》从一种"不洁"的人身上发掘个体生命的价值，这就已经到了边缘了，但这尚能容忍。但《黑墙》就已不能容忍了。《黑墙》提出问题的方式比起《这里有黄金》来更进了一步，它是认为社会必须为个体生命的独特的存在创造条件，这和《这里有黄金》吁请社会容忍特殊的个体又进了一步。这种立场已使得这些比较主流化的批评家不能接受了。而到了这个层面时，社会大众的关注点也开始转移了，他们对于这个问题也不再这么关注了，因为它涉及到个人的更微妙更复杂的领域，公众的热心程度就减低了。从这个角度上看，《黑墙》这个小说的命运是很奇怪的。像《文艺报》这样当时曾对我非常友好的报纸发表了这种非常严厉的文章批评。而在读者中，这篇小说也没有得到什么反响。但这篇小说却是我的小说中被译成外文发表最多的一篇。像英文、俄文、法文、德文、日文不说，连意大利文也有翻译。译成文种甚多，且我的英文小说集就以《黑墙》为题。《黑墙》看来涉及的问题可能和外部世界的思考有某些契合的点。像我后来写的一个小说《黄伞》，对这些过程有所反思，有所思考。这篇小说提出的问题是东西多了如何办，家里多出一把黄伞，把夫妇二人弄得坐立不宁。这也就是探索、思考我们如何去面对一个新的文化格局的问题。我还一直在我自己的道路上思考，探索。我和中国的现代派写作是很亲和的，但我和他们走的道路是不同的，我还是社会责任感很强的作家，我还是要关切社会和文化的整体的发展。但我对于年轻人的探索却是非常热情的。社会的问题的闸门应该由我这样的人肩起来，放年轻人"到光明宽阔的地方去"。这种责任感我是很自觉的。像北岛最长的一首诗《白日梦》就是我最先在当时担任常务副主编的《人民文学》上发表的，北岛当时还没有获得过这样充分的公开发表机会。还有像孙甘露的小说，像马原的小说，都在当时经我手发表出来了。当然这也惹出了一些乱子，这我们以后再谈。但我个人对于社会及文化多元化的亲和宽容的态度是相当清楚的。像我的《钟鼓楼》这样的作品，当时是主张社会的沟通、了解、社会的生态的和谐的，因此受到了各方面的肯定。但受到了一些比较现代派、主张形式实验的朋友，像李陀的批评，但我在对这些问题的不断的探索之中才逐渐找到了自己的一些看法，才对这个社会提出了我个人的思考。这可以说是由启蒙的思路开始，逐渐超出了这个社会启蒙的方向，建立个人的一种独特的视角。这我觉得是一种独特的个人体验。

张：你在社会启蒙及社会的进程中的转变确实是一个极为重要的个案。我还想到一个很有趣的情况，就是在1985年、1986年，整个文学界进入文本实验和形式探索的高潮之时，你好像是反其道而行之，写了许多纪实性的、新新闻体的小说，也引起了相当的注意。李陀在当时是倡导"纯文学"，倡导文学实验的一个最主要的人物，他当时做了许多组织工作、联络工作、倡导工作。这些贡献还是很大的。他本人也很珍视他当时所起的作用，像90年代后写的回忆性文章《1985》留下了许多弥足珍贵的史料。但你当时的路向似乎正好相反，反而走向了一种纪实性的，有一点照相现实主义味道的风格。像很著名的《5·19长镜头》、《公共汽车咏叹调》之类，我比较欣赏《王府井万花筒》，那里边有许多社会学的资料，有不少很逼真的对当时人文环境的描述，都是很珍贵的，这些记录下来的痕迹现在已经消失了。你从这些东西逐渐地通过写作脱离了单向的启蒙。我们一般的启蒙是一种"我启你蒙"的模式，往往是认定作家或是知识分子要比社会大众高明得多，乃是先知先觉者，他一定手握真理，充满自信。但你的这些具有强烈纪实性的作品却没有这种气概，而是试图在差异中建构一种沟通、对话的空间，提供一种交流、了解的孔道，这种实践我觉得是从一个新的角度超越启蒙的尝试。这和文学的形式实验不同，那也是一条超越启蒙的路，但它是放弃启蒙的使命，走上了一个小空间的自我拓展、建构之路。但你走的也和始终以社会问题报告文学等类作品强烈地参与政治不同，而是一条不同于两者的道路。这条路是既保持"启蒙"对于俗世的关切，又放弃了那种居高临下、俯视芸芸众生的立场。这是一条以沟通、了解、交流为前提的路向。我觉得那时王蒙和你的写作似乎提供了一种另类的选择。这是由"启蒙"走向"沟通"的一种选择。这既不是不观察社会问题，又不是像"报告大文学"要直接、很快地提供十分具体的解决社会问题的方案。1985、1986 年以后，文学界比较受重视的是形式实验，或"寻根"等等潮流，这是文学界内最主要的潮流。但在社会上发生了极大影响的却是一大批有关中国社会问题的"报告大文学"。诸如《唐山大地震》、《阴阳大裂变》、《西部大移民》等等。这些作品都是政论性、全景性的社会反思、批判。它们往往取代了社会新闻、社会学、经济学论著的作用，以文学的一个内涵不甚明确的文类报告文学为基地介入和参与社会变化，甚至介入和影响某些政策和政治走向等等。这些作品有相当的耸动性，吸引了相当多的人的兴趣。这是向公众去诉求，引动公众的兴趣。还有一条路就是形式变革的路。这两条路一是激进的社会选择，一是激进的美学选择。这两个方面看起来是南辕北辙，但实际上其中有相当一致的东西。这些激进的选择最后殊途同归，在一场 80 年代最后岁月的重要事件中走到了一起。但我想这里有一条不同的路，就是一条沟通的、交流的路，一种深入地体察、思考我们的文化的路。这条路是寻求不同的群体之间、不同的个体之间的相互沟通与了解。这种思路在当时声音还是比较弱的，但到了 90 年代以后反而变成了一种相当重要的声音，成了许多人的共同的见解。现在通过对启蒙的反思，应该说大家有了新的意识，也是要走一条"沟通"的路。所以我看你的小说在《立体交叉桥》和《钟鼓楼》之后，都有比较多的声音，各种不同的声音之间的沟通与了解的尝试，让这些声音都在小说里呈现出来。这是一种比较能够容许不同的差异的写作方式，它可以避免一种独断论的、单向的宣谕和教训。这似乎是一条经过不断思索、探究，去尝试与人们沟通的路。这在今天重新看的话，它的意义和价值也越来越显示出来了。先锋文学走的是形式的、语言的创造的路，而一些仍试图启蒙的文学则走一条教训、宣谕的路。这里面的不同还是很明显的。

刘：这的确是一个大问题。我想对文本实验我仅仅是一个很感兴趣的友人，但纪实的文学，我那几篇作品还算是有开创性的意义的。我这三篇作品并不是对于形式的实验的一种反拨，而是和形式的实验非常亲和的。我记得那时候吴亮他们编选一本先锋小说选，还把《5·19长镜头》选了进去。吴亮认为这还是一种很独特的、有某种先锋性的东西。这三篇作品也还有区别。《5·19长镜头》是与主流的社会话语商榷的，当时的足球迷闹事事件，是一个对中国社会心理有极大的影响的事件。这件事的情况及投射的问题我的分析是与一般的表面解释很不相同的。我提出了我的理解和思索。而《公共汽车咏叹调》则是面对收入与分配出现的失衡，以及公共交通系统的问题的一些思考，我是试图让人们理解改革带来的不平衡的情况下，能够多一份了解、体认。《王府井万花筒》的情况很不一样，它是一个非常之逼真的段片的表述。这几篇的命运也不尽相同，《5·19长镜头》得到了比较激进的人的好评，而《公共汽车咏叹调》则受到了一些批评，认为我没有必要和官方亲和，《王府井万花筒》由于相当客观则各方都不感兴趣了，但它却又引起了国外的一些兴趣，像日本出我的集子就用《王府井咏叹调》为题。日本人认为这是对中国在历史潮流中的一个瞬间的人及空间的精确表述，从心理和外在两方面进行了展现。

但纪实文学在80年代后期大大时髦的那段时间，我又极少参与其间了。那时纪实文学介入和参与社会操作的程度很高。它有一个明确的参照物作为自己的基点，就是一个有关"蔚蓝色文明"的相当明确的社会想象。从学理的角度上说，这种纪实文学的社会操作也碰到了不少的难题。首先一个问题，他们对于西方文明的认知是不是可靠。90年代以后，他们中的不少人自己都对此很有疑问了。一些他们中的重要的人物发现对于西方作为一个参照系的许多认知,是他们虚拟出来的,其实是一种幻影和理想化的产物。而且后来的社会生活也很快超出了他们的许多考虑,很多在预想中根本想不到的情况出现了。所以有些学者认为中国业已超出了旧的社会主义与资本主义的模式,而是进行了一次制度创新。这个思路还是值得我们思考的。它的确是面对当前中国社会的状况提出来的理论阐释。它的前提我是相当认同的,它的结论是不是对还可以再讨论。中国目前的发展绝不是"全盘西化",模仿西方的结果,也不是传统的计划经济的社会主义模式的结果。它是一个混杂的、极为丰富的新的形态。这种形态从表面看起来很无序,很芜乱,但还是很有生机和活力的。就像最近广泛报道了四川的一处原始森林,名为黑竹沟。那里各种植物非常丰富,动物也有很多,其间神秘莫测,有许多危险的东西,有不可预测的状况出现。现在这个时代的丰富驳杂似乎就有黑竹沟的感觉。但我们应扮演什么样的角色,是不是还应该启蒙下去,恐怕还是需要再思考下去。我想我既不能采取那种纯粹的美学的破坏或创新,也不能采取简单的政治、社会介入。尽管这两种文化选择都很有魅力。

张:这里面都有很强的诱惑,有一种个人参与、支配历史的感觉。无论是激进美学还是激进社会政治主张都有一种来自"现代性"的伟大的意识,有一种历史自我重新开始的天降大任的感觉。这种东西是非常迷人的。其实这两种东西是一个金币的两面,最后在走上广场时合二而一了。它们都产生于一种很难消除的历史幻觉,就是相信自身或是在美学领域,或是在社会政治领域中有绝对的知识,掌握着历史的蓝图,能指引未来的方向。这种意识是"现代性"知识分子经常容易染上的毛病,也是启蒙意识中的缺陷的部分。"大众"往往被视为"群氓",而通过一个极为抽象的"人民"概念授权自己,以一种自我陶醉的幻想来居高临下地发号施令。这里的问题有两个方面,一是对自我的幻想,二是对他人的幻想,都不合乎实际。它导致了一种对历史和现实的误识。它往往把自身想得完美无缺,陷入一种盲动。它首先肯定自身的"知识"可以绝对地代表"人民"。实际上"人民"并未委托他代表。这里的天然合法性不知从何而来?另一方面,它预设其他人皆不知道自己的利益和要求何在，只有靠他才能认识到自身的要求所在。这种预设也缺少依据。这种思路和想法导致了一种偏狭的启蒙观。如果说这种观念在20世纪初还起了一定的作用的话，那么在目前这种纷纭复杂的文化形势下，也就难以继续下去了。文化精英／庸俗大众这种二元对立的考量问题的模式根本无助于当前的文化问题的解决。

(3) 新的道路的展现：寻找沟通

张：去年夏天，我在南京参加了一个会，会上的议题很多。但有趣的是一位美术批评家坚持认为艺术就是贵族的，和大众完全是两回事，只有像他这样的人才懂艺术。有人谈及电视这样的媒体给文化带来的改变时，他说这些"垃圾"根本不值得讨论。这种心态还是很引人注目的。我想它涉及了我们如何看待世界和我们自身的大问题。在这里英国文化研究的创始人雷蒙德·威廉斯的思想和行为还是值得我们借鉴的。这位"文化研究"的创始人毕其一生之功投入了"大众文化"的探索与研究之中，他始终批判那种简单的高雅／通俗文化的二分法，他也认为这种对于"高雅"的简单的辩护其实是为了保护旧的文化特权。所以他强调的是一种沟通与交流中的"承担"的意识，强调知识分子必须把"文化"看成一种普通之事，一种可以共享之物。这位出身工人、一生孜孜不倦地探索通俗文化的哲人对于文化和普通人的这种真挚的关怀的确是意味深长的。我们恐怕还是要以文学和文化来造一座"桥"，让人们和我们有沟通和交流，而不是要铸一座墙，让人们和我们分开。也不是要训导别人必须模仿我们的样子生活，把他们用墙禁锢起来。这里的选择的挑战还是相当尖锐的。这也是知识分子陷在启蒙时代的全知全能的"立法者"的旧的角色中沉迷和陶醉，还是寻找一个新角色的问题。

刘：我觉得我们要关心个体与群体、群体与群体之间的关系。我近来的一些作为受到了很多的指责。我90年代以来在报纸上开设了一些专栏，写了不少为一些人激烈批评的随笔。这些人认定这些随笔散文乃是"泡沫文学"，认为是速朽之作。我承认我这一段时间确实写了不少这样的散文随笔，当然我的小说写作也还是很多的。有长篇《四牌楼》和《风过耳》，还有中短篇小说等等，像《四牌楼》还得了上海的一个相当大的文学奖，也还有改编成电视剧的作品。这些小说创作倒还没有引起批评，反而有不少好评。但这些报刊随笔受到的指责很多，什么"泡沫文学"、"大花猫文学"之类的说法，也还有"我的……"等等。这样一些趋势和倾向很值得我们关注。这些论者的意见在我看来，实际上是想厉行文化烧荒，一律种植他们认为好的"植物"。要把社会中本来管理较少的部分也纳入强有力的统一管理之中，一些已开始活跃起来的社会空间，这些人非要把它收回去，欲用极其严厉的办法统一起来，或吁请管起来。与这些吁请和呼唤的愿望相反，却是民间的社会空间的迅速的展拓，像雨后春笋般地出现了许多新的事物新的需求。像许多同乡会、同学会的邀请开始越来越多，但这些东西也不是很明确地由哪个政府部门出面搞的，而是主要依赖民间的力量自己搞起来的，是横向的社会联系开始丰富了。像有一些演出、研讨会，也不是什么机关单位组织的，有的甚至就是几个人凑起来，一件事就办成了。像这样的情况正是说明社会的公共空间开始出现了。我最近的这些散文随笔也无非是对于这个公共空间的开拓，对社会的多元发展进行一些吁请和呼唤。我认为我的这些看起来没有那些人想要的治国安邦的大话的散文，也仍然有它不可替代的作用。这是对一元的、排斥其他元的单一的声音的反拨，它提供了一种人和人如何比较和谐相处的表述，它也起到了一些文化和社会的作用，让那些普通人从中获得某些启迪是非常值得的。我一点也不后悔写了这些东西，它们有一些可能是速朽的，随着时代的发展可能会湮没，但某些篇章有可能会留下来。历史上从蒙田的随笔到鲁迅的"花边文学"，最后都获得了独立的价值，起到了很大的作用。所以目前这个时代是非常有意思的，这种报刊随笔热一方面适应了社会的需求，适应了人们对于某种特殊的文化的选择，所以一下子兴旺起来了。它有一定的世俗性的因素，这我们也不必否认。但我觉得我写的这些随笔是一种对话，而不是迎合，是与人们对话，和迎合他们的趣味是两回事。

但目前一种要以"清洁"清扫社会的思潮和欲求一下子兴旺起来了。它拒绝和人们沟通,要把一切世俗的欢乐扫掉,打掉。这我看是危害性相当大的一种思路。它会制造社会的一种紧张和敌意,它也打"启蒙"的旗帜,但那一套做法却是非常独断的。这非常值得我们从各个角度重新思考。这种社会思潮究竟是如何产生影响,如何进行运作的,我们恐怕不能视而不见。

张:这的确是很引人注目的一种社会、文化的思潮。这里你们,包括你和王蒙还有许许多多追求、想法、思考方式和创作风格均有很大不同的作家都表现出一种试图与大众沟通的取向。也就是相信人和人之间尚有一种交流与沟通的可能,人们也还有能力相互了解。于是,一种以人与人交流的可能为基础的选择就出现了。而另一种选择就是你刚才分析的那种社会选择,也就是根本不相信人与人之间交流与沟通的能力,不相信人们可以借自身的力量继续向前发展。以一种相当深刻的绝望感作为立论的基础,也就是主张"仇恨",主张"清洁"之类的很峻厉的言论被异常明快地得到了陈述。这里透露了一种深重的迷惘与无奈。这些作家是最恐惧目前的文化状况的。他们业已完全不相信人与人之间可以有沟通与交流的可能性。而你们这类的作家却仍是有一定的信心,持一定的乐观态度的。像你们的写作受到欢迎,即使是这些报纸上发表的短文,它使得不同阶层、不同生活方式的读者发现了一些可以与作家扣连、沟通的点。而另一种就是把"启蒙"变为一种仇恨,一种"不宽容"。这里可能有很可笑的局面。一是要启蒙别人的人觉得别人之"蒙"已不可启,他们已是太"蒙"了。于是产生了激愤、狂躁的情绪;另一方面,被启蒙的一方已经形成了自己的文化选择和品味,业已有了一种新兴的市民社会的文化作为自己的依托,就像我们前面言及的那种特殊的文化的勃兴,使得大众感到他自己已经获得了一种文化,他已不需要别人去启他的"蒙",甚至认为他自己本来就不"蒙"。他已有能力有水平去识别了解文化,了解他自己的需求何在。因此无"蒙"可启,甚至拒绝或冷漠地对待"启蒙"。而这种情况又不能简单地类比于鲁迅时代的麻木的沉默的国民。"大众"也仍在发声,而且在这个后现代与后殖民的语境之中,声音还显得甚为宏大。这便产生出一种强烈的"启蒙"失落感,"启蒙"无所归依的焦灼与痛苦。于是一小批沉溺于旧的话语中的人们的激愤、狂躁、绝望也不奇怪。因为旧的思维方式还是简单地将大众视为群氓。这种思路预设了一个高高在上、"君临"世界的"我",和一个卑下庸俗的"大众"。其实这和他们对于"人民"的神圣伟大的礼赞恰成一个尖刻的讽刺。"人民"在这里不是指我们周围的芸芸众生,而是一个特殊的教派,或是一个未被现代文明的"污秽"侵染的乡村里的一群善人。当然我不是说这些小群体不值得尊重,而是恐怕用这些小群体作为"人民"的代表是太武断而没有根据了。所以这种"启蒙"反而是用一种"蒙昧"来反抗"文明",让人们去信一个小教派的神秘的教义,或是像徐福那样漂海去寻一块净土,固然有它可贵的地方,但只能是一种很迷人的幻想,把它作为解决社会问题、包医百病的良方拿出来就很可笑了。这种所谓"启蒙",往往是要人们顺着他那一条路走向未来。但你们这些作家却是要在容忍差异中找到一些边界,大家能够共生。除了少数的主张极端主义,或是采取社会破坏性活动的吁请之外,其他的多种思考似乎可以有一种互相认知中的了解和体认。这我觉得是非常可取的。我想你在《钟鼓楼》中还是强调人与人之间相爱,人与人达到一种"善"的境界。但你发表于90年代的《四牌楼》中,却并不认为这么一种理想状态可以达到了,而是试图让人们相互容忍,相互认知,这样达到一种"共存"的形态。你的这些散文似乎也是这种诉求的表现。

刘:首先,人和人要有相互认知的重要性是最值得强调的。而在认知之后就是要"宽容"。"宽容"也不是人与人相爱。对于与我对立的另类的东西,对于甚至我是反对的东西,当然我不能去爱它,但这不妨碍我"宽容"它的存在,在这个前提下与它辩驳或是争议都是可行的。

张:这里有一些很值得深思之处,我想过去我们习惯的是一个"同心圆",也就是大圈里有小圈,最后由一个点、由统一的"圆心"支配一切,其他人只能围绕着这个圆心旋转。这就产生了那种旧式的思路,诸如精英对大众的支配,或一个"神"引领大众走向一个方向之类的想法大体上都是这种"同心圆"意识的产物。只有一个"圆心",只有一个像太阳系那样的井然有序的行星绕太阳转。但现在却是发展到无数个自在"圆"之间的相交、相切乃至互不相干等等的多种形态,许多个大圆圈、小圆圈各有各的轨道，各种不同的思想、行为、道路的选择就好像是浩渺无垠的宇宙一样，构成了一种新的景观。

刘：这大概就是文化冒险主义与我们的根本的分歧。文化冒险主义的主张就是把自己的一元的半径无限地放大，要吞没、压倒、消灭其他诸元。而我们主张的是各个圆之间的共存，不能用我们这一圆统率其他所有的圆。这里恐怕是有独断意识与共生共存意识之间的很大的分歧和差别的。我想有一些"圆"的确是不能允许它存在的，不过这种"圆"的数量极少，如法西斯主义这样的"圆"是不能让它存在的。

张：这种"启蒙"的独断的"圆"，还认为自己可以"代言"，代"人民"说出自己想说但还说不出来的话。它把自己放在一个既在人民之中，所以最了解人民，又在"人民"之外，所以他们产生了"代言"的欲望，就是要代表人民表达欲求。这和"启蒙"构成了一个金币的两面，它们共同构筑了一个文化想象的空间。这个空间之中充满启蒙／代言的欲望。知识分子在目前的90年代文化中，恐怕角色的转变已是不得不出现的情况。一种新的知识分子，以沟通、交流、对话，在不同的社群、不同的层次之间寻找可以共生的点。这种知识分子放弃了过去的"全知全能"包揽一切的自我幻想，而是寻找一个可供交流和沟通的公共领域。这的确是新的任务和责任，也是一个新的归宿。知识分子在当下文化中何为？何所归依？我想这还是有一些脉络可寻的。

刘：你刚才说，"启蒙"和"代言"是同一些人的想法和工作。但也有另外的情形。"代言"的情形还是很复杂的。有不少知识分子都是特定的社群、特定的阶层、特定的社会倾向的代言人。这种代言人起码有三种不同的人：一是自认为代表主流话语，乃是主流话语的忠实执行人。另一种是人民的代言人，要为人民讲话的代言人。而文化冒险主义者则是"神"的代言人。"人民"或"主流话语"都不行了，只有自己是"神"的代言人，芸芸众生都是"不洁"的存在，一定要清扫之。谁来清扫呢？只有"神"的代言人出来。像日本奥姆真理教的麻原彰晃实在是此类人物的代表。他认定只有自己能给人类幸福，而在地铁施放毒气，造成别人的死亡却是让这些人得到了解脱。你刚才分析的启蒙的缺陷已经相当透辟了,那么"代言人"的角色也有很大的缺点。目前的社会是更多样化,民间的空间、私人选择的空间都前所未有地多元化了。于是像我这样的作家,你说我是"人民"的代言人,这显然是不行的。因为人民也有不同的取向,不同的追求,不同的利益与要求,你说"我"要为谁代言呢?就拿一个不算大的私人问题——婚姻状况来说,现在就有一类是"单身贵族",自己选择不结婚的,还有一种是自己选择不生孩子,只保持一个二人世界。

张:这叫"丁克"家庭,也是很广泛的现象。

刘:还有不办手续就同居的等等各种不同的选择,你说我为那一种代言,恐怕也说不上。同时也很显然,我也不是一个"神"的代言人,能俯瞰芸芸众生,这也没有道理,没有根据。但我作为一个有非常强烈自觉意识的写作者,我可以从非常广泛、非常宽阔的角度去思考问题。甚至可以思考一些非常渺远、非常复杂的问题。如个体生命与群体的关系,人类的命运与前途的问题,或是一些超出人类的命题,如动物、自然界的生命等等,都要很真挚地思考。我也有终极的关切,但我不是神的代言人。像即使是受人嘲骂的"大花猫"之类,它们也有自己的生命和尊严,描写这些动物怎么让一些人这么痛苦和激愤呢?对这些动物的关切是一点也不可笑的,怎么能一笔抹杀所有这些写作呢?我觉得必须要有共存意识,必须要相互协调,对话。像我和你不太一样的是我的年纪已比较大了,我常常会考虑到死亡的问题,想到人的不可逆的个体生命的消逝。像你今天刚去参加了女导演张暖昕的追悼告别仪式。我就在想她现在到哪里去了呢?我觉得我个人目前作为社会存在是处于这样一种状况下,一是我的写作尚有不少读者,二是不必因为一些其他因素而恐怖和焦虑,我只要寻找我个人与社会之间的沟通之点,共同去探索。我觉得这种状况没有什么不好的。至于对于文化冒险主义加以反对,我想是必要的。因为它制造社会的敌意、分裂、不信任,破坏一种和谐的、沟通中保持差异的状况。这是没有道理的,而且它所造成的潜在的精神上的社会损害,是潜移默化的,它也会在社会生活中表现出来。因此我们必须和他们进行讨论。

　　张：我想，写散文随笔也是一种社会责任感的表现。这种写身边事的作品看上去小格局，不起眼，一千字、两千字就够了。也缺少治国兴邦平天下的内容，是一种"小文学"，一种从传统的观念看来很边缘，很不入流的东西。但我想这有可能提供一个个体生命的所思所想，让处于不同的社会地位，有不同的观念、意识的人看过以后，他们可以了解有这么一种与他有差异的意识，也很难说这就能使他的想法和你完全一样，但可以使他了解这种不同的思想，使他产生一种与你的观念思想的潜对话。这也就尽到了一个知识分子或文化人的职责了。但如果一个知识分子越出了这个界限，要对社会进行清扫时，就产生了极大的危险性。你的个体的选择是无可厚非的，甚至也在多元的文化中起了积极的作用。如某个作家信仰某个神秘的教派，或是某种小的组织之类，都自有他的道理。我觉得不干扰别人、不妨碍别人的生活是一个基本的前提，这些标准是很有价值的。

　　刘：这也牵涉到所谓"泡沫文学"的问题。有些人不断指责目前的写作中有"泡沫"，乃是堕落。其实大自然中最为雄浑的景象就是瀑布之堕落。许多人专程去看大自然的堕落。瀑布在下落时一定会激起很多的泡沫，这些泡沫乃是转瞬即逝的。但它们却是瀑布激起的不可少的东西，也是有它自己的美丽的。我们恐怕要正视它的价值，而不能这么简单地采取骂掉的方法。这种方法是无法持久的。它最终是只能变为一个宣泄情绪的方法。

　　张：这么看来，知识分子的"位置"的选择是一个无法回避的课题，知识分子把什么作为自己的选择，如何变化自己的角色，如何在当今的时代中发挥自己的作用，这是不能回避的问题，也是每时每刻知识分子都要面对的。我想我们就由启蒙者向沟通者的转变的角度谈了不少，这是让我们自己冷静地审视自己的道路的方法。我想，实际上我们触及了一个葛兰西式的"有机的"知识分子的想法。"有机的"知识分子与"传统的"知识分子大为不同的地方在于，"有机的"知识分子积极地介入和参与社会生活，起到自己的作用，也和那种沉溺在文化的幻觉中的人不同，不是很简单地站在大众的上面，而是找到一个新位置。"有机"我想就好像盐溶在水中一样，你不太能够看得到他，但他却发挥了极大的作用。他不是像领袖人物一样振臂一呼，众人景仰，而是对人的精神、人的文化取向的选择发生作用。他不试图全面支配别人的生活，而是让人们和他在互相改变，互相对话。这应该是一种不同于文化冒险，不同于目前出现的那种狂躁激进的思潮的选择。

第六章　人文精神宗教情怀理想

(1) 漫说"人文精神"

张：最近以来，有关"人文精神"的话题引起了非常广泛的关注。好像整个知识界都卷入了这个话题的争议。这个话题的确引出了许多有关当下文化的若干不同的选择，不同的思考，不同的立场。它所激起的震撼在一定程度上引发了知识界的重组，其后果恐怕会在未来一些年内逐步显示出来。但它在当前造成的非常激烈的争论已经使人们不能不进行一些更为深入的思考，这次讨论还是很有趣的。

这个讨论的引发是在《上海文学》1993 年第 6 期上由王晓明主持的一个名为《旷野上的废墟》的对话，参与者是几个博士、硕士生。在这个对话中对 90 年代以来的文化现象进行了言辞相当激烈的评述。这个对话对于 90 年代的中国大陆的文化进行了整体的否定。"旷野上的废墟"的描述是很阴郁黯淡的，也说明了他们对于目前文化的基本看法。"废墟"当然是一塌糊涂了。它涉及了诸如张艺谋的电影、汪国真的诗以及《渴望》等 90 年代的文化现象，都做了严厉的抨击。在这篇对话录中，"人文精神"的说法第一次露面了。在这里"人文精神"一方面是一个相当暧昧的概念，另一方面又被视为一个唯一的拯救之道。虽然很难弄清这个概念意义，但这个对话第一次凸显了这个概念的重要性。到了 1994 年，情形就更为热烈了,《读书》杂志从第 3 期开始连续发表了五期的《人文精神寻思录》,主要由一些上海学者明确地倡导"人文精神"。但这个词的意义仍然十分含混不清,却被无条件地认定为人文知识分子的必由之路。而这种"人文精神"却不幸在中国的现代史的某一个时刻神秘地失落。这种被"失落"了的"人文精神"究竟何所指,是一个让人困惑的问题,在讨论扩大之后,仍一直是一个让人困惑的问题。也使论争受到了相当大的局限。但这些对话发表后,还是引起了相当的反响毒。

当然,这些对话里对于世俗的当下文化的激烈抨击的调子是很清楚的。特别是对于王朔等人的作品。他们以这些激烈的意见,很明确地为自身的形象赢得了异常强悍的社会定位。这里的"人文精神"还是主要作为一个与目前文化状况明确对立的理想境界存在的,至于它究竟是什么东西,始终缺少明确的表达。一位十分热切地倡导"人文精神"的批评家说得很妙,他认为,肯定有一种"人文精神"存在,至于它是什么他也说不出个一二三四来。这就是他每天都要追寻的一种神秘的东西。由此看来,这种十分含混的东西主要还是一种玄学的和神学的追求。你找不到那些莫名奇妙的论述中有什么具体的东西。他们往往用一些美妙的言辞充塞在一些没有什么学术价值的文章之中。谁也没有论证过这个在"现代"中国神秘地失落了的"人文精神"究竟具体指什么,却又急急忙忙地希望别人相信这是一套对中国知识界包医百病的药方。当然,如果从字面的修辞技巧来说,"人文精神"无疑是一个美妙的词。但一个没有任何具体所指的抽象的大词如何能够发挥良好的作用?"文革"时代大词好词的确也是满天飞,但那些大词好词背后的东西的确让人警惕。如果我们现在也不负责任地随心所欲地用一些"好"词,把它推销给普通人,其实也是一种语言的暴力。特别是这些大词背后所肯定的却是一种极端主义的思潮,那么其危害性就很大了。目前看来,"人文精神"的话语所肯定的却主要是一种神学的思潮。这个概念虽无比较明确的界定,却是用来肯定一种"新神学"的,成了一种把极端主义的"新神学"以理论的方式合法化的方式。它采用了一种语义混淆的方式为"新神学"辩护。它一方面采用了一个较宽的语义，把"人文精神"作为一个大而化之的好词，作为"精神文明"这样的概念的同义词来使人感到这种提倡几乎不可缺少；但在具体的表达方式上，却有极为浓厚的极端主义的色彩。这种极端主义的色彩表现在为"新神学"的热烈辩护上，又表现在对于当下文化的一种极端的否定性的描述之中。它们把最好的辞句用于歌颂一些有明确"神学"色彩和背景、充满对于世俗文化和普通人的"仇恨"的作家。而对其他人和当下文化的一般状况一笔抹杀。像"人文精神"的理论话语对张承志和张炜的无条件的赞颂正是说明了这一点。在这里值得注意的是"人文精神"的表意策略的一个很重要的方法，就是将社会目前所面临的一些道德问题，一些容易与人们起共鸣的问题拿来为己所用，最后却推出了自己一套神学的解决办法。这恐怕是一个非常巧妙的做法。因为在当下语境下，社会转型造成的许多矛盾、问题中确实有相当严重的道德问题存在。这些以道德问题作为表象的问题，其形成的原因当然比较复杂，而其面向也相当多样和不确定。其中有社会的、心理的、全球性的以及道德的多种因素构成。但"人文精神"的话语却不是分析这些非常复杂的问题，而是把它归结为社会的"堕落"。又有"三陪"，又有什么治安不好，远远一望当然是一种堕落，就把一切问题化约成一个道德的、伦理的问题。"人文精神"的话语之所以能吸引一部分人的兴趣，主要就是因为这种对社会问题的简单而相当锐利的提问方式有相当的吸引力。因为它把问题变成了一个异常明快的二元对立，使问题极度地化约了。但其解决的方案却是以"人文精神"这样一个含义极度含混的词作为关键符码。我们把关注点非常明确地集中于这里，我们就会发现"人文精神"变成了一个类似气功中的"气"这样的十分神秘的，包含一切的东西。于是，你发现一切均十分神秘含混，但唯一留下的明确的指向是一种"虔信"的思路，一种为"神学"留下的空间。最后我们才发现，在这种异常美妙的人文精神之中，唯有一种"新神学"的作家才是值得肯定的，只有他们才有理想，才崇高，才能为社会上出现的形形色色的道德问题，指供一个明决干脆、快刀斩乱麻式的解决方案。于是，张承志和张炜才成了有追求和理想的人，受到了无条件的赞颂和肯定。实际上，"新神学"的信仰与"人文精神"

的有很明显的西方倾向的思路是不太能够完全沟通的。因为目前出现的"新神学"的发展看起来都有一个本土的神秘主义的明显的背景。如哲合忍耶沙沟派或是张炜的原始自然神的崇拜。但它们用一个"理想"、"崇高"这样的大词"接合"在一起，产生了一个在对于我们这个时代的否定上完全一致，却在其他方面并不完全一致的一个较大的思潮。我想它对目前中国文化发展产生的一些影响还是值得我们十分关注，并加以分析的。

刘：这里面可以分解成三个问题。一个是你比较清楚，也做了一个细致的分析，就是这个问题是怎么来的。你刚才说了，是基于对于目前文化现状的否定，提出来的一种解决、解救之道。另一个问题是"人文精神"究竟是什么？因为不仅是这些最初的倡导者有一个解释，那么还有社会上其他人的不同的解释，看法。第三个问题是究竟这个概念表现了什么样的社会心理症候，它表现了什么样的背景下，一些特定的人群的思想趋向。这都很值得我们认真地关注。

我的感觉，一个人对于时代的描述，有权根据他自己的主观想法来进行。我们当然应该允许别人的想法和我们不同。如王晓明等人认为目前的文化状态是"旷野"，是"废墟"。我不能说他的感受就错了，我的感受就对了，我只能说我的感受和他们的不同。我们都在文化界中，都相处于同一个空间之中，但他当然可以说出他的描述，我当然也有我的天赋人权，当然也可以说出我的感觉来，我的诉求也可以有。第二个方面是他们提出了一个"人文精神"的话题，要用这么一种精神把这个"旷野"变成一个绿洲，使"废墟"成为乐园。他们认为这是一个理想目标。他们既然提出了这么一个命题，要以之在文化界进行推广，我当然也有进行讨论、议论的权利，这种讨论也不一定是要争个谁对谁错，而是在目前纷纭复杂的多种说法中，我也提出一种看法，提出一个由我的角度提供的参照。第三个就是我们给它定位，看看这表现出文化界的怎么一种状态，文化人究竟是怎么了。

首先讨论第一个问题。我的想法与他们完全不同，我觉得我们的文化确已成长成一片树林，一片茂密的森林。但这片森林却是在原来"文革"时代的荒芜的"旷野"上长起来的，而且长起来的时间不是太长，在这个生长的过程中它的不平衡状态也还是相当严重的，而且有一些地方是"疯长"，有一些地方也还有没有长起来的。这种不平衡我也是不能满意的，而且我也要呼吁和警告。一些文化界人士及普通民众对这种现状也不满。的确让人感到混乱，感到某种不安，有时甚至让人觉得目前的某些无序状态比过去还要严重，还要令人不知所措，像什么民工潮、刑事犯罪的增加，甚至还有"三陪"现象。我对这些社会现象的关注也并不比他们少。而从文化界看过去，你也可以发现有许多不如人意之处。如通俗文化的兴起。像中央电视台每天的《新闻联播》这样的最重要的全国播出的新闻节目的前后都播出了广告，一些主要的大报甚至用整版的篇幅刊登日本电器的广告，而像人民文学出版社这样的国家大型出版社竟然出版了梁凤仪的"财经小说"，还出了好多本。像作家出版社创造了一项出书的纪录，用了七天的时间便出版了顾城的《英儿》。出这本书也并不是为了完成什么了不起的社会使命，而是要加快速度把一本畅销书推出去。这都是活生生的现象。还有如图书市场的二渠道的崛起，二渠道以买书号或隐性地买书号形式出了许多的书。从杨绛、张中行直到梁凤仪、古龙、温瑞安的书都摆在书摊上。还有什么卡拉OK、老人扭秧歌、男旦的复活，以及影视的商业化、鄙俗化，还有许多在花花绿绿的报刊副刊，注重消闲的效益等等。这样的景象我不同意概括为"旷野"，旷野是一无所有的，你说它是旷野恐怕不尽准确，恐怕是一片十分丰富的树林。这起码是1949年以来没有的，甚至是1949年以前也难于想象的。目前的情况恐怕是东西太多而不是太少。还有就是"废墟"的比喻，恐怕也是未能准确表述上述状况。"废墟"是一个破坏之后的荒芜颓败的地方，但现在你要是进行批评和否定的话，恐怕不能用"废墟"之说，只能说是一所建得不够美的建筑物。如果说是"废墟"的话，用到"文革"时期才贴切。那时人都被揪斗了，文联作协剧团也都封门了，的确是"废墟"。现在的情况即使是比喻，"废墟"一说也是不贴切的。但对目前的情况，我也并不认为就很好了，我觉得的确也有不洁之物。如果还用树林的比喻的话，那么现在是一个丛生的植物群落，也有一些杂草灌木，也必须要加以清理。

再说到道德的问题，我也认为的确也还是有相当严重的问题。有一些人甚至

都已经把人类起码的道德标准都已经突破了，这就确实让人感到忧虑了。甚至中
国还有卖淫、吸毒的问题等等。这些问题的出现也确实是随着近几年这个树林子
的丰富化而出现的。在一个沙漠上就不会有这些坏的东西。在好的东西难以存活
的时候，坏的东西也同样难以存活。所以我也愿意对坏东西进行制止，批判，否定。
这也是必要的。

　　但另一个方面，我也要表达我的一个观点，也就是我们似乎也不应该把我们
看不惯的一切问题都视为是道德问题。这种意识同样也是很有缺点的，因为道德
也不是一成不变的，也是不断变化的。你很难用你经常讲的一套来衡量社会的一
切。像诸如还没有合法婚姻手续就同居，这恐怕还是个个人私生活的选择的问题；
再像结婚后不生孩子，也是个人选择的问题，都还提不到道德层面上。像作家要
稿费，一看稿费发得不合乎规定的标准或双方的约定，就和出版社理论一下。这
在过去显然是道德不够高尚的表现，现在看起来却是注重作者自身的权益，是自
尊和人格的表现，还受到政府部门的肯定，国家还特别制定了版权法，保障作者
的利益。这就是道德观念转变的一个标志。报上甚至还宣传了某个作家看到国外
用了他的文章没给版税，他就发函索要，最后拿到了这笔钱。这是作为正面材料
报道的。过去起码这是很难为情的事，甚至是个人主义的表现。国外发了你的文章，
其实是弘扬民族文化，你还去要钱，这在过去一定要受到批判或是蔑视的，但现
在变成了好事。还有许多青年既不供职于一个确定的国家机关，甚至也没有本市
户口，就供职于一个报社。这在过去看也是不合规矩的，但现在也能被普遍接受
了。所以我的心理感受与那些朋友们不同，感到这是一个极其丰富、多样的树林，
何来"旷野"与"废墟"之感呢？

　　我觉得目前的民间存在总体上看还是良性的，而且它的空间正在展拓。我觉得
从总体上而言，这是一个很好的树林。有一些很怪的植物或是害虫，但它很有机会
发展成一片非常美妙的森林。所以我对于当下的文化状况是持一种亲和态度的。

　　二是对这些出现的问题，许多论者提出这个"人文精神"的命题，有些朋友
是把它和"精神文明"画等号的。如果是这样一个提法，那就无须乎讨论了。因

为"精神文明"业已写进了宪法，变成了我们作为公民就应确认的东西，那是每个作为公民的人都无异议的。我看到一些人的文章，实际上是把"人文精神"作为一个筐，把一切人类的好的品质都投在里边。如果是这样的话，我们都无异议。你用什么筐装东西无关紧要，你装的东西我都无不同意见。好的品质，好的道德，是谁都需要的。你要鼓吹坏的道德、坏的品质，这当然是不能允许的。但目前究竟谁在文化界、知识界倡导这样的坏东西，我目前还未听说。但现在有一个问题，像"人文精神"这么一个概念它装不下这么丰富的精神文明的内容。像爱国主义，它显然就是一个独立的概念，你很难说它就是"人文精神"的一部分。这么说从概念、逻辑上也不太说得过去。而像要有礼貌、不随地吐痰之类，只能说是一种基本的社会规范，也很难和"人文精神"扯上关系。

张：这些基本要求恐怕不能随便往那个筐里一装就完。

刘：如果是这样的话那么讨论的价值就不大了，人们如果这么任意用一个词来大而化之地谈问题，不但价值不大，而且也会有许多问题出现。他们有一点意见却是很值得讨论的。他们认为"人文精神"是一种"终极关怀"，这我认为是极有可议之处的。对我个人来说，我是认为"终极关怀"与"人文精神"是属于两个不同的范畴的概念。"人文精神"恰恰是一种相当世俗的关切。而"终极关怀"则是一种形而上的哲学追求，是超俗的。我在学理上的训练不是正规的，但我的阅读和积累确实蛮多的。我粗线条地描述一下，西方的"人文主义"、"人文精神"恰恰是从宗教神学的禁锢中解放出来的结果，是反神学的。像薄伽丘的《十日谈》这样的作品，或是拉伯雷的《巨人传》这样的作品你能说是没有"人文精神"的吗？它揭露了教会鼓吹的那些信条的虚伪和伪善的性质。它们主张人应该有许多世俗的欢乐，有许多人间的趣味。男人和女人之间的互相吸引或是人们的有乐趣的生活，被这些作品表现得格外地有光彩。这你能说它不是"人文精神"吗？人文精神难道是教会的那些禁锢人、迫害人的诫条吗？这显然是一种世俗关怀，它告诉你，你生存在这个世界上重要的不是外在的诫条，而是你作为一个个体生命的体验和感知，是你的活生生的欲求和真诚的愿望。它是新兴的市民阶层的文化要求。

这怎么能和宗教神学的关怀连在一起呢？它肯定是诉诸今生今世的快乐的。这种"人文精神"肯定是与世俗人生相联的，不能将其反说成是一种宗教神学的诉求。"人文精神"怎么能成为否定人的世俗追求的法海手中的雷峰塔呢？

那么中国古代是不是有"人文精神"？如果你说是亘古以来就存在这么一种精神，这太勉强了。中国人开始有了现代意义上的"人文精神"恐怕是明清两代之后，随着市民阶层的崛起，才出现的。像贾宝玉这样的观念、思路也是执著于一种世俗的欢乐，像吃胭脂，对女孩子的真挚的迷恋等等。他爱惜活泼的生命与美好的享乐。如果"人文精神"是道德训诫，是一种刻板的教训的话，那恐怕贾政是最有人文精神的，或是薛宝钗也很有人文精神了，这又哪里轮得到贾宝玉呢？我觉得我的解释与他们大不相同，而且我的解释也是有根有据。我觉得从《班主任》开始，我就力图倡导一种世俗的人与人的关怀，一种对世俗生活乐趣的追求。我认为应该多读杂书，应该容忍表现男女情感的插图，应该容忍《青春之歌》里被认为最不洁的部分，就是林道静与几个男人之间的情感纠葛。我在像《如意》、《立体交叉桥》这样一些作品中都是肯定俗世的快乐的追求，认为没有这样的欢乐是没有道理的，是对人性的压抑。所以当现在我看到和我说同样的语言，有同样的肤色，在同样的空间之中生活的人们有了许多世俗的、琐碎的、不足道的欢乐之时，我是充满了欣慰的。他们有了许多的购物中心可逛，有了很多种衣服可以去挑，有了引进的十部大片。我认为社会甚至应该提供更多的现实的乐趣、更多的目前就能享有的快乐给他们，而不是把这种快乐推到不可知的未来或是把它取消，认为只要有精神就一切都好了。我们有什么道理要求人人都是绝对的道德模范，都不能有一点世俗的欢乐呢？谁给了我们这么一种权力呢？我不承认今天的一切是"废墟"。它是很有生机和活力的一片森林。

我认为终极关怀也是很需要的，比如人与自然、人与社会、个人与群体的关系这些都是终极关怀，这对于一个人文知识分子来说无疑也是很需要的。但我们也确实不能要求所有的人都有这种关怀。一个普通的人，他没有什么哲理的思索，也缺少一点深度的探索精神，但这也并不妨碍他对社会做出自己的贡献，不妨碍他在家庭和社会中承担的责任等等。我们的确不能要求他有这么高深的看法。恐怕如果在社会中倡导普通人都有这样的终极关怀是既无必要，也无可能的。

所以，我想我们面对今天相当复杂的文化转型期的种种问题和挑战，采取一种更为实际的分析的态度、一种平和的立场恐怕是非常必要的。我想对目前的社会及文化状况，用下猛药的办法，或是到处叫喊吁请"清扫"，不仅无济于事，有时甚至会起坏的作用。

(2) 神学话语兴起的反思

张：你刚才的分析是相当准确的。特别是对于"人文精神"的分析，非常有趣，而且的确抓住了关键的问题。那么现在看来，还有一个很引人注目的问题，就是最近在中国大陆出现的一股神学的潮流。这种潮流近来作为一种社会文化选择的影响很大，它给不少人在急剧的社会转型中的种种问题提供了一种想象性的解决方案。这种宗教的情怀与"人文精神"的表达有非常接近的地方，但不同之处在于他们都有很明确的宗教的背景。我觉得这也形成了一个"新神学"的思潮。在这个思潮里，最引人注目的大概是张承志和张炜两位倡导的"抵抗投降"的思路。这里面他们也有不同的背景。如张承志有一个伊斯兰教哲合忍耶沙沟派的特定的教派的背景。他在一定程度上是作为这个教派的代言人发言的。而张炜则是表现为一种"土地"的膜拜，体现出一种原始自然神的信仰。这两个人的攻击性是比较强的，对社会当前的状况的激愤似乎已经达到了无法忍受的程度。还有的是攻击性不强，比较带有沉思的、个人化的色彩的，像北村。他近年的小说都有很浓厚的神学与宗教背景，他属于基督教的系统。其他像佛教的信仰者也有不少写出了一些作品等等。但影响很大的还是张承志和张炜。像北村的小说在文学界有些反响，但社会上的关注是不够的。北村近期的小说多数是讲人的堕落，年轻人吃喝嫖赌，自认为过着一种审美的、波希米亚式的生活，最后发现这种生活空虚而无意义，于是皈依了"主"。这些小说社会的影响尚不够大。还有像刘小枫这样的学者，从研究的学理的角度阐扬基督教的理论，其影响也还是局限在文化界、知识界之内。

从现在看来，"新神学"的冲击力也在于它相当尖刻地提出了当代生活的缺少信仰的问题。他要提供一个终极的"拯救"，要拯救当代人，要毕其功于一役，一下子解决当代人的所有问题。要用一种彻底的精神拯救把当代超越，把今天超越，让人走向一种永恒的目标。所以他们都很强烈地反世俗，反对当代的社会进程。这种思路和"五四"以来中国知识分子的选择有很大的差别。"五四"以来的知识分子确实追求伟大，但他们所追求的伟大却有一个十分具体的世俗的目标，有相当世俗的目标，就是让人们过上更好的日子，追求更美妙的生活，就像你所说的那种"人文关怀"一样。但目前经历了中国的经济的发展之后，却出现了这样一种彻底反世俗的宗教的信仰的思潮，的确这是很引人注目的事件。这种思潮提出了许多值得引起我们关注深思的问题。

首先，它使得当代社会的许多症候被一下子突出了出来。其次，它所提出的这种神学的解决问题的方案也不仅仅是中国独有的现象。它也是一个全球性的问题。据美国学者斯达克等人的统计，全世界大约百分之六十的宗教团体都是20世纪60年代以后出来的。人类生活面对的种种问题难于被很好解释，找不到有理性的阐发之时，就给宗教留下了巨大的空缺。而当代的文化语境中那种无意义的痛苦，那种难于为日常生活赋予充分的合法的理由和意义的痛苦还是相当沉重的。科技的发达，理论及人文科学的发展，人类登上月球的奇迹等等都不能使神学的影响力降低。而且当前的宗教生活由于经济的发展也远比传统的宗教生活更有实力，更能够有经济上很强的保障。从西方来看，目前的宗教组织、团体往往都非常之有钱。因此有一个非常有趣的结果，就是说20世纪以来人类的生活越来越世俗化，而同时对这种世俗化的反抗也更加强烈。这些宗教潮流各有各的走向。有不少是利于人们修身，帮助人的，但也有一些是诉诸一种十分激烈的反社会、反体制的活动。像过去出现过的人民圣殿教的活动和最后的集体自杀，像最近的奥姆真理教的活动，攻击性很强，这些教派都是承诺改变世界，给世界好的东西，彻底拯救。如果这种彻底拯救始终不来，他就要自己诉诸行动，就进行社会的冒险和恐怖的活动。因为这些新兴的宗教一定要宣布我是唯一的，我是最正确的，我发觉了拯救世界的方案等等，那么这种新兴宗教的发展具有一定的极端性也是有它的社会和文化的原因的。

那么对中国来说，目前的社会进程中出现这样一种具有某种极端性的宗教诉求是不奇怪的。它还不能说是一种真正的教派活动，还主要是知识分子中某些特定的人群的极端诉求。这种诉求也已经造成了一定的社会影响。我觉得这也有一些深层的社会、文化原因。我想一个神圣的时代终结之后，人们进入了一个世俗的生活之中，原来虽然生活很贫乏单调，但生活的目标依旧极为明确，日常生活处于一种被赋予了很大的神圣含义的状况之下。我小时候随父母到干校，有一次吃饭吃饺子，就有连长讲话说吃完饺子，养足精神反击帝修反，这一类的表述都是把一些很世俗的活动赋予很大的含义，使它变得非常神圣。我还记得60年代有一首很有名的诗，是讲一对情人在公园的长椅上坐着，突然这首诗一转笔头提到了一对往日的情人却在敌人的屠刀之下，坐上了老虎凳，受了许多苦。这故事使这两个年轻人深受教益。这些段落里所表达的是用一个过去的神圣故事启悟处于不同情境之中的年轻人，在平淡的日常生活之中发现一些神圣之物。这是一个很好地代表了一个浪漫时代的诗歌。像这样的作品还有许许多多，它们有相同的想法，也就是彻底克服日常生活的无意义，赋予它很大的意义。所以说"平凡而伟大"的精神是当时话语中的一个极为重要的表达手段。"平凡"是要求在秩序中生活，按社会的规范生活，"伟大"则是给予这些平凡一个巨大的意义。我们在当时还常常看到那种讲一个年轻人不安于本职工作，一心想好高骛远，创造奇迹，却被现实生活和老一代人所教育，才终于发现日常生活的意义的故事。这些作品所提供的是一种反平庸的平凡，"日常生活"不再仅仅平凡，而且其中有伟大。这也就试图解决在现代社会中才出现的一个很大的困局，也就是无意义的日常生活被凸现了出来。鲁迅的《伤逝》，可以说是有关此类问题的一个很重要的本文。这里有了动人的爱情，但发现日常生活的不可缩减，饭仍要人去做，小鸡还要人去养。这也就是"现代"把世俗的人生直接地去神秘化地放在我们的面前。

如何去克服这种日常生活的平庸变成了人类文化及社会不能不关注的一个文化的和心理的问题。特别是当今中国社会的市场化的转型，更是极为强烈地凸现了世俗化的追求。世俗化的日常生活的物质改善一直是社会的一个主要的目标，这当然产生了一系列的问题。"新神学"突然把一种看起来很不得了的意义给予人们，这当然是使得一部分人感到很迷醉的一个原因。世俗的人生追求很难完全满足人们的心理的需要，特别是一些中国社会转型中被抛在急剧变化的进程之外的人更容易与之产生共鸣。因为当今人们的愿望和要求都很强烈，不少世俗的具体目标往往完成不足。像升级、分房或是事业成功等等目标往往会受到一些挫折，这就造成了一种完成不足的焦虑。这种焦虑往往需要以一种绝对的东西来填补，用一种"终极"的目标来化解。有时候的情况是有某种讽刺性的，你要在世俗生活中多争取一百元的工资都是不太容易的，但你要有信仰却只需要读一二本宣传信仰的书就行了。你比如看了一本张承志的书，马上你就会感到热血沸腾，感到化解了自己的苦恼和挫折感。这作为某种心理安慰的价值我们也不应否认。

　　但从另一方面看，它也有很大的危险性，很值得我们去警惕。因为它是很独断、很极端的社会思潮。你如果仅仅是介绍此教派的思想和行为，这我觉得不仅仅是可以的，而且还在某个意义上是很可贵的。但如果跨过了这个界限，用这个教派的原则和立场否定社会上与自己有差异的其他思潮和观念的存在的权利，那我觉得就构成了文化冒险主义，就不能不与之争论和探讨了。像张承志对今天的普通人充满了仇恨和敌意的表达，就很值得商讨。这里面一是充满对世俗日常生活和"今天"的时代的绝对的狂躁的仇视。二是充满了对"大众"的绝对的敌意，对于立场与自己不尽相同者的极端的愤懑。像张承志就认为："没有什么恐怖主义，只有无助的人绝望的战斗。"这种对于恐怖主义情有独钟的表达确实让人不寒而栗，恐怖主义这个在全球飘荡的幽灵，这个被全世界的普通人所不能接受甚至是人所共弃的行为，竟然被张承志视为自己的最爱，这当然是越出了起码的道德的准则了。这种危险的倾向还有如将"大批大批的中国人"说成是"已经准备好'从肉体到情感'地出卖了"之类的意见都是很可怕的。这是在社会实践的层面上的文化冒险。因为面对今天纷纭复杂的社会状况提不出有力的解释，只凭着一种迷狂就去寻找结论的确会挑动社会的敌意。比如呼吁"清洁"的人，他就一定要把其视为不洁的人加以清理。这是相当危险的。如宣传他们思想的"抵抗投降书系"的前言就已十分严厉地声称要"清扫垃圾"，而这种垃圾指的不是社会公敌或恶势力，而是"大众"。其间的偏狭和激烈已达到了完全无法控制的程度。在学理方面，这种思路也是一种独断的思想，一种独白式的写作，也不进行分析，使一个单一的声音压倒了一切。它所展现的是一种独白的、清洁的本文，它所提供的是一种迷狂和沉醉，而不是清楚地反思。从这两个方面上看来，这种"新神学"的追求必然会带来很大的问题，无论是社会实践还是学理上，它的毛病与局限都是非常清楚的。

这种"新神学"为知识分子提出的问题是相当尖锐的。它一方面揭示了当下的生活对于精神上的意义、理想的需求是相当巨大的，是知识分子不能不正视的。我们必须看到，甚至是如此明显地存在着巨大的危险性和极大的负面效应的一种社会思潮都能够有很大的影响，说明我们必须正视经历了十几年相当迅速的社会变动之后，人们在心理和精神上所面对的一系列挑战。这是我们所必须回应的。另一方面"新神学"话语的崛起也表现了目前所出现的知识背景的发展带来的中国的文化思想的变化是非常巨大的，如何把新的知识用来分析解释"新神学"的发展；而不是从"神学"的角度去衡定裁判社会问题，已成为一个重要的研究课题。

许多人认为目前像"新神学"这样的理论它是诉诸人的感情，而不是诉诸理智理性。有些人宣传这种理论时，提出你需要的是"信"，而不是"疑"，从根本上拒绝思考和追问，你不信，所以你堕落，你信了，于是你就崇高。他的理论是不需要论证的，最基本的逻辑的过程被完全省去了。像张承志就多次提出，科学的方法是无用的，用这种方法提问题是多余的。我们确实也承认我们的思考肯定是有很多的问题的，但采取一种盲信的办法似乎问题就更大。用一种不需论证的神学的方法来理解世间的万事的话，问题显然更大，更多。知识分子如何找自己的位置，用信仰、宗教、神学来获得根本的拯救难道是可行的吗？连自己都无法论证、无法确认的许多神话，作为安身立命的点是否可行？这些问题究竟如何去回应？一面是社会转型期确实存在许多精神的、道德的问题，另一面则是用这种粗陋的方式去解决它，用神的呼唤去解决这些问题是不是可行？非常值得思考和追问。

刘：这里的问题确实相当地复杂。宗教问题和信仰的问题，是很难从文学的角度去研究的。它是一个相当特殊的人类生活的领域。当然，我们现在谈的是"宗教情怀"。这就与文学有关了，其中也有不少让我们很感兴趣的议题可以提出来。我本人没有一种确定的宗教信仰，我很尊敬一些有宗教信仰的作家，但我本人没有这种信仰。因为作为一个汉民族的子孙，我的祖先也并没有很清晰的宗教信仰。中国的传统宗教的来自本土传统的一支是道教，道教作为一种宗教，后来有很大一部分是进行养生长生方面的探索。

张：还有什么采补、房中术之类，都很世俗化。

刘：像这样的宗教很大程度上已经溶解到世俗生活之中去了。就拿北京来说，佛寺仍有不少，基督教的、天主教的教堂也还有不少。"文革"后，这些寺院及教堂大多恢复起来了。伊斯兰的清真寺也有一些。但道教则只有一座白云观，可能还能举出一二座来，但就总体而言还是很少的。中国的传统里宗教成分不是很多的，我的家族背景里也没有这样的背景。我自己是非常尊敬任何能够有宗教信仰的人，但我却没有任何一种具体的宗教信仰。而且从我小时候就接受无神论的教育，因此也很难对某种宗教产生皈依的兴趣。我对于佛教的禅宗也读过不少书，基督教、伊斯兰教的书籍都有所接触，但我的确没有宗教的情怀。你刚才列举了在当下中国的状态之下的一些作家的宗教的背景，我觉得他们把他们的感受表达出来是可以理解的。这种陈述都有它的独特的价值。但现在值得我们讨论的问题只在于我们的这些有宗教情怀的作家在从事一些社会性的行为，比如说他著书立说，发出一种社会号召，或是参与社会的一些活动。那么有一个问题就是他如何对待与自己信仰不同的人，如何对待"异教徒"或是本宗教中与之信仰不同的人，这是一个值得我们关注的问题。这种宗教情怀的界限何在，的确是我们必须思考的。因为在历史上，由于宗教的原因，曾导致过许多战争、冲突、纷争。不少"圣战"引起过悲惨的人类的仇恨与痛苦的浩劫。如果是采取一种对于异教、异文化的攻击的态度，那我们应该保持警惕，万不可让这样的攻击性的社会敌意的发展妨碍我们社会的正常运作和发展。我觉得一个个人要净化自己，那当然是可以的，甚至是可贵的，你清洁净化到了像辟谷那样的程度，十天半个月不吃饭，我都认为是有它的意义的。比如说有人认为自己已与神相通了。这我也觉得令人羡慕。一句话，净化自我无论怎样都没有什么问题，但一发动起清洁社会的圣战，那就成了另一回事了。要是动辄清洁别人，而且无限地清洁下去，那这个世界上要消灭的东西是太多了。我不认为神会有这种对人间仇恨的思路。在宗教/非宗教之间，宗教与宗教之间，一个宗教之中的不同的教派之间，如何相互相处，这是一个极大的问题。我是觉得有些人对张承志的宣传，并不是把他作为一个信仰宗教的普通人，而是作为一个超人来宣传。我觉得这是非宗教的宣传，这里面的问题是比较多的。许多有关宗教的思考还是保持着对人的关切的。像在法国和意大利这两个国家是没有死刑的，这是由于他们的宗教的传统的影响。他们的宗教认为我们作为人没有权利结束另一个人的生命，虽然这个人犯了很严重的罪，但我们也只能对他进行囚禁使他不能危害社会，并让他的良心忏悔。我觉得这样的解释是有他们的道理的，这种对于生命的珍重还是有它非常可爱的一面的。但法西斯主义或是一些非常狂热的宗教的危险性正在于相反的方向。它首先确定了一些特选的人是上帝或神的代言人，是清洁的。而其他人，乃至整整一个种族则是堕落的，不清的，必须要加以清扫的，要进行一种十分具体的社会操作彻底清扫这些异类、异端，法西斯主义所形成的人类的浩劫正是这种思维方式的一种表现。这是为人类所不取的，它所形成的教训也是很深刻的，直到今年纪念反法西斯战争五十周年时，各国人民还在总结、反思这场大战带给人们的东西，其中的一切确实值得认真地探究。

至于中国的红卫兵运动，它是以无神论为基础的，是以马列主义作为信仰的。但它的一切方面却都是以宗教狂热式的形态表现自身的，最后引出了狂热的"横扫一切牛鬼蛇神”的运动。这种运动的一个基本观点就是它把人间的人分成不同等级,让一部分人恨另一部分人,一部分人以暴力剥夺另一部分人的生活。所谓“原红旨”指的就是这些人的红卫兵思维方式。这些人认为当前的文化是一团糟,他们几乎无法过下去了,于是以一种十分激进的诉求,要在一个晚上解决所有社会的问题。这种想法是非常简单化的,非常特别的。至于其他人的宗教情怀,像张炜的宗教情怀是不甚清晰的。他信仰原始的自然神也是我们分析读解的结果,他的宗教信仰是比较含混的。

从文学写作的角度上看,中国的佛教虽然基本上也可以算是一种中国的宗教了,但像星云大师这样的佛教的作家也很少见。像刘小枫这样的学者,从基督教的传统入手写了不少论文。这些论文当然可以算是一种大文化性的作品,但作为文学作品也不是很明确的,这些年在中国像《荒漠·甘泉》这样的作品也还没有。我甚至希望能够出现这样有宗教情怀的书。它的好处在于能让人们选择。我想我对这个问题很难有明确的把握。

张:由宗教情怀、宗教情绪可以引发出一系列比较复杂、对于当代的精神及文化问题有相当的影响的问题。比如最近相当流行的一个词“圣战”,就很值得考虑。现在这个词非常时髦,很多人写文章时就宣称要对时代进行一场“精神圣战”等等。我们这些一直受到“五四”的传统的影响,受无神论的教育的人,听到这个词是相当刺激的,它往往指的一种宗教之间的,或是一个宗教内不同教派之间的一种争斗、冲突。我想并不是一个非常好的词。

刘:从政治学和社会学上看,也不能说“圣战”就是一个褒义词。

张:可是相当奇怪的事情是,现在在文化领域中,这个词竟然变成了一个非常流行的好的词被几乎没有限度地使用。“圣战”本是你死我活,为了教义而拼杀,竟被用在文化上,变成对“大众”宣战的合法性的依据。这也是一个相当引人注目的现象。

刘:这种“圣战”我觉得是值得讨论的,当然它还并未诉诸具体的社会实践,不讨论的话,其实也是无妨的。这显然是一种偏执和极端的情绪。我觉得赋予一些作家以“圣”的地位,使人与人之间的地位不平等,的确也不大好。在文化与文学领域里，连领导过伟大的革命战争的毛泽东还提出了"百花齐放，百家争鸣"。在文化和文学的论争之中，没有道理先验地选几个人作为"圣"来看待，而他们要讨伐的就都是妖魔鬼怪，臭鱼烂虾，这显然是没有道理的。而目前那些被指认为"圣"的作家所提出的不少命题，从学理上看，还是大大可以商榷的，这不是什么不得了的真理。另一方面这种"圣战"还越出文化与文学的界限，进入对世俗世界的讨伐。这就更其危险了。这恐怕就更有问题了。这种思潮恐怕还是来自对社会现状的解释的无力，产生了巨大的焦虑。它不是有明确政治目标的诉求，而是向世俗、向普通民众宣战，从目标到主张，我都不能同意。

(3) 我们需要什么样的理想

张：这里又涉及一个与宗教情怀有关的话题，也就是如何去思考"理想"，这样一个比较广阔的概念。"理想"这个词是来自日本的一个外来词，原是用来译英文的"Idea"，原来是思想的意思。这个词变成了一种非常好的词，一个相当神圣的概念，是对未来或对于好的有诗意的东西的赞美。"理想"这个词最近以来比较多地被用来指称诸如"人文精神"或是一种"新神学"的信仰。目前像"人文精神"或是宗教的"新神学"有一个很大的特点，也就是它们都是进入媒体的，都是大众传媒的新宠。在媒体中很复杂的学理性的内容，很多逻辑推理或论证的过程都被省略掉了。媒体的确只能提供一种"形象"，一种感性色彩较强的东西。媒体在采访中或者说报纸上很短的文章都有一个很明显特点，就是论证相当简单明快，结论相当单向、简单。往往只有一个结论，而没有论证，且这个结论又是很直接的，很明确的，非此即彼的。这里就有一些来自媒体的简单化的策略。这种策略是比如你对"人文精神"或是"新神学"从学理层面上提出一些疑问或批评，那么对你的观点在学理上是否有说服力往往并不重视，对你的论证和比较复杂一点的结论也不感兴趣，往往是认定你不要理想，放弃理想。这当然问题就很严重了。但现在的麻烦事在于，究竟有谁宣称自己不要理想，宣称自己主张堕落。王蒙先生的《躲避崇高》一文，好像一直被认为是不要理想的一篇文章，你的《直面俗世》

也被人这么看了。这的确是相当可笑的。《躲避崇高》里讲得很清楚，明明是评述王朔，而不是自己打起的一面旗。比如此文最后提出的"如果崇高会成为一种面具，洒脱和痞子状会不会呢？你不近官，但又不免近商。商也是很厉害的。它同样对于文学有一种建设的与扭曲的力量"。话说到这份上，怎么能说是一种主张堕落的理论呢？有些人的远远一望式的逻辑，和用"理想"这样的"大词"变成一种打人的策略的办法，虽然能造势，但实在离对方的论点有一点太远太远了。你的《直面俗世》又哪里有什么要媚俗之意，任何一个哪怕是稍稍仔细读一下全文的人都不会有此意见。现在我觉得恐怕分歧不在于要不要理想，谁能举出一个人说自己天生反理想？用这样大而化之的方式讨论问题，实在没有什么像样的意思。那么理想究竟是什么？它在今天表现为什么形态好像才是最重要的。我觉得把理想变成一个缥缈的玄学的概念，就太抽象以致难于把握。我觉得它的所指或概念的范围太过于含混不清。作为一个好的、善的追求的一个概念，它没有什么问题和毛病。那么理想的诉求非常需要将它具体化、清晰化，否则谁都可以随意使用，任意赋予它怎样的意思都行的话，恐怕也就失掉了任何讨论的意义了。我想现在的问题是面对"理想"的呼唤，或者我们如何有自己的理想，如何去反思这个世界上种种不同的理想。按照《现代汉语词典》的释义，"理想"一词有两个意思，一是对未来事物的想象和希望，二是符合希望的，使人满意的意思。这两个意思当然是不同的人有不同的考虑的，有不同的选择的。一种理想是不是对于社会实践有用处，就需要去思考。光肯定一个词好，让人们都去信仰一个词，又有什么用处呢？我想一个问题一旦具体化，它被放置在我们的语境中加以考虑的话，它的意义就可以相对有一些把握。我想即使像"解构主义"这样的批判性比较强的理论，这种对意义进行反思和追问的理论也是有它的理想的，也不像有些人进行的那种漫画式的表述说是一种绝望的理论。德里达本人最近就提到了不应拒绝"解放的欲望"的问题。人类对于理想的承诺和希望不是坏事，笼统地说它是坏的无论如何是不应该的，也是没有理由的，但人类的理想追求导致的负面的结果也是不能忽视地存在着的。像"大跃进"这样的向理想国的飞奔，它的灾难性结果仍是无法回避的。如果一种理想不与社会实践结合起来，它的危险性就会表现出来，而不从学理上冷静地对之进行分析、思考，采取头脑发热式的追求，其后果绝不可能是良性的。我觉得如果不深入辨析"理想"，在今天的文化状态中就不可能找到比较具体的方案或选择。不知你如何看？

刘：我觉得"理想"这件事实际上是相当简单的。实际上是人对于现实满意不满意。人们一般是不满意的，就要创造出一个不同于现实的世界来。这就是理想的存在。文学天然就是"苦闷的象征"，都是对社会生活有反思和批判的结果。所以文学作品或是对现实的反思，或是对于现实的补充。所以从这个角度上说，绝大多数的作家都是有理想的，只是其深度、高度或面向有所不同而已。提出作家、文学要不要理想的问题，实际上有一点挑逗性，它是市场经济下的报刊的某种操作、炒作的结果。我以为这个问题不能由这种方式加以讨论。这就好比讨论作家是否自杀，是没有什么意义的。可能也有作家愿意自杀，但自杀并不构成作家的一种潮流。正像也可能有无理想的作家，但这似乎并不构成当下文学的一个景象、景观。从历史上看，也的确有看不出比较明确的理想的书。但这样的例子不是很多，特别是像《金瓶梅》这样看不出非常明确的理想，又取得了很高的文学成就的书是不多的。你像有一位周瘦鹃老先生，专写花花草草……

张：这是位鸳鸯蝴蝶派的老作家，解放后就专写花草了……

刘：他的作品好像看不出什么理想，但通过对自然的发现，也寄寓了人类的一种希望，其实也是一种理想的追求。你也不能说他的作品就没有理想。因此理想对于作家来说，总是很明显存在的。你说王朔的小说没有理想？只是他的理想可能与你的有差别，不尽一致而已，他的小说里也依然是有潜在的理想的。理想的存在，我作为一个个体生命来说，总是有一种向未来的预想预测，有我的期望值。这些都可以归入理想的范畴。我觉得这里要注意的只是两点：一是理想的追求不能脱离我们的生活实践。提倡一种与现实无关的理想是不会有好结果的，一种压抑普通人的正当的物质追求的理想，也是不会有什么好结果的。"文化大革命"在我们的某些作家来看，好像是理想最充分的一个时期，是理想精神最高涨的时期。但那是怎样的时代，人们自然已有了很清晰的认识，不用我多展开了。所以理想必须是与当下的人们有关的，与他们的生活境遇有关的东西，而不是一种强加的离人们很远的东西。其次，理想不能是一种独断的思路，不是一种唯一的、不可怀疑的正确的东西。它应该也是各种各样的，既有不同的层次，也有不同的面向。既可以有宗教性的理想，也更可以有非宗教性的世俗的理想。要求全人类只有一种理想，那么这种要求的危险性是很大的。恐怕有关理想的分歧实际上是：要一种与人们相对抗、对人们充满仇恨和蔑视的理想呢，还是要一种能和人们沟通的、交流的理想呢？是孤傲地斥责一切，认为唯有我发现了真理呢，还是在生活实践中寻找具体的目标呢？这恐怕是最重要的问题。

张：你这个说法的确抓住了问题的核心。的确目前所进行的讨论恰恰正是这个问题。我觉得主张理想与反理想的冲突其实是一种幻想。当下的一个很大的危险是在"理想"的名义之下为极端主义辩护。丧失理想，主张堕落，容易被察觉和否定，因为这种粗鄙的主张显然没有什么号召力。但以"理想"、"崇高"为名，对于极端主义进行热切的肯定则是一个不易被人们关注却非常大的危险。理想的确是我们所需要的，但我们更应该关切的是我们需要的是什么样的理想，这些理想是不是与我们有关，是不是帮助我们向前走的。如果不是这样的理想，我们就必须提出我们的反思与参照。

第七章 "后国学"与中国本质

(1) 国学复兴与传统的再生

张：目前有一个走向值得我们关注，就是一个很巨大的"国学"的潮流正在很快地兴起。这似乎与目前东亚的经济的发展成为一个十分重要的呼应。这里一方面有海外"新儒家"多年来不断对"儒学"的再阐释引发的一些新的社会反应，另一方面则是社会对于传统的再发现的浪潮也已兴起了。这里有世俗层面的。如对传统的风水、气功、神秘主义之类的强烈兴趣。还有更为重要的，就是把传统文化作为一种中国人人生的中心，作为安身立命的终极性的基础。这里我们在日常生活里面可以看到许多传统文化的踪迹，这是毋庸置疑的，但传统文化究竟在中国社会的发展中有什么作用，就还不够清晰。这里很值得关注的是，日常生活层面的那种传统文化的踪迹似乎越来越多。像许多仿古的建筑，仿古的旅游区，以及各种神秘文化之类，近来都很时髦。它一方面与旅游和"奇观性"有关，为西方的游客提供一种想象的空间。在这个层面上的传统文化往往变成了一种可资利用的文化产品。另外无论是我们本土产生的那种"三十年河东，三十年河西"，中国文化及其中心"儒学"将独领21世纪的风骚，或是亨廷顿文章中关于"文明的冲突"的预言，其意义都不在于试图为世界指明方向，而是敦促人们从更高的角度对之进行认真的分析。这种"国学"、"儒学"热似乎已成为目前中国的极为重要的思路。当然这里的走向也有相当微妙的不同，一种是试图由传统中国社会的边缘或底层发掘一些内容，发现一些有价值的东西。像陈思和所讲的"民间"指的就不是我们一般理解的"市民社会"，而是自创的一个议题。它指的是中国农民的生存能力、审美趣味等等，试图从这么一个"民间"发掘出具有共同的学术兴趣的话题。像《白鹿原》这样的小说也都有这样一些倾向，从中国农民生活的底层发掘一种现代人缺少的生命力。但这种思潮并不是这股回到传统的思路的最主要的趋向。最主要的趋向还是比较正统的思想史、学术史的研究，是从经典里发现"中国"本质的努力。这两个思路还是有一点共同性的，它们都是试图发现一个共同的中国的本质。

这种思路越来越强烈，形成了一个很大的结论，像"中国文化救世界"，等等，都是认为21世纪将是中国传统文化大发扬的机会。现在有不少学者认为到21世纪，中国是世界的主要力量。像季羡林先生这样的学者，是从文化发展的角度提出这些主张的。还有一些学者专家是从中国经济发展的状况推衍出来的，随着中国经济力量的增强，中国文化也能推向世界。季先生的想法我想很可能是以文化促经济的，而另一些人的主张还是经济促文化。但大体上是一个同样的走向，同样的趋势。认为中国人在现代失掉了自己原有的本质，现在应该找到一个已经失落的中国人的本质。这种思考很值得关注，似乎也属于目前这个"后新时期"一个极为引人注目的景观。

刘：我始终是有一些困惑，存在一些我所不断反思的问题。当然现在是人们把人类的文明分为东方／西方，中国／美国等等，但是不是有一种可供人类共享的文明，有一种人类共通的东西？要是从这么一个观念出发的话，许多问题好像都可以迎刃而解了。这是一直引起我思考的。刚才你谈到在社会层面上的情况，在这个层面上中国传统文明不管怎么说仍然是顽强地保持着自己的生命力。在"文革"非常激烈的时期，有一本书得到了非常精致的印刷，这就是章士钊的《柳文指要》。这本书的出版有一点特殊之处正是它是在"破四旧"之后。章士钊作为一个很有影响的老文人，也不管当时的社会观念和普通的处事规则，凭他过去与毛泽东有过一些相当密切的来往，就上书给毛泽东，想出他写的书。于是就从当时被打倒的编辑出版人员中抽调人，来给他排印。这本书的印刷，应该承认是十分精美的，这书出的是大本，线装，排校精心，极有保存价值。不能说这本书的出版与文化传统无干，而章士钊与毛泽东的友谊也有中国文化传统的色彩。另一个是中国传统的政治智慧，在"文革"当中的外交中还是发挥了很大的作用。当时中美关系的改善最开始是美国乒乓球队应邀来华。此外中国还有许多这类传统的方式在当代生活中起作用的报道。比如当时还有"文物外交"，用文物展的方式和许多国家建立联系。让人感到奇怪的是，"文革"中间最先恢复的一个文化机构当时是文物局。既不是广播事业局，也不是文化部，因为当时的文物发掘有了许多重大的成果。这是很特殊的。当时证明"文化大革命"的成就的例子之一是马王堆出土的珍贵文物。这说明中国的传统文化在即使是相当困难的处境下也要顽强地表现自己的存在。

那么到了今天，到了处于现实多重挑战之中的传统文化，更是取得了重要的地位。它的功能有了很大的发挥。当中国的市场化转型开始以后，当代文化面对许多困惑之时，传统文化却大摇大摆地跟上了商潮的步伐，很快地在市场里找到了一席之地。而像张艺谋、陈凯歌的电影，则不仅是利用习俗、文化传统，而且甚至还有新的创造。比如说中国任何一个一夫一妻多妾制的家庭中都没有夫主进入哪一房便在哪一房挂"大红灯笼"的传统，却被电影创造出来了，每天上床之前要刮脚心之类的事，完全是今人创造。而像《菊豆》的染坊，高高的挂布架，比一匹还要长的布等等也是中国传统文化里没有的，但拍出来是很好看的。说明传统文化进入新的文化空间上是并无障碍的。传统文化点缀着我们这个走向现代化的社会，形成了很广泛的文化景观。

从一个更高的文化层面上，则体现为一种你称之为"后国学"的新的国学的复兴。这种复兴在目前的高级文化、精英文化之中是一股很大的潮流。我想他们的主要看法是要让中国的传统再在当代扮演一个最重要的角色。他们对社会转变期中中国传统文化的功能怀有极大的信心，要用传统作为"民族魂"。要随着中国社会经济的发展，及港台海外华人社区的发展形成一个"文化中国"。他们很敬仰现代的大儒像陈寅恪、王国维、章太炎，从他们身上发掘出许多能够拯救当代中国人的文化资源。

张：最近又有对像马一浮这样的被湮没者的崇敬。我听到一位非常优秀的学者提出陈寅恪是地上的人，而马一浮则是天上的神。

刘：这似乎是纯粹的国学的想法。而且像海外的"新儒学"就不仅仅是说嘴了。在台湾、新加坡的社会变化之中起了不少作用。有的人好像还有"国师"式的身份待遇。这种思潮的兴起不能不说还是和"二后"的大背景有一定的关系。一方面是"后现代"的问题，中心瓦解，社会文化多元化，这可能会使不少文化人感到心里空落落的，不踏实。西方的理性主义、现代文明产生了许多不良的后果，所以就从国粹中去找民族的精神，民族的本质，从被人遗忘的角落发掘出像马一浮这样的偶像。另外就是"后殖民"问题，跨国资本的进入中国产生的诸多影响，特别是国家在一定程度上鼓励外资的进入，这当然就引起了有关民族性的焦虑。

而且像传播媒介里也有不少来自西方的内容频频出现。这些影响形成的冲击是很大的。当然人的民族性本身也是相当顽强，不易改变的。举一个小例子，就是北京商店里的价格标签，始终都是一斤多少钱，一直有要求改成500克多少钱，可就是改不了，连上海都基本改成以克定量，但北京就是很顽固的一斤多少钱，可谓屡禁不止。当然十六两的小秤消失了，这毕竟是一种自我调整，但用克代替斤两作为基本数量单位就还很难办。所以这些现象里都有很深的文化因素。这些东西尚且不易改变，更何况人的大的方面呢？所以作为对于当下语境的回应的"国学"的复兴，有自己的文化的基础，是非常合理的。

(2) 人类共有文明或创生文化

刘：我有一个想法，我们是不是能、是不是应该把中国／西方、传统／现代的文化分得那么清楚。我也觉得预言西方文化在21世纪必然失败，或是世界的文化的中心转向东方等等，都有一点为时过早。这样的表述究竟有多大的意义呢？这是一个令人困惑的问题。我想人类的许多个世纪以来的文化的交流融合乃至冲撞、纷争之中也已经形成了一些人类的共享的文明。这里肯定有一些东西不是可以分成东方与西方、中国与外国的，可以说是人类的共同的成果，像蒸汽机到汽车乃至飞机和火箭，这些东西恐怕也不能说仅仅属于西方。它是全人类共有的文明财富。最为引起我思考的是一个很有趣的领域：服装。朝鲜无疑是一个意识形态警惕性很高，对西方批判很严厉的社会，但它的领导人我们从电视看到也是穿西装的。它也有自己很明确的民族服装，却相当严格地在大场合穿西装，这种严格度我看是很高的。这说明他们也不认为这是西方的服装，而是认为这就是一种人类共享的正式服装。我想这样的例子还能举出许多。我想能不能使这种人类共享的文明作为一种沟通和了解的基础，从而在某种程度上找到一些"点"，提供一种对话的基础，这是不是可能呢？有一些文明发展到一定的程度时成为了一种无所谓东西方的人类共享的文明。这不会替代东西方各自的文化特性的存在，但人类可以取得某种共同的生存与发展的基础。我们似乎也不应忽略这方面的可能性。

张：我想问题是比较复杂。关于人类文明的共享性的问题．我想是个相当难处理的问题。80 年代中期。李泽厚在他的很著名的《中国现代思想史论》的最后一篇中提出了一个很明确的解决方案。他认为对于物质生活来说，人类是有一个共同的尺度的。无论是哪一个国家、社会、宗教的人都会希望乘坐飞机、汽车来代替古老的交通工具，都希望冷天有暖气，夏天有空调，都希望能通过电视、电影，看到世界上更多的东西。李泽厚认为人作为一个"感性物质的现实存在物"，他在物质上是有一种客观的标准的，但李泽厚认为精神领域的问题要更复杂一些。既有普遍法则，又有多元化的不同形态。这似乎是他提出了"西体中用"作为理论上解决问题的一个方案的基础。这些看法里面有一个很大的问题，也就是你提出来的这个问题，究竟这种"你中有我，我中有你"的情况如何处理？"中国"显然不是一个纯粹的中国，像我们用的抽象的概念几乎都是借自日语从西方语言翻译过来的"外来词"。你很难把一种纯粹的"中国"剥离出来。你可能不能不面对一个混杂态，一个交织杂糅、很多东西并不能完全分开的情况。你发现我们的生活的很多方面是相当西化的，有时候有的人按照他所想象的西方的方式来行事，甚至比西方人还要西方化。但在一个西方人看来，你却依然是个东方人。这倒也不仅仅是肤色之类问题，还是你的行事方式与他是有所不同的。究竟你和他的区别何在？很难分清。固然西方人看我们是"非我族类"，我们看他们也难免如此。许多微妙的心理／文化上的差别仍然是很大很多，却又一言难尽的。随着"冷战后"全球化的发展，民族主义也已越来越强大，这我们前面已经作了些比较细的讨论。在这里，文化的本土化的诉求也是极为强大的。我想目前的"共享"或是"分化"都是存在的趋势。我想用一个"混杂"来描述这种情况。这个"混杂"是不可分离、不可分化的，什么都搅和在一起。既有很西方的，也有很中国的。

这里要提出来的是发现一个纯粹的中国本质是否可行的问题。我想这恐怕是一个很大的幻觉。其实这个问题有一个很戏剧化的悖论，就是中国人的日常生活及思维方式离我们过去所预设的所谓的"本质"越远，寻找这种本质的焦虑也越强烈。这里还是存在一个是否有一种绝对的"本质"的问题。我想这里的解决的方案是强调目前"状态"的混杂性，既不是纯而又纯的西方，也并非纯而又纯的传统。因为当下的中国社会和文化里的情形就没有分成几大块，没有划得那么清楚。其实中国的"人"是每时每刻都在变化之中的，很难说找到一个确定的本质，只能是一个不断变化的过程的踪迹。最近美国的著名的研究"后现代"问题的刊物《疆界 Z》发了一期专题为"作为文化生产空间的亚太"的专刊，大概是 1994年春季号。这期刊物的两位编者也都是很有名气的，一位是罗比·威尔森，一位是阿尔夫·德里克，这个人来过中国。他们认为目前很流行的有关"亚太"的一个很大的文化生产空间已经形成了。它生产了许多关于亚太的文化神话。而这两位编者认为这与西方的霸权话语有着不可分割的联系，认为强调亚洲的特殊文化与强调西方的普遍性之间亦有难以分割的联系。这些论点也很值得我们深思。我们目前的选择应该是立足于当下的"混杂"性。立足于目前所出现的文化"状态"，从这种状态出发，而不是拘泥于文化的普遍性／特殊性的争论，西方／东方的争论，而是仔细地考察我们的"日常生活"变化的走向等等，这恐怕会对"共享"与"特殊"的文化之间的多种问题有一个较好的厘定。

我想你的小说的一些变化可以说是有这一问题的探究的深化。你早期的名作像《钟鼓楼》对于东方／西方之间的文化问题的考察仍是比较明确，肯定东方的美德和精神，肯定西方的技术文明。在那个叫荀磊的小伙子身上你是寄寓了很大的希望的，你提供了一种既有传统中国的美德，又有西方先进技术的理想的人格精神。但到了最近的《四牌楼》、《风过耳》所表现的就是一个充满了混杂性的世界。《四牌楼》是带有自传性的故事，它表现的是一种时间上的混杂，时间上的错杂缤纷，时间上的各种不同世代的重叠、混合，是非常有意思的。个人的历史被不断地重组了，形成了一种新的结构的方式。而《风过耳》则是一种空间上的混杂，在当下各种不同的事物都搅和到了一起，显得非常凌乱，中心飘移不定，显示了当下文化空间的既生机勃勃，又不可预言的非常复杂的形态。这里的机遇、挑战、可能性是混合在一起的。这种探究比起过去的想法要完整、全面得多。这里没有提出理想人格的建构的具体方案，说明许多观念是会有发展变化的。这么看来你的思路是有所发展有所变化的，我对你个人变化的心路历程还是很感兴趣的，因为这也表现出当代思想氛围的转变。

刘： 实际上像我这一代知识分子基本上是受三种文化的支配。一种文化，也是曾经具有主导性的文化，是革命文化。革命文化自"五四"以后开始出现，经过30年代到延安，形成了一种传统。它的影响力是很大的。它在文艺与文化的领域中也是有许多积累的。它有自己的纲领性的文件，也有许多文化实践，到了1949年以后，基本上是以这种文化来教育和培养年轻一代。当然他们也还是容纳了一些中国传统的以及西方的文化内容。我们当时对于西方的了解，也是通过苏联的折射、通过苏联的判断来接受和选择的。苏联认为西方某个作家是有价值的，体现了西方向上的、进步的东西，我们也就跟着翻译介绍。50年代基本上是以苏联为范式，这样来接受西方的文化。比如说要不要出托尔斯泰，苏联出过托尔斯泰，我们也就可以出；它出狄更斯，我们也就可以出，像雨果是没问题可以出的，但龚古尔就有一点问题了。龚古尔在苏联当时受批判，所以就一直没有出。像陀思妥耶夫斯基是苏联可以出的，但像《恶魔》、《少年》这样的作品被认为是反对革命的，不能出。总之那时对西方文化的接受是有一些模式来限制的。另一个是古典的中国传统，由于毛泽东本身对古典文化有强烈的兴趣和很深的造诣，所以古典文化的评介和研究、出版等事宜，基本上是在他的认知的基础上运作的。

但无论如何，无论是冷战也好，是反帝反修也好，你很难做到完全没有其他的不同文化的因素出现。西方的文化也是仍然通过不同的方式渗透进来。这些文化因素也在起作用。如我的父母都是知识分子，他们过去受到的教育对我也有很大的影响。而且各种不同的西方作品的译介，也或是以揭露资本主义的黑暗而作"反面教材"等方式流传开来，也起了一些作用。到了"文革"之中，也出版了像《摘译》这样的介绍西方文化的刊物，有一些很新的情况都通过这本刊物的"内部参考"的介绍而得以流传，而"文革"前更发行过一大批所谓"黄皮书"、"白皮书"及"蓝皮书"。这些书里往往包括了西方文学、思想、社会科学方面的许多东西，像萨特、卢卡契乃至塞林格的《麦田守望者》等等都是那个时候译出来的。我曾经和北岛有过一次谈话，他说他早期的性格和思想乃至写作的观念的形成，不是自己凭空想出来的，而是受到这些 60 年代以来作为反面教材翻译过来的书的相当深刻的影响。当时革命的主流文化，你要把西方思想作为自己的对手来批判、否定，你就必须得知己知彼，你就必须得了解对手。

张：其实大批的现代主义的作品那个时候都译出了，而且由于有许多很优秀的研究者无法做别的事情，就埋头译书，结果当时译书的质量反而是相当不错的。我还记得 80 年代初我刚上大学的时候，最初接触"新批评"等等就是靠了一本 60 年代做反面教材译出的《西方资产阶级文艺理论文选》，那本书选得的确是相当之有水平的。其实对那个时代的内部翻译的史料，应该有所钩沉和整理，否则任其流散就很遗憾了。

刘：所以说像革命文化传统，西方文化传统，以及国家还是相当肯定的古典文化的传统，这三种文化对你都有所作用之后，你的文化观念也就被打乱了，按你说的是"混杂"了。在"文革"这样相当严厉的时代，我们这样的人自然是很容易倾斜向外部世界的，因为内部的文化资源是相当贫瘠的，不足以提供充分的滋养。所以一旦改革开放，经济上、文化上的变化很大，这时我们的社会确实需要一个对西方文化的重新吸取，这时，像我这样及至上下两代的知识分子也很强烈地吸收西方的文化。我们曾经对西方存在一些误读，一些幻想。有一些在文学界很活跃的朋友们，鼓励文学乃至文化拥抱西方也是很流行的一个思潮。当时我们也都有许多这类的幻想，只是我当时还是相当温和的。像《钟鼓楼》写的是 1982 年 12 月 12 日，当时与 1976 年的大转折只相距六年。我觉得那个作品还是相当准确地勾勒出了那个时代的思想文化氛围的，而且也是可以留下来并有一定的研究的价值的。它表现了一个作家在那个时代的一种文化与理想的诉求。当然现在时间已过去十多年了，在现在我感到了一定的困惑。我的思想是在不断的调适的过程之中，像《风过耳》中的那种具有不确定性的思考正是处于过程之中的反映。但不管怎么说，《风过耳》表现出了 90 年代初的斑驳陆离的中国人的生态景观。那么到了 90 年代中期，我的许多远比我更为热切地拥抱西方的朋友，这些朋友在 80 年代是狂热地迷恋西方的文学的。他们对于每一届诺贝尔奖的获得者都是很快地了解他们的创作方向，迅速地加以推介的。这些朋友很激烈地否定了那种与社会状况相联系的，有许多社会介入意识的作品。他们也对于西方古典文化进行了批评否定。他们主要是主张进入一种文本理论，进入一种语言实验。我对此是很友善的。我觉得那时中国的文化是相当从容地试图划入西方的文化主潮之中，试图走向西方时，这种艺术的探索创新是整个努力中非常重要的一部分。另一种就是要溶入蔚蓝色文明的社会文化诉求，当时也很有声势。但令人惊讶的是，现在这些朋友的想法也有了极大的改变，他们对问题的看法也改变了，而且越是在西方呆待了，对西方文化有了较多了解的人，他的观点越是与以前有了大不相同的倾斜。像李陀，是我的一个朋友，他在大陆发表的一篇颇有分量的文章就是关于"开心果"女郎的非常锐利的分析。这一分析的有趣之处在于他对西方化的不满与愤怒，他认为跨国资本及西方进入中国造成的许多后果是异常严重的。而他在 80 年代中期是最热心引导中国文学进入西方文化主流的。如今他的思考与过去是很不同的。他现在提出要分析研究中国的大众文化。但中国的大众文化显然是深受西方的影响的。它正是在很多方面按西方的大众文化的模式建构起来的。

张：像《加里森敢死队》这样的电视剧或是像《未来世界》、《苔丝》这样较早在中国放映的影视作品都是对中国大众文化机制的形成起过相当大的作用的。

刘：于是，像这样一些知识分子从热烈的拥抱，到现在产生了极大的警惕性，这是很值得深思的。即使像张承志这样的知识分子，他能在日本住了相当长一段时间，能够在日本为日本人用日文写书，可见也是对东洋文化学术抱有某种信心的。但后来却进行了异常严厉的斥责，表现很失望和愤怒。我的心态似乎没有那么紧张，还是觉得要冷静地对待这些事情。刚才你说一个文化的这种"混杂性"，你恐怕还是从一种经验或是感性的角度看问题的，但就基因来说，严格地探讨的话，我认为还是有可能划分开的。我想人类发展史中有一些积淀是共同的。它可以为人们所共享。比如说像许多电影、戏剧、绘画都不是只有某一种文化才能够享受的，而且也会通过共享给其他的文化带来正面的影响。比如一些基本的人类的准则，像人不应吃人，而且不应进行种族灭绝式的大屠杀，这些准则或道德，恐怕应算成是一种人类的共享的文明，而不能仅仅视为西方或是东方的文明。而且跨国资本的运作也不仅仅是获取利润，也可能给被跨入的国家带来一些新的技术、新的文化想象的方式等等。有不少方面也还是有一定积极的意义的。负面和正面的意义也是混在一起的。我觉得中国并没有像他们估计的那样问题严重。对西方的许多文化进入，还是要作更为细致、冷静的分析。比如说像麦当劳这样的快餐店，在全球各处是随处可见的，它是否仅仅是一个西方的有压抑性的文化的象征？我觉得当然也有这方面的因素，但另一方面它也提供了一种新的饮食选择，提供了多样化的可能性。所以恐怕对一个问题不能只用一种眼光来看，需要从多角度去思考。

张：我想也是如此，我认为关键是如何找到"度"，找到一个能够既保持本土的特点，又和国际接轨的"度"是相当不容易的。

刘：恐怕对于文学来说，如何找到一个恰当的"度"更不容易。我们前面也涉及了这个问题，但似乎把握起来很难。

张：我觉得有一篇文章可供我们参照来进行思考。这是一位美国哈佛大学的教授，研究中国古典文学的非常著名的学者宇文所安（Stephen Owen）。他在1990年发表过一篇引起了相当大的争议的文章《全球影响的焦虑：何谓世界诗歌》。这篇文章是有关北岛被译成英文的一本诗集《八月的梦游者》的评论。这篇文章认为北岛和一些其他的第三世界的诗人，被一种"世界诗歌"的幻想所陶醉，为迎合西方读者的口味和兴趣而写作。这些用汉语写成的诗只是为了它的西方的翻译者而存在的。宇文所安也批评北岛一方面脱离了中国诗的传统，另一方面则被动地认同于西方诗歌。宇文所安有些话是说得相当尖刻的。他认为，这类诗正是靠着一位出色的翻译者和出版者的运气，才在西方获得成功，而西方人的认同这一事实又使他在中国得到承认。这些说法也受到了一些学者的批评，像奚密和周蕾都指责他。但我觉得这里的确有一些值得深思的问题。追逐西方，却并不能表达中国人的当下的境遇；讲述"人类"的普遍的大问题，却又将这些问题化为与本地问题无干的东西。于是，这些诗飘在本土的生存的外面，宇文的批评，就此发表的意见，值得注意。但宇文所安说法的问题在于，他好像预设了一套固定不变的中国传统的"诗"的规范，中国诗就有一种特殊的做法。这里可以看出北岛的诗体现的是普遍性的标准，而宇文所安却持有一种特殊性的标准。有点讽刺意义的是像宇文这样的西方人反而要求中国诗一定要"像"中国诗，而北岛等均是中国人，却并不同意此意见，而强调一种普遍性的标准。但这两种想法都有自己很长的传统。二者的二元对立是十分明显的，但又是互相补充、互相依存的。普遍性与特殊性在于"第三世界"的社会其实是一块金币的两面，是不可或缺的。普遍性提供对于西方价值观的"趋同"，而特殊性则提供关于中国的"他性"的表述，也就是说普遍性提供"像"西方的一面，而特殊性提供"不像"的一面。像／不像之间的一种复杂微妙的关系，是非常值得注意的。西方话语给我们设定的那种规范和准则当然仍需要反思，而与此同时，对于"特殊性"作为一个文化神话也需进行深入的反思。像《风过耳》这样的小说中你的对目前文化状况的描述就是一个很好的例子。我想用"状态"来消解那种旧的二元对立式的观点和立场，获得一种比较成熟的智慧。这可以用一位理论大师，英国文化研究的创始人雷蒙德·威廉斯的话作为一个阐释的框架。他认为在一个社会中，有三种形态的文化共存。一种是主流的文化。它是社会中居主导地位，具有权威性的文化。二是传统的文化，它是社会中旧的、正在消逝中的文化。三是一种创生的文化，是在一种含混不明之中的萌芽状态的文化，一种有生命力的正在成长的活的文化。这三种文化的交错共生之中，文化才显示出自身的形态。我想这个理论里面有一点很可贵的东西，它不是仅仅从文化的地域方面划分它，而是将文化放在此时此地的空间中加以细致的分辨，这种方法论似乎是比较可取的。因为它显示出社会的进程及文化的进程的相对比较复杂的一些侧面。创生的文化也当然还有许多负面的、消极的因素，但它是逐渐上升、最具生命力与创造力的文化形态。这种创生性既有外来影响、冲击的结果，也有本土的文化自我更新、自我改造的结果，这些结果以一种朦胧的形态、"混杂"的形态呈现出来，就构成了一定的新的文化空间的拓展和开掘。这里边当然有非常微妙复杂、难于把握的东西。但我觉得王朔的《顽主》里边有一段有关吃中餐还是吃西餐的讨论是很有趣的。它写主人公于观回到自己的父亲那儿去，就和父亲争了起来，父亲主张做中餐，他主张做西餐。结果最后是各做各的。这如果是按照传统的思维，就是要产生斗争与冲突，不是你听我的，就是我听你的，不做中餐就做西餐。这样大家都不能得到好的结果。而各做各的，虽然稍微麻烦一些，却在相互容忍之中取得了一种相对和谐的关系。对于许多很尖锐的文化上的冲突，以此类方式解决不失为一种很好的抉择。这似乎是一种比较成熟的智慧，一种"共存"于一个空间的多样选择之道。这既不是东风压倒西风，也不是西风压倒东风，而是"共存"的状态。这种"共存"状态是不是未来文化的某种新的萌芽呢？我从何顿、邱华栋等人的新的小说中发现了这种新的可能性的生成。这似乎就是一种"创生文化"。目前的状态下，我以为这是一种既不是"是"也不是简单的"否"，而是一种"非"，一种新的成熟的观察事物的角度正在慢慢生成。我看王蒙近期的创作和你近期创作中都有这种新角度存在了。你很难看清作者本人的明确的立场，很难一下子确认作者的观点和倾向，这倒不是故意隐蔽倾向性的写实的追求，而是一种对于当下文化的更为明澈、更为机敏的看法。这是类似巴赫金式的"复调"的众声喧哗的作品，而非那种"独白"式的作品。这不是作者已经知道了事物的"结论"，但用隐蔽的方式告诉读者，而是作者本身就无结论，就不是他的思考已结束之后再生发而为"小说"，而是让小说本身成为一个探索和认知的过程。这种思路是相当可贵的。这里文化选择的出路不是已定的。这恐怕是一个创生态的生成过程。我感兴趣的是这种创生态并不给出一些答案，而是往往是提问式的。"五四"以来我们的文学和知识分子一直是要给出答案的，一定要有答案才行。但现在却是从更复杂的角度给出问题，不仅给出一些大问题，而且也给出一些小问题或是大问题的不同的层次。这样地将许多问题加以呈现加以书写时，某种思考的创生性就已经形成了。像最近的散文随笔热，也可以从这个角度加以理解。这些往往是从日常生活境遇中引发出的一个闪念，一个片段，用很短的篇幅写出来，固然会有一些是没有意思的，但也会有新的文化思想、新的文化现象的萌芽被表达和被发现，它提出了对一些生活现象的再思，还是很有用的。这当然很难说是怎样的传世不朽之作，却也绝不能视之为堕落的、罪恶的根源。这就相当滑稽了：怎么能一个作家写些随笔就被看成是坏事呢？我想有些人仍然沉溺在一个旧的思维的模式之中，又如何能找到或看到社会的新的创生的文化呢？这里我们可以不拘泥于旧的思考。我们就可以看到一个新的、有活力的文化正在悄然崛起。这几乎不需要多么深入的思考，只要正视当代历史正在发生的这些变化，我们不难有自己的不同于以往的观察与思考。

(3) 寻觅价值的艰难：国学的意义与出路

刘：我们都已找到了自己描述目前形态的混杂性的方法。你提出来其中有一部分属于创生文化，我觉得是可以成立的。这是挺有意思的。在这种混杂状态中，我们的这些思路都可以提供给读者们参照。不过值得注意的那一批从事"国学"的研究的学者们，他们会对目前的文化产生怎样的影响？他们的工作的意义何在？我觉得这非常值得认真的探讨。

张：这种"国学"的思路有一句名言叫"临渊羡鱼，不如退而结网"，也就是说一个人如果要在社会中有所介入是不必要的，但应该退回书斋中做纯粹的学问。但我想结网最终还是要捞鱼的。一生结网而不去捞鱼也还是没有用的，结成一条好网，捞鱼就捞得更快些，捞到的鱼也往往更好些、大些。这些人以学术研究对现实进行疏离与逃避。这种考虑也是基于对80年代文化及思想进程的反思的结果。他们认为80年代的学问空疏，乃是一种思想史的幻象。这种空疏的学风影响了80年代的社会的进程，造成了后来的困境与危机。这样的认知导致了对于80年代的严厉的批评。这种批评中有一些是相当准确的。因此他们认为用一种"实证"的方法，对中国传统的思想及文化状况进行清理，就可以发现中国社会存在的"本质"，而不是进行浮光掠影的探究。他们在一般的方法论上是倡导"实证"的方法，认为只要认真搜集事实，论据就会讲话。这种实证的强烈追求并没有使这些倡导者本身深入地了解本土的方法论，像训诂、考据、文字、音韵等。他们的学问的基础显然也不是这种方法论，90 年代以来以这些方法为基础的文献、古籍研究的发展也并不是非常兴盛的。相反目前倡导"国学"的知识分子，多数还是 80 年代领导潮流的一班人。他们的基本训练与思维方法其实很难和这种传统的"国学"研究接轨。不少目前倡导"国学"的人，最推重的几位大师是章太炎、王国维、陈寅恪。但对于他们在具体的学术领域中的成就，系统地继承与发展几乎是很少的。像章的训诂、王的文字学及陈在多方面的成就，均没有得到很系统的整理和研究，也很少听到继承这种学术方向的成果出现。传统的"国学"显然没有通过这种新的文化风尚得到承继，所以很难说这是传统的"国学"，也很难说他们的思路是"整理国故"的延续与发展，因为他们与"整理国故"时代的批判性是划开了界限的，他们认为当年的整理国故也是批判和否定传统的，因此也是没有深度的，或是有问题的。但他们本身却也只是从一些传记资料或是轶事中间去凸显章太炎、王国维和陈寅恪的人格魅力。他们强调的往往只是有关这些学者在修身方面的境界，及其在纷纭变幻的 20 世纪的文化潮流面前对自己的传统文化守护者的身份的捍卫。所以像诗词、传记、随笔及许多回忆录成了抒发这种有关"人格"的想象的根据。学问本身的发展并未以"实证"的方法得以延续，只是在方法论上提出了一种"实证"的诉求，却在具体实践中变成了一种大而化之的人格礼赞。最近的不少"国学"探讨都有这种作风。这种人格礼赞往往是极为强烈地针对着当下社会的进程的。所以其根本的想法是很虚幻的。用几个大学者的轶事来拯救社会，拯救所谓"失落"的人心，是极为虚幻的。这比起 80 年代的那种过分简单的社会方案来，显得更虚，更不着边际。其实传统国学的根柢很难在当代重建，那种老式的训练也很难有所发展了。而目前的"国学"，只能说是一种"后国学"的风尚。它是在"后现代"与"后殖民"的语境之中的一种文化反应，仍然是这个时代的一种时尚。他们试图通过"实证"的方法论想象，及一种"人格"的文化身份想象彻底超越今天的文化，但其结果却仍是落入了当下的历史情势之中。其实许多真正有学问的，完全在以坚韧的精神进行古籍整理这样的工作的人，反而并未发表有关"国学"的什么宣言之类的东西。

那么目前的"后国学"的意义何在呢？我觉得一方面是向社会普及传统文化的一些知识，像张中行的《诗词读写丛话》等等。这还是有一定的意义的，使人们对于传统更为了解和熟悉。另一方面却是给西方汉学提供一种文化的半成品，用一种西方人可以理解的语言加工一种文化的半成品，也就是用西方式的学科分类方法，用一种材料梳理式的"实证"表述，以待西方人以"理论"加以分析。而那种浪漫的、诗意化的学者生涯的展现，只是对市场化及全球文化的大进程的一种无奈和困惑的表现。

刘：这种"后国学"在我看到的资料中，表现出在 90 年代中国社会的新的变化与发展之中，知识分子对自己的精神及社会选择的一种矛盾。他们要从本世纪那一批经历了前半个世纪风雨的知识分子中（有的人也跨到了后半个世纪），发掘那种伟大的人格力量：他们的遗世独立，以不变应万变，超俗地投入学术之中的风格气质等等，都被当今的"后国学"广泛地介绍，极度地推崇。这些都是中国知识分子应变的传统人格的资源。这也还是在社会大转型中间知识分子的一种应变的方法，一种在变化的世态中寻找稳定的"安身立命"之所的方法。这当然有两个方面的问题。一是这种"人格"是否能够安身立命。二是这样的"人格"的具体内涵如何能得到详尽的阐发并使人们能够理解。这似乎都是他们还未涉及的问题。一方面这种"人格"很多是来自于传统，如何能应得了变呢？许许多多新事物都不断涌现出来了，用不变应万变，如何能应变也还是一个无法弄清的问题。传统的精神、人格已被 20 世纪的风雨浸蚀得斑驳依稀，很难有一种完美的延续的可能。你像我们现在的中小学到大学的教育里，传统的文化的比重究竟有多少，在现在这样的教育系统中如何能够成就那种传统的"大师"，实在是一个难以解决的问题。你要造就一种"人格"，就一定得有一个适宜的教育，适宜的环境。这些条件皆不具备，那种以"不变应万变"的"人格"的资源如何能够得以弘扬，的确是难以实现的。另一方面是这种"人格"在当代社会中究竟能有什么作用，也是大有疑问的。作为一种个人选择，我觉得这也是很可贵的，但如果要求知识分子全都学习这种"人格"，恐怕也不行，搞不好会画虎不成反类犬。"人格"高尚当然需要,蔑视世俗生活也无可无不可,但把它作为一种普遍准则来学习,就恐怕未必恰当。但"国学"热,提醒我们重视传统文化的因素,也还是相当有意义的,但它的局限与毛病我们也仍然应该加以正视。

第八章 雅／俗的分立与融合

(1) 雅／俗之争与当代文化史

张:目前文化中有一个很大的争议和分歧的问题,雅／俗之间的关系问题。这个话题派生出许多个二元对立的概念,像严肃／流行、精英／大众之类,都是围绕这个雅俗的问题展开的,各方的意见分歧都摆得很清楚,这种分歧也是"五四"以来一直都存在的,但在今天的市场化的环境中变得更为尖锐化了。"五四"以来,一直有一个文学走向大众的努力,像陈独秀提出他的"文学革命"的主张之时,就有一条最重要的口号:打倒"贵族文学",倡导"平民文学"。从那时起,文学如何让更广大的大众了解喜爱,很久以来一直是一个很重要的文化目标。20 年代就有过很强烈的大众化的诉求,到 30 年代以后,就变成文学发展的一个主潮了。像文艺"大众化"运动、"大众语"运动以及整个"普罗"文学的倡导,都是很明显的例子。到了 40 年代,情况就更为清楚了。《延安文艺座谈会上的讲话》十分明确地提出了有关"大众化"的要求。而像赵树理、李季这样的以通俗的写作样式表达群众喜闻乐见的内容的作家也开始出现。他们一般相当熟悉当时的底层群众的兴趣,影响力也比较大。《讲话》起了理论化的作用。我们今天看一下《讲话》,有一点让我是很惊讶的,《讲话》中有关"普及与提高"的关系的一些论述甚至比起 30 年代"大众语"运动的一些观点要平和辩证得多了。它论及的"普及基础上的提高,提高指导下的普及"等等论点,作为一个革命政党的文艺观,还是很恰当的。这里的文艺主要是起一个动员和组织人民的作用。这种作用当时的革命的文艺也的确起到了。到中华人民共和国成立以后,雅／俗的问题因为有了《讲话》的总的指针,其运作还是比较清楚的。特别是国家采用了计划经济的方法来对文化生活进行极为有序的全面管理,这样就形成了雅／俗之间的分立的矛盾的化解、消弭、不清晰。雅／俗的不同面向在一定程度上被弥合了,问题似乎在某种程度上解决了。那时的畅销书也就被视为纯文学的最高的境界。最畅销的书同时也是最高水平的书,二者之间没有很大的差别。像《青春之歌》、《林海雪原》以及最有影响的"三红一创"(《红旗谱》、《红日》、《红岩》、《创业史》),都既是在读者中声望最高、销售量也最大的书,也是批评界给予一致好评的书。在文学领域里,雅与俗几乎是完全一致的,这个界限好像很大程度上被打破了。那时当然也有极俗的东西,适宜一个极少接触文化的阶层消费的读物,这专有一个"通俗文艺出版社",还有一个"宝文堂",出一些英雄传奇故事,将现代市民文化中的一些形式像章回体等加以借用编纂了一些书。而像现在《北京文学》的前身《说说唱唱》,试图为农民提供一些读物,赵树理本人亲自负责,却只在建国后存在了极短的一段时间。而赵本人在建国后的文艺发展中的地位也不是很高的。有材料说,进城后,党的文艺方面的领导人像周扬等,都希望他学习西方经典文学作品,把写作水平提高一步。整个五六十年代,国家对文学的要求,我觉得是处于雅俗的"中间"形态,并不要求很俗的,也不要求很雅的,而是有中学文化水平的人感兴趣的作品。恐怕也很难像今天仅仅根据大跃进民歌,一些活报剧,就判定当时的国家文艺政策要求绝对的通俗化。像贺敬之、郭小川的诗都是很激进的,在形式上也有马雅可夫斯基等未来主义的影子。国家对于文学寄予的希望还是要求它服务于有一定文化程度的读者群。因此它主要是通过作家协会系统对作家的写作进行比较有效的管理,通过新华书店的系统对于发行进行控制,通过报刊对宣传、评介等方面进行管理,同时有一个既是文学爱好者、又是热心读者的"文学青年"的比较大的队伍,从中发掘各种有用的人才,带动读书的浪潮。这些相当现代化的组织方法,使得文化生产当然要作用于它的主要的接受者——有一定文化程度的人。国家通过有效的管理形成了一个相对一致的作家—出版发行—阅读的体制。我记得很清楚，有一个回忆录讲到，像张恨水等等一大批原来鸳鸯蝴蝶派的作家，解放后很快没有了出路，生活甚至都很窘迫。后来由老舍先生的建议，才陆续得以安排。但他们的写作却已经终止了。这是一个很重要的标志，象征着新时代的转变将文化统一在国家机器的运作之中，市民文化的生存空间已自然地消失了。无论阳春白雪，还是下里巴人，都有效地进入了国家体制之内，它们自身的特殊性反而不甚清晰了。当时的文学作品当然也有定位上的不同，如《青春之歌》，主要是给知识分子或有一定的浪漫情调的人看的，而《林海雪原》则主要以惊险的传奇故事吸引青少年读者。但这些分别不足以支撑像雅俗这样的大概念。直到"新时期"开始之时，情况也依然如此。像《班主任》这样的作品，还是可以给全社会的人们共同阅读的。大家当时的诉求都很清楚，共同诉求于一个人民主体。雅俗的问题没有怎么成为人们关注的焦点。真正开始雅与俗的分离是雅文化的一种分离的要求。这从 80 年代初开始萌芽了一种文学的生产机制的微妙变化。当时是许多作家开始关注形式问题，关注文学自身，于是有了关于王蒙的"意识流"小说、高行健的《现代小说技巧初探》、朦胧诗等问题的很大的争论。这里要看到主要是随着社会的个人化，知识分子作为一个群体的作用与地位有所加强，于是要求雅由大一统的文学中分离出去，建立一个独立的空间。这种要求到了 1985 年的"寻根"文学及刘索拉、徐星等人的小说出现之后，有了相当大的满足。雅俗的分立开始比较明确了。80 年代中叶，一面是知识分子走向雅的纯文学的要求急剧地产生了效果，纯文学的雅文化形象已经树立起来了。另一面是通俗文化的潮头涌起，三毛、琼瑶都开始在大陆文化市场中有了地位和影响。文化格局的分化几乎已不可避免了。这也是国家对文化市场的控制减弱，国家与社会在文化资源的配置上有了一种新的协作关系的结果。

但好景不长，很快走上雅化之路的纯文学发现自己的空间在急剧地缩小，自身的地位受到了它所轻视的大众文化的挤压，在运作上也出现了市场缩小、不受欢迎的困难处境。像阳雨的《失去轰动效应以后》一文所分析的那样，文学确实完成了它走向自身的过程，但谁知在它完成自己之时，人们也不再需要它了。这篇写作于1988年的文章是一个相当明确的标志，说明了雅／俗分离的过程业已完成。这里有趣的地方在于一开始是作家和知识分子自愿地，甚至相当勇敢地疏离了大众，拒绝大众，追求文学的独立。他们的本意是想首先将"文学"的圈子划小，然后让大众慢慢地追随上来。但没想到大众并不跟上来，并不倾听知识分子的见解，而是反过来自己建构了一套文化想象的方式，也找到了自己的归属。这是一个很有一点讽刺性的发展进程。像这样的过程，究竟应该如何认知，如何思考，还是很需要我们认真清理的。

刘：在1949年以后，国家把文化人或文化统一纳入它的体制内管理之后，你讲雅俗的界限不清，有一定道理。但也恰恰刻意地划清了二者的界限。包括当时赵树理写的《灵泉泪》、《三里湾》等等都不是由人民文学出版社出版的，而是由通俗文艺出版社出版的。我当时就想，在读者的选择上还是比较清晰的。这是因为计划经济是有配额的，它把主要的分量给了主流的文化，而搭配了一些非主流的、通俗的文化。像京剧和昆曲被认为是高雅的，全国推广的，而像曲剧这样的剧种在当时就是一种搭配。而且当时那些搞通俗文化的人也并没有站出来表示不同意见，他们还是挺服那时的主流文化的。像张恨水这样的市民文化的最大的作家，解放后也没有认为以前的作品受欢迎就好，反而是感谢党给他的安排。像周瘦鹃解放后写《花花草草》，介绍园艺、风物、掌故，还有不少国家领导人造访他的家，他也很激动，感到党和国家对他的关心。其他诸如戏曲或曲艺的一些艺人就更不消说了。他们写过许多文章讲他们在旧社会是所谓"下三流"，被人看不起，只有到了新社会，成了人民的文艺工作者，当然还是定位在一个比较通俗的位置上，但他们也很满意了。当时有各种各样的争论，但的确没有一个雅俗之间的争论出现。到了"文革"之后，多元性的景观开始出现，有了像"反思文学"、"改革文学"等等，1985年出来了"寻根文学"，情况发生了大的变化。看起来"寻根"好像还是一个新题材出现，但实际上它却是要返归文学"本体"的一场运动。这场运动与前面的情形不同了。前面那些题材上的变化，还是文学作为社会运动或

社会选择的一个传声筒，还是作为国家的一个"诤友"来工作的，还是要起到很
大的社会作用，扮演很大的社会角色的。但"寻根"则改变了这种路向，走上了
一条新路，它甚至越过了"五四"运动，越过了整个中国的近代史，去寻找中国
文明的远古的源头和胚胎。到了"新潮"、"先锋"文学，就比"寻根"更为彻底了，
它是以文学本身的语言、结构、叙事的变化作为自身存在的依据。这是雅／俗开
始分离的时期，所以雅文化或纯文学的独立品格的确是初步明确了自身。所以李
陀这样的非常活跃、也起了不小作用的人在 90 年代以后，也还常常回忆起那时
的文化盛况，也是很有趣的。这种思潮几乎涉及了各个文化领域，像电影、造型
艺术、舞台艺术等各个方面都出现了这种变化。比如出现了"我是为 21 世纪的
观众创作""看不懂活该""看不懂就不要看"，这样的一些豪言壮语也是那一个
时期出现的。说这些话的文人、艺术家还是很真诚的。我想我们不应该对之去做
一种社会或政治立场方面的理解。我想这些艺术家发出这样的激情的对自己艺术
的执著的声音，也不是完全没有意义的，不能简单地理解它。但随着 80 年代中
后期的比较急促的社会变化、社会发展，许多中国改革进程中的社会矛盾有了深
度或局部的激化，民众的关注点也不再在纯文学上停留，于是真正走红的文学作
品反而是一些纪实文学。这些影响力很大的纪实作品，你很难说是俗或雅。上面
我们也提过，这种纪实文学有一些很接近美国 60 年代以后流行的"新新闻小说"。
我那篇《5·19 长镜头》，也被吴亮等人收入了他们编的新潮小说的选本中去了。
这说明纪实对于社会问题的把握的方向较为复杂，但纪实文学还是一个非常受社
会欢迎的文类。这主要有两方面的原因。一是它补充了新闻的不足之处，对于大众
对"真相"的兴趣有了很大的满足。当时社会各种问题相当尖锐，读者的兴趣甚大。
二是随着中国公众的文化水平的提高，要求全景性地观照社会，有一个对社会的整
体把握，这就使得一大批"报告大文学"，都用"××大××"的句式，像我们提
过的《唐山大地震》、《人工大流产》等等。读者想知道全景性的观照，我就给你提
供大全景式的观照。这种很热闹的场面一直延续到 80 年代末期。大的社会震荡把
一切都要重新安排了。现在值得探讨的倒是一个新的情况，也就是目前 90 年代之后，

雅与俗之间那种极复杂的关系。我觉得这似乎是问题的关键。

(2) 雅／俗新格局的兴起

刘： 五六十年代各种文艺的态势与格局都很稳定。大家各司其职，各守本分。80 年代知识分子要考虑做代言人。但到了 90 年代，中国大陆的社会有两个态势，一个是中国的社会非常之稳定，不管为什么总的来说是极为稳定的。二是中国的经济在高速地成长，经济的发展很快，市场化的进程也比较平稳。这形势就与 80 年代有很大的不同了。说句比较直率的话，1985 年的纯文学的发展及文学本体的追寻实在是得力于计划经济体制的支撑的，当时的许多杂志或出版社可以搞非常豪华的笔会，这些笔会完全是由国家出钱的，诸如企业赞助之类的事还没有出现。那时的刊物以国家拨款的方式办，办得好是最重要的，怎样才办得好呢？就是要发有创意的作品，至于赚不赚钱还不必太考虑。于是那个时候的纯文学作品，乃是完全由国家资本支持的。许多激进的艺术实验也是靠国家的资金搞起来的。办好杂志似乎就需要去支撑这些探索。90 年代之后，这样的好景已经难以持续下去了。出版社或杂志虽然还有国家机构的定位，但其市场走向也是十分明显的。你是一个作家协会所属的专业作家，你也不一定能在国家的出版社出书。而有一些社会上没有明确地位的闲杂人员，反而书稿受到重视和欢迎。像王朔，他就亲口跟我谈过他本人就有一个由街道发给的求职证，他并非官定的专业作家，但国家级的出版社像人民文学出版社也出版王朔的书。像王朔早期的一些作品，都是发表在由公安部群众出版社主办的《啄木鸟》这样的杂志上。这也说明国家机器也不是很重视作者的身份。当然有些人一提起王朔就义愤得不得了，但王朔却绝不是像王蒙这样的人树起来的，他 90 年代之后在上海的《收获》这样的杂志上发了不少小说，而且也获得了由上海市政府主办的上海市中长篇小说奖。获奖的作品就是要拍电影的《我是你爸爸》。他其实是一个很典型的例子，说明社会的变化已经把他推到了一个比较中心的位置上了。许多人为什么那么对他愤怒不满，我想有一个很大的原因就是王朔还不是处于一个社会边缘的、定位为"痞子作家"

的人物。如果是这样倒也罢了，但目前的情况却不是这样，他还十分活跃，作品还进入了像《十月》、《收获》这样的很大的、很有影响的刊物，而且还很受好评。由王朔参与策划的《渴望》这个电视连续剧，受到大众的欢迎，而且还得了许多个国家授予的奖项，受到了主流媒体的一致的好评，而且还在中央电视台的黄金时间加以播出。而他主持和参与的《编辑部的故事》，也是由国家支持的，成为北京市比较重视的一个文化性的项目。而他后来的《爱你没商量》等等就又有所不同了，它是一些民间资金在其间运作的结果。他在本世纪中国作家之中其角色的复杂性，恐怕是很少见的。而且他还参与了拍摄《红樱桃》的活动。这是反映了主流社会的对历史的某种关切和思考的作品。你说王朔该如何定位呢？你说他是个雅作家，还是个俗作家？你说他是个俗文学作家，我不知道《收获》杂志会做何感想？《收获》还把《我是你爸爸》推出去得上海的文学大奖，你又怎么能一下子判定他是个俗作家呢？但你把他定位为一个雅的作家的话，我也觉得这其间也有不少值得商讨的地方。刊物目前也是如此。过去刊物是很清晰的，各有各的定位。比如说先锋的杂志就是定位为先锋，不参与的、坚持自己的套路的刊物也就依然按自己的运作方式活动。但现在的刊物也甚为芜乱，很难说清各自的立场。出版社亦是如此，你看像人民文学出版社这样资格极老、很有权威性的出版社也是出版了像梁凤仪小说这样的非常通俗的畅销书，所谓的"财经小说"，也登上了大雅之堂。于是整个文化状况芜杂不清。旧的格局好像都在被冲击。没有什么明确的、清晰的规定或要求。市场的运作一方面使得俗的东西有了大发展，另一方面也使一些作家慨叹文化的堕落，文化现状的让人无法忍受。这些问题是重重叠叠地交叉着的。但实际上也不是雅的东西真的就死亡了，只是可能它发展的速度没有俗的那么快，没有俗的那么普遍。这样发展快的，甚至是发展得有点太快的就更加引人注目了。我不认为今天的高雅文化就没有市场，或是完全不能生存。只是和俗文化或者说是大众文化一比的话，显得就不够热闹了。这似乎是目前问题的关键。

张：你说得很准确，的确是这样。我觉得现在的雅与俗的确一方面是界定起

来不容易，另一方面是它们都在市场环境中运作之后，都需要有所回收，不可能
由国家完全包起来了。像书摊上的书，现在也是极其混杂的，你很难说书摊就是
高雅的，或是庸俗的。书摊上既有相当通俗，甚至相当无聊的书，但也有像《杨
绛文集》，或是张中行的著作等等，甚至还有钱钟书的《管锥编》。还有像大江健
三郎得了诺贝尔文学奖，马上他的书以很快的速度上了书摊，甚至连"抵抗投降"
的书也是书摊上的书。从目前的书摊来看，你很难得出文化在堕落的结论。谈起
堕落，也是太过夸张的说法，此外还有什么"文化大崩溃"的描述，都是进退失据、
自我幻想的产物而已，实在看不出这些说法有什么意义。反而文化正在走上一个
比较良性的、比较有序的格局之中。高雅本身也是有一定的市场效应，这似乎喻
示了市场本身在成熟，到市场上买书的人也是有不同的需求的，出书写书的人也
有不同的自我定位，不同的选择。多样化的选择好像代替了单一的选择，让大家
都读一个人的书也是的确不可能了。另一方面就是通俗的东西，也不能说就是不
好的。有些审美方面标准的变化我们也是不能一下子就估计到的。像金庸的武侠，
刚出现的时候谁能说他是一种高雅文学呢？但现在三联书店出了珍藏本，许多学
者对此有不少仔细的研究，都认为是极有价值的作品。可见雅俗的标准也是在变
化的。古代的例子我不想举了，谁都知道像词、曲或《红楼梦》都是从被看成俗
的作品，但后来就变成雅的了。还有像京剧这样的艺术的发展历程不也是如此吗？
而且大众文化创造的许多东西都还是相当优秀的，有许多有生命的东西，有许多
寄托了民众的文化想象的东西。美国理论家费斯克有一个妙喻，他讲一个人租了
一间房，房子还是别人的，但里面如何布置、如何安排都要靠你自己。观众或读
者对于大众文化的接受也是如此，他们不仅仅是一些被动的被控制的"文化白痴"，
而是有自己的选择的人，他们对于大众文化也会按照自己的想象和要求加以判断，
也会寄托一种自己的情感和思考。大众文化也不是丑恶的东西。英国文化研究的
大师雷蒙德·威廉斯就说过：大约80%的大众文化产品不是低劣的。他的这一看
法我觉得还是很有道理的，大众文化中也有很有生命力的东西，它们能激活我们
的想象力，使我们获得感情上精神上的认同感。这种认同感绝不仅仅是一种迎合

取悦，而且也在提供一些不同的文化经验。在这里，市场本身是有相当大的选择的空间的，老百姓也绝非我们想象中的阿斗，被动得想看什么也不敢说。这些节目有观众的参与，我想是不太难看的。其实我们也都在不同程度上参与这些大众文化的发展，很难说这就是彻底的"俗"。还拿王朔来说，他的作品也有不少是形式上别出心裁，有很强的实验性的。而且他的有一些作品，像《千万别把我当人》这样的作品，如果从"俗"的角度来看，也能找出不少非常有趣的、让人哈哈大笑的东西，有充分奔放想象的方面，但也有非常多的新的技巧，新的表达方式。我觉得我们对大众文化崛起的估计可能还不够高。恐怕过二十年再回头看的话，就可以发现，也许我们这个时代还是中国文化发展史上的一个大转变的、很有活力的时代。

(3) 心平气和看雅／俗

刘：我觉得，一个正常的社会中文化必须是多元的，而无论如何一个社会中占多数的人肯定不是文化水平最高的那一部分，要求一个社会中所有的人都反对通俗，是非常可笑的主张。我们民族本世纪后半个世纪以来一直都没有机会发展出一种真正充分发育成熟的大众文化，现在终于在市场运作的过程中这种大众文化发育成熟了，应该说是非常重要的事情。但现在其实许多人的激愤、不安，实际上是来自社会中国家的那部分资源的分配的变化产生的心理的撞击。这种撞击有时还是相当剧烈的，形成的反差也比较大，于是，警惕性加大，不安、激愤的情绪，也还是蛮强烈的。这实际上是一个心态的问题。如何正视变化中的文化格局，大家议论极多。举一个极小的例子。现在对于散文随笔中的重复出版问题，不少人认定是不合道德的。但这里面还是有更复杂的问题。一方面从法律角度上，这种出版并不违法；另一方面从市场角度说，出版社也认为这样出版一些著名知识分子或有影响作家的书，尽管有一些重复但仍有销路，不会产生经济损失，甚至还颇能保证获利。在作者这一面，作品被更多地出版，也是好的。而对于读者来说，这有一个出版社的书覆盖的市场及发行工作的运作问题。因为我这里只有这一种书，而那里只有那一本，尤其是中国这样大，这种情况也并不奇怪。这我觉得也没有什么不好的。但有些道德家对这样一些事情不能忍受，牢骚满腹。这我觉得还可以再议。因此我想如何把大众文化崛起、经济利益原则的崛起带来的新的文化形态纳入一个比较有效管理的法制的轨道，倒是更大的课题。比如扫"黄"，我觉得是很必要的，但其法律上的规定应进一步健全，也是非常需要的。而另一方面，还有一个对少年儿童乃至青年影响很不大，但在中国重视一般不大够的问题存在——扫"暴"，对于文化中的过分的暴力的东西，也要有一个警惕和限制。这种过多的暴力的镜头在大众传媒中表现，对于少年儿童的心性发展都是不好的。这就需要进一步的立法。但从总体上，我认为目前所提供的文化消费还是很不充分的，大众所获得的文化的产品无论从数量和质量上都还是不够的。我想还有一个很大的问题，就是我们的某些知识分子到西方走了一趟，或是读了一些西方的文化批判的论文，就去模仿西方知识分子的角色，对中国社会的文化状况进行最激烈的否定和批判，对大众文化的激愤的情绪有时达到了最尖锐的程度。这实际上也是没有弄清不同文化处境中的不同的问题。在西方，确有一些知识分子扮演一个制衡的、反击社会的角色。他们对大众文化是敌视的。这在西方的已进入比较规范的时期，进行这种批判，发出一种不同的声音还是很有必要的。在台湾也已出现了此类情况。一位台湾的知识分子跟我谈起，他前些年对于国民党的《中央日报》或是那种生硬的反共宣传非常反感，觉得那是虚假的，但这两年他却又开始讨厌《联合报》和《中国时报》，他觉得这两份报无处不在，份数都很大，几乎都是大托拉斯，整个岛上的有文化的人都读这两种报，其覆盖面极大。而像电视之类的媒体更是坐大了，"火"得不得了。他反而要指责这些报纸了，他本来就是这两张报的相当稳定的作者，是其中一份捧起来的，竟然来指责这些报纸，足见情形的变化有多么大。具体到大陆的环境来看，有一些人扮演这种批判的角色也无不可，但如果精英知识分子都来扮演这个角色就似乎是为时过早了。就好像刚刚出生的一个宁馨儿，你一定要把他立即杀死，以防止他变成一个坏蛋一样，有点操之过急。有可能他刚生下来就有病，或者是营养不良，你要给他诊断，施治，用药，而不是一下子要把他杀掉。我们和某些朋友的分歧，不在于否定精英文化对大众文化的制衡作用，而在于目前这种多元性的生态还远未形成，应对大众文化多些宽容。好像有人认为我们认为大众文化是一切都好，要用媚俗的态度去趋就它。这实在是一种极为可笑的误解。我们也认为大众文化有它的很多问题、毛病，值得人们去反思，去批判，去追问的，但我们确实不赞成那种不允许它存在、要进行"清扫"的主张。

张：我觉得这种生态的平衡，这种大众文化与精英文化共生的景观，是 50 年代以来就没有过的，是中国社会近年来的新的发展才提供了这样一种可能性。这我看不能把它简单地描写为一个"文化大崩溃"。我没有看到这崩溃的出现。

刘：其实二三十年代的作家有不少是依赖文化市场生活的，依靠版税生活。鲁迅本人其实就是一个例子。

张：鲁迅晚年在上海的时候，主要的收入就是版税。这大家其实都是清楚的。他还和北新书局打过一个很长时间的官司，原因是北新书局拖欠他的版税。这些都是人所共知的。而且鲁迅当时的杂文主要就是为报纸副刊写的，这我们前面都谈过了。这说明像鲁迅都是在一个文化市场之中生活的，而且也只有这个市场才给了他广阔的空间，使他能够写出他的那些后期非常重要的杂文等作品。

刘：还有好多作家都直接进入了商业性的操作了。像叶圣陶、巴金等人都办过出版社。叶圣陶、夏丏尊的"开明书店"，出了大量的书，教科书都出。还有像一批新月派的知识分子也办起了"新月书店"。而且有些书店还办得很成功。开明是一个，文化生活出版社是一个。实际上"五四"以来，这几乎是一个传统，文人办书店，自己进入商业操作，都绝非是见不得人的事情，反而使作家获得了许多灵感。我觉得目前的有些作家和文化人为什么对于靠自己的写作，靠挣稿费维持生活那么不平，为什么对于市场化那么激愤，其一个很大的原因恐怕是计划经济体制娇宠的结果。有些作家简直就像曹禺《北京人》里面的曾文清一样，你让他飞，他也不会飞了，走出那个鸟笼式的家之后就毫无出路了。作家被计划经济体制养得久了，一方面是觉得不自由，另一方面是觉得还是有依靠，心里相当踏实。不管怎么说，计划经济提供的一些社会角色，像"灵魂工程师"，"精神铸造者"，这样一些美好的称呼开始日渐消退下去了，某些成功者是像王朔这样的人，但他的合法性很不充分，也不知是个什么样的社会角色，却又得名又有利，这的确让一些人无可容忍。王朔使用的语码及一些人对他的指认也相当地混杂。比如"我是流氓我怕谁"，是王朔在哪里说的呢？怎么就变成了王朔的一个代号呢？我倒是在他策划的电视连续剧《编辑部的故事》的主题歌里看到了"人字的结构就是相互支撑"。这恐怕是直截了当的人文主义的符码。所以说有些人对王朔的那股很大的"气"，恐怕是缺少一点学理性的、认真研究的成分，只是一种相当激愤的情绪。你像"我是流氓我怕谁"和"人字的结构是相互支撑"之间，有多么大的反差啊！这说明对于王朔，用一句"痞子"来概括也未见得恰当。一方面像"我是流氓我怕谁"的说法是不要人的尊严的，是一种有一点无赖色彩的表达；但另一方面，"人字的结构是相互支撑"却是一种非常本土化的对人的尊严的赞颂和肯定。王朔是怎样的一个作家，是个彻底媚俗，歌颂暴力和性的作家，还是一个歌颂人性的尊严的作家？得出这两个结论的依据恐怕都不足。王朔的复杂性恐怕超出了我们的许多批评者的理解力。

张：不仅仅是王朔。最近的许多十分激愤的指责恐怕是都有它的毛病。像最近我看到不少很愤怒的文章指责说有许多女作家卖弄自己的隐私，十分堕落，写的是一些亵渎文明和神圣的作品。但就我的阅读范围，因为我是一个教书的人，需要大量阅读小说，我还没有看到这样堕落的作品，当然也可能是我没有读到。就目前的情况看，不少女作家写到个人的生活，写到爱与性的一些小说。我也没有看到多么堕落的内容。

刘：我看到的那些作品中，有一些的要求还是相当低的人文诉求，如认为女人应该得到自己的生活的空间，应该得到一点自己的精神的及情感的世界。这些实在是相当低的人文的诉求。在我的印象中，像林白、陈染这些作家的作品，不但不是一种堕落，而是一种对于一个人应该不被仅仅看成一个"女同志"、"女职员"，而是要被看成一个女人，要被当成一个有血有肉的女人来看的诉求。这离西方的女权主义差得还远得很呢。这还是很低的人文要求。对于当代的妇女读者来说，不但不是鼓励她们的堕落，反而是让她们获得一些启示，一些情感上的沟通与交流的机会。

张：这种最基本的女性意识的获得还说不上是多么不得了的要求，判定为是一种堕落真不知是从何说起。

刘：不但不是堕落，而且对社会的良性发展有所帮助的。而且这些作品也不见得是怎样通俗的，反而恰恰是一种很具纯文学的特征的，具有一定的实验性的作品。

张：在我观察中，人文精神如果只是一种道德劝谕的话，那么在大众文化里这种道德要求比起纯文学作品来多得多。像敬老、有礼貌、不能骗人之类的想法经常是大众文化里的主题。像流行歌曲，你说有什么海淫海盗的内容？我实在一点也看不出来，不能就说它多么低俗。其中关于亲情、感情，关于人与人应该和谐相处的见解还是一种虽然新意不多，但也的确不能说是消极的感情。诸如什么老狼的《同桌的你》或李春波的《一封家书》或是孙悦的《祝你平安》，说这些流行的歌曲里有什么鼓吹堕落的情绪，实在是十足的夸大和莫名奇妙。我觉得这些歌曲里的那些情感还是正常的，甚至是可爱的。这里面的道德的、情感的因素都是很基本的，反而纯文学内部许多作品表达的情感、思绪都是更复杂一些，不那么明晰，不那么简单，多向多面，读解起来更困难一些。在电视这种媒体里，的确有许许多多劝善的内容，恐怕从一种单纯的道德上去考察的话，它该是极富"人文精神"的。怎么说是很堕落的呢？我觉得这种判断有什么根据的确是大可怀疑。我看了一些鼓吹"人文精神"、鼓吹道德的文章，其要求的确是很低的，和大众文化的要求其实相差很小，都是一些要求极低的劝善内容。像一位最主张"道德理想"、批判中国作家"过于聪明"的人，他提出要有"终极关怀"的见解的依据，居然是让我们回想一下，我们出去买东西消费的，有过几次愉快的经历呢？这种服务态度不好，他认定是缺少"终极关怀"所致。这本是一个职业道德、社会公德的问题，又怎么谈得上是"终极关怀"缺少的结果呢？这的确是不着边际的。还有这位论者在歌颂张承志、张炜的"理想"的"崇高"时，竟认为"车匪路霸"、"假冒伪劣产品"之类的问题，统统是一些作家的堕落造成的。此类明显夸张离谱的意见当然只能把中国社会的一切问题都算在了文学文化的账上，把一切变成一个道德问题。大众文化也就成了这些人眼中的替罪羊了。什么坏事出现，都算在文学文化的账上，一下子好像文人是社会中的千古罪人。我们的这些朋友总是想"一言兴邦"、"一言亡国"的事情可能发生。这实在是失去了哪怕是一点点现实感。

刘：归根到底，还是对当下的这个"后世纪"的文化没有把握，自己也失去了信心。认知的方法、思考的方向都发生了问题。我前几天到郑州去讲的，就是这么一个问题。像霍桑的《红字》这样的作品，写的是一些不"清洁"的人和事，并且同情心是落在了"不洁"一边，可居然被列为美国中学生的必读书，而且始终是美国文学史上最受欢迎的一部小说。它宣传的确实是人的情爱高于那种宗教神学的关怀，确实是世俗高于终极的观念，但它也没有被美国精英文化"清扫"掉。这说明对于大众的世俗的文化，采取一种极端的态度，还是有相当的危险的。这样对于雅／俗文化的分立采取的极为简单化的立场，是无法看清现在文化的分立中的复杂性的。

我还要在这儿插上一句，人文关怀、人文精神，不管怎么说，也还是一种不能脱离世俗的关切。我们恐怕还是要仔细地去分辨何谓"雅"／"俗"之间的关系。先要给它定位，然后才能有自己的意见。不要太急躁，也不能太自信。

张：我想首先要做的是分清什么是雅，什么是俗。要平心静气，急也急不得。我一直在想《红楼梦》的例子，它出现时，其实很显然是一部俗文学的作品。那时的正统应是诗、词、古文之类。所以《红楼梦》是在"五四"以后才真正确立它文学经典的地位。这一地位的确立经过了近二百年之久。我想对于文化问题，特别是复杂的文化问题，应该像库恩在讨论科学革命时说的那样，要对一些新的现象、新的设想保持一点"韧性"，让它多经受一段检验，不要轻易地说一下就宣判了。死刑还有上诉，更何况我们在文化界、新闻界发生转变的复杂的时空中的一些现象呢？恐怕首先要心平气和一点，多思索一下，就会有更有价值的意见产生。

第九章　"新时期"文学的回望

(1) 从"史"的眼光看

张：刚才我们从社会和文化的角度对于这个"后世纪"的文化景观，进行了一些思考。那么我们现在要谈的都是与我们个人有更为密切的关系的问题——文学。那么对我们来说，文学是我们的工作。你是一个具有相当大影响力的作家，我现在做文学批评的工作。文学又是"新时期"以来，最活跃的一个方面，比起音乐、戏剧、美术等来，它感觉是最敏锐的。我记得刚打倒"四人帮"不久，我看一个画展，还都是"红、光、亮"的作品，是受"文革"艺术的影响的。直到1980年以后，才出现像程丛林、陈丹青这样一些画家。还有如电影……

刘：我记得陈冲演的第一部片子《青春》是1978年底完成的，还用一种正面的立场表现"文革"。

张：那么文学在"新时期"开端时起了很大作用，回顾一下我们走过的这些路，留下的究竟是怎样的一些痕迹？我们的文学在这些年认真的、坚韧的探索中给未来留下了一些什么样的财富？这些思考还是不可缺少的。我想"新时期"的发展历程和你的创作是不可分的。你对于这一段历史的看法应该是有切肤之感的，我不知你是如何看的。

刘：我的《班主任》被人们看成是新时期文学的发端之作之一。如果从一个绝对的文学标准来看，这部作品的文学性是较差的，它受那时的具体环境的限制，受到我当时的文化眼光和思维方式的限制，所以这一点是没有什么疑问的。但我们现在所用的是一个史的视角，也就是把一个作品、一个思潮放回它的具体的时空中去做一种考察，那看法就又会有所不同了。我们如果从永恒的判断的角度看问题，这个时代的问题也许都是不必谈的。但用一种史的眼光来重新审视，"新时期"开端时的这些作品就还是要给予一定的重视的。我看到《剑桥中华人民共和国史》（这本书有两个译本，一是中国社会科学出版社的，一是上海人民出版社的），在这部书中，有相当多的讨论"新时期"的文学的部分。他们为什么也特别重视这一段的文学的发展呢？我觉得很大的一个原因是由于"文革"刚过，中国的社会处在一个新的开端时刻，它由"文革"时代中把人们严格地禁锢起来的观念给脱离出来了。这就需要留下对于像"文革"这样的历史悲剧的一个民族的集体的记忆。这种记忆对于人们来说是非常需要的。我觉得"新时期"文学的历史记忆正是把"文革"的灾难的整个悲剧性的结果书写出来，"文革"的悲剧不管人们可能从不同的角度去反思，可以得出不同的一些思考，但它的对于文化的损害、对于人们的生活的损害之深之广，还是中国当代历史上非常沉重、非常痛苦的一页。我还记得四届文代会时，宣读了一个文化界、艺术界非正常死亡人的名单，其中有许多都是非常大的文化人。这种惨痛的事实，无论如何都是压在中国人的心底的一种极其复杂的情感的困扰。当时在"新时期"文学开端时刻，很多人首先提出的是一个政治的思考，就是"文革"这样一段历史应如何去看它，如何去处理这段刚刚逝去的历史。这是一个强烈的政治诉求，也就是去否定这段历史。但这种要求既没有可能，也没有途径。因此，当时的文学把这个很巨大的政治上的诉求用形象变成了一个文化上的诉求，也就是要不要连上一个文明的血脉的问题，要不要超出"文革"对于社会的解释来解释社会和人的问题。这里首先是要恢复对于30年代以来的革命文化的肯定。有一个引人注目的现象是我们不应回避的，就是赵树理也竟然被迫害致死了。赵树理应该说是延安来的革命文化的代表。他的《李有才板话》、《小二黑结婚》这样的作品也是至今难以超越的革命文学的极重要的作品。连他的作品也被判定为有极大的问题，说明"文革"文化的极端的偏狭。这个革命文化的重新接续当然也是可以完成的，但更难完成的是与世界乃至西方进行接触，接上这传统。这是一个否定"文革"的诉求在文化上的体现。我读鲁迅先生的书，那段有关"看着黑暗的闸门"的有名的话一直是让人很感动的，但最触动我的倒也不是那种英雄主义的情怀，而是其中那句"合理的做人"。这句话里的"合理"是非常实在的。我当时的作品也就是试图对这种"合理"性写出一些我的理解和关切。当时的许多其他人也从不同的领域里开始了这个过程。像卢新华的《伤痕》，就是打破了"文革"制造的一种政治的"原罪"，从中解放出普通的中国人。这种考虑也是极为重要的。

当时这种潮流还是很大的，我们在论及启蒙时已讨论过这个问题。值得注意的有一点，就是当时我们这批人的启蒙工作都起到了一个重要的中介作用。一方面是合上了国家的变化的步伐，不仅我的作品是这样，其他一大批作家也是这样。当时的地下文学当然也颇活跃，但被大众所知晓的范围，比起我们这些作家来还是较小的。举一个例子，像从维熙的《大墙下的红玉兰》，揭示了过去对于好人的迫害，也得到像公安部门这样的国家机构的褒奖和赞扬，而民众也非常拥护这个作品。还有像《犯人李铜钟的故事》也选择的是有一定尖锐性的故事，对于某些政策性的失误进行了比较深入的反思。但这些作品从总体上说，都与国家当时的政治及社会走向相契合，也和民众的心态情绪相适应。有人谈那是官方、作家与读者共度蜜月的时期。这一段时间的运作对于后来的文化发展有一个很积极的因素，就是形成了国家和社会对于文学的比较宽松的一个发展的环境。后来虽然有许多的风云变幻，文学界也发生了一些冲突和矛盾，但国家的政策从总体上看还是较为宽松的。对于文学界出现的一些事件，多是采取个案处理的方式。对于每一个个案进行一种具体的判断，一般没有采用类推的、无限扩大的办法，而基本上是就事论事。这实在是跟 70 年代后期到 80 年代初的这个蜜月期有一定的关联的。从作家来看也是如此。不少作家在中国"新时期"以来的社会变化中有了相当强烈的批判意识，但当他们到国外走了一趟之后就发现这个世界的状况本身也是值得沉思的。比如 90 年代后在世界各地，像俄罗斯或东欧，或是美国、西欧等等地方走过之后，中国的作家和知识分子也会产生比较理智的、比较平和的想法。他们从总体上看，也还是愿意就事论事，个案分析。在作家与社会与国家的关系上也还是基本上和谐的。对于中国社会这十几年的进程不想否定，不想彻底地拒绝，作家总体而言并不是站在国家和社会的对立面上的。这似乎是"新时期"以来的中国作家和知识分子的一个传统。作家和知识分子的这种态度，在很大程度上也是来自于70年代末到80年代初的那一段蜜月的。它建立了一种沟通的、对话的可能性。举一个例子，最近李泽厚和刘再复在海外出版了一本对话录。在这本对话中，他们对中国目前的市场经济的发展，对中国的近几年的发展的道路，也还是抱着一种基本肯定的态度的。他们也不是采取一笔抹杀或是对抗的态度的。这也是与这些知识分子的个人的命运戚戚相关的。像刘再复本人，他是从一个极为普通的年轻人，参与到80年代的中国历史进程之中，扮演了一个极为重要的角色，成了世人瞩目的学者的。这段历史给予他的东西的确是很多的，比如他的一本讨论文学中的"人物"性格的书《性格组合论》，居然卖了四十几万册，成为一本非常有影响的著作。而且被任命为中国社会科学院文学研究所的所长乃至全国政协的委员。因此他在80年代显然是与国家的话语有关联的，他与国家之间的关系是非常之和谐的。而民众对他的欢迎也达到了高潮。一部《性格组合论》能卖到四十几万册，这是很令人震惊的。

张：这本书再怎么说也还是一本专业性的著作，很难想象能卖四十几万册。

刘：这说明那个时代的确是一个民众、国家、知识分子共同走过来的狂欢节式的时期。因此，像评价李泽厚、刘再复这样一些人，也不能脱开一个"史"的观念，"史"的立场，不能脱离"史"的时空。如果不能从"史"的观念来看一件事，那么对事物的理解就很容易偏狭。我自己在看电影时就有这种感受。比如《神女》是早期的中国电影，不仅是黑白片，而且故事也相当简单，演技也很幼稚单纯。如果从一个终极的目标、终极的标准来看这些电影的话，那是很无聊的，但一旦你把这个电影放到一个"史"的观念下面去看的时候，你就会发现它是很有意思的，像吴永刚这样的导演、阮玲玉这样的演员都是很值得记住的，而这部电影也是起到了它的历史的作用，值得我们这些后来者认真地体味。所以文化冒险主义为什么会陷入那么一种文化困局之中，采用那种极端主义的态度，也和他们没有一种"史"的眼光有关。没有任何历史的观照和体察，就只有走向一条文化冒险之路。因此，从一种"史"的角度来考察"新时期"，我觉得从社会学、心理学等方面的反思也都是很有必要的。可能我们这些年的变化太快，很多历史的问题来不及有所清理，并从"史"的角度加以思考。当然也不是让人们不去关注新的现象和潮流，而是说这一段历史的作用和意义不能被忽视。我看到的不少海外的研究者反而极为关注这一段文学史，进行了相当精微的研究。这是很有趣的。

从"史"的角度来看"新时期"，几个阶段还是很清晰的。一开始是"伤痕文学"，这是对于极"左"的思潮的一种批判。这种批判过后，极"左"的思潮很快就逐渐不是社会中的主流了。我想插一句，这种思潮一旦边缘化之后，它的存在也可以提供一种社会上的诉求，让我们大家可以了解和认知社会上一个特定群落的想法，也还有它的意义。但当时这一元是占据着主导的地位，压抑和打击其他的"元"的存在的。因此"伤痕文学"的出现将极"左"造成的社会伤害表达了出来。经过了这个阶段之后，文学的发展开始分流了。有一部分作家是在反右中被打下去的，改正后重新拿出作品。像王蒙、李国文、从维熙、高晓声等等，这些人的文学成就主要是在"新时期"中。另一批作家是比较年轻，有着文学梦，却由于"文革"的十年而耽误下来，他们往往是上山下乡，经过了一些特殊的经历，在"文革"结束后进入了大规模的创作的作家，这是一大批所谓"知青作家"。几乎各省都有这样的经历的作家。就像喷泉一样涌出来。像陈建功、韩少功、张抗抗、王安忆等等。这样就出现了"反思文学"，归来的"右派"的作家要反思走过的路；知青们开始写"知青文学"。一批熟悉某些具体部门的作家也开始写那时在各个不同领域里的社会变化，也就有了"改革文学"。几年的时间，题材的空间就被这么填满了。像什么知识分子的题材、人性人情的题材，也很快地获得了发展。题材已经发掘得相当地充分了。这的确也是一场大的解放。从"史"的观点来看这段发展，我们应该承认中国的社会政治的环境给了文学这样的一个很大的历史的机遇。我觉得一个人如果否定或不承认别人的历史，不承认在历史中的具体的人的贡献，是无法对过去和未来有明智理性的分析的。无论如何 80 年代到 90 年代的中国，从经济状况、人民的日常生活或是文化的状况来看，发展都是显而易见的，这里就需要从一个历史的观点来看问题，不能一笔抹杀这十几年以来的中国的进步。比起苏联、东欧的那些国家在转型中所承受的痛苦，那么中国的进程尽管还有许多问题，毕竟还是比较良性的，比较和谐的。在俄罗斯，中国人甚至变成了一些匪徒打劫的对象，因为中国人比较有钱，打劫的收获可能比较高一些。（笑。）这从反面说明了中国不管怎么说还是发展得很顺利的了。所以一个"史"的观点的确不能缺少，我觉得许多灾难，恐怕是来自非常简单地一笔勾销别人的历史，这就会导向冲突。一个人在生长中，他的机体是要得病的，成长的过程是很艰难的。

张：一个社会的生长也是这样，不可能"永远健康"。也许每一步都不合你理想的框架。

刘：那么你把它杀灭，还是找出问题和长处加以历史的分析呢？这恐怕就是分歧之所在。你当然可以持一个绝对的神圣的标准，但我想这种标准应该是针对你自己的，首先应该要求你自己。而对待别人，则应该先用"史"的标准来看问题。我觉得还是要尊重人的发展史。从"史"的角度看，"新时期"文学是很不容易的。

从 80 年代中期开始，社会情况变化很大了。当时就有了要回到文学的本体，要搞纯形式的实验。民众也开始分流了，电视剧开始制作成规模了，而电视机开始进一步普及并都在几年内换成了彩色电视机，开始普及冰箱、音响设备等等。民众的选择也多样化了，也出现了一些软性刊物，像《读者文摘》、《青年文摘》、《女友》、《家庭》这样的刊物受到越来越大的欢迎。文学刊物的订数也开始下跌了。民众与文学的关系也开始疏离了。80 年代中期是个大疏离的过程。国家也对于文学的兴趣减弱了。但到了 80 年代后期，这三者的疏离在一定程度上转变为一种碰撞。这里是有一些的微妙的情况的。像戴厚英的《人啊人》宣扬人道主义，但这部小说的中心还是否定"文革"，所以并未被官方所批判。但有些作品采用否定历史的态度，在一定程度上引起了麻烦。有一些极为过激的言论也的确引发了相当严重的后果。一个人的历史不能用一笔就抹杀掉，一个政党，一个社会也是如此，如果这样做，就得对这个做法的后果有所估量。你又没准备好为你的这些言论导致的后果承担责任，又如何能做这样的冒险式的行为呢？如果有一个对于历史的观念，也就不至于导致生硬碰撞。我想有时大家都喜欢用一种绝对的标准去看待世界。大家都缺少"史"的角度，有时理解和谅解就很少。有时官方的运作也是比较简单，对事物的判断比较片面。但文学艺术家也有这种问题。中国这个民族的情况是极其复杂的，它所面对的挑战之大，问题之多，也是历史上罕见的。我们恐怕的确不能像有些人所宣传的那样，做一种绝对的、不顾一切的批判。因为我们的确还是和这个民族有着一种很具体的、渗入我们血脉里的联系。如果我只是处理我自己的问题，提出对我个人的要求，我当然可以用一种极端的方式信守我自己的一些准则。我自己的生活方式、我自己的想法当然有我的原则，有我的立场。但我要讨论别人，要估量、评价别人的历史、别人的状况时，就一定要尊重他人的发展史。无论是国家、民众或是知识分子，大家都有自己的一段生命史。一段发展的历程。大家都要互相了解，才能对与自己有差异的群体或个人持一种理解的态度。共产党或中国的革命，有一个非常悲壮的历史。这也是为什么像索尔兹伯里这样一个美国的作家会写出《长征：前所未闻的故事》这样的书。他未必赞同共产主义的理想，但他对于 20 世纪有这样一群人为一种理想进行了那么坚韧的奋斗，是很佩服的。这段历史是很值得写的。他从这个角度来认知这种群体的人格。我觉得索尔兹伯里可以这样来认知。我们也应该有这样的较为清楚的认知，而不能大而化之地看问题。我想我们从"新时期"文学中得出的一个结论，一个最大的启示是要有一点"史"的意识。一定要对别人的历史有清醒的、明澈的认知，没有这种认知的愿望，那么就会是文化冒险主义。当大家互相沟通，都对自己和他人的历史有一定的认知时，人们才可能避开文化冒险主义。这是"新时期"以来，我们得到的最重要的启示。

张：我觉得这个启示是十分重要的。它提供了一个很必要的前提，也就是把反思自身与批评和指责他人区别开来，使二者间有明确的界限。这个界限就是要从历史的角度进行清醒的审视，只有在这样的审视中，历史和现实才会凸显出它本身的复杂性来。我们从一个历史化的角度来讨论一些当代作家的创作，也许会给人们以新的启发。

(2) 王蒙评说

张： 王蒙作为一个作家在 70 年代后期重新出现以来一直是中国"新时期"直到"后新时期"文化的一个极有代表性的人物。他的个人经历的传奇性及他始终持续的大量的写作，似乎都已成为当代中国文化史的一个非常重要的组成部分。他已经变成了我们时代的文化的一个比较重要的表征，讨论"新时期"以来的文化史，忽略了王蒙也就没法把这段历史讨论清楚。他的意义不仅仅是一个文学领域内可以谈清楚的，而是当下文化的一个标志。有许多争议、分歧也来自对于他的文化意义的不同的评估和思考。所以王蒙最近所引发的许多争论，都有他的特殊的意义，这个意义就是无论是严厉地批评他还是积极地肯定他，大家对于他在文化领域中的代表性，对于中国文化界所具有的某种象征的意义，都没有任何异议。所以他作为我们议论作家的一个开端，是非常恰当的。因为这样既可以一叶知秋，也可以一芽知春，从中了解当代中国文化的脉动。

刘： 王蒙的写作，在中国 20 世纪的后半个世纪中的意义的确是没有争议的。我觉得一个是他的写作的量就是很惊人的，在 80 年代到 90 年代他的创作的数量是中国作家中不多见的。二是他的量大之外，这些作品所呈现的风貌也是极为复杂多样的。有的作家也许写的作品数量也不少，但其整个走向是比较单一的。三是他的作品在当代小说的叙事文体的变革中也起了巨大的作用：可以说是在 80 年代初期首先开始做的人是王蒙，其后年轻一代的作家也着力于这方面的工作了。

我个人对王蒙印象很深的是下面几个方面，这几个方面可能人们注意的还不太多。一个让人印象很深的事情是，你现在重读《组织部新来的年轻人》，你会发现这个作品中有一些和反对官僚主义、和那些 1957 年被批判而 80 年代初被重新肯定的人所共知的东西不太一样的成分。比如其中的许多片段都有很大的暧昧性。有一些是"多余"的、很含混、很有诗意的片段，这些片段甚至和反官僚主义无关的，比如林震与赵慧文的关系就是这样。像这样的很含混的、说不清的东西，在《重放的鲜花》的那一批作品中是极少见的。另一方面，这个小说写刘世吾，这个官僚主义者时，也不是脸谱化的，而是揭示他很人性的一面，如他和林震在小酒馆里喝酒聊天的片段就很有这样的味道。即使当时很严厉的批判之中也没有注意到这篇小说的这些特点。这也需要一个"史"的角度。我觉得这样一个作家在当时创作的美学追求中就有一些很有生命力的种子。王蒙后来的发展不是一件偶然的事情，是从那时就积累下来的。在反右开始前不久，他发表过一篇题为《冬雨》的小说，一无情节，二无人物，但又确实是篇很有趣的小说，这在小说实验上，也可以说是一个开端。当然在当时没有人注意，因为这个路向是太偏离常轨，又缺少爆炸性，人们就不去注意它了。但这里确实有一些非常有价值的初步的探索蕴涵其中。

到了"新时期"以后，王蒙的小说的语言几乎是像瀑布一样向外喷泻流淌的，一种奔腾汹涌的语言流。这种语言是包容性极大的，有时甚至有一点杂乱，但那种气势，那种让读者卷入的牵引力，都是很强烈很迷人的。而他的那些被称为"意识流"的小说像《春之声》、《海的梦》、《夜的眼》等等，都显示了这种语言上的自由创新的魅力。我记得王蒙刚发表了《布礼》之后，有一次他碰到我就问我读了以后的感想。我说有些部分我感到不是很自然，看起来有点不舒服的地方。他当时感到很惊讶，很不解。他觉得这个作品是很重要的。但这涉及到个人的背景上的差别。他是一个参加过地下党、做过团的工作的人，有一种少年布尔什维克的激情。而我的成长比较晚一点，缺少这种体验。我的革命感情是受教育的结果，而不是像他那样，来自于他本人的自觉的选择。他的这种选择是在前景还未明朗、还可能有不同的人生的选择的时候，他做出了投入革命的选择。《布礼》的情怀正是重新接上、重新缅怀那些浪漫的岁月。对这种接续和缅怀我的共鸣性是比较差的，我因为我的家庭、社会背景都与之不大一样。但我的不共鸣性可能对他也有所影响。他此后也还不断征询我对他的作品的意见。他也逐渐从那种特殊经历所形成的看法中走向了一个更广阔的和更自由的境界。到了他的《蝴蝶》，就有了较大的变化，而到了《杂色》，他的推进就非同小可了。《杂色》是非常自由的，激情、幽默、冷眼旁观与热血沸腾都聚合在一个作品之中。但我最兴奋的是读到他的长篇《活动变人形》，我认为这是最代表他的创造水准的一部杰作。尽管他后来又写了好几个长篇，但我还是觉得这是一时难以超过的一个高峰。在《活动变人形》中也还有少年布尔什维克的情怀，但他站在了一个人性的高度来审视中国知识分子的命运。当然这里面激进的观念也还是存在的。他写了外来文化对中国知识分子心灵的冲击。另一种文化在其中写得很透彻的，这就是中国的传统文化。它通过对一个宗法制家庭的日常生活的表现，把这种传统的东方文明在世界格局扯动中的种种矛盾与尴尬淋漓尽致、鞭辟入里地表达了出来。像倪吾诚受的西方教育、像史福岗这位汉学家的存在等，都是西方文明进入中国的象征。在小说里，两种文明之间的碰撞、交叉、混杂，被表现得特别有力。他写出了种种文化交错中选择的困境。倪吾诚这个人的生活处境就是这种极尴尬的状况的表征。最后，王蒙却达到了一种"大悲悯"，达到了对世俗人生的一种新的感悟。他不是进行一种道德上的批判，而是对灵魂进行追问。他探讨的是中国的个体生命在一种群体的生存当中的一种惶惑无路的处境，倪吾诚的整个境遇就是一种极度矛盾中的尴尬。在传统的价值系统里，他是一个反传统的逆子，一个要叛逆、要捣乱的危险分子；而在中国的革命文化之中，他又是一个废物，一个没有用处的人；西方文化是倪吾诚最追求的、最向往的一种文化，但它也把倪吾诚视为一个狗屁不通的人，一个食洋不化的人。但他的确也是许许多多 20 世纪知识分子的一个代表。你说他是反革命，也说不上，他甚至要积极参加革命；你说他反传统，他又保留那么明显的传统的习性；你说他拥抱西方，他又面对着西方极其无奈。倪吾诚的这种情况，被王蒙写得非常地有意思，留给读者深入思考的余地很大。而且这个小说的语言也是达到了很高的境界的。在一片语言的瀑布之中，可以见到很壮观的风景。它可以说是很难归入某一种规范，读者看到的是一种无序化，但这种无序化具有瀑布下落时的那种震撼力。在结构上也不拘泥，到哪儿是哪儿，却写得极妙。你看的时候可以发现不需要从头看到尾，从中间无论哪里打开就可以看。每个片段又都的确很好看。这是不易的。

张：80年代以来，王蒙始终是很敏锐地进行着社会的、文化的介入和参与的。他的文化上的思考我觉得有一个很大的特点，就是相当地敏锐，他注意到了社会变动的一些方向性的问题，所以他讨论文化问题时，总是力图在对话和沟通中寻找一种大家都能接受的"共识"。他不像"五四"以来的知识分子那样总要寻找一个绝对的真理，而是寻找大家都能接受的，以妥协、商讨、相互沟通为前提的方案。所以王蒙本人的思路不是一种极端型的，而是在不同的人们中间找一个可以交流的"点"，而不是期待或制造冲突和仇恨。他是比较自觉地超出了二元对立。许多不同的方面都得到了他的考虑，能够容纳许多有差异的意见。这大概是王蒙思考的特点。他不是诉诸"对抗性"的冲突，而是寻找对话的点。王蒙不采用一种简单的判断，而是照顾到别人的观感、考虑问题的各不同角度中各自的合理性。这当然不是说，"和稀泥"。这大概也是一种比较明智的、反映了"后新时期"文化的一些特点的行为方式。这可以说是一种新的知识分子的选择。王蒙的许多见解都可以说是在剧烈冲突的一种极度紧张之中的一种松弛，一种很机智的应对。

(3)"夹缝"作家的历程

刘：还有一些作家，与王蒙的情况有所不同。也就是一批和我差不多的作家。这些作家年龄上有差别。有的大一些，和王蒙他们那批作家差不多，有的还要年轻一些。但他们都不是"归来"的作家，而是随着"新时期"而崛起的，但又不是像知青作家那样，属于"文革"时期还很年轻的人。这些人里有谌容、张洁、蒋子龙、冯骥才等等，也包括我。人数其实还是不少的。这一批作家有一个特点，就是政治上的归属感不如当过"右派"的作家明确，文学上的追求也不一定有那批作家那么强烈，就生活经历来说，我们这批作家的特点也不如知青那么富有戏剧性。所以这批作家的定位是比较为难的。我们这一批作家的方向和特点也不是共同的，各自的选择不尽相同。分化得也很快。这一批作家的选择也很值得关注。我想分析这批作家里的两个女作家，一是谌容，一是张洁。以她们两个作为例子，来分析一下这一批作家的一些特点。

张：这两位女作家的写作也还是很有代表性的。她们在 70 年代末、80 年代初的文化转型期中作用甚大。

刘：我想这两位女作家有一个很有趣的反差。谌容的小说一般说来总是写他人的经历的，往往不涉及她自己的生活。她的《人到中年》是影响很大的名作，但也是写她个人生活关系不大的眼科医生的生活的。她写的都是一种冷静观察之所得的东西，她好像一个冷峻的旁观者，对于生活透过这种观察得出她的结论来。而张洁的小说正好与之相反，她的几乎每一篇小说都溶进了个人的体验，可以说是有很强的自传性的一个作家。她很大程度上是把自我感情投射到作品中间。她的成名作自然是大家都知道的《从森林里来的孩子》，但这个作品还只是"伤痕文学"大潮中出来的东西。那个作品看似很轰动，其特色却还不够分明，但不少部分也显示了她的才气。最能代表她个人的风格、又有很大影响的作品是《爱，是不能忘记的》。这个作品探讨了婚外的感情，涉及了一个极为复杂而微妙的领域。这个领域的重要性在于，它是一个非常私人化的、非常自我的领域。她的《方舟》，或是《沉重的翅膀》这样的小说中都有很多涉及个人的经历的内容。目前很多女作家开始写"私小说"，对于个人的生活领域进行了较深入的探索。但这个源头无疑是属于张洁的。现在那些作品的探索可以更深入也更大胆了，但如果没有 80 年代初张洁的这种探索的话，恐怕后来的这种情况也无从说起。我想谌容和张洁这两个女作家是有她们的特殊的意义的。她们有很不同的选择，谌容是以观察和思考外部世界、社会问题见长的，而张洁则始终有较强的自我心灵的思索追问。但她们都在"新时期"文学的发展中具有独特的价值。

但我在这里要强调的是谌容、张洁和我这样一些中年的、"新时期"以后崛起的作家的共同的困境，还是我们相对而言缺少那种群体的认同的资源。我们这些作家的经验和经历之中，都少有那种明确的群体的社会经历的代言人的身份，这构成了一种很不明确的状态。有的作家具有群体代言人的身份，或是"青春无悔"，或是"孽债"，或是历史的追问，我们的资格好像都不太够。我们作为一群人的"代表"的身份确实是不大具备。受到的社会冲击相对也比较少。生活相对于王蒙他们那一拨更老一点的或是知青一代来,都平凡得多,没有很多大悲大喜,也缺少高潮。所以我们这一拨作家在"文革"结束有力地冲刺了一下之后,就有一个各自选择自己的方向的问题。而且我们这一拨作家中的淘汰率也是很高的。有一些作家写了几个作品就消失不见了。要寻找一个新的定位确实是不容易的。谌容找到了一个用温和的眼光去审视外部世界的道路,张洁则写女性自身的问题,冯骥才则找到了天津的民俗文化,于是像《三寸金莲》或是《炮打双灯》这样的作品就写成了。这的确是很难的选择。因为这些作品的呼应者不会像"知青"等题材那样投入。像蒋子龙这样写工业题材的作家,他在我们这一类型的作家中本来是有较明确定位的。但这种对工业化的具体运作进行表述的作品也还是碰到了许多难处。寻找新的路也是很难的。就我而言,这种寻找角度定位也很不容易。我个人的寻找也是很难的,我们那时的一批人都面临着一种认同上的困难。我后来为我自己找到的定位是一个城市生活的观察者和反思者,一个人性、人情的思考者。这是我们这一代作家的困难和挑战。这里有许多很大的、很难的障碍。如何跨过这种不确定性造成的障碍,几乎是我们这些作家怎么继续写作的一个很大的难题。跨过去就可以发展,但跨不过去却也是非常可能的。

张:这一批中年的作家有一个很有意思的情况:也就是他们的年龄比知青作家要大一些,但文学生涯的起步却是同步的,都是在"新时期"一开始时步入文坛,进行比较多的创作的。他们的共同的特点是都是经历了一种普通中国人的一般性的、常态的生活。这就缺少戏剧性了。不像"知青文学"直到90年代之后还能激发起那么强烈的群体的效应。因此这批作家在"新时期"以来的十几年里,因为没有一个确定的群体的代表的身份,变化和分化也是很大的。也就是说这些作家整合某种特殊社会资源,像"知青"这样的资源,几乎是没有可能。因此这些作家反而不能不去深入发掘自身的可能性,而不是找一种群体。这些作家也似乎边缘化了,但边缘化却导向并促进了个人化。开掘个人的写作潜能,个人的选择才可能充分展现出来。这种边缘化既是机遇,又是挑战。像冯骥才发掘天津的特殊的华洋混杂的近代现代史中的种种值得关注的文化现象。谌容和张洁的情况你也作了比较透彻的分析，我想你的情况正好介于谌容和张洁之间，走的是既表现个人的经历、体验，又对社会进行观察与思考的路子，你从一个比较广泛的"人性"的角度对于城市人的生态及心态做了较为独特的书写。这种写作也自然有生命力。而我最近由于编一本有关获奖的小说的评论的书，看了一下最初几年短篇、中篇小说评奖的情况，像这种作家也还是很多的，但几年过后，他们中的不少人声息渐少了。当时那几年，得个奖是很不得了的事情，当时在文化界、文学界里就算很有名的了。但不出几年时间，有些作家就不太听说了。但脱离那种较小的群体后，而是进入一个个人的独特视角发挥作用的新的选择之中，就有了一个新的领域的开拓。随着目前社会的多元化，那种有个人视点和个人的观察方式的作家，恐怕反而会获得新的活力，也会为未来作家们的选择提供一些启示。

刘：我也同意这种分析，我感觉到这里面还应进行一些深入的观察，恐怕的确会有许多这一类的中年作家还应具体去分析，这里面有许多有益的道理，可供我们在思考"新时期"文学的发展时取用。

(4)"知青作家"面面观

刘：我们上面讨论了中年作家的发展的历程及其特点，下面再谈谈"知青作家"。"知青作家"数量很多，不少人也一直是人们关注的焦点。我们可以分析讨论一下几个有代表性的"知青作家"，以此来切入这个群体的一些特点。

张：这一两年来，引起较多争议和讨论的"知青作家"不少，最有"轰动效应"的大概是张承志。

刘：张承志的确是很需要我们进行具体的分析。最近不少媒体都报道了一个消息，张承志写了一本日文的书，里边主要讲"红卫兵"这个组织的名称（也就是"红卫兵"这个符码）是他创造出来的，这大概也是一种版权和著作权的意识吧。他最早参与并组织了这个运动。他认为他们从事这个运动是很纯洁的，后来的那种政治阴谋色彩和打人、"破四旧"这类的行径，以及武斗、社会混乱等等，都与他们无关。他可以说是一个"原红旨"主义者，认定红卫兵的宗旨是对一个理想世界的真挚的追求，心灵中盘踞着"原红旨"情结。他的悲哀在于这种"原红旨"在现实的世界中已经完全没有呼应，只好在伊斯兰教的哲合忍耶的沙沟派中去寻找理想的王国。当时他们清华附中的红卫兵与毛泽东有过通信，这些通信可以查到资料。在这些信里表达的是对当时的教育体制的强烈的愤怒，而这种愤怒的一个思想的资源是毛泽东与毛远新1964年左右的一个谈话。在这个谈话中，毛谈到了他对于那时的教育体制的强烈的不满，诸如（考试时）"抄一遍也好"，诸如"书越读越蠢"，这样一些见解被透露出来了。平心而论，当时的教育体制一方面照搬苏联模式，有大量没有用的东西；另一方面也还有传统的教育的一些缺点。当时的清华附中的"红卫兵"对于这种状况是不满的，有很大的意见。他们当时主要与学校的党支部之间有很大的矛盾。但恰好在那时，中国政治的高层也在酝酿着一股巨大的风暴。我认为那些最早的红卫兵是很难了解的。因为他们的不满也是基于一个很激进的浪漫主义的想法，如一种集体的、共产主义的生活。用这种理想去抵抗世界的堕落。这是在当时冷战的文化与社会环境下的一种选择。张承志的那种思想在早期是格瓦拉式的。但后来的事态发展确实使张承志非常之伤心，可以说他对于社会的失望与痛苦也不自今日始，他对于"文革"开始后的一些事态的发展也感到相当地失望。

根据我在"文革"时的个人观察所得，当时的第一批、最早最早的一批"红卫兵"，确实不一定是高干子弟，而是像张承志这样的小干部或是出身不太明确的人家的子弟。他们是很反感像"联动"、"西纠"、"东纠"这些后来出现的组织的。这一批人从不同的渠道中得到了毛和毛远新的谈话，于是他们就给党支部上书提意见。学校党支部却认为他们是右翼学生，加以打击。这当然也是源于反右以来的处理问题的模式，但他们都没有想到中央高层的复杂的矛盾和毛的新的主张。当时他们就奋起争论，写大字报时化名为"红卫兵"，流布全球。当时中央文革有人就很关注，抄了送给毛看，毛写了给清华附中红卫兵的信。这封信一出来后，社会就动荡起来，一批高干子弟当时发现他们反而落在后面，这如何是好。

他们也起来造反,搞了"纠察队"。他们希望通过自己的组织,来维系一种秩序。他们认为毛当然是革命的统帅,是伟大的,而像"彭、罗、陆、杨"这样一些人则是黑帮。于是像"东城区纠察队"、"西城区纠察队"、"海淀区纠察队"都成立了,到处打地富反坏右和"黑帮"、"破四旧"。他们由于也得到了一些势力的支持,所以是很看不起最早的红卫兵的,他们认为自己才是"正宗"。

张:这是赵太爷式的"你也配姓赵"的思路。

刘:对,就是那种"不准革命"的想法。这就使得这些最早的红卫兵有很强的失落感。有人说张承志是一个好人,我想这是不消说的事情,你想一个年轻的个体生命,还没有取得理想的成果,只有一两个月的时间就失落了,这是多么地痛苦。那时"联动"(几个城区的"纠察队"的联合行动队)这批人起来之后,马上就主张净化和清扫,而且是从血统上清洗。所以像张承志这样的人就被排斥在外了。毛当时是积极支持红卫兵的。"八一八"(1966 年 8 月 18 日)接见红卫兵时,我也去了,我当时是一个边缘的社会存在,一个没有什么主流地位的人,既未参加造反,也没有被打成反动权威。那时我才二十四岁,是个十分边缘的青年教师。那时接见的主要就是高干子弟为中心的一批人。他们唱的歌是"拿起笔做刀枪,集中火力打黑帮"的"鬼见愁"歌。"八一八"那天太拥挤了,后来地面上居然还遗下了一些抄家得来的金条。当时这批红卫兵确实是在抄家中取得了一些钱财。而且这些红卫兵在"八一八"时在城楼上与毛进行了著名的对话,宋彬彬上台给毛泽东戴袖章时毛问她的名字,她回答是文质彬彬的彬彬时,毛随口说:"要武嘛。"其实问人的名字,然后由人的名字上找一些幽默以引出话题,这是毛惯用的一种交谈的方式,并不具有多大的意义,但引发了非常严厉的红色恐怖,后来像"联动"这样的组织就搞了许多非常恐怖的事,所以张承志在《北方的河》里反复申明自己没有参加过打人和抄家。我觉得这是有根据的。后来大学红卫兵起来之后,中学红卫兵整体上就处于边缘位置了。而大学红卫兵也是有三拨人,第一拨是起来贴大字报的,对党委不满的。这一批红卫兵在工作组进驻之后,被批得很厉害。工作组当时也是按旧的思路办事,一下子就抓起"游鱼"、"捣乱分子"来了。于是这第一批很多是受压抑的红卫兵就被批下去了，还有的甚至被送去劳改。而大学里的第二批红卫兵则是工作组支持的，是比较听话，按工作组的要求行动。他们也批"黑帮"，但支持工作组，保工作组。但万万没有想到，毛却是彻底否定工作组的，不是说工作组有些缺点，而是从根本上否定。工作组在各个学校都挨批斗，于是，崛起了第三批红卫兵，这一批红卫兵是反工作组的。五大领袖中的几个除了聂元梓比较特殊之外，其他人都是这一拨的红卫兵。

张：聂元梓的情况好像是体制内的失意者，她当时是北大的一个系的党总支书记。大概在学校里不得意，愤而挑头闹事。

刘：这一批人开始把矛头指向了像王光美当组长这类的工作组。这时他们的作为正好符合了当时中央文革的战略，于是"三司"（红卫兵第三司令部）就崛起了。而过去的"一司"、"二司"都退出了历史舞台，五大领袖像聂元梓、蒯大富、王大宾、韩爱晶、谭厚兰之类也已羽翼丰满了。他们都被邀请参加了八届十一中全会。

你可以想一下，如果你是一个"原红旨"的红卫兵，你看到这些变化是不是会觉得"无援"，觉得痛不欲生呢？这样你就可以看出张承志本人的"心灵史"是如何形成的。他也的确是一个极有代表性的作家。

张承志在这样的背景下走上文坛，无疑是一条很有特点的、很富意蕴的道路。我和他结识是在第一届全国小说评奖的时候。那时他的得奖小说是《骑手为什么歌唱母亲》，这篇小说写的是他们这一批"原红旨"的红卫兵与人民之间的一种想象性的联系。他们这一批人很早就到了农村，比起后来大规模的"上山下乡"要早许多。自觉地和当地人打成一片，学习他们的语言，与他们同吃同住等等。他们的确没有参加后来"文革"的种种不法的事情。这对于他们保持自己的"原红旨"的纯洁性，是极为重要的。也就是说他们划开了自己与"文革"的罪恶之间的关系。他们与这些罪恶无关，只与理想有关。但张承志小说很快就发生了变化，这种变化的发生是与社会在"新时期"之后的变化相关联的。因为他的小说中原先最崇高、歌颂得最厉害的"人民"，发生了很大的变化。中国的改革首先是从农村开始的，最拥护经济生活的改革的恰恰是中国最底层的民众。狂热的理想的追求却被底层的人们放弃了，他们对于淳朴的生活的兴趣却远不如理想主义者，反而对过上进一步富裕的生活的诱惑难以抗拒。这很令奉行"原红旨"理想的人失望。后来他就写了《北方的河》和《大坂》这样的小说，这些小说里的主人公就不再是对人的亲和，而是对江河大地的崇拜。写一个非常孤独的英雄在荒寂的、未被污染的自然界中漫游的情怀。这些小说写得非常地美，非常地壮观。他把自然的雄伟与他心灵的跋涉结合得非常之好。但中国历史却是非常之无情的："任是深山更深处，也应无计避改革。"我最近读了二十多岁的小说作者邱华栋的一个有关"大坂"的小说，他写的是昔日张承志沉醉的地方，已经成了一个旅游景点，满地扔满了易拉罐的残骸，到处是泡沫塑料的饭盒，到处都有了电视和兜售的民俗纪念品。"大坂"的清洁性是一去不复返了。于是大自然也不是他的寄托了。无论是很具体的"人民"，或是大自然都无法承载他的理想了。于是就只有走向更为孤绝的道路。他要寻找的家园在《金牧场》中就体现为一个"黄金牧场"。这是一个很抽象的地点……

张：这本书里混杂着许多相当丰富的信息，说明张承志本人的信仰也在许多不同的体系之间摆荡漂移，并不是很确定的。红卫兵、蒙古牧民的黄金牧场、日本的繁华杂乱的生活，交织成一个充满矛盾和冲突的本文。这似乎是张承志本人比较有趣的一本书。其中有些自我批判，自我审视，也是值得今天已膨胀到头了的张承志本人重新读一下的。如有一段写到叙事者本人虽然对当一个牧民有那么大的热情，却又仍然紧紧抓住上大学、回北京的机会。这种人性的矛盾冲突也是很值得我们重视的。但可惜的是张承志本人是彻底否定这个作品的，他觉得这个作品糟得一塌糊涂，精神也不够纯洁。于是在去年出了一个新版本，把所有的矛盾与挣扎困境都去掉了，只剩下一些干枯的说教和对神的礼赞，书变成了《金草地》，是相当单调无聊的，作为文学，是失败的。这是很遗憾的。

刘：最近以来，有不少人把张承志捧得很高，是唯一有理想的勇士，但他们对张承志的心路历程并不真正了解。张承志的那种激情的狂热，他的这种幻灭所构成的那种心境都有值得我们关注之处。一个无神论的"红卫兵"作家，最后却皈依宗教,这个心路历程中究竟有一些什么因素在起作用,这应该始终是我们关注的核心。

张: 我觉得张承志的问题是很值得我们认真思考的。由"红卫兵"到哲合忍耶信仰者的这段心路历程是极为值得探究的。红卫兵的社会理想还是拯救和解放普通人,而到了现在,就已经变成要清扫普通人,充满了仇恨和愤懑。这里的确可以读出对当代社会的发展的极端的失望情绪。历史的进程的确完全出乎张承志这样的人的意料,我想如果作为作家的文学性的写作,宣传一种特殊教派的历史,是有自身存在的价值的。但张承志的悲剧在于他要进行的乃是一种社会的诉求或是历史方向的倡导,要大家都遵照执行。这就十分偏执了。也是相当荒唐的。怎么可能让一个社会走向一个小教派所倡导的理想呢?张承志在一篇很有名的文章《致先生书》里说鲁迅和毛泽东这两位20世纪的中国伟人"应当遗憾"的,是不了解伊斯兰教哲合忍耶的沙沟派的信仰,否则他们会有更好的选择。我想讨论鲁迅和毛泽东的伟大之处或缺点都是可以的,但要说他们不了解沙沟派是一个缺点,显然是十分荒谬的。这种思路无疑是相当偏执、相当可笑的。张承志自己有这种信仰无可非议,也有它独特的价值。但把这样一种理念扩大推广,用来评价今天的社会或是历史人物,就太过分了。他凭什么对20世纪中国的这两个重要的人物提出这样的要求?他们确有许多"遗憾"之事,但以一个伊斯兰教的哲合忍耶的沙沟派的标准提出这种"遗憾",显然是十分荒唐的。这种思维逻辑的确是"红卫兵"式的,不能容忍"和而不同"、容忍差异,而是搞大清扫,搞峻厉严酷的一套话语,连历史人物也要加以这样的评论。极端的文化逻辑导向极端的文化冒险。这种思路如被推而广之,的确是令人忧虑的。所以对张承志这样的作家,从文学上的研究评论是一个题目,很值得深入地分析、探索。从社会和文化的角度进行思考,又是一个极为重要的题目。因为他不仅仅是一个文学性的作家,而且提出了以沙沟派的理念为中心的一套文化方案,一套"清洁"社会的主张。那么我们作为社会的一分子,作为对于中国的现状非常关切的人当然也有权利提出我们不同的选择,不同的意见。我们丝毫无意不允许张承志这样的作家发表他的见解，而且这也是不可能和不应该的。现在也没有任何人提出要不允许张承志发言，但现在有些人却大喊大叫，说批评他的极端主义的文化逻辑和文化冒险主义的社会主张就是一种打压。说"偏激"一点、激进一点不会造成什么危害。这恐怕是对社会不负责任、不承担义务的说法。这种保护，甚至是偏袒极端主义，不允许不同意见出现，正是一种没有社会责任感的、缺少理想的放纵和随波逐流。一个多样化的社会，一个开放的社会，正是需要不同的言论。我们一定要尊重像张承志这样的作家表达自己思想的权利，我们甚至应该捍卫他表达这种思想的权利。但同样，我们也要在这个社会中尽到自己作为一个公民和知识分子的起码的责任。我们也应该有胆量、有能力表达我们与他的思想完全不同的思想。很奇怪的就是有些人为什么千方百计地保护那些充满文化冒险主义色彩的言论，却不允许别人表达哪怕是一点不同的意见呢？这种拉"偏手"的讨论，其文化逻辑实是极为偏执的。认知张承志，既不能脱离早期作品中正在萌芽的极端思想和若干仍代表着"新时期"文化氛围的有价值的因子，但也要关注近年来所发表的一系列文化冒险主义的言论；既要进行文学性的分析，也要进行文化性、社会性的解剖。才能充分地获得有关这个作家的比较清醒的认识。

刘：那么与张承志式的一条道走到底的方式不同，同样在"知青作家"中反响甚大，声誉始终较高，而且一直保持了比较旺盛的创作力的作家是王安忆。她的情况也很值得我们详细地探讨一下。

张：王安忆与张承志有相似之处，他们都是由"知青作家"起步的。他们都有一个共同的知青回忆。但他们的情况就很不同。王安忆是一个始终很多变、很难准确把握的作家。她早期的作品知青色彩是相当浓厚的，她写过有关知青回城的问题也写过关于人与人之间的心灵沟通的渴望等题目的作品。当时手法与其他人差不多。到了1985年文学的浪潮崛起之时，她又成了"寻根"的主要作家。到了1986年之后，她又连续推出了像"三恋"、《逐鹿中街》或《弟兄们》这样一些作品。她又关注女性的处境，具有强烈的女性意识，成为中国女性主义写作的一个最主要的作家。这些作品也都是相当强烈、相当锐利的作品。她近期的写作也相当多样，相当地不确定。像《纪实与虚构》是一个有关个人经历和家族历史的小说，影响也很大。而《长恨歌》却是一个女性的传奇，而像《米尼》、《香港的情与爱》这样一些作品也有诸多不同的面向。王安忆本人我觉得已成为一个相当职业化的写作者。这种职业化的写作是王安忆写作的一个很大的特点。她可以作为一个职业化的作家不断地尝试各类不同的表达手段。她的作品的数量也相当可观。王安忆非常努力地写作，王安忆可以很好地掌握各种新的写作方法，将之很好地使用于自己的作品。她有大量关于小说写作的技术性的文章，还专门写了一本有关写作的书。她这种专业性的写作，在观念上并不像王朔式的专业的、职业的写作，王朔是更直接地面对一个大众文化的市场，而王安忆始终是活动在纯文学的领域之中，很少进入大众文化中。王安忆也不是像马原这样的作家专门去开创一种技巧，一种叙事的策略。王安忆是使用不同的技巧为她的小说服务。王安忆采取的是相当专业的写作的策略。比如目前"怀旧"的潮流很流行之际，她的《长恨歌》就是一个很好的回应。当年"寻根"浪潮出现时，《小鲍庄》就是一个典型作品。王安忆作为一个很敬业的职业作家，是把写作作为一种职业来有效地进行，而不是将之作为生命的全部内容，更无意以自己的理念来改造社会。这是非常有趣的写作立场。所以我们可看到王安忆经常赞赏其他与她很不同的作家，诸如张承志、张炜之类。但她绝不可能像他们一样写作，尽管那种激进的社会立场对于一个相对职业化的作家而言也是颇有诱惑力的，虽然她绝不可能写得像他们一样。

　　刘：王安忆的确是一个知青出身的作家，但她的写作很快地转向了非常广阔的各类不同的人和事。她对社会没有什么强烈的攻击性，介入社会的欲望也是比较低的。她的小说都是通过个人的感知在世界上去体验不同的空间中的不同的各类事物。她的小说的确有自己的魅力。她的最新的创作我接触不多，但我觉得她的写作有一种强烈的自信心。她的这种创作的自信既来自她的敬业精神，也有她的文化教养的影响，更是来自她对于小说这样一个文类的多种可能性的一种很开阔的认识。从这个角度上看，张承志的选择是封闭了通向一种多样风格的可能，而王安忆则选择了一种比较广阔的道路。她自己意识到许多可能性。你可以发现她的作品还没有枯竭，和人们交流的欲望也没有消失，而且她没有那种写作时间较长的作家很容易发生的疲惫感，厌倦感，而是好像始终是兴致勃勃地投身于写作之中。这是很有意思的。你可以设想一下王安忆下一步的写作，几乎是很难清楚地加以预言的。这是非常有趣的。另一方面，王安忆的不少作品中都渗透着一种文化优越感。她的本文还是有超俗的色彩。看起来王安忆写了大量的世俗的，甚至很琐屑的事物，但她却很有自信心，相信自己无论写什么东西，都有一种文化的色彩，一种"雅"的气息。与王安忆同时的女作家不少，但能写得这样持久、这样始终保持相当好的水准的作家也是很少的，这是很不容易的。从"严雅纯"的角度来看，她的作品是很合乎标准的。她提供给有品味的人阅读她的作品。她不供应那种很通俗的作品，而是供应一种品味很好的作品。

但我感到王安忆的性探索，涉及两性关系的探索，费了很大的心力，从80年代到90年代，从"三恋"到最近与陈凯歌的对话，都讨论这个问题，思考一直是非常专注的。但我觉得谈得似乎仍不够深入，仍不够透彻。这似乎与王安忆作为职业作家的写作的方式有关。

张：我想王安忆这样的作家恐怕很难有很强烈的生命的体验，也很难有很强烈的投入和激情。因为她很关切写作的专业化。她的生活和写作并不是全部融合在一起的，这当然是与她没有很大的大悲大喜的体验，没有很大的投入有关的。这就需要她用许多技术性的、专业的方式去感知人生，去表述自身。所以谈及爱、性这些问题时，她不太容易非常之投入。她是比较冷静地分析。但有时似乎失之过于冷静，反而不易接触到一些极具尖锐性的、敏感的领域。这些似乎离她太远了。王安忆这样的作家有时对于细节非常之迷恋，有时反而忘掉了一些很戏剧化的事情也可能出现。

刘：我觉得有时她太迷恋细节以后，反而使她的一些小说显得沉闷。有时有一点絮叨的感觉。

张：王安忆的作品里没有什么崇高的理想的闪光。有的只是非常世俗的日常生活中的各种不同的具体的选择。王安忆很喜欢表现这种很具体的、很细微的选择或想象对人的生活带来的影响。你从这里又很难说王安忆是个没有理想的作家。人生中间这些细微的选择确实会比一些大话更有力量，所以我觉得一个很敬业、很努力的职业的作家也是非常值得尊敬的。另外还有一位张抗抗，值得仔细研究，可惜我们时间不够。

刘：的确。张抗抗也是走向了职业作家的道路。当然她又有她自己的鲜明特色和独特贡献。关于这一代的作家，我们还可以提起另外几位。一位是史铁生，他是一个残疾人的作家，也有很真挚的宗教的情怀，但他的宗教情怀是一种关爱人生、关爱普通人的东西。他对于生活的思考不是攻击性的，而是利他的，容忍差异，容忍不同意见的。他把个人的困境和痛苦并不化为对人生的恨，而是化为对于他人和自己的一种更为关切、更为真挚的新的关系的建构。这是挺有价值的。而像梁晓声和叶辛，这两位作家则有不少人相当熟悉，有相当高的社会知名度。他们的写作应该说是比较通俗的，而且有一定的传奇色彩。像梁晓声有强烈的平民意识，有强烈的代平民立言的愿望，他又有对知青群体的很强烈的认同感，力图以知青的真诚审视社会，因此他的底层诉求和作为知青群体的诉求都能影响着大批特定的读者。而叶辛则是孜孜不倦地、执著地写知青的一个作家，他的作品可能缺少一点艺术上的完整，但在唤起一代人的认同上作用极大。他的代表作《蹉跎岁月》和《孽债》等都是有一定代表性的。这一批作家也面临着一个重组的过程，也有许多不同的选择。这里还要提到韩少功。韩少功的作品较少，但他的名声很大：两部作品《爸爸爸》和《女女女》是寻根文学的代表作，更早的《西望茅草地》等都是知青文学的代表作。他在写作之外，他很早就有一个"走向世界"的强烈的诉求，他们认为像我们这样的第三世界的民族的文学如何走向世界，如何让世界接受，就需要走拉美的道路，按拉美的写作的那种路子走。于是他立足于楚文化，要寻回楚文化的根。当时还有李杭育，要发现吴越文化的根。但时过境迁之后，到了90年代，韩少功的思考也是很引人注目的。他写了像《世界》这样的文章。表达了对于西方失望的激愤情绪。他开始了对于西方的深刻的审视与批判，对于他自己80年代的思路进行了超越。但他是否能超出他自己在"寻根"时代的那些关切传统、并以关切和寻找传统引起了西方强烈的兴趣的小说，还是一个极大的疑问。这一批作家中陈建功也是很有影响的一位，他过去是在煤矿中当过工人，没有下农村的经历，所以也难以充任知青的经历的代表人物。所以他把关注点放在北京市民的身上，发掘市民的生活方式的文化选择，也有很引人注目的成绩。

张：我们大概把这一代"知青作家"的情况扫描了一下。我想这些作家在经历了一段比较明确的知青群体认同之后，都逐渐选择了各人不同的道路，这也使他们的思路走向更个人化的选择。随着知青群体上山下乡的历史记忆越来越加远去，每一个作家的自我选择就更要靠调动个人自己的潜力去探索了。

第十章 九十年代：写作的新发展

(1) 王朔与贾平凹

张：我们很简略地通过对几个作家的评述，对于"新时期"的文学状况进行了一些扫描。不是说这些作家就足以代表或反映"新时期"文化发展的全部情况，而是说我们以这些点作为一个参照，足以让我们从一个侧面上了解"新时期"文化发展的进程。下面我们还想讨论两位在90年代之后影响非常大的作家：王朔、贾平凹。王朔是80年代后期成名，贾平凹的情况更有趣，他80年代在大陆名声一直不衰。第一届全国短篇小说评奖的时候，他就是获奖者。这两位作家横贯80、90年代，还是很不容易的。

刘：这两个人的写作历程都是很长的。而且和我相识也很早。贾平凹和我还是"文革"结束以前就相识，后来都成了写作的人，这也真是"人生何处不遭逢"。贾平凹成名很早，但他的年龄并不太大。在知青这一代的作家里他的年龄是几乎最小的。他的确是一个关西的大才子,大作家。他早期的作品也是在水平线之上的。他写出了一批带有田野色彩和民俗氛围的小说。但这些早期小说都内含一个改革的主题,表现乡村的社会变革。这些作品既受到了主流话语的好评,也受到了文学界的认可。唯美的派别对于他的作品的文字感到很有兴趣,而且他的作品对于中国文化传统及民俗的表现也是非常之早的。但他那时虽然有相当的影响,却一直还是相对处于文学界的边缘,他真正进入文化的中心还是 90 年代以后。

张:贾的创作像《浮躁》之类名气不小,但那些写作很难归入"新时期"某个具体的潮流,这也导致他的"边缘化"。但贾的写作当时很有趣的是和主流文化对社会变革的需求有很强的共生的关系,又能够将许多特殊的文化、特殊的地域社会的生存形态描写得相当有趣。而且贾本人有一些神秘主义的、来自中国传统的民间文化的东西。

刘:至于王朔,我和他认识也相当早。他还是发表作品很难、做生意也不大成功的那个时期我就与他相识,那时候我们都不曾想到他会成为一个文化名人,成为文化冒险主义所指认的"堕落文化"的代表。也才十几年,真可以说是沧桑之变。"老三届"或是插队的一些人比较贾和王来说,年龄都大一些,这些知青作家虽然不一定受过很正规的教育,但毕竟是受过当时的主流思想的熏陶,一度还是社会的中心人物。而像王朔这样的人却是社会中相当边缘化的角色。他在 80 年代末以前的代表作是《顽主》,这个作品后来还拍了电影,这个小说一定程度上摆脱了他最早的小说的那种感伤的调子,他早期的一些小说诸如《空中小姐》、《一半是海水一半是火焰》之类,感伤的色彩还是相当浓烈的,只是语言上有了后来的调侃式的特色,但那些作品还是边缘式的。他进入文化的中心也是在 90 年代以后了。在中国很大的社会动荡之后,他才变成一个非常中心的人物。这才有了像"痞子"这样的相当严厉的指责,也才有了他自己那些对知识分子很不敬的、相当尖刻的话,口气才大起来了。这里的背景就是他已经成了一个中心人物了。他 90 年代后的创作也是一种很驳杂、很多样的形态。一类是相当多调侃的、比较多讽刺的作品,对于一些确定的价值观念采取一种比较尖刻的讽刺态度的作品。这种作品也不是要求别人与他采用同样的态度，他并没有说他的生活方式是最好的。他的这种调侃是对各种各样的文化进行调侃，包括主流的、市民的、知识分子的各种不同的东西都很锐利，但并不具有攻击性。他能让你很痛，很难受，但又有一种拍肩膀式的亲热之感。他是对一个事物采用一种很轻松的面对的态度，而不是必欲清扫而后快。他的人生态度里是有一种很独特的东西。我们可以看看他的作品的题目，你要问他他的作品表现的那个特定的群体都是些什么人？《顽主》；那你们每天玩的是什么呢？《玩的就是心跳》；那光玩你们还算人吗？《千万别把我当人》；不把你当人你还活着有什么意思呢？《过把瘾就死》。这些作品的题目是相当调侃的。他并不是具破坏性的，但他却是调侃的、讽刺性的，其中也解构了许多神圣的、了不起的东西。这一方面的问题引发争议是很合理、很自然的。但一些文化冒险主义者却在夸大敌情，把王朔的这一翼无限地夸大，向社会传递出耸人听闻的信号。王朔所有的作品中没有什么鼓吹让别人当"痞子"，或把社会变成到处是"痞子"的那么一种主张，更不是要让"痞子"形成一股左右社会的势力。他的作品中的确看不出这种诉求，不存在这样的想法。我读过他很多作品，的确没有这种感觉。我想他们主要是放弃了一种比较远的利益诉求，而是着眼于当下，着眼于目前。我有八个字说他们的，是"此时此地，此身此意"。他只是比较关注他这样一个个体生命当下的自我选择。我觉得是带有短期的色彩的，与那种比较高远的理想主义之间是有区别的，但这种想法却不能夸大成主张人堕落，主张人胡闹胡混。这还是完全不同的。王朔作品产生巨大的社会影响主要是他的90年代之后参与的电视剧的制作工作。像《渴望》的制作里，他作为一个策划也起了相当的作用，但他的思想并未在其中得到很充分的表达，但把一种电视剧生产的新的方法制造出来了。《渴望》成了肥皂剧制作的一个基本模式。最能代表王朔式的风格的戏是《编辑部的故事》，《编辑部的故事》里的像葛优演的李冬宝，吕丽萍演的戈玲，还有侯耀华演的余德利等，都有王朔小说中人物的一种特色。但这些人物却都是非常可爱的，受到观众很热烈的认同。像李冬宝，既有那种很聪明、很敏锐的感觉，又有一点像《阿甘正传》里的阿甘一样有一点憨，却能把人生的一些真相一下子点破。而戈玲就更为有趣了，她的幽默更含蓄，更冷。如果说李冬宝的幽默是辣椒的话，那么戈玲的幽默就更平和一些了。而余德利的确有相当粗俗的一面，但也不是什么讨厌的人。他们的"痞性"并不是要打破或毁灭我们的社会，而只是对一些与时代不和谐的，包括对极"左"的僵硬的意识形态的批判与否定。比如余德利说："钱不是万能的，没有钱却是万万不能。"这种说法也是适合新的社会规范和新的道德准则的。这个电视剧的故事也是尊重社会法则，甚至是颂扬社会的法则的。文化冒险主义者无限夸大他们的危害，认为他们会导致整个社会的堕落，这是没有根据的。文化冒险主义要搞冒险就总是要大喊"狼来了"，他总是无限夸大敌情，总是要把芝麻夸大到西瓜那么大。从战略上看，他们一定要夸大敌情；从战术上看，他们一定要毕其功于一役。用一句话概括王朔是很不恰当的，他的《爱你没商量》之类的作品里都有一些人文的诉求。他有时候为他们那样一种特定的社会存在争地位，说一些气话，但也有不少人文诉求、精神诉求。像《编辑部的故事》里有一个段落是很有深度的，一群编辑突然撕破了脸，互相揭起短来。你可以发现这里的每个人都不够清洁，每个人都有许多缺点，这里大家互相不留面子的时候，你会发现谁也不是大圣人，谁都有揭开来就受不了的毛病。但揭到最后大家突然沉默了，发现我们还是要一起生活下去，还要共同过日子，最后达成了谅解。这里有拼命挖苦、揭短、拼命互相指责，但最后又发现我们还是得生活在一起。这个过程的前半部分是非常"痞子"化的，但最后发现到头来人与人之间还得共处，还得共同活下去。这些编辑就又在一起唱歌，一起沟通。这是一种很可贵的诉求，特别是与那些向普通人宣泄仇恨的文化冒险相比，更是难能可贵。在他的《我是你爸爸》中，集中表现了他很严肃、很深沉的一面。这个题目看起来像是调侃，像是占便宜，其实里面有对于人伦关系这种很大程度上支配我们的东西的反思。我读这个作品时，感到它是很有分量的，也有很强的打动人的力量。这里的确没有让大家都成为痞子的愿望，而是要追问每个个体的定位，我们如何成为自我，如何建构关于自身的想象的问题。这个作品能获得上海的90年代第一届中篇长篇作品的大奖，不是偶然的。你从远远望一下就说他是搞堕落的，只能说是缺少根据。王朔的作品我觉得可贵之处是他的讽刺往往不仅仅是针对别人的，而且是首先针对他自己的。他有很强的自嘲的意识，他的小说或电视剧里，这种自嘲的敏感性还是很强的。具有自嘲能力，无论是在生活中还是在艺术中都是很有价值的。当然，我还要提一下，王朔很难始终处于中心。在 90 年代初那一段时间他处于社会中心，那么现在他已趋于边缘化。这种边缘化的情态大概是不会再移向中心的。因为他在那一段时间的中心化是非常合理的，是特定社会处境的产物，而目前有关他的那些相当激烈的争议显然喻示了他本人的边缘化趋向。

张：王朔作为一个作家确实是足以表现一个特定的历史时段的。他的写作，确实是在化解中国的很大的社会变动所造成的集体焦虑方面，起了很大的作用。他可以说在一个特定的状况下变成了不同的社会群体和不同的利益要求都可以接受的一种独特的文化产品。雅／俗、严肃／通俗、正剧／喜剧乃至边缘／中心之类的很多不同的二元对立都被他的存在化解了。所以 90 年代初王朔的存在几乎得到所有的人关注，或认同或反感，这是非常可以理解的。王朔代表着一种平民化的、世俗化的文化选择的合法化，他的出现意味着许多昔日不被承认的文化业已成为登堂入室的正式的文化。昔日是口头流传的、打入另册的文化，现在取得了堂而皇之的地位。从这个角度上看，王朔的小说推翻既有的等级模式，嘲弄权威，打破旧的支配关系的意义，实际上是非常大的。他的作品实际上是象征了新的市民社会的崛起。另一方面，从知识分子一面看，王朔提供了一种想象性的化解权威的途径，使得很多权威的东西看起来很软弱，很可笑。他那种故作的尖刻的，有时有点粗鄙的语言方式，也对于知识阶层有一种另类的吸引力。而对于国家来说，王朔提供了一种无害的宣泄，一种很有趣的但不具攻击性的话语。在一个社会一度很尖锐地、很刻板地把问题压住之后，可能正需要一种"王朔方式"的出现，给予过去很僵的、一翻两瞪眼式的二元对立关系一个较为轻松的转变。这就好像两个人吵得不可开交之时，一定需要一点喜剧色彩的东西，一定需要一点幽默感来化解它，这就需要一个大家都能接受的角色出来，才能提供一些新的空间。王朔在 90 年代初的中心化正是基于这样一个原因的。到了 90 年代中期，社会的各个不同的走向都比较成熟了，旧的矛盾已经转化了，过去王朔要嘲弄的东西已经变得很遥远了，王朔需要很激烈地去"反"的东西，现在在新的小说家诸如何顿或邱华栋那里就根本不算是一个问题了，于是批评王朔的也多了。这种批评来自两个方向，一个是嫌他写得还太着力，还太拘泥于旧的二元对立。我想更年轻的一批小说作家会持如此态度，而我也的确听到过此类的批评，但见诸文字的不多。另一种就是站在 80 年代的知识分子的立场上，斥责王朔是官方的奴才，是一种不良倾向的表述，这在海外知识分子中有比较充分的表现；在国内，斥责他是媚俗、讨好大众的批评开始大量出现。这说明王朔式的文学话语已逐渐开始脱离知识分子的"群体"，已在大众文化中找到了自己存身之处。大家都知道王朔本人在 80 年代写作时是极想进入知识分子话语的，但现在他的姿态不一样了，引起了知识分子的反感。于是他变成了与官方或大众一起要打击知识分子的典型人物，受到了一些人的指责。所以从几方面看，他的历史使命都已有了一定程度上的完成。一方面，大众业已通过他的小说取得了一种文化上的合法性。他的小说对于知识分子话语的最大的打击在于，他的小说从一种专业的角度来评价的话，不管你是否喜欢，它们的水准是不错的。大众文化中也可以产生出很好的文化产品，对于知识分子话语来说确是一大打击。所以就出了雅／俗不仅要在畅销、流行上竞争，还要在水平上竞争的局面。这对于雅文化的打击也是很大的。像皇皇四卷本的《王朔文集》能够出版，被人们认为是俗的东西竟可以出成"经典"的样子，这里的挑战是很大的。以往的通俗文化，基本水准很低，完全是些乌七八糟的东西，但王朔的小说或是与他有关的一些通俗文化产品，其制作的专业水平是相当高的。这对于某些人来说产生的失落感之强烈、痛苦之深重是可以想见的。另一方面，王朔的出现也使得知识分子的内部出现了一些分化的趋向，知识分子围绕王朔展开的争论恰恰是它自身旧的同一性破裂的一种表现。这是很明显的。也就是说面对王朔的不同的理解构成了知识分子内部的很大的分歧。这种分歧也是度过了 90年代初的文化休克之后，知识分子对于未来自己的路向的选择的一种很严重的焦虑的表征。大家开始有了一些比较清晰的想法，要表达出来。对王朔怎么看，以及对王蒙怎么看，就有诸多不同的意见急于表达，关键的还是如何看待和分析当下的语境。是采用文化冒险的办法，还是采用一种建设性的办法，就要讨论。我想 1995 年有关王朔的这么大的争议，大体上反映出知识分子内部的动向。从这两个方向上，王朔都扮演了很重要的角色，不可或缺的角色。

刘：那么谈到我们涉及的另一位，贾平凹。他在 90 年代以后有一个恐怕是名声最大的作品《废都》，这个作品的意义很值得我们关注。我觉得这是部相当颓废的作品。颓废这个词并不是一个像我们过去用的那样是一个贬义词，而是一个中性的描述。在 19 世纪末时出现过有很高成就的王尔德，他也是被认为是个颓废的作家。目前的"世纪末"的确也是一个很大的问题。因为长期使用一种计量时间的方法之后，这种方法反过来也会对人的心理和社会的集体意识发生作用。

张：过去中国人不用西历，用六十年一甲子的农历，其观念与用西历之后还是不太一样的。

刘：这种观念的不同对自然界不会起任何影响作用。但对人的心理是有很大影响的。

张：有一位美籍日本学者专门研究了这种影响。他认为这种影响对于人的文化观念的形成有支配的作用。

刘：我阅读《废都》之时，感到这个"废"字是该书的关键。这本书充满了对于"废"之美的迷恋，对于死之美、堕落美的一种情有独钟。在中国的文学中也有过这样的作品，如《海上花列传》、《品花宝鉴》之类的作品，都与之有点类似，都是一种末世的情怀，一种堕落又不甘的复杂而微妙的心态。贾平凹这样一个比较早熟的心灵，经过了许多年的非常艰苦的写作，还不尽意。在《废都》中他把自己对于社会问题的关注减弱了，里面虽然还引一点什么俚语民谣之类的讽刺性的东西，但已不是作品的重要部分。其作品的主要人物也不复是那些他经常描写的农民，而是更加努力地试图切入他自己生活和周围的人们，试图把这种生活中心灵的那种挣扎、困惑都写出来。我觉得《废都》作为一个文本是有认识的价值的。

它起码让我们看到一个作家在这样一个急剧变动的大时代中的进退维谷的挣扎。他这个作品还是相当丰富的，提供了许多切入这个时代的某些侧面的东西。我个人并不认同他的这种风格，但我认为这本书使我们获得了很多认知的资源。一方面是一个作家心灵的剧烈的煎熬。另一方面又有当下都市里的那种非常难于抱握的众生相。这个作品还是写出了一些东西的。这个作品也使贾平凹在一个特定时期成了文化中心。当然这个阶段非常之短，但却毕竟有这么一个时期，也说明这个作品有一些微妙的地方。虽然它里面的性描写与出版发行中的炒作存在着商业化的倾向，但他的写作的相当独特的一面也还值得我们关注。

张：贾平凹的经历是很有趣的，他早期的小说多是涉及农村改革的。

刘：最早的《满月儿》是表现乡村女青年的人性美的。

张：他的情况直到 90 年代以后才有了比较大的变化。他从一个对于改革有强烈的认同，对农村改革提出了甚至是非常具体的方案的作家，转化为一个非常痛苦，觉得书生是"百无一用"的废人，这样的一个作家，其间的发展的脉络的确非常之有趣。我前一段遇见马原，他和我赞叹，中国小说写无聊，写得最好的是《废都》。他对于颓废的深刻的迷恋，他对于中国文化中的各种神秘主义话语的强烈兴趣，都得到了充分的表达。这与那位由激烈的社会政治诉求转向研究人体特异功能的柯云路有一些相似之处。

刘：我觉得他们两位还是有很大的区别的，柯云路的神秘主义是有一定操作性，是介入到具体的气功的修炼中去的，而贾平凹 的神秘主义只是一种审美的态度，显然不具有柯云路那么强的社会性。

张：这么看来，贾平凹为我们提供的是一种非使命意识的文学，在"五四"以来的中国文学中，无论有使命感的文学还是反使命感的文学都有，但一种"非"使命感的文学却是不多见的，很值得我们关注。他的《废都》中好像连中国历史的一些变动都没有存在过。中国的"现代性"好像在中国未留下什么痕迹一样。他提供了一种由"颓废"的审美而超越中国的"现代性"的途径。这个小说沉浸在那种超时空的、充满中国本土文化特色的颓废趣味之中。他发现昔日的宏大的理想早就成了一些碎片，文人在这个时代里业已没有什么用处，于是只剩下那么一个诡异的小世界供人凭吊和欣赏。

刘：他的这个作品那些带有政治性的东西像老牛说话或是一些歌谣之类都意思不大，有意思的还是在它的很有魅惑力的颓废生活的描述中。就像《红楼梦》中秦可卿的那间卧室，里边有种种迷人的摆设，又极为雅致却又充满了堕落的、唯美的暗示。这些的确是很有趣的。它是文明达到烂熟阶段发出的那种霉味，但又相当精致，相当有魅惑力。

张：我想贾平凹的《废都》的意义，在于他用一种颓废的传统超越了"现代性"，提供了一种特殊的本土性的迷恋。贾平凹也觉得当下的文化是一种堕落，但他却是沉醉在其中的，造成了一种"世纪末"的沉醉。贾的这个作品当时受到了很大的批评，但今天我们心平气和地看的话，还是有他很独特的东西的。

刘：《废都》是没有任何攻击性的。他是一种很苦闷的，很无奈的。我想贾平凹心理上、精神上面对的难题太多，只有寻找明清的那种很成熟的文化资源，求得一种解脱。这是他这部作品产生的一个背景。第二个背景是他在西安这个城市中确实具有的极为巨大的"名人效应"。有人对我说这个作品很夸张离谱，自我陶醉，难道小说里写的那些什么市长的儿子，那些女人见到一个文化名人会有那么一种无限的崇拜吗？这可能与西安特殊的文化氛围有关，在北京这种情况是不可能出现的，因为北京是一个很大的社会政治文化中心，你要说"四大名人"，谁能算出谁是"四大"呢？到处都有名人、红人，冠盖满京华。但西安的确有这种感觉，贾作为一个文化界的知名人士受到那种热情的崇拜，一点儿也不奇怪。我去过几次西安，发现在西安这些文化人所具有的地位确实是相当不得了的，在北京很难想象。于是他那种傲岸，那种痛苦，只有在那个氛围中才有施展的可能。另一个贾平凹写出《废都》的背景，我以为是对当下的现实的确失掉了把握的耐心。从一个相当具有社会性的作家，变为一个很绝望的人，是很令人惊心的，也是很值得我们分析的。他就在这个背景下写出了文人的"废"的尴尬的处境。从这个小说结尾时的悲剧结局，你可以看出在这种生活中找不到生命出口的一种很大的绝望的心态。

张：王朔和贾平凹的写作显然是不同于文化冒险的选择的。他们写出的是一种不同的"现实"。他们应该都是文化冒险主义者抨击的对象，但文化冒险主义者却并不提贾平凹，这也显示了他们的虚伪性。他们如果按照他们自己的文化逻辑来贯彻到底的话，那贾平凹应该是他们最彻底地批评的对象，但他们却回避这个现象。据说，其原因之一，是他们当中有的人曾在市场上炒作过《废都》。

刘：从这个角度上看，文化冒险主义是有他的虚伪性的。像文化冒险主义者抨击王朔讨好主流话语，但他们自己才是很主流化的。王朔不管怎么说，还是一个在市场中依靠写作劳动获得收入的人。从这个角度来看，他比起某些文化冒险主义者来说，与主流文化的关系要间接得多。与主流文化有没有关系不是评判文学创作的标准，但文化冒险主义者的这类文化逻辑还是很不讲道理的。话说到这个份上，就逼着人们也对文化冒险主义者推出的楷模进行这方面的质疑。如果说日本人来拍黄河长江的片子，这些片子也不是攻击和污辱中国的。谁陪着他们去工作，就是"皇协军"，就是"买办"的话，那么有些人用了日本人的赞助在日本居住了好几年，这些奖学金当然是有日本人的意图的，当然是有其意识形态的考虑的。连这样的钱也能拿的话，为什么别人做得远比这还要轻得多，就应该受到投降、堕落的指责呢？你把打击面设得这么宽，但你所推出的楷模却又并不合乎你定下的那种道德标准，你这不是把你推出的楷模搁到火上去烤吗？

张：可以说是一种新的"假大空"。一种"假道学"。

刘：在这样一种把他人全都看成"堕落"的狂躁的面前，我们不能不提出作家本人的行为的问题。你要把所有的"他人"都视为投降、堕落，又对你自己的言行没有起码的约束，这又怎么能让人信服呢？你自己的动机和行为如果是不受你提出的规范的要求的话，你要求别人的难道不是虚伪的一套吗？我们进行这样的分析本来是没有什么必要的。但这是文化冒险主义者自己先这样从道德上去攻击别人，要从道德上压倒论敌，这就使人不能不问一问他本身的道德状况。

张：王朔起码言行还是相对一致，有些一贯主张"清洁"、"信诺"的人自己的作为倒是很值得反思一下。如朱苏进就提到了一位作家他不断宣称自己要放弃写作，拒绝文坛。朱苏进就感到很困惑地提问了：那么你两次宣告要放弃写作，起码有一次是没有践约。这又如何解释呢？

刘：朱苏进的这一问也是被逼出来的。因为在《清洁的精神》一文中就提到：人的最大的美德就是信诺。一旦背信就不清洁了。那么这位作家本人的信诺又如何的问题就无法不被人提出来了。如果他没有把这个问题升华到一个道德的层面上去，我们本来也只需要在一个文学的领域中思考这些问题，而不必这样提问。因为我作为一个作家当然思想可以变化，情况可以发展。但你已经把标杆立在那里了，你自己的作为按你自己的标准看也就是很不洁的了，起码你有一次是不"清洁"的了。

张：这和荆轲、聂政不仅没法比，也没法和自己提的标准比。

刘：对了，他们提出一个至高无上的准则自己又做不来，只好采取冒险的一套手段了。在对王朔这样的作家的指责中显示得非常清楚，如果分析一下他们的心理动机的话，他们是不是对别人处于文化中心的一种愤愤不平，对于自身目前在文化中的位置的不满，这恐怕是一个深层的心理上的原因。从这个角度的思索，也的确可以更好地认知文化冒险主义。

(2) 实验小说与"新写实"

张：目前还有一批值得注意的作家，像余华、苏童、格非等。他们在80年代后期是以相当激进的形式实验走向文坛的，但90年代之后，他们的创作也发生了一些变化。他们也成了与大众文化和流行文化亲和的相当有影响力的作家。还有80年代后期产生了很大影响的"新写实"小说的作家像刘恒、刘震云、方方、池莉等，在90年代以后，创作也还是很活跃的。这两部分作家都在一个特定的时间形成了相当大的影响。在90年代以后，他们的影响力也还是很大的，我们应该对他们的写作进行一些思考。

刘：这确实是很重要的两个潮流。首先我们谈谈那一批80年代后期出现的实验性的先锋作家。这批作家之中最早崛起、在形式的革命上也进行过很多开拓的作家是马原。马原 80 年代后期的小说的反响是非常之大的，也受到了很多人的认同。但他却是与各种不同的风格的作家很能亲和的一个人。在 90 年代之后，马原的文学写作没有再发展下去，而是进入了另外一种工作，拍摄一个大型的电视片《中国文学梦》，他为这部片子采访了许多作家，也包括我。这些工作我觉得也是很有意思的。但他在本文的实验上的工作也就告一个段落了。而余华最近也明白地宣称他不是一个先锋派的小说作家，而是一个关心世道人心的作家。这说明他的想法也有所改变。这里如果要对他们进行一些抽样的分析的话，有一个类型的作家是必须重视的，就是以苏童、叶兆言为代表的被一些人称为写"伪历史小说"，或是"历史幻想小说"的作家。这些小说的特点是根本超越他们自己的个人的经历，乃是以幻想的方式对于历史进行虚构。这些小说并没有多少很激进的本文实验，只是将一种非常幻想性的历史故事写得很奇妙，并且由于与一些大电影导演的合作，使这些作品流行了起来。非常有趣的是，像苏童的有名的小说《妻妾成群》，其中甚至连像"大红灯笼"这样的细节都没有，而拍成电影之后，被张艺谋叫做《大红灯笼高高挂》，然后由外文出版社出版他的书的外文版的时候，也就把这个小说集子的题目叫做《大红灯笼高高挂》，因为在往外推他的作品时，如果没有这个"大红灯笼"的符码的话，别人就不知道是一本什么书了。我认为像苏童这样的作家的出现，是 90 年代以来文学创作的一个重要现象。他既没有什么旗帜，也没有什么很明确的社会政治诉求，却很认真地推出了大量很有质量的作品。这些作品昭示了一个事实，就是文学写作的疏离意识形态还是有可能的。它可以使一些读者受到很多的审美上的愉悦。它成功地采取了一种对现实有相当距离的态度。比如说你看不出诸如《红粉》这样的作品有什么明确的社会诉求，连一种讽喻性或是寓言性都很弱。他就是讲一个哀婉动听的故事。我觉得苏童的这种成为作家的方式是相当独特的。我注意到他写的一些创作谈，都写得相当地平实，相当地具体，非常可爱。他不是有很多的内心冲突、矛盾，或是"苦闷"，而是相当平和地生活，相当努力地写作。他的创作谈中讲过他如何投稿，如何写作，都没有什么很激烈的大喜大悲之感。他写的就是淡施脂粉、小家碧玉、小桥流水人家，也就是在他营造的那种相当华美的氛围中沉溺，提供一种历史的幻想。而且他的文字非常地艳丽，非常美。他也从这个角度上取得了很大的成功。他能写自己生命时空之外的东西，写得那么好，的确是个奇迹。苏童给人一种中心感，主要是由于电影，而且是两部，一部就是《大红灯笼高高挂》，一部是《红粉》。苏童得益于电影，于是名声大噪。这也是很值得探讨的问题。90年代以后不少小说家都依赖电影的成功，使得小说得以更广泛地流传。

张：这是一个极有趣的现象，小说除了作为文学的成品之外，另外具有了作为电影的半成品的特殊的功能。这当然与中国电影近年特殊的运作方式有关。中国电影的生产走向了跨国化，它的商业取向不是针对其本土观众，而且针对一个海外的市场。小说在这里起了相当大的作用。因为小说，特别是像苏童式的幻想文学，是很可以表现一种"中国"的特殊性的。他的作品被张艺谋等导演青睐，也不是偶然的。

刘：要是我看的话，这个现象也有两面，借着电影让各个不同民族的人了解中国的小说，总是有比无好。但另一面，也要注意其消极面，也就是它所造成的对中国的片面而偏狭的认识，也还值得我们警惕。

张：其他的实验作家，如余华，也有他从相当激进的实验性写作走向90年代以后的《活着》这样的相当浪漫温情的小说的趋向。总体上看，实验小说的实验大体上到90年代以后就很少有坚持者了，大概只有一个孙甘露还是继续这样写的。这批作家与我较为熟悉，我们差不多同时开始写作，在文学界开始工作的时间也差不多。我们一开始从事文学批评就是解读分析这批作家的作品。他们这一批作家是从叙事的变革起步，然后到了90年代以后走向了不同的方向。他们的写作可以说开始于不是从意义方面拓展文学的领域，而是从形式、从语言开始。他们大概是追问文学本身究竟是什么，而不是用文学来追问社会和文化的其他问题。于是，像语言／实在的关系；像语言符号与具体的指称物，也就是能指与所指的关系等他们都有多种认真的探试。我们最早开始批评工作时，也是从读解他们那时的小说作为切入点。这在后来引发出了对文学及语言的比较复杂化的认识，也就是从理论角度上引入了由"语言"这一前提出发的一些阅读方式和批评策略。在当时我们之间是有很明确的互助关系的。而他们的作品在当时引发的一些很大的反响，也和我们进行的一些批评工作分不开的。也就是说，从那时开始，人们不再把语言看成是一种透明的工具了，而是有了对语言的更复杂的把握，而对于"人"的主体的力量的很单纯的信仰也从那时起被破除了。尽管当时的情势很复杂，但这些工作从今天看还是有意思的。另一个贡献就是把历史也看成一种叙事，而不是相信历史本身就是绝对的真理。这样就在语言、人、历史这些层面上形成了一些比较深入的、比较成熟的看法。这些看法的基础，一面是实验小说对于文学用小说的方式进行的思考，一面是西方自结构主义出现以来的新的批评理论路向。两方面的很有趣的"接合"就形成了我们的一些新的思考。这些思考后来被用"后现代"和"后殖民"理论来概括，也还是有道理的。因为这些理论就是最先从用"后现代"阐释这些小说上取得了一些实绩。因为这些小说刚出现之时，理论上的解释出现了很大的困难。李陀当时写过一篇题为《昔日顽童今何在》的文章。讲批评那时候对这些现象是束手无策，这些小说的古怪程度完全超出了批评所具有的限度。在那时主要是"美学—历史"批评的视界中，这些本文是难于找到解释的方向的。但从新的理论的角度却能很好地解释这些本文，所以从当时看，一种文学规范、文学话语的变革正在悄然发生，只是这些变革未能在其他领域中展开。90 年代的文化新格局带来了深刻的文化上的变化。作家的实验也开始转变，我们的批评工作也开始有了变化和反思。回顾这些过程，我们可以发现作为一个文学潮流的实验文学业已成为一段历史了。每一个作家在 90 年代以后的不同的选择都是个人化的了。

刘：至于几个被指认"新写实"小说作家的人物，像刘恒、刘震云都是很好的作家。这种"新写实"是以对于中国相当普通的世俗日常生活的描写和表现见长的。它着眼于历史的进程中，一些小的细微的事情，把目光完全集中于普通人的世俗生活上面。他们着眼于人生中的那种平淡的、琐细的生活状况。像刘恒是写中国的社会中的食与色，生存的一些基本的要素对于人的作用，写某种底层的市民或农民的生存的相当残酷的境遇。刘震云小说也是以写城市中的小人物的生活见长的。方方、池莉等都有这个特色。

张：这批所谓"新写实"的作家的好处是他们没有把平民的日常生活浪漫化，而是将其变成了相当具体的、不可缩减的东西。要有房住，要有饭吃，要过得更好一点。这类基本的人生要求在这些小说中是摆在每个人的面前的，谁似乎也逃不脱这样的很世俗、但又很严峻的挑战的。这些很世俗、很琐碎的东西占据了人们生活中很大的部分。但我们"五四"以来的文学中，对于人生中飞扬的、戏剧化的一面的表现非常多，对于这种日常生活的琐碎的东西就不大重视。有"生活气息"只是为了使人生中伟大的一面更为逼真。这似乎是"现代性"的表现。人生被伟大的追求、崇高的理想所笼罩，它的强光使得那种"活着"的具体的欲望与挣扎变得很微末。我们很容易陶醉在一种梦幻式的"大"的历史的戏剧里面，但个人的这些小的"戏剧"却并不是不存在的。实际上那些大的追求的最终的目标，却也不过是这些小的方面的改善。悲壮的奋斗，最后的结果也是为了让普通的人们过上好日子。伟大追求到头来也还是世俗的目标，但这个世俗的生活本身在以往的文学中却是"不在"的，我们好像不愿意承认它的存在与作用。但这种日常生活本身却又是不可克服的，你总要与它遭遇，它又无法真的被缩减。所以五六十年代的文学要处理的一个很大、很难的命题，就是如何从日常生活的平庸中超越出来，进入一种戏剧化的美学的历程之中。那些写当时生活的小说往往不如写革命战争时代的小说成功。有个评论家研究样板戏时都提出了这么一个见解，认为那些写革命战争时代的样板戏，诸如《沙家浜》、《红灯记》、《智取威虎山》之类还是有些艺术上的特点，也比较成熟，而表现当代日常生活的如《海港》或《龙江颂》就差得多了。主要原因就是从这些生活中抽取的那些东西缺少戏剧性，很难有趣。这似乎也与我们往往不是着眼于日常生活的平庸世俗的一面，而是强化日常生活的戏剧化的一面有关。但"新写实"小说最重要的一个方面是发现了世俗性的日常生活根本是逃不脱的。这也与"新时期"前期像张洁等人的作品有极大不同。那些作品也还是将世俗的东西神圣化、诗化的。"新写实"的所谓"原生态",说穿了就是关注了生活的另一面,而不是真有一种"原生态"被发现出来。"新写实"的"新"处就在于把平淡的日常生活的无法逃避、无法脱离凸现了出来。这也为后来的"新状态"的那些作者打开了一个空间。在"新写实"作家试图去"表现"那种生活之外,"新状态"的作家就在这种生活之内了。这是很有趣的发展。我以为这种对于日常生活的非神圣的表达是相当可贵的。那些很具体的生活并没有被找出很大的意义,而是把它本身变成了我们无法克服的"存在"本身。这是"新写实"的很大的贡献。

刘:这两个潮流的发展,充分地说明我们的文学发展并未走向死胡同。这些作家在 90 年代之后也还是很活跃的,很勤奋地写出了许多作品。

张:这些作家在 90 年代以后写出的作品都还有相当的质量。他们都是从自己的角度在不断地写作,不断地发展自身。我觉得文学写作的光环可能没有过去那么耀眼,但也有自身的光芒。80 年代后期出现的这些作家仍很活跃,就是一个很具体的证明。连这一批作家也开始出他们的文集了。像苏童、叶兆言、余华、刘恒等作家都出版了文集,最近有文集出版的作家就更多了。过去出版文集的往往是很有地位的资深而又有名的老作家。现在这一批新作家也开始出版文集。我觉得这无论如何也说不上是文学衰败或死亡的标志或视为一种"乱象",相反说明文学发展更多样化,正在渐入佳境。张承志出了文集,王朔也出了文集. 这又有什么不好呢? 为什么非要清扫掉一个呢? 我觉得这是一个很简单的问题。不同的作家有不同的文化空间,大家都能发展自己,这的确说不上什么"文化大崩溃"。我没有见到这种大崩溃出现。你可以说目前的文学正在越来越有秩序,越来越良性地发展着。尽管有许许多多各种不平衡,各种矛盾和问题,但毕竟前所未有的多样化已经来到了。新的可能性正在出来。而且一大批更年轻的作家,完全是置身于"后新时期"的文化经验中的,完全是在 90 年代里成长起来的作家也正在很快地成熟起来。他们的写作从数量的巨大到形式、风格及内容的独特与有力都是无法否认的。

刘：你说的这个情况非常之重要。许多文化冒险主义者怒火还在针对着王朔之时，新的小说家们却仍在频频出现，其出现速度是出人意料的。王朔都可以说是老作家，是一个权威了。这似乎让文化冒险主义者变成了鲁四老爷一样的角色，还在骂康梁党呢，其实人们走得已不知超过康梁多少了。

张：他们没能对当代的新的文化格局有起码的认知，就连一些手边可以拿到的文学刊物也没法静下心来看一下。这是很让人觉得震惊的。不看就下了结论，这结论从何而来呢？

(3) 小说诸"新"形态

刘：冒险主义的冒险性就在于没有观察社会的状况，不思考实际清况如何，而是盲动躁进。近几年来，这种多元文化格局的一个新的趋向，是许多文学杂志不愿意放弃在新的情况下继续拓展纯文学空间的努力。他们倡导了一系列的新的口号，提出了对文学发展的一些新的看法，如"新状态"、"新体验"、"新市民"等等。这些说法究竟价值如何，都可以讨论。但我认为它们对于活跃纯文学的发展，给纯文学注入一些活力来说，都是有它的积极意义的。

张：1993 年、1994 年以后，随着市场化的逐渐成熟，文化发展也逐步走上轨道，有了许多新的文学潮流出来。这些潮流有些是对于一些文学现象的概括，像我参与较多的"新状态"，主要就是对一批作家在 90 年代以后的写作的新的趋向的一种概括。由《钟山》和《文艺争鸣》两家杂志发起进行了一系列比较深入的讨论。"新状态"是一个比较广泛的概念，其中既包括你和王蒙这样的作家 90 年代以后的一些创作，也包括像何顿、韩东、张曼、朱文等人的写作，也有像林白、陈染等女性作家的写作。这种阐释和研究还是有相当的根据的，它提供了一种新的写作的态度，写作的立场。这可以说是与 80 年代完全不同的一种想法。"新状态"不是像"新写实"那样采取"零度写作"，采取静观的方式来看待生活，也不是像实验小说那样完全以形式实验作为自己的目标，而且也与整个"新时期"文学的那种"俯视"世界的立场、与"十七年"文学的那种"仰视"生活的立场拉开了距离。而是作者／世界之间构成一种平视的关系，作者参与、介入当下的生活，但又对之进行反思。它吸取了"新时期"文学的一切长处，却又立足于当下的语境，力图达到一种内／外，也就是作者本人的心态、立场与当下的文化的混杂的局面之间的一种融合。它既有写实的照相式的逼真的表达，又有抽象的表现主义式的表达，两者混合起来就形成了一种新的风格特点。有点像MTV，又有点像是安迪·沃霍尔的绘画。"新状态"的另一个特点是将过去建起一道鸿沟的通俗／高雅的旧的界限打破，既有大众文化中的资源可供调用，又有来自于各种先锋派前卫艺术的成果。这些趋向都是你们这样不断追求变化、不断发展中的资深的作家与那批90年代之后崛起的青年作家共同表现出来的。所以我们所提出的"新状态"一词，不是要倡导一个流派，倡导一种方向，根本就没有这个意思。当时我和王干、张未民讨论的时候，只是大家感觉到对于你们这一批作家的阐发缺少手段，缺少切入点。用旧的那套理论很难解释正在很快发展的文学。所以提出"新状态"也无非是提供一个新的"阐释空间"而已。后来有些讨论者认为我们是标新立异，是"起哄"。这都从何说起呢？我觉得"新状态"的表述通过近两年的研究、讨论还是显示了它的阐释力的。特别是90年代以来出现的这批新作家的成就已完全凸现出来了。

另一个很有价值的概念，是"新体验"小说。这是由《北京文学》杂志首倡的。它的参与者主要是作家。像陈建功、刘恒等都起了一些作用。它也是有许多作品来体现它的追求的。不光是一个口号，还有许多实践者，有不少作品。这有近两年的《北京文学》杂志为证。它是主张作家去体验当下的生活。因为现在的生活已有了极为巨大的改变。作家要了解当下的人们的生活，了解他们之所思所想，这样才可能有所发现。这有点像你提的"直面俗世"。

刘：他们还是认为目前的社会的新的面貌是很值得抓住，很值得认真加以思考的。首先是要去体验它。这是很有意思的。"体验"就有沟通和对话的意味，就要求作家去感知，去开放自己。这是有价值的。

张：此外还有诸如"新市民"、"新都市"、"文化关怀"等等一大批不同的口号，也都是表现出一定的价值，也使文坛更为活跃，更为有趣。我们也可以看到许多相当有价值的作品不断在各个刊物上发出来。

刘：还有像《大家》这样的杂志，一开始就体现了很强的冲击力。另外像《山花》，原本是贵州一个不大的、影响也有限的刊物。从1994年改版以来，也显示了相当的活力。

张：还有这几家刊物，《大家》、《钟山》、《山花》及《作家》搞了一个作品的联网，也就是四个杂志同时发一个作家的作品，加深我们对这个作家的了解。而这些作家都是写作的势头很强，很有潜力的年轻作家。经过一次联网的集中推介，这个作家的写作也开始为人们所瞩目。这种方法还是有它的作用的。

(4) 抽样分析：何顿与邱华栋

刘：我看不出这里边有什么要崩溃的巨大的忧患。这种状况不是挺好，挺有趣的吗？

张：从这些新的状况中，我觉得值得我们关注的有两点。首先是文学与其他领域及文学内部的一种新的联系、沟通的方式，前所未有地强化了，一种民间的文化空间正在迅速地成长起来。另一方面是一大批新作家的出现，这些新作家还都很活跃，很有才气。

刘：对这些新作家的创作我们应该有所认识。我想我们可以选两个作家做些分析。

张：我觉得何顿是这些新作家之中很重要的一位。他80年代初就毕业于一所美术学院，进行文学创作的历史也较长，当时很早就写作，却一直未能产生影响。他先是在一所长沙市的中学里教美术，后来辞了工，就去做了一个小的装修承包商。何顿在做了小老板之后，他感到自己整个人都有了很大的改变。他就开始写成了有分量的表现当下生活"状态"的作品。他真正大量发表小说也已是1993年以后的事情了。他的小说写的是他周围的这些城市人，关注的是当下城市的日常生活中的各种情态。在这里他找到了自己的文化资源。他每天经历的那些人和事让他不吐不快，他能在电脑面前每天打一万多字，来写这种新的人生。何顿的小说体验了与我们一般的小说不尽相同的东西。他捕捉到了 90 年代以后中国社会生活的极大的变化。他的《生活无罪》、《我不想事》、《就这么回事》等作品都是很有力的。他的小说我觉得表现了在国家体制之外的一种市民社会的生活方式与价值选择的崛起。一种都市的"新人类"的存在。他们的生活经验与我们原有的一切是很不相同的。他们完全是生活在新的市场环境之中，完全不靠国家取得经济收入，在市场内获得生活的基本资源，然后试图通过努力获得更多的钱，获得一些自我满足。这些人的存在本身就标志着一个新的社会的形态的出现，标志着一个新的文化及社会群体的崛起。这也像你提的那样，这些人可能很边缘，但已在社会中发挥着越来越大的作用，而且逐渐中心化。他们创造的社会财富、积累的资金已比起 80 年代摆小摊子的个体户不能以道里计了。他们有一定的投资能力，但也并不是大款。何顿写这些人的挣扎、痛苦以及快乐是非常透彻、非常有力的。而且这些小说在方言的运用上也有一些特色。这些小说里的人生也并不仅仅是灰色的，而且有情感的投入，有人与人之间的沟通和理解。这些又都不是那种虚假的浪漫化的书写，而是相当世俗、具体的东西，有一些甚至是可以触摸的东西。何顿的小说没有那种很超越性的理想，却有了自己的一种极为可贵的世俗关怀。他不是要与今天的生活决战，而是把今天的矛盾、困惑呈现了出来。他写的城市是长沙。长沙在中国不是最典型的大都市。虽然也是一个省会，但并不是很大，何顿的小说却是非常之城市化的，也很洋气，虽然有许多方言土语，但还是让人感到很洋气。没有什么滞重的感觉。90 年代中国确实是全球化了，何顿写的长沙的那些人的问题，与其他城市中人们的并无多大的不同。何顿没有什么"反"的意识，他只是敲电脑敲下这些故事，其本身就构成很新、很别致的形式。他就生活在一种"后现代"的语境之中。在何顿的小说之中，"后现代"不是一个存不存在、或是利用不利用之的问题，而是像他这样的作家的生活，本身就是处于那种"后现代"的经验之中。他就是处在这种广告的、消费化的生活之中，这本身就是平面化的。这样的写作你是否能面对呢？这的确是一个很重要的问题，而这个问题所牵涉的还是一个如何去考虑今天、如何看待今天的生活的问题。

刘：这已经不是什么市场经济该来不该来，现代化该来不该来的问题了，讨论这个问题已经毫无意义了。现在重要的是来了以后又如何办。

张：已经不是娜拉该不该出走，而是娜拉走了又怎样的问题了。

刘：而且目前这种市场化的文化也有了它的代言人了。文化冒险主义还在批判王朔，现在这一大批新人已经很快地起来了。这些与90年代的社会完全溶合在一起的作家，他们的生存就更与国家体制之间关系不那么直接了。像何顿这样就以写作维生的作家，会越来越多。何顿把自己的生命溶在小说里面的意义是很大的。

我现在想谈谈邱华栋，邱华栋在写作上是比较稚嫩的，但他却是一个现在才二十几岁的年轻的作家。像何顿的年龄段和苏童等也差不多，而邱华栋却是一个更年轻、更小的作家。他是与90年代的文化一同成长。他也是大学毕业，但比他的同学们年龄都要小。因为他中学里就发表了一些作品，所以是保送上了武汉大学，成了一个特招生。他的观念里，对于一个单位、一个组织的归属感是很淡漠的。我认识他的过程，也就是他不断跳槽、不断离开一个又一个单位的过程。对于邱华栋这样的作家来说，根本就不存在一个要不要转型的问题，因为当他开始涉入社会、开始懂事之后，社会已经成了目前这个样子了。他的问题是如何进入这个游戏之中。他根本不是去反对或拒绝这个游戏的规则。因为他又不是一个已有知名度，可以进行这种拒绝的人。他若进行拒绝的话是没有任何资源可以凭借的。他没有经历过什么计划经济的体制，也无从以那个资源来进行拒绝。我与他交往中，我发觉他对于张承志的那种思想，诸如对古代侠客的那种崇拜是非常之隔膜，几乎连一点点共鸣都没有。对于"文革"他连残存的记忆都没有，乃至于打倒"四人帮"这个转折，他都相当模糊。存在于他的记忆中的东西，完全是目前这个时代的东西。他的写作是在1994、1995年才真正活跃起来的，而且各大文学期刊都开始有他的作品。如果一个人要认真地观察和思考当下的文学形势的话，他不能对这些现象视而不见。在邱华栋小说里的角色已不是王朔小说里的那些角色了，而是一些新兴的、追求财富的群体。这些群体已经移向历史的前台了。他写的一种是业已成功的人物，他们居住在别墅群中或是豪华公寓，他们的日常生活中的那种非常考究的品味等。他详细地介绍诸如西方的流行趣味如何进入北京，或是北京的城市空间中的各种不同的流行时尚。这些东西构成了他的小说中很重要的背景。我也不喜欢这种社会新贵的生活，但它的确是栩栩如生，很鲜活地留下当下城市生活的特殊景观。你不面对这些东西也是不行的。同时，像邱华栋对于目前的社会进程中的阴暗面也是有相当有力的揭示的。文化冒险主义，激愤不平的那些人判定现实一切都坏，没有任何东西值得他看一眼。那么这种笼统的批判又如何能打到点儿上呢？

张：你首先得知己知彼，首先得把你的敌人的情况弄清楚再去打他，不是好得多吗？

刘：邱华栋写的这些新贵，是一些市场中的成功者，甚至不到 30 岁就已经成为新贵了。这对于我们了解这个社会变化的趋向的某些方面是相当有用的。他还写出了另一类人，就是充满着物质的、欲望的向往，很渴望富起来而还是处在没有富起来的境遇中的青年，一些像巴尔扎克笔下的拉斯蒂涅那样的人。我还记得他的一个小说，写了从高速公路上向北京疾驶的汽车中观看北京的印象。城市的灯火就像放焰火一样突然由远及近地涌向你，让你感到它的变动的速率，感到它的诱惑力。这里的北京的确是全球化的，那些充满着活力的东西，那些钻石山般闪烁的大饭店灯火之中的种种景象很芜杂，但又极有魅惑力。邱华栋写的是这种物的挤压诱惑之中的人的心灵中的种种问题。这几年都会的发展变化已经有了自己在文学中的代言人，像邱华栋这样的作家。这就好像是孙中山、黄兴出来以后，那些改良党已经是没有什么事做了，已经或是在海外讨生活，或是写点骂人的文字就算了，已经没有什么力量了。这几年的文化的变化已把许多人抛在外面，已经出局了。这些新富人或是新的欲富者是邱华栋小说中相当重要的角色，但也有一些被当下的社会进程抛向外边的、受到这个社会进程损害的人物。所以我认为他的小说无论从认知的角度，还是从小说写作的角度上看都是很有价值的。

张：邱华栋的小说提供了一种像"光斑"式的相当零散却是非常活跃的、跳动的印象主义式的新都市的生活扫描。那些作品非常地自由，充溢着当代的历史进程的那种"冲力"，这个"冲力"是非常之大的，也是压抑不住的。它好像也不是向一个固定的方向上去冲，而是涌向各个不同的方向上去的。他似乎是一个完全空间化的作家，几乎没有什么历史的记忆，而是绘出了一幅新的时代的地形图。那些片段的很零碎的生活场景之中也是有一些非常有趣的刻画的。

刘：我看何顿和邱华栋这样的作家有一个很大的优点，就是他们没有什么攻击性。他们没有把自己的写作看做唯一的好的作品，他们对于其他人的写作并没有很激烈的批判和否定，而是写出他的个人的体验。他们写出了这种带血带肉的生活时，也写出了挣扎、困惑和焦虑。无论是何顿还是邱华栋都显然不是媚俗的作家，但也不是媚雅的作家，而是认真地写他自己的东西。我现在感觉到这些作家的意义在于告诉我们，与其作那些无谓的争论，还不如去真正思考一下目前究竟有什么东西出现。有些文化冒险主义者的困境在于，现在他们根本无法认知、无法理解的空间已经越来越大了。对王朔的作品，不管他们作何解释，还是能够把握一二的，但到了何顿、邱华栋这样的作家，就一点办法也没有了。他们的认知的空白已越来越大了。

张：这种情况说明，他们已缺乏解释这个时代的能力。中国的进程把他们抛下太远了。大批的杂志上发表的何顿、邱华栋、韩东、张旻、林白、陈染、海男、徐坤、刁斗、东西、述平的作品已是一种既无法抹杀，也无法忽略不见的东西了。

刘：而且文化冒险主义者所推崇的作家们的写作力也很有限。其中有的写作总量在下降，退一万步说，你喝令前边讲的这批作家都从明天早晨起停止创作，光拿你推崇的作品也填不满这些杂志。一共才有几个人，而且这几个人的写作总量还不大。让杂志上都充满他们的巨著是不可能的。

张：所以文学的这种发展你怎么可能挡得住呢？

刘：而且这些新冒出来的作家也像过去许多老作家那样，在民间文化空间中很活跃。比如说从事出版业的工作，从事媒体的工作，角色也很多样。

张：由此看来，那种很狂躁的文化冒险其实是没有多么大的意义的。但它也投射了一部分人的社会心理诉求，其心理基础是很脆弱。

刘：我们把它提出来讨论也是为了找到一个切入当下文化的由头，从这个由头出发，观照"后世纪"的文化发展的一些走向。

张：由此看来，如果冒险主义的激烈的诉求，不介入社会之中，不作为一种有影响力的思潮，而仅仅是几个人的叫喊的话，那它也可能有一种可观赏性，有一种意义。但目前我们还不能掉以轻心，它还有潜在的危险性，要引逗一种社会的敌意，还是很令人忧虑的。因为中国的社会进程还是处在一种很不确定的情况之下的，还需要我们尽到对于这个社会的责任，还需要强调对于普通人的真挚的关爱。所以恐怕对文化冒险进行批评仍有必要。

刘：在一个旧的世纪正在消逝、新的世纪正要出现的时刻，我们企盼和平地推进文化发展，而排拒暴烈的"红卫兵"式的横扫运作。目前出现的文化冒险情绪是有一定破坏性的。这种忧虑不是偶然的。目前全球到处都出现了征兆，诸如俄克拉荷马的大爆炸、奥姆真理教以及刚刚发生的中东和平的缔造者之一的以色列总理拉宾的遇刺等，都是一种把握不住未来的历史方向所产生的狂躁与恐惧的结果。用一面旗拉起一个冒险主义的队伍，这会给一些普通人造成一种严重的心理干扰。由此看来，我们也还要保持警惕。我们要从认真的研究中给这些问题定位，告诉人们这就是一个"鲁四老爷"，一个正在消亡的旧的话语的挣扎。还是很有意义的。

张：由于社会变革的"速率"太快了，很多人没有适应，另一方面也有一些社会群体的利益受到了损害，那么文化冒险会给他们造成一种很严重的心理上的阴影。文化冒险主义很可能成为一种出气筒，一个发泄的工具。这里面确实包含着一些危险的因素。如果这种的心理积聚得比较多的话，它也确实会造成一些负面的社会效果。它会给普通人造成一种很难康复的社会创伤。它采用一种加大社会的伤口、加大社会的裂痕的策略，会给社会带来一些断裂。目前我觉得不管怎么说，中国的社会进程给予我们的还是一个有希望的空间。中国的当下状况还是提供了可能性的。而文化冒险就是要加大裂痕，在伤口上撒盐，强化敌意和仇恨，它有一种杀伤力。所以我们对它的反思、追问与批评还是极有必要的。虽然它阻挡不了社会的进程，但它却可能延缓或迟滞这个进程。思考"后世纪"的问题，对于文化冒险主义的反思至为必要。我们不能同意文化冒险主义的文化策略，很鲁莽、很具破坏性的社会观和文化观。它是文化破坏、文化摧毁的力量。如果我们不与之论辩的话，我们也就无法尽到我们对于社会的一份责任。

刘：我想一种极端的诉求，如果只是一种笼中的虎的话，也是无害的。像日本的三岛由纪夫，他的思想是很极端的，对于法西斯主义也有赞美。但他只是作为自己的要求，后来也发现这种要求根本无法实现，就只有自杀了。他和麻原这样的人是不同的，他虽很荒谬，却是一种笼中虎，不会造成多大的伤害。拿我来说，我是最主张多元的，但多元的边界在何处呢？我觉得这是一个学理上的困境。但我要明确地提出，如果一个元造成社会其他元无法存在，要杀灭一切的他元，那对这一元我们就只能是与之抗争。

【附论】宽容与大悲悯：后世纪的思索

张：我们对于"宽容"的理解，对于"大悲悯"的理解仍是一个很重要的问题。在这里，我们也接触到了如何在理解人类的过去、现在与未来，如何去理解与我们的立场、观点、想法有差异的不同的人，如何看待世界和人类的一些基本的处世之道。这些问题可能是我们的思考的一个很有意义的方面。因为我们应该从这些问题出发去重新追问和审视我们自身与我们处身其中的世界。

刘：这个"大悲悯"是要对社会、对人生有一些更高的看法，由此才能导向一种宽容的情怀。对人生万物有一种更为明澈的、更为智慧的看法。这种看法和一种具体的社会运作之间的关系是比较远的，和经世致用的取向是有一定距离的。

从一个更高的角度去看人生的话，你会感到人的生命、人的命运是非常奇妙的。它是父母精子和卵子的一次很偶然的结合之后，又经过了无数次的细胞分裂和很长的一个孕育过程，降生在这个世界上，又经过了几十年的生成直到死亡的一个历险过程，这些过程是非常艰难的，其中有许许多多偶然的因素。人类对自身的这种存在有许多不同的想法，从古到今无数的哲人志士都试图给予人类一个比较权威的诠释。但人们时至今日也不得不承认，这些诠释还是很难令所有人都服膺的。但我觉得这也使人们都承认，人不是一种绝对完美的东西，不是一种至为清洁的东西，而是极复杂的，多侧面的。特别是20世纪以来，我们对于人性的看法如果再用一种很简单的、很机械的概括，就根本没有办法去解释人类到今天为止的历史，也没法解释人类在今天的种种表现。我们就会陷入一种很可笑的盲信之中。像从古代刺客的身上去寻找一种清洁，就更是十分可笑的。我们来读一下《刺客列传》中的那些刺客的刺杀行动，哪一次没有权力争夺的政治背景？有一些甚至是最黑暗的宫廷政治的背景。哪一个刺客又不是被政客豢养着的？哪一个是激于义愤为千万百姓去干的？这些情况其实是一目了然的。当然侠客的个人的品格，如忠诚、勇敢等可能是很不错的，但由此引申出一种人类应效仿的准则就太缺少根据了，也是相当牵强的。司马迁写的这些刺客都是要为某种政治势力进行权力的更迭，要进行政治利益的夺取。这里面有什么值得称颂的"洁"呢？像荆轲这样的人只是为了报恩个别政治家，连为燕国人民献身的观念都没有，以这种人的"清洁"来作为举世效法的典范，实在是很不恰当的。这个思路是人们不能同意的。

我想我们如果把人性看透了的话，我们就会有一种更清醒的认知的态度，就不会一下子走向极端。举世之上，你说谁是绝对纯洁的，你说谁是无比高尚，一点毛病都没有的？我看是找不出来的。一个个体应当与他人和群体之间建立有一种协调和沟通的和谐关系，而不应该由你来决定别人的生活。在我们这个"后世纪"中，我们一定要防止这种狂暴的思想的蔓延。另一方面，你认清了人性的复杂性，你就愿意建立一些"游戏规则"。你对于建立人类共有的"游戏规则"的兴趣绝对应该超过你清洁他人的兴趣。人类是清洁不完的，那样无限地清洁下去，又是何处是个头呢？因此我们只能对人类有一种更广泛的、更深入的思考。你不能不产生一种"宽容"意识，一种"大悲悯"的情怀，也就是尽可能容忍与自己想法和活法都不同的人，同时对个体生存与群体生存的艰难怀有一种超越利益争斗的悲天悯人的感情。

张：古往今来"清洁"人类的努力已有过无数次，但人类的发展还是走了一条很曲折、很复杂的路，我们恐怕从各个角度要有一种更高的透视。

刘：我们确实需要珍惜、珍重、关爱那些极为普通的生命，这些生命都是有高度的价值的，都是有意义的。包括那些弱智的人、残疾的人，给予社会的东西甚少，但这些生命本身的价值我们是不能否认的。社会还要关切他。这是很有意义的事，因为他们也是我们这个人类中的一员，无论是从伦理的角度，还是从哲学的角度看，都是如此。我们对人的认识，只有不断地加深、不断地拓展才能丰富人类的文化。对于"宽容"的呼请，对于人类生存状态的大悲悯，恰恰是从这个立场提出来的。你说是不是对王宝森这样的人也要悲悯呢？也要宽容呢？这就流于无聊而不是严肃地讨论问题了。我们是从一个哲理的角度讨论这个问题的。我们大家的工作，包括我们的这本小书，都是在这个"后世纪"之中的一种对于多元之间相互理解、相互沟通的期待和呼唤。除了那些极少数的对于社会具有破坏性的"元"之外，我们期待其他诸"元"在一种比较宽容的氛围之中相互论争、竞争。这恐怕是完全应该的。只有在竞争之中，才会有多元的、很生动的、体现了"后世纪"的人类的尊严的文化格局出现。我们应该对这个"后世纪"抱有一种希望和期待。

张：你已经从一个很高的层面上观照了人类的"后世纪"的状况及其未来。我想这应该是经磨历劫的人类在痛苦中走向多样、走向新的可能性的时代。人类在各个方面都在迅速成熟，人类积累下的精神财富给我们留下了许许多多的东西，我们是处在一个新的时代的前面。这个时代的创生还不足以被我们用很清楚的方式加以描述。所以我们用"后世纪"来称呼这个特定的历史时期，既是反思20

世纪的一个努力，又是对未来的一种真诚的期待。一个是我们所生于斯、长于斯的这个共有的社群有一种期待，另一个是人类本身有一种期待。

刘：我们不应该害怕今天的这种复杂性，今天这种充满挑战和机会的时代。"后世纪"只是我们观察问题的一个角度，一个切入当下的"点"。

张：我们不是要和人们"圣战"，而是要和他们对话，去认知他们，分析他们，和他们一起走向未来。对这个"后世纪"丝毫不必有恐惧，而是在认知中把握现在。我们对未来无法做出一种预测，而是从今天的状况中找到未来的诸多生长点。把这些生长点和可能性展示给大家是很必要的。恐怕将来会有一个方向，就是一种对话的、沟通的可能会越来越强。只有沟通的努力才会产生新的希望。那种你死我活式的搏斗会逐渐被一种"共存"的理念与对话协调所替代。当然我们不应该把这些过程浪漫化，但一个共有的空间不断地扩大还是有可能的。恐怕大家总是要找到一种交往的立场，对话的立场，因为谁吃掉谁都是不可能的。我想面对这么一个问题多多、希望也很多的"后世纪"，我们要选择一条沟通、对话的路，而不能选择一条制造敌意的路。特别是对于我们的中国来说，我们的民族对于发展的渴望、对于富强的渴望还是非常强烈的，我们更不能被自己内部制造的敌意所覆盖，而是要寻找我们这个社会的共有的关切，也要关切人类共同的问题。这样走向 21 世纪。

刘：我们为什么讨论这么多，总的来说就是要期待一种多元的选择，一种宽容的境界。最终完成我们几代中国人的巨大的梦想，在政治家来说是小康，对于经济学家来说是一个现代化过程的完成，对于社会学家或是伦理学家而言是一个新的社会结构或是新的道德的生成，对于文学家来说则是一个新的文化格局的形成。"后世纪"就是走向这样一种状态的新期待。我们的确应该为此做出我们的贡献。

刘心武文存

38

一片绿叶对你说

"专栏热"析

中国总是一阵阵地发热。

有过"鸡血热"。大街上不乏提着公鸡来往的行人，医院里打鸡血需要排队。

有过"红茶菌热"。家家户户摆着阔口瓶，天天喝那酸滋滋的茶汤。

有过"飞盘热"。所有的百货商店都出售塑料飞盘，在街上行走时时得提防飞盘击头。

有过"魔方热"。各式各样的魔方充斥市场不消说了，就是《怎样玩魔方》的书，也一下子出了许多种。

热得快，也消得快。不见再有人打鸡血。想找一点"红茶菌"培养基也很难。到处都再难买到飞盘与魔方。玩飞盘和魔方的人早兴趣转移，他那盘与方大概都尘封于床下柜底。

刻薄一点地说，真是"来时一窝蜂，去时鸟兽散"。

文坛何尝例外。

"硬汉热"时，各家刊物上尽是绷足块儿的流浪汉形象。"道德探讨热"时，除了请人饱尝婚外恋的苦果，很难品到别的风味。近年来又有"寻根热"。人家"寻根"是经过深思熟虑．并且确有"根"可寻，但一窝蜂涌上去的往往只是怕"落伍"，结果所寻出的非根非本非枝非叶非花非果，令人哭笑不得。

1987年的文坛，可以预测，又将有几大热潮。创作上，"性探索热"首当其冲。性，是文学艺术理应探索的一大领域。转为禁区是不对的。但是否每一位作者都有必要有能力探索，每一本杂志都有必要有能力使之深化，实可怀疑。但大面积的"性探索"热潮,看来正方兴未艾。摸乳的细节已屡见不鲜,肚脐眼以下的细节,想必会很快成为热门。批评上,则"P派批评"定当崛起。前几年"好派批评"甚嚣尘上,封出了不少文学天才和经典著作,现在"P派"要给他们一迭声的"好个P",使他们抱惭而退!而在报纸和刊物上,1987年则定当是个"专栏年",一本薄薄的骑马订装订的刊物,便辟有五个专栏,报纸则几乎无版无专栏,乃至一版便有两个或两个以上的专栏,不少已成名的作家被拉被劝被硬性派定了不止一个专栏,读者们等着瞧吧,呈现在你们眼前的将是"专栏狂热"!

我也搞专栏。也置身热潮中。或许有读者会指出:哈哈,你也是柏杨所说的"丑陋的中国人",光会笑话别人,自己其实更为颟顸。

现在即亮明我的观点:就社会的宏观文化现象而言,一阵阵的摩登浪潮的涌来和流去,不仅是正常的,而且是促进文化进步的。就自我的微观文化人格而言,则既不必一定与摩登浪潮相颉,也不必一定去与之相认同,而应当独立不倚地思考与行动,无论投身于热潮中或置身热潮外,都应悠然自得,我行我素。

"专栏热"不同于"鸡血热"。只有在连续性的政治清明的条件下,已形成了一群有稳定知名度的文人,并且已具备了各说各话的人文环境,才能出现一大片专栏,形成"专栏热"。我认定"专栏热"并非坏事,并觉得虽是大树上的小小一叶,倒也随时有话可说,所以写此专栏。

愿1987年的"专栏热"能"来时一窝蜂,去时一箱蜜"!

争鸣规则

学术争鸣日渐活跃。原来极左思潮和政治帽子是争鸣的最大阻力,如今情况有所变化,妨碍争鸣的其他因素,例如缺乏必要的约定俗成的某些规则,已上升为主要的问题。

学术争鸣，从某种意义上来说，是人类的一种精神游戏或精神竞技。人类的体育竞赛是有相互约定认可并必须遵守的一套规则的。人类的精神竞技也应当有一些至少是粗略的规则。

在我国文坛，即使是绝非极左的人物，有时在公开发表的文章或谈话录中，也使用起政治性的判断词，如指斥别人为"机会主义作家"，又或使用道德性的评语，如认为某些作家是"色厉内荏"，等等。窃以为都应属"犯规行为"。发表这类文章或谈话的编辑，应起类似体育竞赛中的裁判员的作用，将其发挥正常的技艺保留而将"犯规行为"剔除于版面之外。

凡上场的运动员，总难免犯规，屡屡犯规的运动员，未必不是技术优秀的运动员，但为使竞赛正常地进行，公平地得出结论，我们还是必须：一、不但要禁止而且要谴责有意的恶性犯规；二、对所出现的哪怕是有情可原的犯规行为，也必须指出并对犯规所得的分数予以否认。

这说的还是消极的防范性的竞技规则，其实更重要的是积极的确定性的竞技规则。比如说，在学术争鸣中，对所涉及的理论前提和使用的专门概念，必须有根有据，倘若纯属个人独创，则应将已说与已存在之说界划清楚。如说"中国文化发展一直是以理性束缚感性生命，与西方相反"，自然不失为一种有趣的高论，但论者既然是主张全盘西化的，而西方的绝大多数学者恰恰认为西方文化是偏于理性而东方文化才是充满感性和悟性的，称之为"东方神秘主义"，这就导致了他自我逻辑的混乱。如使他在学术争鸣即人类的精神竞技中能真正得分，就必得请他按规则办事，即：一、如果他主张全盘西化，那么他就应将自己对东西方文化性质的判断与西方学术界的前提划一；二、如果他那对东西方文化性质的判断性前提完全属于他个人的独特看法，则应特别加以说明，但就不必再将全盘西化作为自己立论的大前提。而最重要的是他必须懂得，任何一种对东西方文化性质的判断，都不可能具有《圣经》的性质，因而大可不必对与之相悖的理论和创作那么痛心疾首，那么如同宋太祖必欲灭掉南唐似的焦灼。

说到底，学术争鸣的根本规则应是"在学术问题面前人人平等"。最近时有"保护谬论"之说，便是愤激于许多新、奇、怪的论点刚一冒头便被指为"谬论"而难以生存。其实如同必须在"保守言论"面前保护"谬论"一样，在"新潮言论"面前也必须保护并非棍子而只是坚守自我的"保守言论"。

或许又有人认我为"折中""中庸之道"。其实我绝不是主张在篮球场上发给每个球员一只篮球，只不过是认为即便是一个强队与一个弱队相遇，也得认认真真按规则比赛，不到最后锣响，不作最终结论。

也谈文学观念

文学观念更新之说，早已崛起。"他的观念真新"，自然是褒扬；"此人观念真旧"，包含着鄙夷。

文学观念的更新速度，据说正在以几何级数加快。"各领风骚三五年"据说正变化为"各领风骚三五天"。又有极挪揄的说法：跟后头有一头狼狗在追着咬似的，更新的观念在疯跑着。

一个封闭、禁锢很久的文坛，出现了争先恐后地更新其文学观念的态势，应当说首先是一桩好事。

从宏观上来说，一处的文坛如果只是静静地容纳着一种古旧的观念，不见更新的波澜和浪潮，那真叫可悲，那其实也就未必有什么文坛。真正的文坛，应是社会上最热闹最活跃的一隅，文坛观念的更新浪潮，应赶在社会观念更新之前，对社会观念的进步起推波助澜的作用。

但从微观上来说，如果文坛上的每个作家都拼命地在那里追逐最新浪潮，每本文学杂志都争先恐后地将自己办成新潮杂志，那么，这文坛也未必多么令人可喜。

中国素来是一个大一统的国家。"一统天下"的想法深入一代又一代一茬又一茬的人心。文坛也不例外。一种新观念新潮头出现，起初是被旧有观念旧有势力所压制，但一旦冲决出来，它亦很难摆脱"大一统"的想法，必欲扫荡异己的观念与波澜，要求大家都来认同和臣服。这是与西方国家不同的一种文化现象。

其实，文学观念毕竟不同于政治观念、经济观念、自然科学观念和工程技术观念，尤其就文学家个人来说，他的文学观念一旦形成以后，可以随势更新发展，也可以坚持不变，可以朝前变也可以朝后变，可以变过去又变回来，可以永远只是小变而无大变，也可以不断地发生突变，总之，变也罢，不变也罢，这样变也罢，那样变也罢，只要不是被外界因素所勉强的而是自觉自愿时，便都可尊重，也都不一定产生不出优秀的作品，其间并无什么先进与落后、高级与低级、光荣与可耻之分。

也曾请教过某几位外国作家，都是有名望的，有的还是文学艺术院的院士，他们那里的文学，是否一律朝"前卫艺术"看齐？观念跟不上"前卫艺术"的，是否自惭自愧，必欲更新观念而自救？他们听了哈哈大笑，因为他们那里人们持有什么样的文学观念悉听尊便，"前卫艺术家"一般是寂寞的，也很少来干扰别人的创作，更谈不上要求别人与他们的"新观念"认同。在他们那里，"前卫"和"保守"只不过是对诸多的文学艺术观念中两翼的称谓罢了。他们政治上还有"保守党"，并往往是最有身份的绅士才得参加哩。

看来需要确立这样的认识：文学观念，应最充分地体现出你个人的选择意志，不管别人如何反对你更新或逼迫你更新，你只紧紧拥抱你选中的观念！

世界在哪里

"走向世界"也是中国文坛的一热。

中国开放了。其标志首先不是走向世界而是世界走向中国。

文学亦然。这些年与其说是中国文学走向世界，不如说是世界文学走向中国。

出国访问的中国作家日渐增多。渠道也在不断增加。凡已出过国，特别是到过西方国家的作家，都能非常深刻地意识到，中国的当代文学在那边简直说不到有什么影响。自己在国内很有名，到了那边，普通人——包括广大的知识分子阶层，谁知道你是谁？当然，随着这些年我们国家的开放，随着相继在一些西方国家掀起的所谓"中国热"，开始有一些我们当代作家的作品在那边翻译出版，最初是由一些小的出版社出版，大都是多人合集，如今开始有一些大的出版社出版，并开始有个人的专集专著，但放在人家那边的书海之中，真是名副其实的"沧海之一粟"。

这很令人苦闷。一些年轻的中国作家，往往刚刚才出版了一两本书或尚来不及将散见于报刊的作品印成集子，便已耐不住性子，他们急于"蟾宫折桂"，也便是到斯德哥尔摩去领取"诺贝尔文学奖"，开始只不过是在沙龙中抒发壮志，近来已见诸文字，并付诸一定的行动。无论是出于为国争光还是出于个人奋斗，其气概都是令人佩服的。

但中国人既有好胜的一面，亦有急功近利的一面。"立竿见影"的成语始终具有最旺盛的生命力，便是证明。

开头不懂行，现在已逐渐摸清：中国作家的作品，需要有懂中国文字的外国人即汉学家翻译成外文，才有可能"走向世界"，因此其作品是否能使汉学家欣赏，则是"走向世界"的关键；而"走向世界"的含义其实只是去摘取"诺贝尔文学奖"的桂冠，并不是走向尼泊尔，走向阿拉伯联合酋长国，走向贝宁或多哥，走向哥斯达黎加或洪都拉斯，因此，"两点之间以直线距离最短"，最好是立即走向西欧，走向瑞典，走向瑞典汉学家，走向瑞典汉学家中在评定"诺贝尔文学奖"中最有发言权的马悦然，走向他家的书架。

于是，已经出现了其创作动机基本上是供西方汉学家欣赏的作品。

听说西欧大陆以外的一些汉学家，比如英语国家的汉学家，已经提出了这样的问题：怎么你们一些中国作家已经不耐烦同我们交往，而一窝蜂地往西北欧那边的汉学家送秋波？

中国文学一定要走向世界，但先得走向本土，走向中国的读者。我坚信，只有在本土上至少赢得了一部分读者，走出国门后才算得上是一种能代表中国文学的东西。

当然，从更深的层次上说，世界在哪里？在人类心灵的相通之处，也在相异之处，如果我们能用中文深刻而生动地将人类的相通处和相异处表现出来，那么，这样的文学就是属于世界的，它必将会被外国人所译介，而且并不止于走向西欧和北美，说不定最后会像莎士比亚的作品一样，走到世界的每一个角落。

你知道米雪尔·傅柯吗

自中国开放以后，后西方文化引起了中国作家们，特别是年轻一代作家们的浓厚兴趣。这自然是好现象。但由于绝大多数中国作家并不掌握一门以上的外文，不能直接阅读外文社科书籍，而懂得外文的翻译界人士长期以来又不怎么与作家评论家们进行横向联系，加上就连他们要得到国外最新社科书籍也洵非易事，所以，至今中国作家们所津津乐道的后西方文化的人物及著作，范围仍十分狭窄，并且大体上都是些相当陈旧的信息。

比如说，海明威与福克纳为为数不少的中国青年作家所师法的西方"现代派作家"，他们依托此二人的作品（不是阅读原文而是研读中文译本）所写出的小说，很为一些评论家和读者视为新潮作品，他们自己也往往以中国的"现代派作家"自视。但对于美国人来说，海明威和福克纳都是死了20多年的人了。他们认为20年是很久远的一段时间，而更何况海明威和福克纳的创作旺盛期更在半个世纪之前，尽管美国研究此二人的学术文章一直没有间断过，但几乎没有什么人像中国现在一些作家那么崇拜他们，海明威更常遭到嘲笑，他那长篇《过河入林》被公认为是创作力衰竭的勉强之作，如果一位年轻的美国作家完全师法海明威的写法，他是很难取得成功的，即便发表出作品来，人们也不会认为是什么新潮之作，很可能还被评判为"深得古风"。同样地，像被不少中国作家津津乐道的乔依斯、蒲鲁斯特、伍尔芙、卡夫卡，其实也都早已入了西方的中学课本，成为地位稳定的经典作家，仿效他们的手法（其实是仿效中国翻译家的译文风格）创作出的作品，也许确有不错的，但很难被公认为新潮之作。

西方的哲学、美学信息，传到中国一般就更为困难。如今中国青年作家们几乎人手一册的卡西尔《人论》，在西方也已是早已热过的东西。

如饥似渴地了解后西方文化并没有错，错的是井蛙心态，万万不要只读了一点翻译过来的东西，悟到了一部分奥秘，便膨胀起来，似乎自己已是后西方文化中的一员了，

与啦法咽朋友交谈时，他问我："你知道米雪尔·傅柯吗？"我茫然关于他的信息一点也没有听到过。

其实米雪尔·傅柯（Michel Fovcavlt）也算不上西方最新潮的人物，他已于1984 年逝世，在世58 年。他的著作，似乎无论大陆还是台湾还是海外，都无人译为中文，但他在当代后西方文化中的影响，据说是很大的。他的著作有《疯狂与文明》、《诊所的诞生》及三巨册《性的历史》等。据那法国朋友转述，他的一些思想很奇特，比如对无论西方还是东方人们都习以为常的医生、医院、医疗制度的存在，他就提出完全不同的看法：凭什么搞一套标准、设一套制度，来强制性地宣布一些人健康、一些人不健康？尤其对精神病，他认为医生也好医院也好政府也好社会也好，都无权判定，并对所谓的患者采取强迫性的"治疗"因为人落生在世界上，他有权形成自己独有的精神状态，如此等等。他的历史观看来是悲观的。当然他的思想不会如这里转述的这么简陋。中国什么时候才有人比较准确地把他介绍给大家呢？由此又想到一位仍在世的杰克·德瑞达（Jacques Derrida），他是现今在西欧和美国以及日本都颇有影响的"解构主义"（Deconq IUcIioll——并非"结构主义"或"后结构主义"）的提出者，据说"解构主义"才是越过"结构主义"、"本文分析"、"接受美学"、"女权主义"、"后结构主义"

等相继兴衰的批评方法的最新潮的批评方法哩。

我们要尽可能广泛而贴近地了解后西方文化不是为了亦步亦趋，而是为了取得一个比井口开阔的参照系。

重打鼓另开张

中外古今都有这样的情况，作家在创作途程中，发生了重大的转变。既说是转变，就不是一般的变化，如题材兴趣的变化，技巧风格的变化，或作品质量的变化，而是创作原点和创作走向的明显改变。具体来说，就是以一种"知今是而昨非"的气概，重打鼓，另开张。

一个作家，特别是已经有了一定名气和影响的作家，一般性地否定自己以往作品的深度、力度和丽度（这是我创造的语汇，不过我想读者当能领会其内涵），是并不难做到的。而在已经以精血凝成了一批作品之后，毅然变法、改制图新，实在是令人感佩的人勇之为。不过，又确实令人为他捏一把汗。

作家创作的这种九十度或一百八十度的大转变，可能主要是作家个人遭际命运中的某个关键环节使然，但更可能主要是作家身处的人文环境的某些由隐到显、由弱到强的新因素使然，因此，倘若细心地研究某些作家重打鼓、另开张的创作变化，一定可以探究出有关创作心理和文学运动的某些规律。

近十年来的中国文坛上，重打鼓、另开张的文学现象似乎格外多也格外引人注目。例如被称为也大体上自认为"寻根"派的作家，就很有几位原来是写另一种东西的，并且既有了量的积累也获得了一定影响，但大约从 1985 年初开始，他们在独自探索和相互启迪的情况下，产生了一种"顿悟"，于是作品面貌大变，这种变化使原来喜欢他们的读者和赞扬他们的论家在惊讶与困惑中散去了不少，却也赢得了一些新读者的喜爱和一些新评论家的激赏。现在关于这样一些作家的"寻根"之作的"个案分析"和"综合评价"都已不少,但似乎还没有评论家针对他们重打鼓、另开张地走上"寻根"之路的心路历程及客观因素进行高水准的学术研究。

并不重打鼓、另开张,而是一路写下去的作家,可能永远平庸,也可能如登梯似的步步高升;重打鼓、另开张的作家,勇气可嘉,却也并不一定都能成功,甚或还会败落下去。重打鼓、另开张是既不能强求,不必提倡,也无法制止的。只要文坛在,就一定会有重打鼓、另开张的作家。所以,对重打鼓、另开张的创作现象的研究,万不要落到对转变本身的肤浅褒贬上,而一定要透过对创造心理变化的透视及对客观环境中诸种"催化剂"的解析,引出比较深刻的结论来。

怎样才算是比较深刻的结论?我想到了鲁迅先生关于果戈理《死魂灵》第二部的分析。果戈理写完《死魂灵》第一部以后,加上他原来的一系列作品,可以说在创作上已达于一个辉煌的足可自满的境界,但他却偏重打鼓、另开张,企图在《死魂灵》第二部中彻底地"变法",结果把他自己弄得几乎发疯,第二部原稿由他自行焚毁,仅存留下前五章。这是一个重打鼓、另开张导致惨败的例子。鲁迅先生在《死魂灵》第二部第二章译者附记中言简意赅地指出:"其实,这部书,单是第一部就已经足够的,果戈理的命运所限,就在讽刺他本身所属的一流人物。所以他描写没落人物,依然栩栩如生,一到创造他之所谓好人,就没有生气。"这就超出了对果戈理一个作家一部书的评价,而概括出了足以警策那以后所有作家的一条规律:只有克服了自身的局限性以后,才有可能从生活中发现活生生的真善美并将其体现出来。

爱死星夜远

在国外遇上过一位研究中国问题的研究生,他说他的研究方法之一,是将中国大陆的三种文学杂志 1979 年至 1983 年的目录输入电脑,然后统计作品题目的用字频率，结果发现，除了"我"、"你"、"他"、"她"及"的"、"和"、"与"等字外，出现得最多的五个字是：爱、死、星、夜、远。当时听他那么一说，只是一笑。难道这也能算是学术研究么？

前些时有幸参加了《中国青年》杂志社的"新星系TT杯小说处女作"的征文评奖活动，拿到发下来的候选篇目一看，心中不禁一动。只有22个题目，除了"爱"字以外，"死"、"星"、"夜"、"远"俱全，而"爱"的内涵又几乎无处不在。于是眼前又现出国外那位研究生的面容，人家可是一脸的认真，恐怕也确有他一定的道理。现在想来，文学作品既由文字这种符号系统构成，题目既然又是一部文学作品浓缩成的高值符号，那么，统计一下一个时期作家们在选择题目符号时所体现出的群体潜意识趋向，对我们把握一个时期的文学脉搏也许多少有它一定的参考价值。

在"文化大革命"爆发前夕，江青就发动过对"爱与死是永恒主题"的严厉批判，结果弄得后来的八个样板戏里绝无阶级关系以外的情与爱，而英雄人物，除《红灯记》里的李玉和因倘不处理成英勇牺牲便圆不成故事，不得不破例外，都似乎绝非血肉之躯，不知死为何物的。记得这种遗风还一直继续到"文化大革命"结束后的头两年，江姐英勇献身的事迹大家本是熟悉的，但一出《江姐》演到最后，江姐竟然不死，观众目瞪口呆。"爱"与"死"究竟是不是文学艺术的永恒主题，或者在肯定了这个命题后，究竟应该如何去理解、去把握，这本是一个学术问题。把学术问题政治化甚至镇压化，自然会引起人们心底里最深刻的逆反心理与积蓄着等待爆发的抗争意识，因此，"四人帮"倒台一两年后，单是存心要把"爱"字和"死"字算到题目上的文学作品，便如雨后春草，碧油地铺满了我们的文学园地。

那么，除了"爱"字和"死"字外，一个时期里，为什么有那么多的文学作品题目中出现了"星"、"夜"、"远"这样的字眼呢？我想起有一回同一位朋友漫谈，他说："这些年的许多文学作品，读来就像一群走过夜路的人，在诉说他们既相同又相异的感受似的。"我听了，忽然触发出这样的灵感："那么，也许王蒙的《夜的眼》，足可作为一个时期的文学特征的总符号。"是的，我现在越想越有一定的道理。我们近十年的文学，是在"文化大革命"的黑暗岁月过去、新的清晨吐露曙光的情况下发展起来的，因而，我们的作家群，总体而言，不仅当他们在回顾那暗淡的十年，或反思在那十年之前便浮现的种种阴霾时，有着一双在夜里放大了瞳孔，即格外冷静，善于细察，又饱蓄着热切乃至焦急的期待，向往着前光的眼睛；就是他们在越来越明亮的霞光中观察新的生活时，也保持着超俗的冷静，并发挥着在夜路中练就的透视力，有着一双格外明澈深沉的眼睛。这双亮眼如今不仅力图穿透社会和人生，而且开始认真地投向并解剖灵魂中的文化积淀与人性百态。所以，"星"字"夜"字出现频率的一度高涨，绝非我们文学界的脉搏不正，而"远"字出现频率的增多，则或许正说明我们文学界不仅在展拓着视野，也在执拗地追求着人类共同的理想。

锁孔与隧道

最近有位编辑来向我约稿，说他们那个杂志，是专门发表"开放的现实主义"作品的，我向他请教，什么样的作品算是"开放的现实主义"的作品？他举了一些例子。我大体上明白了他的意思，就是作者的目光，还是对着现实生活的，笔下所写的，也还是人生百态及人性百味。

但他所举出的一些小说例子，就我所读过的而言，总体感受是很不一样的。有一些小说，使我感觉到，作者的目光固然是对准生活的，但很像是蹲在那里，透过门上的锁孔看别人的生活，其笔调已不能说是冷静，甚至也并非冷峻，而是冷漠。当然也不是毫无情趣，但那情趣非幽默而是冷嘲。有时也不乏些许的热，但只是热骂而已。这不消说是一种完全可以采用的写法，或许有的评论家和读者还最推崇最喜爱这样的作品。

就我个人而言，对于这类的作品，也愿看看，以增见识，但至今总还不能喜欢。透过锁孔，偷窥门那边的秘密，是很能获得一些心理满足的。但倘若门那边正在杀人施暴，正在策划阴谋，正在蝇营狗苟，而作者在门外一概无动于衷，认为都不失为美丽的画面与合理的存在，则于我是过不去的。我在美国的一次聚会上讲过，倘若有位悲痛欲绝的披发妇女，突然出现在我面前的悬崖上，并纵身从悬崖上跳下，则我是无论如何不能冷冷地站在那里不动，去欣赏她跳下时所构成的抛物线如何之美，她那长发与衣裙飘动得如何自然成画，她落入深潭中时溅起的浪花如何晶莹如珠的。有位批评家尖锐地给我指出过："你的道德感太强！"我愿尽最大努力把自己的道德倾向熔铸在形象中使其荫蔽起来，并抑制其过头的部分，以艺术的冷静取代非艺术的激昂，但我实在是不能忘记道德。

当然，个人的道德观念，与社会群体不断演变着的道德观念，是并不一定能协调的，有时作家坚持的道德观念，甚至从本质上看是谬误的乃至反动的，列夫·托尔斯泰的"勿以暴力抗恶"的道德观，就遭到过列宁最严厉的批判。但我在这里并不想讨论作家道德观的正误，只是想强调我认为作家还是应当有自己的道德观。

我也看到过另一些与从锁孔中看生活大不相同的小说，作者仿佛是与一个群体乘一列火车正穿过隧道，隧道甚至是很长很长的，因此，无论是从车窗朝外望，还是在灯光下观察车厢里的旅伴，都可能不如从锁孔窥视门那边那样明晰、从容、有趣，但你能感受到作家那颗心的跳动，尽管他很冷静，甚至那文字也是不动声色的，对所描述的一切并不率加判断的，可是作家对前方越来越近的隧道出口的向往，对前方所透射过来的隧道外的天光的锐敏捕捉，却是溢于文字之外的。我喜欢这样的作品。我自己写作上的追求虽然与这类创作路数还不尽相同，但确是较为相近的。

诺贝尔文学奖的创立者亚佛烈·诺贝尔明确指定："文学奖必须颁给那些在文学领域中创造出最杰出之理想主义作品者。"历届获奖的作家作品所体现出的理想其实是相当杂驳乃至相互抵牾的，但似乎也确实还没颁给过一个毫无理想可言的作家。我们大可不必去追求诺贝尔文学奖，但亚佛烈·诺贝尔的誓言所发散出的强烈的道德感，对我们还是不无启迪的。

吃活鱼

一张晚报上有这样一则消息："精彩的演出，能赢得观众的掌声，"餐厅烹饪的活鱼，同样能激起顾客的掌声和喝彩声。这个餐厅……不仅吸引了众多国内顾客，而且招徕了40多个国家的外宾，他们称赞这里做的活鱼菜是中国烹饪的一绝。"活鱼菜是怎么个做法和吃法呢？"一条活鲤鱼从池中捞起来，由去鳞、剖腹到裹上湿淀粉进油锅炸，前后只需4分钟，一条糖醋鱼就能端上餐桌。这鱼任凭顾客宰割分吃，只要不伤它的脊椎骨，鱼的嘴巴在20分钟之内始终能一张一合，十分有趣。这里烹饪的绣球活鱼更是令人称奇，端上餐桌的鱼只剩鱼头和下面连着的脊椎骨，片下来的鱼肉已事先被厨师做成鱼丸子，分布在脊椎骨两边。这条只剩脑袋和骨刺的鱼，同样能在餐桌上活20分钟左右，为之拍手叫绝。"

不知读者诸君见了这条消息作何感想。反正我是绝对不会去那个餐馆这样吃鱼的。当然，烹饪和饮食等属于创美和审美的范畴，每个人的追求和趣味完全可以不同。尽管我对这家餐馆的活鱼十二万分地反感，却还并不打算给有关部门写信吁请禁止这种经营，更何况还有40多个国家的外宾表示了赞赏，事关创汇，我就姑且"事不关己，高高挂起"吧。

不过，由这种活鱼菜，我联想到近几年小说创作中的一种新现象，就是越来越热衷于淋漓尽致地写残忍，残忍本是人性恶之一种，以探索人性为己任的文学自然应当对残忍作一定之描绘剖析及透视，如同性爱不应划为文学创作的禁区一样，残忍也不应划为文学创作的禁区。中国文学的的确确在走向世界，其表现之一便是原有题材禁区的不断突破，以及立足于对人类生存状态和人性之复杂难解的表现、探索。这是全球作家们最容易找到相通处的领域。但全世界的文学似乎在性爱和残忍这两个人性领域里也都遇到了相同的问题：如何划分优美的性爱描写与色情描写。

知名度递让律

作家的知名度，究竟由什么而决定？笼统地说，是由他的作品的影响来决定，但也不尽然，有的作家就主要由他作品以外的文学活动而知名。作家的知名度，我以为分四个层次：(1) 在文学界内部知名。(2) 在想进入文学界的文学青年和坚韧不拔的投稿者中知名。(3) 在自己并不想写文学作品，只把阅读文学作品当做一种精神生活的纯读者中知名。(4) 在整个社会上知名，甚至并没读过他作品的人也知道他。

在一个文学不发达的地方，在文学发展不顺畅的时期，往往是只有少数作家享有知名度，而且这知名度大有恒定不变之势。在一个文学发达的地方，在文学发展走向繁荣的时期，则不仅享有知名度的作家的数目大大增加，而且，正如人们常说的那样，"各领风骚三五年"，知名度呈现出不断递让的现象。

知名度的递让，使原来一些知名的作家不再灿灿发光，推出一些原来绝不知名的作家爆出光晕，这对社会来说，是文学在进步的象征；对当事人来说，减去知名度的作家内心难免不痛苦，突然知名的新星难免不晕乎，而作家间的心理冲突，则必然有所发生。

作家知名度的递让，是有规律可循的。大体上说来，这规律可总结为：(1) 群体的递让。从老年人递让到中年人及青年人。(2) 从创造力相对衰竭的作家递让到创造力大爆发的作家。(3) 从用读者群体本已习惯的写法写作品的作家，递让到使读者群体为其新颖的写法而惊讶的作家。(4) 从整个创作状态走向平稳的作家，递让到引出争议乃至惹出风波的作家。

坦率地说，有某些原来曾经知名，或仅是沉浸在十分知名的自我想象中的作家，现在心理状态不够平衡，因此他们对文学界一些新人物、新理论、新作品、新手法的批评之中，就常常掺杂进他们对已存事实的不承认情绪，这种情绪是非学术性的，是一种狭隘的嫉妒心理，这对我们的文学事业，以及他们本人的身心健康，都是无益的。

同时，也应坦率地指出，有些突然"一举成名天下知"的新星，也出现了心理状态不够平衡的现象，比如，他们就弄不清自己究竟是在哪一个层次上享有知名度，我上面列举出了四个层次。他可能只在第一个层次，或只在一、二两个层次享有知名度，但他却以为全社会全世界都应知道他，遇上有的人不知道他，或有的场合他以为未能把他摆到应有的受尊重的位置上，便公然表示不快，愤愤然，悻悻然，这就是浅薄和庸俗的表现了。

一个社会倘若除了政治知名度外不存在其他任何社会知名度，那是不正常的。文学艺术界涌现出一大批具有知名度的人物，并且知名度还在随着文学艺术的繁荣发展朝着更新鲜、更活泼、更深刻、更精美的作品的创作者递让，那是民族的幸事。我们不仅不应讳言知名度，而且应当把知名度问题当做一个社会文化学的课题来加以仔细研究，当然，具体到作家自己，"只问耕耘，不问收获"，淡泊名利，刻意创新，不嫉妒别人因成功而知名，亦不因自己知名而沾沾自喜；深知世界之大，一己之小，文学高峰的峰巅，实际上并不如珠穆朗玛峰之可以测量，攀登无日可止，唯有兢兢业业，孜孜以求，不辍笔耕，不断突破，方有可能真为民族、为人类，留下一点有价值的文学。此种心态，当最得宜。

禁果效应

因为从来没吃过榴莲,所以非常向往榴莲。特别是见到有本书上说,榴莲这东西打开以后有一股稀屎的味道,要狠下决心才敢一尝,但一旦尝上几口,便会嗜之如饴,终生热爱云云。对榴莲的向往持续了许多年,直到前年去香港,才终于见识了它。香港朋友越劝我慎用,我越急着要尝。剖开以后的气味确实不雅,却也未必如稀屎般恶臭,尝了几口,竟品不出个所以然来,没吃多少,也就觉得今生今世也可以不必再吃,但"我吃过榴莲"的心理满足,大概可以维系终生了吧。

人类就有这么个通病,想吃禁果。你越禁,他就越想吃。你的目的本是禁绝一切人吃,结果却闹得几乎人人都在吃一口。禁绝的程度与欲尝的劲头成正比例,这就是禁果效应。

在一个从长期闭关自守、自我满足转换为对外开放、门窗大敞的社会中,禁果效应会表现得特别明显,有人把这种心理现象概括为"逆反心理",我觉得用"逆反心理"来概括并不十分准确,给人一种仿佛主要是反叛意识的印象,其实,这种心理状态中更多的并非是反叛趋向而是好奇因素。

性,作为文学的表现对象之一,在中国本来有着久远的历史,《诗经》中的表述还以含蓄居多,到汉时及以后的《子夜吴歌》,便大都十分直露,小说兴起之后,情固然是主要的表现内容,性也一直坦然地呈露着,明代的《金瓶梅》或许确是走得太远了,但被我们当代人几乎一致认为是恰到好处的《红楼梦》,也有着若干露骨的性描写。值得注意的是,本世纪二三十年代的左翼文学中,也常有泼辣的性描写,就是解放初期大为轰动的《太阳照在桑干河上》等作品,也不完全避讳性因素。是从什么时候起,因为什么原因,通过什么方法,使性完完全全从中国当代作家的作品中消失殆尽,并一直延续到近几年之前的呢? 这实在是个很值得探究的学术问题。

在"文化大革命"当中,连爱情也斩尽杀绝了,遑论性! 性成了绝对的禁果,因而也就积蓄了现在强烈爆发出来的禁果效应——弗洛伊德的译作同绝无艺术价值和学术价值的花花绿绿的杂志书籍在个体商贩的书摊上并现，潘光旦先生青年时代所译的在西方算是老掉牙的一本霭理士的《性心理学》，成为了当今许多作家、编辑和文学爱好者的抢手书，而随便翻翻近两年直到目前的文学期刊吧，且不说有许多通篇写性的作品（其中有的写得不错），就是并非主要写性的作品，也总是难以抑制地要写到"那玩意儿"，要写到性行为和性心理。

在禁果效应面前，我以为应当：(1) 首先反省一下，以往我们有意无意、有形无形所禁锢的东西，到底禁得有没有道理？(2) 在难以遏制（其实也没有必要强行遏制）的追寻与品尝禁果的社会现象面前，不要急躁更不能暴躁，最好的办法是冷静地让这潮流流过去，即如榴莲，最后真正嗜好它那稀屎味儿的不会很多；(3) 对关系到社会道德规范和社会风化问题的一些文学现象，要展开平等的、民主的学术讨论，最后不是用行政手段而是采取民间自我制约的方法，加以解决，类似美国电影协会评定委员会将美国公开发行的影片分为 G 级（任何人可看）、dpG 级（儿童不宜）、PG—B 级 (13 岁以下儿童观看需有成年人陪同)、R 级 (17 岁以下少年观看需有成年陪同)、X 级 (17 岁以下禁看)，这样的方法就值得借鉴。

"解放脚"

一位朋友提及最近在文学期刊上读到的一篇小说，频频摇头说："不伦不类、不伦不类……"他的意思，是那作品刻意求新却不成功，他认为那位作家既然原来已写熟了一种路子，何必冒险弃旧图新，不如还照原来的路子写下去为是。

这位朋友的审美要求当然有他的道理：要么你就依然故我，要么你就新潮到底。但我们文坛所处的历史阶段却包孕着巨大的变革与转换，因此所呈现的文学现象也就不可能那么简单。

过去限制着我们文学创作的框框条条实在是太多了，到"文化大革命"时期，那一串串互相勾连的"创作原则"真像长长的裹脚布，把作家的创作灵感完全窒息，把作品挤压成畸形的"三寸金莲"，把许多读者也训练成了以畸形为美的"审美"习惯。这就难怪一旦有了"三中全会"后的新局面，不仅保持"天足"的作家活蹦乱跳，一些原来被裹脚布捆得紧紧的人也终于意识到必须挣脱桎梏，还我自主。而除了极少数坚持以畸形为美、视天足行走为"缺德"的人以外，绝大多数的读者也都恢复与陶冶了一双健康合理的审美眼睛。

但在文学解放的运动过程中，也难免出现了一些"解放脚"似的作品。小脚老太太现在是越来越少了，有着一双"解放脚"的老太太现在仍不难看见。辛亥革命以后，一度最受诟病的就是"解放脚"，因为从"爱莲派"、"天足派"两方面看去，它都最不雅观、最不得体，正所谓"不伦不类"。但一双双"解放脚"在道路上蹒跚行走的景象，却并非辛亥革命的罪恶，倒是辛亥革命的功德。在那样一种社会形态中，我们可以看见民族文化恢复正常和向前发展的曙光。

以这样一种眼光来看待时下所出现的某些"解放脚"式的作品，我们就应当心平气和、宽宏大量。作家挣脱原有的束缚心灵自由和文章风骨的裹脚布的愿望和勇气无论如何是值得尊重值得鼓励的。挣脱之后，有的恢复成了天足并健步如飞，有的竟一时或长久成不了天足，只呈现"解放脚"的状态，不伦不类，非驴非马，不中不西，不土不洋，我们也不应嘲讽讥刺，更不能暴躁地认为是"阶级斗争的新动向"，或错误地判断为是改革开放的国策所带来的弊端。恰恰相反，"解放脚"的暂时性出现，只意味着时代的进步，证明着我们改革开放的国策给我们民族带来的心灵解放意识和文化发展前景该有多么重要，多么美好。

被物质的裹脚布毁坏了的脚骨是很难复原的，被精神的裹脚布窒息了的心灵却是完全有希望获得完全自由的。有着一双"解放脚"的老太太只能是寄希望于女儿们去用天足自由舞蹈，暂时将作品写成"解放脚"状态的作家，却完全有希望在批评家的帮助、读者的督促下，通过自身的再努力，终能超越"解放脚"阶段而进入以一双天足（并且既非平足又不长鸡眼）活泼泼前行的状态。

说想说的话

说想说的话，本是写一切文章的出发点，也本是写一切文章的目的，写批评文章，尤应如此。今年 3 月 8 日，我在《人民日报》发表了一篇《中国作家与当代世界》，据说有位文学界的朋友，读后很为我担心："刘心武不想活啦？怎么这样写！"他的意思，是我在文章里直率地点名点姓地说到了某些作家，表述了我对他们文学言论的不同看法，我这样写，岂不得罪人？这样地得罪人，还想不想在文坛上混？也有的朋友觉得我这文章论点固然还算得宜，但给人一种"正统"的印象，在眼下这个时候不去努力塑造自己的开放形象，却冒被人谥为"正统"之嫌为文，是否得不偿失？文章发表后很快收到了若干读者来信，支持的多一些，但也有尖锐的指责，有一封信皮上署着"苏州李寄"，里面却是用上海和平饭店信笺写成的未署名未签日期的来信，兹录全文如下："刘心武先生：'以艰深之辞，文浅易之说'，为了多点稿费乎？想借此唬人乎？对你，实在犯不着来此一手，无从原谅你，徒损令誉而已。读 3 月 8 日人民日报中国作家与当代世界有感！"我很感谢这位李姓读者，将他的感想呈示于我。我发表文章，挣稿费自然从来都是目的之一部分，但实在没有唬人的动机，不过是把想说的话，坦率地说出来而已，别人或许会不同意，不同意而达于"无从原谅"地走，我都是有所准备的，正如对于别人的文章，我也会不尽同意、尽不同意，乃至于心中耿耿然不能原谅一般，我以为在文坛上的不同意见的争鸣中，只要不是互相从政治上攻讦，不进行人身攻击，不造谣污蔑，则对于自己觉得悖谬的见解，不予苟同无从原谅，都是很自然的事。只是李姓读者认为我发表《中国作家与当代世界》那样的文章"徒损令誉"（"令誉"疑为"名誉"之误；或者就是"令誉"，即"您之名誉"），则除了对他如此关心我的名誉深致谢忱外，也觉得很有一点议论要发。

名誉这个东西，从它凝聚着自己经劳作而获取的社会承认度这个角度来说，确实是好东西，弥足珍视。但名誉这东西也很像一根钉子，能将人钉在那里动弹不得。比如一个人如果获得了"敢抗上"的名誉，那么一旦有一天他觉得在那件事上不一定应当"抗上"，甚至觉得在那件事上若干人的"抗上"他实在难以支持，他就会处于非常为难的境地，因为他的名誉钉住了他，对他的言论行动起着一种强迫性的定向安排作用，有时他就不得不为维护既得的名誉而"表演自己"。而"表演自己"不仅是一桩导致心力交瘁的事，也于他人于社会无益乃至有害。

自己是怎么回事，就是怎么回事。怎么想的，就怎么说。说了想说的话，令人觉得遗憾，令人反感，令人无从原谅，令人将原有的名誉折损或取消，实在都并不是坏事，可怕的是到头来自己也弄不清自己是怎么一回事，明明这么想，却偏偏那么说，说得曲里拐弯，希望自己所说的话，"左"的人不至于认为"右"，"右"的不至于以为"左"，人人不因遗憾而摇头，不因无从原谅而齿冷，任已得的名誉将自己钉得死死，如制成标本的蝴蝶，再不能自由地扇动思维的翅膀，那才真叫白活！

"看孩子"和"孩子看"

今年 3 月到香港参加《大公报》复刊 40 周年的报庆活动，抽空到街上看了几部电影。英国的《光荣岁月》（原名为《光荣与希望》），背景是二次世界大战时期的一个英国小镇，表现了一个极普通的市民家庭在战争期间的遭际，其最大的特点，是以细腻的笔触，展示与剖析了在那样一种人文环境中生存的儿童与少年的心理，影片中有一场戏，是表现德国飞机终于轰炸到了孩子的家门口，而孩子们竟"商女不知亡国恨"，跑到阳台上欢呼雀跃起来，因为他们觉得那是灿烂的焰火，改变了他们以往单调而沉闷的生活；又有一场戏，是孩子们在敌机炸出的废墟中进行战争游戏，残酷的现实培植着心灵中的残酷，一个个镜头真令人不寒而栗；影片最后是孩子的外祖父送他去学校上学，进校门便听见一片欢呼，眼前是尽情狂跳朝天空掷出书包的众学友，怎么回事？镜头这才一转，让观众看清原来是整个教学楼被敌机炸成了一片瓦砾，还冒着余烟……此片除获得多项"金球奖"外，又获得多项"奥斯卡金像奖"提名，在香港映出时各报好评如潮，票房也佳。瑞典的《狗脸的岁月》（原名《我像狗一样的生活》）给我的冲击力更大，影片也是以一个少年为本位，叙述着最普通的小镇里最普通的人家的最普通的悲欢，小主人公的母亲是个弃妇，贫病交加的境况使她不得不将两个儿子遣送亲友照顾，小儿子在这种情况下更不得不同自己的爱犬分手，影片从片头起就不断穿插着孩子在想象中朝无限远的广漠太空窥视的镜头，并一再重复着这样的独白：人们把小狗装进飞船送往太空，让它朝无限远驶去，却不给它准备好满够的食物，为什么？为什么？……此片在美国获"外国语片"的"奥斯卡金像奖"提名多项，在香港同样大获好评并上票房前十位的"龙虎榜"。

　　我隐约地感到，当前的世界性文艺潮流之一，就是采取这种以成人的眼光看孩子表现孩子的角度，来烛照我们所生存的世界、社会和浸润着我们的人情与困惑。这类作品绝非儿童文艺。《光荣岁月》与《狗脸的岁月》在香港上映时报纸广告及影片海报上都不厌其烦地标明"儿童不宜"，其实两部影片中的性及暴力镜头都并不多，但它们让成年观众睁大了双眼看孩子，却能令人怦然心动，鼻酸汗颜；我还要特别说明一下，就是他们并非是"透过孩子眼光看世界"，所谓"孩子看"的艺术潮流，早已掀起过无数次的浪潮，以电影而论，30多年前苏联的《伊凡的童年》，便是成功的一例；艺术总要不断地出新，"孩子看"早不稀奇，现在则似乎正兴起"看孩子"，引导成年人看自己的童年，看自己心灵中一直未能成熟的部分，看人类总体的幼稚与妨碍成熟的危机，以引发出较以往"透过孩子眼光看世界"一类做法更深刻的思索与反省。

关于 "表现落后"

电影《黄土地》、《老井》、《红高粱》在国际上频捧奖杯，使一些人产生了一种复杂的心态，一方面觉得毕竟得奖不是坏事，另一方面又总觉得这些影片过分渲染了中国的落后面，而且在人们对这些影片的褒奖里，似乎也包藏着某种对中国落后面的特殊兴趣，其动机殊可狐疑。

对于艺术作品，人们完全可以有自己独特的审美判断，就算你得了什么奖，莫说是洋人给的，就是玉皇大帝给的，也可以嗤之以鼻，不喜欢就是不喜欢，不恭维就是不恭维，并且完全可以公开地发出批评的声音。这里不拟就《黄土地》、《老井》、《红高粱》等影片表达我个人的审美感受，只是想探讨一下所谓 "表现落后" 的问题。

近代史以来，我们民族确实有相当严重的落后面，无数先烈志士，为改变这些落后面，付出了包括鲜血在内的代价，直至今天，我们民族的整体贫穷，以及文化水平的整体偏低，也是毋庸讳言的。怎么办？要不要保这落后之密？保不保得住这密？是不是我们的文学艺术都不去表现我们的落后一面，都去表现、讴歌我们前进的一面成功的一面繁荣的一面美丽的一面，我们这个民族就更有希望更有干劲更有尊严更加光彩了！

依我看来，我们这个民族生存状态的每一个方面，都不应成为文学艺术的禁区，我们的落后面，你不演这些电影，我们中国人自己也不是不知道。而我相信大多数的洋人，也不至于看了这些电影，就不知道中国目前还正在改革开放搞活，有另外的非落后面。而且，不管怎么说，中国的落后面绝不会因为有人表现了它就变得更其落后，更大的可能是恰恰因为艺术地表现了它，才唤起人们改造落后面的更强烈的欲望。当然，我这里所说的表现，是把蓄意丑化和恶毒污蔑的做法排除在外的，指的是严肃的表现，善意的表现，真正艺术的表现。

我想，看了几部小小不合的电影，便郑重其事地想到民族尊严问题，大约是我们中华民族近代史以来独特的审美心态。也难怪，我们整个民族百多年来受西方（包括东洋）欺侮的事例真是太多了，我们的神经不得不如此敏锐。去年在美国纽约，我一连看了三场美国电影，有表现美国兵在越南战场上的阴暗面的，有揭露美国黑社会令人发指的罪行的，有揭露美国财阀黑幕的，这些影片观众或喜欢或不喜欢，影评或喝彩或撇嘴，但似乎绝无"是否表现我们美国落后面太多了，有失我堂堂美国尊严"一类问题提出：日本百多年前比我们中国更落后，且一样是东方文化为基础的国家，但无论是左翼电影《啊，野麦岭》，还是非左翼电影《槽山节考》，其"表现落后"这一点似乎也都没有引起普遍的争议与担忧。

其实，"表现落后"自古以来就是文学艺术家的创美情绪之一，正因为感到自然、社会、人生、自我、人性等等方面都有缺憾，有阴影，有需耙剔、需补救、需使其向进步向完美境界演化的必要，所以才凝结、爆发出创作的热情，这本符合文学艺术的创作心理规律，无足怪的，更不可加以禁绝。

当然，"表现落后"因作家艺术家的立场、眼光、手段、水平不同，那效果是很不一致的；而单纯表现先进、光明、完美也不失为另一创作路数，只要是真诚而精心的；更多的时候，作家与艺术家是将"表现落后"与其他因素包括"表现光明"交融在一起熔铸作品的；而有些生产状态生存状态中的拙朴成分，在作家艺术家眼中并不是落后的而是美的或有趣的，他根本就不以为自己是"表现落后"。

越过镜面

最近文坛又有关于"伪现代派"的讨论。依我的理解，"伪现代派"这个概念的提出，是以西方现代派为绝对的标准，来衡量近年来中国文坛上所出现的"现代派"作品，结果发现，其中绝大部分乃至于全部是不够格的，或仅是从西方现代派作品剥离下一些表面技巧，或仅停留在皮毛模仿的矫情状态，或貌似神离，或有神而非西方现代派之"神",所以只能判之为"伪"。的的确确,西方现代派作品,绝非只是形式技巧上的蜕变突进,而都有其特有的哲学内核,要做到"不伪",就该有那样的哲学内核,形式技巧倒在其次。这种对中国"伪现代派"作品的讨论,我想不管参与者有多么不同的动机和出发点,对推进我们文坛的进一步活跃和繁荣,都是很有意义的。

目前的中国文坛,很有一些作家和批评家想直接进入泛西方文学,成为非伪而真的西方现代派。泛西方文学,我以为除包括西欧、北欧、南欧、北美、大洋洲的文学以外,大体上也包括了地理位置明明在东方的日本文学,我甚至认为大部分的拉丁美洲文学,以及像索因卡那样的非洲作家所弄的文学(他受教育于西方作家,用西方国家的语言创作,并长时间待在西方国家,他的剧作首先或更多地是在西方演出),也都属于泛西方文学的范畴。一些中国作家、批评家的这种想直接进入泛西方文学的心态,在中国大陆实行对外开放对内实行改革并坚持了约十年之久的人文环境下出现,是非常自然的事。也许有人会指斥他们搞"全盘西化",但我以为他们多是并不关心不涉及政治的人物,他们的"全盘西化"不过是以西方现代派文学为坐标,希图把自己摆进去修成正果成为非伪而真的现代派文人而已,这是完全可以允许他们竭诚一试的。

我个人在西方现代派文学面前是个借鉴派,即我可以把那些文学当做一面镜子来照,却不想越过镜面跨到镜子里面去,因为我觉得就算西方现代派文学确实高妙,它毕竟产生于与我所生存所活动所关联所感受的环境大异其趣的另一个环境之中,因此,倘若我的作品居然有时也颇用了一些所谓西方现代派的形式技巧,那么,无须他人指出,我自己就立刻站出来自首:"我是'伪现代派'。"

作家当然最好有自己的哲学。但作为文学内核的哲学,应根植于作家的内心,而作家内心的构成,又绝不可能脱离自己所生所长的大人文环境和自己所经历的大命运感受。我们中国血统的作家起码到目前为止呈现着一个值得仔细考究的局面,就是几乎尚无一人成功地辉煌地进入了泛西方文学。比如林语堂,他不仅长期生活在西方,早已"全盘西化",而且他有一系列作品干脆就是用英文写成的,并也取得了一些影响，算是进入了泛西方文学吧，但毕竟还进入不了泛西方文学的主潮；还有一大批50年代以后到美国定居或长期客居的台湾作家，他们能说英文能读英文能写英文，并且完全有百分之百地去和美国当代文学包括现代派文学认同的自由和方便，但他们似乎也都没有能进入泛西方文学。目前我们文坛上想进入或自己觉得已经进入泛西方文学的一些作家和批评家，同上面所说的林语堂和台湾作家相比，尽管我诚心诚意地给他们以最美好的祝愿，但对他们是否真正能超越镜面而踏入非伪成真的西方现代派福地，确实还缺乏起码的信心。

"中学生的作文"

这是一桩令人气愤的事。3月份去香港，会到一位朋友，他议论到国内一份文学刊物上的一篇小说时，居然说："不过是中学生的作文而已。"众所周知，对正式发表的文学作品的贬词，莫过于"中学生的作文"这一评语，犹如对正式上市的电影，说成是"县级照相馆的相片"一样。

看到我满脸怒容，这位朋友解释说："且莫生气，听我道来。我知道这本刊物在国内算上流的，这位作家大概也小有名气，而且，这篇作品显然是当成最新潮的佳构推出的。他也的确写得很努力，要说是中学生的作文，该是篇可以给高分的优秀作文。这篇作品，写的虽是中国大陆的事，那一男一女两位主人公，在大陆上也算是有见识的沙龙人士，但作者所引述或主人公所谈所思的，大都是西方的文化，引述西方文化中的东西作为圭臬，我认为并没有什么不好，问题是从这篇作品可以看出来，这位作家对西方文化的了解，只停留在西方中学教科书所包容的范畴之内，也就是说，他的知识结构，只相当于西方普通的中学生。我记得他不厌其烦地引述了海明威半个世纪以前写成的小说里的句子，还有惠特曼的诗，以及莫奈的《日出》、梵高的《向日葵》等绘画作品的内容、风格乃至于尺寸。我看到的这类中国大陆作品不在少数，作品中的主人公谈论着卡夫卡、乔伊斯、贝多芬、毕加索，作者有时还用这类人物的话语作为作品的题辞，本来这也没有什么不可以，但我的感觉是作者并不清醒地知道这些西方文化的人物及代表作品都早已是西方的经典，早已先后进入了中学乃至小学的授课范畴，因此绝非新潮更绝非新鲜的学问见识，作者的架势，似乎在以此标志自己作品的新锐和奇突，所以，我不得不说，这样的西式作品，只相当于西方中学生的作文而已……"

如此判评，是可忍，孰不可忍？我立即反驳说："如果一位作家全然从李白的诗意结构自己的作品，你就可以用'李白的诗小学课本上就有'为由，把那作品说成是'小学生的作文吗'？"

该朋友辩解说："本来小说这类文学形式，应当尽量将个人的经验和学识熔化成完全独有的信息传递出来，才最得当，一味地引述文学史艺术史上已有的东西，或一味地引述当代文坛上已有的时髦货色，都难免令读者感到是一种炫耀，而如果自己的知识结构很欠缺，那么这种炫耀就会令人齿冷。台湾也有个别作家爱在作品中引述后现代主义人物沃霍尔、'平面化'倡导人物苏珊·桑塔格、结构主义大将罗兰巴特、后结构主义理论大家米雪尔·傅柯、解构主义首倡人贾奎斯·德希达……的言论，其实这些人物和学说也不过只是大学讲坛上的东西，过分炫耀这些东西，那作品也只能算是'大学生的应试作文'而已。请你务必理解我的好心，我只不过是希望：作家们尽量提高自己的知识结构的丰富度、厚实度与新鲜度；同时作家请尽量将知识溶解于个人独特的经验，尤其不要在小说中炫耀各种知识……"

读者诸君，他的这种说法站得住脚吗？你不愤怒吗？

求异存同

一位朋友开玩笑地对我说:"你的《一叶之见》,简直是左右开弓啊!"听后我很惶悚,因为"左"、"右"均系政治概念,而"开弓"即战斗之意,难道我在"以阶级斗争为纲"吗?虽是玩笑,我可担待不起!

当然,朋友的所谓"左右开弓",是指我发表意见时较少顾忌,在眼下文学见解呈现多元的状态下,我不仅与完全异元的见解有着争论,就是大体同在一元之中,对"半径"延至多长缩至多短才得体一类问题,我也不揣冒昧地陈述己见,因此,确实多少显得有些聒噪。

现在我想郑重说明,我绝无自命为"战士",把这《一叶之见》当做"投枪"或"匕首",进行"文学战线上的两条路线斗争"的用意,而且,我对以往存在于文学界的"以阶级斗争为纲"的种种做法,如动辄人分"左""右",文分"香""毒",也是深恶痛绝的。但我想我们也不能因为过去存在过种种简单化、极端化的做法,现在就不敢放心坦诚地开展争论。我们的文学界既已成熟或至少是趋向于成熟,那么,我们枕应习惯于文学本身的争论与驳辩,并且由于文学已不再是政治的附属品,又已呈现多元状态,这种争论与驳辩当然就不可能是什么"两条路线的斗争"。对于文学界的任何人士来说自然也绝不存在"看齐"与"站队"问题,凡愿就文学发表见解的人,都可尽心尽性尽情尽力地讲出个人与众不同的看法。

过去在文学界,我们也常提倡"求同存异"。其实,依我看来,"求同存异"应是一种政治上的要求,比如有外国侵略者危及到我们民族生存了,那么,我们文学界无论是恪守传统的还是掀动新潮的,自然都该求抗敌之同而存文学见解之异,但文学毕竟是文学,它当然有与社会政治、经济、道德、法律……息息相关之处,但它又有其强悍的独立性,就文学界本身而言,谈文学时其实不必"求同存异",倒是"求异存同",更可刺激大家的思辨力、想象力、创造力,使文坛进一步在多元竞赛中纷呈异彩。

中国的传统文化中，不乏标新立异的文人和作品，但中国的文化传统（注意："传统文化"和"文化传统"是两个不同的概念）中，则比较看重认同的一面，赞扬一个新作品好，常说它是继承了哪一种遗产的精华，赞扬一个新手有出息，常说他（或她）得到哪位前辈大师的真传，赞扬一种新出现的见解，又常说是深得哪一种传统理论的精髓，就是同代人之间开座谈会或在报刊上进行笔谈乃至于号称"争鸣"，也总把"我基本上同意各位的意见"、"××的见解我大体上是赞成的"一类"求同"前提当做不可或缺的"礼帽"，相对而言，"我的看法同各位都不一样"、"××的见解我实不敢苟同"一类的"求异"式发言和文章，就少得多。

其实，写一点跟别人求同的文字，是比较容易下笔的，写一点能把自己鲜明地同其他人区别开来的求异文字，是非常不容易的。愿我自己，以及文学界的朋友们，都能习惯于求异存同的文学争鸣。

读《厚黑学》有感

本世纪初，有个四川人叫李宗吾的，在报纸上宣传他"发明"的"厚黑学"，后将陆续写出的文章和别人捧他的文章，集成一册印行。读着这册《厚黑学》，捧腹不已。他的论点，其实非常之简单，一曰"古之为英雄豪杰者，不过面厚心黑而已"。二曰"上天生人，给我们一张脸，而厚即在其中，给我们一个心，而黑即在其中"，"凡人世的功名富贵、宫室妻妾、衣服舆马，无一不从这区区之地出来，造物主人的奇妙，真是不可思议，钝根众生，身有至宝，弃而不用，可谓天下之大愚。"三曰"厚黑学共分三步功夫，第一步是厚如城墙，黑如煤炭"，"第二步是厚而硬，黑而亮"，"第三步是厚而无形，黑而无色。"他的学问里还包括《求官六字真言：空、贡、冲、捧、恐、送》、《做官六字真言：空、恭、绷、凶、聋、弄》及《办事二妙法：锯箭法、补锅法》。其实那文章不妨当做杂文读。例如他讲求官的"恐":"是恐吓的意思,是及物动词……学者须知:恐字与捧字,是互相为用的,善恐者,捧之中有恐,旁观的人,看他在上峰面前说的话,句句是阿谀逢迎,其实是暗击要害,上峰听了,汗流浃背。善捧者,恐之中有捧,旁观的人,看他傲骨棱棱,句句责备上峰,其实受之者满心欢喜,骨节皆酥。"又如他们所传授的"锯箭法":"有人中了箭,请外科医生治疗,医生将箭杆锯了,即索谢礼,问他为什么不把箭头取出?他说那是内科的事,你去寻内科好了……现在各级机关,与大众力、事,都是用这种方法……如有人求我办一件事,我说这个事情我很赞成,但是,还要同某人商量,'很赞成'三字是锯箭杆,'某人'是内科,又或说:'我先把某部分办了,其余的以后办。'一先办'是锯箭杆,'以后'是内科。……"

李宗吾的这本书,在中国大陆早已被人遗忘,但近年来台湾、香港等地又有人翻印,并称之为"人性心理著作"。其实,此公此作,是一种简单化卡通化的普遍人性论。探求人类普遍的人性,是许多社会科学门类都涉及的课题,比如当今我国一位著名的政治学家,就打算写一本《普遍人性论》的著作,从政治学的角度,论及每个人都难以避免的人性弱点,以说明即使是最杰出最英明的领导人,也必须由充分的民主制度来限制他的个人权力。中外古今对普遍人性的探索论点纷呈,有主张人性本善的,有主张人性本恶的,有主张人性无善无恶、亦善亦恶、恶善杂糅、恶善嬗变的,亦有主张人性分等级如"性三品论"的,还有否定个体人性只承认群体属性的,更有对人性持根本怀疑态度,认为本无此物的,等等,等等。李宗吾的"厚黑学",其实不过是人性本恶这一派中的一个扮鬼脸的分支而已。

文学是探索人性的利器,但依我看来,文学家最好不要陷于抽象的普遍人性的演绎之中,文学家所探索的,应是一个个活鲜鲜的个体的微妙人性,其刻画细微之处,应超出一般普遍人性论的抽象概念所包容的范畴。贾宝玉、安娜·卡列尼娜、阿Q、《麦田守望者》中的那个"我"、厄普代克笔下的"兔子"……都不是"厚黑学"或"薄白学"之类普遍人性公式所能解译的。社会科学家和文学家的两面夹攻,也许能使人类在认识自我方面在今后某一时期产生一个迄今未有过的大飞跃。

"令誉"之误

在 4 月 30 日发表的那篇《一叶之见》中,我把"令誉"一词解释为"您的名誉",结果引来了近十封热心人写的指正信,其中北京大学杨周翰教授的信指出:"其实刘心武只要查查《辞源》之类的词典,里面不仅有'令誉',也有'令名'。他可能只知道'令'字在'令兄'、'令尊'中的用法,而不知'令'字还有'美好'的意思。由此引起我对当代作家,包括一些所谓名作家,给我的印象,即,一般说古文底子太差。这不过是浮出表面的一个现象,更深的问题是文学修养。这个问题的牵扯面太广,包括我们的学校教育,包括只突出深入生活,不突出向古人学习,不是三言两语所能说清。"杨周翰前辈是英语系的教授,但正如各大学中文系的许多老教授有外语功底一样,他的中文特别是古文功底也是很深的。他在这封写给编辑部的信中不无焦急地说:"这类现象绝不止刘心武一位。"我的这次失误和杨先生等同志对我这一失误所怀的痛惜与焦急之情,实在应该再次引出关于作家学者化问题的讨论。

作家最好也是学者,而学者起码意味着他有两种最基本的学问:一是通过谙熟古文对民族传统文化有系统而扎实的了解,一是通过掌握一门以上的外语对外部世界文化有总体把握,任何专攻,都应赖这两方面的功底,而正如几年前就由王蒙从反面所指出的那样,当今中国作家存在着一种非学者化倾向。

杨先生看问题毕竟是全面的,他深知造成这种状况有着思之令人心情沉重的客观历史原因,特别是"以阶级斗争为纲"的学校教育和文艺政策,实际上是鼓励一切知识分子向非学者化的方向去努力,我记得"文革"中看到过一份大字报,所开列的"罪状"之一便是"不查《语录》查《辞源》",幸好那说的还不是我,但潜移默化的效果,便是对"古"和"洋"只有偷偷食"禁果"的兴致,而无公开系统扎实地蓄为修养的宏愿。如今客观人文环境已发生根本性变化,但像我这样的中年作家,虽有恨不得将一小时当做两小时用的心劲儿,常用"恶补"的办法攻读古籍和学习英语，却已力不从心，事倍而功半！几册并不厚的《韦应物集》，喜欢得很，掩卷后却怎么也背不满十首诗；到了国外，只能用一些最简单的英语句子问路、买吃的，遑论用所谓"世界知识分子的共同语言"作专业交谈！我在美国同从台湾到那里定居的华人作家李黎交谈时，说到我深知自己是虚有其名，是一种中国当代文学发展过程中的过渡性人物，一部分心理依据就是这种窘迫感。

话虽如此，我还是要奋力提高自己的修养，不怨天，不尤人，对自己严谨以求，我想遇到自己没有十分把握的事物，勤查查《辞源》等工具书，总是能做到的。

我想告慰杨先生等前辈及关心当代文学发展的同志们，在比我小十来岁的一批新锐作家中，已开始出现古文功底颇深且能翻译外国文学作品的学者化人物，他们既有丰厚的生活积累，又有活泼新颖的思维，中国当代文学形成高峰和走向世界的希望，寄托在他们一代身上！

另起炉灶

学术上的论争，非得按"不破不立"、"先破后立"、"破字当头，立在其中"的原则行事么？

我以为不但不必非按上述路子办事不可，而且应提倡另起炉灶的自立风气。

人家的灶可能的确不好，比较浪费能源，烧水开得不够快，还有比较明显的烟尘污染，你可以批评其缺点，建议其改进，但不好轻率地跑过去揭人家锅毁人家灶，自己所应做的事，是盘起自己的灶来，并通过实践证明，自己的灶如何节约能源，如何效率增高，如何有利环境保护，把选灶的人群，感召到自己一边来。

十几二十年前，那种"以阶级斗争为纲"的"大批判"做法，诚然已经臭了，然而，至少在潜意识里，觉得非打倒个什么人踩着个什么人扫荡个什么论著搞臭个什么观点，方能使自己戳起来抖起来引人注目造成轰动成名成家，这种捣人锅毁人灶的做法，在学术界在文坛上似乎不仅还存在着，并且还颇有点吃香。

中国的文化传统是尚同的。很难心平气和地对待多元共存的局面。旧灶林立时，另立新灶非常之困难，以至有时为了另立新灶，得付出鲜血和生命。而新灶即立，则一切旧灶不管三七二十一统统予以扫荡。结果形成了从旧灶不争气到新灶不够用的恶性循环局面。

学术上的灶，文学上的灶，其实无妨多一点，旧灶未必不灵光，就是不灵光了，暂存一段也无妨；新灶一般来说，灵光的可能性高一些，但也不尽然；各灶之间当然可以竞赛、竞争，但不可互拆互毁，就是那灶实在不行了，毫无价值了，也最好还是由盘灶人自拆自毁的好。

读到一些西方学术界和文学界的论著，感到他们往往提出一些极新颖极古怪的观点主张，真所谓"匪夷所思"，但他们的文章里，并不怎么涉及别人的观点主张，往往不仅不去打倒别人驳倒别人，而且仿佛把别人的存在都忘记了，就是自己说自己的想法，完全是另起炉灶的架势。其实，他们也不是不知道有别人盘的灶存在，但他们仿佛认为那是别人的事，不关自己的事，所以懒得去管更懒得去捣锅毁灶，他们就是尽量把自己的灶盘得漂漂亮亮的棒棒的帅帅的。当然，这可能同西方文化传统比较崇尚个性比较不那么时兴趋同有关。

破坏一样东西，是比较容易的。建设一样东西，要困难得多。破坏的快感，消逝得快，引出的可能是错乱与困惑；建设的艰辛，持续较久，但引出的可能是清醒与觉悟。

饱受过"大批判开路"之苦的中国学术界和文学界，在这样一个全民族以建设为轴心运作的人文环境中，要尽量多搞一些文化建树，尽量少搞或不搞文化爆破啊！

"他们太快活了"

与 S 君良夜对酌,拿文学下酒。S 君呷了一口低度双沟,摇头晃脑地叹息:"唉,他们太快活了! 真是的,太快活了! "

人家快活还不好么? 不理解 S 君心情的人,怕会以为他有神经病吧。

然而我大体上理解。S 君是搞当代文学评论的,爱才如命,嗜新成癖。他所说的他们,是指一些我所关注的青年作家,他认为他们都是难得的人才,而且,频频推出的新作都极具特色,但是,他认为这些锐气勃勃的才子才女们,有一种共通的创作心理上的欠缺,这欠缺从正面说就是缺乏痛苦感,从反面说就是"唉,他们太快活了! 真是的,太快活了! "

"难道搞文学创作,非有痛苦感不可么? "我向他请教。

"那当然不,"S 君脸膛红红的,双眼放着光,幽幽地说,"人各有志。文学绝非一种人的私产或一种美学前提下的禁地,不知痛苦的人自然完全有弄文学的权利。但我认为,好的文学,必包含着一种深刻而动人的痛苦意识,伟大的作家,内心必涌动着对人类对宇宙的深切的悲悯感,你不要从世俗凡庸的角度来理解我所提出的痛苦意识。我当然不是仅指对社会现实的不满足,对不合理现象的道德义愤,对欲望不可实现的失落情绪,对自身错衍的愧悔等等,我指的是作家内心深处所涌动着的一种崇高的追求,这追求总显得那么艰难,那么漫长,那么难以实现,因而不能不化为一种冷静而深楚的痛苦感……"

我觉得 S 君的酒气未免过于玄妙,便追问说:"你说的,是不是一种哲学意识? 据说几乎每一种哲学都是痛苦的……"

S 君微微颔首说:"大体上可以归纳为你的意思,可也不尽然。有乐观的哲学存在,但乐观哲学的求索、创建和发展过程中,也必然贯串着痛苦意识。痛苦意识其实是创造意识不可或缺的内核。"

我反问说:"你所说的'他们',作品的创新感都很强嘛,这说明他们的创造意识相当浓烈嘛，你怎么又叹息说他们没有痛苦意识呢？"

他呷了一大口酒，�562舌说："我心疼的就是这个。他们本来前途无量，可是现在他们变得越来越快活，他们太快活了，因此，他们不仅把社会弊病、道德沦丧、人性弱点、生态恶化一概化为笑谈，对自己采取一种轻浮恶赖的态度，这就使得他们的作品尽管往往内容上相当丰富，形式上也相当精巧，但总缺乏一种应有的力度。他们完全可以嬉笑怒骂，可以幽默，可以调侃，可以骂娘甚至可以放浪，但他们不该淡薄或丧失了痛苦感，不该丧失了对崇高的东西的孜孜不倦的追求……"

我看S君是醉了。我对他说："眼下是消遣消闲的通俗文学大行其道，正所谓'文以载乐'，严肃文学已然困难重重，好嘛，你还要搞严肃文学的人增强痛苦意识，写出你所谓有力度的体现大悲悯的作品来，简直是怪人怪论！"

他却睁大双眼，脖子上的筋一蹦一蹦地反驳说："任何一个时代，所呼唤、所需要并且给下一个时代留下的，到头来还是承载着一个时代痛苦追求的文学作品，至于消遣消闲的逗闷子作品，那固然也是任何一个时代都需要的，但那只是社会的填充物而已！"

酒醒以后，录与S君的对谈于上，不知可有些微的参考价值。

另一株红高粱

去年在法国，有一本以中国"知青"在"文革"中遭遇为题材的小说成为了畅销书，几乎所有有影响的报纸和刊物的书评版上都发表了对此书的评论，基本全是赞赏的调子，作者的相片也随之频频刊出，作者本人还被邀请到电视上与读者、观众见面，该书不仅已获得两种较小的文学奖，在最新一届的龚古尔文学奖的评选过程中，因评委意见总是分歧，共进行了六次投票，而六轮中该书稳定地拥有评委会主席巴赞的一票，虽未获奖，新闻界一披露此事，又身价倍增；因为此书的成功，作者已被吸收为西欧知识分子高级团体"欧洲骑士团"的成员，并相继获得前（现连任）总统密特朗和前总理巴尔亲笔签署的贺信；现该书作者已成为法语文学界的新星，加入了法语文学界的作家组织；还有一点想必大家也很想知道，就是他自然获得了为数颇巨的版税，且要求与他签约的出版商蜂拥而至，看起来，前途真未可限量。

这位作者，即是前两年赴法侨居的亚丁，他那本书，直接用法文写出，他说中文的命意，是《高粱红了》，但张艺谋那部在西柏林引起轰动的电影《红高粱》，译成法文，恰与他的书名一模一样，其实这两部作品的内容全然不同。

亚丁原是中国作家协会的一名外事干部，论资排辈，本是轮不到他"走向世界"的，但小伙子自己努力，不管怎么说，他的作品至少被法语世界承认了。

亚丁的书在法国（现已不止法国，该书的西班牙文版已出，其余几种语言的版本也即将推出）的成功，国内反应不一，我听到的一种反应是："他么？外国人说好，就是好么？"这当然是很有道理的一种说法。但既然我们希望中国当代文学在中国以外有影响，那就不得不争取不得不重视外国人的说好，我们的报纸上不是常有这样的新闻么——某某方面的成就，被某外国《名人录》一类的辞书收为条目，很为我们国家争光。除非我们不要"走向世界"，既要"走向世界"，就得面对外国人的评判取舍，他们当然往往并不识货，我们需在同他们的交流沟通中帮助他们更全面更准确地发现我们，但他们毕竟是他们，我们不能将自己的眼光和评价强加于他们，正如他们不能将他们的眼光和评价强加于我们一样，所以，在双方交流中特别是文学交流中，"认同的错位"是绝对难免的。

亚丁在法国的成功，又一次说明了这样一个浅显的道理：直接用西方语言写出的中国题材的作品，远比用中文写出的作品由翻译家译为西方语言，更容易为西方读者所接受。有位中国作家去美国访问，同一些美国知识分子谈起鲁迅，他们竟不知道，但他们却都知道一位叫梁恒的中国作家，因为这位梁恒同一位叫夏竹丽的用英文合写了一本《革命之子》，头几年在美国很风行，梁恒是韩少功的大学同学，今年不过30多岁，他赴美后在国内也有知名度，因为他主办了一份中文的刊物《知识分子》，向国内的六百位知识分子赠阅，我似乎还不曾听到"美国那边办的刊物，就一定好么？"的评语，没得到《知识分子》的，大都很想得到它。

这样一些文化现象，能引出我们很多的思考。凭什么不是世界上使用人数最多的中文成为世界知识分子的通用语言，甚至也不是柴门霍夫创造的那个"世界语"，而偏是英语成为了世界知识分子的通用语言呢？凭什么偏在一隅的某个小国的文学奖，引得我们这样一个泱泱大国的文坛也热辣辣地谈论不休呢？……隐藏在这些文化现象背后的，究竟是一种什么样的无形的力量？扯远了吗？就此打住。

还有另一个走向

"走向世界"的讨论，似乎已使文学界发腻。这自然首先是因为统一不了标准。"诺贝尔文学奖"已理所当然地遭到了奚落，而无论是汉学家的好评、外国出版商的青睐、作家在国外知名度的提升，也都难以被公认为"走向世界"的胜利。但"越是民族化的作品越有代表性越能走向世界"的公式也仅只还是一个公式，强有力的文学例证至少是远不够多。现在已经出现了类似"何必走向世界"的议论。事实上中国这个"世界"也确实够大的了。当代中国作家何不且在这个"世界"上尽情折腾，究竟哪几位作家哪些部作品终究能被中国以外的民众（读者）所熟知，成为人类文学总宝库中的经典，让人家去从容发现从容承认从容熟悉吧，我们与其主动"走向"，不如坐等人家"走来"。

从热烘烘，到冷清清，似乎是中国人群体心态的移动规律。公园的清晨，原来成片的人练太极拳，前些时被成片的"中老年迪斯科"舞迷们所取代，最近"迪斯科"又偃旗息鼓，一变而为"健身交谊舞"了，在热烘烘的华尔兹舞曲中，再想寻觅几个坚持练太极拳的身影，居然已比较困难。

"走向世界"的讨论，在文学界就像"中老年迪斯科"一样，已经热过去了。

但还有另一个走向，即"走向历史"，虽早有讨论，但在文学界似乎始终还没有达到热烘烘的地步。所谓"走向历史"，不是逆向走，而是顺向走，电影界有位第五代导演曾提出来叫做"为21世纪的观众拍片"，文学界的提法较为含蓄，叫做"追求长久（或永恒）的审美价值"，实际上就是希望自己的作品能具有超越性，最后进入后人所撰写的"文学史"。

人实在是很难超越现实的。"走向世界"成为热门话题，其实恰是中国现实社会生活中出现了"开放"这一因素引出的。"走向历史"的讨论，当然又恰是中国现实社会生活中出现了"改革"这一基调才可能的，因为只有"改革"才能引人的目光向前，才能诱发出所谓"超前意识"。

我觉得"走向历史"的标准更无法确定，因为如想进入"文学史"，则后人将如何撰写"文学史"，实难想象，就是把后人的"文学史"撇到一边，专去想21世纪以后的读者将热衷于我们现时所提供的哪些作品，也只是弄得脑仁儿徒然地阵痛。拼命地为"后人"计，将自己作品中一切估计后人难以明白的时代性内容乃至时代性符号预先抹去，使作品呈现出"干干净净"的"纯文学"面貌，就能永恒吗？倒也确可能。而"越有时代特征的作品越有永恒性"的公式，同那"越是民族化的作品越能走向世界"的公式一样，又仅只是一个待证的公式而已。看来"走向历史"的讨论即使热烘烘一阵，终究也还得归于冷清清。

也许，我们的讨论不能持续深入地进行下去，在于我们过分热衷于求得价值尺度的统一？

在我们的文学公园里，练拳的练拳，遛鸟的遛鸟，跳迪斯科的跳迪斯科，跳交谊舞的跳交谊舞，仅只是散步的就让他散步，站在一处发呆的就让他发呆，不是更有趣吗？

只读自己的作品

一位文科大学生，为写关于一位当代作家的一部轰动作品的论文，向 20 位当代作家发出询问，希望这 20 位作家能对他所论及的那部作品，"哪怕贡献一句话的评语"，他的函询信一律石沉大海，电话询问及当面询问，除一两位客气地说了几句不着边际的评语外，竟有六位都明确地告诉他："没有读。"其中有两位更干脆地对他说："我只读自己的作品。"这位文科大学生跑来向我抱怨，说这些作家们怎么都这样傲慢，他对"衮衮诸公"们的崇敬，从此消退大半。

我便对他说："你这种写论文的思路，不可取。如果是抽样调查一般读者的反应，当然很有意义，可是你却偏着眼于文坛上同行们的反应，这说明你对作家们的创作心理，太缺乏了解。你怎么可以天真地设想，一部在社会上引起轰动的小说，文坛上的小说家们也都跻身于争读的行列呢？事实上，夸张一点说，中外古今的作家们，专门搞评论的除外，有很多是很少阅读或几乎不阅读同代人的'时文'的，当然，与其有特殊关系者，如爱人、恋人、挚友、师长、弟子，其作品也许是读的，倘把这类因有特殊关系而阅读的情况除外，则有不少作家确实是'只读自己的作品'。这'只读自己的作品'自然是针对'时文'而言，作家们的阅读量一般都是很大的，他所读的，可能包括古典文学作品，外国文学作品，非文学类著作，或已不存在脚下文坛的死去、远去的近代、当代作家的作品。"

同我对话的大学生，冲我瞪圆了他的眼睛。我知他心里在想什么，便又对他说："你向我询问对那部小说的看法，我回答了你，你大概认为我算是不同于那 18 位作家的'忠厚者'，其实我的心态，和他们并没有什么两样，你别忘了，我现在并不是一个专业作家，我还干着编辑工作，我现在读一些当代作品，无论是原稿、校样还是已印好的大都属于工作需要，而并非纯粹的审美需求，你问到我的那部作品，也就是在这么个情况下读的，倘若我还同前两年一样搞专业创作，我想我大概也不一定读它。这是怎么一回事呢？你可以解释为，这是文人相轻，也许确有这类因素，我不想一概否认，但显然还有其他因素，并且属于积极的因素。依我想来，存在于同一个当代文坛的作家，他们所处的民族历史发展阶段、大的文人环境，以及他们所承受的历史文化负担，所面对的文学现实，都是一样的，因此，对他们来说，充分发扬个人的主观创造性，把自己同别人严格而鲜明地区别开来，便构成了他们创作中性命攸关的环节，而当他们这种主观创造性高度飞扬时，他们就不能不率先排拒当代人'时文'的影响，他们也就非常自然地形成了'只读自己的作品'的习惯，而有的人，更连自己已经发表的作品也很少看或根本不看，他们是'只读自己新写出来的作品'，目的只是将其修改得更有特点，即决不与别人所写的作品相类，也尽量不与自己发表过的作品相同。"

"你的解释，还不能完全说服我。"大学生对我说。

"不过，对你，对所有的人，我还是要提出忠告，"我微笑地说，"不要以为在读者中引起轰动的当代作品，也必然是作家们阅读的热点，十个作家中至少有八个会告诉你，他没有读，并且也不打算去读。"

《锁麟囊》与《读者文摘》

京剧以整出戏论我最喜欢《锁麟囊》，这固然是因为翁偶虹为程砚秋编写的本子文学性比较强，也固然是因为程砚秋所创的唱腔味厚耐品，但还有一个不可忽略的因素，就是这出戏人情味浓郁而出之于轻松，戏里没有很沉重的内容，没有大好人，也没有大坏蛋，悲处不惨，喜处不狂。一路看下去，淡淡的，浅浅的，清清的，朗朗的，戏里的几个丑角，无非有些个"势利眼"，属"人之常情"，可一笑了之，犯不上切齿，所以看《锁麟囊》，于我就如吃冰激凌，虽"营养价值"不高，但身心俱悦。

按说看京剧，真懂的叫"听戏"，主要是欣赏唱腔的韵味，就算不到闭着眼睛用手指在膝盖上扣板眼的份儿，不属于绝对的"听派"，那张大眼睛所观赏的，也只该是唱、念、做、打的功夫和特色，而不必在大写意的程式化表演面前去随古人喜、怒、哀、乐。但我因为始终还是个外行，所以看京剧时往往也忍不住要进入"规定情境"，任凭舞台上如何使用"间离效果"，我竟不能冷静，对良善之人不得好报，以及奸恶之人居然得逞，总觉如刺入心，愤愤难平。我从小最怕看的京剧场面就是公堂动刑好人挣扎的情景，任凭内行向我指点，说那小生甩发的技巧如何高超，或那青衣跪步的动作如何流畅，我都宁愿闭上眼睛，甚至还想掩住耳朵，连那"冤枉哪"的尖叫也一样回避。那对我来说实在是太沉重了。我并不是一个在社会生活中一味害怕沉重回避沉重的人，但我又何必在个人的审美活动中一味追求沉重拥抱沉重呢？

现在文学艺术走向多元了，其中有若干元，如《锁麟囊》"避重就轻"，也有一些如《锁麟囊》般玲珑剔透，赏心悦性。我想到了甘肃人民出版社编辑出版的杂志《读者文摘》，我觉得这份杂志的基本风格，与《锁麟囊》这出戏相近，它的主要构成元素，就是从并不那么沉重的但多少又有些离奇的凡人小事中，开掘出也许不够深刻但味道颇为醇厚的人情味来。我的一位好友，是从事多年编辑工作的，在工作中，他是最善于抓重大题材深刻内容读后令读者心里沉甸甸一类稿件的，他所获赠的书刊非常之多，但他仍自费订阅一种杂志，那杂志便是《读者文摘》，他和我一样，都认为《读者文摘》是时下"软性杂志"中编得最好的，工余灯下，或倚或卧，一册《读者文摘》在手，确如暑天里得到一盅水果冰激凌般愉快。

《读者文摘》的发行量，一直很高，拥有一支比较稳定的读者队伍。我的印象，里面作为骨干的文章，还是以翻译过来的，或从台湾香港等地转录过来的，占大多数，有些国内作者的新作，摘入在内，读者反应很好，但又大多不在文坛上评论家们的视野之中。我认为，既然有那么多人喜欢读不那么沉重、不那么玄奥的以人情味取胜的"软性作品"，我们就该有一批作家致力于写这样的作品，我们的文学评论家也该把评论的触角，伸进这个领域。谁能说这样的作品就一定成不了精品，传不了世呢？即如《锁麟囊》这出"软性戏剧"，就琢磨得十分精美，而且被译了至少两种外国文字，已"走向世界"；它将被一代又一代的程派京剧艺术家传唱下去，则更无疑义。

还要补充一点的是，有人担心一离开"严肃文学"，一提倡轻松，一搞通俗，就必定会沾染上色情和暴力，或至少弄成准色情、准暴力，其实无论是《锁麟囊》这样的戏，还是《读者文摘》中的大量文章，尽管脱离了沉重，靠拢了轻柔，却干净得很，我认为这样的路数，不但应当维护，而且应该适当鼓励与提倡。

"元内从严元外从宽"

一位读者来问我："你这人是怎么回事呢？读了你 7 月 16 日那篇'一叶之见'《'他们太快活了'》，觉得你是主张作家具有痛苦意识，写沉甸甸作品的，可读了你上星期那篇《〈锁麟囊〉与〈读者文摘〉》又发现你在鼓吹'软性文学'，提倡'冰激凌'式的作品……你可别一个星期一个主意啊！"

我不认为一个人改变自己的主意必定可耻。只要是深思熟虑后的真诚改变。但一个星期一个主意，这种快速转换我也是不以为然的。我的"一叶之见"发表至今，大主意始终如一，并无改变。那位读者是误会了。为避免更多的人误会我，我想还是把我这叶片的叶脉描得更明晰些好。

我的一个总的想法，就是主张文坛多元宽容，即，承认现在文坛所呈现的多种美学前提下的多种作品并存的局面是天然合理的，是与我们民族改革开放的基本走向相符配套的，各种不同美学前提即不同元的文学，不应是互相排斥乃至斗争的关系，而应是互相竞争互相激励的关系，或至少是各不相扰自行发展的关系，站在一元之内，应对其他各元采取宽容的态度，即"元外从宽"，比如搞通俗性畅销作品的，就不必去嘲笑实验性作品的读者如何稀少，而写内容沉甸甸的作品的作家，亦不必对写"软性读物"的作家撇嘴，总之，只要人家的作品没有危害社会触犯刑律，不与自己同道有何关系？切勿以"卧榻之侧，岂容他人酣睡"的心态，党同伐异，必欲灭掉其他各元，以自己的一元独霸文坛而后快。

但另一方面，我又主张"元内从严"，就是对一种美学前提下的作品，要以该美学前提从严要求，不能旗帜一树，便俨然佳构，只许捧场，不准批评，而离消遣消闲的俗文学路子越远的纯文学作品，就越应从严要求。我在《"他们太快活了"》一文中，显然比较倾向于那位S君的见解。即作家应有痛苦意识。但所针对的，是一些以写人类生存状态和人类心灵骚动为己任的青年作家，他们既在此美学元之中，似乎就确实不该轻飘浮泛，要求他们的创作心态和作品内涵都更沉实一点，我以为是合情合理的。而当我谈到《锁麟囊》那样的戏和《读者文摘》那样的刊物时，因为我意识到是涉及到了另一个元，所以很自然地就放弃了前面那样的标准，而换成了另一套标准，即"冰激凌"式的标准，我绝不要求"冰激凌"像炖牛肉那么富于营养，但我当然也希望"冰激凌"不要降格为"冰霜"、"刨冰"，更不要成为充满隐患的天然湖冰块儿。

不过，我虽主张各元平等，和平竞争，但我当然偏爱乃至钟情于自己笔耕其中的那一元，并且，我相信，从流动和发展的角度看，各式各样的作品其实是不可能真正平等的，因为有三个巨大的难以抗拒的因素在筛消剔耙着所有的作品，一个便是读者群体这"多头怪物"，一个便是时代精神这"游荡幽灵"，另一个便是历史这"无情判官"，他们分别从短期、中期、长期主宰着作品的命运，我们不能不对他们存有敬畏之心啊！

题材公有

最近中央电视台安排了中国电视剧制作中心制作的电视连续剧《末代皇帝》的播出，不久，译制好的意大利贝托鲁奇执导的电影《末代皇帝》也要公开上映，对这一题材感兴趣的中国观众真是大饱眼福，并可以两相比较，在茶余饭后展开饶有兴味的讨论。

有机会对电影《末代皇帝》先睹一步的中国观众中，很有些愤愤不平之士。对艺术家创作的作品不欣赏乃至于厌弃到愤慨的地步，是审美主体天赋的权利，尽管《末代皇帝》在美国获得了一大串的奥斯卡金像奖，在西方公映时连续爆满，人们仍然可以毫无顾忌地批洋该片的各个方面，包括对那有中国籍作曲家苏聪参与作曲而获奖的该片配乐，也完全可以嗤之以鼻："一点也不好听"。

但在对电影《末代皇帝》的非议中，有一条意见，颇为奇特，那就是——"这样的题材，怎么让外国人拍了？！"窃以为这一条意见，属于非审美活动的外行话，是站不住脚的。文学艺术的创作，自有它超越国家、民族、地域、政治、经济等方面的某些客观规律，自由地选择题材，是各国家各民族的文学艺术家的天赋权利，与各国家各民族的读者观众所享有的选择不同题材作为自己欣赏对象的自由权是均等的、对应的。

"中国题材，怎么让外国人拍了？"这其实是一种病态的"爱国心理"。我们当然应当爱自己的祖国，如果有外国人利用文学艺术形式明显地侮辱了我们祖国我们民族，我们愤慨是正常的，但如果仅仅是因为外国人选用了关于我们国家我们民族的题材，仅仅是因为他们对这一题材作了让我们不习惯不称意不理解不欣赏的艺术处理，我们便顿失心理平衡，那就未免气量狭小，未免贻笑大方了。

这种狭隘心态中，还潜藏着我们文化传统中的一种大可怀疑的因素，就是不仅固执地主张"文以载道"，而且总希望一个题材特别是一个重大的历史题材只树立起一部能让各方面接受的终结性作品，因此，对于有的题材，不仅认为外国人利用了有伤国威，就是一般的中国人染指，也至少要在心里头认为他悖逆。贝托鲁奇的《末代皇帝》我是喜欢的。我感到他丝毫也没有让观众把他所展现的一切当成历史上的真实记录的企图，所以去同他纠缠溥仪登基大典的仪仗符不符合当时状况、溥仪与后妃的相悦方式合不合清宫礼仪、蝈蝈罐里的蝈蝈能不能活半个多世纪……实在没有什么意义，因为他拍的影片，依我看来是一部地道的西方人拍的西方影片，他不过是借这么个中国题材，借溥仪一生的戏剧性遭际，来抒发他那"个人是历史的人质"的感慨罢了，正如西方有的影评所说，该片是贝托鲁奇个人风格的一次巨大胜利，既然他主要是张扬一种艺术个性，我们也就实在没有必要对他的这一作品衡之以"一个题材一个主题一统观众认识"的标准。对我们自己的文学艺术家创作的作品，我以为也应摒弃这一衡量标准。我们应当最充分地尊重文学艺术家的创作个性。

题材公有，这应成为一种常识，不仅"知青"题材可以既有梁晓声的《雪城》，也有张抗抗的《隐形伴侣》（都是写北大荒"知青"的），既有张承志的《金牧场》，又有老鬼的《血色黄昏》（都是写内蒙"知青"的），以及更多的这类长篇；也不仅既可以有中国作家写的关于太平天国的小说，也可以有比如说西德作家魏克特（曾任驻华大使）写的同一题材小说；尽管自认"毕竟是当代有代表性的，有一定成就的"并且"还算著名的老作家"还没写完他那《李自成》，我听说一位青年已快拿出他的同一题材的巨著来；这实在是再正常不过的事，在文学艺术的百花园中，每一种花都难限制它的朵数，并都有权利争奇斗艳。

结构私有

题材公有，是指文学艺术家可以充分自由地选择自己相中的题材，但相中了自己钟情的题材后，便会立即面临一个非同小可的问题：如何使自己对这一题材的处理，与他人对同类题材的处理鲜明地区别开来？

这也就是如何充分体现自己的艺术个性的问题。倘是写小说，又倘若是写长篇小说，那么，如何设计出独具心裁的总体结构，便是一大关键。

旅美台湾作家李黎，是 70 年代初期"保卫钓鱼岛运动"的积极参与者之一，我曾问她，为何不用这一题材，写一长篇？她说自然是想写的，一直有这冲动，一直有这计划，材料是现成的，感受是真切的，时间也有，精力也有，但就是未能下笔，那么，这万事俱备而所欠的"东风"，究竟是什么呢？她告诉我，是恰切而独特的结构，她关于那长篇的结构的酝酿，尚未成熟，所以现在铺纸所写的，仍是些另外题材的短篇和中篇。

李黎的作品，素以注重总体构架著称。我理解她那刻意创新的创作心境，不仅绝不允许自己的作品同一样题材的作品在总体构思上特别是结构上雷同，而且更必须使自己作品的结构在与不同题材的作品相比较时也令人刮目相看。

题材公有，而结构应当私有。别人写过的题材，自己敢于去碰，这是大勇的表现，别人用过的结构，自己也照用不误，则是无能的行为。当然，一个作品是否成功，左右它的内外因素往往比较复杂，不那么专注结构的作品，也可能因思想的进步深刻，内容的奇突尖锐，或语言的机智幽默，人物形象的圆活灵动，而获得众多读者及批评家起码是一阵子的喜爱和赞扬，但除了具备上述种种优点外，再加上结构新颖周密的特点，则肯定可以使作品的文学价值大大增强。

相对而言，在中国的古典长篇小说中，结构上最失败的恐怕是《镜花缘》。《三国演义》和《水浒》的作者结构意识似还比较淡薄；《儒林外史》有意识地采取了"串珠式"结构，但未能做到均衡有致；《老残游记》令人从结构上为作者惋惜；但《红楼梦》，除了其他方面都胜过上述作品外，其结构的独创性和精心度都达到了登峰造极的地步，实在令人惊叹。中国古典长篇小说在结构上的失与得，永远值得当代中国作家玩味、讨论与借鉴。

作家对自己尚未拿出来的作品，往往保密，他或许可以笼统地宣布他所选择的题材，因为这是无所谓的，题材公有嘛；他也许不隐瞒自己将保持的语言风格，因为语言风格是别人很难模仿，偷也偷不走的；他甚至还会忍不住透露一点素材，一些哲理思考，但他却十之八九要保结构设计之密，因为倘若作品未出而结构方式已为人所知，则别人要是也用类似结构方式去写成作品，则很难指斥别人为抄袭，即使没有这样的事情发生，对于读者来说，也将减少作品对他们的新颖感和冲击力。私有的结构，是作家最应引为自豪的心灵财富。

"梅耶荷德情结"

梅耶荷德是在 30 年代苏联"肃反"运动中被冤枉镇压的戏剧家。想查一下他的生平,新编的《辞海》中没有收他,查《辞海增补本》,在"梅"字条下查到了"梅花鲨",却绝无他的踪影。梅耶荷德在"十月革命"前后本是与现在我们都很熟悉的斯坦尼斯拉夫斯基和丹钦柯齐名的。他是个醉心于搞实验性戏剧的人。他曾说过,倘若一部作品所有的人都说好,那么肯定是失败了;倘若所有的人都说坏,那么肯定还有它一定的优点;倘若看过它的人一半狂热地叫好,一半恨不得将作者撕成两半,那么便是真正的成功。他一生直到大祸临头之前,确实怀着"非叫人们一半狂热叫好一半痛心疾首不可"的情结在那里弄他的艺术。

梅耶荷德后来真是太惨了。据说他突然听到了斯大林对他主持的剧院的批评,在深受刺激下在暴风雪中狂走了几个街区。后来为了表示他和他主持的剧院绝不反对社会主义现实主义这一唯一正确绝对神圣的创作原则,在新的剧目中不仅再不敢搞什么象征主义表现主义唯美主义,而且尽量把舞台上的布景弄得同真实生活中一模一样,但这又被认为是一种针对社会主义现实主义的讽刺,他的剧院终于被勒令关闭,而他自己则被送进了集中营,最惨的是他的妻子,据说是有几个暴徒,在他被捕后没几个小时就冲进了他家,洗劫一空后还剜掉了他妻子——一位名演员——的眼睛,使她在撕心裂肺的疼痛中淌血而死,这在斯大林时代的莫斯科不像是真正的刑事犯罪,但又有谁去调查过惨绝人寰的事件的真相呢?

梅耶荷德死在了集中营里。人们不怎么记得他了。中国虽然有过一段"全盘苏化"的岁月,但那时所引进的只是在艺术追求上与梅耶荷德大相径庭而被斯大林认可为正宗的"斯坦尼斯拉夫斯基体系",中国后来搞"文化大革命",把"斯坦尼"也"打翻在地,再踏上一万只脚",梅耶荷德就更不会有人知道,知道的也就更不敢去提他想他研究他了。

　　但"梅耶荷德情结",却很值得玩味。"所有的人都说好,那么肯定是失败了。"的确,比如只有八个"样板戏"的岁月,谁敢不说它们好呢? 不说好,便是"现行反革命",对文艺创作的评价大一统到这种地步,确实不可能产生什么真正成功的作品,因为倘若没有强权和暴力来威胁,世上的人是不可能都表示喜欢同一文艺作品的,"所有的人都说好",必是虚伪的。"所有的人都说坏,那么肯定还有它一定的优点",这优点便是创作者独特到极点的创作个性,只要创作者在保持这个创作个性的前提下同审美对象进行适度的交流和调整,便不难达到那样的境界:一半人狂热地叫好,一半人恨不得将创作者撕成两半 (这当然只是比喻,他们应只真恨而不真撕)。这梅耶荷德梦寐以求的真正成功境界,只能在一种多元并存的大人文环境中出现。

　　不知道当今中国文艺界的新锐之辈中,有多少人知道梅耶荷德? 我感觉很有一些新锐怀着"梅耶荷德情结",我以为这不是坏事。愿当今世界上的梅耶荷德不至于再遭那样的厄运。

你有渺小感吗

　　今年初夏重访巴黎,见到 5 年前在那里结识的一位法国朋友,与他坐在街头咖啡座闲聊时,他忽然问我:你常常从内心里涌出一种渺小感吗?

　　我颇吃惊。我深知法国知识分子大都傲慢。5 年前我访巴黎时,曾对一位法国评论家说起我还没有去过美国,那位法国评论家扬起一只眉毛,耸耸肩膀说:"美国? 美国有什么文化? !"像那位法国评论家一样,持有"地中海文化中心"观点的法国知识分子是相当多的,我今年重逢的这位朋友,以往给我的印象,也是很为西欧特别是法国又特别是巴黎的文化优势而自傲的,因此,当他突然议及渺小感,并且使我从他的双眼里明白无误地感受到他确已从内心里生出一种莫可名状的渺小感时，我很受震动。

经过长时间的娓娓谈心，我充分理解了他的意思。他并没有放弃法国文化优于美国文化的观点，他所说的渺小感也完全不是我们中国人很容易误解为的自卑心理，更不是道德范畴里的谦虚谨慎，他所要表述的，是一种文学艺术家应当具有的心理要素。

这心理要素粗略地分解一下，首先是一种对无边无际神秘难解的宇宙的敬畏感。我的这位法国朋友自称对各种宗教都涉猎过但均无皈依冲动，因为他忍受不了那些人造的偶像或刻板的教规。相对而言，他自然较倾向于基督教，因为他是在基督教文化的熏陶下长大成人的。但这种倾向也只不过是一种文化认同，而并非宗教情绪。他说文学艺术家一定要有天文学知识，一定要有宗教知识，而且应当从这两种知识中升华出一种对浩瀚宇宙之无边无际的领悟，以及对人类用"上帝"、"真主"、"佛"、"道"等符号来努力体现对那不可知的宇宙主宰力的敬畏的理解，有了这种领悟和理解，文学艺术家方能不仅超越功利羁绊，而且超越一般的人道境界，进入一种清凉静穆和大悲悯大原谅的精神状态，唯有在这种精神状态下，才有希望创造出有穿透力的不朽巨作。所谓渺小感的另一构成要素，是必要最深切地意识到，自人类进入 20 世纪下半期以后，人类社会已越来趋向于多元并存。小型多样的信息社会已使超级人物逐年递减，随着一批政治巨人的逝世，人们渐渐难以记住替代他们的人物的名字，比如，南斯拉夫的铁托是无论喜欢他还是讨厌他或对他无所谓的人都记得住的一个人物，但有几多世人记得住当今南斯拉夫政治首脑的名字呢？诺贝尔的自然学科奖年年发给一些了不起的科学家，但像爱因斯坦那样从整体上创立学说的科学家越来越难产生，人们只能是在一些很细微的分支上提出自己的创见，因而这方面的杰出人物也只能为同行当的人所熟知。当前两年诺贝尔文学奖颁给了克洛德·西蒙时，巴黎街头许多市民面面相觑，互相询问："这个人是谁？"像巴尔扎克、雨果、列夫·托尔斯泰、马克·吐温那样的能让几乎世界上所有文化人都记住名字的大作家已很难产生。也许歌星、体育明星是少有的例外，他们的赫赫名声借助大众传播媒介在人类社会中激荡不已,但他们的嬗递速度又不免令人扼腕叹息。在这阵营瓦解、权威消失、标准林立、各执己见、复杂纷纭、诡谲多变的人类社会中,文学艺术家怎能还以全人类的代表自居?怎能还以全知全能的态势创作自己的作品?怎能还怀抱着使全人类都知道自己崇敬自己的幻想?在文学艺术已然渺小化的当今世界中,文学艺术家应深知自身的渺小,这样反可促使文学艺术家找到一条在当今人类社会中发挥出最大潜能的路子。

总起来说,法国朋友是认为宇宙变得比原来想象的还要神秘,而人类社会变得也比原来所认知的更加复杂,他本来还要详细论及人性远比人类以往了解的更为深远,不想天上落下微雨,我们只好暂停谈话,离开那街头咖啡座。起码当我们无言地并肩于被细雨润湿的人行道上时,我的确从心底里升涌出了一种诗意的渺小感。

敢问读者朋友:你有过类似渺小感吗?

来一回咬文嚼字

《上海文论》开辟了"重写文学史"的专栏,引起了人们的兴趣。可惜该刊不易访求,写此文时我仍未能一睹为快。不过,据《文艺报》介绍,该刊的这个专栏,旨在重新研究、评估中国新文学重要作家、作品和文学思潮、现象,刺激文学批评的活跃,激起人们重新思考昨天的兴趣和热情。对这样的宗旨,我是举双手赞成的。

也许我这人未免咬文嚼字,"重写文学史"这个栏目,从该刊宗旨出发,我以为不如叫"另写文学史"。我这并不是给该刊提什么意见,而只不过是产生了一些联想,发表一点聊供人们参考的议论而已。

我们这个民族,是一贯崇尚统一的。而统一,往往并不意味着多元整合,常常体现为不仅伐除异端而且扫荡余元的一统。于是就连最不应当一统的文学史，到如今似乎也一统得铁紧，大体上以大学里当做教材的那些只有技术性小异的文学史讲义为圭臬。当然，我们的一统，也周期性地发生一些变化，甚至是最强烈的变化，但那变化，用一句话概括，便是"将颠倒的历史再颠倒过来"，其特点便是两极对调，原来最好的，变成最坏的，原来最不怎么样的，变成最好的，尽管往往也使用了学术性的语言，但其实质，只不过是翻案，而这类做法在一般老百姓的潜意识里，所引发出来的往往只是这样一种猜测：什么什么样观点又将成为统治性的"定论"了，因而这种观点的代表性人物将取代原有占据中心地位的人物而成为统治者了，简明点说，便是历史的重写，不过是权力转移的前奏——这种转移很少多元竞争多元协商多元并存的意味，呈现着"陋室空堂，当年笏满床……昨怜破袄寒，今嫌紫蟒长，乱烘烘你方唱罢我登场"的令人厌烦的社会景观。

文学史不需要大一统。中国不能总是只有一本或虽然看上去是很多本实际上仍是一本的作为"定论"的文学史。因而我们需要做的事也许不是到一定时机便将这一本重写一遍，成为新的一本而禁绝其他，直到终于又有了一个时机可以再重写一遍。我们需要做的事也许是鼓励人们都来另写，而原来的文学史也依旧可以存在，只不过它绝不能再以"定论"压制别人。另写却又有各种各样的写法和各种各样的观点，通过自由而平等的竞争，其中也许有几种会比较通行，成为比较重要的工具书，不是强制指定而是被自发地选为大学有关专业的必读书乃至教材。

统一也许确是一桩神圣的事。但"苍天已死，黄天当立"式的心态，却已为世界潮流所不容。彩色摄影的发明，并没有消灭掉黑白摄影；录音带的发明，更没有使唱片绝迹，而激光唱片的出现，也并不意味着常规唱片的末日。整个世界正走向权威消失、多元并存的境界，因此，统一的含义也就不该再是"将颠倒的历史再颠倒过来"式的强权，而是"历史大家评说，眼下大家并存，今后大家协商共进"的新境界。

《上海文论》的用意，很可能也就是鼓励人们解放思想，另写文学史。栏目叫"重写文学史",实在是因为我们原来的文学史太单调太划一太不能碰太束缚人了——但这恐怕也只是在大陆范围内。我的联想未免奇特,议论未免唐突,但我诚恳地祝《上海文论》的这个栏目频频推出新意盎然的文章。

散文地位

在我们文坛上,散文的地位实在不高。作家协会为了鼓励文学创作,早已相继设立了短篇小说奖、中篇小说奖、长篇小说奖(茅盾文学奖),报告文学奖、诗歌奖、儿童文学奖、少数民族创作奖,但作为文学中一大门类的散文,长期并无全国性奖的设置。据说散文评奖的难度在于虽有几家专门的散文刊物,一些报纸的副刊和一些杂志也常有散文见于版面,但单篇的散文,难以检阅评分,如像诗歌评奖那样评集子吧,则出版社害怕赔钱,在出散文集方面比出诗集还要保守,致使一些相当优秀的散文作家的集子也难产,一个时期的散文集的总量既不够多,评起来也就意思不大。

这几年多少接触了一点大陆以外的文坛,发现在台湾省,在香港地区,以至在海外的华文出版界,所出的文学书中,散文集占相当大的比例。以香港为例,一家有影响的大出版社的经理告诉我,满打满算,一本严肃文学书的市场也就两三千册,能保住本儿就算成功。因而印行这类书籍是要冒很大风险的;但我发现他所印行的严肃文学书中,长篇小说寥寥,短篇小说集也只占三成左右,诗歌集绝无仅有,而散文集却几乎占了一半。翻阅了他所印行的一些散文集,发现有的散文集并非都是已发表过的散文的结集,而是专门为出书而写成的一束束短文。据这位经理说,固然所有的严肃文学书籍都难得赚钱,他赚钱主要还是靠出曝内幕的新闻性作品、言情或武打的通俗性读物、生活百科读物、中外经典作品等门类,但相对而言,一二百个页码的散文集,销路还是有的,可以达到不赔小赚的状况。

在香港，有相当数量的作家，他们的主要创作成就就是数册散文集。台湾省的情况同香港地区不尽相同，但近年来台湾的小说创作总量在明显下降，文学性杂志上新创作的小说往往是占篇幅最少的部分，一期常常就那么一篇，相比之下，散文花朵倒还在蓬蓬勃勃地开放着，出的散文集也很不少。

为什么散文在香港和海峡那边尚能行销？一位从台湾到美国定居的作家对我讲，台湾的中产阶级在社会中越来越显示出引导消费方式及时髦浪潮的特殊作用，比如，不少白领"雅皮士"的乐趣之一，便是利用休假时间，往偏僻的山区或嶙峋的海崖跑，到那里仍保持着古朴生活方式的山庄或渔民家里，出不菲的价格买来一些手工制品，如藤编的粪箕，木剜的大瓢，八角形的斗笠，发绿的旧渔网，等等，千辛万苦搜索而归以后，便在全盘现代化的客厅书斋中，将这些粗陋的东西供置起来，往往还专门安装射灯，用强烈的光晕将这些东西的质感和趣味加以强调。这位作家向我讲完这些以后，微笑着反问我：他们在众多的文学样式中看重篇幅短短、情意绵绵、文字精雅、趣味盎然的散文，难道还值得奇怪吗？

我觉得这位作家的话不无道理，但我也并不相信，唯有等我们大陆上的"雅皮士"们成气候了，我们的出版社才能放心大胆地印行散文集，我们的散文也才能繁荣起来。散文在文坛上和文坛外的地位固然都是不可能强行安排的，我们必须尊重一个时代的读者群体的无意识然而强有力的选择，但我们却又完全可以更自觉更积极地利用散文这一载体，从事我们的创作活动。

小说寓言化

这一二年里，我们文坛上小说寓言化的势头颇劲。所谓寓言化，有下列几种方式，一是将时间、地点、背景、人物身份等因素简化淡化隐化模糊化，叙述语言变得短、捷、冷、硬；一是故意将时间、地点、背景及人物身份、事件乃至细节繁化浓化乱化荒诞化，如时间是去年，地点却在地理书上绝对找不到的那么一个言之凿凿的地方，嫔妃与电脑并出，汽车与铜镜齐现，叙述语言则如瀑布下泻，古书引语与英文单词俱全，亦庄亦谐非歌非泣；三是时间、地点、背景、人物身份等都非常具体非常现实，但事件却是假设性的怪诞不经的，叙述语言则一如非寓言化的小说，似乎一切都仍在常情常理之中。

小说寓言化，中外古典作品中都见端倪，但以寓言化方式使小说发生重大变革并给中国当代作家以冲击性启迪的，奥地利的那位卡夫卡恐怕得排在第一位。有人说小说创作离开现实主义的路子而进入现代主义的路子，其标志便是自觉性的寓言化，这话恐怕不够科学，但也许稍微抓住了点特征性的东西。

我们不必纠缠在纯粹经院式的定义讨论中，也许写出寓言化小说的作家乐于承认他写的是逸出现实主义创作方法的现代主义作品，也许相反，他更愿意强调他的作品仍属于现实主义创作方法的范畴，他只不过是主张并实践着对现实主义道路的拓展。不管用什么样的定义来界定他们作品的创作方法性质吧，总而言之，这样一种小说创作现象的呈现，绝对是中国当代文坛的幸事和盛事。

人们都已注意到中国文坛上叙事文学的纪实热，因为那是轰轰烈烈的举动，人们却不大惊觉叙事文学的寓言化走向，其实，这场静悄悄的文学变革正在和将继续给中国文坛带来的后果，恐怕远比纪实文学热要久远和坚实。

小说寓言化现象的呈现，体现出中国当代小说创作的趋向成熟。但一位批评家同我讨论这个问题时指出，他认为至少有一部分寓言化小说给予他这样的印象，就是作者之所以采取这种表现手段，主要不是出于进取性的创造意识，而是出于消极性的逃避动机，因为即使在公开宣布结束"以阶级斗争为纲"的今天，以充分现实主义的创作方法写出的作品仍可能因为离现实太近、干预生活的锋芒太露而惹出祸端，又由于中国人的平均心理承受力不够高，因此即使不惹出政治上的麻烦，也很可能因为笔法太实而惹出"对号入座"的纠纷，再退一步想，即便作品不大涉及很多社会及他人的事，只立足于解剖自己的内心，太实了也并不易使读者受到启迪而反倒会惹来鄙夷与讪笑，面对以上困境，所以不得已遁入寓言化的路数。对于这位批评家的上述分析，我既难以认同也难以推翻。我现在很想知道卡夫卡的创造意识里究竟有几多是进取性的爆发，有几多是逃避性的凝聚。依我想来，既然核裂变和核聚变都可以产生巨大的能量，似乎也就不必要求作家创作意识中充满着进取性的热"裂"，也许正如氢弹的威力大于原子弹一样，作家创作意识中逃避性的冷"聚"，反倒会促使作品更具有力度？

淡淡哀愁今何价

"淡淡的哀愁"在"文革"前就被批判为"小资产阶级情调"，"文革"中通过批判电影《早春二月》、《舞台姐妹》等"毒草"更将"淡淡的哀愁"随同人道主义彻底扫荡，"文革"后呢？"淡淡的哀愁"一度作为对极"左"的反叛大量涌现，也一度使一些推崇黄钟大吕式的战斗精神的同志蹙眉，但不是由于遭到批判而是由于时代情绪和文坛习尚的自然演变，如今"淡淡的哀愁"已无多大市场因而不再多见。

"淡淡的哀愁"作为一种审美情调，是值得尊重的。审美主体所追求的审美愉悦中，"淡淡的哀愁"也是一种不算庸俗的趣味。但现代人的总体情绪，似乎越来越超越于"淡淡的哀愁"，而趋于冷静与理智。

仔细解析"淡淡的哀愁"，便可发现那样一种情怀系由下列因素构成：一、个人在时代面前的惶惑，小悲欢中的小失落，使人生出一种惆怅和悲凉；二、个人在命运面前的无力，对变故和冲击无法承受，因而期望着温情和怜悯；三、个人在群体中的迷失，认同中的窘境，希求以一种自慰来取得心理平衡。"淡淡的哀愁"既由上述内涵构成，在急风暴雨的阶级斗争时代被批判被唾弃，实不难理解。

但时下既然已结束了"以阶级斗争为纲"，"小资产阶级情调"作为"帽子"也并不那么吓人，为什么"淡淡的哀愁"却并不时髦了呢？我想这是因为：一、多数人在这变革的时代都与变革的潮流认同，因而处变不惊，并且文化界彻底反传统的呼声日趋高亢，因而小悲欢小歌哭的文艺作品找不到太多的知音；二、时代的变革为每一个体提供了前所未有的机遇，因而个人命运增加了自主选择的机制，在自主选择中逐渐形成了比较坚韧的承受力，"淡淡哀愁"这种人生的润滑剂也就可有可无了；三、个人同群体的关系，逐渐由自我压抑式的融入演变为自我张扬式的楔入，因而心灵所寻求的不再是保守型的自慰而是进取性的自励，再津津乐道于"淡淡哀愁"就变为"矫情"了。记得以往看电影《舞台姐妹》，每当银幕上出现"年年难过年年过，处处无家处处家"的唱词和相应画面时，心头总漾出"淡淡的哀愁"，眼中不禁泛出湿乎乎的液体，但去年同一位个体户朋友聊起来，他却高谈阔论地说："跑码头有什么不好？年年难过年年过，就是年年都不能马虎都得玩儿命；处处为家处处家，那才有意思呢，成天守着一个家，外头什么世面都没见过，活着多窝囊！"他看《舞台姐妹》就是看故事，看女演员的长相风度，他甚至得出"她们就该到处跑码头到处挣钱挣名，搞哪门子的革命哩"的结论，总之，尽管谢晋在画面、节奏、配乐、情调上颇出力地渲染"淡淡的哀愁"，此人是"刀枪不入"，但你也不能说此人毫无正经的社会政治情绪，他就很为同一谢晋的《高山下的花环》所感动，自称很为靳开来的几场戏弹了眼泪，但那泪花显然与"淡淡的哀愁"毫无干系。

"淡淡的哀愁"眼下是行情自然下跌，但谁又敢于断言，螺旋形上升到新的水平的"淡淡哀愁"，绝不会又大为风行呢？

作为艺术的建筑

尽管有些人认为组成中国文学艺术界联合会的各种协会已经够多的了，我还是要提出来，在这个联合会中没有中国建筑艺术家协会实在是一桩遗憾的事。

在文化均衡发达的国家，建筑不仅被国人视为艺术之一种，并且往往排在诸种艺术门类的头几位，而就艺术的创新活动而言，建筑往往还走在文学、音乐、戏剧等的前面，许多建筑设计大师往往是掀动艺术新潮的锐进人物，而一些建筑物也便成了人类艺术史上的标志性符号，比如悉尼歌剧院的建筑，在中国对外开放以后，尽管能亲眼见到那又似张开的贝壳又似重叠的白帆的中国人有限，但通过电影、电视特别是诸如挂历一类的印刷品，该建筑至少已为广大的中国城市居民所熟悉，相信每一位看到那建筑物实体或图像的中国人，都能产生至少是不自觉的审美意识，不管是喜欢还是不喜欢，是欣赏还是感到迷惘，那建筑是一个艺术品，这一点恐怕是大家公认的。

过去我们长时间"以阶级斗争为纲"，同时又由于经济不富裕，所以盖房子只求实用，顾不上建筑的艺术一面。当然这是笼统而言，其实在建国之初，例如梁思成等建筑学家，还是有相当艺术追求的，也曾盖出了一些有争议的可以视为艺术作品的建筑或建筑群，例如现在仍基本保持原貌的北京西郊友谊宾馆建筑群，但那一类建筑先是被批评为华而不实的形式主义，再后来就简直成了政治问题，于是自1959年北京的"十大建筑"落成之后，中国的新建筑似乎就彻底地同艺术分手了，最明显的例子便是建成于"文革"末期的北京"前三门"住宅楼，成为一道毫无艺术性的灰色高墙，给后人将北京彻底艺术化留下了一道难题。

西方国家建筑艺术相当繁荣，美国的贝聿铭因为是华裔，所以我们对他最熟悉，他在北京的作品有香山饭店，很得好评，但也有人不喜欢；我以为他的最突出个人风格的作品是华盛顿的艺术博物馆东馆馆舍，那件艺术品是无法通过图片获得审美愉悦的，必须身临其境，方能体味其妙。其实美国达到贝聿铭这一量级的建筑艺术家还有若干，整个西方世界合起来就更多了，我们中国文艺界，似乎很少了解他们的存在及其对西方整个文艺运动的影响。

社会主义国家中，苏联一向是重视建筑艺术的，苏联历年颁发列宁奖金，总将建筑艺术与文学、音乐、戏剧、电影、绘画雕塑等并列，作为展示苏联艺术成就的很重要的一个方面，我们中国文艺界对历年获得列宁奖金的作家作品及电影戏剧等介绍得往往比较及时也比较充分，但对获得列宁奖金的建筑艺术似乎一贯忽略，有趣的是 1988 年度苏联所颁发的列宁奖金，文学方面完全落空，却有建筑师斯·卡·卡林卡和国营农场场长齐·斯·多克沙斯合作的立陶宛尤克纳伊奇亚伊国营农场新建居民区作为新艺术成果获奖。

建议《文艺报》等文艺界报刊，能将建筑作为一种重要的艺术门类加以评介，一方面可以介绍西方、苏联、东欧及世界其他国家地区的建筑艺术，一方面可以对我国自己的建筑艺术作一些分析研究，当然也不仅是针对古代的建筑艺术，我以为尤应致力于对当代中国建筑艺术的介绍与批评，即以北京为例，建成于 50 年代的中央民族学院建筑群，属于古典折中式美学追求的一个典型，就很值得细加评析，勾稽得失，以为借镜；再如即将落成的位于北京闹市区的王府饭店，显然有复古的艺术情思，难道那么巨大的一个庙堂式绿琉璃瓦顶赫然出现在北京上空，还引发不出我们艺术评论家们的灵感么？

一次"盖洛普测验"

自从 1936 年美国人盖洛普搞起抽样调查式民意测验，并准确地预言了富兰克林·D. 罗斯福将在总统竞选中获胜，因而使"盖洛普测验"名声大噪之后，抽样调查已成为西方社会探询共识的常用方法，尽管盖洛普本人已在 4 年多以前辞世，"盖洛普测验"在美国仍继续存在。

"盖洛普测验"式的抽样调查，很可作为借鉴，吸收过来以促进我们社会生活的民主化和活跃性，不知中国现阶段能否出现盖洛普式的人物，致力于将抽样调查科学化、定型化、系统化、经常化、公开化，沟通"官方"与民间、民间中这一利益集团与那一利益集团之间、同一利益集团持不同策略的人士之间，以及个性相异的各个人之间的看法与意愿，以形成共识或协调见识，我想如果有人站出来成立"盖洛普测验"式的民间民意调查机构，至少有远见的企业家们是应给予财政支持，并且有胸怀的政治家们是应给予容纳，而各种传媒也是应将其测验结果予以披露供各方面参考的。

最近，我们编辑部的 20 位同仁，搞了一次小小的"盖洛普测验"，预测 1989 年中国文学某些方面的趋势，我们这次"盖洛普测验"因为缺乏经验而且范围很小，本是不足为外人道的，说是"盖洛普测验"，其实人家的那种抽样调查是有一整套方法的，我们不过是聚在一起凑了凑对一些预测的粗略看法，并不是严格意义上的"盖洛普测验"，不过考虑到在当前的中国抽样调查似乎还不够多，而我们所涉及的内容也许还能引出某些关心中国当代文学的人士的兴趣，故而不揣冒昧，将其预测结果披露于下：

预测共有 16 句话，每两句针对一个方面编为一组，每组每句每个所给的最高分为 3 分，满分为 60 分，20 位同仁最后评出的分数为——

(1) 实验性小说将呈现数量不减乃至增多但实质进展不大总体萎缩的局面。(27.5 分)

(2) 实验性小说将继续有所突破，在文学界内部相当范围内将继续获得较高评价。(31 分)

(3) 由于改革开放的深化，现实主义小说将有新的崛起，将出现在社会上引起重大反响的作品并使其作者在广大读者中一举成名。(19 分)

(4) 由于社会注意力的分散趋向，即使现实主义的小说仍有力作精品出现，但很难引起社会上的轰动效应。(40 分)

(5) 全景性的报告文学由于选题趋于枯竭、信息满溢及模式化倾向将逐渐萎缩并失去众多的读者。(26.5 分)

(6) 全景性的报告文学由于选题越来越新颖大胆、信息量越来越大以及思辨性的提高将继续成为社会阅读的热点。(33 分)

(7) 通俗性即消遣消闲性的文学将由于注进了一定的社会思想内容并增强了文学性，以及由于文学刊物为了打开销路，将陆续出现在一流的文学期刊上并将

出现张恨水式的代表性作家。(35.5分)

(8) 通俗性即消遣消闲性的文学将继续在准色情和准暴力的圈子里转悠,基本上不会出现在一流的文学期刊上。(22.5分)

(9) 除专门的散文刊物外,一般文学期刊上散文仍处于搭配的地位,散文创作不会有较大的推进。(50分)

(10) 由于一些刊物的有意提倡及时代阅读心理的新需求,充溢着人情味及讲究文字锤炼的散文将开始繁荣。(17.5分)

(11) 尽管将有许多诗歌佳作出现,但不会有哪一位诗人成为诗歌爱好者广泛熟悉及集中钦佩的对象,诗歌创作将在平稳中向前推进。(44分)

(12) 将有新的诗人因其充满新意的诗作获得很高名望并对诗坛产生不可遏止的潜在影响。(13分)

(13)1988年诺贝尔文学奖得主埃及作家马夫兹将成为许多中国作家和文学爱好者的议论热点,他的作品将被广泛阅读。(16.5分)

(14)1988年诺贝尔文学奖尽管给了一位非西方作家埃及的马夫兹,但他不会引起中国作家和文学爱好者的很多注意,中国作家和文学爱好者将继续对西方作家西方文学保持最浓厚的兴趣。(41.5分)

(15)1989年将有越来越多的文学刊物趋向于成为流派刊物,体现出鲜明的选择性及排他性。(26分)

(16)1989年各文学刊物包括原来最具排他性的流派性刊物都将变得乐于兼收并蓄,或以一种流派为主而容纳其他。(33分)

这样的"盖洛普测验"好笑吗?那就谢谢您读完并笑了一笑。

附录一 刘心武文学活动大事记

1942 年

6 月 4 日生于四川省成都市育婴堂街。

后在重庆度过童年。

父母兄姊均热爱文学艺术，深受家庭熏陶。

1950 年

随父母迁居北京，从此定居北京。

在隆福寺小学上小学，在北京 21 中上初中。

1958 年

在北京 65 中上高中。

给若干报刊投稿，屡被退稿。

8 月，在《读书》杂志发表《谈〈第四十一〉》一文，是投稿第一次成功。

1959 年

在《北京晚报》"五色土"副刊陆续发表一些儿童诗、小小说。

为中央人民广播电台少儿部《小喇叭》（对学龄前儿童广播）编写若干节目；其中快板剧《咕咚》经编辑加工、录制后大受欢迎；"文革"中录音带被销毁；1991 年重新录制播出。

1961 年

毕业于北京师范专科学校，分配到北京 13 中任教。

至"文革"前，在《北京晚报》《中国青年报》《人民日报》《光明日报》《大公报》

《北京日报》《体育报》《儿童时代》《大众电影》等报刊上发表了约 70 篇小小说、散文、杂文、评论等文章。

1966—1976 年

"文革"中，因 1964 年曾发表过一篇关于京剧的文章，以"反江青"罪名被冲击。

1974 年后再试写作，曾写一关于"教育革命"的长篇小说，由出版社联系获准脱产修改，但终未达到当时出版要求。

1976 年

写出一个大院里孩子们同坏蛋斗争的中篇小说《睁大你的眼睛》并得以出版（北京人民出版社）。

又按照当时政治要求写出一些短篇小说、散文，有的到次年才收入多人合集中出版。

调到北京人民出版社（后恢复"文革"前社名：北京出版社）文艺编辑室当编辑。

1977 年

11 月，在《人民文学》杂志发表短篇小说《班主任》，产生重大影响——被认为是"伤痕文学"的开山作，也是"新时期文学"的发端；从此成名。

从《班主任》后，写作冲破懵懂，沿着认定的方向跋涉，穿越风云，锲而不舍。

1978 年

参加《十月》杂志（开始以丛书名义出版）创刊工作，在创刊号上发表短篇小说《爱情的位置》，经转载和广播，影响巨大。

在《中国青年》杂志上发表短篇小说《醒来吧，弟弟》，反应亦极强烈。

《班主任》《爱情的位置》《醒来吧，弟弟》均被改编为广播剧，由中央人民广播电台多次广播，《醒来吧，弟弟》被搬上话剧舞台；此年发表的短篇小说《穿米黄色大衣的青年》亦由电台播出。

1979 年

在首届全国优秀短篇小说评奖中《班主任》获第一名。颁奖会上，从茅盾先生手中接过奖状。

参加中国作家协会第三次全国代表大会，被选为中国作家协会理事。

成为中华全国青年联合会常务委员，至 1993 年卸任。

9 月，参加中国作家代表团访问罗马尼亚，此系"文革"后第一个作家出访团。

在《人民文学》杂志发表短篇小说《我爱每一片绿叶》，写作技巧有长足进步。

1980 年

调至北京市文联当专业作家。

《我爱每一片绿叶》获 1979 年全国优秀短篇小说奖。

《看不见的朋友》获 1954—1979 年第二届全国少年儿童文学创作奖。

在《十月》杂志发表中篇小说《如意》，其弘扬人道主义的追求引起争议。

出版《刘心武短篇小说选》（北京出版社）。

1981 年

在《十月》杂志发表中篇小说《立体交叉桥》，引出更大争议，一些评论家认为"调子低沉"是步入了写作上的歧途，另有评论家则认为此作标志着刘心武的小说创作在反映现实、探索人性及艺术工力上均达到了新的水平。

5 月，应日本文艺春秋社邀请访问日本。

1982 年

应导演黄健中之请，改编《如意》；北京电影制片厂拍成彩色艺术片《如意》。

1983 年

11 月，参加中国电影代表团赴法国，在南特"三大洲电影节"上，《如意》在开幕式上放映，获好评；后陆续在法国、西德电视台播出。

1984 年

冬，应邀访问西德，参加"中德大学生会见活动"，并在波恩大学、波鸿大学与威尔兹堡大学介绍中国当代文学。

年底，参加中国作家协会第四次全国代表大会，再次当选为理事。

在《当代》文学双月刊第5、6期连载长篇小说《钟鼓楼》。

1985 年

出版长篇小说《钟鼓楼》(人民文学出版社),并获第二届茅盾文学奖。

因《钟鼓楼》获北京市政府嘉奖。

7月,在《人民文学》杂志发表纪实小说《5·19长镜头》,反响强烈。

11月,又在《人民文学》杂志发表纪实小说《公共汽车咏叹调》,引起轰动。

1986 年

年初,应当代文艺出版社邀请访问香港。

6月,调中国作家协会人民文学杂志社,任常务副主编。

在《收获》杂志设《私人照相簿》专栏,进行图文交融的文本尝试。

散文集《垂柳集》出版,冰心为之作序。

1987 年

1月,被任命为《人民文学》杂志主编。

2月,《人民文学》杂志1、2期合刊发表马建写的小说《亮出你的舌苔或空空荡荡》违反民族政策,承担责任,停职检查。

9月,复职。

冬,应邀赴美国访问。参观美洲华侨日报;在哥伦比亚大学、三一学院、哈佛大学、麻省理工学院、康奈尔大学、芝加哥大学、旧金山大学、斯坦福大学、伯克利加州大学、洛杉矶加州大学、圣迭戈加州大学等处演讲,介绍中国当代文学,并参观耶鲁大学;参加爱荷华大学"作家写作中心"的纪念活动;游览华盛顿等地。

1988 年

3月,应香港《大公报》邀请,赴香港参加五十周年报庆活动;在《大公报》安排的大型报告会上作关于改革开放与文学创作的报告。

5月,应法国文化部邀请,参加中国作家代表团访问法国,除在巴黎活动外,还访问了西部港口城市圣·拉扎尔。

《私人照相簿》在香港出版（南粤出版社）。

《我可不怕十三岁》获 1980—1985 年全国优秀儿童文学奖。

以上数年中，若干小说、散文还分别获得过《当代》《十月》《小说月报》《小说选刊》《中篇小说选刊》《儿童文学》《北方文学》等杂志，《人民日报》《文汇报》等报纸副刊的奖；拍成电视剧播出的有《没工夫叹息》《熄灭》（电视剧名《火苗》）《今夏流行明黄色》《到远处去发信》《非重点》《公共汽车咏叹调》和八集连续剧《钟鼓楼》；若干作品被英国、美国、西德、苏联、日本、瑞士、瑞典、法国、意大利等国翻译为英、德、俄、日、法、意、瑞典等文字出版；自 1987 年起被世界上有威望的英国欧罗巴出版社《世界名人录》收入词条。

1989 年

春，应香港中文大学翻译中心邀请，与妻子吕晓歌赴香港访问。

1990 年

3 月，以任届期满，免去《人民文学》杂志主编职务。

香港中文大学翻译中心编译的英文小说集《黑墙与其他故事》出版。

秋，以"鱼山"笔名在《钟山》杂志发表中篇小说《曹叔》。

1991 年

出版小说集《一窗灯火》。

除小说外，开始发表大量散文、随笔。

1992 年

长篇小说《风过耳》在内地（中国青年出版社）、香港（勤＋缘出版社）分别出版，反响颇为强烈。

长篇小说《四牌楼》完稿，交上海文艺出版社出版。

《献给命运的紫罗兰——刘心武谈生存智慧》由上海人民出版社出版，受到读者欢迎。

在《收获》杂志发表中篇小说《小墩子》，后由中国电视剧制作中心改编拍摄为电视连续剧。

至该年，在海内外出版的个人专著按不同版本计已达43种。

在《红楼梦学刊》1992年第二辑上发表论文《秦可卿出身未必寒微》，在"红学"界和读者中均引起注意；另有若干《红楼梦》人物论和《红楼边角》专栏文章发表。

冬，应瑞典学院邀请（斯堪的纳维亚航空公司赞助）赴北欧访问；在挪威奥斯陆大学、瑞典斯德哥尔摩大学和隆德大学、丹麦哥本哈根大学和奥胡斯大学的东亚系汉学专业以《九十年代初的中国小说》为题作学术报告；12月7日，参加诺贝尔文学奖有关活动，听1992年得主德里克·沃尔科特发表受奖演说。

1993 年

华艺出版社出版《刘心武文集》（1—8卷）。

出版长篇小说《四牌楼》。

1994 年

1月，应台湾《中国时报》邀请赴台参加"两岸三地文学研讨会"。

《四牌楼》获上海优秀长篇小说大奖，到沪领奖。

1995 年

出版随笔集《人生非梦总难醒》（上海人民出版社）。

出版小说集《仙人承露盘》（华艺出版社）。

1996 年

出版长篇小说《栖凤楼》（人民文学出版社）。至此，由《钟鼓楼》《四牌楼》《栖凤楼》构成的"三楼"长篇小说系列竣工。

应《南洋商报》邀请赴马来西亚访问并顺访新加坡。

1997 年

应日本文化交流基金会邀请，与妻子吕晓歌访问日本。其长篇小说《钟鼓楼》、儿童文学作品《我是你的朋友》、短篇小说《王府井万花筒》等此前已相继译为日文在日本出版。

1998 年

建筑评论集《我眼中的建筑与环境》由中国建筑工业出版社出版，在建筑界产生影响。

应美国科罗拉多大学邀请，赴美参加金庸作品国际研讨会，在会上提交关于《鹿鼎记》的论文《失父：一种生存困境》。

1999 年

出版纪实性长篇小说《树与林同在》（山东画报出版社）。

出版《红楼三钗之谜》（华艺出版社）。

赴新加坡出席国际环境文学研讨会。

2000 年

应邀访问法国，并应英中协会和伦敦大学邀请，从巴黎赴伦敦讲《红楼梦》。

至此年底在海内外出版的个人专著（不含文集）按不同版本计达 101 种。

2001 年

出版包含建筑评论的随笔集《在忧郁中升华》（文汇出版社）。

在北京电视台录制播出《刘心武谈建筑》系列节目。

2002 年

出版小说集《京漂女》（中国文联出版社），自绘插图。

应澳大利亚雪梨华文写作协会邀请赴澳大利亚访问。

2003 年

以马来西亚《星洲日报》世界华人文学"花踪奖"评委身份赴吉隆坡参加相关活动。

台湾联经出版社出版小说集《人面鱼》。此前台湾已出版过刘心武多种作品，如皇冠出版社出版了《钟鼓楼》，幼狮文化事业公司出版了《四牌楼》《为他人默默许愿》（散文集）。

2004 年

赴法参加巴黎书展活动。书展上展出了译为法文的著作有小说《树与林同在》《护城河边的灰姑娘》《尘与汗》《人面鱼》《如意》与歌剧剧本《老舍之死》。

建筑评论集《材质之美》由中国建材工业出版社出版。

小说集《站冰》出版（人民文学出版社），自绘封面插图。

2005 年

出版集历年研红成果的《红楼望月》（书海出版社）。

应 CCTV-10（中央电视台科学教育频道）《百家讲坛》邀请，录制播出《刘心武揭秘〈红楼梦〉》系列节目 23 集，反响强烈，引出争议。

《刘心武揭秘〈红楼梦〉》第一、二部相继出版（东方出版社），畅销。

2006 年

应美国华美协会邀请，赴纽约在哥伦比亚大学讲《红楼梦》。

应邀参加香港书展。

出版《刘心武揭秘古本〈红楼梦〉》（人民出版社）。

2007 年

继续应邀到 CCTV-10《百家讲坛》录制节目，并出版《刘心武揭秘〈红楼梦〉》第三部、第四部（东方出版社）。

访问俄罗斯。

2008 年

出版随笔集《健康携梦人》（中国海关出版社）。

自 1986 年出版《垂柳集》，至此所出版的散文随笔集已逾 30 种。

2009 年

在《上海文学》杂志开《十二幅画》专栏,每期发表一篇写人物命运的大散文,并配发自己的画作。

4 月,妻子吕晓歌病逝,著长文《那边多美呀!》悼念。

2010 年

再应 CCTV-10《百家讲坛》邀请,录制播出《〈红楼梦〉的真故事》系列节目。至此在《百家讲坛》录制播出关于《红楼梦》的个人系列讲座累计达 61 集。

出版《〈红楼梦〉的真故事》(凤凰联动·江苏人民出版社),在争议声中畅销。

4 月,应台湾新地文学社邀请赴台参加"21 世纪世界华文文学高峰会议"。

出版《命中相遇——刘心武话里有画》(上海文艺出版社)。

加快《刘心武续〈红楼梦〉》的写作,次年完成推出。

至本年底,在海内外出版的个人专著,文集不算在内,重印亦不算,按不同版本计达 182 种(按不同书名计则为 141 种)。

年底,筹备编辑《刘心武文存》。

附录二 刘心武著作书目

只包括在中国大陆、台湾、香港和海外出版的书（同一著作每种版本单列）；不包括散发于报刊尚未出书的篇目，亦不包括多人合集中的篇目。第一个数字表示不同版本的排序；[ ]中的数字表示剔除同一书名的版本后的排序；注意：文集8卷不参加排序。

1976 年

1.[1]《睁大你的眼睛》[儿童文学·中篇小说]

北京人民出版社 1976 年 1 月第一版

1978 年

2.[2]《母校留念》[儿童文学·小说集]

中国少年儿童出版社 1978 年 7 月第一版

1979 年

3.[3]《小猴吃瓜果》[低幼读物·画册]

少年儿童出版社 1979 年 4 月第一版

1980 年 6 月第二次印刷

4.[4]《班主任》[短篇小说集]

中国青年出版社 1979 年 6 月第一版

1980 年

5.[5]《我是你的朋友》[儿童文学·中篇小说]

北京出版社 1980 年 7 月第一版

6.[6]《绿叶与黄金》[中短篇小说集]

广东人民出版社 1980 年 8 月第一版

7.[7]《刘心武短篇小说集》

北京出版社 1980 年 9 月第一版

1981 年

8.《这里有黄金》[中短篇小说集]

广东人民出版社 1981 年 4 月第二次印刷

有平装、软精装两种

9.[8]《大眼猫》[中短篇小说集]

浙江人民出版社 1981 年 8 月第一版

1982 年

10.[9]《如意》[中篇小说集]

北京出版社 1982 年 5 月第一版

1983 年

11.[10]《中国现代作家选（Ⅲ）刘心武〈我爱每一片绿叶〉〈深谷小溪默默流〉》

[日本] 东方书店 1983 年第一版

12.[11]《同文学青年对话》

文化艺术出版社 1983 年 10 月第一版

1984 年

13.[12]《到远处去发信》[中短篇小说集]

四川人民出版社 1984 年 4 月第一版

有平装、软精装两种

14.[13]《如意》[电影文学剧本]（与戴宗安联合署名 ）

中国电影出版社 1984 年 6 月第一版

1985 年

15.[14]《嘉陵江流进血管》[中篇小说集]

　　　　　　　　　　　陕西人民出版社 1985 年 2 月第一版

16.[15]《日程紧迫》[中短篇小说集]

　　　　　　　　　　　群众出版社 1985 年 5 月第一版

17.[16]《我可不怕十三岁》[儿童文学集]

　　　　　　　　　　　新世纪出版社 1985 年 8 月第一版

18.[17]《钟鼓楼》[长篇小说]

　　　　　　　　　　　人民文学出版社 1985 年 11 月第一版

　　　　　　　　　　　　　有平装、软精装两种

　　　　　　　　　　　　1986 年 5 月第二次印刷

1986 年

19.[18]《公共汽车咏叹调》[纪实小说]

　　　　　　　　　　　湖南文艺出版社 1986 年 1 月第一版

20.[19]《都会咏叹调》[小说集]

　　　　　　　　　　　作家出版社 1986 年 3 月第一版

21.[20]《垂柳集》[散文集]

　　　　　　　　　　　陕西人民出版社 1986 年 4 月第一版

22.[21]《立体交叉桥》[中短篇小说集]

　　　　　　　　　　　人民文学出版社 1986 年 6 月第一版

　　　　　　　　　　　　　有平装、软精装两种

23.[22]《巴黎郁金香》[访法散文集]

　　　　　　　　　　　群众出版社 1986 年 11 月第一版

24.[23]《木变石戒指》[中短篇小说集]

　　　　　　　　　　　青海人民出版社 1986 年 12 月第一版

1987 年

25. *Little Monkey Triesto Eat Fruit* [科学童话·英文]

海豚出版社 1987 年第一版

有平装、精装两种

26.[24]《斜坡文谈》[文学理论]

上海文艺出版社 1987 年 4 月第一版

27.[25]《王府井万花筒》[中篇小说集]

湖南文艺出版社 1987 年 9 月第一版

有平装、精装两种

28.[26]《5·19 长镜头》[小说自选集]

四川文艺出版社 1987 年 11 月第一版

29.げくけきの友たちだ [《我是你的朋友》日译本]

[日本] 福武书店 1987 年 12 月第一版

1989 年 3 月第二版

1991 年 2 月第三版

1988 年

30.[27]《她有一头披肩发》[中短篇小说集]

台湾林白出版社 1988 年 4 月第一版

31.《钟鼓楼》[长篇小说]

香港天地图书有限公司 1988 年第一版

1993 年第二版

32.[28]《私人照相簿》[纪实文学]

香港南粤出版社 1988 年 11 月第一版

33.[29]《刘心武代表作》

黄河文艺出版社 1988 年 12 月第一版

1989 年

34.《小猴吃瓜果》[科学童话]

开明出版社、海豚出版社 1989 年 3 月第一版

35.《钟鼓楼》[长篇小说]

台湾皇冠出版社 1989 年 4 月第一版

36.[30]《一片绿叶对你说》[文艺随笔集]

河北教育出版社 1989 年 12 月第一版

1990 年

37.[31]*BLACK WALLS AND OTHER STORIES* [小说集·英译本]

香港中文大学翻译中心出版社 1990 年第一版

38.[32]《王府井万花镜》[小说集·日译本]

[日本] 德间书店 1990 年 9 月第一版

1991 年

39.《母校留念》[小说]

[日本] 骏河台出版社 1991 年 4 月第一版

40.[33]《一窗灯火》[中短篇小说集]

华艺出版社 1991 年 10 月第一版

1993 年第二次印刷

1992 年

41.[34]《列奥纳多·达·芬奇》[传记]

江苏教育出版社 1992 年 5 月第一版

42.[35]《有家可归》[散文随笔集]

广东旅游出版社 1992 年 5 月第一版

43.[36]《风过耳》[长篇小说]

中国青年出版社 1992 年 6 月第一版

1992 年 12 月第二次印刷

1993 年 3 月第三次印刷

1995 年 8 月第五次印刷

1996 年 3 月第六次印刷

44.《风过耳》[长篇小说]

香港勤＋缘出版社 1992 年 6 月第一版

45.[37]《献给命运的紫罗兰——刘心武谈生存智慧》

上海人民出版社 1992 年 6 月第一版

1992 年 11 月第二次印刷

1995 年第三次印刷

1996 年 12 月第五次印刷

46.《刘心武代表作》

河南人民出版社 1992 年 6 月第二次印刷·精装本

47.[38]《蓝夜叉》[中篇小说集]

香港勤＋缘出版社 1992 年 9 月第一版

1993 年

48.《北京下町物语》[长篇小说·《钟鼓楼》日译本]

[日本] 东京恒文社 1993 年 2 月第一版

1994 年第二版

49.[39]《为你自己高兴》[随笔集]

内蒙古人民出版社 1993 年 3 月第一版

50.[40]《杀星》[小说集]

香港勤＋缘出版社 1993 年 6 月第一版

51.《我是你的朋友》[儿童文学·中篇小说·增订本]

希望出版社 1993 年 6 月第一版

52.[41]《四牌楼》[长篇小说]

上海文艺出版社 1993 年 6 月第一版

1994 年 4 月第二次印刷

1996 年 11 月第三次印刷

53.[42]《我是怎样的一个瓶子》[随笔集]

成都出版社 1993 年 9 月第一版

54.[43]《沉默交流》[随笔集]

中国华侨出版社 1993 年 11 月第一版

55.[44]《富心有术》[随笔集]

群众出版社 1993 年 12 月第一版

1995 年第二次印刷

56.[45]《中国当代名人随笔·刘心武卷》

陕西人民出版社 1993 年 12 月第一版

☆《刘心武文集》[1—8 卷]

华艺出版社 1993 年 12 月第一版

☆《刘心武文集·〈钟鼓楼〉〈风过耳〉》(简装本)

☆《刘心武文集·〈四牌楼〉〈无尽的长廊〉》(简装本)

华艺出版社 1997 年 5 月第一版

1994 年

57.[46]《仰望苍天》[随笔集]

知识出版社 1994 年 1 月第一版

1995 年第二次印刷

东方出版中心 1996 年 7 月第三次印刷

58.[47]《男扮女妆与女扮男妆》[随笔集]

中原农民出版社 1994 年 2 月第一版

59.[48]《相对一笑》[小小说集]

中共中央党校出版社 1994 年 2 月第一版

60.[49]《秦可卿之死》[专著]

华艺出版社 1994 年 5 月第一版

61.《四牌楼》[长篇小说]

台湾幼狮文化事业公司 1994 年 8 月第一版

62.[50]《为他人默默许愿》[散文集]

台湾幼狮文化事业公司 1994 年 10 月第一版

63.[51]《中国小说名家新作丛书·刘心武卷》

海峡文艺出版社 1994 年 11 月第一版

64.[52]《红楼梦 (缩写本)》

接力出版社 1994 年 12 月第一版

1995 年第二次印刷

1997 年 9 月第三次印刷

1995 年

65.[53]《人生非梦总难醒》[名人日记·随笔集]

上海人民出版社 1995 年 1 月第一版

1995 年 3 月第二次印刷

66.[54]《仙人承露盘》[中短篇小说集]

华艺出版社 1995 年 3 月第一版

67.[55]《女性与城市》[杂文集]

中国城市出版社 1995 年 6 月第一版

68.《我是你的朋友》[增订版·"小学生成才书架" 系列之一]

希望出版社 1995 年 10 月第一版

69.《在胡同里转悠》[随笔集]

陕西人民出版社 1995 年 11 月第二次印刷

70.[56]《刘心武海外游记》

华文出版社 1995 年 12 月第一版

1996 年

71.[57]《刘心武小说精选》

太白文艺出版社 1996 年 2 月第一版

72.[58]《开发心大陆》[随笔集]

吉林人民出版社 1996 年 3 月第一版

1997 年 3 月第二次印刷

73.[59]《你哼的什么歌》[散文集]

湖南文艺出版社 1996 年 6 月第一版

74.[60]《刘心武张颐武对话录——"后世纪"的文化了望》

漓江出版社 1996 年 7 月第一版

75.[61]《边缘有光》[随笔集]

汉语大辞典出版社 1996 年 8 月第一版

76.[62]《刘心武怪诞小说自选集》

漓江出版社 1996 年 8 月第一版

有平装、精装两种

77.[63]《我是刘心武》

团结出版社 1996 年 9 月第一版

78.[64]《刘心武》[中国当代作家选集丛书]

人民文学出版社 1996 年 10 月第一版

79.[65]《刘心武杂文自选集》

百花文艺出版社 1996 年 11 月第一版

80.《秦可卿之死》[修订本]

华艺出版社 1996 年 11 月第二版

81.[66]《栖凤楼》[长篇小说]

> 人民文学出版社 1996 年 12 月第一版
>
> 1998 年 3 月第二次印刷

1997 年

82.[67]《封神演义（缩写本）》

> 接力出版社 1997 年 1 月第一版
>
> 1997 年 9 月第二次印刷

83.[68]《胡同串子》[中短篇小说集]

> 北京燕山出版社 1997 年 8 月第一版

84.《私人照相簿》

> 上海远东出版社 1997 年 9 月第一版
>
> 1998 年 2 月第二次印刷
>
> 2000 年换封面版权页称 2000 年 6 月第二次印刷

85.[69]《中国儿童文学名家作品精选丛书·刘心武作品精选》

> 河北少年儿童出版社 1997 年 8 月第一版

86.[70]《把嘴张圆》[随笔集]

> 上海远东出版社 1997 年 12 月第一版

1998 年

87.[71]《我眼中的建筑与环境》[建筑评论随笔集]

> 中国建筑工业出版 1998 年 5 月第一版
>
> 1999 年 5 月第二次印刷
>
> 2000 年 6 月第三次印刷
>
> 2001 年 6 月第四次印刷

88.《钟鼓楼》[茅盾文学奖获奖书系]

> 人民文学出版社 1998 年 3 月第一次印刷
>
> 1998 年 7 月第二次印刷

1998 年 8 月第三次印刷

1999 年 3 月第四次印刷

2000 年 1 月第五次印刷

2001 年 1 月第六次印刷

2001 年 8 月第七次印刷

2002 年 8 月第八次印刷

2003 年 1 月第九次印刷

1999 年

89.[72]《树与林同在》[非虚构长篇小说]

山东画报出版社 1999 年 3 月第一版

2006 年 7 月第二次印刷

90.[73]《八十六颗星星》(*The Eighty-Six Stars*)[儿童文学小说·汉英对照]

希望出版社 1999 年 6 月第一版

91.[74]《红楼三钗之谜》[刘心武红学探佚精品]

华艺出版社 1999 年 9 月第一版

92.[75]《蓝玫瑰》[中短篇小说集]

中国华侨出版社 1999 年 10 月第一版

93.[76]《过隧道的心情》[随笔集]

华东师范大学出版社 1999 年 12 月第一版

2000 年

94.[77]《一切都还来得及》[随笔集]

中国青年出版社 2000 年 1 月第一版

95.[78]《善的教育》[儿童文学]

辽宁少年儿童出版社 2000 年 2 月第一版

96.[79] Le Talisman (version bilingue)[《如意》中、法文对照版]

Librarie You Feng 2000 年 4 月第一版

97.[80]《作家刘心武〈班主任〉手迹》

线装书局 2000 年 5 月第一版

98.[81]《楼前白玉兰》[小小说集]

中国广播电视出版社 2000 年 7 月第一版

99.[82]《刘心武侃北京》

上海文艺出版社 2000 年 10 月第一版

100.[83]《我爱吃苦瓜》[茅盾文学奖获奖作家散文精品]

广州出版社 2000 年 10 月第一版

2002 年 10 月第二次印刷

101.[84]《了解高行健》

香港开益出版社 2000 年 12 月第一版

2001 年

102.[85]《亲近苍莽》

中国旅游出版社 2001 年 1 月第一版

103.[86]《在忧郁中升华》

文汇出版社 2001 年 2 月第一版

《刘心武谈建筑——在忧郁中升华》2007 年 8 月第二次印刷

104.[87]《人在风中》

作家出版社 2001 年 8 月第一版

105.《风过耳》

时代文艺出版社 2001 年 10 月第一版

有平装、精装两种

2002 年

106.[88]《京漂女》(自绘插图)

中国文联出版社 2002 年 1 月第一版

107.[89]《深夜月当花》

中国工人出版社 2002 年 1 月第一版

108.[90]《春梦随云散》

人民文学出版社 2002 年 4 月第一版

109.[91]《藤萝花饼》

台湾二鱼文化事业有限公司 2002 年 4 月第一版

110.[92]《刘心武自述》

大象出版社 2002 年 10 月第一版

2003 年

111.[93] L'arbre et la forêt [《树与林同在》法译本]

Bleu de Chine 2003 年 1 月第一版

112.[94]《人面鱼》

台湾联经出版事业股份有限公司 2003 年 2 月初版

113.[94] La Cendrillon Du Canal [《护城河边的灰姑娘》法译本]

Bleu de Chine 2003 年 4 月第一版

114.[95]《画梁春尽落香尘》["红学"专著]

中国广播电视出版社 2003 年 6 月第一版

2003 年 9 月第二次印刷

2004 年 1 月第三次印刷

2005 年 6 月第四次印刷

115.[96]《眼角眉梢》

新华出版社 2003 年 8 月第一版

116.[97]《钟鼓楼》[初中生语文新课标必读]

人民日报出版社 2003 年 9 月第一版

117.[98]《天梯之声》

中国青年出版社 2003 年 10 月第一版

2004 年

118.[99] Poussiêre et sueur [《尘与汗》法译本]

Bleu de Chine 2004 年 1 月第一版

119.[100] La mort de Lao SHe [《老舍之死》歌剧剧本法译本]

Bleu de Chine 2004 年 3 月第一版

120.[101] Poisson à face humaine [《人面鱼》法译本]

Bleu de Chine 2004 年 3 月第一版

121.《如意》[电影伴读中国文学文库·附电影光盘]

中国青年出版社 2004 年 1 月第一版

122.[102]《泼妇鸡丁》

台湾二鱼文化事业有限公司 2004 年 4 月第一版

123.[103]《在柳树臂弯里——刘心武随笔》

光明日报出版社 2004 年 5 月第一版

124.[104]《材质之美——刘心武城市文化酷评》

中国建材工业出版社 2004 年 5 月第一版

125.[105]《站冰——刘心武小说新作集》(自绘插图)

人民文学出版社 2004 年 6 月第一版

126.《四牌楼》

上海文艺出版社 2004 年 8 月第二版

127.[106]《大家文丛：刘心武》

古吴轩出版社 2004 年 8 月第一版

2005 年

128.《钟鼓楼》(中国文库·文学类)

人民文学出版社 2005 年 1 月第一版第一次印刷(平装)

2005 年 1 月第一版第一次印刷(精装)

129.《钟鼓楼》(茅盾文学奖获奖作品全集之一)

人民文学出版社 1985 年 11 月第一版、2005 年 1 月第一次印刷

2005 年 5 月第二次印刷

2005 年 7 月第三次印刷

2006 年 3 月第四次印刷

2008 年 4 月第七次印刷

2009 年 8 月第八次印刷

2010 年 1 月第九次印刷

2011 年 7 月第 15 次印刷

2011 年 9 月第 16 次印刷

2011 年 11 月第 17 次印刷

130.[107]《心灵体操》

时代文艺出版社 2005 年 1 月第一版

131.[108]《刘心武作文示范》

少年儿童出版社 2005 年 1 月第一版

132.[109] La Démone bleue(《蓝夜叉》法译本)

Bleu de Chine 2005 年第一版

133.[110]《红楼望月》

书海出版社 2005 年 4 月第一版

2005 年 6 月第二次印刷

2005 年 7 月第三次印刷

2005 年 8 月第四次印刷

2005 年 9 月第五次印刷

2005 年 9 月第六次印刷

134.[111]《刘心武揭秘〈红楼梦〉》

东方出版社 2005 年 8 月第一版

至 2005 年 19 月共十三次印刷

2005 年 11 月第二版

至 2005 年 12 月已第十八次印刷

至 2007 年 7 月已第二十八次印刷

2007 年 12 月第三十次印刷

2008 年 4 月第三十二次印刷

135.《红楼解梦——画梁春尽落香尘》

中国广播电视出版社 2005 年 9 月第二版第五次印刷

136.《楼前白玉兰——刘心武最新小小说集》

中国广播电视出版社 2005 年 9 月第二版第二次印刷

137.[112]《刘心武揭秘〈红楼梦〉》[第二部]

东方出版社 2005 年 12 月第一版

至 2007 年 7 月已第十五次印刷

2007 年 12 月第十七次印刷

2008 年 4 月第十九次印刷

138.[113]《刘心武解读人世情》

时代文艺出版社 2005 年 12 月第一版

139.[114]《刘心武感悟平常心》

时代文艺出版社 2005 年 12 月第一版

2006 年

140.[115]《刘心武自选集》

云南人民出版社 2006 年 1 月第一版

141.[116]《刘心武点评〈红楼梦〉》

　　　　　　　　　　　　团结出版社 2006 年 1 月第一版

142,《刘心武精品集·第一卷·钟鼓楼》

　　　　　　　　　　　　东方出版社 2006 年 1 月第一版

143.《刘心武精品集·第二卷·四牌楼》

　　　　　　　　　　　　东方出版社 2006 年 1 月第一版

144.《刘心武精品集·第三卷·栖凤楼》

　　　　　　　　　　　　东方出版社 2006 年 1 月第一版

145.《刘心武精品集·第四卷·献给命运的紫罗兰》

　　　　　　　　　　　　东方出版社 2006 年 1 月第一版

146.[117]《戴敦邦绘刘心武评〈金瓶梅〉人物谱》

　　　　　　　　　　　　作家出版社 2006 年 4 月第一版

147.[118]《红楼拾珠》

　　　　　　　　　　　　云南人民出版社 2006 年 5 月第一版

148.[119]《藤萝花饼》

　　　　　　　　　　　　云南人民出版社 2006 年 5 月第一版

149.《刘心武揭秘〈红楼梦〉》［第一部］

　　　　　　　　　　　　台湾好读出版有限公司 2006 年 6 月初版

150.《刘心武揭秘〈红楼梦〉》［第二部］

　　　　　　　　　　　　台湾好读出版有限公司 2006 年 6 月初版

151.《我是刘心武》

　　　　　　　　　　　　天津人民出版社 2006 年 8 月第一版

152.[120]《刘心武揭秘古本〈红楼梦〉》

　　　　　　　　　　　　人民出版社 2006 年 12 月第一版

　　　　　　　　　　　　同月第二次印刷

2007 年

153.[121]《四棵树》

二十一世纪出版社 2007 年第一版

154.[122]《用心去游》

上海三联书店 2006 年 12 月第一版

2007 年 1 月第一次印刷

155.[123] Dés de poulet façon mégère [《泼妇鸡丁》法译本]

Bleu de Chine 2007 年 4 月第一版

156.《一切都还来得及》

中国青年出版社 2005 年 5 月第一版

157.[124]《刘心武揭秘〈红楼梦〉》[第三部·黛玉之谜及古本之秘]

东方出版社 2007 年 7 月第一版

至 2007 年 8 月已第四次印刷

2007 年 12 月第六次印刷

2008 年 3 月第七次印刷

158.[125]《刘心武说世道人心》

中国青年出版社 2007 年 7 月第一版

159.[126]《刘心武说寻美感悟》

中国青年出版社 2007 年 7 月第一版

160.[127]《刘心武说草根情怀》

中国青年出版社 2007 年 7 月第一版

161.[128]《长吻蜂》

上海人民出版社 2007 年 8 月第一版

162.《私人照相簿》

华龄出版社 2007 年 10 月第一版

163.《善的教育》

华龄出版社 2007 年 10 月第一版

164.[129]《刘心武揭秘〈红楼梦〉》[第四部·宝钗湘云之谜暨红楼心语]

东方出版社 2007 年 11 月第一版

2008 年 3 月第三次印刷

2008 年

165.[130]《健康携梦人》

中国海关出版社 2008 年 4 月第一版

166.[131]《刘心武小说》

吉林文史出版社 2008 年 5 月第一版

167.[132]《刘心武散文》

吉林文史出版社 2008 年 5 月第一版

2009 年

168.《钟鼓楼》(共和国作家文库)

作家出版社 2009 年 4 月第一版

169.《四牌楼》(共和国作家文库)

作家出版社 2009 年 4 月第一版

170.[133]《人在胡同第几槐》

中国文联出版社 2009 年 6 月第一版

171.《钟鼓楼》(新中国 60 年长篇小说典藏)

人民文学出版社 2009 年 7 月第一版

172.[134]《刘心武短篇小说》

现代教育出版社 2009 年 8 月第一版

173.[135]《刘心武中篇小说》

现代教育出版社 2009 年 8 月第一版

174.[136]《刘心武散文随笔》

现代教育出版社 2009 年 8 月第一版

175.《刘心武揭秘〈红楼梦〉》上卷（共和国作家文库）

作家出版社 2009 年 8 月第一版

176.《刘心武揭秘〈红楼梦〉》下卷（共和国作家文库）

作家出版社 2009 年 8 月第一版

2010 年

177.[137]《人情似纸》

江苏文艺出版社 2010 年 1 月第一版

178.[138]《红楼梦八十回后真故事》

江苏人民出版社 2010 年 3 月第一版

179.[139]《刘心武小说精选集》

[台湾] 新地文化艺术有限公司 2010 年 4 月第一版

180.《红楼望月》

江苏人民出版社 2010 年 6 月第一版

2010 年 9 月第二次印刷

181.[140]《命中相遇——刘心武话里有画》

上海文艺出版社 2010 年 7 月第一版

182.[141]《红楼眼神》

重庆出版社 2010 年 9 月第一版

2011 年

183.[142]《刘心武续红楼梦》

江苏人民出版社 2011 年 3 月第一版

江苏人民出版社 2011 年 4 月第 4 次印刷

184.[143]《红楼梦》(曹雪芹著刘心武续)

江苏人民出版社 2011 年 3 月第一版

185.《刘心武续红楼梦》[繁体字竖排本]

> 香港明报出版社有限公司 2011 年 3 月初版

186.《刘心武揭秘〈红楼梦〉》精华本（一）

> 江苏人民出版社 2011 年 4 月第一版

187.《刘心武揭秘〈红楼梦〉》精华本（二）

> 江苏人民出版社 2011 年 4 月第一版

188.《刘心武揭秘〈红楼梦〉》精华本（三）

> 江苏人民出版社 2011 年 4 月第一版

189.《刘心武揭秘〈红楼梦〉》精华本（四）

> 江苏人民出版社 2011 年 4 月第一版

190.《刘心武续红楼梦》[繁体字竖排本]

> 台湾城邦文化事业股份有限公司商周出版 2011 年 4 月第一版

191.《〈红楼梦〉的真故事》

> 台湾人类智库数位科技股份有限公司 2011 年 6 月第一版

192.[144]《听刘心武说房子的事儿》

> 中国商业出版社 2011 年 8 月第一版

193.[145]《刘心武心灵随感》

> 时代文艺出版社 2011 年 11 月第一版

2012 年

194.[146]《刘心武种四棵树》

> 漓江出版社 2012 年 1 月第一版

195.[147]《风雪夜归正逢时——我是刘心武》

> 漓江出版社 2012 年 1 月第一版

196.《献给命运的紫罗兰》

> 漓江出版社 2012 年 1 月第一版

197.[148]《人生有信》

江苏人民出版社 2012 年 3 月第一版

198.Poussière et sueur [《尘与汗》法译本 folio 袖珍版]

Gallimard 2012 年 8 月出版

199.La Cendrillon du canal [《护城河边的灰姑娘》法译本 folio 袖珍版]

Gallimard 2012 年 8 月出版